LAROUSSE
du Vin

LAROUSSE

LAROUSSE
du Vin

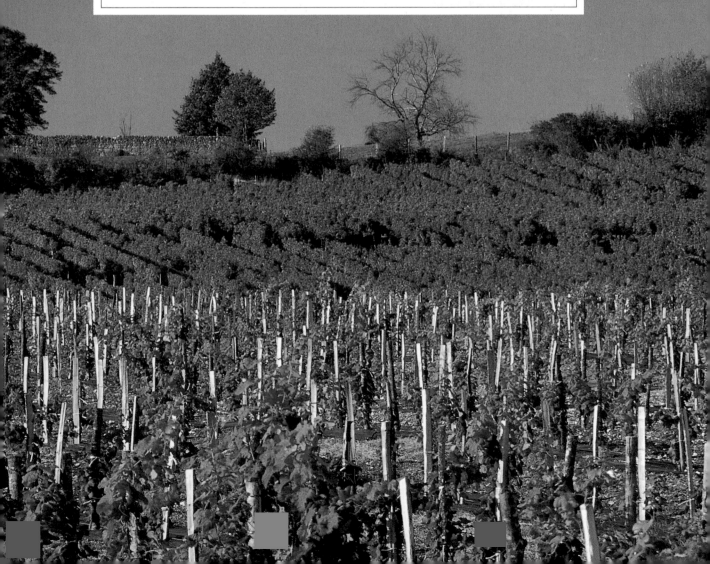

LAROUSSE DU VIN
Tous les vins du Monde

———

Direction éditoriale : Claude Naudin, Laure Flavigny
Direction artistique : Frédérique Longuépée
Direction cartographique : René Oizon
Cartographie : European Map Graphics, Graffito, Marie-Thérèse Ménager
Illustrations : Trevor Laurence, Clare Roberts

———

Réalisation

Segrave Foulkes
Direction : Christopher Foulkes
Édition : Carrie Segrave
Direction artistique : Nigel O'Gorman, Roger Walton

Turquoise
Direction : Jacques Sallé
Rédaction : Isabelle Bachelard, Thérèse de Cherisey, Anne Francotte, Patricia Gastaud-Gallacher,
Anne Leiguadier, Victoria de Navacelle, Annick de Scriba, Tamara Thorgevsky
Composition : Philippe Péruchon, Valérie Schaub, Sylvie Fretet

La liste des auteurs figure en page 623.

———

Pour la présente édition revue, corrigée et augmentée :

Direction éditoriale : Colette Hanicotte
Coordination rédactionnelle : Christine Dauphant, Rupert Hasterok
Direction artistique : Emmanuel Chaspoul assisté de Sophie Compagne, Jacqueline Bloch et Olivier Caldéron
Lecture-Révision : Annick Valade assistée de Chantal Pagès et Édith Zha
Cartographie : éditions Benoît France
(pour les cartes d'Afrique du Sud et des Pays méditerranéens).
Fabrication : Annie Botrel
Couverture : Véronique Laporte

Actualisation et mise à jour dirigées par **Michel Dovaz** avec la collaboration de :
Oscar Caballero (vignobles d'Espagne), Claude Dovaz (vignobles d'Amérique,
d'Australie et de Nouvelle-Zélande), Mathilde Hulot (vignobles d'Afrique du Sud),
René Lambert (vignobles d'Allemagne, du Danube et de la mer Noire), Valérie de Lescure (les mets et vins),
Toshio Matsuura (vignobles du Japon), Ingrid Nakajo (vignobles d'Autriche),
José de Païva (vignobles du Portugal), Constantin Stergides (vignobles de Grèce et de Turquie),
Tamara Thorgevsky (vignobles d'Italie).

**Mises à jour en 2004 avec la collaboration de Paul Strang (vignobles du Midi et du Sud-Ouest de la France),
de Michel Dovaz (autres vignobles de France) et de Georges Lepré (millésimes).**

———

© **Larousse, 2004 pour la présente édition**
© Larousse, 1994, pour la première édition

Distributeur exclusif au Canada : Messageries ADP, 1751 Richardson, Montréal (Québec)

ISBN 2–03–560340–4

AVANT-PROPOS

L'amateur de vin a aujourd'hui à sa disposition quantité de vins du monde entier. En l'espace d'une génération à peine, de nombreux – et nouveaux – pays vinicoles ont accompli de tels progrès qu'ils concurrencent les grands classiques européens. La liste des régions productrices de vins de qualité a été multipliée par vingt. Et le nombre des bons vins de tous les jours, offrant une qualité constante, s'est accru de façon encore plus notable. Loin de provoquer des excès, cette abondance a suscité un vaste intérêt.

Des millions de personnes s'initient désormais aux joies du vins, prennent plaisir à les comparer et à les opposer, à harmoniser vin et cuisine, et à faire coïncider millésimes et grandes occasions. Plus nombreux encore sont les amateurs heureux d'avoir quotidiennement du vin sur leur table, de découvrir un bon rapport qualité/prix, d'explorer les nuances des arômes et de comprendre pourquoi certaines bouteilles sont sublimes et d'autres seulement… ordinaires.

De précieuses indications

On s'inquiète souvent de savoir si on a choisi la bonne bouteille, si celle-ci est trop fraîche ou trop chambrée, trop jeune ou trop vieille, si elle s'harmonisera ou non avec un plat… La science actuelle ne fait généralement que confirmer les sages usages d'autrefois. Mais il existe un domaine dans lequel elle a fait évoluer les choses : du vignoble à la cave, les progrès techniques et scientifiques ont considérablement transformé la vinification. Les grands vins classiques se sont encore améliorés, tandis que de nouvelles régions viticoles se révèlent. Il n'existe plus une seule méthode « orthodoxe » pour élaborer un vin. Les possibilités qui s'offrent au producteur constituent un véritable défi et rendent le choix du consommateur plus intéressant à mesure que se développe la variété des vins disponibles sur le marché.

Une expérience personnelle

Trois sens contribuent à l'appréciation d'un vin : la vue, l'odorat et le goût. Aucun livre, aucune illustration ne peut remplacer la découverte sensorielle d'un vin. Que vous souhaitiez devenir spécialiste ou simplement savoir apprécier un vin, c'est la seule façon d'acquérir de réelles connaissances. Certains amateurs prennent des notes sur chaque bouteille qu'ils goûtent. Mais la plupart d'entre nous essaient simplement de mémoriser les impressions ressenties, pendant ces quelques secondes de concentration durant lesquelles nous accordons au vin tout notre attention. Même avec peu de pratique, notre cerveau enregistre les différentes sensations ressenties. Tel vin en évoquera vite un autre : les arômes spécifiques de certaines régions, de certains cépages, voire d'un millésime précis, sont mémorisés et éveillés par la dégustation d'un nouveau vin.

Un ouvrage collectif

En début d'ouvrage, Michel Rolland, œnologue réputé, décrit son métier. Puisse le plaisir qu'il prend à l'exercer – à « bâtir » de grands millésimes en Bordelais et ailleurs, à travailler les meilleurs crus pour en améliorer toujours la qualité – communiquer à tous le plaisir du vin ! Le *Larousse du Vin* est un ouvrage de référence : on y trouvera présentés les régions où l'on élabore du vin, une description du goût de ces vins et les meilleurs représentants des différentes appellations. S'il ne prétend pas être exhaustif, ce guide trace le profil de chaque zone vinicole du monde dont les produits sont commercialisés, décrit les caractéristiques des vins et cite les plus intéressants. Armé de ces informations, le lecteur pourra explorer à loisir l'univers riche et séduisant du monde du vin.

L'ÉDITEUR

TABLE DES MATIÈRES

DÉCOUVRIR LE VIN

LES VIGNOBLES DU MONDE

COMMENT UTILISER CE LIVRE

Le *Larousse du Vin* est un guide de référence sur les vins et tous les vignobles du monde. Il a pour but de vous permettre de mieux apprécier leur production. L'ouvrage est divisé en trois grandes parties.

Trois grandes parties

La première partie, intitulée « Découvrir le vin », constitue une initiation à l'univers du vin à travers son histoire ; elle traite du choix des vins, de la législation vinicole, de la conservation et du service des vins, de la dégustation et de l'harmonisation des vins avec les mets. Elle aborde enfin l'élaboration du vin, expliquant comment les grandes percées technologiques sont en train d'en améliorer la qualité.

La deuxième partie, « Les vignobles du monde », emmène le lecteur d'abord en France, puis dans les autres pays européens, et sur les autres continents. Chaque chapitre traitant d'un pays comporte des sections sur ses régions viticoles. Dans les régions principales, sont passés en revue châteaux, domaines et producteurs. Trente-huit cartes spécialement conçues pour cet ouvrage, ainsi que des centaines de photos, donnent vie à ces régions.

La troisième partie, « Références », réunit faits et statistiques, un glossaire de termes spécialisés et des tableaux des millésimes. Pour terminer, un index détaillé permet une recherche aisée : par noms de vins, vignobles, producteurs et propriétés.

Pour en savoir plus sur une région donnée, consultez la table des matières. Pour la plupart des pays et des régions, une introduction générale donne un aperçu d'ensemble, traite de la législation locale, des cépages et des styles de vin, puis commente chaque subdivision de la région de façon plus ou moins détaillée, selon son importance.

Pour trouver un vin précis, reportez-vous à la table des matières si vous connaissez la région où il est produit, sinon à l'index. Par exemple, si son étiquette indique clairement qu'il vient de la région de Mâcon en Bourgogne, ou de celle de Napa en Californie, la table des matières vous renvoie au chapitre sur la Bourgogne et à la subdivision traitant du Mâconnais. De même, le chapitre sur la Californie comprend une subdivision concernant Napa.

Domaines et producteurs

Toutes les régions viticoles ne sont pas nécessairement organisées de la même façon. Dans certains endroits, le nom qui figure sur l'étiquette est celui du domaine. Qu'il s'agisse d'un château, d'une *quinta* ou d'une exploitation, ce nom devient l'appellation sous laquelle le vin est vendu. Ailleurs, c'est le nom géographique qui prime, le vin prenant le nom d'un vignoble ou d'une zone délimitée. De nombreuses personnes peuvent posséder des vignes et élaborer du vin issu du même vignoble – de même qu'un seul producteur peut posséder des vignobles dans plusieurs villages ou zones de la région. Pour identifier un vin, l'amateur doit se référer à la législation réglementant les appellations.

Il s'ensuit que dans les régions où le nom du domaine prévaut, c'est celui-ci qui figurera dans les pages énumérant producteurs et/ou négociants. Lorsque, au contraire, c'est le vignoble ou le village qui est commenté, les producteurs étant simplement nommés.

Aucun ouvrage de référence ne peut prétendre faire figurer tous les producteurs, châteaux, domaines ou vignobles. Le Bordelais possède plus de 4 000 châteaux, la Bourgogne compte plus de 10 000 viticulteurs... La sélection retenue, imparfaite, certes, et complexe à réaliser, résulte de trois critères. Tout d'abord, le vin est-il bon ? Ensuite est-il produit et vendu en suffisamment grande quantité pour que l'amateur puisse espérer le trouver ? Enfin, possède-t-il un historique satisfaisant ? Malgré cela, un grand nombre de bons producteurs ne sont pas cités. La production de certains est insuffisante ; d'autres la vendent entièrement à un seul client. Exclusion ne signifie pas condamnation. Chaque fois que cela est possible, le *Larousse du Vin* fournit les détails nécessaires pour se faire une opinion, même si un domaine, un producteur, un vignoble ou un village donné n'est pas mentionné. Il peut s'agir d'une appréciation générale sur le style de vin élaboré dans une région ou issu d'un cépage précis.

POUR EN SAVOIR PLUS

Si vous désirez trouver des informations rapidement et en savoir davantage sur les sujets suivants, voici où chercher.

Unités de mesure

Les unités de mesure sont celles du système métrique. Le rendement est donné en hectolitres de vin par hectare, ou hl/ha. La production est donnée en bouteilles de 75 cl. Un hectolitre (100 l) correspond à environ 132 bouteilles. La température est exprimée en degrés Celsius.

TYPES DE PAGES

Cet ouvrage comporte différents types de pages, ce qui permet d'identifier rapidement la manière dont est organisé un chapitre, et facilite la recherche d'une information particulière. Les types de pages les plus utilisés sont reproduits ici.

Les ouvertures de chapitres
Ces pages introduisent des sujets importants dans la première partie de l'ouvrage ; dans la deuxième partie, elles présentent les plus grandes régions, telles que le Bordelais ou la Bourgogne et les grands pays viticoles tels que l'Italie, l'Allemagne, ou l'Espagne. En regard du texte se trouve une carte (au total, 38 cartes, toutes situées en début de chapitre).

Les pages pratiques
Elles présentent une série de photos, commentées étape par étape, pour guider le lecteur dans des opérations ou des gestes comme l'ouverture du Champagne ou la décantation, par exemple. Ce type de page est aussi utilisé pour illustrer les techniques de vinification.

Les encadrés
Ils fournissent plus de détails sur des questions particulières, telles que les cépages locaux, la lecture d'une étiquette ou la législation. Pour les régions plus modestes, les encadrés présentent les zones viticoles et les producteurs.

Les facteurs de qualité
Dans ces pages sont étudiées de manière approfondie les conditions qui influent sur le caractère des vins des principales régions viticoles. On y trouvera, illustré par des photos et des schémas, toutes sortes de commentaires et d'informations sur les éléments déterminants pour la qualité des vins. Ces facteurs peuvent être géologiques, climatiques ou humains.

Les pages à quatre colonnes
Elles énumèrent par ordre alphabétique les producteurs – et/ou les négociants – d'une région viticole, répartis, selon le cas, par régions ou châteaux, par domaines ou exploitations.

LE PLAISIR DES VINS

par
MICHEL ROLLAND

Descendant d'une famille de viticulteurs bordelais, Michel Rolland a grandi au milieu d'un petit vignoble dont le nom seul de Pomerol assurait déjà la renommée. Aujourd'hui, il « fait » chaque année du vin dans une quarantaine de châteaux du Bordelais et dans une dizaine de pays, notamment aux États-Unis, au Chili, en Argentine, en Hongrie, en Espagne, au Maroc, en Italie, en Afrique du Sud, en Inde… en tout quelque 3 000 hectares de vignes.

« Élaborateur de vins », c'est ainsi que l'on qualifie sa spécialité, encore rare parmi les œnologues.

Un métier passionnant qui demande une bonne dose de connaissances scientifiques et techniques, mais plus encore, peut-être, une longue expérience et une sensibilité créatrice dans l'art d'exalter et de combiner les saveurs et les arômes…

Un métier qui l'amène à voyager quatre mois par an, à déguster des centaines et des centaines d'échantillons de rouge, de blanc ou de rosé et qui sans cesse le conforte dans l'idée que le plaisir des vins, c'est leur diversité – reflet d'un terroir, d'un cépage, d'un climat, d'une année, voire de l'âge de la vigne et du nombre de ses grappes…

Le *Larousse du Vin* vous entraîne dans le Bordelais, en Bourgogne, ailleurs en France, mais aussi dans la fabuleuse Toscane d'Italie, dans la Rioja d'Espagne, dans le remarquable vignoble du Douro du Portugal, dans la Napa Valley des États-Unis ou dans l'extraordinaire cordillère des Andes qui borde l'Argentine et le Chili.

Avant d'embarquer pour ce merveilleux voyage, laissons parler Michel Rolland, qui dévoile un peu de sa vie et de son métier-passion pour vous faire mieux comprendre l'évolution de l'œnologie et partager son plaisir du vin, des vins… de tous les pays.

Avant la Seconde Guerre mondiale, la viticulture et la vinification ne relevaient pour ainsi dire que de la tradition. Entre les années 1950 et 1970, le grand objectif devint la production, la quantité. Hormis pour les grands vins, personne ne s'interrogeait vraiment sur la qualité pourvu que le produit livré n'ait pas de défaut majeur. Or la surproduction et le raccourcissement de la période d'« élevage » des vins pour les commercialiser au plus vite entraînaient des ennuis en tout genre : les vins se troublaient, avaient des dépôts, perdaient leur goût, devenaient pétillants. Le grand souci fut alors de trouver comment les « stabiliser », souci d'où allait naître l'œnologie moderne. Des chimistes comme Émile Peynaud et Jean Ribereau-Gayon dans le Bordelais, les professeurs Jaumes et Flanzy du côte de Montpellier mirent leurs compétences au service de leur passion pour le vin. En 1955 fut créé un diplôme universitaire national d'œnologie.

Quand je préparais le diplôme d'œnologie de l'institut de Bordeaux, à la fin des années 1960, les cours restaient fort simples, mais les professeurs témoignaient d'un extraordinaire enthousiasme. Non seulement ils nous enseignaient la chimie, la biochimie ou la bactériologie du vin (dont la connaissance restait encore succincte), mais ils nous faisaient aussi part de leur expérience et nous communiquaient leur « sens du vin ». Ils nous racontaient ainsi que telle année, dans tel château, la fermentation ne s'était pas faite. Sans qu'on sût pourquoi. Et ils nous expliquaient la solution qu'ils avaient trouvée pour qu'elle se fasse enfin.

À bons vins, raisins mûrs

Quand, en 1973, j'installai mon laboratoire à Libourne (aujourd'hui déplacé à Pomerol), les clients ne venaient me voir que pour obtenir l'analyse chimique de leur vin. Le terme de qualité n'avait pas la même signification qu'aujourd'hui. On allait voir l'œnologue pour faire la chasse aux « mauvais goûts », le plus souvent simplement dus à un entretien médiocre des cuves, des barriques ou autres contenants.

Contrairement à l'usage en cours, je ne me contentais pas d'analyser les vins. Je les goûtais. Je goûtais tous les jours tous les échantillons qui rentraient –

environ dix mille par an. Et je me demandais pourquoi tant de mauvais vins, pourquoi tant d'irrégularité ? Et, petit à petit, j'en vins à donner des conseils aux vignerons qui me les réclamaient. Mais, avec des années aussi mauvaises que 1972, 1973 ou 1974, il y avait de quoi se décourager. De tous les vins en bouteille que j'avais la chance de boire, j'essayais de tirer un enseignement sur la façon de vinifier. Mais, plus j'accumulais d'informations, plus je me noyais dans la complexité. Je recensais les années de grands millésimes : 1928, 1929, 1945, 1955, 1961, et quelques autres encore. Depuis le début du siècle jusqu'en 1970, il y avait seulement sept bons millésimes ! En moyenne, un tous les dix ans... En y réfléchissant de près, je remarquai qu'il s'agissait toujours de millésimes correspondant à une production relativement faible, à des étés chauds ou très chauds et à des vendanges précoces. Derrière les différences de caractère liées au terroir, ces vins avaient tous en commun d'être issus de raisins ayant atteint une pleine maturité. Cela se traduisait dans la bouteille par des vins colorés, denses, avec beaucoup de rondeur, de longueur (persistance de l'arôme) et un abondant tanin soyeux. Cette réflexion simple m'amena à penser qu'il fallait attendre pour vendanger que le raisin ait une bonne maturité.

Attendre signifie alors surmonter cette peur que connaissent tous les viticulteurs du monde. Le Français craint la pluie qui entraîne la pourriture. L'Espagnol redoute la pluie dans le Nord et l'excès de degré alcoolique dans le Sud. Le Californien voit le degré Brix (la teneur en sucre) augmenter à toute vitesse en août et stagner désespérément en septembre, quand les nuits sont trop froides.

Les progrès spectaculaires de l'œnologie

Depuis la fin des années 1970, la compréhension des phénomènes physiques, chimiques et biologiques qui affectent le vin a progressé de façon spectaculaire. De nombreux phénomènes vécus auparavant comme un mauvais coup du sort ont enfin trouvé une explication rationnelle. Aussi les remèdes ne sont-ils plus des « tortures » brutales qui appauvrissent le vin, mais, de plus en plus, des remèdes préventifs qui respectent sa nature.

L'autre grande évolution est celle de certains œnologues, et en premier Émile Peynaud, qui commencèrent à se préoccuper non plus de l'absence de défauts, mais, véritablement, de la qualité des vins. Ils furent de plus en plus souvent appelés dans les vignobles et les caves à jouer un rôle de consultant, à mettre leur savoir et leur sensibilité au service de la recherche de la « personnalité » du vin.

« Élaborateur de vins », un métier nouveau

Ainsi naquit ce métier d'« élaborateur de vins » que nous sommes encore peu nombreux à pratiquer à un niveau international. Mais, concrètement, en quoi consiste-t-il ? Les propriétaires de vignobles ou d'entreprises de vinification qui font appel à moi me fixent des objectifs. Ils me demandent de faire des blancs, des rouges ou des rosés, en leur donnant un certain style : ce peut être tannique ou fruité pour les rouges, aromatique ou puissant pour les blancs, aromatique ou de bouche (c'est-à-dire des vins qui ont une certaine consistance) pour les rosés. À moi ensuite de tenir compte des différents paramètres – le terroir, le ou les cépages, qui sont pratiquement toujours les mêmes, et les raisins, qui changent chaque année – pour définir les systèmes de vendange et de vinification les mieux adaptés.

Selon le type de vin recherché, il me faut fixer la date précise des vendanges, définir le mode de récolte, manuel ou mécanique, avec tri ou sans tri, et déterminer même l'horaire des cueillettes... Il y a une infinité d'options possibles. Ainsi au Chili, pour faire du blanc, mieux vaut vendanger entre 5 h 30 et 11 h du matin, quand le raisin est encore frais, afin de respecter pleinement les arômes.

Vient ensuite la vinification où, à chaque stade, interviennent une multitude de facteurs permettant d'aboutir à des résultats différents. Pour les rouges, on peut, par exemple, jouer sur le temps et la température de macération, sur les temps, les débits et la façon dont sont effectués les remontages (prélèvement du jus, ou moût, pour lessiver les parties solides, pellicule du raisin, pépins, charpente végétale, ou rafles). Pour les blancs, on peut ainsi jouer sur le temps et le mode de débourbage (opération qui consiste à enlever les jus de dessus leur lie). On pourrait aussi parler du pressurage, que les pressoirs pneumatiques, mis au point depuis les années 1970, permettent de contrôler parfaitement en temps et en intensité. De même, avec le progrès des machines, depuis la fin des années 1980, on peut choisir d'ôter les rafles (la partie ligneuse) avant de fouler les grappes, au lieu de faire toujours, comme jadis, ces deux opérations dans l'ordre inverse...

Quand, enfin, le vin est élaboré, se pose la question de son élevage. Doit-il être long ou court ? Se faire en barrique, neuve ou usagée (d'un an, de deux, de dix ?), ou en cuve, en inox, en ciment ou en bois ? Ou encore en bouteille ? Autant de questions auxquelles la réponse apportée va encore influer sur le vin.

L'intuition de l'œnologue

Cependant, dans une même propriété existent souvent des terroirs divers, des cépages variés, des vignes plus ou moins âgées qui donnent chacun des lots de vins vinifiés séparément, voire de façon différente. Mon rôle est alors de goûter chaque lot séparément, puis d'assembler pour « faire un vin » ceux qu'il me paraît intéressant d'assembler. C'est ainsi qu'il peut m'arriver d'inclure un vin issu de vignes de trois ans (auxquelles je n'avais laissé que trois grappes par cep afin d'en préserver la qualité) dans un grand vin.

C'est là qu'intervient la plus grande part de création. Combiner et exalter saveurs et arômes pour essayer de donner à un vin toute son expression, sa personnalité : c'est là l'aboutissement de ce métier qui, d'une certaine façon, ressemble à l'art du cuisinier ou à celui du parfumeur.

Mais, pour en arriver là, comme je n'aime pas faire les choses à moitié, je demande à intervenir aussi sur le vignoble : sa configuration, son encépagement, sa conduite, année après année. Pour que les raisins arrivent à maturité dans le meilleur état possible, il faut également pratiquer subtilement les vendanges vertes (ces grappes que l'on enlève deux mois avant la récolte pour que les autres puissent s'épanouir mieux) ou l'effeuillage, qui favorise la coloration et la maturation des grains. C'est dire l'infinité des facteurs sur lesquels on peut jouer...

En tant qu'œnologue, je pourrais dire qu'un bon vin est, dans les blancs, celui qui a une belle définition aromatique, une harmonie entre l'acidité et l'alcool, et, dans les rouges, une belle qualité de tanin. Mais, en tant qu'amateur, j'insisterais pour dire que le bon vin est celui qui est en harmonie avec le moment. Même si ce n'est pas un grand vin, même si ce n'est pas un vin connu ; un vin qui fait plaisir parce qu'on le boit le matin en forêt, avec une rondelle de saucisson que l'on vient de trancher, peut être aussi un bon vin.

En revanche, un grand cru classé qui n'est pas à son apogée, qui est mal servi, trop chaud, trop frais, ou mal accompagné, peut y voir gâcher ses plus belles qualités.

Le plaisir des vins : la diversité

Si les progrès de l'œnologie permettent aujourd'hui de faire du bon vin un peu partout dans le monde, on pourrait craindre que l'on fasse partout des vins qui se ressemblent. Ce peut être vrai des productions médiocres. Pour ce qui est des vinifications de qualité, ce n'est pas la régulation thermique, la table de tri ou le pressoir pneumatique qui vont changer la personnalité du vin. Au contraire, à l'aide de ces nouvelles technologies, un élaborateur de vins exigeant peut faire s'exprimer encore mieux le terroir.

Cette notion de terroir, éminemment française, était quasiment inconnue vers 1985 quand j'ai commencé à aller aux États-Unis à l'invitation de Zelma Long, l'œnologue de la *winery* (entreprise de vinification qui achète les raisins) de Simi, qui élabore chaque année près de deux cent mille caisses de vin. Longtemps les vignes du Nouveau Monde furent plantées dans les terres d'alluvions parce que la production y était plus abondante. Mais les terres trop riches ne font pas les grands vins. Et, aujourd'hui, où l'on commence à parler de terroir, de plantation sur des terrains choisis, je vois sortir des vins extrêmement intéressants, au riche potentiel, qui pourraient concurrencer certains des grands vins français.

Certes, il existe en France certains terroirs exceptionnels, qui, alliés aux conditions climatiques, donnent des vins qui resteront inégalables tels un Margaux, un Latour ou un Mouton. Mais de nombreux pays commencent à donner des vins excellents et, dans ce domaine, ils n'en sont qu'à leurs débuts.

Si je considère les pays dans lesquels je travaille, je pense en particulier à la Hongrie, un endroit fabuleux, un grand terroir du monde, mais qui, pour donner sa mesure, doit repartir presque de zéro, car un demi-siècle de négligence a tout abîmé. L'Italie également est un pays extraordinaire, qui a malheureusement beaucoup sacrifié à la quantité, mais qui a de très bons vins, même assez exceptionnels, tel l'Ornellaia dont je m'occupe. L'Espagne, encore très en retard en matière de développement qualitatif, a un grand potentiel, et je suis fier de vinifier des milliers d'hectolitres de Marqués de Cáceres, en Rioja. En Argentine, les conditions sont plus difficiles, mais on devrait pouvoir un jour y faire sinon de grands, du moins de bons vins. Le Chili, j'en suis sûr, a la possibilité de produire, un jour, de très grands vins. Quant aux États-Unis, c'est l'un des pays qui, actuellement, a la meilleure réputation. Mais, pour améliorer encore la qualité de ses vins, il faudrait sans doute qu'il y ait un lien plus étroit entre la viticulture et la vinification, entre le vignoble et la *winery*, comme j'ai pu le faire à Newton, au nord de San Helena...

L'immense évolution de l'œnologie a donc permis à de nombreuses régions du globe de se mettre à produire des vins de qualité alors que, dans les années 1970, l'expérience aurait été vouée à l'échec. Si les acheteurs apprennent le plaisir de déguster, s'ils sont de plus en plus nombreux à devenir connaisseurs, on verra se développer et s'affirmer nombre de bons vins, voire de grands vins. Des vins tous différents, images du terroir et de cette incroyable diversité qui fait la richesse du monde.

MICHEL ROLLAND
Pomerol

DÉCOUVRIR
LE VIN

Un tire-bouchon, un verre et un coin ensoleillé pour un pique-nique suffisent pour tirer un immense plaisir d'une bouteille de vin. Pourtant, quel dommage si la bouteille est tiède au lieu de fraîche ; si le tire-bouchon casse le bouchon ; si le vin ne s'accorde pas aux aliments emportés dans le panier à pique-nique…
Les cent pages qui suivent devraient vous permettre de mieux connaître et déguster le vin. De l'histoire du vin depuis ses lointaines origines jusqu'aux techniques de vinification les plus modernes, vous y trouverez maints conseils et commentaires. La seconde partie de l'ouvrage, plus longue, décrit les pays viticoles du monde et étudie la très grande variété de vins élaborés aujourd'hui. Ainsi, la première partie vous aidera à comprendre et apprécier le vin ; la seconde, à découvrir des vins qui vous séduisent.

Un programme réjouissant

Cette première partie s'ouvre sur l'histoire du vin. Puis elle vous propose un chapitre consacré au choix des vins : présentation des principaux cépages utilisés à travers le monde, aperçu des diverses catégories de style – du blanc sec au vin doux naturel –, avec des tableaux qui indiquent clairement les vins légers ou capiteux, secs ou doux… Si vous aimez un style de vin particulier, ou si vous découvrez que tous vos rouges préférés sont issus de Cabernet-Sauvignon, ce chapitre vous aidera à trouver des nouveautés à goûter. Il se termine par un précis des législations et des appellations portées sur les étiquettes ainsi que par quelques conseils d'achat.
Expliquant pourquoi le vin est pratiquement le seul produit alimentaire qui peut évoluer et s'améliorer avec le temps, le chapitre concernant le vieillissement du vin conseille sur la meilleure façon d'entreposer le vin. Viennent ensuite les divers aspects du service des vins, de la température requise à l'entretien des verres, en passant par le débouchage d'un vin pétillant ou la description détaillée de la décantation.
L'art de la dégustation – science tout autant que passion – fait l'objet d'un autre chapitre. Enfin, la question de l'harmonisation du vin et des mets, avec, en suggestion, une importante liste de vins pour accompagner certains plats, termine cette série de conseils pratiques.

La vinification moderne, à la fois héritière de millénaires de traditions et objet de fascinantes modifications, est abordée en détail dans le chapitre La vinification. Dans un autre chapitre, traitant de ce qui se passe ensuite – l'élevage et la conservation du vin, sa mise en bouteilles et son cheminement jusqu'à la table –, sont commentées les techniques qui, tel le vieillissement en fût de chêne, peuvent radicalement changer le caractère d'un vin.

Le royaume des sens

Le plaisir que procure le vin se trouve encore accru si les connaissances acquises dépassent l'approche technique et terre à terre pour vous transporter au royaume des sens. L'art de la dégustation n'est ni mystérieux ni même compliqué: si la possibilité d'apprécier le vin est passée du domaine de l'expertise commerciale à celui de passe-temps d'amateur, c'est bien parce qu'il s'agit d'un incomparable mélange d'esthétisme, de technique et de sensualité. C'est lorsque le vin exige une certaine attention, lors d'un dîner entre amis aussi bien que lors d'une grande cérémonie, que les connaissances et le savoir-faire ajoutent réellement au plaisir éprouvé.
Si tout vin mérite d'être choisi et servi avec soin, tous les vins n'ont pas autant à dire. Les vins ordinaires restent ordinaires, même dans des verres somptueux, à la lumière romantique des bougies. Cela ne signifie pas pour autant que seuls les vins chers soient plaisants : il existe aujourd'hui beaucoup plus de vins modestes méritant d'être goûtés une seconde fois que voici seulement quelques années. Les conseils et les renseignements fournis ici vous aideront à éviter certains pièges et à tirer davantage parti de vos vins, aussi bien dans la vie quotidienne que lors de ces occasions où le vin prend toute son importance. Toutefois, les règles, normes, classifications et classements établis en grand nombre par le monde vinicole ne pourront jamais garantir à coup sûr caractère et excellence. En matière de vin, rien ne remplace la pratique : c'est à l'amateur de dénicher et d'apprécier les bons vins et d'éviter les médiocres. Muni de votre tire-bouchon et d'une bouteille bien choisie, vous voici prêt à vous lancer dans l'aventure.

L'Histoire du Vin

QUI A FAIT LE PREMIER VIN ? OÙ SE TROUVAIT LE PREMIER VIGNOBLE ?
AUTANT DE QUESTIONS SANS RÉPONSES. IL RESTE QUE LE VIN EST INTIMEMENT LIÉ
À NOTRE CULTURE DEPUIS SEPT MILLE ANS ET CONTINUE DE L'INSPIRER.

De nombreuses civilisations ont considéré le vin comme
l'accompagnement nécessaire d'un banquet. À l'époque de cette
mosaïque, un ou deux siècles avant J.-C., les Romains savaient
déjà de quels vignobles étaient issus leurs meilleurs vins.

Le vin a une longue histoire, et chaque bouteille peut avoir la sienne, ce qui contribue déjà pour beaucoup à la fascination qu'il exerce. Mais son rôle dans l'histoire de notre culture est encore bien plus vaste et plus profond. Le vin est l'une des premières créations de l'humanité et il a occupé une place privilégiée dans de nombreuses civilisations. Il représente aussi toute une série de découvertes liées aux premières réactions chimiques rencontrées par l'homme : la fermentation et l'oxydation. Impossible de savoir qui fut le premier vigneron. Les grandes civilisations de la Grèce et de la Rome antiques situaient l'origine du vin dans leur préhistoire et entouraient sa naissance de légendes. L'ancienne Égypte nous a laissé des listes de vins. Les Égyptiens mentionnaient même l'année, le vignoble et le nom du vigneron sur leurs jarres : ce furent les premières étiquettes. Les Babyloniens ont promulgué des lois réglementant l'exploitation d'une boutique de vins. Ils ont aussi évoqué en termes poétiques un vignoble magique fait de pierres précieuses dans l'*Épopée de Gilgamesh*, la première œuvre d'imagination jamais écrite : elle semble dater du XVIIIe siècle av. J.-C. On peut très bien faire du vin avec des raisins sauvages. Grâce aux sucres concentrés dans ses grains et à son jus abondant, le raisin est le seul fruit ayant naturellement tendance à fermenter. Et la fermentation produit de l'alcool. Il suffit pour cela que le raisin soit mûr et que son jus entre en contact avec des levures – présentes naturellement sous forme sauvage sur la peau des baies. Si le jus se trouve dans un récipient, le vin se fera donc tout seul. On imagine très bien un homme de l'âge de la pierre déposant des raisins mûrs dans un contenant – pot d'argile, bol de bois ou sac de peau – et les laissant fermenter, en les oubliant peut-être. Par temps chaud, c'est une question d'heures et, après quelques jours, le liquide obtenu sera une sorte de vin. Qui a, le premier, bu ce jus enivrant et délicieux ? Nous ne le saurons jamais, mais il – ou elle – fit peut-être aussi l'expérience du premier « mal aux cheveux ». Élément de fête ou de cérémonie religieuse, médicament, antiseptique, le vin a joué bien des rôles. Mais c'est à une date relativement récente que remonte le tournant crucial : la maîtrise du vieillissement. Le fait de pouvoir garder un vin des années – et d'obtenir une amélioration en fût ou en bouteille – marque la naissance du vin de qualité.

Le premier vignoble

Des vinifications accidentelles se sont probablement produites partout où il y avait à la fois du raisin à l'état sauvage et un peuplement humain. Un pas bien plus considérable a été franchi avec la culture de la vigne. Les archéologues peuvent déterminer si les pépins retrouvés dans les sites habités provenaient de raisins sauvages ou cultivés. Des pépins de vigne cultivée ont été mis au jour dans le Caucase, à l'est de la mer Noire. Ils ont 7 000 ans. Ainsi, le premier vignoble a été planté quelque part entre la Turquie, la Géorgie ou l'Arménie actuelles. Il est vrai que dans cette région, au climat et au relief particulièrement propices à la culture de la vigne, celle-ci poussait autrefois à l'état sauvage.

Vin et religion

Le point essentiel dans cette première période de l'histoire du vin est que les Grecs, puis les Romains de l'Antiquité lui accordaient une grande place dans leur vie. Pour cette raison et surtout pour son usage religieux ou rituel, le vin est devenu un élément majeur de la civilisation occidentale. À l'époque de la Grèce antique, la Chine aussi connaissait le vin, mais ne l'exploitait pas vraiment. La culture de la vigne s'approcha également des villes de la Perse et de l'Inde, mais sans laisser de traces bien profondes. Quant à l'Amérique précolombienne, elle ne l'a jamais découverte, malgré la présence de vignes sauvages et l'existence de civilisations raffinées.

La pratique et les croyances chrétiennes viennent en droite ligne des rituels grecs et romains. L'emploi du vin dans les sacrements a des liens directs avec le judaïsme, mais c'est avec le culte grec de Dionysos, dieu du Vin, et de Bacchus, son équivalent romain, qu'on trouve les plus fortes similitudes. Selon la légende, Dionysos apporta le vin en Grèce depuis l'Asie Mineure, l'actuelle Turquie. Fils de Zeus, Dionysos eut une double naissance, l'une humaine et l'autre divine (le mythe est assez obscur, du moins pour nous), la première lui donnant pour mère une

Même les chevaux sont ivres dans les orgies bachiques de la Rome antique.

LES DIEUX DU VIN

Dionysos était un dieu de la Vigne et du Vin parmi bien d'autres et des légendes analogues apparaissent dans d'autres civilisations avec une remarquable régularité.

Une inscription de 2700 av. J.-C. mentionne la déesse sumérienne Gestin, dont le nom signifie « mère cep ». Un autre dieu sumérien s'appelait Pa-gestin-dug ou « bon cep » et son épouse Nin-kasi, la « dame du fruit enivrant ».

En Égypte, Osiris était dieu du Vin et était évoqué comme le vin « larmes d'Horus » ou « sueur de Ra » (dieu du Soleil).

Si, plus tard, le Christ a dit « Je suis la vraie vigne », le judaïsme en revanche n'établit aucun lien entre Dieu et le vin. Il interdit même les libations, cette offrande de vin aux dieux si fréquente à Babylone, en Grèce et dans d'autres religions. Le vin est important dans le rituel juif, mais son abus est mal considéré.

Le christianisme devenu religion dominante a fait disparaître Dionysos ou Bacchus. Le dévergondage caractérisant les bacchanales était sacrilège pour les premiers évêques, d'autant plus que les femmes y participaient.

simple mortelle, Sémélè. Il était la vigne, et le vin était son sang.

Les Romains, dont l'expansion accompagna le déclin de la Grèce, reprirent les dieux grecs qu'ils ajoutèrent aux leurs. Ainsi, Dionysos devint Bacchus – nom qui lui était donné dans les villes grecques de Lydie, en Asie Mineure. De dieu du Vin, Bacchus se transforma en sauveur. Son culte se répandit parmi les femmes, les esclaves et les pauvres – les empereurs tentant de l'interdire, sans grand succès. Le christianisme, dont le développement est indissociable de celui de l'Empire romain, reprit de nombreux symboles et rites bachiques, attirant, dans un premier temps, les mêmes catégories de fidèles. La signification de l'Eucharistie est un sujet trop complexe pour être évoqué en quelques lignes. Notons simplement que le vin de la communion était au moins aussi nécessaire à une assemblée de chrétiens que la présence d'un prêtre. Du fait de cette place vitale qu'il occupait dans la pratique religieuse, le vin allait subsister même lors de la sombre période des invasions barbares faisant suite au déclin de Rome.

LES RÉGIONS VITICOLES DE LA
MÉDITERRANÉE ANTIQUE

Égyptiens, Sumériens et Romains donnaient un nom à leurs vignobles et discutaient pour savoir quels étaient les meilleurs crus. Le pays appelé Canaan dans la Bible – la Phénicie ou la Syrie – était célèbre pour son vin. « Le vin des pressoirs de Daha est aussi abondant que l'eau vive », écrivit un chroniqueur égyptien. Daha se trouvait quelque part dans le pays de Canaan, où l'Égypte achetait du bois d'œuvre – et du vin. D'après la Bible, les Hébreux auraient rapporté de Canaan une grappe de raisin si grosse qu'il avait fallu deux hommes pour la porter. L'Ancien Testament est rempli de références à des vignobles. Les Romains ont défini avec soin les meilleurs crus d'Italie. Au premier rang venait Falerne, au sud de Rome, le Domaine de Faustus étant considéré comme le meilleur de l'époque, suivi des vins d'Alba – les Colli Albani actuels. À Pompéi, grand port viticole de l'Italie romaine, un négociant en vins fut assez riche pour faire construire le théâtre et l'amphithéâtre. Les Romains appréciaient aussi les vins d'Espagne, de Grèce et, à l'époque impériale, ceux de la Gaule, du Rhin et du Danube.

Les moines et le vin

Le vin était lié au mode de vie méditerranéen. Au nord des Alpes, face à des vagues d'envahisseurs féroces, les activités sédentaires – comme la culture de la vigne – étaient en péril. Seule l'Église, qui avait besoin de vin et était capable d'assurer une continuité, permit la survie de la viticulture. Quand l'Europe émergea de ces temps troublés, c'est autour des monastères et des cathédrales que se trouvaient les vignobles.

Les moines ne se contentèrent pas de faire du vin : ils l'améliorèrent. Au Moyen Âge, les cisterciens de Bourgogne furent les premiers à étudier le sol de la Côte d'Or et à transformer les vignobles en sélectionnant les meilleurs plants, en expérimentant la taille et en choisissant les parcelles non exposées au gel, celles qui donnaient les raisins les plus mûrs. Ils entourèrent les meilleurs vignobles de murs : les clos qui survivent, ne serait-ce qu'à travers leur nom, témoignent de la perspicacité de ces moines vignerons. Les cisterciens de Kloster Eberbach firent de même en Rheingau. Tous ces efforts visaient à produire un vin destiné non seulement à la messe, mais aussi à la vente : les moines ont joué un rôle essentiel dans le commerce du vin au Moyen Âge.

La vie redevint peu à peu paisible, ce qui permit l'expansion des vignobles et ranima le commerce. Mais le vin n'avait jamais complètement perdu son rôle de bien d'échange : pendant le haut Moyen Âge (du Ve au Xe siècle environ), sur les mers occidentales sillonnées de pirates, des navires marchands quittaient discrètement Bordeaux ou l'embouchure du Rhin pour cingler vers la Grande-Bretagne, l'Irlande ou plus au nord encore. Le moindre chef barbare se devait d'arroser ses fêtes de vin ; l'ermitage le plus reculé en avait toujours besoin pour la communion.

Avec cette résurrection du négoce apparurent les grandes flottes du vin : des centaines de vaisseaux faisant route vers Londres ou les ports de la Hanse. Les fleuves aussi devinrent d'importantes routes commerciales : les fûts remplis de vin étant lourds et encombrants, le transport par bateau était le plus indiqué.

Pour l'homme du Moyen Âge, le vin ou la bière n'était pas un luxe, mais une nécessité. Les villes offraient une eau impure – souvent dangereuse. Jouant le rôle d'un antiseptique, le vin était un élément de la médecine rudimentaire de l'époque. On le mêlait à l'eau pour rendre celle-ci buvable, sinon potable. L'eau était rarement bue pure, du moins dans les villes. «L'eau à elle seule n'est pas saine pour un Anglais», écrivait en 1542 l'érudit anglais Andrew Boorde.

De grandes quantités de vin circulaient. Au XIVe siècle, les exportations de Bordeaux vers l'Angleterre étaient si importantes que leur moyenne annuelle n'a été dépassée qu'en 1979. Le roi Édouard II d'Angleterre commanda l'équivalent de plus d'un million de bouteilles à l'occasion de son mariage avec Isabelle de France en 1308. Sous le règne d'Élisabeth Ire, près de trois siècles plus tard, les Anglais buvaient plus de 40 millions de bouteilles de vin par an, pour une population de 6,1 millions d'habitants.

L'amateur de bon vin

La demande de vins à boire tous les jours a occupé vignerons et négociants pendant de nombreux siècles. Mais vers la fin du XVIIe apparut une demande nouvelle : on attendait du vin qu'il procure une expérience esthétique. Déjà, les Romains de l'Antiquité avaient recherché les meilleurs millésimes de l'Empire, de même que les rois et les abbés du Moyen Âge exigeaient eux aussi ce qu'il y avait de meilleur. Mais le fait nouveau, en France et, bien sûr, en Angleterre, fut l'émergence d'une classe sociale ayant de l'argent et du goût, prête à payer davantage pour un grand vin.

En France, les courtisans de la Régence (1715-1723) réclamèrent – et obtinrent – de grandes quantités de Champagne de meilleure qualité et plus effervescent. En Angleterre, à la même époque, les grands personnages du royaume, le Premier ministre Robert Walpole en tête, recherchaient les meilleurs vins rouges de Bordeaux.

C'est à cette génération que nous devons le concept de grand vin tel que nous le connaissons aujourd'hui.

Jusqu'alors, le vin était bu dans l'année ; à l'approche de la vendange, le prix du vin «vieux» chutait. Dès 1714 cependant, un marchand parisien réclamait à son correspondant de Bordeaux «du bon vin, du vin fin, vieux, noir et velouté». Il est vrai qu'on savait désormais élever et améliorer le vin. L'ère des vins de qualité commençait.

C'est généralement à Arnaud de Pontac, président du parlement de Bordeaux vers 1660, que l'on attribue le mérite d'avoir inauguré cette quête de la qualité. Propriétaire du Château Haut-Brion, il se mit à produire un nouveau type de vin en appliquant des méthodes devenues plus tard courantes : petits rendements, sélection attentive, rigueur dans la vinification et élevage en cave. Le but était évidemment de créer une réputation justifiant un prix élevé. À Londres, les vins de Haut-Brion atteignaient plus de trois fois le prix d'autres bons vins. En l'espace d'une génération, d'autres domaines bordelais – Latour, Lafite et Margaux en tête – avaient suivi le mouvement. Les raffinements se succédèrent : sélection des meilleurs cépages, drainage des vignobles, précision croissante dans l'élevage et les soins donnés en cave. On se mit à produire des vins fins en grand nombre.

La France dut attendre la révolution industrielle avant que la production de vin ordinaire n'atteigne un volume équivalent. L'essor des villes, dont la population ouvrière ne cessait de se développer, multiplia la demande de vins bon marché. Les chemins de fer permirent de la satisfaire – à partir des vastes vignobles ensoleillés du Midi.

Les fléaux de la vigne

C'est dans le Midi de la France qu'apparut, dans les années 1860, le plus dévastateur des fléaux de la vigne. Le phylloxéra est un puceron gros comme une tête d'épingle qui fait mourir la vigne en se nourrissant du suc de ses racines. Il arriva d'Amérique du Nord par accident, quand les bateaux à vapeur se mirent à traverser l'océan assez vite pour que le parasite, présent sur des plants importés, survive au voyage. Toute l'Europe fut touchée : pas un pied de vigne n'en réchappa, ou peu s'en faut. Au bout de quarante ans de ravages, on trouva la solution : les vignes greffées sur des ceps américains sont immunisées. Mais le phylloxéra ne fut pas le seul problème : deux maladies, l'oïdium et le mildiou, frappèrent les vignes européennes à la même époque. En France et dans d'autres régions d'Europe, de nombreux vignobles atteints par le phylloxéra n'ont jamais été replantés.

Un nouvel essor au XXe siècle

À bien des égards, le monde du vin a mis une bonne partie du XXe siècle à se remettre de la crise traversée à la fin du XIXe siècle. Après la Première Guerre mondiale, la consommation européenne atteignit de nouveaux sommets, mais le vin, en provenance du Midi et d'Afrique du Nord, était très médiocre. Les grands vins eux-mêmes – de Bordeaux, de Bourgogne, du Rhin et de Moselle – se vendaient à bas prix : leurs amateurs, autrefois prospères, avaient été durement touchés par les guerres et les crises. Les vignobles les plus favorisés étaient ceux du Nouveau Monde : à l'ouest des États-Unis, en Australie, en Afrique du Sud et en Nouvelle-Zélande, des immigrants venus d'Europe plantaient des sols vierges pour apaiser la soif des autres colons.

La quête d'authenticité

Les efforts entrepris pour surmonter les conséquences du phylloxéra et les crises économiques entraînèrent le développement de la législation viticole. Il s'agissait aussi de combattre la fraude : vins ordinaires écoulés sous de grands noms, vins adultérés, trafiqués, etc. Ainsi naquirent le système français des appellations d'origine (AOC) et les réglementations qui s'en sont inspirées (même partiellement) un peu partout dans le monde.

Les émeutes champenoises de 1911, causées par la mévente des vins de Champagne, furent l'épisode le plus marquant d'une série de protestations. Après la Première Guerre mondiale, le gouvernement français mit en place les AOC, un système de garantie d'authenticité. Cépages, limites du vignoble, méthodes de taille – tout est réglementé.

La découverte du contrôle

La science commença alors à jouer un rôle important et les programmes de recherche sur la vigne, la fermentation ou l'élevage en cave se développèrent. Avec la connaissance arriva le contrôle : les rendements devinrent plus prévisibles et plus élevés. Parallèlement, la consommation de vin se transforma en phénomène de mode dans le monde entier. Les vignobles réputés furent à même de répondre à la demande grâce à d'excellentes et abondantes vendanges – les années 1980 et 1990 furent particulièrement fastes. En outre, les meilleurs vins du Nouveau Monde se mirent à rivaliser de qualité avec les plus grands crus européens. Pour les producteurs, la fin du XXe siècle marque une période de prospérité, pour les amateurs de vin, un âge d'or, avec davantage de bons vins, à des prix relativement raisonnables. Les victimes de cette évolution sont les producteurs de vins à bas prix.

De nouveaux pays producteurs vont certainement arriver sur le marché, déjà saturé. Les techniques actuelles permettent d'améliorer rapidement les vins des régions les moins réputées, comme en témoignent les résultats des investissements dans le Languedoc-Roussillon. Au consommateur, l'avenir promet des vins meilleurs, en plus grande quantité. Quant aux producteurs, ils seront mis à rude épreuve par la concurrence internationale. □

Émeutes de vignerons champenois en 1911 contre l'importation de vins étrangers.

L'HISTOIRE DU PRIX DES GRANDS VINS

Le prix du vin ainsi que la quantité produite ont énormément fluctué au cours des siècles. Ces variations furent fonction des caprices climatiques et des conditions économiques qui restreignaient l'offre à la fois en quantité ou en qualité et la demande de la clientèle.

Le fait que les vins de qualité se gardent bien a évité que les prix ne connaissent les hausses et les effondrements spectaculaires qui ont affecté d'autres cultures. Mais le monde du vin a connu de longues périodes durant lesquelles la production n'a guère été rentable.

Les grands vins de Bordeaux ont affirmé leur suprématie dès le XVIIᵉ siècle, ce qui donne un intérêt particulier à l'histoire de leurs fluctuations de prix. S'ils ont parfois été un peu moins à la mode, ils n'ont jamais été réellement concurrencés.

La montée des grands vins

En étudiant les archives du Bordelais, on peut voir à quelle époque remonte l'essor des grands crus, destinés à être gardés et issus de certains domaines aux noms prestigieux. En 1647, les prix des vins *palus* légers et faciles à boire, produits sur les bonnes terres au bord du fleuve, étaient plus élevés que ceux des Graves et du Médoc. Deux générations plus tard, en 1714, les vins fins portant le nom d'un château – Pontac (aujourd'hui Haut-Brion), Latour, Lafite, Margaux – coûtaient cinq fois plus cher que le vin de Bordeaux courant à boire jeune. Les grands crus venaient de naître et d'affirmer leur droit à des prix élevés – un privilège qu'ils ont su préserver jusqu'à nos jours.

Les archives du Château Latour, dont la réputation en tant que premier cru remonte à trois siècles – confirmée par le classement de 1855 –, fournissent une série très complète de chiffres concernant les prix de vente et le volume des vendanges : voir le graphique ci-dessous.

Les prix sont passés d'un minimum de 250 francs le tonneau de 900 litres en 1809, à un record de 6 000 francs en 1867. Les propriétaires du Château Latour vendaient leur vin aux négociants de Bordeaux, et le prix en était fixé chaque année. À certaines époques, les propriétaires signaient des contrats à prix fixe, comme en témoigne le graphique pour les années 1840, 1880 et 1900.

L'âge d'or et les crises

Les fluctuations du prix des vins ne sont pas toujours déterminées par une moindre quantité produite ou par une meilleure qualité, et les grands crus ont connu des périodes fastes suivies de périodes de crise sévère. L'oïdium frappe le vignoble entre 1853 et 1854, suivi, quelques années plus tard, par le mildiou puis par le phylloxéra. Le vignoble bordelais souffre aussi du gel d'hiver, comme en 1956. Les prix sont dictés par la demande et connaissent des hauts (comme en 1973) et des bas (comme en 1974). Il faudra attendre les années 1980 pour assister à une nette augmentation des cours moyens suivie par une stabilité de plusieurs années. Ce nouvel âge d'or est couronné par de grands millésimes comme 1982, 1985, 1986, 1988, 1989 et 1990.

Prix et classement

La première moitié du XIXᵉ siècle vit apparaître plusieurs tentatives de classement qui seront consacrées par la liste établie à l'occasion de l'Exposition universelle de 1855 (voir p. 146 et 164). Les courtiers qui ont établi cette hiérarchie se sont fondés sur la moyenne des prix atteints par les divers vins au cours de la génération précédente. La demande du marché pouvait être considérée comme un véritable miroir de la qualité, et ce sont les prix de l'époque qui ont donné à chaque vin son rang. Le seul changement à ce classement de 1855 date de 1973, lorsque Mouton a été promu de 2ᵉ à 1ᵉʳ cru.

Fluctuations du prix du vin

Château Latour de 1777 à 1921

LE CHOIX DES VINS

UN MAGASIN PEUT PROPOSER DES CENTAINES DE VINS DU MONDE
ENTIER. IL EST PLUS FACILE DE CHOISIR UNE BOUTEILLE SI L'ON SE
SOUVIENT QUE LES VINS PEUVENT ÊTRE CLASSÉS SELON LEUR STYLE.

En lisant bien l'étiquette, vous pouvez déterminer l'origine
du vin et avoir une idée précise sur son goût et
ses caractéristiques. Le prix peut indiquer s'il s'agit d'un vin
de tous les jours ou d'une bouteille pour une grande occasion.

L'amateur de vin peut aujourd'hui choisir parmi une gamme très impressionnante de vins. Dans les grandes villes, les magasins proposent parfois les produits de 20, voire de 40 pays. Même dans les pays viticoles, qui boivent traditionnelle-ment les produits du ter-roir, les hypermarchés sont sans cesse à la recherche de la nou-veauté, du meilleur rap-port qualité/prix et du haut de gamme. Et le consommateur n'est pas seulement confronté à un problème de choix, mais aussi à celui des étiquettes et des descriptions, qui lui sont souvent peu familières. Les vins diffèrent selon leur origine, le cépage, l'élabo-ration et l'âge. L'origine vous donnera le plus grand nombre de renseignements sur un vin. La plus grosse partie de cet ouvrage, qui traite des pays viticoles du monde, décrit ces pays viticoles et leurs régions, les styles de vins qui y sont produits et leur goût. L'impor-tance du cépage s'est grandement accrue depuis que des pays comme la Californie et l'Australie sont arrivés sur le marché. Ces pays étiquettent et nomment géné-ralement leurs vins suivant le cépage. Cette tendance s'est récemment répandue en Europe, où elle était autre-fois rarissime, exception faite de l'Italie, de l'Allemagne et de l'Alsace. Les tech-niques de vinification ont été bouleversées depuis les années 1960, aussi ont-elles droit à un chapitre spécial. Enfin, l'âge d'un vin influe beaucoup sur son caractère. Le chapitre sur la garde du vin explique pourquoi l'âge a une telle importance, et, dans les annexes, des tableaux offrent un guide des millésimes récents. Quand vous choisissez une bouteille de vin que vous comptez boire dans un futur proche – plutôt que de la faire vieillir en cave –, il vous faut tout d'abord savoir à quelle occasion vous allez la servir. Désirez-vous un vin désaltérant et frais ou un vin à savourer lentement ? Désirez-vous du vin de tous les jours ou une bouteille prestigieuse pour un grand dîner ? L'harmonisation des vins et des mets est traitée dans un autre chapitre ; les mariages les plus réussis per-mettent aux saveurs des aliments de révéler le caractère du vin et de mettre en valeur ses arômes.

Un si grand choix peut parfois paraître troublant, mais quelques connaissances vous fourniront tous les élé-ments vous permettant de vous y retrouver dans l'uni-vers du vin et de l'apprécier… Dans les pages suivantes, nous vous proposons un guide des styles des différents vins, regroupés par couleurs et caractères.

LES VINS BLANCS

Désirez-vous un vin blanc qui soit une boisson rafraîchissante ou un nectar – un verre empli de parfums intenses ? Les prix proposés vous guideront un peu, mais dépendront aussi du lieu où vous vous trouvez : une folie à New York peut être un vin assez courant en Italie.

Toutes les nuances existent pour le vin blanc, qui peut être extrêmement sec ou richement sucré – la partie principale de l'ouvrage décrit les vins de chaque région –, mais il est facile de le classer en six styles principaux.

Les vins « légers et secs », à boire jeunes, sont rarement vieillis en fût de chêne, mis en bouteilles sans sucres résiduels et sont pauvres en extrait (les composants qui donnent substance, ou corps, au vin). Ils doivent être servis bien frais, seuls ou pour accompagner un repas.

Les vins blancs « secs et amples » possèdent davantage de matière et, bien qu'ils soient techniquement secs, ils ont la douceur presque sucrée du fruit mûr. Ils peuvent avoir été vieillis en barrique et/ou en bouteille. Les vins blancs les plus amples peuvent généralement vieillir en bouteille.

Les vins « aromatiques » proviennent de certains cépages ; ils peuvent être secs ou demi-secs.

Les vins « demi-secs » sont généralement mis en bouteilles avant que la totalité des sucres du raisin n'ait été transformée en alcool (voir La vinification, p. 110). Leur légèreté et leur faible degré d'alcool les rendent moins agréables à être consommés en accompagnement de plats riches.

Les plus sucrés de tous sont les vins intensément concentrés que l'on consomme lentement tant leur matière est complexe.

Certains vins sont élaborés dans plusieurs styles : l'Orvieto peut ainsi être sec (secco) ou demi-doux (abboccato).

Un vin peut aussi se démarquer d'un autre en raison de la manière dont il a été élaboré. On s'aperçoit davantage de

Vins blancs du monde entier : Bourgogne, Allemagne, Californie et Australie.

ces différences lorsqu'on compare des vins qui ont été fermentés ou vieillis en barrique avec d'autres qui ne l'ont pas été. Le Rioja traditionnel, rouge ou blanc, est élevé en fût de chêne, ce qui le rend corsé, avec des notes de vanille. Mais la nouvelle tendance est de ne pas laisser les vins trop longtemps en fût afin de privilégier le fruit.

Lorsque les producteurs donnent à leur vin un nom de cépage, son style peut varier en fonction des climats et des sols de chaque parcelle. Un Chardonnay du Haut-Adige, en Italie du Nord, sera vif et frais, avec l'acidité des raisins mûris dans une région froide, alors qu'un Chardonnay australien sera plus ample avec des notes de fruits exotiques.

Beaucoup de choses dépendent aussi des choix faits par le producteur. Ainsi, un Riesling d'Alsace sera généralement sec, tandis que les Rieslings allemands (à moins qu'ils ne soient libellés trocken) tendent à être plutôt sucrés. ☐

COMMENT LIRE LES TABLEAUX

Les tableaux listent les noms des vins le plus souvent rencontrés dans le monde, les regroupant selon leur style.

Ils commencent par les plus légers, pour aller vers les vins de plus forte teneur en sucres résiduels, avec davantage de caractère.

Le nom utilisé dans le tableau est généralement celui que vous trouverez sur l'étiquette : comme il est expliqué dans les chapitres traitant des pays et des différentes régions, dans certains pays, le nom de la région est la clef du style, tandis que d'autres pays mettent l'accent sur le cépage.

Les chiffres figurant à gauche de chaque tableau indiquent le degré d'alcool indicatif – bien que la teneur en alcool puisse légèrement varier d'un producteur à l'autre et d'un millésime à l'autre.

Cherchez le nom d'un vin que vous aimez : les noms figurant à côté peuvent déterminer des arômes très différents, mais ces vins sont de style semblable.

LES STYLES DE VINS BLANCS

Ces tableaux sont aussi exhaustifs que possible (voir encadré ci-contre). Les noms donnés sont ceux qui figurent généralement sur l'étiquette : nom de région (ex.: Bergerac), classification (ex.: Kabinett Trocken) ou cépage (ex.: Pinot Blanc).

1. LÉGERS ET SECS

9 % vol	Gros-Plant (France)
	Kabinett Trocken (Allemagne, Autriche)
	Vinho verde (Portugal)
10 % vol	Vins anglais
11 % vol	Bergerac sec (France)
	Kabinett Halbtrocken (Allemagne, Autriche)
	Navarra (Espagne)
	Pinot Blanc (toutes provenances)
	Pouilly sur Loire (France)
	Soave (Italie)
12 % vol	Anjou (France)
	Bianco di Custoza (Italie)
	Chasselas, Fendant (Suisse)
	Chenin Blanc, Steen (Afrique du Sud)
	Entre-deux-Mers (France)
	Frascati Secco (Italie)
	Gaillac (France)
	Muscadet (France)
	Nuragus di Cagliari (Italie)
	Saumur (France)
	Trebbiano & Verdicchio (Italie)

2. SECS ET AMPLES

10 % vol	Spätlese Trocken (Allemagne)
11 % vol	Colombard (Afrique du Sud)
	Penedès (Espagne)
	Rioja – non vieilli en fût (Espagne)
	Sémillon/Chardonnay (Australie)
	Vernaccia di San Gimignano (Italie)
12 % vol	Chablis (France)
	Chardonnay (presque toutes provenances)
	Côtes-du-Rhône (France)
	Graves (France)
	Lugana (Italie)
	Mâcon-Villages (France)
	Orvieto Secco (Italie)
	Pouilly Fumé (France)
	Riesling d'Alsace (France)
	Rueda (Espagne)
	Sancerre (France)
	Silvaner, Sylvaner (toutes provenances)
13 % vol	Coteaux-du-Languedoc,
	Picpoul-de-Pinet (France)
	Jurançon sec, Vin Jaune (France)

3. SECS ET CONCENTRÉS

11 % vol	Pomino (Italie)
	Torgiano (Italie)
12 % vol	Bourgogne Premier cru et Grand cru (France)
	Chablis Premier cru et Grand cru (France)
	Gavi (Italie)
	Graves Cru classé (France)
	Grechetto (Italie)
	Rías Baixas (Espagne)
	Riesling, Johannisberg Riesling (Australie, Nouvelle-Zélande, Californie, Afrique du Sud)
	Rioja — vieilli en fût (Espagne)
	Sémillon (Australie)
	Vermentino di Gallura (Italie)
	Vouvray (France)
13 % vol	Châteauneuf-du-Pape (France)
	Pouilly-Fuissé (France)
	Saint-Véran (France)
	Savennières (France)
	Vendange tardive (France)
14 % vol	Hermitage Blanc (France)

4. AROMATIQUES

11 % vol	Müller-Thurgau, Riesling-Sylvaner (Allemagne, Suisse, régions du Danube)
	Optima (Allemagne)
	Pinot Grigio (Italie)
	Scheurebe (Allemagne)
	Seyval Blanc (toutes provenances)
12 % vol	Fumé Blanc (Californie)
	Grüner Veltliner (Autriche)
	Muscat (toutes provenances)
	Muscat-Ottonel (Autriche, régions du Danube)
	Pinot Gris, Ruländer, Tokay d'Alsace (France)
	Retsina (Grèce)
	Sauvignon Blanc (États-Unis, Australie, Nouvelle-Zélande, Brésil, Afrique du Sud)
	Tocai Friulano (Italie)
	Viognier (toutes provenances)
13 % vol	Condrieu (France)
	Gewürztraminer (toutes provenances)

5. DEMI-SECS

6 % vol	Moscato d'Asti (Italie)
7 % vol	
8 % vol	Lambrusco (Italie)
	Mosel QbA (Allemagne)
9 % vol	Liebfraumilch (Allemagne)
	Rhein QbA (Allemagne)
10 % vol	Riesling Kabinett, Riesling Spätlese (Allemagne, Autriche)
11 % vol	Frascati Amabile (Italie)
	Laski Rizling, Olaszrizling, Welschriesling (régions du Danube)
12 % vol	Chenin Blanc (Californie, Afrique du Sud)
	Côtes-de-Bergerac (France)
	Gaillac moelleux (France)
	Orvieto Abboccato (Italie)
	Malvoisie (Suisse)
13 % vol	Jurançon (France)
	Riesling vendange tardive (Californie, Australie)
	Vouvray moelleux (France)
14 % vol	Recioto di Soave (Italie)

6. DOUX OU LIQUOREUX

9 % vol	Vin botrytisé (toutes provenances)
10 % vol	Riesling Auslese (Allemagne)
	Trockenbeerenauslese (Allemagne, Autriche)
11 % vol	Eiswein (Allemagne, Autriche, Canada)
	Moscatel de Valencia (Espagne)
12 % vol	Beerenauslese (Allemagne, Autriche)
13 % vol	Bonnezeaux, Coteaux-du-Layon (France)
	Premières-Côtes-de-Bordeaux (France)
	Quarts-de-Chaume (France)
	Sélection de grains nobles (France)
	Vin de Paille (France)
14 % vol	Monbazillac (France)
	Moscato di Pantelleria (Italie)
	Sauternes, Barsac, Cérons, Loupiac (France)
	Sainte-Croix-du-Mont (France)
	Tokay Aszú (Hongrie)
15 % vol	Orange Muscat (Californie, Australie)
	Vin Santo (Italie)
16 % vol	
17 % vol	
18 % vol	Malvasia delle Lipari (Italie)

LES VINS ROUGES

La plupart des vins rouges sont conçus pour avoir un goût sec. Les rouges varient en fonction de leur densité et de leur astringence. Ils ont également une durée de vie très différente de celle des vins blancs : certains sont faits pour être bus jeunes – comme la plupart des vins blancs –, d'autres peuvent vieillir pendant des dizaines d'années et s'améliorer au fur et à mesure. Un vin rouge conçu pour vieillir procure peu de plaisir lorsqu'il est bu jeune. Pour les conseils sur l'âge auquel il faut boire les vins, voir La garde des vins, p. 50.

Il y a fort peu de différence entre les « rosés » : rares sont ceux qui vieillissent bien. Ils se distinguent surtout par leur douceur. Certains, tels le Rosé d'Anjou ou le *blush* californien, sont légèrement sucrés ; d'autres – la plupart des rosés de Provence et d'Espagne – sont secs.

Les vins rouges appartenant à la catégorie « légers, fruités, non vieillis » doivent être bus jeunes. Ils sont issus de cépages tels que le Gamay, le Cabernet Franc et d'autres, qui produisent des vins peu tanniques (c'est essentiellement les tanins qui permettent au vin rouge de vieillir). Les rouges moyennement corsés forment la catégorie la plus nombreuse. Elle comprend un grand nombre de vins de bonne qualité et une majorité de qualité moyenne. Certains d'entre eux peuvent vieillir et pourraient figurer dans la catégorie des « vins de garde ».

La catégorie « concentrés puissants » regroupe des vins tanniques aux arômes intenses, généralement très fruités (surtout dans le Nouveau Monde). La plupart de ces vins peuvent vieillir.

Les vins « de garde » proviennent de régions classiques, ou de grands millésimes des régions moins connues, qui ont déjà été vieillis en bouteille. Ces vins sont classés à part, parce que leurs arômes ne se développent qu'à leur apogée.

Les « spéciaux » de la liste ci-contre incluent les exceptions à la règle qui veut que la plupart des rouges soient secs. Selon la tradition méditerranéenne, ces

Les rouges français classiques, Bourgogne et Bordeaux, entourés par l'Italie et l'Espagne.

vins élaborés à partir de raisins partiellement secs – avec un fort degré de sucre à convertir en alcool – sont puissants et parfois sucrés. En Italie, ce style de vinification porte le nom de *passito* ou *recioto*. Les vins italiens étiquetés *liquoroso* sont des Vins Doux Naturels (voir p. 33).

Certains vins sont difficiles à situer : font-ils partie des « spéciaux » ou s'agit-il de Vins Doux Naturels ? Cela dépend de la technique de vinification, mais, en termes de goût, il n'y a pas grande différence entre un vin élaboré à partir de raisins séchés au soleil, mais non muté, et un autre élaboré à partir de raisins fraîchement cueillis mais auquel on a ajouté de l'eau-de-vie.

Les vins rouges peuvent passer d'une catégorie à une autre selon les millésimes : une bonne année dans une région classique, telle que le Bordelais ou la Bourgogne, fera passer de nombreux vins de leur catégorie normale de « moyennement corsés » à celle des

« pleins de personnalité, puissants ».

Les cépages prestigieux qui constituent la base des rouges de Bordeaux et de Bourgogne (Cabernet-Sauvignon et Pinot Noir) ont été largement plantés dans le Nouveau Monde – Californie, Washington, Oregon, Amérique du Sud, Australie et Nouvelle-Zélande –, de même que dans de nombreux pays d'Europe de l'Est, le long du Danube et autour de la mer Noire. Ces vins peuvent soit être d'un style courant, moyennement corsé, soit rivaliser avec les vins de caractère français – surtout ceux des grands producteurs et des bons millésimes en Californie, dans l'Oregon, en Australie, au Chili et en Afrique du Sud. Dans ces régions, où il n'existe pas de style traditionnel, le choix du vin est compliqué. Le résultat dépend du vinificateur, qui peut changer d'avis d'une année sur l'autre. Une lecture approfondie de la contre-étiquette donne parfois de bonnes indications. □

LES STYLES DE VINS ROUGES ET DE ROSÉS

Ces tableaux sont aussi exhaustifs que possible (voir encadré p. 28). Les noms cités sont généralement ceux mentionnés sur l'étiquette : le nom de la région (ex. : Buzet), la classification (ex. : Bordeaux Cru classé) ou le cépage (ex. : Barbera).

1. ROSÉS

10 % vol	Vins *blush*, White Zinfandel, White Grenache (Californie)
	Weißherbst (Allemagne)
11 % vol	Œil de Perdrix (Suisse)
	Vins portugais
12 % vol	Anjou (France)
	Bardolino Chiaretto (Italie)
	Bergerac (France)
	Bordeaux Clairet (France)
	Cabernet d'Anjou (France)
	Cabernet de Saumur (France)
	Navarra (Espagne)
	Rioja (Espagne)
	Rosé de Provence (France)
	Vin Gris (toutes origines)
13 % vol	Cirò (Italie)
	Lirac (France)
	Marsannay (France)
	Salice Salentino (Italie)
	Tavel (France)
14 % vol	Vin de Californie

2. LÉGERS, FRUITÉS, NON VIEILLIS

10 % vol	Spätburgunder (Allemagne, Autriche)
11 % vol	Bardolino (Italie)
	Blauer Zweigelt (Autriche)
	Vin de Savoie (France)
12 % vol	Anjou (France)
	Barbera (presque toutes origines)
	Beaujolais, y compris Nouveau (France)
	Bergerac (France)
	Bourgueil (France)
	Buzet (France)
	Cannonau di Sardegna (Italie)
	Chinon (France)
	Dolcetto (Italie)
	Dôle (Suisse)
	Dornfelder (Allemagne)
	Gaillac (France)
	Grignolino (Italie)
	Monica di Sardegna (Italie)
	Pinot Noir d'Alsace (France)
	Saumur (France)
	Valpolicella (Italie)

3. MOYENNEMENT CORSÉS

12 % vol	Bairrada (Portugal)
	Beaujolais-Villages et Cru (France)
	Bordeaux – excepté Cru classé (France)
	Bourgogne AOC, Passetoutgrain (France)
	Cabernet-Sauvignon (Europe, Nouvelle-Zélande)
	Cabernet-Sauvignon/Shiraz (Australie)
	Chianti (Italie)
	Corbières, Côtes-du-Roussillon, Fitou (France)
	Merlot (presque toutes origines)
	Minervois (France)
	Montepulciano d'Abruzzo (Italie)
	Navarra (Espagne)
	Pinot Noir (Nouveau Monde)
	Ribera del Duero, Rioja (Espagne)
	Rosso Cònero, Rosso Piceno (Italie)
	Valdepeñas (Espagne)
	Valtellina (Italie)
	Vino da tavola (Italie)
13 % vol	Barbera d'Alba (Italie)
	Coteaux-du-Languedoc (France)
	Côtes-du-Rhône (France)

4. CONCENTRÉS, PUISSANTS

12 % vol	Bourgogne Premier cru et Grand cru (France)
	Cabernet-Sauvignon (Nouveau Monde)
	Cahors (France)
	Cornas, Côte-Rôtie, Crozes-Hermitage (France)
	Dão, Douro (Portugal)
	Madiran (France)
	Montefalco (Italie)
	Nebbiolo (presque toutes origines)
	Penedès (Espagne)
	Pinotage (Afrique du Sud)
	Pomino (Italie)
	Saint-Joseph (France)
	Torgiano (Italie)
13 % vol	Barbaresco, Barolo (Italie)
	Brunello di Montalcino (Italie)
	Châteauneuf-du-Pape (France)
	Cirò (Italie)
	Collioure (France)
	Shiraz (Australie, Afrique du Sud)
	Zinfandel (Californie)
14 % vol	Château Musar (Liban)

5. DE GARDE

12 % vol	Bordeaux Cru classé (France)
	Bourgogne Premier cru et Grand cru (France, grands millésimes)
	Cabernet-Sauvignon (Nouveau Monde, grands millésimes)
	Chianti Classico Riserva (Italie)
	Graves (France)
	Pessac-Léognan (France)
	Pinot Noir (Nouveau Monde, grands millésimes)
	Rioja Reserva, Gran Reserva (Espagne)
	Vino da tavola (le meilleur d'Italie)
13 % vol	Hermitage (Rhône)
	Vino Nobile di Montepulciano (Toscane)

6. SPÉCIAUX

14 % vol	Sagrantino di Montefalco (Italie)
	Valpolicella Amarone (Italie)
15 % vol	Black Muscat (Californie, Australie)
	Commandaria (Chypre)
	Mavrodaphne (Grèce)
	Vin Santo (Italie)
16 % vol	Recioto della Valpolicella (Italie)
17 % vol	Priorato (Espagne)

LES VINS MOUSSEUX

Les vins mousseux peuvent être très différents en qualité, en caractère et en style. L'exemple français par excellence, le Champagne, est imité dans le monde entier. Le meilleur est sec sans être austère, avec des arômes puissants et délicats, dus aux cépages classiques et au vieillissement en bouteille.

Les autres vins mousseux peuvent soit se rapprocher beaucoup du Champagne, être issus des mêmes cépages et élaborés de la même manière, ou ressembler davantage à des boissons gazeuses : beaucoup de mousse, avec un parfum de fruits frais, ou très peu de goût. Les Champenois protègent jalousement leur appellation ; les vins élaborés partout ailleurs dans le monde selon la méthode champenoise traditionnelle (voir p. 114 et p. 214-216) n'ont plus droit à la désignation « méthode champenoise » sur l'étiquette ; elle a été remplacée par « méthode classique », « méthode traditionnelle » ou « fermentation en bouteille ». Ces désignations signifient toutes qu'il s'agit d'un vin élaboré selon la méthode de la seconde fermentation en bouteille.

Le Champagne constitue sans doute le premier choix pour une fête, mais il existe un grand nombre de vins mousseux (ou pétillants) d'excellente qualité.

La première catégorie – celle des vins « légers, fruités » – possède toujours une identité et une individualité régionale. La plupart des vins mousseux français et espagnols sont issus de cépages au goût plus neutre que ceux du Champagne. Ils sont donc plus légers et peut-être plus fruités.

Les vins mousseux allemands et italiens proviennent de cépages plus aromatiques et sont légèrement plus sucrés. Ces vins doivent être bus jeunes et frais.

Dans le deuxième groupe « fins, intenses », la longueur en bouche, la finesse des arômes, la pureté du style

Chardonnay italien et Champagne.

et la rémanence du bon vin de Champagne placent ce dernier bien au-dessus de la concurrence.

D'autres bons vins pétillants ont pour modèle le Champagne, mais si les Espagnols ou les Californiens peuvent importer les cépages champenois comme le Chardonnay ou le Pinot Noir pour les implanter, il leur est impossible d'importer le climat de la Champagne : les vins effervescents du Nouveau Monde manquent trop souvent de finesse et de longueur par excès de maturité des raisins.

Parmi les « légers et aromatiques », les vins mousseux vont des vins italiens – très légers, à base de Muscat – aux vins très dosés pour en adoucir le goût. Ils sont prévus pour accompagner les desserts, mais méfiez-vous : un entremets trop sucré tue la plupart des vins, un vin de dessert devant être un peu plus sucré que le plat qu'il accompagne. □

1. LÉGERS, FRUITÉS	
11 % vol	Asti Spumante (Italie)
	Brut (toutes provenances excepté Champagne)
	Cava (Espagne)
	Prosecco (Italie)
	Saumur (France)
	Sekt (Allemagne)
12 % vol	Blanquette de Limoux (France)
	Clairette de Die (France)
	Crémant d'Alsace (France)
	Crémant de Bourgogne (France)
	Crémant de Loire (France)
	Saint-Péray (France)
	Seyssel (France)
	Vouvray (France)
13 % vol	Shiraz (Australie)

2. FINS, INTENSES
12 % vol Champagne — brut, brut nature (France)
Chardonnay/Blanc de Blancs mousseux (presque toutes provenances)
Pinot Noir/Blanc de Noirs mousseux (presque toutes provenances)
Vin effervescent « méthode traditionnelle » (le meilleur du Nouveau Monde, principalement en Californie, en Australie et en Nouvelle-Zélande)

3. LÉGERS ET AROMATIQUES	
6 % vol	Moscato d'Asti (Italie)
7 % vol	Asti Spumante (Italie)
8 % vol	
9 % vol	
10 % vol	Lambrusco (Italie)
	Mousseux (toutes provenances)
	Sekt doux (Allemagne)
11 % vol	Prosecco (Italie)
12 % vol	Champagne — demi-sec, doux (France)
	Clairette de Die Tradition (France)

LES VINS DOUX

Les vins doux naturels (ou vins mutés) ibériques – Xérès, Porto, Málaga et Madère – ainsi que le Marsala italien offrent un vaste éventail de goûts, du sec austère au réellement sucré. Les vins peuvent être doux lorsqu'ils sont jeunes et devenir plus secs en vieillissant, comme le Porto millésimé. Le vieillissement est presque toujours effectué par le producteur, exception faite du Porto millésimé. La plupart des vins doux sont très contrôlés par leurs producteurs, qui décident du style et procèdent à l'assemblage correspondant (voir Xérès et Málaga, p. 424-430 ; Porto et Madère, p. 440-447 ; Marsala, p. 397).

Tous les Xérès commencent par être secs et sont adoucis par l'assemblage avec un vin plus sucré. La Manzanilla et les Xérès Fino ne sont jamais adoucis, mais l'Amontillado et l'Oloroso, bien que classiquement secs, sont souvent élaborés sous forme de vin demi-sec ou doux.

Les vins de Montilla ne sont pas nécessairement alcoolisés, mais ils sont élaborés de façon similaire au Xérès et offrent une gamme de styles semblable.

Le Porto doit sa douceur au raisin naturellement sucré. Parce que la fermentation est arrêtée avant que tout le sucre ne soit transformé en alcool, son goût demeure sucré. L'âge le rend plus sec : les *tawnies* millésimés, et surtout les vieux Portos millésimés (vieillis en bouteille), deviennent plus secs.

Des pays tels que l'Australie et l'Afrique du Sud, qui ont imité les styles ibériques classiques, Xérès et Porto, élaborent des vins qui vont du sec au très doux ; le style est indiqué sur l'étiquette.

Les vins italiens portant le mot *liquoroso* sur l'étiquette sont toujours alcoolisés, et généralement doux.

Les Vins Doux Naturels français (voir p. 283) se divisent en deux catégories : les rouges de Banyuls, Maury et Rivesaltes sont vieillis – parfois pendant plusieurs années – afin d'acquérir leur goût complexe de noix ; les blancs issus de

Porto millésimé et Xérès.

Muscat sont meilleurs quand ils sont bus jeunes et frais.

Les vins de liqueur français, tels que le Pineau des Charentes, le Floc de Gascogne et le Macvin du Jura, bien qu'ils soient alcoolisés afin d'atteindre entre 16 et 22 % vol, ne sont pas vraiment des vins (le jus de raisin n'est presque pas fermenté avant le mutage) et ne figurent donc pas dans ces tableaux.

Les vins doux (ou vins mutés) peuvent être plus ou moins forts. Certains sont légèrement alcoolisés, à 14-15 % vol, tandis que la plupart des Portos et des Xérès atteignent 20 % vol, et sont donc deux fois plus forts que beaucoup de vins de table.

Certains vins doux ont un plus fort degré d'alcool à l'exportation que le vin vendu sur place. Cela est particulièrement vrai du Xérès Fino, qui peut présenter un caractère bien particulier, et vient probablement du fait qu'autrefois on avait l'habitude de fortifier les vins. □

1. SECS	
14 % vol	Montilla (Espagne)
15 % vol	Manzanilla Xérès (Espagne)
16 % vol	Fino, Xérès (Espagne)
	Málaga Seco (Espagne)
17 % vol	Amontillado sec, Xérès (Espagne)
	Oloroso, Xérès (Espagne)
	Sercial, Madère (Portugal)
18 % vol	Marsala Secco (Italie)
19 % vol	Porto Branco (Portugal)
20 % vol	Oloroso Viejo, Xérès (Espagne)

2. DEMI-SECS	
16 % vol	Málaga Pajarete (Espagne)
17 % vol	
18 % vol	Amontillado Medium, Xérès (Espagne)
19 % vol	Palo Cortado, Xérès (Espagne)
	Verdelho Madère (Portugal)
20 % vol	Vieux Tawny, Porto (Portugal)
	Vintage Porto (Portugal)

3. DOUX	
15 % vol	Montilla (Espagne)
	Muscat de Beaumes-de-Venise, Muscat de Frontignan,
	Muscat de Rivesaltes (France)
	Samos Muscat (Grèce)
16 % vol	Málaga Dulce (Espagne)
	Banyuls, Maury, Rivesaltes (France)
17 % vol	Aleatico di Gradoli liquoroso (Italie)
	Marsala Dolce (Italie)
	Bual, Madère (Portugal)
	Cream, Xérès (Espagne)
18 % vol	Liqueur Muscat (Australie)
	Muscat de Setúbal (Portugal)
19 % vol	Malmsey, Madère (Portugal)
	Vins de style Porto (États-Unis, Australie, Afrique du Sud)
20 % vol	Ruby, LBB, Portos, (Portugal)
	Tawny, Porto (Portugal)
21 % vol	Moscato Passito di Pantelleria liquoroso (Italie)

LES CÉPAGES

Les cépages sont des points de repère sur la grande carte du vin. Connaître le cépage utilisé est intéressant pour le consommateur parce qu'il donne une information essentielle sur le goût et le caractère du vin qui est dans la bouteille. Un vin de Chardonnay aura par exemple certaines caractéristiques gustatives, quelle qu'en soit la provenance. Le cépage n'est que l'un des facteurs du goût – le sol et la technique de vinification peuvent être bien plus importants –, mais quelques notions sur les principaux cépages sont très utiles dans le choix d'un vin.

La vigne cultivée a pour lointain ancêtre une plante sauvage poussant en forêt et grimpant autour des arbres. Cela peut encore s'observer dans le Caucase et on fait toujours pousser de la vigne le long des arbres et sur des treilles en Italie, dans le nord de l'Espagne et au Portugal. L'arbuste sévèrement taillé qu'est le cep actuel ne ressemble guère à cette plante sauvage, mais le patrimoine génétique peut être établi, même si le cep originel de *Vitis vinifera* a évolué, depuis, en plusieurs milliers de variétés. Les vignerons choisissent des cépages spécifiques en fonction de critères portant sur les conditions de culture et la qualité du vin produit.

Le comportement des cépages dans le vignoble est examiné au chapitre Vinification (voir p. 99). Dans ce chapitre, il s'agit d'examiner le caractère que confère chaque cépage au vin produit.

En dépit de la multiplicité des cépages, quelques-uns ont été sélectionnés par les vignerons pour leurs caractères particuliers et les meilleurs sont devenus de véritables stars internationales. Ces derniers sont tous issus des vignobles de la Vieille Europe et sont attachés, dans l'esprit des amateurs et des vignerons du monde entier, aux grands vins français classiques et à quelques autres. En Europe, et particulièrement en France, la législation viticole réglemente l'emploi des cépages : tout le Bourgogne rouge de Côte d'Or est issu du seul Pinot Noir et pratiquement tout le Bourgogne blanc du seul Chardonnay. D'autres régions autorisent l'assemblage de plusieurs variétés : le Bordeaux rouge comporte une proportion variable de Cabernet-Sauvignon, Cabernet Franc, Merlot et de quelques cépages secondaires.

Dans certains pays d'Europe, comme l'Italie et l'Espagne, des variétés françaises ont été introduites pour compléter l'encépagement local traditionnel. On cultive du Cabernet-Sauvignon en Toscane et du Chardonnay en Catalogne, pour obtenir de nouveaux vins d'un style plus international.

Les vinificateurs du Nouveau Monde ont planté de vastes étendues de ces grands cépages classiques et de quelques autres. Quant à savoir si le recours à un cépage très réputé permet aux vinificateurs de reproduire ailleurs le goût de l'original européen, le débat reste ouvert. Un consensus se dégage sur le fait que le caractère variétal, tout en influant fortement sur le goût du vin, est seulement un facteur parmi d'autres. L'exposition, le climat, le sol et d'autres éléments propres à un vignoble donné agissent sur la croissance de la vigne et le goût du raisin. Puis intervient le processus de vinification.

Une majorité de la production mondiale provient d'autres cépages non classiques. Ceux-ci peuvent être cultivés par

Cabernet-Sauvignon

Cabernet Franc

respect de la tradition, pour leur rendement ou pour leur adaptation à la nature des sols ainsi qu'aux conditions climatologiques locales. Il ne faut pas croire que seules les variétés classiques peuvent donner du bon vin. La tendance mondiale à favoriser une poignée de cépages connus met en danger les cépages indigènes, qui ont leurs caractéristiques propres, représentent un matériel génétique précieux et donnent des vins originaux de caractère.

L'identification des cépages

L'étiquette des vins européens d'appellation ne précise que rarement le nom du ou des cépages dont il est issu. Les vignobles californiens ont été parmi les premiers à diffuser des vins sous leur nom de cépage, habituant les consommateurs américains à identifier le Chardonnay à un vin, aussi bien qu'à une variété de vigne. Le Bourgogne rouge ne mentionne pas sur son étiquette que le vin est exclusivement issu du Pinot Noir. Une réglementation des AOC françaises interdit même cette mention, sauf cas particulier, comme pour les vins d'Alsace.

En France, le développement des vins de pays (qui ne sont pas des AOC) a permis la mention des noms de cépages sur les étiquettes. Les vignerons veulent ainsi faire connaître cette distinction de monocépage, étant entendu que le nom d'un cépage connu (comme Sauvignon, Chardonnay, Cabernet-Sauvignon) a plus de chance d'être identifié et apprécié, et fournit une meilleure plus-value que la mention de son origine, appellation souvent méconnue, perdue au milieu de milliers d'autres.

CABERNET-SAUVIGNON

Le Cabernet-Sauvignon et son cousin le Cabernet Franc (voir plus loin) sont deux variétés de base du vin rouge de Bordeaux. Le Cabernet-Sauvignon est le cépage qui connaît le plus grand succès dans le monde entier : on l'a planté partout où l'on produit du vin et son caractère est assez fort pour qu'il s'exprime dans n'importe quel contexte. Ce cépage s'est développé à Bordeaux et

son nom a commencé à être connu vers la fin du XVIIIe et le début du XIXe siècle. On trouve dans les archives du Château Latour une lettre du régisseur Lamothe évoquant en 1808 son projet de planter « 8 000 plants du meilleur cépage, le Cabernet ; ils seront plantés avec soin ».

Donnant un faible rendement, le Cabernet-Sauvignon n'est cultivé que là où l'on veut obtenir un vin de qualité. Ses grains sont très foncés, petits avec une peau épaisse : peu de pulpe pour beaucoup de peau. Il donne un vin austère, tannique et très coloré qu'on assemble donc souvent avec d'autres variétés, comme le Cabernet Franc et le Merlot. C'est le principe de l'assemblage bordelais, imité dans d'innombrables vignobles du Nouveau Monde.

Le Cabernet-Sauvignon a une maturité tardive qui limite son usage aux zones de culture tempérées aux automnes doux, contrairement au Cabernet Franc qui mûrit plus tôt. Sous un climat trop chaud et dans un sol trop fertile, le vin peut être « confituré » et manquer d'acidité ; sous un climat trop frais, il peut présenter des arômes herbacés. Malgré tout, et même si les maigres sols graveleux du Médoc semblent représenter les conditions idéales de culture, le Cabernet-Sauvignon s'adapte à des conditions variables.

Les dégustateurs l'identifient à sa couleur : rouge sombre avec une note violacée dans sa prime jeunesse, qui vire au rouge brique avec le temps. Ses arômes rappellent le cassis dans les vins jeunes, le bois de cèdre dans les vins plus évolués. Le goût du jeune vin de Cabernet-Sauvignon est souvent âpre en raison de ses tanins. L'élevage en fût de chêne lui réussit ; les dégustateurs recherchent les notes boisées et apprécient l'harmonie existant entre les arômes fruités du cépage, la concentration de ses tanins et l'apport du bois, quand le vin a été élevé en fût de chêne neuf. Un vin de Cabernet-Sauvignon qui n'a pas été en contact avec le bois sera moins flatteur. Ce cépage confère une structure aux vins de garde : un grand Bordeaux rouge d'une bonne année continuera à s'améliorer pendant des décennies.

En dehors de Bordeaux, on trouve du Cabernet-Sauvignon dans d'autres vins français du Sud-Ouest, comme à Bergerac, dans les vins de pays du Midi et dans la Loire, où il est assemblé avec le Cabernet Franc. Dans le reste de l'Europe, en Espagne, dans le nord et le centre de l'Italie, c'est un apport récent (mais certaines parcelles ont un siècle d'existence dans la Rioja, le Douro et le Chianti).

En Europe de l'Est, la Bulgarie aligne 35 000 ha de Cabernet-Sauvignon – autant qu'à Bordeaux – et ses exportations vers le Royaume-Uni et la Scandinavie sont en plein essor. Ce cépage est également présent en Roumanie, Moldavie, Russie, Géorgie, Grèce, Turquie et au Liban.

Aux États-Unis, la Californie produit de nombreux vins de qualité à partir de ses 9 060 ha de Cabernet-Sauvignon (1995). Le cépage est vinifié seul mais aussi, et de plus en plus, assemblé avec d'autres. Le Chili a des vignobles de Cabernet-Sauvignon depuis plus d'un siècle, avec de très bons résultats.

Le cépage a été bien accueilli sur le sol australien, à Coonawarra dans le Sud, dans Hunter Valley en Nouvelle-Galles du Sud et dans quelques vignobles isolés au climat frais. En Nouvelle-Zélande, les premiers vins de Cabernet-Sauvignon sont décevants, mais la vigne est encore jeune et il faut attendre plus de dix ans pour que cette variété exprime son potentiel de qualité. Le cépage est cultivé en Afrique du Sud avec un certain succès, bien qu'il donne de meilleurs résultats assemblé avec du Merlot et du Cabernet Franc.

CABERNET FRANC

Le Cabernet Franc est cultivé à Bordeaux pour des vins rouges, mais y est presque toujours minoritaire dans les assemblages avec le Cabernet-Sauvignon et le Merlot, exception faite du premier grand cru de Saint-Émilion, Château Cheval Blanc (60 %). Moins présent dans les Premières-Côtes-de-Bordeaux, le Cabernet Franc sera encore moins important dans les assemblages de crus classés du

Médoc ou des Graves (environ 12 à 15 %). Le cépage domine dans certaines régions de Loire : des vins comme le Saumur, le Bourgueil et le Chinon sont essentiellement, voire exclusivement, issus de Cabernet Franc. Au contraire du Cabernet-Sauvignon, il n'a guère été exporté et sa réputation repose sur sa participation au classique assemblage bordelais. On trouve un peu de Cabernet Franc en Californie, mais, hors de France, il est surtout populaire dans le nord-est de l'Italie, en Vénétie et dans le Frioul-Vénétie Julienne.

Dans la Loire, où on peut le trouver pur, il donne un vin rouge relativement léger, rarement un vin de garde. Une année chaude peut à l'occasion produire des vins qui peuvent se bonifier en bouteille, mais la plupart sont bus rapidement. Le Cabernet Franc n'a pas les tanins, l'acidité et la structure du Cabernet-Sauvignon, mais il offre des arômes frais et fruités et un goût caractéristique de fruit mûr.

CHARDONNAY

Le Chardonnay est le cépage blanc le plus apprécié dans le petit groupe des cépages classiques. En Californie, il évoque un style depuis le boom viticole des années 1970 et 1980. Aux quatre coins du monde, des vinificateurs ont tenté de recréer, au moins partiellement, la réussite qu'il rencontre dans ses terres d'élection de Bourgogne et de Champagne. Ces essais ont montré qu'il s'agit d'un cépage très adaptable, pouvant produire des vins variés dans toute une gamme de sites. Facile à cultiver, il supporte toutes sortes de climats, des froideurs champenoises aux chaleurs australiennes.

En Chardonnay, les références classiques sont les vins blancs de la Côte d'Or, de Chablis, du Mâconnais et de Champagne. En Bourgogne, le Chardonnay est vinifié seul. En Champagne, il est le plus souvent assemblé avec des raisins noirs de Pinot Noir et Pinot Meunier. Le Champagne de Chardonnay pur porte la mention Blanc de Blancs.

Le Bourgogne blanc marie les saveurs du Chardonnay et du chêne, un couple que l'on retrouve partout où ce cépage est cultivé. En Bourgogne, les fûts de chêne sont utilisés aussi bien pour la fermentation du vin que pour son élevage. Ce traitement coûteux est toutefois réservé aux meilleurs et la plupart des vins de Chardonnay sont vinifiés plus simplement en cuves.

Le Chardonnay peut présenter de puissants arômes : dans les pays plus chauds, les arômes de brioche, de beurre frais, de noisette et de pain grillé des Chardonnays de la Bourgogne feront place à des arômes d'agrumes, d'ananas et de fruits exotiques. Les plus grands vins de Chardonnay, comme les Bourgognes blancs, vieillissent bien. D'autres, surtout ceux qui n'ont pas été élevés dans le bois, sont faits pour être bus rapidement. Dans le cas du Chardonnay, tout dépend de la stratégie du vinificateur.

CHENIN BLANC

Le Chenin est un cépage dont la qualité est généralement aussi moyenne qu'assurée. Dans une région – la Loire –, il peut donner des vins blancs de garde, dont l'acide jeunesse évolue vers une maturité d'une complexe et voluptueuse douceur. En Afrique du Sud, en Californie et dans d'autres régions, il produit des vins demi-secs sans vice ni vertu : le Chenin est un cépage versatile.

Les grands vins de Loire à base de Chenin Blanc sont le Vouvray, le Bonnezeaux et certaines appellations d'Anjou (voir p. 238-241). Ces vins sont un défi pour le dégustateur : à moins de bien connaître les millésimes de la région, il est difficile de dire s'ils seront doux, légèrement doux ou presque secs. Leur âge joue également un rôle : peu de vins blancs ont une longévité comparable à celle des vins moelleux de Chenin d'une grande année.

Ce cépage convient aux vins de vendanges tardives dont les raisins sont atteints de pourriture noble *(Botrytis cinerea)*. La vallée du Layon en Anjou et la zone de Vouvray en sont le cœur. Le Chenin a une maturité tardive et la vendange peut être retardée jusqu'en novembre. Les vins auront alors une teneur en sucre encore accentuée par la pourriture noble.

GAMAY

Par un fameux édit de 1395, Philippe le Hardi, duc de Bourgogne, ordonna de bannir le Gamay des vignobles de la Côte d'Or. Cette histoire a entaché la réputation de ce cépage pour des générations d'amateurs. Même les esprits les plus ouverts auront du mal à voir en lui un classique. Il doit sa place dans ce chapitre au fait qu'il est le cépage unique du Beaujolais, l'un des vins rouges légers les plus célèbres du monde. Le Gamay produit un style de vin largement imité, bien que rarement issu du même cépage.

Il est riche en arômes primaires et en saveurs de fruits mûrs. S'il est vinifié par macération carbonique (voir p. 112), une méthode couramment pratiquée en Beaujolais, il conserve ce caractère fruité, simple et direct. Dans les vins de Gamay, le caractère du cépage prédomine. Le Beaujolais possède des crus soigneusement définis, chacun doté de son terroir et bien identifiable, mais cette parenté de leur cépage commun domine les subtilités de terroir.

Le Gamay est aussi cultivé dans la vallée de la Loire et dans quelques vignobles du centre de la France. Ailleurs, on n'en trouve en quantité significative qu'en Californie. Mais la confusion des noms régnant là-bas (on trouve un « Gamay Beaujolais » qui n'est ni l'un ni l'autre) jette le doute sur l'existence effective de ce cépage.

Le cépage Gamay ne donne pas un vin de garde, excepté dans les crus du Beaujolais et uniquement dans les meilleurs millésimes.

GEWÜRZTRAMINER

En allemand, « Gewürz » signifie épice : une bonne indication sur le caractère de ce cépage qui est chez lui des deux côtés du Rhin, en Alsace et dans le sud de l'Allemagne, ainsi que dans le nord de l'Italie et en Autriche. Selon certains, le Traminer est exactement le même cépage, mais dans quelques régions d'Allemagne on fait une distinction.

Le vin de Gewürztraminer est l'un des plus faciles à reconnaître. Il a un fruité prononcé, très marqué par des notes épicées. Il peut être grossier s'il est mal vinifié, ou assez insipide si les raisins manquent de maturité, mais les bons vins d'Alsace ou du pays de Bade ont une intense présence en bouche, en dépit d'une acidité presque toujours faible. On a comparé le goût du Gewürztraminer au pamplemousse mûr, au litchi ou à la mangue. On l'identifie plus souvent à son arôme : difficile à décrire, facile à reconnaître et à mémoriser.

Hors des vignobles du centre de l'Europe, ce cépage a un succès limité, notamment à cause d'une intolérance à la chaleur qui rend ses vins trop mous. On en cultive en Californie et en Nouvelle-Zélande.

MERLOT

Le Merlot est aux vignobles bordelais de la rive droite ce que le Cabernet-Sauvignon est à ceux du Médoc, sur la rive gauche. C'est la clef des grands vins rouges de Saint-Émilion et de Pomerol, même s'il ne domine pas toujours l'assemblage. Son rôle fondamental dans certains vins illustres (comme Pétrus) a incité les vinificateurs californiens à l'essayer, dans l'espoir de réussir d'aussi grands vins.

À un niveau plus modeste, le Merlot est largement cultivé dans le sud de la France, où il figure de plus en plus sur les étiquettes de vins de pays, et dans le nord de l'Italie. Beaucoup de petites appellations bordelaises ont plus de Merlot que de Cabernet. Il est également présent dans le Médoc parce qu'il mûrit plus tôt que le Cabernet-Sauvignon. Mais cela l'expose aux gelées de printemps ; en outre, il craint la coulure et autres dangers, au point que, certaines années, les vignes de Merlot ne donnent pratiquement rien. À Bordeaux, 1984 a laissé le souvenir d'un millésime presque entièrement à base de Cabernet en raison de la défaillance du Merlot.

Vinifié seul, le Merlot a un goût souple et fruité, une belle robe sombre et des arômes très fruités et francs. La plupart des vins de Merlot sont à boire jeunes ; les exceptions comme les grands Pomerols prennent, avec le temps, une splendide complexité. On ne sait pas encore si les Merlots du Nouveau Monde

Merlot

Chardonnay

Gewürztraminer

Chenin Blanc

Gamay

Riesling

Pinot Noir

Nebbiolo

Sauvignon Blanc

Muscat

auront une longévité comparable. Çe cépage est à la mode en Californie et on lui consacre beaucoup d'efforts.

MUSCAT

Quiconque a goûté un raisin de Muscat reconnaîtra sans difficulté un vin de Muscat : le goût est pratiquement l'unique point commun entre tous les membres de cette vaste famille de cépages. Certains raisins sont noirs, d'autres rougeâtres ou blancs. Les vins sont tout aussi variés et vont du blanc mousseux aux vins mutés riches et denses d'Australie.

Le Muscat pourrait bien être le plus ancien de tous les cépages, peut-être même l'ancêtre des autres formes de *Vitis vinifera*. Ces hypothèses sont indé-montrables, mais il est de fait qu'on cultivait du Muscat, ou quelque chose de très semblable, dans la Grèce antique et que l'un des cépages décrits par l'écri-vain latin Pline était du Muscat. On continue d'en cultiver en Grèce et dans les anciennes colonies grecques, de la Crimée à Marseille.

La famille des Muscats compte au moins 200 représentants. Certains sont supérieurs à d'autres et le Muscat Blanc à petits grains est généralement jugé le meilleur. Il aime les climats assez chauds comme à Frontignan, dans le sud de la France, où l'on en fait du Vin Doux Naturel. On le trouve aussi dans la vallée du Rhône, à Beaumes-de-Venise, ainsi qu'à Die où le vin est effer-vescent. Ce cépage est aussi répandu en Italie et en Espagne, sous les noms respectifs de Moscato et Moscatel.

L'Australie a adopté le Muscat Blanc à petits grains et en tire un vin remarquable. Avant la mise en œuvre de recherches approfondies, on pen-sait que les vignobles australiens renfermaient plusieurs variétés de Muscat. Mais le Muscat Blanc à petits grains est sujet à mutation et sa cou-leur passe assez facilement du blanc au brun rougeâtre. Cela a engendré des confusions, les diverses nuances recevant des noms divers. En fait, il s'agit toujours de Muscat Blanc à petits grains. D'autres variétés comme le Muscat d'Alexandrie ont un rendement plus élevé, mais donnent un vin de qualité inférieure. On en cultive cependant beaucoup dans des pays aussi différents que la Grèce, l'Australie et l'Afrique du Sud. Le Muscat Ottonel, croisement obtenu au XIXᵉ siècle, est présent dans le centre de l'Europe, de l'Alsace à la Roumanie en passant par l'Autriche et la Hongrie.

Les divers Muscats produisent des vins dont le style varie en concentration et en puissance aromatique. Le Muscat Blanc à petits grains donne les vins les plus intenses, au goût de raisin prononcé. Mais il est rare que l'étiquette d'un vin précise la catégorie de Muscat dont il provient.

NEBBIOLO

Le Nebbiolo, principale contribution de l'Italie en cépages classiques, est chez lui dans les vallées du Piémont, où il produit le Barolo et le Barbaresco. Il est rarement cultivé hors d'Italie, avec une faible présence en Amérique du Nord et du Sud. Les vignobles piémontais de Nebbiolo sont très escarpés, embrumés en automne et froids en hiver. Les raisins mûrissent tard, parfois même en novembre, et exigent la chaleur de coteaux orientés au sud. Les baies sont foncées, avec une peau épaisse et une forte acidité qui rend presque obligatoire un élevage dans le bois pour apprivoiser le vin.

Les vins de Nebbiolo ont une longévité proverbiale et doivent passer un certain temps en bouteille – et en carafe de décantation – pour que leurs tanins s'adoucissent et que leur bouquet se développe. L'amertume propre au cépage peut devenir de l'astringence si le vin n'est pas bien vinifié.

PINOT NOIR

Exaspérant à cultiver, fascinant à déguster, le Pinot Noir est le cépage des grands Bourgognes rouges. Au contraire de son équivalent en blanc, le Chardonnay, il a résisté à toutes les tentatives de reproduire ailleurs le goût des crus de la Côte d'Or. Mais le charme du vin rouge de Bourgogne est tel que les vinificateurs continuent à s'acharner.

Le Pinot Noir a une longue histoire : des archives bourguignonnes le font remonter au XIVᵉ siècle, le folklore allant, lui, jusqu'à la Gaule romaine. L'âge s'accompagne d'une certaine instabilité génétique, à l'origine de nombreuses mutations et d'une grande sensibilité aux maladies. De récentes expériences génétiques ont multiplié le nombre de clones disponibles. Il en existe de plus résistants qui produisent un vin de qualité inférieure.

Il est possible que certains des problèmes rencontrés par les producteurs de Pinot Noir partout dans le monde soient dus à l'emploi de clones médiocres. Cette diversité clonale se reflète aussi dans les styles de vin produits en Côte d'Or, où ce cépage règne en maître. Quel que soit le clone, le Pinot Noir est une source de tracas pour les vignerons. Au printemps, il craint le gel ; en été, la pluie (source de pourriture) et la grande chaleur. La fraîcheur automnale l'empêche de mûrir. Il donne peu de vin : les rendements doivent rester bas si l'on recherche la qualité.

Hors de Bourgogne, ce cépage donne de grands vins en Champagne, où il est presque toujours assemblé avec le Pinot Meunier (rouge) et le Chardonnay (blanc) dans le plus célèbre des vins effervescents. Le Pinot Noir est largement cultivé ailleurs dans le monde, mais ses prétentions à la grandeur sont contestées. Le Spätburgunder (son nom allemand) est devenu plus foncé et moins léger depuis que les rendements ont baissé et qu'on l'élève en barrique. Le Pinot Noir d'Italie et d'Europe de l'Est déçoit souvent par son manque de caractère et d'intensité aromatique. En Californie, et plus encore sur la côte nord-ouest du Pacifique, certaines plantations expérimentales ont donné des vins de style et de qualité très variables. L'Oregon a sans doute enregistré les meilleurs résultats pour l'instant, mais certains vins décevants, sans aucune raison, permettent de douter des progrès effectués. Quant à l'Australie, elle vient seulement de découvrir, ou de redécouvrir, les vignobles au climat frais que ce cépage exige.

Le goût du Pinot Noir est difficile à définir car celui-ci, bien plus que d'autres cépages rouges, dépend beaucoup du terroir dont il est issu et de sa vinification. Les versions légères sont souples et fruitées ; les vins plus robustes élevés dans le bois sont plus complexes et plus denses, tout en conservant une robe relativement pâle et des notes de fruits mûrs (cerise, griotte).

RIESLING

L'Allemagne a produit un cépage blanc véritablement classique, le Riesling. Il convient parfaitement aux vignobles allemands composés de coteaux frais et escarpés en bordure de fleuve, au point que les plus beaux terroirs du pays sont presque entièrement consacrés à cette noble variété.

Le Riesling donne des vins où acidité et douceur s'équilibrent. Il mûrit tardivement, mais peut donner de splendides vins doux si l'automne est chaud. Il résiste au froid de l'hiver et survit à des gelées qui anéantissent d'autres cépages. Ses rendements sont relativement faibles, surtout en comparaison des moyennes du vignoble allemand.

Le Riesling peut donner des vins secs ou doux, des vins à boire jeunes et d'autres à garder pendant des décennies. Les meilleurs profitent de son acidité, nécessaire à la garde et à l'équilibre des vins liquoreux.

Ce cépage est cultivé en Allemagne dans les plus beaux vignobles de Moselle et de la vallée du Rhin, en Autriche et le long du Danube, ainsi que dans le nord de l'Italie. En France, il se limite à l'Alsace où il produit des vins plus riches en alcool et plus secs qu'en Allemagne. Dans le Nouveau Monde, le Riesling donne de bons résultats en Californie, en Nouvelle-Zélande et en Australie. Sous ces climats plus chauds, la teneur en acidité propre aux modèles allemands peut cependant lui faire défaut. Les vins de vendanges tardives peuvent être réussis, mais ont souvent un style plus « gras » qu'en Allemagne. Ce cépage ne doit pas être confondu avec le Welschriesling, alias Laski ou Riesling Italico, qui lui est inférieur.

SAUVIGNON BLANC

Ce cépage n'était pas considéré comme un classique jusqu'à la découverte par le Tout-Paris, suivi du reste du monde, du Sancerre et du Pouilly Fumé dans les années 1960. Le Sauvignon est utilisé dans ces deux vins blancs de Loire depuis des générations, mais l'intérêt relatif dont il bénéficiait jusqu'alors était dû à son rôle dans le Bordelais. Avec le Sémillon, il entre en effet dans la composition du Graves blanc et du Sauternes. Ces appellations figuraient sur la carte mondiale des grands vins quand Sancerre et Pouilly n'étaient que deux villages peu connus du centre de la France.

Le style du Sauvignon – frais, vif et impérieux, mais avec un fruité savoureux – est aujourd'hui apprécié dans le monde entier. Les vinificateurs de Nouvelle-Zélande et d'Australie se sont emparés de ce cépage et ont réussi à produire des vins à un prix concurrentiel, d'une qualité qui surpasse parfois celle des vins de Loire. C'est pourtant toujours vers Bordeaux que l'amateur se tourne dans sa quête de vins de Sauvignon aptes à vieillir, à gagner en complexité et à donner d'authentiques grands vins.

Ce cépage est en train d'acquérir un nouveau rôle à Bordeaux, celui de régénérateur des styles fatigués. Quand des producteurs d'Entre-deux-Mers, de Graves ou de petites AOC bordelaises veulent donner un coup de fouet à leur vin, ils augmentent la part du Sauvignon aux dépens du Sémillon. Bien entendu, la réalité est plus complexe : l'ascension de ce cépage s'explique aussi par ses affinités avec la vinification moderne. Fermentation à basse température, macération pelliculaire, maturation en cuve plutôt qu'en fût lui conviennent parfaitement. Le succès de nombreux vins blancs acclamés comme les « nouveaux » vins de vieilles appellations tient autant à une meilleure technique de vinification qu'à une plus forte proportion de Sauvignon. À maints égards, ces vins sont la réponse de la France au Nouveau Monde.

Le style traditionnel des Sauvignons de Sancerre et Pouilly pourrait avoir été meilleur. Tant de vin médiocre a été produit récemment sur des terres qui n'avaient jamais vu un cep de vigne qu'on risque de perdre de vue la réalité de la tradition. Celle-ci implique un rendement raisonnable, une fermentation sous bois (parfois du chêne neuf), bref une approche plutôt bourguignonne. Quelques producteurs comme Didier Dagueneau (voir p. 246) à Pouilly ont repris cette voie, avec de remarquables résultats. Ils prouveront peut-être que le Sauvignon peut donner des vins de garde et mérite plus de respect. Mais la plupart des vins de Sauvignon sont et resteront assez simples de goût et de structure, faits pour être bus rapidement.

Grâce aux effets de la mode, le Sauvignon est omniprésent. Le climat australien étant dans l'ensemble trop chaud, c'est la Nouvelle-Zélande qui s'est chargée de produire des vins nets et fruités à partir de ce cépage. Le Chili ne l'a pas encore rattrapée, mais semble en bonne voie. En Californie, Robert Mondavi a tiré du Sauvignon un nouveau vin, le Fumé Blanc. Cette intelligente adaptation recourt à un bref passage en fût de chêne pour transformer un Sauvignon californien plat et assez herbacé en un vin qui s'apparente à un Pouilly Fumé. L'Italie, la Slovénie, l'Autriche et la Bulgarie font du Sauvignon en quantités variables et c'est sans doute en Autriche qu'il donne les meilleurs résultats.

Si l'on veut rivaliser avec la Loire, il faut un climat frais et un sol pauvre. Dans une région plus chaude – même à Bordeaux – le vin risque de prendre un caractère végétal, sans l'acidité et le fruité vif des vins de Loire. Plus le climat est chaud, plus la vinification influe sur le style.

Dans les Graves blancs et les Sauternes, le Sauvignon ne joue pas le premier rôle, du moins en ce qui concerne la qualité. Les proportions de cépages blancs varient selon les domaines. Le Sémillon est généralement majoritaire à Sauternes, bien que les deux cépages soient sujets à la pourriture noble quand les conditions sont réunies. Le Sauvignon prend le dessus dans les Graves, allant parfois jusqu'à 100 % dans certains châteaux. L'appellation Pessac-Léognan exige 25 % de Sauvignon au minimum.

SÉMILLON

La mode n'est pas au Sémillon, ni parmi les vinificateurs ni chez les amateurs, et on le considère rarement comme un cépage à vinifier seul. Le mot Sémillon sur l'étiquette ne stimule pas les ventes autant que Chardonnay ou Sauvignon. Il a surtout pour fonction d'être assemblé avec ce dernier dans les vins liquoreux, comme à Sauternes, ce qui permet de l'oublier dans les vins secs. Il est pourtant associé au Sauvignon dans de grands Graves blancs et, en Australie, dans Hunter Valley, il donne à lui seul de superbes vins secs de garde. Ces crus ne sont pas très connus et la nécessité d'un long vieillissement ne joue pas en leur faveur.

Le Sémillon a une production régulière, un bon rendement et résiste bien aux maladies de la vigne. Sur tous ces points, il est supérieur au Sauvignon. En outre, il réagit bien à l'élevage dans le chêne, comme le prouvent depuis des générations les plus beaux Graves blancs. Toutefois, au contraire du Chardonnay, il n'a pas frappé l'imagination des vinificateurs du Nouveau Monde désireux de se mesurer aux grands vins français. Cela tient en partie à ses défauts, notamment la tendance du moût à s'oxyder en cours de vinification. Autre caractéristique à double tranchant, la peau fine des raisins, qui les expose à la pourriture. C'est parfait s'il s'agit du « noble » *Botrytis cinerea*, mais désastreux en cas de pourriture grise, fléau qui peut détruire une vendange.

En France, le Sémillon est surtout concentré en Gironde, autour de Bordeaux et dans les alentours, comme à Monbazillac. On trouve d'importants vignobles de Sémillon au Chili, en Argentine, en Afrique du Sud et en Australie. Hors de France, c'est seulement en Australie et particulièrement dans Hunter Valley, en Nouvelle-Galles du Sud, que ce cépage s'est fait un nom. Il est également cultivé dans la zone de Murrumbidgee (toujours en Nouvelle-Galles du Sud) et assemblé avec d'autres variétés pour produire des vins ordinaires d'un bon rapport qualité/prix.

SYRAH

La Syrah est un autre cépage classique français transplanté partout dans le monde pour rivaliser avec ses vins de référence. Il est à l'origine des grands vins du Rhône, comme Hermitage et Côte Rôtie, et entre dans l'assemblage du Châteauneuf-du-Pape et d'autres vins. L'Australie s'est mise avec enthousiasme à la Syrah – appelée Shiraz – notamment parce que ce fut l'une des premières variétés plantées là-bas. La Californie montre moins d'ardeur, mais un groupe de vinificateurs travaille activement à promouvoir ce cépage et ses cousins rhodaniens. Le climat de la vallée du Rhône, patrie de la Syrah, a en effet beaucoup de points communs avec de nombreux vignobles du Nouveau Monde.

Pendant longtemps, on a cru que la Syrah était originaire de la ville de Chiraz, aujourd'hui située en Iran. Dans l'Antiquité, des navigateurs grecs l'auraient introduite en Occident. Mais des recherches historiques et ampélographiques ont conduit à une autre conclusion. La Syrah serait originaire du Dauphiné. Elle descendrait des lambrusques, lianes sauvages poussant dans les forêts, en bordure des fleuves et des lacs, et serait le fruit de la domestication de cette plante. Cultivée initialement dans le Dauphiné, elle a gagné la vallée du Rhône, Toulon, l'Hérault, l'Aude et la Gironde.

La Syrah donne une production régulière et assez abondante mais représente un défi pour le vinificateur, surtout si elle est utilisée seule. Dans les vins ordinaires, il vaut mieux l'employer comme cépage additionnel – elle peut apporter des notes épicées et un surcroît d'intérêt à un assemblage sans grand caractère. Sa culture dans le midi de la France a été encouragée par des subventions et ses caractéristiques notes fumées et concentrées apparaissent dans de nombreux vins de pays, de la Provence à l'Aude.

En l'absence d'assemblage – comme dans les vins des Côtes du Rhône septentrionales –, la Syrah exige une vinification méticuleuse et, si possible, un élevage dans des fûts de chêne. Cette dépense ne peut se justifier que dans des appellations comme l'Hermitage, dont les prix sont élevés. Un grand vin de Syrah peut avoir une longévité, une complexité et un prix comparables à ceux d'un premier cru classé bordelais. Les liens avec Bordeaux sont anciens : il y a cent ans, on ajoutait régulièrement de l'Hermitage dans le Bordeaux rouge pour renforcer sa couleur et son goût. Cette pratique est aujourd'hui illégale dans le cadre des vins d'appellation, mais, dans un certain sens, le recours à la Syrah pour renforcer les vins de pays en est une résurrection.

L'Australie poursuit cette tradition en assemblant la Syrah et le Cabernet-Sauvignon pour élaborer un vin relativement souple et facile. Une Syrah (ou Shiraz) australienne non assemblée serait potentiellement un meilleur vin. Mais, là-bas comme en Californie, le choix de coteaux très ensoleillés et bien drainés est vital.

TEMPRANILLO

Le Tempranillo est le cépage-clef de la plupart des vins rouges espagnols importants, y compris le Rioja, le Ribera del Duero et les bons crus de Catalogne. À l'amateur, il rappelle un peu les arômes et le goût du Pinot Noir bourguignon. La théorie, sûrement d'origine gustative, selon laquelle ce cépage serait venu de France dans le

Tempranillo

Syrah

Sémillon

Zinfandel

nord de l'Espagne grâce à des pèlerins, n'a pas de confirmation historique. Quelle que soit son origine, le Tempranillo est devenu le premier des cépages rouges d'Espagne. Il porte divers noms tout au long de la Péninsule, dont celui de Tinta Roriz au Portugal. Il est cultivé dans le Douro pour le Porto et des vins de table.

Le Rioja est le plus connu des vins à base de Tempranillo. Le cépage n'y est pas utilisé seul, mais, dans les meilleurs vins de Rioja, il est le plus souvent majoritaire. Il pousse particulièrement bien dans les régions à pluviosité modérée de Rioja Alta et Rioja Alavesa et sa maturité précoce convient aux zones d'altitude à climat plutôt frais et aux sols calcaires de Rioja et Ribera del Duero.

Le Tempranillo donne un vin coloré, à l'acidité relativement basse, qui réagit bien à un élevage en fût de chêne. Il n'a guère de tanins, si bien qu'on l'assemble parfois à des cépages comme le Mazuelo et le Cabernet-Sauvignon pour compenser.

Le Tempranillo reste avant tout espagnol et n'existe qu'en quantités limitées ailleurs dans le monde. À part le Portugal, l'Argentine est le seul pays à en cultiver des surfaces importantes.

ZINFANDEL

Tous les vins américains naissent de cépages originaires d'Europe, de France en particulier, mais également d'Italie, d'Espagne, d'Allemagne, de Hongrie, etc. Le seul vin que l'on considère comme typiquement américain est issu du Zinfandel, appelé *Zin* dans le langage familier. Ce cépage a sans doute été introduit aux États-Unis vers 1850. Son origine, longtemps mystérieuse, est à chercher dans le Primitivo cultivé au sud de l'Italie, lui-même descendant d'une obscure variété de Dalmatie, le Klavac Mali. Le Zinfandel – le vin porte le nom du cépage – peut être blanc, rosé ou rouge et même dans le style Porto. Le rosé, très pâle, est appelé *blush,* mais le *Zin* le plus connu est rouge. Très coloré, très fruité, il a des caractères épicés qui s'accusent vers sa quatrième année.   □

AUTRES CÉPAGES IMPORTANTS

Vous trouverez ci-après quelques-uns des cépages les plus courants.

Aleatico : raisin rouge aux arômes intenses, dont sont issus des vins de couleur foncée, cultivé dans plusieurs régions d'Italie, au Chili, en Australie et en Californie.

Aligoté : raisin blanc de Bourgogne, dont est issu un vin blanc sec assez acide que l'on retrouve sous le nom de Bourgogne Aligoté. Il est également cultivé en Bulgarie, en Roumanie et en Californie.

Barbera : raisin rouge de qualité, doté d'une bonne acidité; très répandu en Italie et en Californie.

Carignan/Cariñena : raisin rouge le plus communément cultivé en France, produisant des vins de couleur foncée, tanniques, à fort degré d'alcool.

Chasselas : raisin blanc dont est issu un vin sec léger et fruité essentiellement cultivé en Suisse et sur le cours supérieur de la Loire (à Pouilly-sur-Loire), en Alsace, en Savoie et en Allemagne (sous le nom de Gutedel).

Cinsaut : ce rouge de qualité moyenne, pauvre en tanin, aimant la chaleur, est souvent utilisé pour les assemblages dans le Midi, au Liban et en Afrique du Nord.

Colombard : cépage blanc du sud-ouest de la France qui se plaît aussi en Californie et en Afrique du Sud. Il donne des vins légers, aromatiques, avec une vive acidité.

Cot : voir Malbec (p. 107).

Folle-Blanche : cépage à haut rendement, très acide, servant à élaborer le Gros-Plant.

Fumé Blanc : synonyme de Sauvignon en Californie, en Nouvelle-Zélande, en Australie, en Afrique du Sud.

Grenache/Garnacha : le raisin rouge le plus cultivé dans le monde, surtout dans le Rhône, la Provence, la Corse, le Midi, la Californie, l'Australie, l'Afrique du Sud.

Malvoisie/Malvasia : raisin blanc dont sont issus des vins amples ; il donne du caractère aux assemblages. Ce cépage a donné son nom au plus doux des Madères. (Le Malvoisie suisse et français est en réalité du Pinot Gris.)

Marsanne : il donne des blancs secs dans le nord du Rhône, et il est également cultivé en Suisse et en Australie.

Mazuelo : nom espagnol du Carignan.

Melon de Bourgogne : raisin blanc dont est issu le Muscadet. Parfois appelé Pinot Blanc en Californie.

Mourvèdre : raisin rouge robuste, généralement assemblé à la Syrah, au Grenache et au Cinsaut dans le Rhône, en Provence et dans le Midi (AOC Bandol).

Müller-Thurgau : le raisin le plus courant en Allemagne, dont sont issus des vins blancs assez neutres. Il existe aussi en Nouvelle-Zélande, dans le nord de l'Italie, en Autriche, en Angleterre et au Luxembourg.

Muscadelle : raisin blanc aux vertus aromatiques, quelquefois utilisé dans les assemblages de Bordeaux blancs secs et certains vins liquoreux.

Muskat-Sylvaner : synonyme de Sauvignon en Autriche et en Allemagne.

Palomino : raisin blanc de faible acidité et modérément sucré à l'origine du Xérès (également cultivé en Californie, en Australie et en Afrique de Sud).

Pedro Ximénez : cépage blanc très sucré collaborant au Xérès et surtout au Montilla y Moriles. Hors d'Espagne, on le trouve en Australie, en Californie et en Afrique du Sud.

Pinot Blanc : raisin blanc cultivé surtout en Alsace. Connu sous le nom de Weißburgunder en Allemagne et en Autriche, et de Pinot Bianco en Italie, il connaît un succès croissant en Californie. Il sert souvent de base à des vins mousseux.

Pinot Gris : il peut s'agir de raisins blancs ou noirs. Connu sous le nom de Tokay d'Alsace en France, de Ruländer en Allemagne, de Pinot Grigio en Italie et de Szürkebarát en Hongrie, il est également cultivé en Roumanie.

Ruländer : voir Pinot Gris.

Seyval Blanc : raisin hybride doté d'une forte acidité, donnant un vin blanc sec neutre en Angleterre, dans l'État de New York et au Canada.

Shiraz : synonyme de Syrah en Australie et en Afrique du Sud.

Silvaner/Sylvaner : ce cépage donne des blancs légers et vifs assez neutres en Alsace et en Allemagne.

Steen : nom donné au Chenin Blanc en Afrique du Sud.

Tokay d'Alsace : voir Pinot Gris.

Trebbiano/Ugni Blanc : raisin blanc très prolifique, acide et souvent sans grand caractère.

Weißburgunder : voir Pinot Blanc.

Welschriesling : raisin blanc sans lien de parenté avec le Riesling, qui donne des vins fruités et légers en Autriche, dans le nord de l'Italie (Riesling Italico) et dans tout le sud-est de l'Europe (Laski Rizling, Olaszrizling). Voir également p. 107.

LES BOUTEILLES

La taille standard internationale est la bouteille de 75 cl – trois quarts de litre. Presque tous les grands vins diffusés dans le monde sont vendus dans des bouteilles de cette capacité ou l'un de ses multiples. Le litre est généralement utilisé pour les vins ordinaires ; la demi-bouteille, qui contient 37,5 cl, est également très courante. Jusqu'au début des années 1980, les contenances des bouteilles étaient très variées.

L'évolution de la bouteille

La bouteille joue un grand rôle dans le vieillissement du vin (voir p. 50-51). Les premières bouteilles n'étaient qu'une manière décorative – bien que coûteuse et fragile – de servir le vin à table. Grâce aux avancées réalisées dans la fabrication du verre, en Angleterre, en France, puis en Hollande, on put enfin se procurer des bouteilles fiables et résistantes. Ces progrès des verreries sont essentiellement dus à l'utilisation du charbon – porté à très haute température au moyen d'un tunnel d'aération – pour la chauffe. Le charbon de bois avait d'ailleurs été proscrit pour ne pas empiéter sur les besoins en bois de la construction navale. Ces bouteilles étaient robustes, de couleur sombre, de forme régulière et surtout bon marché : l'idéal pour contenir et garder le vin.

Dès le milieu du XVIIIe siècle, on abandonna la forme sphérique pour adopter la forme cylindrique que l'on connaît de nos jours, plus pratique pour stocker les bouteilles dans la position couchée, nécessaire pour faire vieillir le vin et le maintenir en contact avec le bouchon.

L'incidence de la taille d'une bouteille

La différence de taille n'est pas seulement justifiée par la quantité de vin contenue : elle affecte aussi le vieillissement. Le vin parvient moins vite à maturité dans une grande bouteille – ce dont il faut se souvenir lors de l'achat. Cela est dû à l'effet de masse, aux phéno-mènes d'oxydation et d'oxydoréduction des processus de maturation (voir p. 51) et à une plus grande lenteur de sédimentation. De nombreux amateurs pensent qu'un magnum (1,5 litre, soit deux bouteilles) est la taille optimale pour le vieillissement.

Formes et couleurs traditionnelles

La plupart des vins sont présentés dans l'une des trois formes classiques illustrées p. 28 et 30. Pour les rouges comme pour les blancs, on utilise en Bourgogne et dans le Rhône des bouteilles aux formes plus effilées, en verre vert. Dans le Bordelais, la bouteille est droite et l'épaule haute : elle est en verre vert pour les rouges et en verre blanc pour les blancs. La troisième forme très usitée est la haute « flûte » du Rhin et de la Moselle. Les bouteilles de vin du Rhin

LES DIFFÉRENTES BOUTEILLES

Les grandes régions viticoles offrent de nombreuses tailles traditionnelles autres que le 75 cl standard :

Champagne

La pinte a pratiquement disparu.

Pinte	40 cl	
Magnum	1,5 litre	2 bouteilles
Jéroboam	3 litres	4 bouteilles
Réhoboam	4,5 litres	6 bouteilles
Mathusalem	6 litres	8 bouteilles
Salmanazar	9 litres	12 bouteilles
Balthazar	12 litres	16 bouteilles
Nabuchodonosor	15 litres	20 bouteilles

Bordeaux

Magnum	1,5 litre	2 bouteilles
Marie-Jeanne	2,5 litres	3 bouteilles
Double magnum	3 litres	4 bouteilles
Jéroboam	4,5 litres	6 bouteilles
Impérial	6 litres	8 bouteilles

Porto

Son jéroboam a la même taille qu'en Champagne.

Magnum	1,5 litre	2 bouteilles
Tappit Hen	2,25 litres	3 bouteilles
Jéroboam	3 litres	4 bouteilles

sont en verre marron, celles de la Moselle et d'Alsace en verre vert.

On retrouve ces trois formes dans les autres régions, tandis que l'Italie et l'Espagne utilisent toutes sortes de tailles et de couleurs.

Certaines régions ont gardé des formes traditionnelles. La région allemande de Franken et ses alentours utilisent la *Bocksbeutel* – une bouteille trapue, ventrue à côté plat. Le Jura possède une forme et une taille spéciales pour le Château-Chalon : le petit « clavelin » de 62 cl est utilisé pour montrer ce qui reste d'un litre après six ans d'évaporation en fût. D'autres formes plus fantaisistes incluent la « quille » provençale et la bouteille similaire du Verdicchio italien. Le Porto millésimé est présenté dans une variante de la bouteille droite à épaule haute, avec un léger renflement du col. La paille entourant la bouteille, ou *fiasco*, de Chianti remonte à l'époque où elle protégeait des bouteilles rondes très fragiles.

Le Champagne et les Mousseux utilisent une bouteille plus effilée, en verre épais, capable de résister à la pression du gaz carbonique.

Les bouteilles de vin d'aujourd'hui

Certains producteurs du Nouveau Monde adoptent des bouteilles de type Bordeaux pour les Cabernets-Sauvignons, et de type Bourgogne pour les Chardonnays et les Pinots Noirs. La taille et la forme de la bouteille sont toutefois de plus en plus considérées comme des vecteurs marketing : en Italie, les nouveaux vins se font remarquer par leur verre lourd et coûteux ainsi que par des formes et des couleurs originales (le noir est à la mode). Certains producteurs allemands utilisent des bouteilles de type Bourgogne pour le Pinot Blanc (Weiß-burgunder) et pour d'autres vins. Les demi-bouteilles connaissent un certain succès pour les vins doux et les spécialités, et la bouteille de 50 cl sert en Italie pour des vins tels que le Recioto de Soave, que l'on boit très doucement. □

LES ÉTIQUETTES

Les étiquettes de vin donnent davantage de renseignements que celles de la plupart des autres produits. Elles doivent en effet être détaillées parce que l'acheteur a besoin de savoir un certain nombre de choses sur le vin – d'où il vient, qui l'a élaboré, en quelle année, et d'après quels cépages – afin de pouvoir juger de sa qualité et de sa valeur. Les étiquettes respectent également la législation réglementant le monde du vin : contrôle de la qualité et authenticité. Cette dernière précision est des plus importantes, car elle concerne le lieu de production du vin.

Les renseignements donnés par l'étiquette

La série d'informations, à première vue complexe, qui figure sur l'étiquette, est de plus en plus simple à décoder. Presque tous les pays vinicoles ont établi ce qui doit (ou ne doit pas) être mentionné. Des accords internationaux ont harmonisé ces lois afin qu'un vin puisse être commercialisé dans le monde entier avec une étiquette conforme à la législation du pays importateur. Ainsi, l'appellation « Bordeaux » ou « Bourgogne », usurpée par certains producteurs du Nouveau Monde sous prétexte de renseigner l'acheteur sur le style du vin, a aujourd'hui pratiquement disparu. La législation concernant chaque pays est reprise dans les tableaux des pages 576-580.

Les informations légales non spécifiques au pays sont listées ci-dessous. D'autres détails, tels que le lieu d'origine et/ou le nom du producteur, sont également souvent mentionnés : ils sont traités dans le paragraphe sur l'importance du lieu d'origine.

L'origine. La première chose à rechercher est le pays d'origine. Cette mention obligatoire est libellée ainsi : « produit de France », par exemple.

La qualité. Tous les pays ne possèdent pas une hiérarchie officielle, mais la législation européenne distingue le vin de table – le plus ordinaire – des vins de qualité, qui constituent la majeure partie de la production française et allemande, entre autres. Dans cette catégorie, on trouve des spécificités nationales telles que l'Appellation d'Origine Contrôlée (AOC) en France et le *Qualitätswein* en Allemagne, qui figurent le cas échéant sur l'étiquette. La région d'où provient le vin doit également être mentionnée. Cet ouvrage traite essentiellement des vins de qualité ; leur étiquette donne généralement des informations sur leur style. Par contre, les vins de table ordinaires ne mentionneront qu'un pays d'origine, voire une région, lorsqu'ils ne sont pas issus de pays différents.

La contenance. En Europe, elle est généralement de 75 cl/750 ml/0,75 l : voir p. 43.

La teneur en alcool. Elle est généralement exprimée en degré ou en pourcentage (voir encadré p. 46).

Le millésime. Sa mention n'est pas obligatoire : certains vins, notamment la plupart des Champagnes et presque tous les Xérès, sont des assemblages de plusieurs millésimes. Si une année est mentionnée, le vin doit provenir de ce millésime, soit en exclusivité, soit selon un pourcentage précisé par la législation du pays concerné (afin de permettre certains assemblages comme l'addition de vins de presse des années précédentes).

L'importance du lieu de production

Il est essentiel de savoir de quel vignoble le vin provient. Ce critère est si important qu'en Bourgogne, par exemple, les noms de parcelles spécifiques sont protégés par la loi. Ainsi l'originalité de la provenance d'un vin est très souvent mise en relief. Les autres produits agricoles bénéficient rarement de telles subtilités, sauf quelques fromages, qui jouissent en France d'une même protection des appellations d'origine contrôlées. En matière de bon vin, le lieu de production comme les cépages utilisés sont des informations indispensables.

Les raisons de ces réglementations sont expliquées dans l'introduction réservée aux vignobles du monde (voir p. 125-132 de cet ouvrage). Nous préciserons simplement ici que la plupart des étiquettes – et en tout cas toutes celles des vins européens – mettent surtout l'accent sur l'emplacement du vignoble.

De la région au vignoble

Les étiquettes se compliquent à partir du moment où elles indiquent plus précisément le lieu de production. La plupart des législations exigent alors de préciser une échelle de valeurs : un vin peut provenir d'une région assez vaste, d'un village situé dans cette région, d'un secteur qualitatif bien défini – les meilleurs coteaux d'un village par exemple –, d'un vignoble ou d'un producteur spécifique.

Chaque pays, et chaque région, adopte une approche légèrement différente. Le système français a pour premier critère de sélection l'emplacement du vignoble, en donnant plus ou moins de détails selon la région.

En Champagne, par exemple, il est rare que l'étiquette mentionne la

LES ÉTIQUETTES DES VINS DU MONDE

Les informations qui se trouvent sur les étiquettes des bouteilles de vin font l'objet d'un descriptif précis pour chaque région de production dans les chapitres correspondants de l'encyclopédie (voir ci-dessous). Un tableau comparatif des mentions portées sur les étiquettes se trouve p. 576.

France : p. 140, Bordeaux p. 142, Bourgogne p. 185, Champagne p. 216, Rhône p. 250 ; **Allemagne :** p. 314 ; **Suisse** p. 353 ; **Autriche :** p. 357 ; **Italie :** p. 363 ; **Espagne :** p. 403 ; **Portugal :** p. 433 ; **États-Unis :** p. 476 et 480 ; **Australie :** p. 533 et 536 ; **Nouvelle-Zélande :** p. 559.

LIRE UNE ÉTIQUETTE

BOURGOGNE

Gevrey-Chambertin Premier Cru est l'appellation et figure en grosses lettres.
Petite Chapelle est le nom du vignoble. Il apparaît en caractères plus petits.
Appellation Gevrey-Chambertin Premier Cru Contrôlée est le titre complet de l'AOC. Il apparaît au-dessus du millésime.
1990 est le millésime.

Domaine Rossignol-Trapet est le nom du producteur, accompagné de sa signature et suivi de son adresse.
Mis en bouteille au domaine signifie que le vin est mis en bouteilles sur le lieu de production.
13 % vol et **75 cl** sont des mentions obligatoires.
Produce of France est obligatoire sur des vins destinés à l'exportation.

BORDEAUX

Grand vin de Château Latour
« Grand vin » signifie qu'il s'agit du premier vin du château : beaucoup de Bordeaux possèdent également un « second vin » (voir p. 149). Château Latour est le nom qui est mis en valeur.
Premier grand cru classé consacre le statut du vin, suivant la classification du Médoc de 1855 (voir p. 146).
Pauillac est le nom de l'appellation. Ce nom figure en plus petits caractères.
1996 est le millésime.

Mis en bouteille au château signifie que le vin a été mis en bouteilles sur le lieu de production.
Produce of France, 12,5 % vol et **75 cl** sont des mentions légales.
Société civile du vignoble de Château Latour mentionne le nom de celui qui a procédé à la mise en bouteille. Il est suivi de son adresse.

ALLEMAGNE

Lingenfelder est le nom du domaine.
1990 est le millésime.
Riesling indique le cépage.
Halbtrocken indique qu'il s'agit d'un vin demi-sec.
Spätlese est la catégorie qualitative.
Freinsheimer Goldberg est le nom du vignoble. Le suffixe « er » signifie village de Freinsheim.
Rheinpfalz est la région.

Erzeugerabfüllung ou **Estate Bottled** figurent en allemand et en anglais et indiquent la mise en bouteille.
Alc. 12 % vol et **750 ml** sont des mentions obligatoires.
Weingut H. & R. Lingenfelder mentionne le nom et l'adresse du domaine.
Qualitätswein mit Prädikat ou **QmP** donne la catégorie qualitative.
APNr (ou **Amtliche Prüfungsnummer**) indique le numéro de contrôle.

provenance du raisin à l'intérieur des 32 000 ha de vignobles jouissant de l'Appellation d'Origine Contrôlée (AOC) Champagne. En Bourgogne, les AOC recouvrent toute la région, puis des communes situées à l'intérieur de la région, et ainsi de suite, comme une série de poupées russes dont la dernière serait un vignoble de quelques ares, ou même un rang de vigne.

Il serait utile que tous les vins précisent leur région d'origine, à laquelle on ajouterait le cas échéant une zone plus délimitée. Hélas, dans beaucoup de pays viticoles, cette pratique n'est pas courante : le consommateur est supposé savoir que le Barolo se trouve dans le Piémont, au nord de l'Italie, et qu'Échezeaux est un petit mais prestigieux vignoble bourguignon.

L'Allemagne fournit davantage de précisions, la région de production doit faire l'objet d'une mention, mais la longueur des noms allemands, à laquelle vient parfois s'ajouter un amalgame de noms difficiles à décrypter, rend toute identification difficile. L'Espagne et le Portugal mentionnent presque toujours la région, ainsi que le nom du producteur ou du domaine.

Le producteur

Son nom est parfois mentionné, mais souvent seuls le village ou la région sont cités. La plupart des législations stipulent que le nom de celui qui a effectué la mise en bouteilles doit figurer sur l'étiquette, ce qui permet de retrouver l'origine des vins frauduleux ou de mauvaise qualité. La mise en bouteilles n'est pas nécessairement effectuée sur le lieu de production : il peut s'agir d'un négociant qui s'approvisionne dans des endroits différents (voir p. 123).

L'étiquette précise généralement si le vin a été mis en bouteilles par le producteur. Mais il faut savoir que la loi française considère la coopérative comme une extension de l'exploitation viticole, et tous les vins embouteillés par une coopérative peuvent porter cette mention. En revanche, on peut également trouver du vin élaboré par un seul producteur chez les négo-ciants qui se chargent de la mise en bouteilles, bien que, le plus souvent, ces derniers procèdent à des assemblages de vins différents afin d'obtenir un meilleur équilibre de leurs cuvées.

Les vignerons indépendants indiquent sur les étiquettes la mention : « vin élevé et mis en bouteille par le vigneron récoltant ».

Pourquoi les appellations sont controversées

Les autorités qui établissent les cartes viticoles portent une lourde responsabilité : si un terrain se trouve choisi pour une zone d'appellation, sa valeur augmente de façon significative. En Europe, les frontières des zones d'appellations les plus anciennes sont souvent consacrées par la tradition, mais tout changement dans cette découpe géographique ou toute définition de nouvelles aires fait l'objet de nombreuses controverses. En Italie, comme en France, certaines DOC doivent plus à la contrainte politique qu'à des critères de qualité de vignoble. Une récente opération de restructuration a eu pour mission d'éliminer les DOC douteuses (voir p. 360).

Les pays du Nouveau Monde qui décident de délimiter légalement certaines régions sont confrontés à plusieurs problèmes. Tout d'abord, l'établissement des frontières froisse les sensibilités des exclus. Ensuite, une fois la zone délimitée, il devient par-fois difficile de maintenir un vignoble sur des terres qui n'en font pas partie. Il n'est pas toujours évident de justifier les décisions des spécialistes : lorsqu'une nouvelle appellation viticole est définie, personne ne peut prétendre avec certitude que ce sont les meilleures terres qui ont été élues ; il est nécessaire d'attendre une ou plusieurs décennies avant que la vigne confirme les espérances des experts. Par ailleurs, toute délimitation arbitraire des autorités (comme l'INAO en France) établit des contraintes immuables pour une zone d'appellation et met un frein à toute expérimentation en matière d'encépagement.

Les autres informations sur l'étiquette

La législation de certains pays exige un minimum de mentions. Dans la plupart des cas, le nom de celui qui procède à la mise en bouteilles doit figurer sur l'étiquette – une information utile lorsque le vin n'est pas mis en bouteilles dans la région de production et qui indique que ce travail a été effectué par un négociant et non au domaine. En Allemagne, toute étiquette de vin de qualité porte un numéro indiquant la date et le lieu du contrôle officiel.

Outre les informations légales, de nombreuses bouteilles de vin offrent des indications supplémentaires ainsi que des conseils situés souvent sur la contre-étiquette. Le texte peut expliquer comment le vin a été élaboré, préciser s'il a vieilli en fût de chêne, ce qui influencera son goût et sa longévité. Il peut comporter des suggestions sur la façon de le servir, le temps pendant lequel il peut être conservé en cave, et indiquer s'il est sec ou doux.

De telles contre-étiquettes sont courantes pour les vins diffusés dans les pays du Nouveau Monde à l'usage d'une nouvelle génération d'amateurs en quête d'information. Cette pratique s'est étendue sur les marchés de la vieille Europe, d'autant que les grandes surfaces, où les vins sont disposés en linéaires, représentent la grande majorité de la distribution d'aujourd'hui. □

LE DEGRÉ D'ALCOOL

La réglementation de la majeure partie des pays du monde stipule que la mention du degré d'alcool doit figurer sur l'étiquette de chaque bouteille de vin. Ce degré alcoolique est aujourd'hui exprimé en pourcentage d'alcool, en volume, par rapport au liquide total. Si la plupart des vins ont une teneur en alcool qui varie entre 11 et 13 % vol, certains peuvent être beaucoup plus faibles en alcool, comme le Moscato d'Asti qui ne contient que 6 % vol, ou beaucoup plus forts, comme tous les vins mutés (le Porto ou le Banyuls peuvent atteindre plus de 20 % vol).

L'ACHAT DES VINS

Il existe une telle variété de vins qu'il est toujours difficile de fixer son choix. Le prix peut être un critère, car, aujourd'hui, la gamme proposée recouvre tous les niveaux de prix. Il est également possible de se décider en fonction d'un type de vin, selon les catégories répertoriées dans le chapitre sur le choix des vins (p. 27-33). Il faut ensuite être réaliste : il existe, dans le monde entier, tant de producteurs et un tel nombre de vins différents que le meilleur spécialiste ne peut prétendre les déguster tous au cours de sa vie. Une tâche d'autant plus difficile que chaque millésime offre des différences et que les millésimes précédents sont en perpétuelle évolution. Même les acheteurs les mieux informés ne peuvent réellement prétendre connaître tous les vins disponibles.

Les diverses façons d'acheter
Il existe de nombreuses façons d'acheter du vin, depuis l'achat direct dans les caves des producteurs jusqu'aux magasins spécialisés des grandes villes. Sans oublier les offres de vente par correspondance, les clubs et les magasins de détail qui vont de la cave de quartier au rayon d'hypermarché. On peut même acheter du vin « d'occasion » dans les ventes aux enchères. Chaque point de vente essaie d'attirer une clientèle définie : certains se spécialisent dans le conseil et le service, comme les cavistes ; d'autres se concentrent sur le meilleur prix et la rotation de leurs stocks, comme les grandes surfaces. Les amateurs de vin ont le choix pour approvisionner leur cave : ils peuvent aller à la foire aux vins des hypermarchés pour acquérir les meilleurs vins – par exemple, des grands crus de Bordeaux – au meilleur prix, tout en restant fidèle à leur caviste de quartier ou à un club de vente par correspondance.

Consulter les spécialistes
Les conseils d'un spécialiste s'avèrent toujours utiles. Les meilleurs vins et les

Une occasion de déguster et d'acheter.

bonnes affaires sont largement commentés dans les magazines spécialisés par des journalistes qui dégustent des milliers d'échantillons chaque année et recommandent souvent les crus. On regrettera pourtant les effets pervers de cette publicité gratuite. Les lecteurs alléchés se précipitent sur les vins cités, qui deviennent vite introuvables ; ou, pire encore, cette demande inespérée provoque une montée des prix, les vignerons n'étant pas des philanthropes. Les guides annuels sont d'excellents ouvrages de référence pour vous informer de l'évolution des millésimes et signalent les valeurs montantes et les régions de demain. Mais sachez que même les équipes de dégustateurs des guides ne peuvent goûter qu'une sélection restreinte de vins d'une même région. Leurs commentaires ne sont quelquefois publiés que des mois plus tard, lorsque les vins en question ne sont plus en stock. Les guides écrits par un seul dégustateur sont beaucoup moins crédibles. Il reste que les crus réputés, les valeurs sûres sont rarement ignorés de la presse spécialisée. Mais ces informations, largement diffusées

en kiosque et en librairie, ne sauraient remplacer votre opinion personnelle, car le plus grand plaisir consiste à découvrir par vous-même les vins qui vous séduiront le plus.

Cultivez donc vos relations avec les spécialistes, qu'il s'agisse de cavistes, de sommeliers, de membres de clubs de dégustation ou tout simplement de passionnés de vins. La plupart d'entre eux ont une grande expérience personnelle qu'ils aiment partager et ont souvent été formés par des professionnels. Un bon caviste a goûté ses vins, ce qui lui permet de vous informer sur leur maturité, leurs caractéristiques d'ensemble, et de vous faire certaines suggestions de mets qui leur conviennent le mieux.

Les meilleures affaires
L'amateur de bonnes affaires trouvera toutes sortes de vins à des prix compétitifs dans les foires aux vins des grandes surfaces. Il s'agit en général de stocks de vins achetés au meilleur prix par les centrales d'achats à des négociants ou à des coopératives. Beaucoup de magasins « soldent » ainsi des vins en fin d'année avec force publicité. Pour le négoce du vin, il s'agit là d'une façon de se débarrasser de stocks de vins qui n'ont aucune chance de se bonifier en bouteilles ou de prendre de la valeur. En cherchant bien, on peut trouver des lots intéressants, les meilleures affaires restant les grands crus des meilleurs millésimes. Il faut cependant se méfier des millésimes moins réussis qui vous font prendre des risques, des crus inconnus, et des petits châteaux dont les noms et les belles étiquettes peuvent cacher un vin bien ordinaire. Ces foires aux vins restent un des moyens les plus sûrs pour écouler de mauvais vins, ou ceux qui ont souffert d'un stockage défectueux : ils ne pourraient trouver preneur nulle part ailleurs.

Les seconds vins des grands crus sont souvent d'excellentes affaires (voir

p. 149), tant dans les millésimes d'abondance que dans les millésimes moins mûrs. Moins chers que les premiers vins et d'une maturité plus précoce, ces vins sont rarement décevants.

Enfin, pour les amateurs de grands crus de Bordeaux, il reste la possibilité d'acheter les vins « en primeur ». Cette vente s'effectue le plus souvent par l'intermédiaire des sociétés de négoce qui font des offres par correspondance.

Les offres de vins

Les négociants avec les sociétés de vente par correspondance proposent parfois leurs vins sur catalogue. Ces listes peuvent être présentées avec ou sans commentaires. Établies par des négociants en qui vous avez confiance, elles sont souvent précieuses. Elles peuvent comporter des précisions sur les millésimes et leur potentiel de vieillissement et présenter de nouveaux vins qui valent parfois la peine d'être goûtés.

L'achat direct

L'achat direct auprès de producteurs de caves particulières offre avant tout le plaisir de l'échange avec les propriétaires, mais les prix pratiqués sont toujours très élevés. Dans de nombreuses régions, les producteurs sont ravis de proposer leur vin à la vente sur place, ne serait-ce que pour rencontrer leurs clients.

Le plus souvent, vous aurez droit à une dégustation. Le propriétaire espère que cela vous incitera à l'achat, et vous lui prendrez sans doute quelques bouteilles, à moins que son vin ne soit franchement mauvais. Il est bien difficile de se faire une opinion immédiate, et si vous cherchez à vous approvisionner dans une région donnée, cela vaut la peine d'acheter un échantillonnage que vous goûterez tranquillement chez vous ; vous pourrez ainsi vous décider plus tard sur les quantités à faire livrer (le prix du transport étant largement compensé par la certitude d'avoir fait le bon choix).

Il existe quelques formalités à remplir lorsqu'on achète du vin à des caves particulières. Ne jamais accepter de prendre livraison de vin sans facture.

Pour les achats de vin en vrac, une facture-congé (avec mention de la catégorie de vin, son prix et la quantité) est essentielle pour être en règle avec la réglementation du transport des vins. Dans le cas de bouteilles, il faut s'assurer que celles-ci soient bien étiquetées et que chacune comporte une capsule-congé. Ne soyez pas, non plus, complice de techniques frauduleuses qui consistent à vous offrir un vin d'appellation avec une étiquette de vin ordinaire. Ces pratiques courantes dans certaines régions, comme en Bourgogne, peuvent vous coûter cher.

Le transport dans un coffre de voiture peut poser un problème en été à cause de la chaleur et en hiver à cause du gel. De plus, le vin est lourd : une caisse de 12 bouteilles pèse environ 18 kg – davantage si les caisses sont en bois ou si le domaine utilise du verre lourd et épais. Quelques caisses dans une voiture déjà bien chargée pour les vacances peut endommager la suspension. Lorsque vous désirez acheter de grosses quantités, il est bon de prévoir un voyage spécial au printemps ou en automne, afin d'éviter la chaleur, le froid et les routes encombrées, sans compter que le producteur aura davantage de temps à vous consacrer. Par contre, l'accueil sera nettement moins chaleureux si vous arrivez en septembre et octobre, au moment des vendanges.

Lorsque vous achetez en caves particulières, choisissez bien votre producteur. Certains panneaux indiquant la vente de vin sont plus fiables que d'autres. Assurez-vous que le producteur met lui-même son vin en bouteilles. Dans plusieurs régions, les propriétaires de vignobles apportent leur raisin à une coopérative et bénéficient en retour d'une part de la production de la coopérative sous forme de vin en bouteilles ; l'étiquette porte alors tout à fait légalement la mention : mise en bouteille à la propriété (ou au château). Le vin peut être honnête, mais il n'aura pas grand-chose à voir avec un vin de producteur : il vaut mieux, dans ce cas, aller directement à la coopérative où les prix risquent d'être plus raisonnables pour le même vin (ou le même Champagne).

Tous les domaines ne vendent pas leur vin en direct – ou, s'ils le font, leurs prix peuvent être très élevés. Dans les grands crus de Bordeaux, par exemple, la vente en direct perturbe le circuit traditionnel du négoce. Aussi les propriétés hésitent-elles parfois à y recourir, de peur de compromettre leurs relations avec le réseau commercial. Mais si cela vous empêche d'acheter des premiers ou des grands crus au château, vous trouverez suffisamment de vins moins prestigieux aux alentours.

Dans le cas des très petites propriétés, l'achat direct est la seule façon de pouvoir vous approvisionner. Ceci s'applique aux petits vignerons bourguignons, de la Loire et d'autres régions françaises ou allemandes. Demandez à figurer sur la liste des clients des propriétés que vous appréciez : leurs offres par correspondance vous informeront de la disponibilité de leurs nouveaux vins avec un bon de commande à retourner par courrier.

Vrac ou bouteilles ?

De nombreuses coopératives et des producteurs de vin courant vendent le vin en vrac aussi bien qu'en bouteilles. Les Cubitainers en plastique sont peu coûteux, mais comme le vin ne s'y conserve pas longtemps, ils sont essentiellement destinés à une consommation immédiate. Si votre consommation est modérée, il faut alors mettre ce vin en bouteilles : une opération facile lorsque l'on dispose d'une bouchonneuse, d'une bonne quantité de bouteilles propres et de quelques personnes disposées à vous aider. Ces dernières sont généralement les plus faciles à trouver.

Le porte-à-porte

Certains producteurs ont des représentants qui vendent leur vin directement au domicile des consommateurs ; ils l'expédient ensuite par la poste ou via un transporteur. Cette méthode est traditionnelle dans le Bordelais, notamment le Libournais. Acheter ainsi est souvent une bonne façon de se procurer des vins de châteaux autrement inconnus. Méfiez-vous tout de même des vendeurs qui proposent de procéder à une dégustation chez vous ou à votre bureau.

L'achat de vins de primeur

Une grande partie de la production des crus classés – notamment les Bordeaux – est vendue aux négociants dès le mois d'avril qui suit les vendanges. Cette production ne devant être livrée que dix-huit mois plus tard, l'acquisition de vins de primeur présente certains risques pour l'acheteur ; le pire étant, en cas de faillite de la société de négoce, de ne pas être livré.

Mais il existe des négociants sérieux et, en fonction des millésimes, les prix de ces vins nouveaux sont suffisamment attractifs pour tenter le client. Les dégustations des assemblages se font au début du printemps, en même temps que les premières offres ; les commentaires sont donc généralement publiés en mai dans la presse spécialisée. La hiérarchie des crus se trouve ainsi remise en cause chaque année, ce qui affecte moins l'échelle des prix pratiqués par les propriétés que les plus-values imposées par les négociants en fonction de la demande. La majeure partie des stocks d'un millésime d'un grand cru se trouve donc vendue neuf mois après la vendange, neuf mois avant la mise en bouteilles, en fonction du prestige de son étiquette.

Trop d'éléments entrent en ligne de compte pour que l'on soit toujours certain d'avoir fait une bonne affaire. Si le vin est rare et risque de le devenir plus encore, sa valeur peut augmenter. Le revers de la médaille est que le prix du vin peut également baisser, tout comme la qualité d'un millésime ou le prestige d'un château peuvent ne pas tenir leurs promesses.

Les ventes aux enchères

Quelques professionnels offrent leurs vins dans des ventes aux enchères à des amateurs éclairés. À part certains grands millésimes de « collection » qui font la une des journaux lorsqu'ils atteignent des prix record, la plupart des vins vendus aux enchères datent des vingt dernières années : les millésimes sont prêts à être bus ou le seront bientôt.

De fort belles ventes ont lieu à l'hôtel Drouot, à Paris, qui dispose d'un département vin, ainsi qu'à Londres (Christie's et Sotheby's), Genève, Monaco et Amsterdam. Ces ventes sur adjudication portent le plus souvent sur des grands crus de Bordeaux, de Bourgogne, ainsi que sur des Portos Vintage. Les clients peuvent se procurer un catalogue en prenant soin de s'informer des conditions de vente : il ne faut pas oublier d'ajouter la commission au prix de l'enchère et parfois la TVA, sans oublier les droits de douane dans certains pays. Il faut aussi vérifier le niveau du vin dans les très vieilles bouteilles et l'état des bouchons : le catalogue se doit de vous informer sur tous ces points.

L'achat par l'internet

De nombreux sites internet proposant des vins à la vente (y compris les ventes en primeur) se sont ouverts. Les uns ont été créés par les châteaux ou les producteurs eux-mêmes, les autres par des officines spécialisées que l'on peut appeler « négociants en ligne » ou encore « cyber-négociants ».

Le vin au restaurant

Au restaurant, le choix des plats conduit au choix des vins. Certains restaurants proposeront même un vin et un plat. Le restaurateur choisit souvent en fonction du style de sa cuisine : il sera facile d'accorder vin et cuisine d'une même région. Il ne faut pas non plus hésiter à demander conseil, surtout lorsque le restaurant dispose d'un sommelier : il est le seul à bien connaître sa cave et se fera un plaisir de partager sa passion en vous faisant découvrir un cru méconnu ou un millésime à son apogée.

Faute de conseil, il vaut mieux commander un vin d'un prix raisonnable que l'on connaît déjà. Les vins d'appellation générique des négociants sont des valeurs sûres. Les vins de propriétaires sont souvent plus rares, plus chers, mais peuvent se révéler excellents. Un grand millésime peut s'avérer décevant lorsqu'il n'est pas encore prêt à être bu, tandis qu'un millésime d'une année moins mûre peut offrir d'excellentes surprises, surtout pour un déjeuner où l'on recherchera un vin léger. Il s'agit avant tout d'éviter le vin sans gloire, celui « qui va avec tout », comme un petit rouge de Loire, toujours cher mais rarement bon.

Les stratégies des restaurants

Lorsque vous aurez fait votre choix, prenez soin de vérifier l'étiquette qui vous est présentée. Vous serez ainsi certain que c'est bien le vin et, le cas échéant, le millésime que vous avez commandé.

Goûter un vin n'est pas qu'un rituel : peu de bouteilles sont mauvaises, mais si c'est le cas, elles doivent être refusées après votre dégustation. Lorsque vous goûtez un vin rare et coûteux, il est bon de vérifier les verres avant qu'on vous serve. Sentez rapidement l'intérieur du verre (qui peut avoir gardé des odeurs de savon ou de placard). Si le verre est sale, s'il dégage de mauvaises odeurs, réclamez-en un autre.

Lorsque l'on vous fait goûter un vin, commencez par le regarder : sa couleur est-elle claire et lumineuse ? Puis sentez-le : s'il est bouchonné (voir les défauts d'un vin p. 79), vous le saurez tout de suite. Goûtez-le pour vérifier ses arômes, son attaque en bouche et la température à laquelle il est servi. On peut renvoyer un vin lorsqu'il est bouchonné ou franchement déplaisant à boire.

Les blancs doivent être servis, et maintenus, frais. Beaucoup de restaurants servent les rouges à une température trop élevée : demandez alors un seau à glace, car ces vins gagnent souvent à être légèrement rafraîchis. Si vous commandez une seconde bouteille, goûtez-la aussi, de préférence dans un verre propre. Il n'y a aucune raison de supposer que le vin sera parfait simplement parce que celui de la première bouteille l'était.

Les prix des vins sur les cartes des restaurants sont si élevés (le coefficient multiplicateur est généralement de 3,5) que l'amateur de vin est en droit d'exiger une qualité et un service corrects.   □

LA GARDE DES VINS

LE VIN VIEILLIT ET CHANGE DE NATURE AVEC LE TEMPS. LES VINS BIEN NÉS PEUVENT SE BONIFIER, ALORS QUE D'AUTRES S'ALTÈRENT : UNE MUTATION MYSTÉRIEUSE.

Le cœur des exploitations vinicoles traditionnelles est la cave. Les vieux crus y reposent sous les toiles d'araignée, comme dans cette cave privée de la *bodega* de Viña Tondonia à Haro, dans la Rioja, au nord de l'Espagne.

Pendant des siècles, on a considéré que le vin était bien meilleur au cours de son plus jeune âge, en primeur, le plus tôt possible après sa vinification. Tous les vins de la Grèce antique, ceux des Romains, se vendaient dès que possible : on craignait que le vin ne se détériore. Au Moyen Âge, les marchands de vins s'empressaient de se défaire de leurs stocks à l'approche d'une nouvelle vendange. Car ces vins « vieux » risquaient de ne plus se vendre dès que le vin nouveau devenait disponible. En effet, le risque de voir le vin vieux d'un an se transformer en vinaigre était grand. À ce principe, il existait quelques rares exceptions, car les Romains, comme les Égyptiens, avaient découvert que les meilleurs vins pouvaient se garder, voire se bonifier, dans des amphores bien fermées ou des flacons de verre bien bouchés. À la lueur des analyses scientifiques d'aujourd'hui, il est facile de comprendre que le vin est un liquide instable. La présence d'oxygène transforme l'alcool en acide acétique, c'est-à-dire en vinaigre, grâce à une bactérie connue sous le nom d'*Acetobacter aceti*. Or, autrefois, on laissait faire des fermentations aléatoires dans des fûts ou des cuves d'une propreté relative et, surtout, il était très difficile de garder le vin à l'abri de l'air. Les vins de garde devaient avoir une forte teneur en alcool afin de pallier les conditions sanitaires de leur élaboration. À défaut d'un degré alcoolique suffisant, il faudra attendre la fin du XVIIIᵉ siècle pour que la pratique de mutage (consistant à ajouter de l'alcool en cours de fermentation) soit répandue. Plus tard, on découvrira le sulfitage qui, tout comme l'alcool, jouera un rôle antiseptique en combattant le développement bactérien. La garde des vins en fûts permet une excellente conservation à condition que le fût soit plein, et que le vin ne soit pas en contact avec l'air, ce qui nécessite la pratique constante de l'ouillage, c'est-à-dire l'adjonction de vin dans le fût afin de compenser l'évaporation. Mais, lorsque le vin est tiré, il faut le boire, sauf s'il est mis en bouteilles et bien bouché. Le vieillissement du vin commence à la propriété, dans des cuves ou des fûts de bois. Elle continue en bouteille. Certains vins méritent d'y séjourner des années, voire des décennies, d'autres doivent être consommés au plus vite. Certains vins espagnols ou italiens sont gardés très longtemps en fûts, jusqu'à leur maturité, avant d'être mis en bouteilles. D'autres, comme les grands crus de Bordeaux ou les Portos Vintage, doivent être laissés à vieillir en bouteille après un court passage en fût.

LE VIEILLISSEMENT DES VINS

Comment expliquer la mutation d'un vin ? De nombreux experts se sont penchés sur cette question, mais il reste bien des mystères. Les travaux de Pasteur, au XIXᵉ siècle, ont démontré que le vin se dégradait par oxydation lorsqu'il était exposé à l'air, oxydation qui altère la couleur des vins rouges et blancs en marron, comme celle d'une banane ou d'une pomme épluchée. Mais comment expliquer que le vin s'oxyde en bouteille étant donné que le bouchon ne laisse pas entrer d'air (ou très peu) ? On peut admettre que l'oxygène dissous dans le vin continue de provoquer de lentes réactions en milieu réducteur qui entraîne le développement des bactéries et des levures ainsi que d'autres composants chimiques du vin : il en existe plus de 800 répertoriés et le décompte n'est pas fini.

Les arômes

Les réactions chimiques qui se passent au sein d'une bouteille sont complexes et mal identifiées. Néanmoins, certaines recherches ont permis d'expliquer les changements de couleur et d'arôme. Les tanins ainsi que les autres composants aromatiques qui proviennent essentiellement des peaux des raisins (et donnent aux vins leur couleur), mais aussi des rafles (la partie ligneuse de la grappe) et du bois des fûts, se transforment. Ils s'associent entre eux (par polymérisation) et tombent au fond de la bouteille (par sédimentation). Le vin d'un rouge pourpre devient rouge rubis pour ensuite s'éclaircir et prendre une teinte rouge brique. L'acidité du fruit vert, astringente, s'assouplit. L'agressivité du vin jeune disparaît pour laisser place à une rondeur, un velouté qui s'exprime par des arômes complexes. Tous les vins sont affectés par le vieillissement, sauf les petits vins trop filtrés ou stabilisés par pasteurisation.

Le temps

Les grands crus, dans les bons millésimes, les vins mutés ainsi que les vins liquoreux peuvent vieillir pendant des décennies, car leur concentration permet une lente évolution. Certains vins, tanniques, acides et concentrés, doivent être laissés à vieillir pendant des années pour avoir le temps de s'assouplir. D'autres, légers, fruités et faciles, sont conçus pour être bus dans leur plus tendre jeunesse. Ces deux familles de vins ont des qualités de vieillissement très différentes qui ne sont pas seulement déterminées par le vinificateur, mais aussi par le terroir, la nature et l'âge des vignes ainsi que par

JEUNESSE, MATURATION ET APOGÉE

Le cycle de vie d'un vin peut être illustré par un graphique simple (voir ci-contre). Il résulte de deux variables : l'une est le temps, représenté par l'axe horizontal, l'autre est la qualité sur l'axe vertical. Un vin atteint son apogée après une période plus ou moins longue, et s'y maintient plus ou moins longtemps. Le degré optimal de qualité dépend de l'extraction de matière du vin et des caractéristiques du millésime dont il est issu. Une mauvaise année ne donnera donc jamais un vin qui atteindra les plus hauts sommets de qualité; une région ou un cru médiocre non plus.

Les vins se développent chacun à leur rythme. Certains comme le Beaujolais, ou de nombreux vins blancs, sont précoces : ils atteignent rapidement leur apogée, et retombent vite. D'autres vins – tels les grands crus de Bordeaux rouges – mettent plus longtemps à atteindre leur apogée, y demeurent longtemps, et déclinent doucement.

Chaque vin est différent. Toutefois, le concept de profil est utile lorsqu'on étudie la maturité d'un vin.

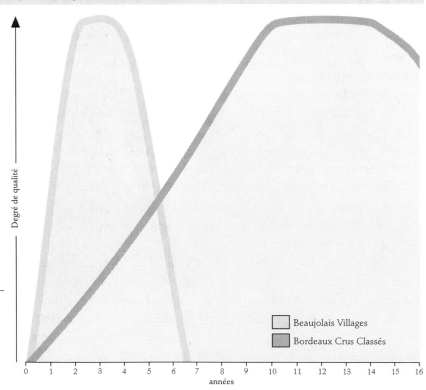

Degré de qualité

Beaujolais Villages
Bordeaux Crus Classés

0 1 2 3 4 5 6 7 8 9 10 11 12 13 14 15 16
années

les conditions climatiques du millésime. Le maître de chai, souvent assisté par un œnologue, peut sélectionner certaines cuves de certains cépages de vieilles vignes de peu de rendement pour élaborer un vin concentré destiné à la garde. C'est le cas du « grand vin » dans les crus classés de Bordeaux, par opposition au « second vin ». Celui-ci, qui ne portera pas l'étiquette du château, résulte de l'assemblage de cuves de jeunes vignes ainsi que de celles des cépages moins réussis. Ainsi, pour un même cru, dans une même année, vont coexister un « second vin », qui sera bon à boire après quelques années, et un « grand vin », qui méritera une ou plusieurs décennies de vieillissement.

La nature du cépage peut conférer plus ou moins de longévité au vin. Ainsi, le Cabernet-Sauvignon, austère et droit, tout comme le Merlot, soyeux et puissant (du vignoble bordelais), ou le Pinot Noir, ferme et riche (du vignoble bourguignon), donneront des vins beaucoup plus concentrés que les Gamays légers et fruités du Beaujolais.

Les meilleurs terroirs feront toujours les meilleurs vins, même (et surtout) dans les millésimes difficiles. Mais, pour obtenir un grand vin de garde, il est nécessaire d'avoir de beaux raisins, bien mûrs. Pour cela, la Nature doit donner ce qu'il faut de soleil et de pluie au bon moment. On peut, par exemple, comparer deux millésimes de Bordeaux, le 1980 et le 1982. 1980 était une année froide et pluvieuse, 1982 une année de chaleur et de sécheresse. La récolte de 1980 donna des vins dilués, légers, qui devaient tous être bus très tôt, tandis que la récolte de 1982 était très mûre et très concentrée pour des vins qui devraient se montrer superbes au-delà de l'an 2000. Et, pourtant, la pluviométrie comparée de ces deux millésimes était identique : 1982 a profité de la bonne pluie au moment où la vigne en avait besoin, tandis que 1980 a été arrosé d'une pluie maudite aux pires moments du cycle végétatif.

Les grands crus, reconnus depuis des siècles, ont un privilège : celui de disposer d'un terroir propice aux grands vins de garde. Le sol, pauvre, composé le plus souvent de sédiments charriés par des rivières (graves) ou découpés par l'érosion (coteaux), permet de drainer l'eau quand il pleut trop et de garder l'eau en cas de sécheresse. Avec peu de nourriture et juste ce qu'il faut à boire, la vigne souffre et concentre sa sève. C'est cette sève concentrée qui viendra nourrir un nombre limité de grappes. Le petit rendement de ces meilleures parcelles sera la meilleure garantie d'un vin de garde.

Le déclin

Un vin finit toujours par mourir, car toutes les évolutions favorables à sa maturation, au cours du temps, ont une fin. Il perdra sa couleur et ses notes fruitées pour devenir mince et acide. Par gravité, les composants vont mettre plus ou moins de temps à tomber au fond de la bouteille en fonction de leur concentration et de leur masse. Cela explique qu'un vin vieillira assez vite en demi-bouteille, normalement en bouteille, moins vite en magnums, et encore moins vite dans de plus grands contenants.

La garde

Le vin en vieillissement mérite quelques précautions. Les meilleures bouteilles doivent être couchées, afin d'éviter un dessèchement du bouchon, au calme, dans l'obscurité et sans changement de température (voir p. 55-58).

Le choix des vins de garde

On se procure des vins de garde pour disposer de vins qui, lorsqu'ils atteindront leur maturité, ne se trouveront plus dans les circuits commerciaux traditionnels, et pour s'assurer du vieillissement de ces vins dans les meilleures conditions.

Au-delà de ces motivations reste la question essentielle : combien de temps doit-on garder les vins ? Il n'est pas facile d'y répondre tant la qualité des vins peut varier, ne serait-ce que d'un millésime à l'autre pour un même vin d'un même cru. Les vins de garde concernent principalement les vins rouges de Bordeaux, de Bourgogne, de Côte-Rôtie, de Châteauneuf-du-Pape, de Cahors, de Madiran, et certains vins blancs de Bourgogne ou de Graves ainsi que tous les vins liquoreux. Ces vins sont toujours commercialisés deux ou trois années après leur récolte alors que leurs meilleurs crus, dans leurs meilleurs millésimes, méritent d'attendre quelques années ou quelques décennies afin d'atteindre leur apogée. Or, il est rare que ces vins soient gardés en propriété et plus rare encore que les négociants aient les moyens financiers de les conserver longtemps. Les vins les plus réputés peuvent se trouver, quelques années plus tard, en vente aux enchères, mais les appellations moins connues restent souvent introuvables.

Combien de vin acheter ?

Combien de bouteilles doit-on conserver en cave ? La réponse est simple : le plus possible. Lorsqu'on estime en avoir trop, il est relativement facile de les revendre, ne serait-ce que par l'intermédiaire des ventes aux enchères.

Les vins de longue garde ont besoin de plus d'espace en cave que ceux dont la longévité n'est pas assurée. Ainsi, un grand cru de Bordeaux, par exemple, qui risque de ne pas atteindre son apogée avant huit ou dix ans et qui reste bon à boire pendant une dizaine d'années, mérite une commande de trois caisses de douze bouteilles, en comptant sur une consommation de trois bouteilles par an. Si un autre vin, un petit Bourgogne par exemple, promet d'être mûr au bout de quatre ans et de se maintenir à son apogée pendant trois ou quatre ans seulement, une seule caisse de douze bouteilles suffit.

Ce choix difficile se pose rarement, tout simplement parce que les plus beaux rêves d'un amateur de vin doivent faire face aux réalités : un budget et une cave qui ne sont pas extensibles. Une certaine rationalité peut s'accommoder d'un classement en trois types de vins : les vins à consommer au jour le jour, les grands vins bons à boire et les vins à laisser vieillir. L'ordinateur vient au secours de l'œnophile : des programmes de gestion des caves sont proposés. Ils s'adaptent à tous les cas.   □

LA COULEUR DU VIN CHANGE AVEC L'ÂGE

Les vins rouges deviennent plus clairs, les vins blancs ont tendance à prendre une couleur plus foncée. La teinte des vins rouges peut varier d'un ton pourpre et sombre à toute une variété de rouges jusqu'à prendre une couleur claire tuilée avec des reflets orange. La couleur des vins blancs va de l'incolore aux reflets verts jusqu'à une couleur ocre très dense. Les vins de Sauternes ont une coloration prononcée qui brunit avec l'âge.

Les Bourgognes rouges. Sur la gauche, on voit un vin de 4 ans d'âge de couleur rouge avec des reflets brique, assez représentatif d'un vin issu du cépage Pinot Noir. À droite, un vin de 12 ans d'âge montre une certaine concentration d'une couleur acajou avec des reflets orange.

Les Bordeaux rouges. À gauche, on voit un vin de 3 ans d'une couleur rouge rubis brillante avec, sur les bords, une auréole incolore plutôt marron comme sur les vieux vins. À droite se trouve un cru bourgeois de 11 ans d'âge à son apogée. La couleur s'est éclaircie et montre des reflets orange sur les bords.

Les Portos. L'échantillon de gauche est un Porto Ruby de 3 ans d'âge tandis que celui de droite est un Tawny vieux de 10 ans. Ces deux vins ont été gardés en fût. Au fil des années, le Tawny a perdu sa couleur pourpre d'origine. Il est devenu d'un superbe rouge tuilé.

Les vins allemands. Le verre de gauche contient un jeune Riesling de la Moselle, le verre de droite est un vin issu de même cépage, mais de 20 ans d'âge. Le vin le plus jeune est presque incolore avec des reflets vert et or. Le vin le plus vieux est devenu jaune d'or au fil des années.

CLASSIFICATION DES VINS DE GARDE

Bien que toute généralisation en matière de vin soit toujours difficile, il est utile de diviser les vins en cinq catégories de plus ou moins longue vie.

LES VINS À BOIRE JEUNES

Il s'agit de tous les vins dont les qualités essentielles sont la légèreté et le fruité. Ils ne présentent aucun intérêt au vieillissement et auraient tendance à se détériorer avec le temps. À boire dans l'année du millésime ou dans les quelques mois qui suivent leur acquisition.

Vins de France. Tous les vins nouveaux (ou primeurs), les vins de consommation courante, les vins de pays en blanc et une grande partie des rouges hormis certains vins de cépage. Le Muscadet, le Beaujolais, le Côtes-du-Rhône générique, les vins blancs de l'Entre-deux-Mers, le Gaillac, le Bergerac, les vins rosés comme les rosés de Provence ainsi que les clairets de Bordeaux.
Vins d'Italie et d'Espagne. Tous les vins blancs et rouges génériques comme le Soave ou le Valpolicella en Italie, ou le Rioja en Espagne.
Vins des autres pays. Tous les *Tafelweine* et *Landweine* allemands, Liebfraumilch et QbA ; tous les vins ordinaires et génériques du Nouveau Monde ; le *Vinho verde* ; les vins mousseux ; le Xérès Fino et Amontillado.

LES VINS À GARDER ENTRE 1 ET 3 ANS

Les vins qui méritent entre un et trois ans de vieillissement en cave ont besoin d'un certain répit afin de s'assembler et de s'assouplir.

Vins de France. Parmi les vins blancs, le Muscadet de Sèvre-et-Maine (sur lies) de domaine, les vins issus de Sauvignon comme le Sancerre, le Pouilly Fumé, les vins d'Alsace et les Bourgognes blancs génériques, le Champagne brut sans année, ainsi que les vins de Graves blancs. En rouge, les vins du midi de la France (Corbières, Minervois) et de la Loire (Saumur-Champigny, Bourgueil, Anjou), les Côtes-du-Rhône-Villages, les crus de Beaujolais, les vins rouges légers du Sud-Ouest, les appellations Bordeaux et Bordeaux Supérieur ainsi que les Bourgognes génériques.
Vins d'Italie et d'Espagne. Tous les vins blancs et rouges qui ne sont pas des réserves (*reserva* ou *riserva*).
Vins des autres pays. Quelques QbA allemands des meilleurs vignobles ; les vins de cépage Chardonnay, Cabernet-Sauvignon des vignobles du Nouveau Monde.

LES VINS À GARDER ENTRE 3 ET 5 ANS

Catégorie de vins qui montrent le meilleur d'eux-mêmes 3, 4, voire 5 années après leurs vendanges.

Vins de France. Les meilleurs vins d'Alsace, tous les vins de Loire blancs secs issus du cépage Chenin générique, les vins issus de vieilles vignes de Sancerre et de Pouilly, le Quincy ; les Chablis et les Bourgognes blancs génériques de domaine ; le Jurançon ; les Graves blancs des meilleurs châteaux avec une dominante de cépage Sémillon ; les Sauternes de petits châteaux ou des petites années ; le Champagne millésimé ainsi que le Champagne rosé.
Vins d'Italie et d'Espagne. Tous les *reserva* et *riserva*.
Vins des autres pays. Les QmP allemands ainsi que leurs *Auslesen* (sauf pour les meilleurs millésimes) ; les meilleurs Chardonnays et Cabernets-Sauvignons, comme les Syrahs (Shiraz) du Nouveau Monde.

LES VINS À GARDER ENTRE 5 ET 8 ANS

Les vins qui méritent entre 5 et 8 ans de repos dans une bonne cave sont des vins plus concentrés et plus complexes.

Vins de France. En blanc, les premiers crus et grands crus de Chablis et de la Côte des Blancs en Bourgogne ; certains vins qui contiennent des sucres résiduels comme les bonnes années des petits châteaux en Sauternes ou à Vouvray, les « sélections de grains nobles » d'Alsace ; sans oublier les meilleurs millésimes de Champagne. En rouge, les bons millésimes de Bourgognes génériques et les petits millésimes des premiers et grands crus de Bourgogne. Les Côtes-Rôties et Hermitages, ainsi que les Châteauneuf-du-Pape ; la majeure partie des crus de Bordeaux du Libournais, sauf les meilleurs millésimes des grands crus ; les petits millésimes des grands crus du Médoc et des Graves.
Vins d'Italie et d'Espagne. Les meilleurs crus et les meilleurs millésimes de Barolo, quelques vins de Toscane *(Super toscans)* ainsi que les Riojas *reserva* et *gran reserva*.
Vins des autres pays. Les meilleurs *Auslesen* et les *Eisweine* allemands, les grands Cabernets-Sauvignons et Syrahs du Nouveau Monde.

LES VINS À GARDER AU-DELÀ DE 8 ANS

Les vins qui ont besoin de plus de 8 ans de vieillissement pour atteindre leur apogée sont essentiellement les meilleurs millésimes des meilleurs crus.

Vins de France. Les vins blancs de grands crus et des meilleurs millésimes de Sauternes, de Vouvray ainsi que les « vendanges tardives » des grands crus d'Alsace ; les premiers et grands crus de Bourgogne des meilleurs millésimes ; les meilleurs millésimes de tous les grands crus de Bordeaux ; les meilleurs millésimes en Côte-Rôtie, Hermitage et Châteauneuf-du-Pape.
Vin des autres pays. Les QmP allemands les plus concentrés ; les Portos Vintage.

Un millésime de grand cru à boire entre 5 et 8 ans.

LE STOCKAGE DU VIN

Si l'on garde du vin plus de quelques semaines, il faut l'entreposer dans de bonnes conditions. Cela peut être difficile à faire chez soi, et certains amateurs utilisent caves commerciales ou locaux spécialisés pour leurs grands vins et ceux qu'ils désirent garder longtemps. On peut toutefois aussi aménager un coin dans un appartement. Les conditions de stockage sont résumées dans l'encadré p. 58.

Les principes de base

Il importe de garder le vin à l'abri de la lumière, dans un milieu sans vibrations, maintenu à une température constante. L'humidité doit être assez élevée ; la ventilation, bonne. Enfin, il ne doit pas y avoir d'odeurs fortes. La température est le facteur le plus difficile à réguler, ce qui amène parfois à oublier les autres qualités nécessaires à une bonne cave. Les vibrations abîment le vin, surtout les vins vieux avec un dépôt. Évitez d'avoir à déplacer le vin ; tenez-le éloigné des appareils ménagers. Une lumière forte peut également endommager le vin, surtout le blanc. Bien qu'il soit tentant d'exposer ses bouteilles dans la cuisine ou la salle à manger, il vaut mieux les garder dans le noir. Évitez de les stocker à côté d'essence de peinture, dont les émanations affectent le vin, même à travers le bouchon, ou de légumes, les matières végétales ou alimentaires pouvant provoquer l'apparition de champignons ou d'insectes nuisibles. L'humidité évite que les bouchons ne se dessèchent – c'est également pourquoi il faut garder les bouteilles couchées. (Si la cave est très humide, maintenez les étiquettes avec des élastiques.) Une libre circulation d'air évite les odeurs de moisi et la pourriture.

La température

Le vin doit être gardé à une température constante, entre 5 °C et 18 °C, l'idéal étant 10-12 °C. Il faut surveiller principalement les fluctuations brutales de température : si la cave passe doucement de 12 °C en hiver à 20 °C en été, peu importe. Par contre, une telle variation en une journée – ou même une semaine – crée des problèmes. Le vin se dilate et se contracte dans les bouteilles, le bouchon souffre. Puis le vin s'infiltre autour du bouchon, laissant un dépôt poisseux sur la capsule. Certaines bouteilles présentant ce défaut sont soldées.

Bien aménager sa cave

Les caves creusées dans le roc demeurent l'endroit idéal. Celles construites en pierre ou en briques sous les anciennes maisons sont presque aussi bonnes. Vérifiez l'emplacement des tuyaux d'eau chaude, qui peuvent faire monter la température, et isolez-les si nécessaire. Assurez-vous que l'air circule bien et, si nécessaire, calfeutrez

Pour conserver une grande quantité d'un même vin, un « casier » peut être aménagé dans un endroit frais.

pour éviter les excès de chaleur ou de froid. Gardez l'endroit propre, mais méfiez-vous des fongicides utilisés pour traiter les briques ou le bois, parce qu'ils peuvent affecter le vin. Le sol le meilleur est poreux, car il maintient une humidité élevée. Vous pouvez répandre une couche de gravier que vous arroserez de temps en temps.

Si vous n'avez pas de cave, vous avez deux possibilités : isoler un placard ou une partie d'une pièce, ou acheter une « cave d'appartement ». Il existe des appareils de refroidissement qui maintiennent un grand placard, une petite pièce ou une cave à la bonne température. Certaines armoires spéciales sont en fait des réfrigérateurs dont on règle la température entre 6 °C et 15 °C. D'autres possèdent à la fois des circuits de chauffage et de refroidissement pour faire face à des changements brutaux de la température. Elles sont très utiles dans une remise ou un garage. Ces armoires possèdent également des filtres à air évitant la moisissure. Évitez les armoires avec une lampe : cette dernière peut rester allumée, introduisant lumière et chaleur. Les armoires les plus élaborées, conçues pour les restaurants, possèdent des compartiments à températures différentes, permettant de conserver les rouges et les blancs à la température de service.

Les casiers et les étagères

Pour ranger les bouteilles et les maintenir en sécurité, casiers et étagères doivent être stables et facilement accessibles. Les caves traditionnelles possédaient des compartiments séparés pour ranger le vin, ce qui supposait qu'on avait de grandes quantités d'un même vin. Aujourd'hui, les casiers, en bois ou en métal, contenant une douzaine de bouteilles à la fois – ou davantage –, sont courants et de formes variées. Les casiers les meilleurs sont en métal, car celui-ci ne pourrit pas, mais ils peuvent déchirer les étiquettes si vous n'y prenez pas garde.

Les caisses

Les vins emballés en caisse de bois peu-

La cave en spirale. C'est une construction modulaire en béton doublée d'une membrane étanche qui est enterrée dans un trou creusé dans le sol.

On y accède par une trappe, de préférence située à l'intérieur de la maison. La cave en spirale existe en plusieurs tailles.

vent y être conservés, malgré un léger risque de pourriture sèche. Veillez à ne pas les poser à même le sol, mais sur des tasseaux. Les caisses en carton ne doivent être utilisées que pour un stockage temporaire, car l'humidité les fait pourrir, et provoque de la moisissure et des odeurs. N'oubliez pas de garder les caisses en bois d'origine si vous pensez revendre votre vin : elles rassurent l'acheteur dans une vente aux enchères et augmentent la valeur du vin. Cela est particulièrement vrai pour les magnums et les très grandes bouteilles.

Le livre de cave

Un livre de cave – un registre avec des colonnes pour le vin acheté et pour le vin consommé – vous aidera à tenir votre cave à jour. Cette pratique est difficile lorsqu'on possède beaucoup de bouteilles uniques ou de nombreux vins en petites quantités.

Utilisez un cahier spécial pour inscrire les vins achetés en caisse et/ou

La cave d'appartement. Il s'agit d'une armoire à contrôle de température, maintenue à température constante. Elle est idéale pour les appartements qui sont dépourvus de cave.

DIFFÉRENTS TYPES DE CAVES

La cave à vins idéale. La température et l'humidité y sont constantes. La ventilation est adéquate. Elle possède de nombreux compartiments de tailles diverses. On peut y ajouter une table pour la décantation. Les casiers en losanges illustrés ici permettent de ranger une douzaine de bouteilles. Le sol peut être couvert de gravier, que l'on arrosera pour augmenter l'humidité. La plupart des caves possèdent également des casiers individuels (ci-dessous).

Sous l'escalier. Cette forme de stockage est astucieuse, si la température convient. **Les petits casiers.** Ils doivent être rangés à l'abri de la lumière et dans un endroit isolé des vibrations.

Les casiers mobiles. Ils peuvent être en bois (à gauche) ou en plastique recouvert de fil de fer (ci-dessus). Ils maintiennent les bouteilles légèrement inclinées.

Les casiers fixes. Pour les fixer au mur, prévoyez des vis ou des pitons très solides, car les bouteilles sont lourdes. **Les étiquettes.** Elles permettent de marquer les différentes bouteilles.

pour ceux que vous comptez garder longtemps. Si nécessaire, établissez un plan dans votre livre de cave. Étiquetez les casiers et les compartiments. Pour les bouteilles, utilisez des étiquettes individuelles ou des marques plastifiées.

Si le vin est conservé dans des caisses en bois, prenez soin de laisser visible le côté de la caisse sur lequel figurent le nom du vin et son millésime, afin de ne pas avoir à les bouger.

Collectionner les vins

Certains amateurs considèrent leur cave comme une collection. Une bibliothèque contient de nombreux livres, un album de timbres rares. Une cave peut receler d'importantes quantités de vins issus de certains châteaux ou régions, et même des bouteilles grand format

d'une propriété donnée. Ces collections font l'objet de dégustations très spécialisées, où les amateurs se réunissent pour comparer les qualités des divers millésimes d'un même vin, ou noter les contrastes entre des vins du même millésime issus de domaines différents.

Un collectionneur fait très attention aux conditions de stockage de sa cave, car certains vins sont très vieux et donc très fragiles. Les étiquettes et les caisses nécessitent aussi beaucoup de soin, car la bouteille elle-même est un élément de la collection, et en restera l'unique souvenir une fois le vin bu.

À la différence d'une cave ordinaire, une collection de vins comprendra peut-être davantage de magnums et de bouteilles encore plus grosses. Celles-ci ne tiendront pas dans des casiers normaux, et l'espace devra être spécialement amé-

nagé en conséquence. Les très grandes bouteilles seront souvent dans leur caisse en bois d'origine.

Les stratégies des collectionneurs

Le collectionneur de vins, contrairement à l'investisseur, ne se limite pas aux valeurs sûres qui se revendront facilement. Comme il est dit plus haut, il peut adopter diverses stratégies, suivant sa logique. Le collectionneur recherche des bouteilles parfaites, et, lorsqu'il ne peut pas acheter des vins en primeur, il s'approvisionne dans des caves impeccables dont il connaît les conditions de stockage. Le collectionneur espère que, lorsque viendra le temps de boire le vin, ou de le vendre, la provenance de celui-ci – sa propre cave – améliorera sa réputation. □

LES CONDITIONS DE STOCKAGE

On peut résumer comme suit les conditions essentielles pour un bon stockage.

Température. Lorsque vous choisissez une cave, prenez les températures maximales et minimales en divers endroits et notez-les pour repérer les endroits les plus frais. Si possible, localisez les sources de chaleur et neutralisez-les en isolant, par exemple, les conduites d'eau chaude. Bouchez les sources d'air très froid. Isolez les portes menant à des parties chauffées de la maison avec du polystyrène ou de la fibre de verre. Le but est d'obtenir une température constante. Continuez de noter les températures jusqu'à ce que vous maîtrisiez leurs fluctuations sur un an.

Lumière. La lumière abîme le vin, surtout les vins blancs et les Mousseux. Assurez-vous que la cave est sombre ; masquez toute lumière extérieure, même si elle provient d'un orifice de ventilation. Une ampoule

électrique est indispensable pour circuler dans la cave ; évitez qu'elle ne soit trop forte, et prenez soin d'éteindre en sortant.

Propreté. Nettoyez à fond la cave avant d'y entreposer le vin. Utilisez un désinfectant, de préférence inodore, pour tuer moisissures et insectes. Puis peignez les murs à la chaux : cette peinture poreuse sur les murs de brique ou de pierre n'empêche pas la ventilation naturelle.

Humidité. L'humidité idéale est de 75 à 80 %. Une trop grande humidité pourrit les caisses en carton, les étiquettes et parfois les bouchons ; mais un manque d'humidité les desséchera. On peut augmenter l'humidité en couvrant le sol d'une couche de gravier que l'on arrosera. Les déshumidificateurs peuvent empêcher une humidité excessive, mais ce sont des appareils coûteux, qui ne valent la peine d'être installés que dans de très grandes

caves. Dans une petite cave, on peut améliorer la ventilation et isoler certaines sources d'humidité (murs qui suintent, par exemple). Si les étiquettes se décollent, un élastique évitera à une bonne bouteille de devenir anonyme.

Ventilation. La circulation d'air est essentielle, bien qu'elle puisse faire monter la température. Une bonne cave devrait posséder des prises d'air permettant à l'air extérieur de pénétrer et de circuler. Il faut pouvoir les neutraliser lorsqu'il fait très froid ou très chaud. Si la cave est orientée nord-sud, il faut que les ouvertures soient aussi basses que possible du côté nord et très hautes du côté sud. Sous l'effet de la convection, l'air chaud sort par l'aération haute côté sud. Il est remplacé au fur et à mesure par de l'air frais entrant côté nord.

Vibrations. Les vibrations fortes, provoquées par les appareils ménagers ou le

passage d'une route, peuvent abîmer le vin. (Attention aux escaliers.) Les casiers isoleront un peu le vin.

Rangement. Pour retrouver facilement les bouteilles, rangez les vins du même type les uns à côté des autres. Utilisez des étiquettes ou faites un plan.

Facilité d'accès. Il ne faudrait plus toucher au vin après l'avoir entreposé. Vous ne devez pas avoir à bouger une bouteille pour en atteindre une autre. Évitez les ordonnancements rigides qui ne permettent pas de modifications aisées.

Inclinaison. Le vin doit être couché, afin de maintenir le bouchon au contact du vin. Mais vous pouvez pencher légèrement les casiers pour que les dépôts tombent près du fond de la bouteille, tout en maintenant le bouchon humide. Tournez les bouteilles, étiquettes vers le haut, les dépôts tomberont de l'autre côté.

LE SERVICE DU VIN

UN SERVICE SOIGNEUX, LA TEMPÉRATURE ADÉQUATE, LE CHOIX
DU VERRE CONCOURENT À OBTENIR LE MEILLEUR DE CHAQUE BOUTEILLE,
QU'IL S'AGISSE D'UN VIN ORDINAIRE OU D'UN GRAND MILLÉSIME.

La mise en valeur des mets et des vins fait partie
des arts de la table. Ici, des assiettes blanc
et or et des verres tulipes sur une nappe blanche
sont d'une élégante simplicité.

Une fois choisie la bouteille que l'on veut ouvrir, et avant de goûter le vin que l'on a dans son verre, intervient le service du vin. La plupart du temps, cette opération peut, et doit, se faire dans la détente et la bonne humeur quand le vin est modeste, l'atmosphère conviviale, et que la décision de déboucher une bouteille est spontanée, un tire-bouchon et quelques verres suffisent. Toutefois, même un vin sans prétention donne le meilleur de lui-même lorsqu'il est à bonne température et servi dans le bon verre. S'il est de qualité et servi dans des circonstances plus solennelles, le respect de quelques règles ajoutera beaucoup au plaisir de la dégustation.

La technique du service du vin fait suite à celle de l'entreposage (voir p. 55). Laissez du temps au vin : on ne sort jamais directement une bouteille du panier à provisions pour la poser sur la table sauf, peut-être, s'il s'agit d'un vin de consommation courante. Mais les vins plus grands et plus vieux n'apprécient guère les transports et ne retrouvent équilibre et caractère qu'après une période de repos, de préférence dans un lieu frais et sombre. Pour certains vins fins, propres à développer un dépôt, la stabilité est un facteur essentiel. Dans ce cas, mieux vaut être prévoyant et les stocker à la verticale pendant deux jours avant de les boire ; ainsi, le dépôt restera au fond de la bouteille et non sur le côté. Avant de servir un vin, le premier élément à considérer est la température, car il faut du temps pour que celle du vin varie. Avant le repas, évaluez donc correctement le temps nécessaire pour que vos bouteilles refroidissent ou se réchauffent, selon le cas. Ensuite, vérifiez la quantité, le type et (point souvent négligé mais vital) la propreté des verres dont vous aurez besoin. Si vous devez en utiliser, vérifiez que les carafes sont propres et débarrassées d'odeurs persistantes. Enfin, décidez l'ordre du service : quel vin servirez-vous en premier ? Comptez-vous en proposer deux en même temps afin que les invités puissent les comparer ? Si cette façon de procéder paraît normale aux connaisseurs, elle étonnera les profanes. Dans ce cas, marquez les verres afin que les convives s'y retrouvent ou servez les vins dans deux verres de style différent. Et n'oubliez jamais de poser sur la table un verre à eau pour chaque invité, ainsi que des pichets ou des bouteilles d'eau fraîche.

LA TEMPÉRATURE

Le vin pâtit plus de la chaleur que du froid. Un vin servi trop frais peut se réchauffer rapidement, soit par la chaleur régnant dans la pièce, soit entre les mains. Mais un vin versé à trop haute température est difficile à rafraîchir et le plaisir de le boire risque d'être complètement gâché.

En règle générale, les vins blancs se servent plus frais que les rouges, mais l'échelle des températures est mobile dans les deux cas. Le principe « vin blanc à la température du réfrigérateur et vin rouge à la température ambiante » est quelque peu sommaire. En fait, à chaque style de vin blanc correspond une température différente et bien des rouges, sinon tous, doivent être servis à quelques degrés au-dessous de la température ambiante.

La bonne température

La notion de « température ambiante » date de l'époque où nos ancêtres dînaient dans des pièces non chauffées qui nous paraîtraient bien froides aujourd'hui. Le vin était entreposé dans une cave (encore plus froide), et le mettre à l'avance dans la salle à manger, afin de le réchauffer, était un principe parfaitement justifié. Aujourd'hui, nous avons les moyens techniques de stocker les vins rouges à leur température de service idéale.

Le recours à un thermomètre pour déterminer si le vin est bien à la température requise peut avoir son utilité. Cela dit, un ou deux degrés de plus ou de moins ne gâcheront pas le vin. Faites donc le test du thermomètre deux ou trois fois pour mémoriser l'impression que donne au toucher une bouteille à, disons, 10 °C, puis mettez le thermomètre au fond d'un tiroir et fiez-vous à vos sens.

Quelle influence la température a-t-elle sur le goût du vin ? La chaleur permet aux composants aromatiques de se volatiliser, ce qui signifie, plus simplement, qu'elle permet au bou-

Seau à glace et seau isotherme.

quet agréable du vin de s'exprimer. Les arômes variant d'un vin à l'autre, ils donnent donc le meilleur d'eux-mêmes à des températures différentes. Cela s'applique avant tout aux rouges, mais servir trop frais des grands crus de vin blanc est une erreur, car ce qui fait leur intérêt, au nez comme en bouche, pourra se révéler davantage s'ils sont moins frais.

La chaleur accentuant l'acidité, les vins blancs doivent en général être servis froids pour avoir moins de dureté. Lorsque la bouteille est fraîche, l'acidité s'allie au fruit du vin et le rend agréable et rafraîchissant, ce qu'on est en droit d'attendre de tout vin blanc.

Le froid et le chaud

Le mode de stockage du vin facilite grandement le contrôle de sa température : une cave fraîche ou une petite armoire réfrigérée permettent d'avoir à tout moment des vins blancs assez frais. Ne gardez jamais un vin au réfrigérateur, surtout s'il est bon, pendant plus de un jour ou deux : il risque de s'altérer. Le seau à glace est le moyen le plus rapide de rafraîchir le vin.

Il est essentiel d'ajouter de l'eau à la glace : des cubes de glace entourés uniquement d'air ne produiront aucun effet, au contraire de l'eau qui rafraîchira rapidement la bouteille ; il faut compter 10 à 15 minutes pour passer de 20 °C à 8 °C. Un réfrigérateur mettra entre 1 heure et demie et 2 heures pour aboutir au même résultat, voire davantage par temps chaud, surtout si le réfrigérateur est fréquemment ouvert. Une fois le vin à température de consommation, il suffit d'ajouter quelques cubes de glace dans l'eau du seau pour maintenir la fraîcheur, sachant qu'il faut éviter tout excès de froid. Une enveloppe isolante (voir photo) maintient une bouteille fraîche plusieurs heures.

Pour réchauffer un vin, l'idéal est de laisser la bouteille pendant 2 à 3 heures dans une pièce modérément chaude. (Si votre salle à manger est très chaude, l'entrée sera peut-être plus fraîche.) Ne placez surtout pas le vin près d'une source de chaleur, comme une cheminée, un radiateur ou un four, qui risque de donner un « coup de chaud » au vin et d'affecter son goût.

Température et climat

S'il fait chaud, le vin atteindra rapidement la température ambiante, quelle que soit sa température de départ. Par temps chaud, servez les vins un peu plus frais qu'à l'ordinaire ; par temps froid, en revanche (même si la pièce est chaude), ne refroidissez pas trop un jeune vin rouge, même s'il se déguste frais. Les millésimes vieux et rares requièrent un soin particulier, car ils sont plus sensibles aux changements de température. Idéalement, buvez les blancs à la température de la cave (c'est-à-dire à leur température de stockage), sans les rafraîchir avec de la glace ni les passer au réfrigérateur. Et laissez les vieux vins rouges se réchauffer progressivement une fois qu'ils sont sortis de la cave.

Le service des vins à l'extérieur, au cours d'un déjeuner pique-nique ou d'un dîner au bord d'une piscine, demande une attention toute particulière. Les vins blancs et les vins de Champagne peuvent être maintenus au frais au moyen d'un seau à glace, d'un seau (ou d'un sac) isotherme individuel. La glacière dans laquelle on placera des blocs réfrigérants reste le moyen de transport idéal pour des vins servis au cours d'un déjeuner sur l'herbe bien préparé ou d'une sortie en bateau. L'été, en montagne, les torrents sont d'excellents réfrigérants pour les bouteilles qu'on aura soin de bien amarrer à l'aide d'une ficelle. Les vins rouges peuvent eux aussi atteindre des températures trop élevées. Un simple linge mouillé placé sur les bouteilles, à l'ombre et dans un courant d'air, pourra suffire à maintenir celles-ci fraîches. □

Ce thermomètre et cette pipette permettent de mesurer la température et le degré d'alcool.

TEMPÉRATURE DE SERVICE		
TYPE DE VINS	**EXEMPLES**	**TEMPÉRATURES**
Vins effervescents		
Vins effervescents	Cava, Crémant, Saumur, Sekt, Champagne	6-8 °C
Vins effervescents doux	Champagne demi-sec, Moscato d'Asti	6-8 °C
Cuvées spéciales	Champagne millésimé	8-10 °C
Vins blancs		
Blancs doux courants	Anjou blanc, QbA allemand, Loupiac, Muscat	6-8 °C
Blancs secs courants	Muscadet, Sancerre, Sauvignon, Alsace	6-8 °C
Blancs secs plus amples	Bourgogne, Graves, Chardonnay, Rioja	9-11 °C
Demi-secs	Spätlese allemand, Auslese, Riesling	10-12 °C
Blancs liquoreux	Sauternes, Vendanges tardives, Ausbruch	11-13 °C
Blancs secs racés	Bourgogne, Graves	10-12 °C
Vins rosés	Les rosés courants peuvent être servis très frais	6-8 °C
Vins rouges		
Rouges jeunes et frais	Loire, Beaujolais, Côtes-du-Rhône	10-12 °C
Rouges courants	Bordeaux et Bourgognes	14-15 °C
Vins rouges de Pinot Noir	Bourgognes	16-17 °C
Grands crus	Crus classés de Bordeaux, Côtes-Rôties, Cabernet-Sauvignon	17-18 °C
Vins mutés		
Secs	Xérès Fino	9-11 °C
Demi-secs	Xérès Amontillado, Madère Sercial,	10-12 °C
	Xérès Oloroso doux, Madères Bual et Malmsey	15-16 °C
	Portos Tawny et Ruby	
	Le Tawny peut être rafraîchi en été à 8-10 °C environ	15-16 °C
	Porto millésimé (Vintage)	16-18 °C
	Vins Doux Naturels	8-10 °C

L'Ouverture du Vin

Le premier tire-bouchon, inventé il y a trois cents ans environ, aurait été inspiré de l'instrument en spirale qui servait à extraire les balles des fusils. Son usage devint courant au XVIIIe siècle, lorsque l'on prit l'habitude d'obturer les bouteilles avec un bouchon. Presque toutes les bouteilles de vin en possèdent un, sauf le vin ordinaire, parfois fermé avec une simple capsule de plastique. Le bouchon de liège est considéré comme le meilleur de tous, bien qu'il soit plus coûteux et plus fragile que les matières synthétiques.

Le bouchon

Le liège provient de l'écorce du chêne-liège, arbre qui pousse dans l'ouest du bassin méditerranéen et au Portugal. Le liège a la vertu d'être compressible et étanche, ce qui lui permet de bien s'adapter au goulot, qu'il obture parfaitement. D'une grande longévité, il n'est pas affecté par les changements de température mais peut être abîmé par la sécheresse, lorsque la bouteille est restée debout plutôt que couchée, et par certaines bactéries ou par des insectes nuisibles. Pour pallier ce dernier inconvénient, les bouchons sont stérilisés, mais il arrive parfois que des moisissures s'y développent et affectent le vin – d'où l'origine de l'expression « bouchonné » pour désigner le goût désagréable transmis au vin. (Le fait que quelques fragments de liège flottent à la surface du vin ne signifie pas nécessairement que celui-ci est « bouchonné ».)

L'ouverture de la bouteille

Les gestes à accomplir sont illustrés ci-contre. Au moment de l'ouverture, la bouteille doit être à la température adéquate, après être restée quelque temps au repos. Un vieux millésime, surtout s'il présente un dépôt, doit être décanté (voir p. 68).

On retire d'abord la capsule, qui est en plomb pour les vieux vins, ou, pour les vins plus récents, en alliage d'alu-

Il faut maintenir la bouteille fermement afin d'extraire le bouchon.

minium. Les très vieilles bouteilles ont parfois des capsules en cire qu'il faut briser (les tire-bouchons étaient jadis munis d'un petit marteau et d'une brosse). La capsule se coupe à l'aide d'un couteau. En général, on la retire complètement, surtout si elle est en plomb. Une fois la capsule ôtée, nettoyez le col et le bord du goulot avec un chiffon ou du papier absorbant. S'il y a un peu de moisissure sur le dessus du bouchon, il suffit de l'essuyer. Cela indique simplement que le vin a été stocké dans une cave humide. □

LES TYPES DE BOUCHON

Il existe plusieurs types de bouchon, adaptés aux différents vins. D'une largeur standard de 24 mm, ils sont comprimés par une machine qui les introduit dans un goulot de 18,5 mm. Les bouchons de Champagne, plus larges (31 mm environ), sont davantage compressés, car ils doivent résister à la pression du gaz carbonique.

Bouchons longs : les grands châteaux utilisent des bouchons de grande qualité pour protéger leurs vins destinés à vieillir pendant plusieurs dizaines d'années ; les vins des réserves privées des grands châteaux sont rebouchés tous les 25 ans.
Bouchons courts : ils sont utilisés pour les vins d'une durée de vie moins longue.
Bouchons en aggloméré : faits de fragments de liège amalgamés, ils servent

pour les vins courants et une partie des bouchons de Champagne (voir ci-après).
Bouchons synthétiques : en mousse plastique, imitation liège ou coloré, ils sont adaptés aux vins de moyenne garde, pour lesquels ils sont de plus en plus utilisés.
Les bouchons de Champagne : en liège aggloméré sur lequel sont contrecollées deux rondelles de liège pur, en contact avec le Champagne, ils sont enfoncés à moitié dans la bouteille ; seule la partie enfoncée est comprimée (d'où la forme de champignon). Marqués obligatoirement du mot « Champagne » et du millésime, s'il y a lieu.
Les bouchons marqués : sauf pour le Champagne, le marquage n'est pas obligatoire. Lorsqu'il est pratiqué, il comporte en général le millésime, le lieu de la mise en bouteille et le nom du producteur ou du vin.

OUVRIR UNE BOUTEILLE

La difficulté pour ouvrir une bouteille dépend du type de tire-bouchon dont on dispose, mais les phases de préparation (de 1 à 3) sont toujours les mêmes. Certains sommeliers ne coupent qu'une partie de la capsule (comme le montre la photo), d'autres préfèrent l'enlever complètement. Une fois le bouchon extirpé du goulot, pressez le bouchon pour vérifier son élasticité : plus il est vieux, plus il est ferme. Puis, sentez-le : il doit avoir des odeurs de vin.

1. Découpez la capsule sous le goulot pour pouvoir en retirer la partie supérieure.

2. À l'aide du couteau, retirez la partie supérieure de la capsule. Cela permet d'éviter tout contact du vin avec le métal, car certaines capsules de vieux vins sont en plomb.

3. Essuyez le goulot de la bouteille ainsi que le dessus du bouchon avec un linge propre. La présence de suintements ou de moisissures n'a rien d'alarmant, elle prouve que le vin a été stocké en cave.

4. Faites pénétrer la spirale du tire-bouchon au centre du bouchon et enfoncez-la bien droit, jusqu'au bout du bouchon. Mais prenez soin de ne pas le transpercer de part en part.

5. Extrayez doucement le bouchon du goulot de la bouteille. La vis du tire-bouchon photographiée ci-dessus est une vis sans fin, ce qui permet d'extraire le bouchon en continu, dans un même mouvement.

LES TIRE-BOUCHONS

Cet objet, qui existe depuis environ trois siècles, a donné lieu à des créations aussi ingénieuses qu'artistiques. Aussi en trouve-t-on de tous types, mais beaucoup sont mauvais. Toute personne susceptible d'ouvrir plus d'une bouteille par an se doit de posséder un tire-bouchon de bonne qualité, dont le choix répondra à deux critères.

Tout d'abord, la partie qui pénètre dans le bouchon doit avoir la forme adéquate, c'est-à-dire en spirale plutôt qu'en foret ou en vrille, sous peine de faire un trou dans le bouchon sans l'agripper et, au moment de l'extraction, d'effriter le liège ou de casser le bouchon. Seule une spirale suffisamment large (voir ci-contre) et bien pointue aura une bonne prise sur le bouchon.

Il convient ensuite d'étudier le mécanisme de traction. Les modèles les plus simples, à poignée en forme de T, sollicitent trop les muscles du bras et de l'épaule : un bouchon très serré risquera de vous résister.

Choisissez plutôt un tire-bouchon muni d'un système de levier, qui se bloque contre le goulot de la bouteille. Le plus courant, le « couteau-sommelier », possède un bras qui vient s'appuyer sur le goulot et un petit couteau pour couper la capsule. Efficace lorsque l'on sait s'en servir, ce type de tire-bouchon doit cependant avoir une vis suffisamment longue et une spirale bien large.

Le tire-bouchon « papillon » possède deux bras et un mécanisme d'engrenage monté sur la tige, permettant de faire levier sur le bouchon. Ce principe est excellent, à condition que la spirale soit bien étudiée, ce qui n'est pas toujours le cas.

Les tire-bouchons dotés d'un mécanisme de contre-vis ou à double action sont les plus pratiques. L'un des plus courants est le modèle en buis à deux poignées : la première fait pénétrer la vis dans le bouchon, la seconde fait

Utilisation du couteau-sommelier.

tourner l'ensemble afin d'extraire le bouchon. Conçu pour être posé sur le goulot, il est facile de le centrer et de tourner les poignées simultanément.

LES BOUCHONS RÉCALCITRANTS

Certains bouchons résistent avec entêtement ; voici quelques solutions.

Le bouchon colle. Chauffez le goulot de la bouteille en le passant sous l'eau chaude, afin de mouiller et de faire gonfler le verre, pas le bouchon. Ou vissez le tire-bouchon en le tenant légèrement incliné.
Le bouchon s'est cassé. Vissez le tire-bouchon avec précaution, en le tenant incliné, dans le morceau restant du bouchon. Si cela ne marche pas, poussez le bouchon dans la bouteille. En versant le premier verre, tenez le bouchon éloigné du goulot avec le tire-bouchon ; il flottera ensuite à la surface du vin.
Des morceaux de liège sont tombés dans le vin. Cela, en fait, n'a pas beaucoup d'importance, sauf s'il y en a trop, auquel cas vous pouvez décanter le vin (voir p. 69) dans une bouteille propre, une carafe ou un pichet.

Des versions en métal de ce type de tire-bouchon étaient courantes au XIXᵉ siècle et l'on peut encore s'en procurer des reproductions. La poignée de certains modèles est directement montée sur l'engrenage.

D'invention plus récente, le « Screwpull® » est extrêmement efficace et facile à utiliser. On pose le corps en plastique sur le goulot, on visse la longue spirale dans le bouchon puis on continue à visser dans le même sens jusqu'à ce que le bouchon sorte du goulot. Le Screwpull® présente par ailleurs l'avantage de bien centrer la vis. Il a été conçu par un ingénieur pétrolier américain, Herbert Allen, qui s'est inspiré du principe du forage. La version « luxe » de ce modèle possède un levier permettant d'extraire le bouchon sans effort.

Enfin, il est vivement déconseillé d'utiliser les appareils à air ou à gaz : non seulement la pression de gaz peut abîmer le vin, mais si la bouteille a un défaut de fabrication, elle risque d'éclater ou d'exploser au moment où vous l'ouvrirez. □

UN CHOIX DE TIRE-BOUCHONS

La gamme des tire-bouchons peut varier d'un vieil appareil qui date du XIXe jusqu'au perfectionnement d'un Screwpull® moderne. Les tire-bouchons ordinaires peuvent être récalcitrants, on leur préfère ceux qui demandent moins d'effort musculaire et permettent d'ouvrir le vin avec élégance.

Couteau-sommelier

Tire-bouchon papillon

Tire-bouchon ordinaire

Tire-bouchon du XIXe siècle

Reproduction d'un tire-bouchon

Screwpull® continu

Screwpull® professionnel

Screwpull® ordinaire

Tire-bouchon à contre-vis

L'OUVERTURE DES VINS PÉTILLANTS

Si les vins pétillants et le Champagne ne nécessitent pas l'utilisation d'un tire-bouchon, en revanche, il est important de savoir les ouvrir. Le vin étant sous pression, une ouverture maladroite de la bouteille risque de faire sauter violemment le bouchon et de laisser échapper beaucoup de mousse, gâchis inutile réservé à l'arrivée des courses automobiles. Sans compter les dégâts que le bouchon peut occasionner sur sa trajectoire. La première précaution à prendre consistera donc à éviter de diriger la bouteille vers une personne ou une fenêtre. Ensuite, il faudra maintenir sa main sur le bouchon, ce qui n'est pas très pratique pour défaire le muselet (le fil de fer torsadé qui entoure le col de la bouteille et bloque le bouchon) mais indispensable.

Rafraîchir le Champagne

Sachez aussi qu'un Champagne tiède est non seulement peu agréable à boire, mais également dangereux : son bouchon risque plus de sauter que celui d'une bouteille bien fraîche.

Il faut donc commencer par rafraîchir le vin en prenant soin de ne pas remuer la bouteille afin de ne pas augmenter la pression du gaz. Sa température doit se situer entre 6 et 9 °C ; un Champagne servi plus froid perd toute sa saveur. On évitera par ailleurs de laisser une bouteille trop longtemps au réfrigérateur. Il est préférable, à la sortie de la cave, de la faire rafraîchir quelque temps dans un seau contenant un mélange d'eau et de glace ; toute tentative de refroidissement accéléré (adjonction de sel sur la glace, passage au congélateur) ne peut qu'être préjudiciable au vin.

Ouvrir le Champagne

Sortez la bouteille du seau à l'aide d'un linge propre, essuyez-la et ôtez la coiffe métallique afin de dénuder le muselet. Détordez doucement les extrémités torsadées du fil de fer tout en gardant le muselet bloqué contre le rebord du gou-

L'art de déboucher un Champagne.

lot et en maintenant le bouchon avec le pouce. Une fois le fil de fer défait, continuez à tenir le bouchon pendant que vous détachez le muselet et la capsule.

Le secret de l'ouverture consiste à bien maintenir le bouchon d'une main et, de l'autre, à faire tourner doucement la bouteille, légèrement inclinée. Vous faites ainsi levier sur le bouchon, qui sera plus facile à retirer que si vous le tournez en maintenant la bouteille

OUVRIR UN PORTO MILLÉSIMÉ

Parce qu'il vieillit longtemps en bouteille, le Porto millésimé peut être difficile à déboucher : un vieux bouchon est souvent friable. La solution consiste généralement à utiliser une longue pince à Porto, dont les branches s'adaptent au goulot. Les extrémités sont préalablement rougies au feu, puis serrées sur le col de la bouteille. Au bout d'une minute, on applique un chiffon humide et le col se casse net à la base du bouchon. Cette méthode est délicate et requiert de l'expérience.

immobile. Par ailleurs, cela réduit le risque de le casser. Si cela se produit, percez le bouchon à l'aide d'une aiguille ou d'un objet pointu afin qu'un peu de gaz s'échappe, puis servez-vous – avec précaution – d'un tire-bouchon. Le vin sera moins pétillant, mais l'ouverture de la bouteille plus sûre.

Lorsque vous tournez la bouteille, vous sentez le bouchon monter, poussé par la pression du gaz carbonique. À l'aide de votre pouce, aidez-le tout doucement à sortir. L'élégance suprême est de retenir le bouchon au dernier moment afin de ne laisser échapper qu'un « soupir d'aise ».

Pensez enfin à avoir un verre à portée de la main pour le remplir aussitôt si le vin commence à s'écouler. Pour que la mousse soit plus persistante et le vin plus frais, vous pouvez rafraîchir les verres à l'avance sur de la glace.

Les pinces et les étoiles

Si vous devez ouvrir plusieurs bouteilles de Champagne d'affilée, vous trouverez plus pratique de vous servir de pinces ou d'une « étoile » à Champagne. Les pinces agrippent l'extrémité large du bouchon et font levier. L'étoile s'adapte aux rainures du bouchon laissées par le muselet. Que vous vous serviez de l'un ou de l'autre, n'oubliez pas de retenir le bouchon avec les doigts pour éviter qu'il ne saute brutalement.

Les bouchons spéciaux

Des bouchons spéciaux se fixent sur le goulot pour que le vin d'une bouteille entamée reste pétillant. Les meilleurs sont efficaces pendant plusieurs jours. Utilisez également ce principe si vous ouvrez plusieurs bouteilles d'avance : le vin ainsi se conservera parfaitement.

Dernier conseil : évitez si possible de boire une bouteille de Champagne le jour même de son achat. Mieux vaut la laisser reposer quelques jours – jusqu'à dix jours après un long transport en voiture. □

OUVRIR UNE BOUTEILLE DE CHAMPAGNE

Le Champagne ainsi que tous les vins mousseux doivent se servir frais. Ils sont ainsi plus agréables au goût et moins dangereux à ouvrir, car la pression est moindre. Essuyez soigneusement la bouteille lorsque vous la sortez du seau à glace. Pour éviter tout incident au moment de l'ouverture, ne secouez pas la bouteille et ne la dirigez jamais vers une personne.

1. Ôtez la coiffe afin de dénuder le muselet et le bouchon, soit à l'aide d'un couteau-sommelier soit avec une lame ordinaire.

2. Détordez doucement le muselet en fil de fer, après avoir enlevé la coiffe. Maintenez votre pouce sur le bouchon.

3. Retirez le muselet et la capsule tout en maintenant fermement le bouchon de l'autre main.

4. Tenez le bouchon d'une main et la bouteille de l'autre. Faites doucement tourner la bouteille (et non le bouchon). Surveillez la direction dans laquelle vous orientez la bouteille.

5. Poussez le bouchon avec précaution à l'aide du pouce et des doigts quand il commence à monter dans le goulot. Ayez toujours une flûte à proximité pour verser rapidement le Champagne si nécessaire.

LA DÉCANTATION

La plupart des vins peuvent parfaitement être servis directement de la bouteille, mais certains gagnent à être transvasés dans une carafe ou un pichet. La décantation peut améliorer le vin de deux façons : elle le débarrasse d'éventuels morceaux de bouchon ou de dépôt et lui permet de s'oxygéner, ce qui peut accélérer sa maturation. Dans tous les cas, un vin présentant un dépôt doit être décanté. Les différentes techniques sont illustrées ci-contre.

Pour ou contre la décantation ?

Lorsqu'un vin présente un dépôt, il faut indiscutablement le décanter, seule la méthode se discute. Quant aux autres vins, cela dépend de leur âge et du temps qu'ils passeront en carafe.

Les adeptes de la décantation affirment qu'en une heure, voire plusieurs heures, un vin jeune décanté devient plus moelleux, plus rond et généralement plus agréable au goût. Mais il est vrai que s'il reste trop longtemps en carafe, il risque de perdre de sa fraîcheur et de sa vitalité. La décantation peut vivifier les vieux millésimes mais également les durcir et leur faire perdre quelques-uns de leurs précieux arômes.

On s'accorde généralement à dire que la décantation apporte au vin une aération bénéfique. Même les blancs, surtout à maturité, y gagnent. L'air libère les arômes du vin. Reste à savoir quand décanter : juste avant de servir ou plus tôt ?

Ne décantez pas un vin trop à l'avance : ceux qui ont atteint, voire dépassé, leur maturité, s'affadiront rapidement en carafe. Le vin continuera à s'aérer en passant de la carafe au verre, et encore davantage si on le fait doucement tourner dans le verre.

L'autre argument en faveur de la décantation est qu'elle permet aux vins qui n'ont pas encore atteint leur apogée de « vieillir » rapidement, en reproduisant les effets du vieillissement en bouteille. Ce point de vue est cependant controversé : la réaction chimique en cause est complexe et encore imparfaitement comprise.

Comment décanter ?

Le poids de la tradition fait oublier à quel point l'opération est simple. Il suffit d'une main qui ne tremble pas et d'une bonne lumière. Travaillez de préférence sur une surface claire : vous verrez mieux le vin passer par le col de la bouteille. Assurez-vous que la carafe soit bien propre. L'idéal est de rincer la carafe avec du vin avant de l'utiliser. On la débarrasse ainsi de tout résidu chimique provenant de l'eau du robinet ainsi que de toute odeur de renfermé. Si vous utilisez un entonnoir et un filtre en tissu, lavez-les aussi au préalable.

On peut transvaser le vin dans une carafe, une cruche ou un pichet, mais il faut tenir compte de la forme du récipient et de sa taille afin d'assurer, après décantation, plus ou moins de surface de vin en contact avec l'air. En effet, outre le choc de l'oxygénation d'un vin qui a toujours été en milieu réducteur, il se produit dans les heures qui suivent une évolution des arômes plus ou moins rapide en fonction de l'exposition du vin à l'air. Ainsi, pour des vins jeunes d'une grande extraction, on préférera une carafe plate dont la base est très évasée pour favoriser les échanges entre le vin et l'air, tandis que pour les vins vieux et fatigués, il sera prudent de choisir une carafe qui ne laisse que très peu d'air en surface du vin, en s'assurant de bien la remplir et de replacer le bouchon après l'opération.

La décantation est une pratique si controversée qu'il est amusant d'offrir le choix à ses convives entre une bouteille décantée, et une seconde bouteille du même vin tout juste ouverte. Un jeu qui vous assurera un dîner animé.   □

QUELS VINS DÉCANTER ?

■ Les vins rouges énumérés ci-après ont tendance à présenter un dépôt ; mieux vaut les décanter.

Bordeaux : les crus classés et les meilleurs crus bourgeois.

Bourgogne : les premiers crus et grands crus.

Côtes-du-Rhône : Hermitage et autres vins du nord de la région, ainsi que les Châteauneuf-du-Pape.

Autres vins français : les meilleurs vins de Provence, le Madiran.

Vins italiens : Barolo, grands *vini da tavola* tels que le Sassicaia.

Espagne : Vega Sicilia et les meilleurs Penedès. Quelques Riojas présentent un dépôt.

Portugal : les Portos Vintage et Crusted. Les Portos Late-Bottled et Tawny n'ont pas besoin d'être décantés.

Nouveau Monde : les Cabernets-Sauvignons et les Shiraz de Californie, d'Australie et du Chili.

■ Les rouges plus jeunes tireront généralement profit de l'aération apportée par la décantation.

Bordeaux : les petits châteaux de Bordeaux d'un bon millésime.

Bourgogne : les crus de Beaujolais et les appellations villages de la Côte d'Or.

Côtes-du-Rhône : tous les vins rouges.

Autres vins français : le Cahors, les Côtes-de-Bordeaux et tous les vins vinifiés de façon traditionnelle qui font l'objet d'une grande concentration.

■ Certains blancs s'améliorent si on les décante juste avant de servir.

Les vieux blancs de la Loire, les Graves blancs à maturité, les vins d'Alsace de vendanges tardives, les grands vins du Rhin et de la Moselle, les bons Riojas blancs vieillis en fûts de chêne.

■ Certains vins ne gagnent pas à être décantés.

Les très vieux Bordeaux et Bourgognes rouges (mettre les bouteilles debout de 24 à 48 heures avant de les servir afin que le dépôt tombe au fond), les vins blancs à maturité sauf ceux cités ci-dessus, les blancs jeunes, les vins de Champagne et autres Mousseux.

LES ÉTAPES DE DÉCANTATION

La décantation des jeunes vins est simple. Son but est d'aérer le vin, de le laisser s'assouplir tout en réveillant son parfum. On décante les vieux millésimes pour les débarrasser de leur dépôt. Pour un vin jeune, il suffit d'ouvrir la bouteille et d'en verser le contenu dans une carafe propre, en utilisant au besoin un entonnoir (voir ci-contre). Vous pouvez verser assez vite : si le vin éclabousse les bords de la carafe, il ne s'en aérera que davantage. Laissez-le reposer au moins une heure avant de le boire, sans boucher la carafe, dans la pièce où il sera servi. Cela lui permettra d'atteindre progressivement la température ambiante. Un vin vieux se décante juste avant d'être servi et l'on doit reboucher la carafe. Attention de ne pas remuer les vieux millésimes avant de les décanter. Si possible, mettez la bouteille debout quelques jours avant de la servir pour que le dépôt s'accumule au fond. Si la bouteille est restée couchée, le dépôt se trouvera sur le côté ; dans ce cas, montez-la de la cave dans un panier-verseur.

1. Débouchez doucement la bouteille, après avoir ôté la capsule, en la laissant dans le panier. Essuyez le goulot avec un chiffon propre.

2. Allumez la bougie ou la lampe et placez-la derrière la bouteille. Soulevez très doucement la bouteille pour ne pas remuer le dépôt et versez lentement le vin dans l'entonnoir.

3. Continuez à verser de façon régulière sans laisser le vin refluer dans la bouteille. La lumière éclaire l'épaule de la bouteille au niveau du col : lorsque la bouteille est presque vide, surveillez le vin de très près. En observant attentivement le goulot éclairé par-derrière, vous pourrez suivre la progression du dépôt sombre et opaque. Le plus souvent, il forme une masse visqueuse.

4. Arrêtez de verser lorsque le dépôt arrive au goulot. Le vin doit être clair et brillant dans la carafe et le dépôt doit rester dans la bouteille. Le filtre de cet entonnoir de décantation en argent sert à retenir le sédiment épais et pailleté des Portos Vintage. La plupart des vins ont un dépôt plus fin.

LES CARAFES

On peut prendre beaucoup de plaisir à choisir les accessoires du vin, tels que les tire-bouchons et les carafes. Aujourd'hui, on trouve dans le commerce de nombreuses répliques de carafes anciennes, comme celles présentées sur la photo ci-dessus.

Les carafes

Les carafes étant plus résistantes que les verres, il est encore possible d'acquérir de fort belles œuvres anciennes. Celles du XVIIIe siècle, et leurs reproductions, rencontrent un grand succès auprès des connaisseurs parce qu'elles sont idéales pour le bon vin. Autrefois d'un simple usage pratique pour le service des vins, de la cave où le vin était tiré, jusqu'à la table où il était servi, les carafes sont devenues de véritables objets d'art. Certaines comportent un renflement au niveau du goulot afin de permettre de les boucher de façon étanche, d'autres ont des formes curieuses afin de favoriser un rafraîchissement plus efficace dans un seau à glace, certaines sont évasées à la base, d'autres très élancées. Toutes les formes et toutes les contenances coexistaient au XVIIIe siècle, à tel point qu'elles sont copiées en reproduction contemporaine. L'histoire des carafes se confond avec les modes de consommation et les styles en vogue. Les carafes en cristal travaillé ou coloré sont aujourd'hui moins à la mode que celles plus simples et de lignes plus harmonieuses qui existaient déjà il y a deux cents ans. Outre son élégance, sa contenance et ses qualités, on recherchera dans une carafe l'aisance d'un bon maintien, surtout pour les carafes à magnum, assez lourdes lorsqu'elles sont pleines, qu'il est impératif de bien tenir en main. Une carafe doit être en verre transparent, afin que l'on puisse apprécier la couleur du vin, suffisamment grande (à quoi sert une carafe de 65 cl pour une bouteille de 75 cl ?) et facile à nettoyer.

Diverses carafes, de tailles différentes, dont une reproduction du XVIIIe (à gauche).

La plupart des amateurs de vin préfèrent les carafes transparentes et lisses, et gardent celles en cristal taillé ou décoré pour les alcools ou le whisky. Le col doit être assez large pour faciliter la décantation et le bouchon doit être bien adapté. Bien des carafes anciennes ont perdu leur bouchon, mais on peut facilement s'en procurer chez les antiquaires, à condition qu'il s'adapte bien au goulot. À défaut, on peut se servir d'un bouchon de Champagne : c'est moins élégant mais tout aussi efficace.

La contenance d'une carafe correspond soit à une bouteille, soit à un magnum. Ce second type de carafe est plus pratique car, même si on n'ouvre pas tous les jours un magnum, celui-ci est généralement réservé à un vin de grande qualité qu'il faut décanter. Évitez de verser deux bouteilles du même vin dans une carafe à magnum, à moins de les avoir goûtées au préalable. En effet, on peut trouver des différences entre deux bouteilles d'un même vin (comme disent les Bordelais « il n'y a pas de grands vins, il n'y a que de grandes bouteilles »). L'une pouvant même être bouchonnée ou passée, si vous la mélangez avec l'autre, vous aurez perdu deux bouteilles au lieu d'une.

Les pichets

Les vins jeunes gagnent parfois à être décantés et un pichet ou une carafe sans bouchon leur conviendra mieux. On peut également utiliser un récipient un peu rustique, en verre coloré ou décoré. Prenez une carafe ou un pichet d'un litre pour une bouteille normale, afin de pouvoir y verser le vin sans ménagement, pour bien l'aérer. Vous pouvez également utiliser une carafe ou un pichet pour servir un vin de consommation courante ou un vin de pays livré en Cubitainer.

L'Entretien des Carafes et des Verres

Nombreuses sont les dégustations gâchées par des verres sales. La saleté n'est pas nécessairement visible : les détergents (ou les produits de rinçage) peuvent laisser un film indiscernable, à l'œil ou au nez, quand le verre est vide, mais pouvant réagir au contact du vin (ou de l'eau) et lui donner un mauvais goût. C'est un problème courant dans les hôtels et les restaurants qui utilisent des lave-vaisselle, et c'est arrivé plus d'une fois (à la plus grande consternation du sommelier et du maître de maison) dans de grands châteaux du Bordelais.

Les verres accrochent et retiennent les odeurs : elles peuvent provenir du lavage, du séchage ou du placard, mais toutes sont faciles à éviter.

Mieux vaut ne pas passer les verres à vin au lave-vaisselle. On les lavera à la main dans une grande quantité d'eau chaude, avec, si nécessaire, un peu de liquide à vaisselle doux. Mais, en temps normal, l'eau chaude pure suffit, surtout si les verres sont lavés tout de suite après usage. Ils doivent ensuite être abondamment rincés à l'eau chaude, que l'on changera régulièrement. Pendant qu'ils sont encore chauds et humides, il faut les essuyer et les faire briller avec un torchon de coton ou de lin, qui a lui-même été bien rincé après lavage, sous peine de leur transmettre une odeur de détergent ou d'assouplisseur. Évitez les torchons neufs qui risquent de laisser des fils ou des peluches sur les verres.

Le rangement des verres

Les verres neufs auront l'odeur et le goût du carton d'emballage tant qu'ils n'auront pas été lavés ; c'est pourquoi il ne faut pas les ranger dans leurs cartons. Si vous louez ou empruntez des verres pour une grande réception, vérifiez soigneusement au préalable qu'ils n'ont ni odeur de détergent ni relent de placard.

Carafe au séchage.

Le meilleur endroit pour ranger les verres est un placard fermé situé en dehors de la cuisine, celle-ci étant souvent pleine d'odeurs et de vapeurs. Posez-les debout ou glissez-les par le pied sur des porte-verres. Si vous les posez à l'envers, ils prendront l'odeur de l'étagère. Enfin, pensez à les sortir bien à l'avance pour qu'ils s'aèrent.

Les carafes

Les carafes doivent être propres et lavées avec le même soin que les verres, avec beaucoup d'eau chaude afin de les rincer le mieux possible. Le séchage de l'intérieur des carafes est un véritable problème. Essuyez la partie externe à l'aide d'un torchon propre comme pour les verres et placez la carafe à l'envers afin de laisser s'écouler l'eau résiduelle. La meilleure façon d'égoutter une carafe reste de la placer sur un pied spécial (voir photo) – un support équipé d'un pied lesté qui

assure une bonne stabilité – et de déposer l'ensemble dans un endroit qui dispose d'une bonne aération.

Une attention toute particulière doit être portée à la carafe, qui a tendance à accumuler les mauvaises odeurs et risque d'affecter le vin qui pourra y être versé. Il n'est pas toujours bon de la garder vide et close trop longtemps et, dans tous les cas, il faut la rincer abondamment à l'eau chaude avant tout nouvel usage.

Avec le temps, les carafes se patinent. On peut utiliser alors du gros sel et du vinaigre afin de les décaper ou bien un produit comme celui qui sert au nettoyage des dentiers, en ayant soin de bien la rincer après l'opération.

Les bouchons de carafe

Les bouchons des carafes se perdent, et rares sont les vieilles carafes héritées des générations des siècles passés qui disposent encore de leur bouchon. Il faut savoir que le bouchon n'est pas un élément essentiel et que son absence n'est pas préjudiciable au vin qui vient d'être décanté, sauf peut-être dans le cas de vins comme des Portos millésimés qui peuvent se garder quelques jours. La majorité des vins transvasés ont une durée de vie relativement courte après décantation. Ils tombent assez vite et s'oxydent. Mais il est souvent intéressant de garder quelques vins jeunes pendant plusieurs jours en carafe, ce qui donne une indication sur leur tenue, donc sur leur longévité. Dans ce cas-là, l'utilisation d'un bouchon de verre ou de liège s'impose. □

LES VERRES

Le goût du vin est différent, et meilleur, lorsqu'on le boit dans le verre approprié. Cette observation, toute curieuse et excessive qu'elle puisse paraître, a cependant été prouvée lors de dégustations comparatives.

Les éléments à prendre en compte dans le choix du verre sont, dans l'ordre d'importance, sa forme, sa taille et son matériau. À cela vient s'ajouter la tradition : presque chaque région vinicole possède son type de verre, parfois de couleur, qu'elle considère comme idéal pour déguster ses vins.

La forme

Un verre à vin doit, tout d'abord, être convexe, en forme de tulipe fermée. Son bord doit s'incurver vers l'intérieur, afin de capter les arômes du vin et les canaliser vers le nez. Un verre dont le « ventre » est peu profond offrira une trop grande surface de vin à l'air et ne pourra retenir les arômes. La moitié du plaisir de la dégustation en sera gâchée.

Il faut ensuite que sa tige soit suffisamment longue pour que l'on puisse le tenir sans que les doigts ne touchent la coupe. Un verre de vin blanc frais se réchauffe trop rapidement au contact de la main.

La taille

Il doit être assez grand pour que l'on puisse y verser du vin en quantité suffisante sans pour autant le remplir plus qu'au quart ou au tiers. Si le verre est trop petit ou trop plein, on ne pourra faire tourner le vin pour libérer ses arômes et on ne pourra le pencher pour l'observer (voir p. 77).

La quantité de vin normalement servie est d'environ 9 cl (le huitième d'une bouteille) ; la contenance idéale d'un verre est de 28 cl au moins. Dans certains restaurants, on en trouve de bien plus grands : évitez-les, chez vous, pour vous épargner la désagréable impression d'avoir juste une goutte de vin au fond

La gamme des verres Riedel (Vinum et sommelier) fut développée après des années de recherche. De gauche à droite, les verres Vinum Bordeaux rouge, Bourgogne rouge, vin blanc, Champagne et vins d'Alsace.

de votre verre. Ces verres ont du reste un but spécial : leur large surface aide à faire volatiliser les arômes d'un vin jeune, mais il ne faut pas les utiliser pour des vins vieux et délicats. En revanche, un grand verre, d'une capacité de 35 cl, est nécessaire pour les meilleurs vins rouges servis à leur apogée.

Le service du Champagne dans des flûtes est l'exception qui confirme la règle. De forme allongée, la flûte est remplie aux trois quarts afin de permettre d'observer la montée des bulles et d'apprécier la qualité et la couleur du vin.

Le matériau

Il doit être transparent, lisse, sans facettes. Les lourds verres en cristal taillé ou dorés à l'or fin sont, certes, agréables à regarder mais nuisent à l'appréciation du vin et au plaisir de la dégustation. Les verres de couleur empêchent d'admirer la robe du vin. Le matériau idéal est le cristal le

plus fin. Le cristal donne une clarté optimale et sa finesse permet de voir sans aucune déformation ce que vous avez dans votre verre.

Ces explications paraissent simples, mais comment expliquer scientifiquement pourquoi il est plus agréable de goûter un vin dans du cristal fin que dans un verre ordinaire ? Des dégustations comparatives ont convaincu les experts que la finesse du verre contribue au plaisir gustatif. Néanmoins, le matériau a moins d'importance que la forme ou la taille et de nombreux amateurs de vin renoncent aux coûteux verres en cristal fin : la peur de les casser finit par gâcher leur plaisir.

Il existe aussi des verres tout spécialement conçus pour la dégustation des vins (comme la gamme des Impitoyables). À l'usage des professionnels, ces verres de haute technicité ont pour qualité essentielle de faire ressortir les défauts du vin.   □

LES DIFFÉRENTS VERRES

Verre à vin blanc, constitué d'un pied long et fin et d'une coupe en forme de tulipe.

Verre à Bordeaux, dont les formes amples permettent aux vins rouges de s'épanouir.

Verre à Bourgogne, facile à tourner et qui permet aux arômes de se dégager facilement.

Verre standard INAO, utilisé lors des séances de dégustation dans les foires internationales.

Verre à Porto ou à Xérès, dont la forme est inspirée de la *copita* à Xérès.

Flûte à Champagne, utilisée également pour le service des autres vins effervescents.

LE VIN À TABLE

Dans toutes les civilisations depuis celle de la Grèce antique, la tradition a toujours voulu qu'un certain cérémonial accompagne la dégustation du vin : toasts, discours et un ordre de service élaboré s'allient pour prolonger une soirée tout en limitant la consommation. Pour les Occidentaux aujourd'hui, boire du vin est une récréation, une fête, en même temps qu'une façon d'accompagner les mets. La tradition des toasts se maintient, bien qu'on ne porte plus ceux-ci qu'en des occasions spéciales. Il existe dans presque toutes les langues une expression pour lever un verre à un ami : Prost ! Salut ! Cheers ! Slainte ! À votre santé !

Le devoir d'hospitalité
Si le cérémonial est devenu moins formel, la survivance de cette coutume reflète l'une des plus vieilles traditions qui soient : celle du devoir sacré de l'hôte envers ses invités.

Cela est également vrai en ce qui concerne la tradition britannique (quelque peu mystérieuse) qui consiste à « faire passer le Porto ». Aujourd'hui, boire un bon Porto millésimé à la fin d'un repas n'est plus, heureusement, exclusivement réservé aux hommes, les femmes devant autrefois se retirer dans un boudoir. Mais le Porto est toujours, par tradition et pour des raisons pratiques, servi en carafe et passé dans le sens des aiguilles d'une montre. Le maître de maison remplit de Porto le verre de ses voisins, s'en verse un peu, et fait passer la carafe sur sa gauche. Chaque convive procède ensuite de la même façon.

Pourquoi à gauche ? On vous donnera mille explications, mais la réalité est simple : il est plus aisé de prendre la carafe de la main droite. L'un des buts de cette coutume est d'éviter qu'un invité ne monopolise le Porto, qui sera peut-être le vin le plus prestigieux servi ce soir-là. Il est intéressant de noter que cette manière rituelle de faire passer la carafe, souvent considérée comme démodée, est la dernière survivance d'un très ancien cérémonial d'hospitalité.

L'ordre de service des vins
La coutume dicte aussi l'ordre dans lequel les vins sont servis, et la place à laquelle ils figurent sur le menu. Cela est expliqué dans le chapitre sur le vin et les mets (voir p. 82). Les conventions sont les suivantes : le blanc avant le rouge, les vins jeunes avant les vieux, les légers avant les capiteux, les secs avant les doux, et les meilleurs et les plus rares à la fin. Au cours d'un repas, les blancs sont servis avec l'entrée, et les rouges ensuite.

Mais il ne faut pas servir un vin aromatique et plein de personnalité tel que le Gewürztraminer en espérant qu'un délicat Bourgogne pourra être apprécié à sa juste valeur immédiatement après. Des vins jeunes et puissants peuvent affecter des millésimes plus subtils.

Certains vins issus de cépages différents peuvent se faire du tort, même si l'on respecte l'ordre conventionnel. Prêtez attention au caractère du vin, et pensez que les vins d'une même région font souvent bon ménage : un Sancerre suivi d'un Chinon, un Graves blanc suivi d'un Médoc. Il peut également être intéressant de goûter la différence entre des vins de même cépage, mais de régions, voire de continents différents.

Tous ces « principes » semblent dictés par le bon sens. On se rend toutefois rarement compte à quel point ils varient avec le temps, et d'un pays à l'autre.

Il y a seulement soixante ans, une révolution s'opéra dans les menus des collèges d'Oxford et de Cambridge : on commença à servir du vin rouge aux repas. Jusque dans les années 1930, le dîner des membres de Christ's College à Cambridge ne comportait pas moins de neuf plats – tous accompagnés de vin blanc. Après le dîner, les professeurs passaient au Porto et au Bordeaux Premier cru.

Cette habitude était internationale : André Simon, l'écrivain et gastronome d'origine française, fondateur de la Société internationale du vin et de la gastronomie, donna en 1907 un dîner de quatorze plats, dont de l'agneau et du faisan. Il fit servir du Xérès, du vin de Moselle et du Champagne avec le gibier. Puis du Porto à la fin du repas.

En Angleterre, cette tradition remonte à plus d'un siècle, les vins du Rhin et le Champagne étant servis avec le repas, le rouge faisant son apparition au plus tôt au moment du fromage, suivi de Porto et de Bordeaux. Que pensera-t-on de nos conventions actuelles au siècle prochain ?

La façon traditionnelle de servir le vin
Les restaurants respectent encore une étiquette rarement observée de nos jours chez les particuliers. L'hôte goûte le vin (pour le cas où la bouteille serait défectueuse, et non pour décider si le vin lui plaît), puis celui-ci est servi aux dames, dans le sens des aiguilles d'une montre, en partant de la droite du maître de maison. Vient ensuite le tour des hommes, et finalement celui de l'hôte. Chez lui, ce dernier, qui remplit la plupart du temps le rôle de sommelier pour la soirée, goûte discrètement le vin avant de le servir à ses invités. Le vin peut en effet aussi bien être bouchonné ou abîmé qu'au restaurant. Quand un vin est choisi pour s'accorder avec un plat, il faut faire attention à bien le servir en même temps. Au restaurant il arrive souvent trop tard. Si deux vins sont servis en même temps afin que les convives les comparent, il faut attendre que tous les verres soient remplis du premier avant de passer le second. N'oubliez jamais de mettre une carafe d'eau sur la table. □

LA DÉGUSTATION

DÉGUSTER UN VIN, C'EST DISTINGUER ET RECONNAÎTRE
SES QUALITÉS ET SES DÉFAUTS AVANT LE PLAISIR DE LE BOIRE
SELON UNE TECHNIQUE ET UN VOCABULAIRE PRÉCIS.

L'apparence et l'odeur du vin représentent d'importants indices concernant sa qualité et son potentiel. L'examen de sa robe et l'inhalation de son arôme, premières étapes de la dégustation, permettent une meilleure appréciation.

Tout au long d'une journée, nos sens sont en éveil, nous regardons, écoutons, touchons, sentons et goûtons. Nos organes sensoriels réagissent aux stimuli olfactifs, auditifs, visuels, tactiles et gustatifs de notre environnement sans que nous en soyons réellement conscients. En revanche, quand nous dégustons, nous essayons sciemment d'analyser et de mémoriser le maximum des sensations que le vin éveille en nous pour accroître notre plaisir et nos connaissances. Contrairement aux préjugés, la pratique de la dégustation est facile. Il s'agit simplement de mettre en mémoire les arômes et les saveurs d'un très grand nombre de vins différents. On apprend facilement à reconnaître les arômes particuliers d'un cépage, le goût des vins de pays chauds par rapport à celui de climats tempérés, un vin jeune d'un vin plus vieux. Ensuite, le processus d'identification fait appel à la mémoire et résulte d'éliminations successives. Apprendre à déguster accroît le plaisir que nous offre le vin et nous permet de choisir nos vins en connaissance de cause. Un dégustateur expérimenté sait juger quand un vin sera prêt à boire et sait faire une sélection avisée de vins jeunes à mettre en cave. La dégustation a aussi pour objectif de révéler les rares défauts des vins. Pour bien déguster, il faut tout d'abord apprendre à utiliser efficacement vos sens, afin de pouvoir interpréter les sensations visuelles, olfactives, tactiles et gustatives qui font partie de l'analyse sensorielle. Ensuite, il est nécessaire de posséder un vocabulaire permettant de décrire ces sensations. Enfin, le dégustateur doit connaître les critères selon lesquels on juge les vins. Les techniques de dégustation sont faciles à maîtriser, mais le vocabulaire, comme toute langue étrangère, demande un effort d'apprentissage. Développer ses connaissances afin de pouvoir tirer des conclusions autres que subjectives est plus long, parce qu'il faut goûter toute une gamme de vins avant de les acquérir. Avec une certaine volonté, la pratique de la dégustation est à la portée de tous. Nous avons tous à la naissance à peu près la même aptitude au discernement des arômes et des saveurs. Même si les sensibilités peuvent varier d'un individu à l'autre, devenir un dégustateur averti est plus une question d'expérience qu'un quelconque don naturel, il suffit tout simplement d'exploiter ses aptitudes.

L'APPRENTISSAGE

Pour devenir un bon dégustateur, il vous faudra exploiter au maximum vos capacités. Voici quelques suggestions pour développer vos talents.

■ **Déguster un grand nombre de vins différents.** Ils doivent être de qualités mais aussi de styles différents.

■ **Comparer les vins ayant un facteur en commun.** Ce peut être une région, un cépage ou un style de vinification.

■ **Définir une méthode.** Il faut ensuite s'y tenir pour chaque dégustation.

■ **Développer votre vocabulaire.** Il importe de prendre le temps de chercher le mot juste.

■ **Commencer aux côtés d'un dégustateur.** Celui-ci pourra guider vos premiers pas.

■ **Déguster « à l'aveugle ».** Cela permet de mieux percevoir vos sensations sans être influencé par l'étiquette.

Les étapes de la dégustation

Observez un dégustateur chevronné, et le processus paraît simple : il regarde, flaire, goûte, crache, prend quelques notes et passe au vin suivant. Cette technique s'acquiert, comme tous les indices qui permettent une analyse plus facile. Les illustrations à la page ci-contre montrent les différentes étapes. La première étape consiste à examiner la couleur, puis les odeurs et enfin le goût.

Les verres

Un verre de dégustation devrait être incolore, sans fantaisie, d'une bonne capacité (entre 20 et 30 cl) et avec une ouverture plus étroite que la partie convexe. Cette forme en « tulipe » maintient et concentre les arômes qui se dégagent du vin. Elle évite également les projections quand on fait tourner le vin dans le verre ou lorsqu'on l'incline pour examiner la couleur du vin. Il existe un verre INAO utilisé par les professionnels.

L'ASPECT ET LA COULEUR DU VIN

Quoique moins important que l'arôme et le goût du vin, l'examen visuel donne des indices essentiels sur sa concentration et sa maturité.

L'aspect

Il est important de regarder d'abord le vin sur un fond blanc.

■ **La clarté.** Vérifier que le vin est parfaitement limpide et brillant, ni voilé ni trouble. Si sa robe est terne, il risque d'être également terne en bouche.

■ **La couleur.** Observer la couleur, dans ses nuances et sa densité. La couleur d'un blanc est-elle pâle ou dorée ? Le rouge est-il rubis, rose pâle ou brique ? Une robe de couleur dense, presque opaque, traduit un vin rouge de grande concentration.

■ **Le gaz carbonique.** Produit naturellement au cours de la fermentation, le CO_2 est présent dans tous les vins. Cependant, il existe en si faible quantité dans la plupart des vins tranquilles qu'il est rarement perceptible, ni à l'œil, ni en bouche. Mais il arrive que quelques bulles soient visibles sur les parois de verres contenant des vins blancs jeunes. Prenez maintenant votre verre en main. La prochaine étape consiste à examiner attentivement la couleur : voir étape 1.

■ **La couleur du bord du disque.** La partie supérieure du vin dans le verre s'appelle le disque. Le bord de celui-ci révèle le stade d'évolution du vin. Plus le vin est vieux ou prêt à boire, plus le bord du disque est brun ou brique.

■ **Les vins blancs.** Ils prennent de la couleur en cours de vieillissement, évoluant de la robe jaune pâle de leur jeunesse, à la couleur jaune paille, dorée jusqu'à l'ambre.

■ **Les vins rouges.** Ils perdent de leur « rouge » au fur et à mesure du vieillissement. Jeunes, ils ont souvent une robe rouge pourpre ; au cours de leur évolution, ils prennent des teintes rubis et rouge brun puis les nuances acajou des vieux vins.

La viscosité

Tourner le vin dans le verre, puis l'examiner devant une source lumineuse : voir étapes 2 et 3.

Une petite quantité de vin adhérera au verre avant de former des « larmes » ou « jambes ». Plus le vin est riche et de teneur élevée en alcool, plus les jambes seront marquées, ce qui donne une idée sur la concentration.

LE NEZ DU VIN

L'odorat est le sens le plus important pour l'appréciation et le plaisir du vin, car une bonne partie de ce que nous « goûtons » est en réalité tout simplement « senti ». Rappelez-vous le peu de « goût » que l'on perçoit dans les boissons ou aliments lorsque l'on a un rhume ou le nez bouché.

Le centre de notre sens olfactif, le bulbe olfactif, se trouve en haut de chaque fosse nasale. Les molécules odorantes (sous forme de gaz) atteignent le bulbe olfactif par deux chemins : le long du nez en remontant les narines, quand nous inspirons, et par la bouche en remontant de la gorge au nez, quand nous expirons.

Il est déconseillé de sentir le bouquet avec trop d'insistance quand on veut décrire ou identifier les odeurs du vin. Au contraire, il vaut mieux flairer le vin avec modération pour éviter l'anesthésie et laisser quelques instants de repos entre chaque inhalation, car le bulbe olfactif se fatigue vite ; c'est-à-dire qu'il s'accoutume rapidement à ce qu'il sent, si bien que l'impression laissée par une odeur diminue avec le temps. De la même façon, il récupère rapidement quand on l'éloigne de l'odeur à laquelle il s'est « adapté ».

Le « nez »

Dans un sens général, on appelle « nez » l'ensemble des odeurs d'un vin. « Arôme » et « bouquet » sont utilisés également, bien que, sur le plan technique, ils se réfèrent à des caractéristiques différentes.

■ **L'arôme.** Ce mot désigne les odeurs qui proviennent de la transformation des raisins par la fermentation – des odeurs fraîches et fruitées que l'on trouve principalement dans les vins jeunes.

■ **Le bouquet.** Il désigne les odeurs dont le développement est le résultat de l'élevage des vins en barriques de chêne ou de leur vieillissement en bouteilles.

Le nez varie en intensité et en distinction selon l'âge, le cépage (voir p. 34-42), l'origine du vin et sa qualité, mais il doit toujours être net – c'est-à-dire sans odeurs désagréables. « Fermé » et « peu expressif » sont utilisés pour décrire un vin qui ne dégage

LES ÉTAPES DE LA DÉGUSTATION

L'aspect du vin en dit long. En premier lieu, tenez le verre devant une nappe blanche, un mur blanc ou une feuille de papier blanc posée sur la table. La clarté du vin, sa brillance, la profondeur de sa couleur et ses éventuelles bulles de gaz carbonique s'observent mieux en regardant le vin d'en haut, verre posé sur la table.

1. Inclinez le verre en l'éloignant, jusqu'à ce qu'il soit presque horizontal. Cela vous permet d'examiner la couleur, ainsi que la largeur et la nuance du « bord ».

2. Tenez votre verre par la tige ou par le pied, entre pouce et index, afin de voir clairement le vin. Faites une première tentative au nez avant de faire tourner le vin.

3. Faites tourner le vin dans le verre. Pour imprimer un mouvement de rotation, la plupart des droitiers lancent doucement le verre dans le sens inverse de celui des aiguilles d'une montre.

4. Examinez les « jambes » ou « larmes » : sont-elles épaisses ou minces ; descendent-elles lentement ou rapidement les parois intérieures ? Humez le vin en alternant des inhalations courtes, puis profondes, en douceur, puis insistantes. Concentrez votre attention sur les odeurs et ce qu'elles évoquent pour vous.

5. Goûtez le vin en prenant en bouche une gorgée raisonnable ; « mâchez-le » dans la bouche pendant quelques secondes, puis pincez les lèvres et aspirez de l'air pour « aérer » le vin.

pas encore beaucoup d'arôme mais pour lequel le dégustateur s'attend à plus d'expression avec l'âge.

Comment sentir

Flairer le vin avant de le faire tourner dans le verre, puis imprimer un mouvement giratoire et le sentir de nouveau tout de suite après, pendant qu'il s'immobilise : voir étape 4. Il y a généralement une différence marquée entre les deux « coups de nez ».

Les vins élaborés avec des cépages nobles possèdent des odeurs caractéristiques : le Cabernet-Sauvignon, par exemple, rappelle à la plupart des dégustateurs le cassis, et le Gewürztraminer, le litchi. Le cépage est le premier élément que l'on peut chercher à identifier au nez. Les odeurs non associées aux raisins proviennent le plus fréquemment du chêne dans lequel les vins ont été élevés : cèdre, vanille et caramel par exemple. Quand les dégustateurs hument un vin, ils alternent des inhalations rapides et profondes, vigoureuses et en douceur.

Le vocabulaire

Il existe un grand nombre de mots pour traduire les impressions olfactives, mais les non-initiés n'ont pas l'habitude de les employer ou manquent de pratique. Nous sommes obligés de procéder par analogie. Vous entendrez les mots « floral » ou « fruité » – ou même « végétal » – pour décrire un vin. En effet, les arômes du vin sont classées en différents types.

■ **Floral :** rose, violette, acacia, jasmin, fleur d'oranger
■ **Épicé :** poivre, clou de girofle, réglisse, anis, cannelle
■ **Fruité :** citron, pamplemousse, cassis, cerise, prune, pêche, abricot, pomme, melon, ananas, litchi
■ **Végétal :** paille, sous-bois, verdure, herbe, menthe, asperge, olive
■ **Animal :** venaison, musc, fourrure ou laine mouillée, cuir
■ **Boisé :** résine, pin, chêne, cèdre, vanille
■ **Brûlé :** cuit, notes rôties, goudron, pain grillé, café, caramel, fumé
■ **Chimique :** levure, soufre, vernis à ongles, vinaigre, plastique

■ **Minéral :** craie, sol volcanique, terre, huile, essence, pétrole
■ **Autres :** noix, miel, beurre

LE GOÛT ET LA TEXTURE DU VIN

Avant de déguster, il faut réfléchir à la manière de percevoir les goûts.

Le palais

La langue distingue les quatre goûts primaires : sucré, acide, amer, salé.
■ **Les vins blancs.** Ils tendent vers des arômes d'agrumes et d'autres fruits : citron, orange, pamplemousse, pêche, poire, abricot, pomme ; également melon, groseille à maquereau, litchi.
■ **Les vins rouges.** Ils évoquent plutôt les fruits rouges : cerises rouges et noires, prune, prune de Damas, cassis, groseille, mûre, framboise, fraise.
■ **Les vins rouges et blancs.** Ils peuvent avoir toutes sortes d'arômes minéraux, d'épices, d'herbes et d'autres arômes courants, le pain, la levure, le miel, le caramel, différentes noix.

Le toucher

D'autres sensations perçues « en bouche » sont tactiles : corps, astringence, température et bulles de gaz carbonique.

■ **Le corps.** Il décrit la sensation tactile d'un vin en bouche, due principalement à sa teneur en alcool mais également à la consistance du liquide et à l'intensité de ses goûts.
■ **L'astringence.** C'est le terme utilisé pour décrire une sensation de sécheresse et de causticité sur les gencives, la langue et le palais, due à l'effet des tanins du vin.
■ **Température.** La bonne température rehausse l'expression d'un vin, alors qu'une température de service trop froide ou trop chaude peut facilement défigurer son bouquet et ses goûts.
■ **L'effervescence du gaz carbonique.** Elle joue un rôle important dans la texture des vins pétillants ; une petite pointe de gaz carbonique est parfois perceptible sur la langue dans les vins tranquilles.
■ **Texture.** L'impression tactile dans son ensemble est un facteur de qualité. On compare souvent la texture d'un vin avec le toucher de tissus et d'autres matériaux : soyeux, satiné, velouté, par exemple.

LA DÉGUSTATION

Commencez par prendre en bouche l'équivalent d'une gorgée de vin (2-3 cl). Veillez à ce que ce soit une petite gorgée et prenez soin de bien

---

COMMENT ORGANISER UNE DÉGUSTATION

Les dégustations entre amateurs ou professionnels suivent les mêmes règles.

Heure : de préférence avant un repas ; 11 heures ou 18 heures.
Lieu : sans odeurs parasites (de cuisson, de fumée de tabac, de parfum); utiliser un fond blanc simple pour faciliter l'examen visuel. La lumière du jour est idéale ; les ampoules normales conviennent mieux que les lampes fluorescentes.
Décantation : on décante les vins rouges qui ont un dépôt (voir p. 68-69) pour que le vin soit clair ou simplement pour l'aérer s'il est jeune.
Présentation : servir les vins à la température appropriée. Pour les déguster « à l'aveugle », masquer les bouteilles et leur donner un numéro.

Ordre : il n'y a pas d'ordre parfait mais, en principe, blanc avant rouge, sec avant doux, léger avant concentré, simple avant complexe.
Verres : le verre INAO est l'un des classiques (voir p. 76); à défaut, utiliser n'importe quel verre en forme de tulipe. Il faut un verre par personne pour une dégustation debout et un verre pour chaque vin pour une dégustation assise.
Crachoirs : des récipients individuels pour les dégustations assises, sinon des récipients communs : boîtes en carton ou caisses à vin tapissées de plastique et remplies à moitié de sciure de bois.
Biscuits secs : des morceaux de pain peuvent les remplacer. Eau pour se refaire le palais.
Notes : feuilles pour les notes de dégustation ; description de chaque vin.

« mâcher » le vin avant d'avaler un peu et de cracher le reste : voir étape 5.

Avec la prochaine gorgée, après avoir mâché le vin, aspirer un peu d'air à travers le vin deux ou trois fois avant d'en avaler un peu. Vous remarquerez que vous réagissez mieux en procédant de cette manière, car vous avez délibérément rendu volatiles ses arômes. Il faut toujours « mâcher » et « aérer » le vin que vous dégustez pendant quelques secondes pour en exprimer le maximum.

Cracher

Les dégustateurs recrachent simplement pour éviter tout risque d'ivresse et garder l'esprit clair lorsqu'ils doivent analyser plusieurs vins au cours d'une même séance. Il est conseillé à tous de faire de même.

LES NOTES,
COMMENT JUGER LA QUALITÉ
Le fait de prendre des notes astreint à une certaine discipline et la recherche des mots qui permettront de décrire un vin oblige à le déguster attentivement. Les notes deviennent ensuite une base de données utile sur le développement de votre propre palais et l'évolution de vos vins. Les deux sont essentiels pour comprendre le processus de vieillissement des vins et pour les boire au meilleur moment.

Ce qu'il faut noter
En plus de la description de la robe et du bouquet, une bonne note de dégustation doit inclure une description relativement objective du style général du vin (corpulent ou léger, d'une acidité faible ou vive, avec des arômes simples ou complexes, etc.), de ses goûts et de sa qualité, indépendamment des éléments pris séparément. Cela revient à décrire la taille, la corpulence et la couleur de la peau d'une personne avant de décrire sa personnalité.

Comment évaluer la qualité
Nous avons appris comment découvrir puis décrire le vin – couleur, nez, corps, tanin, acidité, goûts... –, mais pas encore comment juger sa qualité.

Une dégustation professionnelle.

Les bons vins sont bien équilibrés ; aucun élément du vin ne paraît déficient ou excessif. Il faut se rappeler que les constituants de cet équilibre varieront selon l'origine, le cépage et le millésime. Et il n'existe pas de style « idéal ».

En général, la concentration et l'intensité des saveurs sont autant d'éléments positifs, mais qui ne déterminent pas à eux seuls la qualité. Les grands vins offrent, en plus, une complexité qui donne envie de les garder longtemps en bouche.

Enfin, la persistance en finale d'un vin donne une indication fiable de sa qualité: les arômes et les saveurs s'expriment en fond de bouche et durent plusieurs secondes une fois le vin avalé. Les vins de moindre qualité tournent toujours court en finale.

Conclusion
et évaluation
Cette étape doit combiner un avis subjectif (vous aimez ou n'aimez pas ce vin) avec une appréciation plus objective de sa qualité par rapport à son type. Cette dernière deviendra plus facile au fil des dégustations. Vous pouvez également noter si le vin présente un bon rapport qualité/prix, s'il est prêt à être bu, s'il demande à vieillir ou s'il a dépassé son apogée.

Honnêteté
Soyez honnête dans vos impressions et affirmatifs dans vos conclusions. Si vous ne pouvez pas vous fier à vos notes, elles ne vous aideront pas à progresser. Faites confiance à votre palais, tout au long de votre carrière de dégustateur, mais n'hésitez pas à revenir sur votre jugement ou à revoir vos conclusions. □

LES PRINCIPAUX DÉFAUTS DU VIN

Grâce à la technologie moderne, les défauts deviennent de plus en plus rares. La plupart se détectent facilement, à l'œil ou au nez.

■ **Vins oxydés et madérisés**
Appelés ainsi parce qu'un contact excessif avec l'oxygène a abîmé leurs qualités gustatives.
Les vins blancs paraissent ternes, avec une robe plus sombre que la normale pour leur âge et leur type : couleur paille sans éclat à ambre. Odeur plate et éventée ; goût acidulé. On dit aussi « madérisé ».
Les vins rouges ont aussi une robe sans éclat, tirant vers le marron pour leur âge et leur type. Nez fade, éventé, avec une odeur et un goût aigre-doux ou évoquant le caramel.

■ **Vins aigres**
Possèdent une odeur de vinaigre due à un excès d'acide acétique, celui du vinaigre. Goût mince et aigre.
■ **Vins soufrés et réduits**
Le dioxyde de soufre donne une odeur âcre, piquante, suffocante – semblable à celle d'une allumette que l'on gratte, une sensation de sécheresse et de picotement.
L'hydrogène sulfuré introduit une odeur d'œuf pourri, de caoutchouc, d'ail, de végétaux en décomposition, avec les goûts correspondants.
On dit aussi que le vin est « réduit ».
■ **Vins bouchonnés**
Une odeur de moisissure, de bouchon pourri domine complètement le bouquet et les saveurs du vin en bouche, qui devient imbuvable.

LE VOCABULAIRE DE LA DÉGUSTATION

Voici une liste de mots décrivant le vin. Les mots signalés par une étoile (*) correspondent à des défauts (voir la page précédente). Les termes décrivant les principaux composants du vin – acide, alcool, tanin – sont énumérés en *italique* dans chaque rubrique.

ACIDE/ACIDITÉ : indique la vivacité et la fraîcheur. Aide également à définir et à prolonger les qualités gustatives. Les qualificatifs (allant de l'insuffisance à l'excès): *plat, mou, tendre, souple, frais, vif, net, ferme, dur, pointu, vert, acidulé, acide.*

Agressif : désagréablement acide, tannique, excès d'alcool.

Aigre*

ALCOOL : apporte au vin le « poids » qui le caractérise. Descriptifs (allant de l'insuffisance à l'excès): *aqueux, maigre, léger, de corps moyen, plein, ample, généreux, capiteux, lourd, alcoolique, chaud.*

Aromatique : issu de cépages d'un arôme particulier.

Arôme : odeurs provenant du raisin et de la vinification.

Astringence : sensation de sécheresse due aux tanins.

Austère : qualifie la dureté d'un vin aux teneurs élevées en tanins et en acidité, qui a besoin de temps pour vieillir.

Beurre : une odeur souvent associée aux vins du cépage Chardonnay, amples et souvent élevés en barriques.

Boisé : dont les odeurs (vanille, bois de cèdre, caramel, pain grillé) et parfois la texture sèche sont dues au chêne neuf.

Botrytis : voir Pourriture noble.

Bouchonné*

Bouquet : terme général pour décrire le nez du vin, mais surtout les caractéristiques olfactives dérivées de la vinification, de l'élevage en barriques ou du vieillissement en bouteille.

Bourgeon de cassis : un arôme que l'on associe surtout avec le Sauvignon Blanc.

Cassis : odeur et goût que l'on associe aux vins issus du cépage Cabernet-Sauvignon.

Cèdre : l'odeur de bois de cèdre se trouve parfois dans des vins élevés dans des barriques neuves de chêne de l'Allier.

Charnu : donnant une sensation de plénitude, de texture souple (rouges).

Corps : impression de poids et de consistance sur le palais.

Court : manquant de persistance en finale. Voir aussi Longueur en bouche.

Creux : manquant de corps, de saveur, court en bouche.

Cuit : comparable aux arômes du thé infusé trop longtemps.

Desséché : qualifie les vins mûrs qui perdent leurs qualités gustatives, faisant ainsi exprimer un excès d'acidité, de tanins et d'alcool.

Écœurant : d'une douceur « collante », car le vin manque de l'acidité nécessaire pour un bon équilibre.

Élégant : racé, harmonieux et dégageant une absence d'impressions agressives.

Épanoui : mûr, prêt à boire.

Équilibré : dont les composantes « s'équilibrent », de sorte qu'aucun élément ne se fait remarquer.

Étoffé : doté de qualités gustatives affirmées et intenses.

Fatigué : manquant de fraîcheur et de nerf.

Ferme : se réfère au bouquet et signifie muet mais prometteur. Pas encore prêt à boire ; ayant besoin de temps en bouteille pour s'épanouir.

Fermeté : impression de raideur et de sécheresse sur les gencives produite par les tanins dans les vins rouges.

Fin : vin de grande classe.

Finale : les goûts et arômes qui se prolongent après qu'on a avalé le vin. Voir aussi Longueur en bouche, Court.

Fourrure mouillée : odeur décelée sur les Chardonnays et les Sémillons qui ne sont pas passés en barriques.

Frais : avec une légère dominante acide et fruitée.

Fruité : beaucoup de vins ont les nuances olfactives d'un fruit spécifique (par exemple, pêche, pomme, cassis, cerise); d'autres dégagent une agréable impression générale de fruit.

Fumé : odeur et/ou goût des vins de Sauvignon Blanc, ainsi que des vins rouges de la vallée du Rhône septentrionale.

Généreux : riche en alcool mais équilibré.

Gouleyant : qui se boit facilement.

Gras : d'une certaine onctuosité, plein, harmonieux.

Grossier : utilisé pour décrire la texture, en particulier les tanins.

Harmonieux : qui ne présente pas de caractères discordants.

Herbacé : se dit d'un caractère évoquant les plantes vertes ou l'herbe fraîchement coupée.

Longueur en bouche : le signe distinctif d'un vin de grande qualité.

Mâche : on dit qu'un vin a de la mâche lorsqu'il est charnu et charpenté.

Madérisé*

Maigre : dilué et pauvre en goûts et arômes.

Mince : manquant de fruit.

Muet : voir Ferme.

Mûr : qui donne une impression de douceur dérivée de raisins très mûrs.

Nerveux : d'une acidité soutenue mais agréable.

Noiseté : des nuances olfactives souvent présentes dans des Bourgognes blancs à maturité, des Marsalas secs et des Amontillados (de Jerez).

Odeur de pétrole : une odeur agréable que l'on trouve dans les vins du cépage Riesling parvenu à maturité.

Oxydé*

Pétillant : légèrement mousseux.

Pierre à fusil : le goût minéral de certains vins blancs secs et vifs (Sancerre).

Poivré : qualifie l'odeur de poivre moulu, surtout dans les Portos et les vins du Rhône.

Pourriture noble : *Botrytis cinerea,* la pourriture des raisins mûrs (Sémillon, Riesling et Chenin Blanc) qui peut, dans de bonnes conditions, concentrer le moût et enrichir les arômes.

Raisin : goût, arômes évoquant le jus de raisin frais. Les Muscats sont presque les seuls à avoir le goût et les arômes de raisin frais.

Réduit*

Riche : décrit la saveur et la texture.

Rude : décrit la sensation dérivée de l'alcool, de l'acidité et des tanins d'un vin trop jeune.

Rugueux : se rapporte à une texture qui manque de finesse.

Rustique : sans raffinement.

Soufré*

Souple : suave et aimable, sans être plat.

TANIN (ou TANNIN) : une substance extraite des peaux de raisins, qui donne aux vins rouges leur caractère. Décrit (de peu à beaucoup) comme : *d'un grain fin, rond, sec, riche, ferme, dur, grossier, végétal, goût de rafles, astringent.*

Terroir : évoquant la terre humide au nez et en bouche.

Vanillé : odeur des vins élevés en barriques de chêne neuf.

Velouté : doté d'une texture souple et agréable.

Vert : se dit d'un vin très jeune, ou dont les raisins manquaient de maturité. Fait référence à l'odeur ainsi qu'à l'acidité.

LES METS ET LES VINS

LE VIN OFFRE UN PLAISIR INDISSOCIABLE DE CELUI DE LA TABLE.
LE MARIAGE RÉUSSI ENTRE UN PLAT ET UN VIN SUBLIME TOUT
AUTANT LA CUISINE QUE LA BOUTEILLE CHOISIE.

Le tableau de Peder Severin Krøyer intitulé *Déjeuner des artistes scandinaves à Skagen* (1883), illustre le mariage joyeux des mets et des vins. Depuis toujours, on boit du Champagne au dessert ou dans les grandes occasions.

Lorsqu'il y a harmonie parfaite entre un mets et un vin, l'un et l'autre en sont sublimés, leurs parfums se mêlant et évoluant en saveurs nouvelles et inattendues. Il ne faut pas croire que cette entente parfaite soit l'apanage des grands crus et de la grande cuisine. S'il est vrai que l'on se régalera d'un beau plat de homard au beurre frais accompagné d'un Bâtard-Montrachet de dix ans d'âge, perle des Bourgognes blancs, on n'en appréciera pas moins une simple assiette de crevettes dégustées avec l'un des nombreux vins blancs secs existants, un vin de Loire sec comme un Muscadet ou un Pouilly Fumé. C'est au début du XIXe siècle que les grands mariages classiques se nouent, à l'instigation des grands chefs français, alors renommés dans l'Europe entière : caviar et Champagne, sole et Bourgogne blanc, gibier et Bourgogne rouge. Les principes de base sont posés : le vin blanc se boit avec le poisson, et le vin rouge avec la viande. Mais toute règle a ses exceptions, justifiées pour des viandes telles que la volaille ou le porc, pour les différentes sauces d'accompagnement ou en raison de la proportion de viande dans le menu. La couleur du vin seule ne suffit pas à décider de sa place dans le repas, il faut également prendre en considération la puissance du vin, son acidité et les arômes que lui confèrent les cépages. La catégorie de vin a également son importance : un grand vin, qui mérite une dégustation attentive, sera mieux servi par un mets simple. Si, au XIXe siècle, les classes favorisées ont accès à une large palette d'aliments et de vins, les autres doivent se contenter de la production locale. Cette constatation conduit à une autre vérité : les spécialités culinaires régionales ne sont jamais si heureuses qu'en compagnie des vins produits dans la même région. Réalité, somme toute, assez logique, puisqu'il s'agit de deux produits de la nature qui ont évolué de concert. Par exemple, quel choix plus approprié qu'un Riesling d'Alsace ou qu'un Pinot Gris bien parfumé pour accompagner une choucroute ? Pour un saumon de Loire, aussi charnu que de la viande, que déguster sinon l'un des joyeux vins rouges de Chinon et de Bourgueil, et qui oserait prétendre que ce type de vin rouge n'est pas adapté au poisson ? Les goûts et les cuisines évoluant, les associations aujourd'hui qualifiées de classiques ne le seront plus demain.

QUEL VIN SERVIR ?

De tout temps, les boissons alcoolisées, comme la bière ou le vin, sont venues agrémenter les repas. On considérait que, en stimulant l'appétit et en détendant l'esprit, elles contribuaient au plaisir et au bien-être du convive et, par leurs goûts propres, enrichissaient sa palette de saveurs.

Les menus à travers les âges

On aurait bien du mal, de nos jours, à trouver les vins appropriés à un banquet médiéval. En effet, non seulement la plupart des mets étaient très relevés (avec force cannelle, clous de girofle, gingembre et safran), mais ils étaient en outre présentés dans un ordre qui nous semble incohérent. À chaque service du repas, on posait sur la table, à la libre disposition des convives, toute une kyrielle de plats. Le vin, souvent coupé d'eau, était considéré comme une simple boisson. Après le repas, on servait des vins épicés.

Les chefs de la Renaissance italienne ont été les premiers à modérer l'utilisation des épices et à apporter un peu d'ordre dans les menus : on servait d'abord les plats froids, puis les rôtis, les ragoûts et les desserts. La constante restait l'abondance des plats proposés à chaque service. Quant aux vins, les témoignages étant rares à leur sujet, nous devons nous contenter d'imaginer que, comme les mets, le prestige social présidait à leur choix lors des grandes fêtes.

On observe encore pendant deux siècles ce style de repas, connu sous le nom de « service à la française », où une grande attention est portée au décorum et à la garniture des mets. Au XIXe siècle, le « service à la russe », moins protocolaire, prend le relais. La mode russe, elle, consiste à placer tous les plats froids sur la table et à présenter individuellement les plats chauds aux invités.

Des vins « royaux »

Le baron Brisse (1813-1876), célèbre gourmet français, est très explicite sur les vins servis aux grands dîners : « Pendant tout le dîner, veiller à offrir du Champagne brut et doux bien rafraîchi. Après la soupe, proposer du Madère et du Vermouth. Avec le poisson, choisir des Bourgognes (Beaune, Volnay ou Pommard), des Bordeaux (Mouton, Rausan-Ségla, Léoville, Gruaud-Larose, Lascombes, Pichon-Longueville, Cos-d'Estournel ou Monrose). Entre les entrées froides et le gibier, offrir un Château d'Yquem ou un vin du Rhin... assez frais, dans des verres de couleur verte. Avec les rôtis et les légumes, opter pour des Bourgognes (La Romanée-Conti, Clos de Vougeot ou Chambertin), des Bordeaux (Château Lafite, Margaux, Latour ou Haut-Brion). Avec les entremets, du Xérès ; avec le dessert, des vins sucrés, comme le Madère Malmsey, le Muscatel ou le Tokay. »

Alors que les classes aisées affichent leur richesse dans des banquets ostentatoires, la nouvelle bourgeoisie apprécie les plaisirs plus simples d'une bonne cuisine familiale. Au début du XIXe siècle, les Français s'intéressent beaucoup à la cuisine, comme en témoigne le succès immédiat de la *Physiologie du goût*, œuvre du célèbre magistrat et grand gourmet Brillat-Savarin (1755-1826), qui donne de fascinants aperçus des habitudes culinaires de l'époque.

L'ordre du service des vins

La plupart de nos contemporains seraient toujours d'accord avec Brillat-Savarin, selon lequel le bon ordre de dégustation des vins va « du plus lampant au plus parfumé ». En général, le service des vins obéit aux règles suivantes : les plus jeunes avant les plus anciens, les plus légers avant les plus étoffés ou les plus alcoolisés, les frais avant les chambrés, les secs avant les doux.

Il est possible de rompre cette règle de façon judicieuse, surtout en début et en fin de repas. Brillat-Savarin lui-même commençait avec du Madère (qui n'est pas un vin léger), « avec des vins français pour les plats principaux et des vins d'Afrique ou d'Espagne pour couronner le repas ». En matière d'apéritif, chargé d'aiguiser l'appétit, les goûts varient du tout au tout. Le seul trait commun entre les vins d'apéritif de France et d'Italie, le cocktail ou le gin-tonic d'Amérique, l'Ouzo grec et le schnaps d'Europe du Nord, est le goût prononcé de ces boissons, souvent servies très fraîches.

On reproche souvent aux vins servis en apéritif d'anesthésier le palais alors que de nombreux vins de caractère (souvent blancs) seraient plus appropriés. Le Champagne est toujours excellent ; le Xérès Fino ou Manzanilla est aujourd'hui aussi populaire en Grande-Bretagne qu'en Espagne ; le Porto Ruby ou Tawny, rafraîchi, est aussi courant en France que les vins blancs liquoreux (Sauternes, Jurançon du Sud-Ouest, Muscat de Beaumes-de-Venise), les Muscats ou les Rieslings secs aromatiques d'Alsace.

La controverse franco-britannique consistant à déterminer si le dessert doit précéder ou suivre le fromage reste surtout une question de goût. Si le fromage suit le plat principal, le vin rouge servi avec la viande, voire un vin similaire mais supérieur, peut accompagner le fromage, bien qu'un vin blanc soit préférable. Le plat sucré clôt le repas, avec une flûte de Champagne. Les maisons britanniques avaient tendance à servir les plats sucrés après les viandes, avec un vin sucré de style Sauternes, Barsac ou Tokay. Avec le plat final – fromage et dessert accompagnés de fruits frais et secs –, on offrait du Porto, ou du Xérès.

Les accords régionaux

Maints plats traditionnels européens ont une affinité naturelle avec le vin produit dans leur région. Le Cahors et le Madiran s'accordent avec les riches cassoulets du sud-ouest de la France. Les vins blancs secs et frais de Suisse accompagnent à merveille la fondue. En Espagne, les vins blancs secs de Rías Baixas, composés à partir du cépage local Albariño, se dégustent avec les célèbres fruits de mer de Galice tandis que, dans l'arrière-pays, les Riojas rouges classiques au parfum de chêne sont traditionnellement servis avec de la viande rôtie ou grillée (agneau, porc ou veau). Le goût étrange et résineux du Retsina convient à l'ambiance d'une taverne grecque, où la nourriture a de puissants arômes d'herbes, de citron, d'huile d'olive et de feu de bois.

On compte aussi d'innombrables exemples de plats dans la préparation desquels entre du vin. Le traditionnel coq au vin français, à base de Bourgogne rouge, devient coq au vin jaune dans le Jura, ou coq au Riesling en Alsace. Toute l'Europe cuit sa viande en ragoût, qu'il s'agisse de la daube française, du *stifado* grec ou du *stufatino* italien, pour ne pas parler du *brasato al Barolo*. Tous ces plats se doivent d'être accompagnés du vin entrant dans leur composition.

Que privilégier ?
Le vin ou le mets ?

Dans la plupart des pays occidentaux, où l'on dispose de toute une gamme de vins, on choisit généralement d'abord les plats du menu avant de sélectionner au moins deux vins d'accompagnement. Lorsque les mets nécessitent une grande attention, le menu dégustation d'un chef, par exemple, le choix se portera sur un vin rouge de bonne structure, dont le fruit et la rondeur flatteront et le palais et le plat : un Saint-Émilion (pas un grand cru classé), un Bergerac de 2 à 3 ans ou un cru du Beaujolais avec suffisamment de personnalité (Saint-Amour, Morgon…), de 2 à 3 ans toujours. Si besoin est d'un vin blanc, allez du côté des Chardonnays de la Côte de Beaune en « petites appellations », dont l'onctuosité et la fraîcheur les rendront assez « passe-partout ».

Dans le cas où le repas se veut plus simple, choisissez un vin rouge gouleyant sur le fruit, rafraîchissant avant tout : un Bourgueil, un Saint-Nicolas-de-Bourgueil, un cru du Beaujolais – Fleurie ou Brouilly – ou un Côte-de-Provence servis un peu frais. Si le vin blanc s'impose en raison de fruits de mer ou de poisson, tournez-vous vers les blancs classiques : Sancerre, Muscadet ou Entre-deux-Mers, ou, si vous souhaitez être

plus original, vers un Cassis, un Bandol ou un Coteaux-du-Languedoc.

En certaines occasions, si vous souhaitez choisir un grand vin, genre cru prestigieux du Bordelais, n'oubliez pas qu'à maturité, ils sont à leur summum en compagnie de la chair tendre d'un agneau rôti, cuit avec un minimum d'herbes et d'ail ou avec une chair plus corsée type bœuf ou magret de canard.

Quant aux Bourgognes rouges, souvent associés d'office avec le gibier, seuls les premiers et grands crus avec quelques années de bouteille, tels les Gevrey-Chambertin, les Pommards ou bien-même, La Romanée ou La Tâche, se marient avec le grand gibier tels la bécasse, le perdreaux et le lièvre. La truffe ne leur fait pas peur non plus ! Mais dans ce registre-là, les superbes crus du nord de la vallée du Rhône, Côte-Rôtie, Her-

mitage, Cornas, s'en sortent pas mal non plus. Du côté des Bourgognes blancs, comme des Hermitages blancs, ils méritent le nec plus ultra en matière de cuisine. Turbot, homard, langoustines leurs sont dus. N'oublions pas pour autant le Riesling d'Alsace nés dans les grands crus, lui aussi mérite la grande cuisine de mer et, même, fait rare, le caviar !

On considère parfois que le Porto Vintage est galvaudé avec le fromage, mais cela dépend des fromages (voir p. 96). On peut faire la même remarque à propos d'un vieux Maury ou Banyuls, d'un Xérès Oloroso ou d'un bon Madère. Un vin blanc très sucré (Sauternes, Barsac, Vouvray moelleux, Quarts-de-Chaume) n'exige pour tout accompagnement que des biscuits au beurre, mais est aussi un excellent partenaire pour certains desserts aux fruits ou fromages.

UN MENU FRANÇAIS PAR SAISON

Philippe Bourguignon, sommelier du restaurant Laurent à Paris, a conçu ces quatre menus, un par saison. Fidèle à son idée que les joies de la table n'excluent nullement une certaine simplicité, il a choisi volontairement des plats faciles à réaliser et limité son choix de vin à trois bouteilles.

Printemps

Asperges vertes avec une vinaigrette à l'huile d'olive
Vin *Condrieu*

Agneau de lait rôti au four accompagné de pois gourmands et de fèves
Vin *Médoc de 5 à 6 ans*

Saint-nectaire ou vieux gouda
Vin *Médoc de 5 à 6 ans*

Tarte aux fraises
Vin *Champagne demi-sec*

Été

Terrine de légumes en gelée
Vin *Sancerre ou Pouilly Fumé*

Côte de bœuf grillée accompagnée de girolles d'été ou de tomates à la provençale
Vin *vin rouge de Loire issu de Cabernet servi un peu frais (12-14 °C) Chinon, Bourgueil ou Saint-Nicolas-de-Bourgueil*

Fromages de chèvre affinés
Vin *Sancerre ou Pouilly Fumé*

Soupe de pêches et d'abricots
Vin *Sauternes ou Sainte-Croix-du-Mont*

Automne

Huîtres
Vin *Chablis 1er cru de 2 à 5 ans*

Canard sauvage rôti
Vin *Bourgogne rouge de 5 à 7 ans, type Gevrey-Chambertin, Pommard, Mercurey*

Roquefort
Vin *Vieux Banyuls type Rancio*

Figues rôties
Vin *Vieux Banyuls type Rancio*

Hiver

Coquilles saint-jacques servies avec un beurre truffé ou une sauce à base de crème
Vin *Hermitage blanc de 5 à 7 ans*

Civet de chevreuil
Vin *Châteauneuf-du-Pape de 5 à 10 ans ou Saint-Émilion de 5 à 10 ans*

Vacherin et vieux comté
Vin *Hermitage blanc de 5 à 7 ans*

Gâteau au chocolat
Vin *Rasteau ou Maury*

Des saveurs et des textures

Dans son livre *le Goût du vin*, le célèbre œnologue bordelais Émile Peynaud explique que l'harmonie entre un plat et un vin « doit se réaliser à la fois sur l'intensité des impressions [gustatives], sur leur nature et leur qualité ». De son côté, Alain Senderens, le fameux chef de Lucas Carton, insiste sur l'importance des textures dans la recherche d'accord et affirme que l'harmonie se fonde surtout sur la correspondance tactile d'un vin et d'un plat, tant en volume qu'en densité, au cœur

UN MENU ITALIEN

L'Italie possède une des plus anciennes cultures viticoles d'Europe avec une grande variété de cépages autochtones. Sa cuisine présente autant de richesse et d'originalité. Le chef Claudio Puglia du restaurant La Romantica, haut lieu de la gastronomie italienne à Paris, propose une cuisine moderne basée sur des produits traditionnels.

Filet de sardine mariné au vinaigre balsamique
avec sa salade de fenouil à l'aneth
Vin *Prosecco de Valdobbiadene DOC,*
Domaine Nino Franco
(vin blanc effervescent de Vénétie)

Chapeaux de curé farcis au bar dans leur jus
de langoustines
Vin *Fiano di Avellino DOC, Domaine*
Mastroberardino
(vin blanc de Campanie)

Bar en filet à la liqueur de citron
et ses poireaux en sifflet
Vin *Alteni di Brassica Sauvignon IGT,*
Angelo Gaja
(vin blanc du Piémont)

Risotto vert de riz « Arborio » et sa farandole de
légumes de jardin
Vin *Dolcetto d'Alba Rossana DOC,*
Domaine Ceretto
(vin rouge du Piémont)

Noix de veau farcie au fromage fumé de
bufflonne et sa polenta
Vin *Casale dei Biscari IGT, Torre Vecchia*
(vin rouge de Sicile)

Panna cotta dans son sirop frais de grenade
Vin *Brachetto d'Acqui DOC, Castello Banfi*
(vin rouge effervescent doux du Piémont)

de leurs chairs respectives. Avant de les marier, il faut donc comprendre leurs caractères, analyser leurs qualités, mais aussi leurs éventuels défauts.

Si, lors de la dégustation d'un vin, notre approche est à la fois visuelle, olfactive et gustative, c'est cette dernière qui permet le mieux d'identifier sa personnalité. Nous pouvons non seulement percevoir avec notre langue et ses papilles gustatives les quatre (uniques) saveurs – le sucré, le salé, l'amer et l'acide –, mais aussi nous rendre compte de la texture de la chair du vin. Du maigre au gras, du fluide à l'opulent, du sec au visqueux, du soyeux au râpeux…, le vin joue sur tout un registre de sensations tactiles, induites par ses composants (l'alcool, les sucres résiduels, l'acidité et les tanins), et donc de différentes saveurs.

L'alcool apporte du gras au vin. Les sucres mêlés à l'alcool amplifient son onctuosité. En revanche, l'acidité diminue l'impression de volume dans la bouche tandis que les tanins, par leur caractère astringent et parfois amer, resserrent la trame du vin. La combinaison de ces quatre composants, dans des proportions à chaque fois différentes, définit la personnalité des vins. De manière générale, on peut classer chaque appellation en fonction du style de vins qu'elle produit. Ainsi un Beaujolais, par sa nature plus acide que tannique, possède-t-il une chair fluide, légère lui conférant un caractère rafraîchissant. Un Pomerol, en raison de son alcool qui enrobe des tanins bien présents, se définit, quant à lui, par sa texture charnue et veloutée qui lui donne une forte personnalité. Il en est de même pour les vins blancs, même si ceux-ci contiennent peu de tanins. Un Meursault, où l'alcool l'emporte sur l'acidité, oppose sa chair opulente et grasse à celle fine et serrée d'un Riesling, où l'acidité domine l'alcool.

L'analyse des saveurs et des textures d'un vin s'applique aussi à celle d'un mets. Côté textures, un plat présente une consistance qui diffère selon son degré d'humidité. Elles vont du mou au sec, du tendre au croquant, de l'onctueux au ferme. Des rillettes n'offrent pas la même texture qu'un poulet à la crème, une côte de bœuf grillée qu'un saumon

poché. Côté saveurs, la cuisine joue essentiellement sur le salé et le sucré, mais aussi, dans une moindre mesure, sur l'amer et l'acide, bien qu'elle cherche plus souvent à compenser l'un et l'autre plus qu'à les mettre en relief. En effet, le salé renforce l'amertume, l'acidité couvre provisoirement l'amertume, l'acidité augmente la perception du sucré.

En pratique, cela se traduit par les recommandations suivantes : lorsqu'un mets est de nature salée, éviter les vins rouges tanniques car le sel va durcir les

UN MENU ESPAGNOL

Riche d'une longue tradition agricole, l'Espagne figure au troisième rang des pays producteurs de vins en Europe. Cependant, hormis le fameux Xérès et le classique Rioja, ses vins restent bien mal connus. Le chef Alberto Herráiz du restaurant espagnol Fogón Saint-Julien, situé à Paris, importe directement ses vins de toutes les régions viticoles de son pays, lesquels s'accordent parfaitement avec sa cuisine basée sur des produits régionaux typiques.

Jambon ibérique
Vin *Fino Xérès DO, Fino Quinta*
ou Manzanilla DO, Bodega La Gitana
(vins blancs mutés issus du cépage Palomino)

Assortiments de tapas
Vin *Penedès DO, Vina del Sol*
(vin blanc issu du cépage Parellada)
ou Rías Baixas DO, Lagar Cervera
(vin blanc issu du cépage Albariño)

Riz noir en paella
Vin *Mancha, Benangueli*
(vin rouge issu du cépage Cencibel)
ou Mancha DO, Calzadilla
(vin rouge issu du cépage Tempranillo)

Gigot au miel
Vin *Penedès DO, Gran Sangre de Toro*
(vin rouge issu des cépages Carignan et
Grenache)
ou Rioja DO, Marqués de Riscal
(vin rouge issu des cépages Tempranillo et
Mazuelo),

Assortiment de tapas sucrés
Vin *Montilla-Moriles DO, Gran Barquero*
(vin blanc doux issu du cépage
Pedro Ximénez)

tanins du vin – c'est pourquoi les fromages font rarement bon ménage avec les vins rouges – et compenser le sel par la fraîcheur apportée par l'acidité d'un vin blanc ; servir un vin doux sur un plat salé renforce l'impression sucrée du premier et, s'il n'est compensé par l'apport de gras, peut créer une distorsion de saveurs dans la bouche ; un dessert où la saveur sucrée domine s'accorde avec un vin possédant une forte proportion de sucres résiduels, sinon la perception de l'acidité du vin sera augmentée.

Des arômes et des puissances

Des petits fruits rouges frais aux fruits noirs cuits, des zestes d'agrumes à la marmelade d'orange, de la pomme verte à la pêche abricot, de la truffe au sous-bois, de la fourrure au cigare, le vin joue sur toute une palette d'arômes selon ses cépages, son terroir et son âge. Se pencher sur un verre pour sentir ses odeurs est un des plaisirs de la dégustation. Perçus d'abord directement par le nez, les arômes se goûtent ensuite dans la bouche bien que, pratiquement, ils sont de nouveau identifiés par le bulbe olfactif, organe situé derrière la voûte palatine.

Plus ou moins puissants, ils peuvent offrir une véritable gourmandise qu'un plat peut exalter. La logique voudrait alors que la personnalité aromatique du vin soit un des paramètres dans le choix du plat qui sera servi avec lui. Cependant, la pratique démontre que la similitude aromatique n'est pas aussi évidente entre un mets et un vin. Comment valoriser le goût de pomme verte d'un Muscadet ? Sûrement pas avec son partenaire classique, le plateau de fruits de mer ! Sans parler des notes d'hydrocarbures d'un Riesling âgé de quelques années ! Quelques exemples illustrent cette concordance aromatique. Un canard aux cerises ou aux figues exalte les parfums de fruits rouges et noirs d'un Banyuls Vintage ; un plat avec des truffes sublime un Hermitage mûr ou un Pomerol aux arômes truffés ; une tarte à l'orange ou au citron amplifie le goût d'orange amère d'un vieux Sauternes.

En règle générale, il est plus important de tenir compte de l'équilibre des puissances aromatiques dans une associa-

tion que d'essayer de jouer sur leur correspondance. Un vin au nez puissant servi avec un plat peu goûteux va écraser ce dernier, et inversement. Si l'huître sourit avec un Muscadet, elle fera la grimace avec un Gewürztraminer au bouquet de rose et de litchi. En revanche, celui-ci parade devant un plat épicé alors que le Muscadet battra en retraite !

Les accords de complémentarité

Ces accords se basent sur les similitudes entre le plat et le vin, que ces ressem-

---

UN MENU AMÉRICAIN

Floyd Cardoz, le chef du restaurant Tabla de New York, est né à Bombay et a reçu une double formation de cuisinier en Inde et en France.
Il propose un menu illustrant la nouvelle tendance de la cuisine américaine dite « fusion cuisine », ici très inspirée de la cuisine indienne. Les vins l'accompagnant proviennent tous de Californie.

Soupe glacée de maïs doux à l'anis étoilé,
clou de girofle, gingembre et fines herbes
Vin *Gewürztraminer sec, Domaine Navarro*
(Anderson Valley, Californie)

Crevette, langouste et calamar servis dans
un bouillon parfumé au safran et au fenouil
accompagnés de petits pois
Vin *Sauvignon Blanc, cuvée Eleven Oaks,*
Domaine Bacok
(Santa Barbara, Californie)

Steak de bœuf avec sa croûte épicée
accompagné de mini chou chinois, mini taro et
de raïta de radis noir au gingembre
Vin *Cabernet-Sauvignon, cuvée Madrona*
Ranch, Domaine Abreu,
(Napa Valley, Californie)

Sorbet de yaourt à la vanille servi avec une
soupe glacée de cerise « Bing »
Vin *Muscat « Vin de glacière »,*
Domaine Bonny Doon
(Santa Cruz, Californie)

Gâteau chocolat-amandes servi tiède
avec de la glace au gingembre
et du sirop de mûre sauvage
Vin *Porto Vintage,*
Domaine Saint-Amand
(Californie)

---

blances soient de l'ordre de la texture, des saveurs, des arômes et de la puissance. Mais, comme il a été expliqué, la texture et la puissance d'un plat ou d'un vin l'emportent largement sur les similitudes aromatiques.

Les règles sont simples. Il faut marier les textures et harmoniser les puissances : un plat à consistance molle avec un vin léger sans trop de tanin, un plat gras à la texture souple avec un vin opulent et rond. À la puissance savoureuse d'un mets, le vin doit répondre par autant de force et de caractère. Marier un plat délicat avec un vin trop puissant, c'est prendre le risque de tuer les saveurs du plat par celles du vin et vice versa. Par exemple, avec une mousseline de poisson, choisir plutôt un vin blanc sec léger et de bonne acidité, tel un Muscadet ou un Sancerre. Avec un poisson en sauce, choisir un vin blanc souple avec des arômes subtils comme un Savennières ou un Pessac-Léognan. Avec un cassoulet ou une daube, préférer un vin capiteux comme un Madiran, un Côtes-du-Rhône-Villages ou un Cahors (les tanins de ces vins étant souvent un peu rustiques, le gras du plat les rendra plus suaves). Avec une viande blanche à la crème, jouer sur l'onctuosité et l'opulence des Bourgognes blancs de la Côte de Beaune comme Meursault. À une viande rouge grillée, conjuguer un vin rouge séveux à la trame serrée, comme un Bordeaux rouge du Médoc ou du Libournais, ou un rouge de la Côte de Nuits. Avec le petit gibier, à la saveur subtile, sélectionner des vins rouges matures dont la chair tendre et les arômes tertiaires se marieront avec ceux du plat.

Mais il ne faut jamais oublier que le vin est avant tout une boisson. Sur un mets fortement salé, comme les charcuteries, les salaisons ou les fromages, un vin avec une bonne acidité répondra mieux au besoin de la soif par sa fraîcheur qu'un vin capiteux et tannique. Les rillettes s'accompagnent mieux d'un Beaujolais friand ou d'un Sauvignon que d'un Médoc ou d'un Hermitage blanc. Par contre, le blanc capiteux et tannique appelle un plat riche dont le gras émoussera les tanins, alors que son alcool facilitera la digestion.

Dans le chapitre des desserts, l'accord de complémentarité se base essentiellement sur la saveur sucrée. Que ce soient les tartes, les entremets, les gâteaux au chocolat, ces plats à haute teneur de sucres ne savent tolérer qu'un vin riche en sucres. Sinon, le gourmand fait la grimace, tout vin sec devenant terriblement acide lorsqu'il est blanc, amer et tannique lorsqu'il est rouge. L'habitude qui veut que, lors de fêtes, le Champagne soit servi au moment du dessert est pure hérésie à moins que celui-ci ne soit sec ou demi-sec ou, à la rigueur, rosé et brut sur un dessert aux fruits rouges peu sucrés. Quant au chocolat, il n'apprécie que les vins doux naturels comme les Banyuls, Rivesaltes, Maury et Porto.

Autre recommandation de simple bon sens : marier les mets et les vins en fonction aussi de leur prix ! Boire du Pétrus avec des saucisses peut être une expérience gustative intéressante, mais ne valorisera pas le vin ; servir un ris de veau à la crème avec un petit vin risque de faire passer à côté d'un grand moment.

Les accords de contraste

Une autre façon d'aborder les accords est d'opposer les saveurs et les textures. Une huître grasse s'accompagne mieux d'un vin blanc acide comme le Muscadet ou le Gros-Plant que d'un Hermitage blanc ou d'un Corton-Charlemagne. C'est par excellence une opposition de texture qui permet à la saveur salée et subtile du crustacé de mieux s'exprimer avec un vin de faible puissance aromatique. Un autre accord de contraste est celui du salé/sucré. Le mariage d'un fromage bleu persillé de type roquefort avec un vin riche en sucres résiduels, tel que le Porto, le Banyuls ou même le Sauternes, est devenu un grand classique. Les saveurs explosent dans la bouche tandis que la personnalité gustative de chacun se respecte, se répond et s'harmonise. Il existe cependant un point commun chez les deux partenaires, c'est leur richesse, l'un en gras, l'autre en sucres et en alcool. Le même principe se retrouve dans l'accord foie gras en terrine avec un Sauternes ou une Sélection grains nobles d'Alsace, magret de canard aux figues avec un Banyuls, etc.

De l'âge du vin

Depuis les années 1980, l'œnologie a mis en avant la qualité de la matière première, c'est-à-dire du raisin même. Aujourd'hui, beaucoup de viticulteurs recherchent le stade ultime de maturité pour vendanger. Les raisins offrent alors une concentration importante de sucres, un taux d'acidité dite « verte » faible et, dans le cas des raisins rouges, des tanins mûrs. Les vins sont donc consommés beaucoup plus tôt qu'auparavant grâce à la gourmandise de leurs fruits. Plus besoin d'attendre trois ou cinq, voire dix ans pour l'apprécier même s'il faut souvent patienter plusieurs années pour qu'il soit à son apogée.

UN MENU VIETNAMIEN

Depuis plusieurs années, nos palais occidentaux ont découvert avec plaisir la, ou plutôt, les cuisines asiatiques. Mais ses saveurs exotiques, qui vont du piquant au doux en passant par le sucré-salé, semblent souvent difficiles à marier avec les vins. Robert Vifian, chef vietnamien du réputé restaurant Tan Dinh de Paris, mais avant tout sommelier émérite – plus de 600 vins composent sa carte –, apporte une réponse pertinente et probante avec ses accords mets et vins.

Rouleaux de crevette Asam
Vin *Riesling riche mais sec de 3 à 4 ans*

*Triangles dorés de langoustes
aux noix de ginko*
Vin *Meursault 1ᵉʳ cru de 5 à 6 ans
ou Puligny-Montrachet 1ᵉʳ cru de 5 à 6 ans*

Veau à la cardamome
Vin *Volnay de 5 à 7 ans
ou Chambolle-Musigny de 5 à 6 ans*

*Émincé de filet de bœuf Tan Dinh (poivre noir,
gris, badiane, clou de girofle, cannelle)*
Vin *Pomerol d'une année riche
style 85, 89, 90 ou Saint-Émilion
d'une année riche style 85, 89, 90*

*Hoanh Thanh d'ananas
(aumônière de pâte de blé, ananas haché, miel,
citron, poivre*
Vin *Sauternes riche de grande maturité
de 83 ou 86 ou Vouvray moelleux riche et
mature de 89 ou 90*

Jeune, un vin présente une concentration plus importante. Ses arômes, dits primaires, s'expriment par des notes fruitées et florales intenses. Sa matière présente une chair dense, un peu brute avec des tanins pas encore complètement fondus dans le cas des vins rouges ou, dans celui des vins blancs, un équilibre encore instable entre alcool et acidité. Dans le cas des vins vinifiés ou élevés en barriques de bois neuf, le côté boisé (note vanillée, épicée, grillée) domine les arômes tandis que les tanins se font souvent plus astringents.

Un vieux vin se distingue lui par ses arômes tertiaires, appelés bouquet en raison de leur complexité et de leur finesse, tandis que sa matière s'est considérablement affinée, nuancée, voire, dans le pire des cas, décharnée. Mais cette finesse qu'il a gagnée avec le temps n'est pas sans avouer une certaine fragilité.

Il va donc de soi que l'âge du vin est un paramètre important dont il faut tenir compte dans les accords. La règle assez simple à retenir est la suivante : plus un vin est jeune, plus il demande un plat simple, peu sophistiqué dans ses goûts pour mettre en évidence ses arômes fruités, avec une matière assez dense afin de répondre à sa structure encore ferme. A contrario, plus le vin est vieux, plus il réclame une cuisine travaillée aux saveurs complexes pour s'harmoniser aux siennes, avec une texture souple pour compenser son manque de gras.

Alain Senderens, dans son livre *le Vin à table*, propose ainsi deux accords différents avec le Châteauneuf-du-Pape en fonction de son âge. Avec un vin jeune à la chair tannique, il propose un cœur de veau en cocotte à la texture ferme. Avec un vin arrivé à maturité, au bouquet puissant et à la texture suave, il préconise un civet de lièvre.

La démarche est la même chez Philippe Bourguignon. Son livre *l'Accord parfait* vante les qualités du Chablis jeune avec une simple huître ou une terrine avec des cornichons, en raison de la bonne acidité du vin, alors que, plus vieux, il le préfère avec des poissons en sauce à base de beurre ou de crème pour mettre en relief le moelleux du vin. □

LES 14 FAMILLES DE VINS

Les vins selon leur couleur et leur personnalité gustative peuvent être classés
en 14 grandes familles. Pour chacune d'entre elles sont spécifiés les principaux cépages, les appellations
les plus typiques et le principe d'accord culinaire. Un même cépage peut figurer dans plusieurs familles
à la fois puisque, selon son terroir d'origine, il donnera des expressions différentes.

1 - VIN BLANC SEC LÉGER ET NERVEUX

Caractéristiques	bouche facile, légère, rafraîchissante grâce à un bon support acide ; arômes simples et peu complexes ; finale fraîche et désaltérante.
Cépages	Aligoté, Chasselas, Chardonnay, Gros-Plant, Jacquère, Melon de Bourgogne, Pinot Blanc, Romorantin, Sauvignon, Sylvaner, Tressallier.
Appellations	Bergerac, Bourgogne Aligoté, Cheverny, Cour-Cheverny, Crépy, Entre-deux-Mers, Mâcon-Villages, Muscadet, Petit Chablis, Pinot Blanc d'Alsace, Pouilly-sur-Loire, Saint-Pourçain, Sylvaner d'Alsace, Vin de Savoie.
Type d'accord	cuisine simple et franche aux saveurs pas trop complexes ; fruits de mer dont les huîtres, légumes crus ou cuits, escargot, cuisse de grenouilles, poisson grillé, terrine de poisson, friture de poisson, charcuterie, fromages de chèvre.
Service	à boire très jeune ; servir très frais, environ 8 °C.

Brûlefer

2 - VIN BLANC SEC SOUPLE ET FRUITÉ

Caractéristiques	bouche construite sur le fruit, la rondeur et la fraîcheur ; arômes expressifs fruités et/ou floraux ; finale désaltérante et parfumée.
Cépages	Altesse, Chardonnay, Chenin, Clairette, Gros-Manseng, Mauzac, Rolle, Sauvignon, Sémillon, Ugni Blanc, Vermentino.
Appellations	Bandol, Bellet, Cassis, Chablis, Côtes-de-Blaye, Coteaux-d'Aix, Côtes-de-Provence, Gaillac, Graves, Jurançon sec, Picpoul-de-Pinet, Pouilly Fumé, Pouilly-Fuissé, Montlouis, Roussette de Savoie, Roussette du Bugey, Saint-Véran, Sancerre, Saumur, Vin de Corse.
Type d'accord	cuisine variée allant du simple à plus élaborée mais sans recherche aromatique trop complexe ; coquillages crus ou cuisinés, pâtes aux fruits de mer, poisson grillé ou cuisiné simplement, mousseline de poisson, charcuterie, fromages de chèvre demi-sec et sec.
Service	à boire dans les 3 premières années de bouteille ; servir frais, entre 8 et 10 °C.

3 - VIN BLANC SEC AMPLE ET RACÉ

Caractéristiques	bouche charnue construite sur une matière riche et racée, parfaitement équilibrée ; arômes complexes et élégants ; finale longue et persistante.
Cépages	Chardonnay, Chenin, Marsanne, Riesling, Roussanne, Sauvignon, Sémillon.
Appellations	Châteauneuf-du-Pape, Chablis premier et grand cru, Chassagne-Montrachet, Corton-Charlemagne, Hermitage, Meursault, Montrachet, Puligny-Montrachet, Pessac-Léognan, Savennières, Vouvray.
Type d'accord	cuisine assez sophistiquée et assez aromatique ; champignons, coquilles Saint-Jacques, foie gras poêlé, homard cuisiné, poisson à la crème, viandes blanches à la crème, fromage crémeux type saint-félicien, saint-marcellin, fromage de chèvre affiné type picodon.
Service	à boire après 3 à 5 ans de vieillissement en bouteille ; servir pas trop frais, entre 10 et 12 °C.

Gewürztraminer

4 - VIN BLANC SEC TRÈS AROMATIQUE

Caractéristiques	bouche riche et séveuse avec une personnalité gustative originale ; arômes fruités exubérants, souvent épicés, parfois de noix fraîche et de froment ; finale persistante et de caractère.
Cépages	Gewürztraminer, Muscat, Palomino, Riesling, Savagnin, Tokay-Pinot Gris, Viognier.
Appellations	Château-Chalon, Condrieu, Gewürztraminer d'Alsace, Manzanilla, Muscat d'Alsace, Riesling d'Alsace, Tokay-Pinot Gris d'Alsace, Vin jaune du Jura, Xérès.
Type d'accord	cuisine très aromatique, utilisant des épices, des herbes ; curry de viande, poulet à la crème et aux morilles, homard à l'américaine, saumon à l'aneth, fromages à pâte pressée cuite type beaufort, comté ou au goût prononcé type munster.
Service	à boire jeune pour le Muscat et le Viognier, servis frais entre 8 et 10°C ; après 3 à 5 ans de vieillissement en bouteille pour les autres cépages, servis pas trop frais, entre 10 et 12 °C.

5 - VIN BLANC DEMI-SEC, MOELLEUX, LIQUOREUX

Caractéristiques	bouche riche due à la présence plus ou moins importante de sucres résiduels avec une chair grasse, moelleuse, équilibrée par une bonne acidité; arômes miellés et fruités importants ; finale aromatique persistante.
Cépages	Chenin, Gros- et Petit-Manseng, Muscadelle, Riesling, Sauvignon, Sémillon, Tokay-Pinot Gris.
Appellations	Bonnezeaux, Cérons, Coteaux-de-l'Aubance, Coteaux-du-Layon, Gewürztraminer Vendanges tardives ou Sélection Grains nobles, Monbazillac, Montlouis, Quarts-de-Chaume, Riesling Vendanges tardives ou Sélection Grains nobles, Sainte-Croix-du-Mont, Tokay-Pinot Gris Vendanges tardives ou Sélection Grains nobles, Vouvray.
Type d'accord	cuisine riche à la texture grasse, classique ou plus exotique avec des épices et une alliance salé/sucré; foie gras, poulet à la crème et aux épices, canard à l'orange, fromage à pâte persillée type roquefort, tarte aux fruits, dessert à base de crème type sabayon et crème brûlée.
Service	à boire après 3 à 5 ans de vieillissement minimum en bouteille ; servir frais, entre 8 et 10 °C.

6 - VIN ROSÉ VIF ET FRUITÉ

Caractéristiques	bouche croquante, fraîche, légèrement acidulée, avec une expression aromatique très fruitée ; finale désaltérante.
Cépages	Cabernet Franc, Carignan, Cinsault, Gamay, Grenache, Poulsard, Tibouren.
Appellations	Bellet, Baux-de-Provence, Coteaux-d'Aix, Coteaux varois, Côtes-du-Luberon, Côtes-de-Provence, Côtes-du-Jura, Irouléguy, Palette, Rosé-de-Loire.
Type d'accord	cuisine légère à base de légumes crus ou cuits ; salades composées, pâtes aux légumes, tartes salées aux légumes, tapenade, anchoïade, pizzas, fromages de chèvre frais ou un peu sec.
Service	à boire jeune sur leur fruit pendant leur première année de bouteille ; servir frais, entre 8 et 10 °C.

7 - VIN ROSÉ VINEUX ET CORSÉ

Caractéristiques	bouche ronde, souple, avec une bonne vinosité; arômes fruités ; bon équilibre entre l'acidité et une légère structure tannique ; finale rafraîchissante.
Cépages	Carignan, Grenache, Merlot, Mourvèdre, Négrette, Pinot Noir, Syrah.
Appellations	Bandol, Bordeaux clairet, Coteaux-du-Languedoc, Côtes-du-Rhône, Corbières, Lirac, Marsannay, Rosé des Riceys, Tavel.

Sauternes

Type d'accord	cuisine du soleil à base d'huile d'olive, de légumes et de poisson ; aïoli, bouillabaisse, tian d'aubergine, ratatouille, rouget, grillades, fromage de chèvre affinés.
Service	à boire jeune pendant les deux premières années de bouteille ; servir frais, entre 8 et 10 °C.

8 - VIN ROUGE LÉGER ET FRUITÉ

Caractéristiques	bouche gouleyante, toute en fruits et en fraîcheur ; structure tannique légère compensée par une agréable acidité ; arômes expressifs de fruits rouges et/ou de fleurs ; finale simple et désaltérante.
Cépages	Cabernet Franc, Gamay, Pinot Noir, Poulsard, Trousseau.
Appellations	Anjou, Arbois, Beaujolais, Bourgogne, Bourgueil, Côtes-du-Forez, Côtes-du-Jura, Coteaux-du-Lyonnais, Hautes-Côtes-de-Beaune, Hautes-Côtes-de-Nuits, Pinot Noir d'Alsace, Saint-Nicolas-de-Bourgueil, Sancerre, Saumur-Champigny, Vin de Savoie.
Type d'accord	cuisine simple, pas trop complexe ; cochonnailles, quiches, pâté à la viande, terrine de foie de volaille, terrine de lapin, fromages de chèvre ou de vache assez crémeux type saint-marcellin.
Service	à boire jeune pendant les deux premières années de bouteille ; servir entre 12 et 14 °C.

9 - VIN ROUGE CHARNU ET FRUITÉ

Caractéristiques	bouche charnue, construite sur un fruité important, la rondeur de l'alcool et des tanins présents mais peu complexes ; arômes de fruits rouges et souvent d'épices ; finale moyennement persistante.
Cépages	Cabernet Franc, Cabernet-Sauvignon, Carignan, Grenache, Merlot, Mondeuse, Pinot Noir, Syrah.
Appellations	Bergerac, Bordeaux, Bordeaux Supérieur, Buzet, Chinon, Côte-de-Blaye, Côte-de-Bourg, Côte-de-Castillon, Côte chalonnaise, Côtes-de-Provence, Côtes-du-Rhône-Villages, Coteaux-d'Aix, Coteaux champenois, Crozes-Hermitage, Fronton, Saint-Joseph.
Type d'accord	cuisine de terroir savoureuse ; petit gibier à plume ou à poil, pâté de campagne, viande en sauce, viande rouge rôtie, grillades, fromage à pâte pressée non cuite type tomme, saint-nectaire.
Service	à boire après 2 à 3 années de vieillissement en bouteille ; servir entre 15 et 17 °C.

Sangre de Toro

10 - VIN ROUGE COMPLEXE, PUISSANT ET GÉNÉREUX

Caractéristiques	bouche à la chair puissante et suave, construite sur une matière riche en alcool et en tanins qui demande un peu de temps pour se fondre ; bouquet riche et complexe de fruits, d'épices et souvent des notes boisées ; finale persistante et complexe.
Cépages	Auxerrois, Cabernet Franc, Carignan, Grenache, Malbec, Merlot, Mourvèdre, Syrah, Tannat.
Appellations	Cahors, Châteauneuf-du-Pape, Corbières, Côtes-du-Roussillon-Villages, Coteaux-du-Languedoc, Gigondas, Madiran, Minervois, Pécharmant, Pomerol, Saint-Émilion, Saint-Chinian, Vacqueyras.
Type d'accord	cuisine riche en saveurs et en gras ; cassoulet, confit de canard, champignons dont les truffes, escalope de foie gras, plats en sauce, viande rouge grillée ou rôtie, gibier à poil ou à plume, fromage à pâte pressée non cuite type tomme, cantal.
Service	à boire après un minimum de 3 ans de bouteille ; servir entre 15 et 17 °C.

Pauillac

11 - VIN ROUGE COMPLEXE, TANNIQUE ET RACÉ

Caractéristiques	bouche de caractère à la chair dense et serrée tenue par une importante mais élégante charpente tannique nécessitant quelques années pour se fondre ; arômes complexes fruités, épicés et souvent boisés ; finale longue et racée.
Cépages	Cabernet-Sauvignon, Mourvèdre, Syrah.
Appellations	Bandol, Cornas, Côte-Rôtie, Graves, Haut-Médoc, Hermitage, Margaux, Médoc, Pauillac, Pessac-Léognan, Saint-Estèphe, Saint-Julien.
Type d'accord	cuisine riche en saveurs et pas trop grasse ; champignons dont les truffes, gibier à plumes ou à poil, viande rouge grillée ou rôtie, fromage à pâte pressée non cuite type cantal, saint-nectaire.
Service	à boire après un minimum de 3 ans de bouteille ; servir entre 16 et 17 °C.

12 - VIN ROUGE COMPLEXE, ÉLÉGANT ET RACÉ

Caractéristiques	bouche soyeuse, élégante, construite sur des tanins fins et encore fermes dans leur jeunesse ; arômes expressifs de fruits rouges avec des notes de sous-bois ; finale persistante et racée.
Cépages	Pinot Noir
Appellations	grands vins de Bourgogne, de la Côte de Nuits comme Chambolle-Musigny, Gevrey-Chambertin, Vosne-Romanée, de la Côte de Beaune comme Corton, Pommard, Volnay et de la Côte chalonnaise comme Mercurey.
Type d'accord	cuisine savoureuse et mitonnée avec sauce au vin : coq au vin, œuf en meurette, viande blanche et rouge rôtie, petit gibier à poil et à plume, fromage à pâte molle et croûte fleurie pas trop fort (brie, coulommiers…).
Service	à boire après un minimum de 3 ans de bouteille ; servir entre 16 et 17 °C.

13 - VIN EFFERVESCENT

Caractéristiques	bouche fraîche, vive et légère grâce à ses bulles (CO_2); arômes délicats de fruits, de fleurs ; finale désaltérante et plus ou moins persistante.
Cépages	Auxerrois, Cabernet Franc, Chardonnay, Chenin, Clairette, Mauzac, Merlot, Pinot Blanc, Pinot Noir, Pinot Meunier, Sauvignon, Savagnin, Sémillon.
Appellations	Blanquette de Limoux, Champagne, Clairette de Die, Crémant d'Alsace, Crémant de Bordeaux, Crémant de Bourgogne, Crémant du Jura, Gaillac, Montlouis, Saumur, Vouvray.
Type d'accord	les non dosés : fruits de mer, terrine de poisson, poisson grillé, fumé ou servi avec une crème légère, fromages à pâte molle et croûte fleurie ; les dosés : fromages à pâte molle et croûte fleurie, desserts aux fruits, meringue, crème anglaise.
Service	à boire jeune ; servir frais, entre 8 et 10 °C.

14 - VIN DOUX NATUREL ET VIN DE LIQUEUR

Caractéristiques	bouche riche en sucres résiduels et en alcool donnant une chair grasse et très gourmande en fruits ; arômes fruités exubérants ; finale savoureuse.
Cépages	Cabernet Franc, Cabernet-Sauvignon, Folle-Blanche, Colombard, Grenache, Maccabeu, Malvoisie, Merlot, Muscat, Ugni Blanc.
Appellations	Banyuls, Macvin du Jura, Muscat de Beaumes-de-Venise, Muscat de Mireval, Muscat de Rivesaltes, Pineau des Charentes, Porto, Rasteau, Rivesaltes.
Type d'accord	cuisine riche, savoureuse, mariant le salé et le sucré, et plus particulièrement les dessert ; foie gras frais cuit, canard aux figues, fromage à pâte persillée type roquefort, dessert à base de fruits, dessert au chocolat et au café.
Service	pour les blancs, à boire très jeunes, servis frais entre 8 et 12 °C ; pour les rouges, à boire après 3 à 5 ans de vieillissement minimum, servis entre 12 et 15 °C.

Mercurey

LE MARIAGE DES METS ET DES VINS

Le tableau suivant propose des accords mets et vins classiques et régionaux mais aussi
des associations découvertes au gré des dégustations. Cependant, il n'existe pas de règles immuables en
matière d'accord, le goût et la culture de chacun influençant fortement l'appréciation des saveurs.

HORS-D'ŒUVRE

Anchois frais	Banyuls blanc, Châteauneuf-du-Pape blanc, Collioure rosé, Coteaux-d'Aix rosé, Xérès.
Artichaut à la vinaigrette	Chinon rosé, Côte-de-Provence blanc, Sancerre.
Artichaut barigoule	Coteaux-d'Aix rosé, Côtes-de-Provence rosé, Lirac rosé, Tavel rosé.
Asperge blanche	Pinot Blanc ou Muscat d'Alsace, Xérès Fino.
Asperge verte	Château-Grillet, Condrieu, Viognier Vin de Pays, Muscat sec, Vin de Pays du Roussillon.
Avocat	Côtes-de-Provence rosé, Mâcon-Villages, Sancerre.
Caviar	Champagne Blanc de Blancs, Riesling sec d'Alsace ou d'Allemagne (Vodka glacée).
Foie gras en terrine	vin liquoreux type Sauternes, Coteaux-du-Layon, Jurançon, Monbazillac, Tokay-Pinot Gris S.G.N., Gewürztraminer S.G.N. ou vin muté (Banyuls Vintage, Porto).
Gaspacho	Collioure rosé, Côtes-du-Rhône-Villages rosé, Tavel, vin rosé de Penedès.
Guacamole	Cabernet-Sauvignon mexicain ou Chardonnay californien.
Melon	Vins Doux Naturels, Muscat de Beaumes-de-Venise, Muscat de Rivesaltes, Banyuls, Rivesaltes, Porto Ruby, Madère Sercial ou Bual.
Salade auvergnate	Beaujolais-Villages, Côtes-d'Auvergne, Côtes-du-Forez.
Salade d'endives aux noix	vin du Jura à base de Savagnin, Arbois, Côtes-du-Jura, L'Étoile.
Salade niçoise	Bandol rosé, Bellet blanc, Cassis blanc, Coteaux d'Aix rosé.
Tarama	Pouilly-Fumé, Riesling d'Alsace, Sauvignon d'Afrique du Sud, Rosé d'Alep.

Salade niçoise

ENTRÉES CHAUDES

Cuisses de grenouille	Aligoté de Bourgogne, Petit Chablis, Mâcon-Villages.
Escargot à la bourguignonne	Aligoté de Bourgogne, Beaujolais blanc, Chablis, Mâcon-villages.
Foie gras frais chaud	vin riche en liqueur type Banyuls Vintage, Sauternes ; vins rouges corsés (Madiran, Cahors).
Garbure	Cahors, Irouléguy, Madiran.
Petits farçis provençaux	Bandol rosé, Bellet blanc ou rosé, Côtes-du-Rhône-Villages rouge, Tavel.
Pizza	Coteaux-d'Aix rouge ou rosé, Coteaux-du-Luberon rouge ou rosé, Chianti, Valpolicella.
Quenelle de brochet	Chablis, Pouilly-Fuissé, Saint-Véran, Roussette de Savoie.
Quiche au lard	Pinot Blanc d'Alsace, Tokay-Pinot Gris d'Alsace, vins blancs de Savoie ou vins rouges légers (Beaujolais, Bourgueil, Pinot Noir d'Alsace).
Tarte à l'oignon	Pinot Blanc d'Alsace, Sylvaner d'Alsace.
Soufflé au poisson	Chablis, Graves blanc, Pessac-Léognan blanc, Pouilly Fumé, Fumé Blanc de la Napa.
Soufflé au comté	Vin du Jura à base de Savagnin, Arbois, Côtes-du-Jura, Château-Chalon.
Soupe à l'oignon	Beaujolais-Villages, Entre-deux-Mers, Mâcon-Villages.
Vol au vent	Vin jaune du Jura, grand Chardonnay (Corton-Charlemagne, Meursault, Montrachet, Chardonnay de Californie).

CHARCUTERIE

Andouille	Sancerre, Savennières.
Boudin noir	Chinon, Crozes-Hermitage, Saint-Joseph, Saumur-Champigny.
Chorizo pimenté	Cahors, Irouléguy, Rioja.
Jambon cru	Collioure, Irouléguy, Pinot Grigio dell'Alto-Adige, Soave Classico, Riesling du Rheingau trocken, Xérès ou Manzanilla, jeune rouge espagnol.
Jambon cuit	Beaujolais-Villages ou cru, Mercurey, Mâcon-Villages.
Jambon fumé	Riesling Vendanges tardives, *Spätlese* allemand.
Jambon persillé	Beaujolais blanc ou rouge, Chablis, Mercurey blanc, Pouilly-Fuissé, Saint-Romain blanc.
Mousse de foie de volaille	Beaujolais cru, Beaune blanc, Ladoix blanc, Meursault.

Hommard grillé

Pâté de campagne	Beaujolais, Chinon, Coteaux-du-Lyonnais, Côtes-du-Rhône-Villages, Crozes-Hermitage, Saint-Joseph, Saumur-Champigny.
Terrine de gibier	Bergerac, Châteauneuf-du-Pape, Mercurey, Gevrey-Chambertin, Pomerol, Saint-Émilion, Vacqueyras, Garrafeira du centre du Portugal.
Terrine de lapin	Bourgueil, Cheverny, Cour-Cheverny, Saint-Nicolas-de-Bourgueil, Morgon, Moulin-à-Vent.
Rillettes	Montlouis, Sancerre, Vouvray.
Salami	Irouléguy, Tavel, vin de Corse rosé, vin rouge ou rosé de Navarre, Barbera, Chianti, Montepulciano d'Abruzzo, Rosso Cònero, Xérès.
Saucisse de porc	Buzet, Côtes-du-Rhône, Gigondas, Dolcetto d'Alba, Merlot, Rioja.
Saucisson sec	Crozes-Hermitage, Côtes-du-Rhône-Villages, Hautes-Côtes-de-Beaune, Hautes-Côtes-de-Nuits, Saint-Joseph, Sancerre rouge.
Saucisson chaud en brioche	Morgon, Moulin-à-Vent, Saint-Joseph.

ŒUFS

Brouillade de truffes	Hermitage blanc, Montrachet.
Œufs brouillés	vins rouges légers et fruités (Beaujolais, Gamay de Touraine).
Œufs en gelée	vins jeunes et fruités de la Côte de Beaune (Santenay, Maranges).
Œufs en meurette	Beaujolais crus, Mâcon rouge, Pinot Noir de la Côte de Beaune et de la Côte chalonnaise.
Œufs de saumon	Chablis, Riesling d'Alsace, Vouvray.
Omelette nature	Beaujolais-Villages, Coteaux-du-Lyonnais, Côtes-du-Forez.
Omelette au fromage	vin blanc issu de Chardonnay et de Savagnin du Jura, Fumé Blanc (Californie).

COQUILLAGES ET CRUSTACÉS

Coquille Saint-Jacques	Champagne Blanc de Blancs, Châteauneuf-du-Pape blanc, Hermitage blanc, Pessac-Léognan, Riesling sec d'Alsace ou d'Allemagne.
Crabe	Cassis blanc, Chablis, Entre-deux-Mers, Gros-Plant, Muscadet.

Crevette	Bergerac blanc, Cassis blanc, Petit Chablis, Entre-deux-Mers, Gros-Plant, Muscadet, Picpoul-de-Pinet, Riesling du Frioul.
Écrevisse à la nage	Condrieu, Châteauneuf-du-Pape-blanc, Riesling sec d'Alsace, Sauvignon du Chili.
Homard grillé	Corton-Charlemagne, Hermitage blanc, Pessac-Léognan, Meursault, Riesling d'Alsace, Savennières, Verdicchio del Castelli di Jesi, Chardonnay d'Afrique du Sud.
Homard à l'américaine	Tokay-Pinot Gris d'Alsace, Vin jaune du Jura, Vouvray demi-sec.
Huître	Chablis, Entre-deux-Mers, Gros-Plant, Muscadet, Picpoul-de-Pinet, Riesling d'Alsace.
Huître chaude	Champagne Blanc de Blancs, Graves blanc, Riesling d'Alsace, Savennières, Vouvray, Chardonnay d'Oregon (États-Unis).
Langouste grillée	Chablis 1er cru ou grand cru, Hermitage blanc, Pessac-Léognan, Riesling d'Alsace.
Langoustine mayonnaise	Pouilly Fumé, Sancerre, Chablis, Viognier du pays d'Oc.
Moule à la crème	Bergerac blanc, Côte-de-Blaye blanc, Pouilly-Fuissé, Rully blanc.
Moule marinière	Entre-deux-Mers, Muscadet, Sauvignon de Touraine, Vinho Verde.

POISSON

Anguille à la bordelaise	Bergerac rouge, Bordeaux Supérieur rouge, Graves. satellites de Saint-Émilion.
Bar (ou loup) grillé	Bellet blanc, Châteauneuf-du-Pape blanc, Côtes-de-Provence blanc, Chablis 1er cru ou grand cru.
Bouillabaisse	Bandol rosé, Cassis, Côteaux-d'Aix rosé.
Brandade de morue	Cassis, Hermitage blanc, Saint-Joseph blanc., vin blanc de Setúbal.
Colin froid à la mayonnaise	Mâcon-Villages, Pinot Blanc d'Alsace, vin de Savoie blanc, Sylvaner d'Alsace.
Friture	Aligoté de Bourgogne, Gros-Plant, Mâcon, Muscadet, Vinho Verde.
Morue à l'aïoli	Bandol blanc ou rosé, Cassis, Côtes-de-Provence blanc ou rosé, Collioure rosé, Irouléguy rosé, Vinho Verde.
Poisson à l'huile (espadon, hareng, maquereau, sardine, thon)	Aligoté de Bourgogne, Gros-Plant, Muscadet, Sancerre, Sauvignon de Touraine, Sylvaner, Dão blanc, Vinho Verde.
Poisson blanc grillé	Chenin Blanc sec, Coteaux-d'Aix blanc, Côtes-de-Provence blanc, Soave, Verdicchio, vin de Corse blanc, Chasselas du Vaud..
Poisson blanc au beurre blanc	Champagne Blanc de Blancs, Vouvray sec ou demi-sec, Meursault, Pessac-Léognan, Puligny-Montrachet, Savennières, vins de Moselle.
Poisson cru	Chablis 1er cru, Graves blanc, Meursault, Chardonnay de Nouvelle Zélande.
Poisson d'eau douce	Chablis, Chasselas de Suisse, Graves blanc, Mercurey blanc, Montlouis, Rully blanc, Sancerre, Vouvray, Chasselas du Neuchâtel.

Poisson frit	Beaujolais, Entre-deux-Mers, Gamay de Touraine, Gros-Plant, Muscadet, Roussette de Savoie, Vin blanc du Jura à base de Chardonnay et de Savagnin, Pinot Grigio du Frioul, Frascati Superiore.
Poisson fumé	Chablis 1ᵉʳ cru, Champagne Blanc de Blancs, Pouilly Fumé, Sancerre, Riesling d'Alsace, Tokay-Pinot Gris d'Alsace, *Spätlese* allemand.
Poisson nature	vins blancs plus ou moins légers selon que le poisson et sa garniture sont gras ou non, du petit vin de pays aux grands crus de Bourgogne, de Bordeaux ou d'Alsace.
	Vins rouges, surtout s'ils ne sont pas trop tanniques (issus de Cabernet Franc de Loire ou de Gamay du Beaujolais).
Rouget	Bandol rosé ou rouge, Collioure, Côtes-de-Provence rouge ou blanc, Soave (Italie).
Saumon fumé	Champagne Blanc de Blancs, Riesling d'Alsace, Sancerre (ou Vodka, Whisky single malt tourbé).
Saumon à l'oseille	Condrieu, Châteauneuf-du-Pape blanc.
Saumon poché	blanc : Bourgogne blanc, Sancerre, Savennières, Vouvray sec, Vin blanc de Sicile ; rouge : Beaujolais-Villages, Bourgueil, Pinot Noir d'Alsace.
Sardine grillée	Côtes-de-Provence, Côtes-du-Rhône-Villages blanc, Coteaux-du-Languedoc blanc, Coteaux-d'Aix blanc.
Sole meunière	Bellet blanc, Chablis 1ᵉʳ cru ou grand cru, Sancerre, Riesling d'Alsace.
Terrine de poisson	Aligoté de Bouzeron, Chablis, Graves blanc, Mâcon-Villages, Muscadet, Sancerre, Sylvaner d'Alsace.
Thon basquaise	Collioure rouge ou rosé, Coteaux-du-Languedoc rouge ou rosé, Côtes-du-Rhône-Villages rouge, Irouléguy rosé, Tavel.
Tourte de poisson (avec une sauce à la crème)	Mâcon-Villages, Pouilly-Fuissé, Pinot-Gris d'Alsace, Bianco di Custoza, Pfälzer Sylvaner, Nahe Müller-Thurgau, Chardonnay de la Napa.
Turbot sauce hollandaise	Corton-Charlemagne, Hermitage, Meursault, Pessac-Léognan, Chardonnay du Chili.

AGNEAU

Agneau rôti	vins rouges complexes et racés comme les crus du Bordelais (Graves, Margaux, Pauillac, Pomerol, Saint-Émilion), Bandol dans un bon millésime ; Rioja Reserva, Ribera del Duero, Cabernet-Sauvignon américains, australiens, chiliens et italiens.
Couscous d'agneau	Cahors, Côtes-du-Rhône-Villages, Madiran, Gigondas, vin rouge de Médéa (Algérie).
Curry d'agneau	Bergerac, Côtes-de-Castillon, Côtes-de-Franc, Côtes-du-Rhône-Villages, Lalande-de-Pomerol.
Épaule d'agneau rôtie	Haut-Médoc, Médoc, Cabernet-Sauvignon américains, australiens, chiliens et italiens, vin rouge de Boulaouane (Maroc).

Gigot aux herbes et/ou à l'ail	vins rouges généreux et puissants (Bandol, Châteauneuf-du-Pape, Côtes-du-Roussillon-Villages, Coteaux-du-Languedoc, Saint-Chinian, Vacqueyras), Retsina rouge.
Gigot à la ficelle	Pinot Noir de la Côte de Beaune, Bourgueil, Chinon, Vino Nobile di Montepulciano.
Navarin d'agneau	Pinot Noir de la Côte de Beaune et de la Côte chalonnaise, Beaujolais crus, Navarre.
Sauté d'agneau à la provençale	Coteaux-d'Aix rouge, Côtes-de-Provence rouge, Côtes-du-Rhône-Villages, Zinfandel.
Selle d'agneau	Côte-Rôtie, Hermitage, Médoc, Pomerol, Saint-Émilion, Vega Sicilia (vallée du Douro).

BŒUF

Bœuf bourguignon	Chinon, Corbières, Côtes-du-Rhône-Villages, Mercurey, Minervois, Rully, Saint-Amour, Saumur rouge.
Bœuf en croûte	vins de Bordeaux, du Médoc ou du Libournais, Pinot Noir de Bourgogne.
Bœuf rôti	vins rouges puissants avec de la structure et de la générosité (vins de la Côte de Nuits, Margaux, Pauillac, Pomerol, Saint-Émilion, Merlots américains, australiens et chiliens).
Carpaccio	vins de la Côte chalonnaise, Chianti Classico ou Rufina.
Chateaubriand	Gevrey-Chambertin, Graves, Saint-Émilion, Pomerol, Pommard, Brunello di Montalcino.
Daube	Cahors, Corbières, Côtes-du-Rhône-Villages, Côtes-du-Roussillon-Villages, Madiran.
Entrecôte à la bordelaise	Bergerac, Bordeaux Supérieur, Côtes-de-Blaye, Côtes-de-Castillon, Fronsac, Graves, Aragon (Espagne).
Entrecôte grillée	vins issus de Cabernet-Sauvignon, Médoc de millésimes récents, Vin de Pays d'Oc, ou vin généreux jeune (Châteauneuf-du-Pape, Cornas, Gigondas, Vacqueyras).
Pot-au-feu	Anjou rouge, Beaujolais cru, Bourgueil, Côtes de Bordeaux, Saumur-Champigny, Pinot d'Alsace, Sancerre rouge.
Steak grillé	Chénas, Côtes du Frontonnais, Cornas, Moulin-à-Vent, Chianti Riserva.
Steak au poivre	Côtes-du-Rhône rouge, Fronton, Zinfandel californien, Shiraz australien.
Steak tartare	Buzet, Cahors, Crozes-Hermitage, Merlot chilien, Shiraz australien.

Carré d'agneau

PORC

Andouillette à la crème	Beaujolais blanc, Chablis, Pouilly-Fuissé, Rully blanc, Saint-Véran.
Andouillette grillée	vins rouges légers (Anjou rouge, Beaujolais-Villages, Gamay de Touraine, Pinot Noir d'Alsace, Sancerre rouge), vins blancs secs et fruités (Chablis, Gaillac, Saumur blanc).
Choucroute	Tokay-Pinot Gris d'Alsace, Riesling d'Alsace, Sylvaner d'Alsace, Riesling de Moselle.
Grillade de porc	vins charnus et fruités, Bergerac, Crozes-Hermitage, Saint-Joseph, Saumur-Champigny, Alentejo (Portugal).
Palette de porc	vins blancs légers (Anjou blanc, Mâcon-Villages, Pinot Blanc d'Alsace, Sylvaner d'Alsace), rouges fruités et légers (Beaujolais, Mâcon-Villages, Pinot Noir d'Alsace).
Potée aux choux	Brouilly, Mâcon-Villages, Sancerre rouge.
Rôti de porc	Crozes-Hermitage, Côte-de-Beaune, Côtes-du-Rhône-Villages, Bairrada rouge (Portugal).

VEAU

Blanquette de veau	Beaujolais-Villages, Mâcon-Villages, Mercurey blanc, Givry blanc, Sancerre rouge.
Côte de veau	grands crus du Médoc (Pauillac, Saint-Estèphe), crus de la Côte de Nuits (Gevrey-Chambertin, Chambolle-Musigny).
Escalope normande	Bourgogne blanc, vin du Jura à base de Chardonnay et de Savagnin, Chardonnay de Californie.
Escalope panée	Beaujolais crus, vins rouges de la Côte de Beaune, Graves rouge, Bardolino (Italie).
Foie de veau	Chinon, Pomerol, Saint-Émilion, Sancerre rouge.
Osso-bucco	Barbera, Barbaresco, Chianti Classico, Valpolicella.
Paupiette de veau	Beaujolais crus, Bourgueil, Pinot Noir de Bourgogne, Saint-Nicolas-de-Bourgueil.
Ris de veau à la crème	grand Bourgogne blanc type Corton-Charlemagne, Meursault, Montrachet, Château-Chalon, Vin jaune du Jura, Tokay-Pinot Gris d'Alsace, Vouvray demi-sec.
Rognon de veau poêlé	vin rouge charnu pas trop vieux (Chinon, Pomerol, Saint-Émilion) ;
à la moutarde	Chinon, Morgon, Saint-Amour, Pinot Noir de la Côte chalonnaise.
Rôti de veau	Beaujolais-crus, Pinot Noir de la Côte de Beaune, Valpolicella (Italie).
Tête de veau	Beaujolais-crus, Pouilly-Fuissé, Sancerre rosé, Tavel.
Veau Marengo	Côtes-du-Rhône-Villages, Costières-de-Nîmes, Côtes-du-Ventoux, vin rouge du Dão, Sangiovese di Romagna (Italie).
Veau Orloff	Grand Bourgogne blanc de type Chassagne-Montrachet, Corton Charlemagne, Meursault mais aussi des vins rouges fruités mais profonds de type Bourgogne rouge de la Côte de Beaune.

CANARD, OIE, PIGEON

Canard à l'orange	vins liquoreux pas trop vieux, Cérons, Loupiac, Monbazillac, Sainte-Croix-du-Mont, Sauternes.
Canard aux figues ou aux cerises	vins riches et puissants (Bandol, Châteauneuf-du-Pape), vins mutés jeunes (Banyuls, Maury, Rivesaltes).
Canard laqué	Gewürztraminer d'Alsace, Tokay-Pinot Gris d'Alsace, Arbois, Château-Chalon, Vin jaune du Jura.
Canard aux olives	Côtes-du-Rhône-Villages, Gigondas, Vacqueyras, vin rouge de Carthage (Tunisie).
Canard rôti	vins à base de Merlot, Lalande-de-Pomerol, Pomerol, Saint-Émilion et crus de la Côte de Nuits.
Confit de canard	Bergerac, Buzet, Cahors, Châteauneuf-du-Pape, Madiran, Pécharmant.
Magret de canard	bons millésimes du Bordelais (Médoc et Libournais).
Cassoulet	Cahors, Côtes du Frontonnais, Madiran.
Oie rôtie	vins rouges mûrs de Côte-Rôtie, Côtes-de-Nuits, Madiran, Margaux, Saint-Émilion, grands crus en Tokay-Pinot Gris Vendanges tardives d'Alsace.
Pigeon rôti	bon millésime de Bourgogne rouge, du Médoc et du Libournais, Bandol, Châteauneuf-du-Pape, Hermitage, Merlot du nord-est de l'Italie.
Pastilla de pigeon	vin muté (Banyuls, Muscat de Beaumes-de-Venise, Muscat de Rivesaltes, Muscat du Cap Corse), Mascara (Algérie).
Salmis de palombes	Pomerol, Saint-Émilion, Merlots du Chili et d'Italie.

COQ, DINDE, POULARDE, POULE, POULET

Coq au vin	Pinot Noir de Bourgogne, Moulin-à-Vent.
Dinde farcie	vins généreux (Châteauneuf-du-Pape, Hermitage, Pomerol, Madiran, Saint-Émilion, Merlots américains et chiliens).
Dinde aux marrons	Pinot Noir de la Côte chalonnaise (Mercurey, Givry) et de la Côte de Beaune (Savigny-les-Beaune, Volnay).
Poularde aux truffes	grands Chardonnays de la Côte de Beaune (Corton-Charlemagne, Meursault, Montrachet), Hermitage blanc, Arbois, Château-Chalon, Vin jaune du Jura.
Poule au pot	Beaujolais, Mâcon blanc, Pouilly-Fuissé, Rully blanc.
Poulet basquaise	Bordeaux Supérieur, Corbières, Coteaux-du-Languedoc, Fronton.
Poulet à la crème et aux morilles	Arbois, Château-Chalon, Vin jaune du Jura, Pinot Noir ou grands Chardonnays de la Côte de Beaune.
Poulet rôti	Pinot Noir de la Côte de Beaune et de la Côte chalonnaise, Moulin-à-Vent, Zinfandel.
Poulet au vinaigre	Anjou-Villages, Bourgueil, Chinon, Saint-Nicolas-de-Bourgueil, Saumur-Champigny.

Tarte aux myrtilles

LAPIN

Lapin chasseur	Beaujolais-Villages, Bourgueil, Côte Chalonnaise, Saumur-Champigny.
Lapin à la moutarde	Chénas, Chinon, Mercurey, Sancerre rouge, Saint-Joseph.
Lapin rôti au thym	Coteaux-des-Baux, Coteaux-d'Aix, Palette, Vin de Corse rouge.
Lapin aux pruneaux	Bergerac, Buzet, Côtes-de-Saint-Mont, Gaillac rouge, Pécharmant, Dão rouge.

GIBIER

Gibier	en règle générale, les meilleurs millésimes rouges, à leur apogée, des grands crus de Bourgogne, de Bordeaux, de la Vallée du Rhône, Valpolicella Amarone (Italie).
Civet de lièvre	Bandol d'une grande année, Côte-Rôtie, grands crus de la Côte de Nuits, Saint-Émilion, Châteauneuf-du-Pape, Hermitage, Pomerol, Pinot Noir d'Oregon.
Cuissot de sanglier rôti	Châteauneuf-du-Pape, Côtes-du-Roussillon-Villages, Corbières, Château Musar (Liban).
Petit gibier à plume (bécasse, faisan, perdreau)	Pinot Noir de la Côte de Beaune et de la Côte de Nuits, Rioja (Espagne).
Petit gibier à poil (lapin de garenne, lièvre)	Pinot Noir de la Côte chalonnaise, Médoc, Saint-Émilion, Merlot du Chili.
Gibier en marinade	Cahors, Châteauneuf-du-Pape, Madiran, Cabernet-Sauvignon ou Shiraz d'Australie.
Gigue de chevreuil grand veneur	Côte-Rôtie, Châteauneuf-du-Pape, Corton, Hermitage, Barbaresco (Italie).

LÉGUMES *cf. aussi hors-d'œuvre*

Aubergine	Coteaux-d'Aix rouge, Coteaux-du-Languedoc, Côtes-de-Provence rouge ; vins rouge grecs (Xinomavro de Naoussa ou Retsina).
Champignon	vins issus de Merlot et de Pinot Noir à leur apogée comme les rouges de Bourgogne et du Libournais.
Chou farci	Beaujolais-Villages, Gamay de Touraine, Pinotage d'Afrique du Sud.
Chou-fleur	Côtes-du-Luberon, Dolcetto, Sauvignon de Touraine.
Haricot vert	Sancerre blanc ou rosé, Coteaux-d'Aix rosé, Côtes-de-Provence blanc.
Gratin dauphinois	vins blancs du Jura issus de Chardonnay et de Savagnin type Arbois blanc, vins blancs de Savoie à base de Roussette.
Pâtes	vins légers blancs, rosés ou rouges selon les ingrédients de la sauce, Valpolicella ou Merlot du Frioul (Italie).
Pâtes à la tomate et au basilic	Côtes-du-Rhône-Villages rosé, Lirac rosé, Coteaux-d'Aix rosé, Dolcetta d'Alba (Italie).
Pâtes aux fruits de mer	Chablis, Mâcon-Villages, Sancerre, Sauvignon de Touraine, vins blancs secs d'Italie (blanc d'Orvieto).

Pâtes avec une sauce à la viande	Beaujolais-Villages, Bourgueil, Coteaux-du-Tricastin, Mâcon-Villages, Pinot Noir d'Alsace, Chianti, Valpolicella.
Légumes crus	vins blancs secs, Aligoté de Bourgogne, Petit Chablis, Sauvignon de Touraine, ou vins rouges légers (Gamay), Xérès (Espagne).
Risotto	vins blancs secs et fruités italiens (Bianco di Custoza, Trebbiano d'Abruzzo, Pinot Grigio), vins rouges italiens (Chianti) ou espagnols (de la Rioja et de la Mancha).
Truffes	grands crus de Pomerol et de Saint-Émilion ainsi que de la Vallée du Rhône nord Côte-Rôtie, Hermitage, Barolo (Italie).

DESSERTS

Brioche	Clairette de Die, Vendanges tardives et Sélection de Grains nobles d'Alsace, Vin de paille du Jura.
Charlotte aux fruits	Champagne demi-sec, VDN issus de Muscat (Muscat de Beaumes-de-Venise, Muscat de Rivesaltes, Moscatel de Valence).
Crème brûlée	vins doux naturels à base de Muscat (Muscat de Rivesaltes, Muscat de Saint-Jean-de-Minervois), Jurançon, Pacherenc de Vic-Bilh.
Entremets	Champagne sec ou demi-sec, Clairette de Die, vins doux naturels issus de Muscat, Tokay 4 *puttonyos aszú* (Hongrie).
Dessert à base de chocolat	vins mutés rouges (Banyuls, Maury, Malaga, Porto, Rivesaltes).
Dessert à base d'épices	vins aromatiques et riches en sucres (Tokay-Pinot Gris Vendanges tardives ou S. G. N., Jurançon), Riesling Auslese (R.F.A.).
Île flottante	Champagne rosé demi-sec, vins doux naturels issus de Muscat.
Sabayon aux fruits	vins liquoreux du Sauternais, V. T. et S. G. N. de Tokay-Pinot Gris et de Gewürztraminer.
Tarte au citron	vins liquoreux (Cérons, Jurançon, Sainte-Croix-du-Mont, Sauternes).
Tarte aux fruits rouges	Champagne rosé sec ou demi-sec. Clairette de Die, Gaillac effervescent, vins doux naturels issu de Muscat .
Tarte Tatin	vins moelleux de Loire type Bonnezeaux, Coteaux-du-Layon, Coteaux-de-l'Aubance, Montlouis moelleux, Quarts-de-Chaume, Vouvray moelleux.

Y Y Y

LE MARIAGE DES FROMAGES ET DES VINS

Le mariage du fromage et du vin n'est pas forcément évident.
Le fromage, par sa nature salée, son goût souvent très prononcé, sa texture plus ou moins dense, demande une approche nuancée. La règle d'usage qui veut qu'un vin rouge, souvent vieux, soit servi au moment du fromage se révèle souvent une erreur, le goût subtil du vin étant masqué par celui plus fort du fromage.
À l'inverse, les vins blancs secs ou plus doux, le plus souvent jeunes, se révèlent des compagnons faciles pour les fromages. Leur acidité apporte la fraîcheur nécessaire pour contrebalancer la saveur salée du fromage, tandis que leur fruité répond à leur forte personnalité gustative.
L'absence de tanins dans les vins blancs explique aussi cet accord. En effet, ces derniers, surtout dans les vins rouges jeunes, sont cruellement accentués par le sel contenu dans les fromages.
Dans le choix de l'association vin/fromage, le stade d'affinage du fromage compte autant que le stade de maturité du vin. L'accord régional est dans l'ensemble une valeur sûre, el le crottin de Chavignol avec le Sancerre ou le munster et le Gewürztraminer.

Le tableau suivant présente les 7 grandes familles de fromages avec leurs principales caractéristiques, leurs représentants les plus connus et leurs accords classiques. Il se complète par une liste présentant par ordre alphabétique les fromages avec leurs vins de prédilection.

FROMAGES FRAIS ET FROMAGES BLANCS

Noms	tous fromages frais et blancs de vache ou de chèvre, comme le Fontainebleau, le Petit-Suisse.
Caractéristiques	de consistance molle, au fort goût de lait plus ou moins salé avec une acidité assez présente.
Type d'accord	servis avec du sucre ou mieux avec du miel, vins riches en sucres comme les vins doux naturel à base de muscat, Muscat de Rivesaltes, Muscat de Mireval ou les vins moelleux aromatiques, Gewürztraminer V.T., Tokay-Pinot Gris V.T., Jurançon ; servis avec des herbes, du sel et du poivre, vin blanc sec et aromatique comme Condrieu, Tokay-Pinot Gris d'Alsace, Viognier Vin de Pays.

FROMAGES DE CHÈVRE ET DE BREBIS *(éventuellement mélangés avec du lait de vache)*

Noms	Brocciu, Chabichou, Charolais, Crottin de Chavignol, Pélardon, Pouligny-Saint-Pierre, Saint-Félicien, Saint-Marcellin, Selles-sur-Cher, Valencay.
Caractéristiques	la densité de la pâte dépend de leur degré d'affinage, frais, demi-sec ou très sec. Plus le fromage est sec, plus son goût sera salé et fort.
Type d'accord	vins blancs secs souples et fruités tels Chablis, Jurançon sec, Pouilly-Fuissé, Vouvray sec avec une nette préférence pour les vins issus de Sauvignon comme Sancerre et Pouilly Fumé ; mais aussi des vins blancs demi-secs de Vouvray ou de Montlouis et des vins rouges légers très peu tanniques issus de Gamay comme Beaujolais, Gamay de Touraine, de Cabernet Franc tels Bourgueil, Saint-Nicolas-de-Bourgueil ou même de Pinot Noir comme Hautes-Côtes-de-Beaune, Hautes-Côtes-de-Nuits, Pinot Noir d'Alsace.

chèvres

pélardons

chabichou

cabécous

boutons de culotte

FROMAGES À PÂTE MOLLE ET À CROÛTE FLEURIE

Noms	Brie, Brillat-Savarin, Camembert, Chaource, Coulommiers.
Caractéristiques	pâte onctueuse, au goût qui peut aller du doux crémeux au fort et puissant.
Type d'accord	éviter les vins rouges jeunes et tanniques, miser plutôt sur les vins rouges fruités pas trop tanniques ni boisés comme Bourgogne de la Côte chalonnaise et de la Côte de Beaune, Coteaux champenois, Côtes-du-Rhône rouge, Pomerol, Saint-Émilion, Sancerre rouge ; mais aussi des Champagnes Blanc de Blancs jeunes (accord préconisé par le sommelier Philippe Bourguignon).

pâtes molles
à croûte fleurie

coulommiers

camembert
A.O.C.

pithiviers
au foin

boursault

FROMAGES À PÂTE MOLLE ET À CROÛTE LAVÉE

Noms	Époisses, Livarot, Pont-l'Évêque, Langres, Maroilles, Mont d'Or, Munster, Reblochon, Vacherin.
Caractéristiques	pâte onctueuse avec une saveur affirmée voire puissante.
Type d'accord	éviter les vins rouges puissants et corsés ; privilégier en revanche les vins blancs très aromatiques comme le Gewürztraminer d'Alsace, sec ou en V.T., Meursault à son apogée, Riesling d'Alsace mûr, Vin jaune du Jura ainsi que les Champagnes mûrs.

FROMAGES À PÂTE PERSILLÉE

pâtes cuites

morbier

bel
paese

gaperon

gouda

Noms	Bleu d'Auvergne, Bleu de Bresse, Fourme d'Ambert, Roquefort.
Caractéristiques	pâte onctueuse souvent grasse avec une saveur à la fois salée et puissante.
Type d'accord	vins riches en sucres comme les vins doux naturels blancs ou rouges tels Muscat de Beaumes-de-Venise, Banyuls, Rivesaltes, et les vins liquoreux tels Coteaux-du-Layon, Quarts-de-Chaumes, Cérons, Sauternes.

saint-nectaire
A.O.C.

murol
et murolait

FROMAGES À PÂTE PRESSÉE NON CUITE

Noms	Cantal, Edam, Gouda, Mimolette, Morbier, Saint-Nectaire, Tomme de Savoie.
Caractéristiques	souvent présentés sous forme de tomme avec une pâte onctueuse pour certains, relativement dense pour d'autres, au goût relativement doux.
Type d'accord	vins rouges de Bordeaux arrivés à maturité comme le Médoc, Pauillac, Pomerol, Saint-Émilion ; mais aussi, pour les tommes, les vins blancs du Jura et de Savoie.

FROMAGES À PÂTE PRESSÉE CUITE

Noms	Appenzell, Comté, Emmenthal, Fribourg, Gruyère.
Caractéristiques	pâte dure, à la saveur relativement salée et au goût souvent prononcé.
Type d'accord	vins blancs secs assez aromatiques de préférence issus de Savagnin comme les Vins jaunes du Jura ; mais aussi des vins blancs opulents et mûrs comme Meursault.

pâtes persillées

bleu de Gex
A.O.C.

gorgonzola

fourme
d'Ambert
A.O.C.

pont-l'évêque
A.O.C.

maroilles
A.O.C.

maintrain

vacherin
A.O.C.

bleu
des Causses
A.O.C.

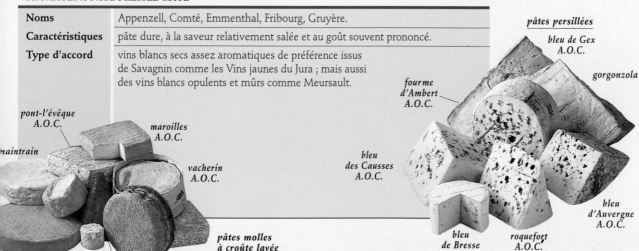

munster
A.O.C.

rigotte

boulette
d'Avesnes

livarot
A.O.C.

pâtes molles
à croûte lavée

bleu
de Bresse

roquefort
A.O.C.

bleu
d'Auvergne
A.O.C.

LES FROMAGES DE A À Z
ET LEUR ACCORD

Appenzell	Château-Chalon, Vin jaune du Jura.
Banon	Côtes-du-Rhône-Villages rouge, Côtes-de-Provence blanc, Coteaux-d'Aix blanc.
Beaufort	Château-Chalon, Vin jaune du Jura.
Bleu d'Auvergne	Loupiac, Maury, Sainte-Croix-du-Mont, Sauternes jeune.
Bleu de Bresse	Monbazillac, Rivesaltes blanc.
Bleu des Causses	Banyuls Vintage, Barsac.
Bleu de Gex	Cérons, Maury, Loupiac.
Brebis basque et corse	Jurançon sec, Muscat de Corse.
Brillat-Savarin	Champagne Blanc de Blancs.
Brie de Meaux et de Melun	Champagne, Pomerol, Saint-Émilion, Sancerre rouge.
Brocciu	Vins blancs de Corse secs ou Muscat de Corse.
Camembert	Cidre doux, Champagne, Coteaux champenois.
Cantal	Côtes-d'Auvergne rouge, Mercurey, Pomerol, Saint-Émilion.
Chabichou	Menetou-Salon blanc, Sancerre blanc.
Chaource	Champagne rosé, Coteaux champenois.
Charolais	Chablis, Mâcon-Villages, Saint-Véran.
Chèvre sec	Beaujolais, Mâcon-Villages, Pouilly-Fuissé.
Comté	Château-Chalon, Vin jaune du Jura, Meursault mûr.
Coulommiers	Champagne Blanc de Blancs jeune, Coteaux champenois.
Crottin de Chavignol	Pouilly Fumé, Sancerre blanc.
Edam	Chinon, Médoc, Pauillac.
Emmenthal	Roussette de Savoie, Vin blanc de Savoie.
Époisses	Bandol rouge, Gewürztraminer corsé.
Fontainebleau	Muscat de Beaumes-de-Venise, Muscat de Mireval.
Fourme d'Ambert	Banyuls, Rivesaltes, Porto.
Fribourg	Château-Chalon, Meursault mûr, Vin jaune du Jura.
Gouda	Médoc, Madiran, Saint-Estèphe.
Gruyère	Chasselas suisse mûr, Roussette de Savoie, Roussette du Bugey.
Laguiole	Bergerac rouge, Côtes-du-Frontonnais.

Langres	Champagne un peu vieux, Marc de Champagne.
Livarot	Gewürztraminer V.T., Tokay-Pinot Gris V.T.
Maroilles	Gewürztraminer corsé, Tokay-Pinot Gris V.T.
Mimolette	Pomerol, Saint-Émilion.
Morbier	Vin blanc de Savoie.
Mont d'Or	Chasselas suisse mûr (Dézaley), Mâcon-Villages, Roussette de Savoie.
Munster	Gewürztraminer d'Alsace sec ou V.T.
Ossau-Iraty	Jurançon, Irouléguy blanc.
Pélardon	Châteauneuf-du-Pape blanc ou rouge, Condrieu, Viognier Vin de Pays.
Picodon	Côtes-du-Rhône-Villages rouge, Saint-Joseph blanc ou rouge.
Pont-l'Évêque	Chassagne-Montrachet, Meursault, Riesling d'Alsace mûr.
Pouligny-Saint-Pierre	Cheverny, Reuilly blanc, Sancerre blanc, Sauvignon de Touraine.
Reblochon	Pouilly-Fuissé, Crépy, Roussette de Savoie.
Rocamadour	Jurançon sec, Xérès.
Roquefort	Banyuls Vintage, Rivesaltes Rancio, Porto.
Saint-Félicien	Beaujolais blanc ou rouge, Saint-Joseph blanc.
Saint-Marcellin	Beaujolais rouge, Châteauneuf-du-Pape blanc, Saint-Joseph blanc.
Saint-Nectaire	Chinon, Médoc, Pauillac.
Sainte-Maure	Bourgueil, sec ou demi-sec.
Salers	Côtes-du-Rhône-Villages rouge, Mercurey, Pomerol, Saint-Émilion.
Selles-sur-Cher	Pouilly Fumé, Sancerre blanc.
Tomme d'Auvergne	Côtes-d'Auvergne, Côtes-du-Rhône-Villages rouge, Mâcon-Villages.
Tomme des Pyrénées	Madiran mûr.
Tomme de Savoie	Bourgueil, Chinon, Vin blanc et rouge de Savoie dont Roussette de Savoie.
Vacherin	Chasselas suisse mûr (Dézaley), Meursault mûr, Roussette de Savoie.
Valencay	Quincy, Reuilly blanc ou rosé, Sancerre blanc.

LA VINIFICATION

FAIRE DU VIN N'EST PAS DIFFICILE, MAIS FAIRE DU BON VIN À CHAQUE
MILLÉSIME RELÈVE DE L'EXPLOIT. VOICI UNE PRÉSENTATION DES
MÉTHODES TRADITIONNELLES ET DES NOUVELLES TECHNOLOGIES.

Les vendanges en Sauternais sont uniques : elles se font par tries successives sur un à deux mois. Les meilleurs Sauternes sont élaborés uniquement avec les grappes atteintes par la pourriture noble *(Botrytis cinerea).*

Faire du vin est l'une des techniques que l'homme maîtrise depuis fort longtemps. Au cours des millénaires, vinifier est devenu un art, dont les subtilités et les secrets se sont transmis de génération en génération. Néanmoins, la vinification n'est devenue une science que pendant la seconde moitié du XXe siècle. Aujourd'hui, elle est un amalgame parfois délicat de trois éléments : techniques artisanales, décisions créatives et connaissances scientifiques. Les générations précédentes n'avaient pas beaucoup le choix : les conditions locales – climat, sol et proximité du marché – déterminaient le type de vin que l'on pouvait produire ; de plus, les habitudes et les traditions venaient renforcer ces règles de base au point de les rendre sacro-saintes. Désormais, le mystérieux processus de la fermentation, si étrange que nos ancêtres invoquaient les dieux pour l'expliquer, peut se contrôler à partir d'une console d'ordinateur. Le producteur sait choisir de nouvelles variétés de cépages mieux adaptées et plus résistantes aux maladies, voire remplacer ses cépages indigènes par des variétés françaises réputées. Mais, malgré toutes ces nouvelles possibilités, il sait très bien que les techniques traditionnelles sont le reflet de connaissances précieuses. Partout dans le monde du vin, les vignobles et les caves, le scénario est le même : le vinificateur scientifique, frais émoulu d'études d'œnologie, et le vinificateur traditionnel se rencontrent. Le vinificateur averti sait que les trois approches – techniques régionales traditionnelles, décisions innovantes et analyse scientifique – ont chacune un rôle à jouer si l'on veut éviter de produire des vins techniquement parfaits mais sans originalité ni caractère. Du cep au verre, le chemin est long, et chaque étape contribue à « construire » un vin ou à le galvauder. Les intérêts des différents partenaires de la chaîne de production risquent parfois, en effet, d'être conflictuels. Le viticulteur cherche à obtenir le prix maximal pour ses raisins et préfère les récoltes abondantes. Le vinificateur, qui reçoit les raisins, peut préférer des rendements moins élevés de la vigne afin que les raisins aient une meilleure concentration d'arômes et de saveurs. Enfin, le comptable de la propriété, qui préfère les ventes rapides au stockage d'invendus dans de coûteuses barriques, ne partage pas le désir du vinificateur de faire des vins qui mettent trop longtemps à vieillir.

LES TECHNIQUES TRADITIONNELLES

Le seul ingrédient indispensable pour faire du bon vin est un raisin mûr. Conduire à maturité des raisins sains et les récolter au bon moment est la mission du viticulteur. Le vinificateur (qui peut être la même personne) reçoit les raisins puis crée les conditions nécessaires au bon déroulement des fermentations. Ces processus biochimiques permettent la transformation en alcool des sucres contenus dans les raisins et l'extraction des arômes du raisin.

Les vinificateurs modernes essaient de guider et de contrôler les différentes étapes qui permettent d'obtenir un style de vin précis, et y parviennent souvent ; pour les vinificateurs traditionnels, il faut laisser faire la nature et intervenir le moins possible. Les caves et les cuveries peuvent être très fraîches au cours de l'automne, ce qui ralentit les fermentations, ou d'une chaleur qui se prolonge tard dans la saison, auquel cas les fermentations se font rapidement, à des températures élevées. Les vinificateurs d'hier ne disposaient pas des techniques permettant de faire autrement.

Les grands changements survenus dans les années 1980 ont porté sur la maîtrise des fermentations avec, pour corollaire, la possibilité de produire plus de raisin et d'obtenir néanmoins une meilleure qualité.

L'environnement
Les styles de vins produits dans chaque pays, dans chaque région, sur chaque coteau ont été modelés au cours des temps en fonction de l'environnement. La composition des sols et des sous-sols, le climat ou le microclimat, surtout en août et en septembre, sont autant de facteurs qui ont déterminé des choix de cépages. La législation sur les appellations contrôlées, qui date du début du siècle, n'a souvent fait qu'entériner la tradition de centaines de générations de viticulteurs. C'est ainsi que les Bordeaux rouges, par exemple, s'expliquent par le

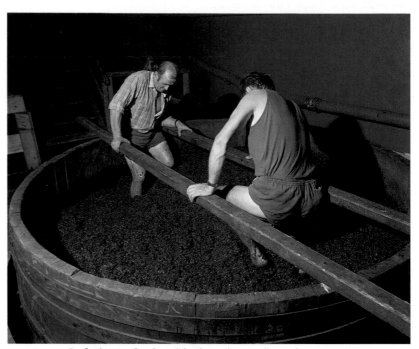

Le foulage, selon la méthode traditionnelle, se fait au pied.

climat frais et variable de la côte ouest de la France, et répondent à la demande des commerçants du port de Bordeaux. La qualité et le style des Champagnes tiennent en bonne partie aux automnes frais et précoces et aux hivers rigoureux de cette région du nord de la France : le froid peut arrêter la fermentation alors qu'il reste des traces de sucres naturels et des levures, fermentation qui repart à l'approche du printemps suivant. La maîtrise de ce phénomène naturel lié au climat a donné les vins mousseux.

La naissance de la vigne
La culture de la vigne pour faire du vin est une invention de l'homme. Au cours des temps, il a constaté que lorsqu'on taillait la vigne, lorsqu'on l'empêchait de se développer naturellement et que l'on réduisait sa croissance, elle développait ses fruits. C'est ainsi que les jardins sont devenus vignobles, et que le raisin a été récolté pour produire du vin : le vigneron taille sa vigne en hiver,

rogne ou écime au printemps et en été, se débarrasse du surplus de grappes en juillet, et effeuille avant les vendanges de manière à obtenir des grappes riches en jus de raisin apte à produire du bon vin. Les vignobles sont très anciens – ils remontent à l'Antiquité. Les moines du Moyen Âge en plantèrent beaucoup. Toutefois, jusqu'au XXe siècle, on a plutôt planté quelques rangs de vigne au milieu d'autres cultures. Les agriculteurs italiens, par exemple, ont pratiqué les cultures mélangées jusqu'en 1950.

Les rendements
Les anciennes méthodes de viticulture étaient laborieuses et souvent vouées à l'échec : pourriture, mildiou, insectes, pluie, vent, grêle et gelées avaient raison du raisin et l'homme ne savait pas intervenir efficacement. Ceux qui pouvaient se le permettre envoyaient des ouvriers retirer les insectes à la main ; les autres perdaient leurs récoltes. Un été pluvieux signifiait des raisins pourris, car il

n'existait pas de traitements anti-pourriture. Toutefois, les méthodes traditionnelles de viticulture avaient l'avantage de produire des rendements peu élevés par hectare de vigne, aussi le jus de raisin était-il concentré et d'un bon potentiel aromatique. Les techniques modernes (voir p. 104-105) offrent la possibilité de doubler ou de tripler le nombre de grappes par cep – mais on peut légitimement se demander si ces raisins feront de grands vins dotés d'une bonne aptitude au vieillissement.

Du raisin au vin

Les raisins contiennent des sucres naturels en quantité importante, et la peau du grain mûr fixe les levures indigènes. Quand les levures entrent en contact avec le jus de raisin, la fermentation démarre. Autrefois, le vinificateur, pour obtenir une bonne extraction des éléments aromatiques (les peaux pour les vins rouges), foulait ou pressait les raisins pour en libérer le jus, processus de foulage qui s'effectuait à l'origine avec les pieds. Dans la région de Porto, au nord du Portugal, dans les îles grecques et dans quelques contrées reculées, on foule toujours les raisins au pied. Selon les producteurs de Porto, ce serait la méthode la plus douce pour obtenir une bonne extraction aromatique.

Pour les vins rouges, on met ensuite les raisins foulés et leur jus dans une cuve et on attend le début de la fermentation, dont la durée est variable. En fin de fermentation, on fait couler doucement le vin de goutte dans une autre cuve et on pressure les marcs et les lies, éléments solides contenant encore du liquide, pour en extraire le jus restant et obtenir les vins de presse.

Pour les vins blancs, le pressurage se fait avant la fermentation : on presse les raisins pour en extraire le jus que l'on fait fermenter seul en cuve ou en barrique.

La différence de goût et de structure entre les vins rouges et les blancs réside dans cette étape. Seuls les vins rouges fermentent avec les peaux, qui leur transmettent non seulement leur couleur (le vin blanc peut être élaboré à partir de raisin rouge, à condition qu'il soit pressé d'abord), mais aussi les tanins et les composants aromatiques que renferment les peaux et les pépins.

Le problème de la fermentation

La fermentation doit se faire à la bonne température. On laisse les portes et les fenêtres ouvertes dans les anciens chais

LES STYLES CLASSIQUES

Les styles de vin de certaines régions européennes sont devenus des classiques, que l'on cherche à imiter sur d'autres continents. Les techniques de base sont expliquées ci-dessous.

Bordeaux rouge. Au climat tempéré, suffisamment chaud pour faire mûrir les raisins rouges (Cabernet-Sauvignon, Cabernet Franc et Merlot), s'ajoutent des techniques de vinification qui favorisent l'extraction des arômes, des assemblages et l'élevage en barriques, pour produire des vins racés complexes, de grande longévité.

Bordeaux blancs liquoreux. Le microclimat de la région de Sauternes permet le développement de la pourriture noble (voir p. 163) ; à cela s'ajoutent les tries (vendanges sélectives et successives) et l'élevage du vin en barriques.

Bourgogne rouge. Des terroirs extraordinaires, des rendements bas, les meilleurs clones de Pinot Noir, une macération préfermentaire, une fermentation rapide à des températures relativement élevées et l'élevage en barriques constituent la recette de ces vins.

Bourgogne blanc. La nature des sols, le climat, le cépage Chardonnay aux arômes intenses et la fermentation en barrique jouent chacun leur rôle dans ce style de vin blanc classique, qui devient encore plus complexe après un élevage en barriques et quelques années de bouteille.

Riesling allemand. Une longue maturation du raisin, pendant l'automne chaud, des tries au moment des vendanges, des fermentations lentes en cuves de gros volume et dans des caves fraîches, une clarification naturelle en cuve, conduisent à des vins intenses, mais il faut des rendements bas et des vignobles bien situés.

Pour les styles de vins mutés (Porto, Xérès, etc.), voir p. 424-430 et 440-447.

afin de rafraîchir ces derniers, ou on allume des feux pour les réchauffer.

Une fois la fermentation commencée, la nature prend le relais. Une trop forte chaleur peut porter le vin à une température si élevée qu'elle inhibe l'action des levures, ce qui bloque la fermentation. Celle-ci peut reprendre ou non lorsque la température baisse. Le vin peut s'en remettre ou être définitivement perdu.

Blancs ou rouges, les jeunes vins ne sont pas limpides ; on les laisse reposer, puis on les soutire ; on les sépare doucement de leurs lies, composées principalement de particules solides et de levures mortes. Suit une période plus ou moins longue en cuve, ou en barrique, qui sert à « arrondir » et à clarifier le vin.

À l'exception de l'étape finale, la mise en bouteilles, les régions du monde fermement attachées à la tradition suivent toujours le processus expliqué ci-dessus. Hormis le foulage au pied, remplacé par les fouloirs-égrappoirs, rien n'a vraiment changé. Quelques-uns des plus grands vins de France et d'Allemagne sont élaborés selon ces pratiques.

Le début de fermentation a toujours constitué un problème. Faute de levures sèches (une sélection de souches est aujourd'hui disponible dans le commerce), il fallait se contenter des levures présentes à l'état naturel sur les peaux des raisins. Jusqu'au début de ce siècle, personne ne comprenait la fermentation malolactique, ou seconde fermentation, qui « réveille » le vin au cours de son premier printemps, au moment même où les vignes commencent à bourgeonner (voir p. 109). Un trop long séjour en fût entraînait l'évaporation du vin ; il fallait sans cesse remplir le fût. Les fûts sales pouvaient oxyder le vin. Le vin était vendu tôt ou tard à un négociant. La mise en bouteilles au château, avec les garanties qu'elle offre, n'est devenue une pratique courante qu'au XXe siècle.

Les techniques traditionnelles consistaient donc à intervenir au minimum, entraînant le risque de se trouver confronté à des problèmes graves.   □

LE CALENDRIER DES TRAVAUX

Chaque année, le cycle végétatif de la vigne se renouvelle dans tous les vignobles du monde de la même façon. Le travail du viticulteur n'a pas changé: maîtriser la croissance, combattre les mauvaises herbes, les insectes et les maladies de la vigne, vendanger au bon moment.

La vie d'une vigne

La vigne est à la fois une plante vivace et un arbre fruitier. Elle suit donc un cycle annuel de production de fruit et son propre cycle de vie : d'abord bouture, elle devient jeune vigne avant d'atteindre sa maturité et la pleine production. Cette dernière diminue avec le temps. Un cep peut très bien vivre un siècle ou plus, mais la plupart des producteurs arrachent les vignes âgées de plus de 40 ans lorsqu'elles produisent moins de grappes. De façon générale, plus la vigne est âgée,

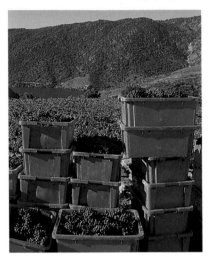

Vendange des grappes mûres.

meilleur est le vin, car les racines des vieilles vignes plongent plus profondément dans le sous-sol et exploitent mieux les ressources du terroir. Les vieilles vignes produisent moins de raisins, mais leur jus est généralement plus concentré et d'un grand potentiel aromatique. Les jeunes vignes de moins de quatre ans sont exclues des vins d'appellation d'origine contrôlée.

Le cycle annuel de la vigne

La vigne ne peut prospérer que si elle connaît une période de repos l'hiver. Les étapes décrites ci-après correspondent à une vigne de climat tempéré, en France. Dans des climats plus froids ou plus chauds, ces étapes sont franchies plus ou moins tard ; dans l'hémisphère Sud, les saisons sont inversées.

Au début du printemps, la sève monte dans la plante. Les bourgeons apparaissent sur les sarments dénudés en mars ou avril. Ils s'ouvrent. Les feuilles se déplient, étape suivie à la fin mai ou au début de juin par l'apparition de bouquets de fleurs embryonnaires. La floraison a lieu en juin : le temps joue à ce moment-là un rôle important, car le viticulteur craint beaucoup la pluie, lui préférant un chaud soleil. Les fleurs sont blanches et minuscules et donnent de tout petits fruits à la fin de juin ou en juillet. Les raisins se développent durant l'été, devenant noirs ou dorés selon le cas.

Le raisin doit être bien mûr pour être récolté, la teneur en sucres n'est pas l'unique critère. Au fur et à mesure que cette dernière augmente, l'acidité diminue. Le moment de la vendange dépend du vin que cherche à réaliser le viticulteur : un producteur de Mousseux désire davantage d'acidité qu'un producteur de vin rouge.

Planter un nouveau vignoble

Démarrer un nouveau vignoble exige de niveler complètement, parfois de terrasser le terrain. Fournir un accès facile aux machines est une priorité, car la mécanisation diminue les coûts d'entretien de façon spectaculaire. Il faut parfois améliorer l'écoulement des eaux.

LE TRAVAIL DE LA VIGNE MOIS PAR MOIS

Le calendrier du travail de la vigne est resté immuable. Sont décrites ci-dessous les tâches traditionnelles dans les vignobles d'Europe comme en France. Les méthodes pratiquées dans le Nouveau Monde sont indiquées quand elles diffèrent.

Janvier. Taille de la vigne à la main. Cette opération délicate est peu mécanisée. Une taille minimale est opérée sur certains vignobles du Nouveau Monde.

Février. Taille de la vigne.

Mars. La vigne se réveille de sa léthargie hivernale. On effectue un premier labour. En Champagne, comme dans de nombreux vignobles du Nouveau Monde, on ne laboure jamais : les mauvaises herbes, au lieu d'être enfouies, sont détruites par des herbicides.

Avril. Débourrement, ou sortie des bourgeons. Plantation des jeunes vignes et remise en état des palissages.

Mai. Les gelées de printemps sont à craindre. On traite et on effectue un second labour. Les viticulteurs biologiques ne désherbent pas.

Juin. Floraison. On palisse les nouveaux rameaux. Les traitements se poursuivent.

Juillet. Nouveau labour. Nouveaux traitements, si nécessaire. On rabat la vigne. On écime (ou taille) les trop longues tiges. Si la vigne est trop généreuse, on effectue des «vendanges en vert», ou éclaircissage, en éliminant une partie des jeunes grappes afin de limiter les rendements.

Août. On effectue un second rognage. On traite si nécessaire.

Septembre. Début des vendanges. Les machines à vendanger remplacent le plus souvent les vendangeurs, sauf dans les grands crus. Dans les vignobles où il fait très chaud, on vendange la nuit pour profiter de la fraîcheur.

Octobre. Fin des vendanges. On amende les sols au moyen d'engrais, de fumier ou de déchets.

Novembre. On taille les grandes pousses, on traite contre le mildiou. On laboure.

Décembre. On cure les drains, on refait les chemins, les terrasses et les murs. On commence la taille de la vigne.

Puis la terre est labourée, fertilisée et désinfectée pour éliminer les insectes nuisibles. Palissages et piquets doivent être installés avant de planter la vigne. Ils dépendent de la manière de conduire et de tailler la vigne choisie par le viticulteur. Les vignes hautes exigent des équipements sophistiqués, d'un coût élevé. Pour les vignes basses, piquets et fil de fer suffisent. Si les vendanges doivent être mécaniques, il faudra planter des rangées espacées.

Les nouvelles vignes sont plantées au printemps, soit sous forme de boutures sur des porte-greffes en place, soit en plantant des porte-greffes et en bouturant la vigne directement sur place l'année suivante (voir p. 105).

La date des vendanges

Le potentiel d'une récolte, en volume et en qualité, est établi avant même que l'année ne commence. En effet, le cycle complexe du bourgeonnement veut que le vin d'une année provienne des bourgeons dont la formation a débuté l'année précédente.

Plusieurs périodes du cycle végétatif sont critiques. La première est le printemps : des gelées inopportunes peuvent endommager les jeunes pousses tendres jusqu'à la fin de mai. Au mois de juin, la floraison détermine le volume de la récolte et la date de début des vendanges : une floraison tardive entraîne, en général, des vendanges tardives. Les mois de juillet et août peuvent être dangereux si le temps est humide et pluvieux : le mildiou et la pourriture peuvent envahir le vignoble si les raisins ne sont pas protégés par des traitements. En septembre, le soleil est vital pour que les raisins soient menés à pleine maturité, et l'absence de pluie permet de rentrer un fruit qui n'est pas gonflé d'eau.

L'objectif visé est un raisin bien mûr, mais la teneur en sucres n'est pas le seul critère de maturité. Au fur et à mesure que celle-ci augmente, l'acidité décroît. Le moment idéal pour ramasser les raisins dépend donc de l'équilibre entre les sucres et l'acidité, que le viticulteur détermine par analyse. La décision de commencer les vendanges en évaluant le moment exact où le raisin est à son meilleur niveau de maturité est toujours difficile, car il est encore difficile de prévoir le temps qu'il fera à plus de deux jours.

La maturité des raisins est variable : les divers cépages atteignent leur maturité respective à des moments différents. De plus, les raisins issus d'un même cépage mais plantés en différents endroits d'un vignoble ne mûrissent pas forcément en même temps. Les compromis sont donc inévitables lorsqu'il s'agit de décider du moment idéal pour ramasser les raisins. L'un des avantages de la machine à vendanger est la vitesse à laquelle elle travaille : on peut rentrer la vendange à maturité optimale en un temps très court. □

Vendanges dans le Médoc : les paniers de petite taille évitent que les raisins ne s'écrasent.

LES TECHNIQUES MODERNES

Les vignerons sont tous de grands enthousiastes de la révolution technologique, c'est-à-dire des méthodes les plus avancées de productivité, qui, dans d'autres domaines comme la culture du blé, du riz, du café ou du coton, ont permis une augmentation phénoménale des rendements. Ingénieurs agronomes, généticiens, climatologues et œnologues ont associé leurs recherches pour mettre au point ces méthodes. Mais, si les résultats des expériences sur le blé, le riz ou le coton s'observent année après année, il faut une génération pour connaître les conclusions sur la vigne, qui met 4 ans avant de produire un vin buvable et 10 ans de plus avant d'atteindre sa maturité. La révolution technologique a certes touché le vignoble, mais elle avance très lentement. Ses premiers effets – un succès mitigé – ont posé le problème de la surproduction de vin en Europe au moment où la consommation baissait et, comme pour d'autres cultures, la qualité a parfois été sacrifiée au profit de la quantité et de la rentabilité.

Les signes du changement étaient pourtant prévisibles dès la fin du siècle dernier, lorsque les vignerons ont fait appel aux hommes de science pour combattre une série de maladies de la vigne.

Les années de catastrophes

À la fin du XIXᵉ siècle, en effet, de terribles fléaux s'abattirent sur les vignobles européens. S'il est vrai que le combat contre les divers insectes, les escargots, la pourriture, a toujours existé, les ravages des années 1860 et 1870, provoqués par un champignon, l'oïdium, et un insecte, le phylloxéra, venus d'Amérique, furent irrémédiables. Le phylloxéra est connu pour avoir détruit tout le vignoble, mais les attaques du mildiou et de l'oïdium furent tout aussi dramatiques.

Le phylloxéra est un insecte insidieux qui connaît plusieurs cycles de vie compliqués ; il s'attaque aux racines. Les vignes américaines ayant la chance d'être

Traitement des jeunes vignes contre le mildiou en Nouvelle-Zélande.

immunisées, on greffe maintenant des cépages français sur des ceps importés des États-Unis.

L'oïdium a été vaincu par la bouillie bordelaise (à base de sulfate de cuivre). C'est elle qui donne aux feuilles de vigne leur couleur bleue ; elle est aujourd'hui remplacée par d'autres traitements. Le mildiou ne peut être détruit par un seul passage, il exige un traitement constant avec des produits de plus en plus sophistiqués. La pourriture grise, ou *botrytis*, est tout aussi dangereuse et, comme les araignées rouges, doit être combattue.

Les chimistes ouvrent la voie

Dans la révolution du vignoble, la première tâche des chimistes fut de lutter contre les maladies cryptogamiques (champignons) et les parasites par des traitements efficaces.

Les chercheurs ont ensuite tenté d'améliorer la quantité des récoltes et leur qualité. Les vignobles d'autrefois avaient des rendements très bas, comparés à ceux d'aujourd'hui. Par des traitements appropriés, on a réussi à augmenter la production à l'hectare.

Les porte-greffes et les clones

Mis à part certains cépages toujours en mutation, comme le Pinot Noir, les cépages que nous connaissons ont mis des siècles à devenir des espèces constantes : génération après génération, les vignerons ont fini par sélectionner les plants les meilleurs et les plus résistants. Récemment, les généticiens se sont penchés sur les qualités de chaque variété de plant afin d'identifier les meilleures ; aux vignerons de choisir leur(s) porte-greffe(s) et leur(s) clone(s).

La découverte et le développement d'une gamme de porte-greffes constituent l'un des grands progrès du XXᵉ siècle. Le producteur aura pour premier critère de sélection la résistance du porte-greffe aux parasites, mais aussi sa vigueur, dont il aura besoin pour extraire les éléments minéraux du sol, pour faire mûrir plus ou moins vite les raisins, pour s'adapter à l'humidité ou à la sécheresse et, enfin, pour s'implanter dans un type de sol donné.

Les clones offrent encore plus de choix depuis que la pratique de la multiplication à l'infini des plants à partir d'un même cep souche est possible. Le pépiniériste peut ainsi offrir des clones d'une variété résistante aux parasites à mûrissement précoce et produisant de hauts rendements. Ainsi, certains vignobles ont été plantés de dizaines de milliers de plants rigoureusement identiques et mûrissant simultanément. Mais les hauts rendements de ces clones ont souvent pour corollaire des vins de piètre qualité. Les vignobles de Bourgogne, de Californie et d'Australie ont souffert d'une chute de qualité due à un mauvais choix de clones.

La taille

Le vigneron européen taille sa vigne en hiver afin de maîtriser le développement de la plante et de réduire les rendements : plus la vigne est taillée court, moins les raisins seront nombreux. En été, le plant de vigne développe son feuillage au détriment du fruit : afin de privilégier la grappe, les vignes sont rognées latéralement et en hauteur. Cette pratique ancestrale d'équilibre entre la masse des feuilles et le fruit doit être respectée afin que la maturation du raisin se produise dans les meilleures conditions, les feuilles jouant le rôle de « poumon » de la vigne grâce à la photosynthèse et les raisins mûrissant grâce aux effets du soleil sur le feuillage. Ce principe a du être adapté dans les vignobles du Nouveau Monde, où la vigne est plantée sur un sol plus fertile et subit un climat plus chaud et où les techniques européennes produisaient des vins en abondance, mais de piètre qualité. Les vignerons californiens et australiens pratiquent aujourd'hui le « *canopy management* », qui consiste à privilégier la masse foliaire afin de réduire les rendements et d'assurer ainsi une meilleure concentration du jus dans les raisins. En

outre, depuis la fin des années 1980, en Californie et en Australie, on plante les vignes nouvelles sur des sites en altitude, sur des terres moins fertiles.

Les rendements

Un hectare de vigne peut contenir entre 1 000 et 100 000 pieds. Chaque pied peut produire une seule grappe ou un plein panier. Ces choix sont ouverts au

LES BESOINS DE LA VIGNE

La vigne a besoin d'un certain nombre d'éléments pour produire un fruit. Mais c'est surtout le manque qui détermine la qualité.

Lumière. La vigne appartient à une famille de plantes grimpantes qui s'apparente aux lianes, dont la propriété est de grimper le long des arbres pour trouver la lumière : comme pour chaque espèce végétale, c'est la photosynthèse qui transforme la lumière du soleil en composants hydrocarbonés nécessaires à sa croissance. Le soleil n'est pas pour autant nécessaire, la simple lumière du jour lui suffit.
Chaleur. Comme toute plante, la vigne ne croît que dans une fourchette de températures précises : entre 10 °C et 25 °C. Au-delà d'une certaine température (environ 28 °C), l'évaporation de l'eau contenue dans les feuilles ne peut plus être compensée par l'apport du système racinaire. Les feuilles se fanent, la photosynthèse s'arrête et le raisin subit un bloquage de maturité.
Eau. La vigne se plaît naturellement dans un environnement humide, ce qui complique la tâche du vigneron : d'une part, le raisin risque d'être affecté par la pourriture grise ; d'autre part, l'excès d'eau peut faire éclater les grains de raisin ou produire des rendements pléthoriques. La vigne plongeant ses racines loin dans le sol pour atteindre l'humidité dont elle se nourrit, tout vignoble a donc besoin d'une nappe phréatique en profondeur. Le réseau racinaire ira y puiser l'eau nécessaire à la plante et se chargera par ailleurs de lui apporter les éléments minéraux indispensables. Afin d'éviter les dépassements de rendements, l'irrigation est donc interdite dans les vignobles de vin de qualité d'Europe, alors que, aux États-Unis, en Australie et en Afrique du Sud, elle est un mal nécessaire.

vigneron, qui reste cependant contraint à l'application des règlements qui régissent son vignoble. Les législations française et italienne sont fondées sur le rendement maximal d'un certain volume de vin par hectare. L'Allemagne ne fixe pas de limite supérieure à la production, mais impose un classement des vins selon le taux de sucre des moûts. Les pays du Nouveau Monde n'ont aucune réglementation et n'imposent aucune contrainte sur les rendements.

Les autorités viticoles d'Europe sont convaincues que les rendements faibles sont une bonne chose. Autre principe : les vignes qui souffrent, en raison d'un sol pauvre, d'une forte densité de plantation, d'une taille courte et d'un amendement minimal, donnent un meilleur vin. Pourtant, des expériences menées dans le Nouveau Monde produisent des vins buvables issus de rendements impressionnants. Il reste que de nombreux experts du monde entier s'accordent à penser que les vins de qualité sont synonymes de faibles rendements. Le niveau de 50 hl/ha semble être le rendement raisonnable des grands vins (6 600 bouteilles par hectare), au-delà duquel le viticulteur prend des risques sur la qualité.

Les vins biologiques

Le souci de protection de l'environnement a conduit un nombre croissant de vignerons – dans le Nouveau Monde comme en France et en Allemagne – à proscrire les produits chimiques ; mais une viticulture biologique réussie implique davantage qu'une simple suppression des fertilisants de synthèse, des herbicides et des pesticides. On peut opter pour des engrais végétaux ou animaux, et, contre les insectes nuisibles, des pulvérisations à base de plantes ou de minéraux. On favorise la présence de certains insectivores et le désherbage se fait de manière mécanique. Mais la terre met plusieurs années pour se débarrasser des produits chimiques.

La vinification suit également des préceptes biologiques ; cela dit, les bons vinificateurs utilisent toujours au minimum les additifs. □

VIGNES ET VINS : TENDANCES

Cuisines, vignes et vins vivent au même rythme. Traditions, progrès et mondialisation s'opposent, se marient et façonnent le goût des consommateurs. Celui-ci a fortement évolué dans ce dernier demi-siècle, ainsi que le résume le tableau ci-dessous.

À cette évolution des vins correspondent de nouvelles technologies culturales et œnologiques.

Dans la vigne

Les sélections massales et clonales tendent à la production de raisins sains qui mûrissent parfaitement. La recherche de porte-greffes accélérant le rythme végétatif y contribue ; l'introduction de nouveaux procédés de tailles permet d'augmenter la surface foliaire ; les vignobles taillés en lyre (Bordeaux rive droite, États-Unis) semblent présenter de l'intérêt, la généralisation de la « taille en vert », ou taille d'été, réduit le rendement et permet d'augmenter la densité des moûts ; l'usage désormais courant des tables de tri améliore la qualité de la vendange.

Dans la cuverie

Aujourd'hui, le vinificateur voit arriver dans son chai des raisins plus sains, plus mûrs, plus riches en sucre. Au XIXe et au XXe siècle, on appréciait la maturité du raisin en mesurant l'augmentation de son taux de sucre et l'abaissement de son taux d'acidité. Lorsque ces deux taux se stabilisaient le raisin était dit mûr. Dans les dernières années du XXe siècle, la notion de maturité phénolique s'est imposée car on s'est aperçu que maturité alcoolique et maturité phénolique ne coïncidaient pas toujours.

Les chemins de la vinification sont parfois indécis, tortueux. Dès la fin de la Seconde Guerre mondiale, les cuves en acier inoxydable s'imposent sans partage. Dans la dernière décennie du siècle, on assiste à la revanche de la cuve bois ! On dit que la cuve de bois possède une inertie thermique qu'ignore l'acier, que le vin s'y trouve bien… Quant aux formes des cuves, elles ont évolué et, selon un avis unanime, les cuves doivent être aussi hautes que larges, éventuellement un peu plus larges que hautes (la surface du chapeau augmente).

Des levures sélectionnées

On ne peut dire que le levurage n'occasionne pas de contestations. Grâce aux levures, le moût entre en fermentation. Les levures « naturelles » sont situées sur la peau des baies. Au besoin, le vigneron peut les multiplier en exploitant un « pied de cuve ». Dans de nombreux vignobles, de plus en plus, on élimine les levures naturelles pour les remplacer par des levures sélectionnées. Ces champignons n'ont rien d'innocent (une levure est un champignon), ils agissent comme sélectionneurs d'arômes ou comme créateurs d'arômes. Ces pratiques – autorisées – vont à l'encontre du génie du terroir. En revanche, l'ensemencement de bactéries, afin de provoquer la fermentation malolactique, doit être versé au crédit de l'œnologie moderne.

Maturité des raisins

Le vinificateur reçoit des raisins riches, mais parfois les conditions climatiques sont néfastes. La chaptalisation peut compenser une maturité insuffisante. C'est une méthode additive puisqu'on ajoute du sucre au moût. Depuis quelques années ont été développées des méthodes soustractives ou auto-enrichissantes. Il s'agit de supprimer une partie de l'eau contenue dans le moût et, par conséquent, de provoquer un enrichissement relatif du moût. Divers procédés peuvent y contribuer :
– le passerillage hors souche, où les grappes sont partiellement déshydratées dans un tunnel chauffant ;
– le pressurage à froid, qui consiste à congeler, ou presque congeler, les baies afin de ne recueillir que le jus le plus sucré (destiné en particulier aux vins blancs liquoreux) ;
– l'évaporation sous vide (ESV), effectuée sous un vide poussé et à température ambiante ;

ÉVOLUTION DU GOÛT DES CONSOMMATEURS

	HIER	AUJOURD'HUI
Blanc	robe jaune	robe or pâle
	nez évolué, bouche évoluée	développement aromatique (nez et bouche)
	lourdeur	fraîcheur, pureté
	oxydation	oxydation interdite
	pas de bois	boisé
Rosé	robe saumon orangé	robe rose violacé
	manque de fraicheur	floral-fruité-frais, pas de tanins
Rouge	robe moyenne	robe très colorée
	extraction moyenne	forte extraction
	maturité tannique irrégulière	tanins mûrs
	parfois léger	corsé
	peu ou pas d'élevage	élevage important, bois neuf

Progression du Blanc de Blancs pour les Mousseux et les Champagnes. Forte progression des vins primeurs. Ouverture des marchés, nouvelles régions, nouveaux pays, cépages diversifiés.

– l'évaporation à pression atmosphérique (EPA), provoquée par une circulation d'air chaud dans le moût (Bourgogne) ; et, enfin,

– l'osmose inverse, procédé que l'on peut assimiler au passage du moût au travers d'une membrane semi-perméable (Bordeaux).

Quel que soit le procédé, l'expérience montre que l'auto-enrichissement doit être limité et que 5 % d'évaporation contribuent aux qualités organoleptiques des vins.

Ces nouvelles techniques ne pouvaient laisser l'administration indifférente. Qu'elles s'appliquent aux moûts ou aux vins, elles font l'objet de réglementations. Ainsi, en France, le vinificateur qui les exploite doit en faire la déclaration en spécifiant de manière détaillée la nature des produits mis en œuvre et les procédés d'enrichissement utilisés.

L'élevage

L'élevage, lui aussi, a donné lieu à de nombreuses études. Ses deux fonctions, l'oxygénation lente et l'apport de tanins, peuvent être assurées artificiellement, d'une part, par micro-bullage, d'autre part, par des copeaux de chêne, le vin étant logé en cuves neutres. Les copeaux sont actuellement interdits en France pour les vins d'AOC, ce qui n'est pas le cas dans de très nombreux pays. Les dégustations à l'aveugle n'ont pas démontré la supériorité de l'élevage en barriques.

Des cépages à la mode

Les grands cépages internationaux sont à la mode (voir p. 34), mais d'autres cépages sont de plus en plus plantés en diverses régions et divers pays. D'autres encore voient leur réputation grandir.

L'aventure du Viognier, un cépage blanc, est stupéfiante. Il n'en existait que quelques hectares à Château Grillet (AOC) et Condrieu (AOC). Il s'agit d'un raisin très intéressant sur granite décomposé, aux arômes multiples de pêche, d'abricot, de poire et de fruits exotiques, mais sa souplesse peut le conduire à la mollesse. Aujourd'hui, il est planté dans

L'implantation des vignes en lyre favorise leur ensoleillement.

toute la vallée du Rhône, dans le Languedoc et jusque dans le Roussillon… un envahissement.

Le Roussanne est un autre cépage blanc de la vallée du Rhône (Hermitage blanc AOC), de belle qualité, fin et permettant la garde. Il est de plus en plus planté dans le Languedoc ainsi qu'en Savoie, en Italie et en Australie.

Le Furmint est un cépage blanc hongrois et de l'Europe de l'Est, qui a une grande réputation puisqu'il est à l'origine du Tokay. Sa peau épaisse accepte bien la pourriture noble.

Au Sangiovese, cépage rouge de Toscane, on doit le Chianti. Mais son grand titre de gloire est le DOCG Brunello de Montalcino, un vin très cher et de très longue garde (Sangiovese Grosso).

Le Malbec (ou Cot), un cépage rouge, fut très important au XVIIIᵉ siècle, à Bordeaux. C'est le principal cépage de l'AOC Cahors où on l'appelle Auxerrois. En Argentine, il donne de grands vins.

Le Pinotage, un cépage rouge, fut créé en 1925 en Afrique du Sud. Il est né du croisement du Pinot Noir et du Cinsaut. Il donne des vins fins, peu corpulents.

Les autres cépages à la mode sont le Petit Verdot, le Carmenère, le Tannat, la Mondeuse et le Blaufränkisch (rouges) et le Mauzac, la Clairette et le Savagnin (blancs).

Les cépages issus de croisements

Dans tous les pays, des stations de recherche croisent des *Vitis vinifera* et créent des métis, de nouveaux cépages qui sont essayés pendant plusieurs années avant d'être agréés. En France, ces nouveaux cépages ne participent pas à l'élaboration des vins d'appellation d'origine contrôlée.

Le centre de recherche le plus actif est l'Institut de recherche viticole de Geisenheim en Rhénanie (Allemagne), dont l'activité est ancienne puisqu'on lui doit la création du Müller-Thurgau en 1883, le cépage (blanc) le plus planté d'Allemagne (croisement par voie sexuée du Riesling et du Sylvaner réalisé par le professeur Müller). D'autres cépages blancs très aromatiques connaissent depuis la guerre un grand succès, bien qu'ayant été « inventés » dans la première moitié du XXᵉ siècle : le Scheurebe, autre croisement de Sylvaner et de Riesling, créé en 1916 par le professeur Scheu, également auteur du Huxelrebe (Chasselas x Muscat, 1929) et du riche et nerveux Faber (Pinot x Müller-Thurgau). Il faut encore citer l'exubérant Morio-Muskat (Sylvaner x Pinot Blanc, inventé par Peter Morio), le Bacchus très typé du Dr. Husfeld (Sylvaner x Riesling/Müller-Thurgau), le riche mais parfois mou Ortega (Müller-Thurgau x Siegerrebe) et enfin le très intéressant Kerner (Trollinger (rouge) x Riesling) qui a dépassé les frontières allemandes.

Tous ces nouveaux cépages sont obtenus par simple croisement, la seule intervention humaine se réduisant au choix des géniteurs. On peut donc croiser dix fois Riesling et Traminer et obtenir dix métis différents, de même qu'un homme et une femme ont des enfants différents. Dans le courant du XXIᵉ siècle, après lecture du patrimoine génétique, on ne laissera plus le hasard agir et l'on sélectionnera les gènes du métis. Lors d'un deuxième stade, la maîtrise des OGM devrait tendre à obtenir des *Vitis vinifera* résistants au phylloxéra. □

LA FERMENTATION

Au moment des fermentations, la cuverie d'une entreprise viticole est un endroit magique. Le visiteur remarque tout d'abord une odeur forte, agréable, qui évoque un peu celle du pain en train de cuire. Une douce chaleur émane des gigantesques cuves en bois, en ciment ou en acier inoxydable alignées dans la grande salle haute de plafond de la cuverie. Lorsque l'on s'approche des cuves, on entend vivre et bouillonner le moût qui se trouve à l'intérieur, masse turbulente qui ne laisse échapper que du gaz carbonique. Il s'agit du processus de fermentation, que la science n'est parvenue à expliquer que récemment : auparavant, la transformation en vin semblait relever de la magie.

C'est à la fois une réaction chimique complexe et un processus totalement naturel. Les raisins fermentent une fois la peau des grains fendue : les sucres contenus à l'intérieur du fruit mûr entrent alors en contact avec les levures présentes sur la fine pellicule qui recouvre chaque grain, et la fermentation commence. Le vinificateur se contente de fournir le récipient (la cuve) qui contient le jus et d'écraser les raisins. Depuis que la microbiologie de la fermentation est connue en détail, il contrôle mieux le processus. En fait, le verbe « guider » convient mieux que celui de « contrôler » : la fermentation est un processus inéluctable, le vinificateur ne peut que l'orienter.

Le processus de fermentation

Plusieurs levures différentes se trouvent sur la pellicule du raisin mûr. Une seule, cependant, peut provoquer la réaction avec les sucres du raisin afin de produire de l'alcool. Cette levure, de l'espèce *Saccharomyces cerevisiae*, se multiplie rapidement dans le moût en cours de fermentation et réagit avec les sucres naturels, glucose et fructose, présents dans la pulpe.

Cette réaction provoque de la chaleur – d'où l'importance de pouvoir refroidir les cuves en fermentation – et du

Test de maturité du raisin.

gaz carbonique. Pour éviter que ce dernier n'arrête l'action des levures, le vinificateur doit oxygéner le jus. Il le fait couler de la cuve dans un sac, pour l'aérer, puis le pompe vers le haut de la cuve.

La fermentation produit d'abord de l'éthanol, qui est l'alcool du vin. D'autres substances résultant de ce processus sont le glycérol, qui rend le vin onctueux, des esters ou composés aromatiques, des alcools supérieurs, servant de supports d'arômes, des aldéhydes et des acides. La fermentation entraîne aussi la formation de substances secondaires, tels l'anhydride sulfureux, qui protège le vin contre l'oxydation et les moisissures, ou le sulfure d'hydrogène, à éviter si possible à cause de son odeur d'œuf pourri. Les levures transforment aussi l'acide malique, présent à l'état naturel dans la pulpe, en alcool, et certains composants de la pulpe en polyphénols, substances aromatiques qui donnent au vin toute sa complexité.

La fermentation est l'action des levures sur les sucres. Lorsque les levures ont converti tout le sucre en alcool, elle s'arrête. C'est le processus normal.

Parfois, la teneur en sucres est si élevée que l'alcool atteint un degré qui inhibe l'action des levures : cela donne un vin puissant, mais doux, contenant encore des sucres résiduels (non fermentés). Si la température ambiante est insuffisante, les levures peuvent cesser de travailler avant d'avoir transformé tout le sucre : le vin contiendra alors une certaine quantité de sucre résiduel et un degré d'alcool inférieur à ce que la maturité des raisins aurait permis.

Le contrôle de la température

Le principal moyen, pour le vinificateur, de conduire les fermentations est de contrôler la température, les levures agissant dans une fourchette comprise entre 12 °C et 37 °C. Autrefois, s'il faisait trop froid pour bien démarrer les fermentations, on allumait des feux dans le cuvier ou, dans les cas extrêmes, les ouvriers pénétraient dans les cuves pour apporter la chaleur de leur corps à la masse de raisins et de moût.

Une fois engagé, le processus génère des calories et s'auto-entretient. L'excès de chaleur est aussi un problème. Les années chaudes, les raisins arrivent chauds du vignoble et la cuverie n'est pas assez fraîche pour faire baisser la température. Les cuves risquent d'atteindre des températures dangereusement élevées dès que la fermentation a démarré. Pour réguler les températures, on créait autrefois un appel d'air frais dans la cuverie en ouvrant toutes les portes et fenêtres et, si l'on disposait d'eau froide et d'une pompe, on aspergeait l'extérieur des cuves au tuyau d'arrosage. Les années de grande chaleur, on allait jusqu'à jeter des pains de glace dans les cuves.

Un véritable contrôle de la température est devenu possible lorsque, au moyen de pompes, on a pu retirer des cuves les moûts en fermentation pour leur faire traverser un échangeur thermique. Les cuves en acier inoxydable, autre forme de progrès, sont aujourd'hui universellement utilisées dans les exploitations modernes. L'acier étant un excellent conducteur de chaleur, contrairement au bois, ces cuves peuvent être refroidies au moyen d'eau froide ruisselant le long de leurs parois extérieures. D'autres cuves sont entourées de tuyaux contenant un liquide réfrigérant.

Les levures

Les levures indigènes, présentes sur la peau des raisins, sont utilisées dans la plupart des vignobles européens. Les viticulteurs du Nouveau Monde préfèrent les levures cultivées à partir d'échantillons prélevés dans les vignobles européens, parce qu'elles travaillent mieux à des températures précises. Pour contrôler les températures de fermentation, le vinificateur n'a donc plus qu'à choisir la levure convenant au niveau de température requis.

L'adjonction de sucre

La quantité d'alcool produit et, par conséquent, la puissance du vin dépendent de la maturité des raisins. Dans de nombreuses régions du globe, la maturité ne pose aucun problème. En Europe, toutefois, plusieurs régions productrices de vins fins sont exposées au manque de maturité.

Le monde vinicole a trouvé depuis longtemps un remède à ce problème : l'apport de sucre, qui peut être effectué en ajoutant dans la cuve soit du sucre de betterave, soit du jus de raisin non fermenté (moût concentré rectifié, c'est-à-dire débarrassé de ses acides et de ses matières colorantes), qui constitue un véritable concentré de sucre. Appelée chaptalisation, cette méthode doit son nom à Jean Antoine Chaptal, ministre de l'Agriculture de Napoléon Ier, qui espérait ainsi résorber les excédents de sucre de betterave.

Tout ce sucre ajouté dans les moûts se convertissant en alcool, la chaptalisation enrichit le vin mais ne l'adoucit pas. Le sucre de betterave n'est pas celui du raisin et ne renferme pas les goûts, les tanins et les précurseurs d'arômes qu'on trouve dans le raisin. Le corollaire de cette pratique généralisée fut la tentation d'obtenir de plus hauts rendements, toute faiblesse en alcool pouvant être compensée. Le volume de sucre ajouté augmente de façon non négligeable la quantité de vin que l'on peut faire dans un millésime donné: 3,5 kg par hectolitre de moût. La chaptalisation devrait rester une solution de secours dans les mauvais millésimes, mais on la pratique aujourd'hui dans presque tous les millésimes, car les vins chaptalisés paraissent plus ronds, plus riches et plus séducteurs dans leur jeunesse.

La chaptalisation est autorisée dans une partie du vignoble français (Alsace, Champagne, Bordeaux, Bourgogne, Val de Loire); elle est pratiquée en Allemagne pour les vins QbA et dans quelques vignobles des États-Unis (État de New York, Oregon). Elle est interdite dans le sud de la France, en Italie, en Californie, et en Allemagne pour les vins QmP. Tous les pays exercent un contrôle très strict

BOIS OU ACIER INOXYDABLE ?

Les cuves en bois peuvent être refroidies et les expériences menées à Château Margaux, dans le Médoc, ont convaincu le vinificateur, Paul Pontallier, que le bois était préférable à l'acier. On peut recourir aux échangeurs thermiques et effectuer des remontages répétés des moûts en cours de fermentation (voir p. 112) pour réguler la température de fermentation. Bien entendu, l'acier inoxydable est plus facile à nettoyer, mais les cuves en bois présentent de très nets avantages. Pendant la période de macération, tandis que le jeune vin reste sur ses lies pour s'enrichir en couleur, en tanins et en potentiel aromatique, il est maintenu plus au chaud parce que le bois retient davantage la chaleur. Plus larges et moins hautes que les cuves en acier inoxydable, les cuves en bois permettent en outre une plus grande homogénéité des températures et une surface plus importante de matières solides (pulpe, peaux, pépins) en contact avec le moût liquide, ce qui favorise l'extraction de la couleur, des tanins et des autres composants aromatiques.

Ces recherches, et la décision d'autres châteaux prestigieux de continuer à utiliser le bois, a ouvert de nouveau le débat, mais les avantages de l'acier inoxydable à tous les niveaux de la vinification sont maintenant reconnus de tous.

sur l'utilisation du sucre. Les vins allemands de niveau QbA – la vaste majorité – peuvent être enrichis par un apport de sucre ou de jus de raisin concentré avant la fermentation. En Bourgogne, par exemple, les niveaux autorisés sont fixés millésime par millésime pour chaque appellation. Quelques producteurs opposés à cette pratique soutiennent qu'elle n'est pas nécessaire et nuit au vin. Jusqu'aux années 1960, cette pratique était quasiment inconnue à Bordeaux et bon nombre de grands vins avaient un faible degré d'alcool, ce qui ne semblait pas affecter leur qualité ou leur longévité. Lamothe, grand régisseur de Château Latour, l'expérimenta pour la première fois en 1816. Les résultats ne furent pas satisfaisants : « Avec cela, disait-il, je n'en ai pas obtenu toute la satisfaction que j'en attendais, tant le raisin s'est trouvé vicié. Cela me fait penser que quand la Nature refuse les matières premières qui donnent au vin sa qualité, l'art n'y peut rien et le résultat sera toujours médiocre ».

Adoucir le vin

En Allemagne, pour les vins de QmP, ainsi qu'en Italie, on emploie une méthode consistant à ajouter du jus de raisin non fermenté. Le terme allemand est *Süßreserve*. Le jus doit provenir du même endroit et prétendre au même niveau de qualité que le vin. Il est ajouté après la fermentation et avant la mise en bouteilles, pour obtenir un vin plus doux.

La fermentation malolactique

Au printemps, au moment du débourrement de la vigne, c'est-à-dire lorsque les bourgeons apparaissent, les vins en barriques dans une cave traditionnelle commencent à travailler. Ils se mettent à murmurer et à bouillonner, comme pour accompagner l'éveil de la vigne. En fait, il s'agit de la fermentation malolactique, ou secondaire, provoquée par des bactéries, et non des levures, qui convertissent l'acide malique du vin en acide lactique. Cette deuxième fermentation est souhaitable dans les vins rouges, mais pas toujours dans les blancs. Les méthodes permettant de la supprimer sont détaillées ci-après (voir p. 110). □

LA VINIFICATION EN BLANC

Les raisins blancs s'abîmant rapidement une fois vendangés, la rapidité et l'hygiène sont primordiales. Ils doivent être conservés entiers pour éviter toute macération (contact entre le jus et les peaux colorées et tanniques) ainsi que toute oxydation du jus. Les vinificateurs en blanc encouragent le ramassage et le transport des raisins en caissettes et non dans de grands récipients, afin d'éviter qu'ils ne soient écrasés. À l'arrivée des récoltes à la cuverie, on vérifie que les vendangeurs ont ramassé un fruit mûr et sain, exempt de feuilles, d'insectes ou d'autres éléments indésirables. Puis on mesure les niveaux de sucre et d'acidité.

On met parfois les raisins par grappes entières dans le pressoir mais on le fait, le plus souvent, dans un fouloir-égrappoir qui retire les rafles (parties ligneuses du raisin) et brise les peaux des grains. La masse de pulpe semi-liquide (raisins à demi écrasés) est aspirée ou versée directement dans le pressoir pour que le jus en soit extrait. Elle doit être maintenue à basse température pour éviter un départ précoce de la fermentation. Quelques vinificateurs laissent dans une cuve le jus et les raisins écrasés pour extraire des peaux un maximum d'arômes (c'est la macération préfermentaire ou pelliculaire).

Les pressoirs

Il existe plusieurs types de pressoirs à vin blanc (la page ci-contre en présente deux) qui extraient le plus de jus possible sans écraser les pépins, effectuent un pressurage rapide pour éviter l'oxydation et fournissent le jus le plus clair possible. Les centres de vinification industriels utilisent des pressoirs horizontaux continus.

La manipulation du jus

Le jus des raisins blancs est délicat et s'abîme aussi facilement que les raisins eux-mêmes. Lorsqu'il s'écoule du pressoir, il contient des débris solides, les bourbes, qu'il faut éliminer. Autrefois, on le laissait reposer dans une cuve pour que les bourbes tombent au fond ; aujourd'hui, on le refroidit à 0 °C : cette technique de « stabilisation par le froid » précipite les matières solides vers le fond de la cuve ; il suffit alors de soutirer le jus plus clair. La centrifugeuse présente l'inconvénient d'enlever des éléments utiles, comme les levures, et de diminuer ainsi le potentiel et la complexité du vin. On l'emploie dans les exploitations produisant de très gros volumes de vins ordinaires. On ajoute aux moûts du dioxyde de soufre pour empêcher l'oxydation et neutraliser tout développement de micro-organismes. Mais, utilisé à l'excès, celui-ci risque de masquer tous les arômes du vin.

La fermentation

La majorité des vins blancs sont fermentés dans des cuves thermorégulées en acier inoxydable. Les techniques modernes visent une extraction optimale de fruit et d'arômes au cours d'une fermentation lente à basse température. Celle-ci peut être maintenue à 10 °C (la norme habituelle étant de 12 à 15 °C) si l'on utilise du matériel de refroidissement (ou si les caves sont naturellement fraîches). Certains vins, comme les Bourgognes blancs vinifiés de façon traditionnelle, sont fermentés en barriques de chêne de 225 litres : elles ont la forme et la taille idéales pour maintenir naturellement la température aux alentours de 25 °C.

Une fermentation conduite à basse température donne un vin frais, d'une évolution plus rapide. Les grands vins, élaborés à partir d'un jus de raisin riche et concentré, peuvent gagner en longévité et en arômes par une fermentation à température plus élevée, qui anéantirait des vins plus simples.

Dans les régions de climat frais, surtout en Allemagne, la fermentation peut s'arrêter si la température baisse avant la transformation de tout le sucre en alcool. Le vin aura de ce fait une douceur naturelle et agréable, mais il risque de refermenter au printemps, ce que les techniques de soutirage, de filtration et de sulfitage peuvent éviter.

La fermentation malolactique (voir p. 109) n'est pas obligatoire pour les vins blancs : elle contribue à arrondir les vins acides, mais peut nuire aux vins fruités des régions plus chaudes. Pour l'éviter, les vinificateurs filtrent le vin ou le passent en centrifugeuse afin d'éliminer les bactéries susceptibles de la provoquer.

Le soutirage et le contact des lies

Une fois la fermentation terminée, on soutire généralement le vin de la cuve tandis que ses lies, résidus solides de la fermentation, restent au fond. Ce processus s'appelle le soutirage. Dans certaines régions, comme le pays nantais, on laisse le vin « sur lie » jusqu'à la mise en bouteilles. En Bourgogne, les vins blancs, surtout les grands, reposent sur leurs lies dans leurs fûts de fermentation et le vinificateur remue les lies pour les remettre en suspension dans le vin (pratique appelée bâtonnage).

Les vins liquoreux

Ces vins sont issus de raisins si sucrés que la fermentation ne peut transformer tout le sucre en alcool. Les vignerons laissent le raisin sur la vigne jusqu'à ce qu'il soit trop mûr, espérant voir apparaître le *Botrytis cinerea*, ou « pourriture noble ». En effet, il dessèche le raisin, dont le jus déjà sucré se concentre en gouttes très riches. C'est ce qui donne les meilleurs vins, comme le fabuleux Sauternes, le *Trockenauslese*, le Tokaj Aszú et plusieurs vins du Nouveau Monde. On peut également utiliser des raisins secs. C'est le cas pour le Vin de Paille français, le Vin Santo italien ainsi que d'autres vins *passito*. Certains vins sont élaborés par arrêt artificiel de la fermentation – à l'aide de dioxyde de soufre, par filtrage, par soutirage ou par mutage (voir p. 116) – ou par ajout de sucre (voir p. 109). □

LES ÉTAPES DE LA VINIFICATION EN BLANC

La fermentation en barriques de chêne (à droite) est traditionnelle pour la vinification des vins blancs en Bourgogne. Le bois a une certaine influence sur les moûts en fermentation, et ajoute complexité et ampleur aux vins.

1. Contrôle de qualité
Les raisins arrivent au chai, où ils sont sélectionnés sur tables de tri avant d'être éraflés puis pressés.

**2. Pressurage :
le pressoir vertical**
Une pression douce sur une surface importante permet d'obtenir un jus plus clair, moins difficile à débourber ensuite.

**3. Pressurage :
le pressoir horizontal**
C'est le pressoir le plus répandu. Le pressoir pneumatique est le plus doux des pressoirs modernes. Une membrane interne se gonfle, ce qui presse les raisins contre les claires-voies.

4. Fermentation
On peut refroidir les cuves en acier inoxydable en les arrosant d'eau froide, ou en faisant passer un liquide réfrigérant dans les tuyaux des parois. Ce vinificateur peut ainsi contrôler la température de fermentation.

5. Filtration
La plupart des exploitations modernes utilisent un filtre ou une centrifugeuse pour clarifier le vin quand les fermentations sont terminées. Ici, on vérifie la filtration du vin.

La Vinification en Rouge

Il est plus facile de faire du vin rouge que du vin blanc : le vinificateur intervient davantage pour guider que pour contrôler. Mais les grands vins rouges exigent énormément de soin et de talent. Le processus décrit ci-dessous, utilisé à Bordeaux, sert de modèle à des centaines d'exploitations vinicoles dans le monde. Des variantes existent dans d'autres régions viticoles.

Contrairement aux raisins blancs, les raisins noirs ne sont pas pressés ; ils sont d'abord foulés puis égrappés, car le vinificateur veut maintenir les peaux de raisin en contact avec le jus pendant la fermentation. Ensuite, il met dans un récipient la masse juteuse de raisins foulés pour permettre le début de la fermentation. Les cuves, équipées de circuits de refroidissement, maintiennent la température au-dessous du seuil de température de fermentation pendant un ou deux jours : cette macération à froid est destinée à extraire les arômes de fruit des peaux de raisin. C'est la fermentation qui élève la température ou le vinificateur qui modère le système de refroidissement.

La cuve, traditionnellement en bois de chêne, est aujourd'hui en bois, en ciment ou en acier inoxydable. Le bois a ses partisans (voir p. 109), mais les matériaux nouveaux sont plus faciles à contrôler et surtout à vider et à nettoyer.

Le contrôle de la température
La température de fermentation atteint naturellement 29 à 30 °C lorsque, comme à Bordeaux, le climat d'automne est tempéré. Un automne ensoleillé ou des vendanges précoces entraînent des températures ambiantes plus élevées et des fermentations rapides et tumultueuses. Celles-ci risquent d'abîmer le fruit et la délicatesse du vin et, si la température monte trop haut (34 °C, selon certains), la fermentation peut s'arrêter.

Le vinificateur observe donc constamment le thermomètre (par ordinateur, dans une exploitation moderne) pour maintenir la fermentation à la température choisie et enclencher, si nécessaire, le système de refroidissement. Cette surveillance est primordiale : avec des fermentations à basse température, on extrait du fruit et de la finesse ; avec des températures plus élevées (même pour une durée très brève), on obtient un maximum de couleur et d'intensité de goût et d'arômes. Le contrôle de la température permet en outre de déterminer avec précision la durée de la fermentation. Toutefois, les vins rouges ont une durée de fermentation naturelle, qui varie en fonction du cépage et de la qualité de la vendange.

La concentration
L'obsession du vinificateur reste d'exprimer dans le vin la plus grande concentration de matières et d'arômes. Une des pratiques les plus répandues consiste à faire écouler – ou « saigner » – une partie du jus en début de la fermentation. La saignée d'une cuve permet d'obtenir un vin d'une couleur rouge clair (comme le clairet de la région bordelaise) et, surtout, de réduire les jus qui donneront un vin plus concentré. D'autres pratiques plus récentes faisant appel à des techniques sophistiquées de filtration des moûts (filtration tangentielle ou osmose inverse) ont pour objet de retirer une partie des éléments indésirables (comme l'eau) et de concentrer le moût avant toute fermentation. La technique consistant à extraire le plus possible de ces éléments indésirables, en vogue dans les années 1980 grâce à des millésimes très mûrs, semble changer depuis le début des années 1990, les millésimes étant plus difficiles et toute extraction excessive développant des arômes végétaux qui ne sont pas toujours plaisants dans les vins.

La sélection
Une fois les fermentations terminées, la technique bordelaise consiste à laisser le vin nouveau sur ses lies – c'est-à-dire en cuve, avec les résidus des peaux de raisin, les pépins et autres matières solides. Le jeune vin est mis en barriques fermées par une bonde en verre afin de laisser échapper le gaz carbonique produit par la fermentation malolactique (voir p. 109). Chaque semaine, on procède aux ouillages, c'est-à-dire qu'on fait le plein de chaque fût. Dès que le vin est stable, on bouche chaque fût, qui restera au repos jusqu'au collage (au blanc d'œuf le plus souvent).

Nombre de châteaux bordelais séparent les cépages, mais aussi les raisins des différentes parcelles. Cette opération facilite l'assemblage, étape finale de la sélection. Les cuves de vins de jeunes vignes ou de vignes en bordure de vignoble sont écartées du grand vin, de même que toutes les cuves inférieures au niveau d'excellence fixé: les années abondantes ou difficiles, plus de la moitié du vin produit est ainsi exclu et vendu comme «second vin» (voir p. 149).

Les variantes du processus
La température, la durée de la fermentation, ainsi que la technique de maturation varient selon les cépages et le climat. La Bourgogne conserve ses traditions propres (voir p. 184-185) et le Beaujolais a mis au point la macération carbonique (voir p. 209-210), également utilisée dans le Midi et dans d'autres régions. Le Barolo (voir p. 365) et le Chianti (voir p. 382) italiens ainsi que le Rioja espagnol (voir p. 405-406) sont élaborés suivant la coutume locale, parfois modernisée par les vinificateurs d'aujourd'hui.

L'élaboration du vin rosé
Il existe deux façons d'élaborer le rosé. La méthode de la saignée utilise le jus issu des premiers stades de l'élaboration du vin rouge, décrite ci-dessus.

L'autre méthode consiste à presser le raisin rouge juste assez pour colorer le moût, puis la vinification continue comme pour le vin blanc. □

LES ÉTAPES DE LA VINIFICATION EN ROUGE

La fermentation a lieu traditionnellement sous bois (à droite), mais la cuve en acier inoxydable permet un meilleur contrôle des températures et facilite le travail des remontages. Les vins peuvent être ensuite élevés en barriques.

1. Fouloir-égrappoir
Cette machine sépare les raisins de leurs rafles et les foule légèrement, brisant la peau pour libérer le jus.

2. Cuve de fermentation
Le jus et les raisins foulés sont versés ou aspirés dans une cuve haute en acier inoxydable ou en bois. Les cuves en inox peuvent être refroidies ou réchauffées plus facilement.

3. Fermentation
Les levures indigènes – ou les levures sèches introduites dans la cuve – commencent à réagir avec le jus de raisin.

4. Remontage
Pendant la fermentation, le « chapeau » de particules solides (peaux, pépins, rafles) se forme à la surface. Il est immergé et remis en contact avec le moût pour obtenir une meilleure extraction des tanins, de la couleur et des arômes.

5. Élevage
Une fois la fermentation terminée, le jeune vin est soutiré vers d'autres cuves. Les matières solides – les peaux de raisin, essentiellement – sont pressées. On en tire un vin très coloré au goût fort : le vin de presse.

LA VINIFICATION DES VINS MOUSSEUX

L'élaboration des vins mousseux se pratique en diverses méthodes. Pour les meilleurs vignobles ou pour les meilleurs crus, un vin mousseux doit être élaboré selon la méthode mise au point par les Champenois.

La méthode champenoise
Les vins mousseux dans le style des Champagnes requièrent une seconde fermentation qui s'opère en ajoutant au vin blanc tranquille, vinifié traditionnellement (voir p. 110), du sucre et des levures. Cette fermentation, qui se fait en bouteille, produit du gaz carbonique. Celui-ci, emprisonné dans la bouteille, rend le vin mousseux.

Les étapes complexes de l'élaboration du Champagne sont indiquées ci-contre. D'abord, le choix rigoureux des raisins est essentiel. Puis, le pressurage est conduit avec rigueur : l'objectif est d'obtenir un jus propre, dont le contact avec la peau des raisins n'a extrait que peu de tanins et pas de couleur.

Les raisins sont versés dans des pressoirs verticaux contenant 4 tonnes de vendange. Pour le Champagne, on n'utilise que les 2 050 litres de première presse appelés « cuvée » et les 500 litres de deuxième presse, ou « taille ». Après fermentation, le vin est clarifié par collage, filtré et stabilisé.

L'étape suivante est l'assemblage des différents vins. Les responsables de l'exploitation goûtent les vins de chaque cuvée – une de la Côte des Blancs, une autre d'Ay, une troisième de la Montagne de Reims et ainsi de suite. Il y aura des échantillons de Pinot Noir, de Chardonnay, de Pinot Meunier, environ une cinquantaine en tout. L'objectif est d'assembler un vin qui reflète le style de la maison et d'obtenir le même niveau de qualité d'une année sur l'autre. Les vins des années précédentes peuvent être ajoutés à l'assemblage.

On ajoute au vin une « liqueur de tirage » – mélange de sucre, de Champagne et de levures –, puis on l'embou-

teille dans d'épaisses bouteilles de verre, fermées par des capsules métalliques, que l'on stocke horizontalement dans la partie la plus sombre et la plus fraîche des caves.

La seconde fermentation a lieu à l'intérieur de la bouteille : elle produit du gaz carbonique et laisse un dépôt de cellules de levures mortes. Pour pouvoir ôter ce dépôt, les bouteilles sont entreposées sur des étagères spéciales, appelées « pupitres », puis inclinées progressivement à la verticale, le goulot vers le bas, tout en étant retournées régulièrement par des cavistes expérimentés, les « remueurs ». Les sédiments, entraînés peu à peu le long de la paroi inférieure, s'accumulent au-dessus de la capsule.

L'opération suivante, le dégorgement, est délicate. Le goulot des bouteilles est trempé dans une solution qui congèle le dépôt de sédiments. Puis les bouteilles sont ouvertes et le dépôt éjecté sous la pression du Champagne. Ensuite, on ajoute la « liqueur d'expédition », mélange de Champagne et de sucre. Cette étape, appelée dosage, détermine si le Champagne est brut, demi-sec ou sec. Les bouteilles, bouchées avec leur bouchon traditionnel, maintenu par un muselet métallique, sont prêtes à être étiquetées avant d'être vendues.

Le temps est un facteur de qualité. Le vin subit sa seconde fermentation en

bouteille en trois mois. Les sociétés qui privilégient la qualité laissent reposer les Champagnes pendant deux à trois années avant le dégorgement et ensuite quelques mois avant l'expédition.

Cette méthode est pratiquée ailleurs, avec des raisins de même cépage (ou avec d'autres cépages), mais on n'a encore jamais réussi à égaler la qualité des Champagnes. Toutefois, la production de vins mousseux du Nouveau Monde va s'améliorant.

Les autres méthodes
Les vins peuvent être transformés en Mousseux par l'une des méthodes suivantes.
Procédé Charmat (ou cuve close). La seconde fermentation, après l'ajout de la liqueur de tirage, se déroule dans une très grande cuve, et non en bouteille. Puis le vin est refroidi, filtré et transvasé sous pression dans une deuxième cuve, adouci avec la liqueur d'expédition et mis en bouteilles.
Le transfert. Le processus est identique à la méthode champenoise jusqu'au dégorgement. Le vin est alors transféré dans des cuves pressurisées, filtré pour ôter le dépôt, puis remis en bouteilles.
Gazéification. Dans cette méthode primitive (interdite pour les AOC), on injecte du gaz carbonique dans le vin avant la mise en bouteilles.   □

AUTRES VINS ÉLABORÉS SELON LA MÉTHODE CHAMPENOISE

Le terme « méthode champenoise » est interdit sur les étiquettes de vins mousseux autres que les Champagnes, mais ce procédé est utilisé ailleurs.

France. Val de Loire : Vouvray, Saumur, Crémant de Loire
Bourgogne : Crémant de Bourgogne
Alsace : Crémant d'Alsace
Rhône : Clairette de Die
Midi : Blanquette de Limoux
Italie. Lombardie, Trentin : libellés *metodo classico* ou *metodo tradizionale*

Espagne. Catalogne : vins libellés *cava*
Allemagne. Certains *Sekt* (voir p. 348). Rares sont ceux qui sont fermentés en bouteille
États-Unis. Californie, État de New York et autres régions : libellés *classic method* ou *fermented in the bottle*
Australie et Nouvelle-Zélande. Le mot « Champagne » est désormais illégal sur l'étiquette. Il faut chercher la mention *bottle-fermented* ou *fermented in the bottle*.

LA MÉTHODE CHAMPENOISE

La seconde fermentation en bouteille provoque un sédiment de levures mortes. C'est le remuage manuel sur pupitres (ci-contre) qui permet de rassembler ce dépôt sur le goulot de la bouteille, entreposée à la verticale, goulot vers le bas.

1. Pressoir
La presse verticale de Champagne permet d'obtenir d'abord la « cuvée », puis la « première taille », jus utilisés pour le Champagne.

2. Fermentation
Les fûts de chêne ci-dessus sont traditionnels, mais utilisés par deux maisons champenoises seulement. La plupart des autres utilisent des cuves en acier inoxydable.

3. Assemblage
Costumes sombres, salles blanches, innombrables échantillons de Champagne à la robe pâle : parvenir à un assemblage qui servira de recette pour mélanger à grande échelle les différentes cuvées de vins tranquilles. Le vin assemblé est ensuite enrichi d'une liqueur de tirage – mélange de sucre, de Champagne et de levure.

4. Seconde fermentation
Le vin ainsi enrichi est embouteillé, fermé par une capsule, et stocké. La fermentation produit du gaz carbonique et un dépôt de cellules de levure mortes qui s'accumule au-dessus de la capsule grâce au remuage.

5. Dégorgement
Après vieillissement en cave et remuage, on fait passer les bouteilles dans une solution qui congèle le goulot et son sédiment accumulé. La bouteille est ouverte, le sédiment éjecté, une liqueur d'expédition ajoutée et la bouteille est bouchée.

L'ÉLABORATION DES VINS MUTÉS

On élabore les vins mutés comme les autres vins, à la différence qu'on y ajoute de l'alcool sous forme d'eau-de-vie. Les Xérès, les Portos, les Madères, les Vins Doux Naturels français, le Marsala de Sicile sont tous des vins mutés. Outre les cépages dont ils sont issus, ils se distinguent par le moment où se fait l'adjonction d'alcool et la quantité de celui-ci. Il existe deux principales méthodes de mutage : pendant la fermentation ou après.

À l'origine, on mutait un vin pour le préparer à voyager, pour maîtriser le processus mal compris de la fermentation qui, souvent, redémarrait dans les fûts et abîmait les vins au cours du transport. Cette pratique s'est institutionnalisée au point de représenter une famille de vins.

L'élaboration du Porto

Les Portos sont mutés pendant la fermentation ou, plus exactement, la fermentation est arrêtée par l'adjonction d'alcool. La méthode traditionnelle, encore pratiquée dans quelques propriétés aujourd'hui, consiste à écraser et à érafler les raisins puis à les verser dans de vastes récipients ouverts en pierre, appelés *lagares*, où ils sont foulés au pied. Le foulage au pied est laborieux, mais considéré comme le meilleur moyen d'extraire la couleur des raisins à peau épaisse des cépages de Porto sans prendre le risque d'écraser les pépins. Le coût de la main-d'œuvre limite cependant cette pratique à une minorité de *quintas* de Porto pour leurs meilleurs vins.

Le jus fermente dans les *lagares* entre 24 et 36 heures peut-être, et non des semaines comme les vins rouges. Le vinificateur vérifie constamment le niveau d'alcool et la douceur du vin en cours de fermentation. Quand il a atteint le niveau désiré – suffisamment fort, avec environ 9 % vol d'alcool, mais encore doux –, on verse le vin nouveau dans des fûts ou des cuves et l'on y ajoute de l'*aguardente* (eau-de-vie de rai-

Un exemple de Xérès Amontillado.

sin). La quantité d'alcool ajoutée correspond à 25 % du volume du vin, ce qui porte le niveau d'alcool du Porto à environ 18 % vol, degré auquel l'activité des levures est neutralisée. Le travail des levures s'arrête et le sucre non converti en alcool reste dans le vin, qui est alors du Porto.

Dans un premier temps, le résultat obtenu est un vin de robe rouge foncé, d'une agréable douceur, avec un fort goût d'alcool. Les Portos ont besoin de temps pour que l'alcool se fonde dans le vin. Au cours du premier printemps, le vinificateur déguste le vin et le classe selon ses qualités (voir p. 441).

La plupart des Portos sont aujourd'hui élaborés dans des cuves après écrasement et éraflage. Pour mélanger le moût et le chapeau de peaux afin d'extraire un maximum de couleur, le plus rapidement possible (voir p. 113), diverses méthodes sont utilisées : des auto-vinificateurs et des tambours géants

qui, en un mouvement de rotation, mélangent le moût qui fermente. L'adjonction d'alcool se pratique de la même façon pour les Portos élaborés par foulage au pied.

L'élaboration du Xérès

Les Xérès sont plus faciles à élaborer que les Portos : leur complexité provient de leurs assemblages et de leur vieillissement. Au départ, ils sont vinifiés comme tout autre vin blanc, avec des soins particuliers pour prévenir l'oxydation des raisins peu acides de Palomino. Après fermentation, le vin nouveau est versé dans un tonneau en bois qu'on ne remplit pas complètement. Quelques mois plus tard, dans certains fûts, apparaît une moisissure particulière, appelée *flor*, à la surface du vin. Le Xérès est alors divisé en différentes catégories (voir p. 427), puis muté à l'eau-de-vie de raisin en fonction de son style : peu pour les Finos (jusqu'à environ 15,5 % vol) affectés par la *flor*, davantage pour les Olorosos (jusqu'à 18 % vol) qui proviennent de fûts où la *flor* ne s'est pas développée. Tous les Xérès sont élevés en *solera* (voir p. 424). Le Fino perd petit à petit sa puissance. Il est muté une nouvelle fois au moment de l'expédition, entre 15,5 et 17 % vol. Les connaisseurs recherchent les Finos non mutés pour l'expédition. Les Olorosos gagnent en puissance au cours de leur maturation et ne sont pas mutés de nouveau.

Les autres vins mutés

Le Marsala (voir p. 397), le Málaga (voir p. 430) et le Madère (voir p. 446) sont tous des vins mutés dont le style va du sec au doux. Pour les Vins Doux Naturels français, la fermentation est arrêtée avant que tout le sucre ne soit transformé en alcool.

Divers autres pays élaborent des vins dans le « style » des Portos ou des Xérès, certains utilisent même des variétés de raisin portugais ou espagnol afin d'obtenir des vins plus authentiques. □

LE VIEILLISSEMENT DU VIN

LE VIN NOUVEAU EST EN CUVE : BRUT DE FERMENTATION, JEUNE,
IL EST ENCORE RUSTIQUE ET ASTRINGENT.
L'ÉLEVAGE VA AFFINER ET DÉVELOPPER SES QUALITÉS.

Durant la première année de la vie d'un vin rouge de Bordeaux, les bondes en verre ne sont pas hermétiques, afin de permettre au vin de « travailler » : le gaz carbonique produit par la fermentation malolactique peut s'échapper.

Comme nous l'avons décrit dans le chapitre précédent, la vinification a fait l'objet d'énormes progrès au cours de ces trente dernières années, les processus de fermentation et d'extraction étant de mieux en mieux maîtrisés. Le vignoble a, lui aussi, bénéficié de nouvelles découvertes et la qualité des cépages a été grandement améliorée. Mais les phénomènes de vieillissement en cave – de la cuve de fermentation à la mise en bouteilles, voire au verre à dégustation – restent mystérieux. Les scientifiques commencent tout juste à expliquer certaines étapes du processus de vieillissement et de la maturation du vin. On sait depuis des siècles que les fûts de chêne influent sur le goût du vin, et que la qualité du bois a son importance, mais nous commençons à peine à comprendre pourquoi les vins réagissent différemment selon le temps passé à les faire vieillir. Cette étape de l'évolution du vin, entre le tumulte de la fermentation et la consommation, s'appelle l'élevage. Toutes sortes de choses peuvent se passer : de nombreux vins médiocres de précédentes générations ont été abîmés par des fûts sales ou un manque de soin en cave. Mais aujourd'hui, on comprend mieux la biochimie du vin et la plupart des incidents sont évités grâce à une meilleure connaissance des règles d'élevage des vins. Certains produits de la fermentation, dérivés naturels des réactions chimiques et microbiologiques, doivent être retirés ou neutralisés si l'on veut que le vin se garde en bouteilles. Le château, l'exploitation ou le négociant qui élèvent des vins jeunes, utilisent toute une série de procédés visant à les clarifier, à les stabiliser, à arrondir leurs aspérités et à leur permettre ainsi de se bonifier. Le contenant dans lequel vieillit le vin peut jouer un rôle – c'est le cas des fûts en chêne neufs – ou être neutre – s'il s'agit de cuves en acier inoxydable ou de bouteilles en verre.

Après la mise en bouteilles, le vin peut tout autant souffrir de mauvais traitements, comme le transport, les différences de températures, les vibrations et la lumière. Il se plaît au calme, à une température fraîche et constante, pour que les éléments solides en suspension dans le liquide puissent se déposer lentement, par gravité. Ces principes de conservation doivent être suivis jusqu'au service du vin, étape finale qui doit bénéficier de tout autant d'attention.

L'ART DE L'ÉLEVAGE

Le terme d'«élevage» exprime bien le lent travail nécessaire pour affiner et développer les qualités d'un vin et le préparer à la consommation. Les procédés utilisés sont expliqués dans l'encadré p. 120.

La façon dont le vin est stocké durant son vieillissement est d'une importance primordiale pour l'amateur de bon vin, car elle peut en affecter le goût et le caractère. Les premières questions à se poser lorsque l'on découvre un nouveau vin sont : comment a-t-il été élevé, et pendant combien de temps ?

Certains vins sont peu ou pas du tout élevés, mais ils passent, presque tous, par des étapes de traitements qui les stabilisent et les préparent à être mis en bouteilles. De nombreux vins blancs le sont assez vite après leur vinification, et doivent être bus très rapidement. D'autres, rouges et blancs, restent plus ou moins longtemps dans une cuve ou un fût, puis vieillissent encore en bouteilles avant d'atteindre leur apogée. Les rouges destinés à un long vieillissement, tels que les grands crus de Bordeaux, de Bourgogne ou certains vins du Rhône, peuvent passer plus de deux ans en cave avant d'être mis en bouteilles. Le vieillissement en bouteilles s'effectue généralement dans la cave du consommateur – un vaste sujet qui est abordé en p. 51 à 54 dans le chapitre «Le vieillissement des vins».

L'utilisation de barriques fut essentielle dans l'évolution de l'art de l'élevage. Plus tard vint la bouteille – utilisée aussi bien pour le service que pour le stockage, technique qui apporta de profondes modifications.

Les deux méthodes de vieillissement – en cuves (ou en fûts) et en bouteilles – peuvent être appliquées de manière complémentaire. Certains vins sont conservés en fûts jusqu'à ce qu'ils soient prêts à être consommés, et ce n'est qu'à ce moment qu'ils sont mis en bouteilles. D'autres le sont alors qu'ils ont encore besoin de temps pour adoucir leurs

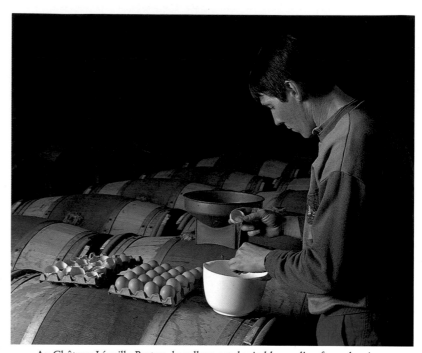

Au Château Léoville-Barton, le collage est de six blancs d'œufs par barrique.

tanins et leur astringence. Parmi les premiers, on peut citer le Porto Tawny, le Xérès, les vins doux naturels, de nombreux rouges italiens et (traditionnellement) le Rioja rouge et blanc. Les seconds comprennent le Porto millésimé, les crus de Bordeaux et de Bourgogne.

De la peau de chèvre au plastique

Dans les tout premiers temps, le vin était sans doute conservé dans des outres en peau de chèvre. Cette coutume, toujours pratiquée au début de ce siècle, explique les arômes bouquetés particuliers de certains vins espagnols ordinaires conservés dans des *borrachas*. Les peaux de chèvre ou de porc utilisées pour ces outres étaient encore garnies de poils à l'intérieur, enduits de poix pour les imperméabiliser. La *bota*, gourde de cuir espagnole, petite et d'odeur moins forte, était plus raffinée.

Le monde antique fabriquait des jarres en poterie, dans lesquelles on conservait et transportait le vin. Les Grecs et les Romains utilisaient des amphores pour le transport du vin et d'autres produits de consommation tels que l'huile. En Méditerranée, la «pêche» de ces antiques vestiges est toujours pratiquée. Les Romains commencèrent à fabriquer des fûts en bois après avoir traversé les Alpes – il n'est donc pas impossible que les Gaulois ou les Celtes aient été les premiers à les inventer. Le fût, ou la barrique, furent les contenants principaux utilisés pour le transport du vin, comme on peut le constater grâce aux découvertes archéologiques, sculptures et inscriptions de l'ère romaine, en France, en Grande-Bretagne et en Allemagne.

Le fût est en effet plus léger, plus solide, plus facile à transporter et à réparer qu'une jarre en pierre. Ces qualités le rendirent essentiel à la commercialisation du vin, bien avant que l'on découvrît sa contribution à un meilleur élevage.

Jusqu'à la fin du XIXe siècle, on utilisait surtout le bois, tant pour les cuves de fermentation que pour les fûts. Plus tard, on commença à utiliser des cuves en béton puis des cuves vitrifiées.

La maturation

L'élevage du vin est une pratique relativement moderne. Les Romains savaient déjà qu'une amphore bien bouchée permettait au vin de se garder, mais cette science se perdit au Moyen Âge. À cette époque, on appréciait surtout les vins jeunes et fruités. Tout comme les Grecs, les amateurs de la Rome antique préféraient boire des vins sur leur fruit que des vins vieux mal conservés, au goût de vinaigre. Le seul art quelque peu sophistiqué qui ait subsisté de cette période est celui de la fabrication des fûts : ils devaient être suffisamment solides pour survivre aux heurts et aux chocs pendant le transport. Pourtant, le vin s'abîmait souvent – tournait en vinaigre ou commençait une seconde fermentation – et personne ne savait pourquoi. On invoquait les phases de la Lune, croyance logique à cette époque (voir ci-dessous).

Les grands changements datent du XVIIᵉ siècle. Les procédés employés aujourd'hui remontent pour la plupart à la fin du XVIIᵉ et au début du XVIIIᵉ siècle. Assez curieusement, on ne le doit pas à des scientifiques, mais à des maîtres de cave et à des négociants pragmatiques.

Le dioxyde de soufre

Lorsqu'il est mis en présence d'oxygène, le vin contient des bactéries qui le transforme en vinaigre. Un fût rempli ne contient pas d'oxygène, ou très peu. Une cave fraîche ralentit également la réaction. C'est pourquoi les producteurs allemands et ceux du nord-est de la France furent les premiers à vieillir le vin en fût. La forte teneur en alcool des vins doux de la Méditerranée inhibe, elle aussi, les bactéries et évite que le vin ne tourne au vinaigre.

Mais ce fut la redécouverte (les Romains l'utilisaient déjà) du dioxyde de soufre, dans l'Allemagne du Moyen Âge, qui permit de stabiliser correctement le vin. Le fait de brûler du soufre dans un fût avant de le remplir, permet de tuer les bactéries et empêche l'oxydation du vin. Cette pratique devenue

Le bâtonnage, qui remet les lies fines en suspension, rend les vins blancs plus amples.

courante dans le Bordelais au XVIIIᵉ siècle l'est aujourd'hui dans le monde entier. Le dioxyde de soufre (SO_2) est utilisé à plusieurs stades de l'élaboration des vins, sous une forme solide, liquide ou gazeuse. Si on veut éviter la fermentation malolactique d'un blanc, le soufre le protège et conserve l'acide malique qui préserve les arômes de pomme verte. En ce qui concerne les rouges, le soufre sert de désinfectant pour les fûts, le raisin et le vin.

De nos jours, on essaie de réduire, et parfois d'éviter, l'utilisation de soufre. Un raisin bien sain, des instruments de vinification et des lieux scrupuleusement propres rendent son usage moins nécessaire. Les consommateurs américains, soucieux de leur alimentation, ont découragé ces sulfitages ; la loi oblige maintenant les producteurs à en faire mention sur leurs étiquettes *(contains sulfites)*. Seules quelques rares personnes sont allergiques au soufre, ce qui explique que le législateur euro-

péen n'a pas jugé bon d'imposer une telle mesure au Vieux Continent.

Le but de l'élevage

L'élevage représente l'ensemble des opérations effectuées pour retirer certaines matières solides en suspension dans le vin nouveau, afin que celles-ci ne risquent pas de l'affecter plus tard. Il s'agit de cellules de levures, de bactéries et de minuscules morceaux de pellicule et de pulpe de raisin. Si l'on retire tout ou partie de ces substances, on évitera le problème majeur auquel le vin est exposé : la refermentation, provoquée par des sucres résiduels (non fermentés) et activée par des levures encore présentes dans le vin ou des levures naturelles de l'environnement. Elle a pour effet de transformer le vin en vinaigre.

Cette transformation de l'alcool contenu dans le vin en acide acétique est due à des micro-organismes qui ont besoin d'oxygène pour devenir actifs. L'excès de dépôt dans le vin est également préjudiciable car, lorsqu'il y a des sucres résiduels, il peut provoquer une seconde fermentation en bouteille ou – ceci est moins grave, mais très désagréable – un important dépôt. Le vin jeune contient aussi du dioxyde de carbone dissous, produit par la fermentation. Une petite quantité de dioxyde de carbone ajoute un « piquant » rafraîchissant ou un très léger pétillement aux vins jeunes, bien accepté par certains vins blancs. Il est apprécié dans le Muscadet mis en bouteilles sur lie – sans collage.

Un minimum d'interventions

Connue sous divers noms, y compris celui de « vinification organique », une méthode d'élevage comportant un minimum d'interventions s'est développée depuis peu. De nombreux vinificateurs, surtout ceux qui font des vins ordinaires en grande quantité, considèrent que c'est un luxe. Ils tiennent à conserver la maîtrise des opérations à l'aide des nouvelles techniques et ne veulent prendre aucun risque pour commercialiser, chaque année, un vin correct.

Le principe du minimum d'interventions peut aller jusqu'à exclure les pompes qui – selon certains adeptes – peuvent « meurtrir » le vin. L'exploitation verticale, où le raisin arrive par en haut et descend par gravité à travers le fouloir et l'égrappoir jusqu'à la cuve et au fût, est idéale. Ce système était courant au XIXᵉ siècle, avant l'invention des pompes électriques. Certaines exploitations fonctionnent ainsi aujourd'hui selon ce principe, bien que l'école « anti-pompe » semble être beaucoup plus une philosophie minimaliste qu'une pratique fondée sur des expériences scientifiques.

Dans l'élaboration actuelle du vin, on utilise le moins possible d'agents chimiques – y compris le dioxyde de soufre. Les spécialistes aiment à rappeler que, comparé à de nombreux autres produits alimentaires, le vin est fort peu traité, et que tous les produits chimiques employés ont des propriétés et des effets bien connus.

On peut n'utiliser absolument aucun produit chimique et limiter l'intervention à la mise en bouteilles. Ceci exige beaucoup de soin, de propreté, et les fûts doivent être fréquemment remplis afin de ne jamais laisser le vin en contact avec l'oxygène.

La tradition veut que l'on procède au soutirage par temps clair, à la lune descendante. Ces conditions coïncident souvent avec une pression atmosphérique élevée, ce qui réduit légèrement, mais utilement, l'action des bactéries ou levures dans le vin. On obtient ainsi une grande clarté et un dépôt plus léger des lies remuées.   □

LE TRAVAIL DANS LES CAVES

Les étapes successives de préparation du vin visent à stabiliser et à clarifier le vin nouveau. Elles affectent toujours le caractère du vin et peuvent, au pire, lui retirer ses arômes et son caractère. Ces opérations ne sont pas obligatoires – sauf peut-être l'ouillage et le soutirage – et sont même bannies par certains défenseurs d'une intervention minimale.

Le collage. Le vin nouveau contient des matières solides en suspension, telles que des cellules de levures, de minuscules particules de peau et de pulpe ainsi que des protéines. Si on ne les retire pas, le vin sera trouble et risque de s'abîmer. On en laisse une certaine quantité dans les rouges de qualité, ce qui explique le dépôt dans la bouteille. Ces éléments descendront tout doucement au fond si on leur en laisse le temps. La plupart des vins sont clarifiés par le collage. Il s'agit alors d'ajouter au vin une substance protidique qui attire et précipite les matières solides : elles descendent ensemble au fond de la cuve ou du fût, et le vin clair est soutiré. Parmi les substances servant au collage, on peut citer le blanc d'œuf battu en neige, l'argile bentonite, l'ichtyocolle et le sang. Le collage peut toutefois retirer une part de tanins et d'autres substances aromatiques souhaitables dans le vin.

Le soutirage. Il est effectué pour transvaser (à l'aide d'une pompe ou de la pesanteur) le vin d'une cuve ou d'un fût à un autre. Cette opération a lieu après le collage, afin de séparer le vin clarifié du dépôt ou des lies qui restent au fond du premier fût. Le soutirage permet également d'aérer le vin, surtout s'il passe par une cuve ouverte avant d'être mis en tonneau. Dans le Bordelais, la coutume est de soutirer les rouges quatre fois la première année, et deux ou trois fois au cours de la seconde.

Le filtrage. Les filtres modernes permettent de retirer du vin des particules d'une taille spécifique. Ceci permet d'éliminer les cellules de levures, ainsi que d'autres matières solides, pour éviter une seconde fermentation. Le filtrage permet donc de remplacer, en tout ou partie, l'utilisation de dioxyde de soufre et d'autres désinfectants chimiques.

La centrifugation. La centrifugeuse fait tourner le vin dans un tambour, ce qui propulse les matières solides sur les bords et permet de les extraire. À l'excès, cette opération peut retirer les meilleurs arômes du vin, mais c'est une méthode qui peut remplacer les produits chimiques et le filtrage.

La pasteurisation. Il s'agit d'une autre méthode pour éliminer les bactéries, les levures et éviter une seconde fermentation. Le vin est chauffé à 85° C pendant un court moment (ou plus longtemps à une température moindre). Ses détracteurs disent que cette pratique de « thermolisation » a pour effet de tuer le vin qui n'évolue plus en bouteille.

L'ajustement de l'acidité. Beaucoup de vins sont peu acides de nature, aussi risquent-ils de s'abîmer. De nombreux vinificateurs du Nouveau Monde ajoutent ainsi au vin de l'acide ascorbique (ou vitamine C) à la fois comme antioxydant et pour en améliorer le goût. Ceci est autorisé dans certaines régions d'Europe.

L'ouillage. Le vin s'évapore plus ou moins vite dans un fût ou une cuve, selon la température et le degré d'humidité du chai. Pour éviter l'oxydation, le vin évaporé est remplacé toutes les semaines par un remplissage à partir d'un autre fût. Dans les caves traditionnelles, les fûts sont d'abord bouchés avec des bondes en verre. Celles-ci sont peu ajustées afin que le vin puisse déborder lorsqu'il « travaille ». Plus tard, une bonde en bois est solidement ajustée, et le fût est tourné de 30° pour submerger la bonde.

Techniques concernant le vin blanc. La plupart des blancs ne subissent aucun vieillissement autre que le stockage dans des cuves de matériau inerte. Une période de stockage à température très fraîche permet aux dépôts de tartre de se précipiter en cristaux.

L'INFLUENCE DES FÛTS SUR LE GOÛT

Les fûts en bois, lorsqu'ils sont neufs, donnent au vin un net goût de vanille. Cet apport aromatique n'est pas toujours apprécié. Dans le Bordelais et en Bourgogne, on utilise les propriétés du chêne neuf, à la fois pour les vins rouges et, dans une moindre mesure, pour les vins blancs issus de Chardonnay. Par contre, d'autres régions tout aussi traditionnelles – Porto, Jerez, la Champagne – évitent tout contact du vin avec du bois neuf. Le bois respire, laissant passer un peu d'air ; il peut contribuer à une meilleure maturation du vin et développer ses capacités de vieillissement.

Quel effet le bois a-t-il sur le vin ? Trois caractéristiques sont à prendre en compte : la taille du fût, son âge et la provenance du bois dont il est fait. Commençons par le bois : le chêne est unanimement apprécié en raison de ses propriétés physiques et de ses apports aromatiques. La structure cellulaire du chêne varie selon sa source : les vinifi-

Chauffe pour le cintrage des douelles.

cateurs distinguent le grain serré ou lâche, qui dépend de sa croissance et donc de la forêt d'où il provient. Les chênes qui poussent lentement, comme ceux du Berry, donnent un bois au grain serré.

Cette caractéristique affecte non seulement sa perméabilité à l'air, mais aussi ses composants phénoliques, plus fins (parce que les arbres poussent davantage au printemps qu'en été).

Les polyphénols contenus dans les cellules du chêne constituent l'apport aromatique recherché pour certains vins : on en a identifié plus de 60 à ce jour, dont 18 phénols différents, le plus important étant la vanilline. Les tanins du chêne sont différents de ceux qui sont transmis au vin par les pellicules et les rafles du raisin. Ils lui ajoutent de l'astringence et renforcent sa structure.

Plus complexe encore, car liée à la structure du bois, est la variété de substances que renferment les chênes provenant de forêts différentes. Le chêne du Limousin pousse rapidement, possède une structure plus grossière et apporte des composants aromatiques plus puissants que celui du Berry. Venant d'une région située plus au nord, celui-ci possède davantage de substances

LES VINS VIEILLIS EN FÛTS DE CHÊNE

Le chef de cave doit passer commande de ses barriques neuves avant les vendanges, décidant par là même du pourcentage de sa récolte qu'il logera en fûts de chêne neufs.

Certains vins, et certains millésimes ne supporteront pas 100 % de chêne neuf. Le vinificateur utilisera alors un certain nombre de fûts neufs chaque année, ou effectuera une partie du vieillissement dans de l'inox ou une autre matière inerte.

Le temps passé dans le fût dépendra encore une fois du vin et du millésime. Un vin issu de plus jeunes vignes, un millésime de moindre concentration passera moins de temps en fûts.

Les vins suivants sont vieillis en fûts de chêne, moins par tradition que parce que cette

pratique apporte des compléments d'arômes et une complexité recherchée. La liste ne peut être exhaustive, car l'élevage des vins en fûts de chêne fait partie des nombreuses techniques utilisées dans le monde entier, et ce choix est toujours modulé en fonction de la qualité de chaque vendange. Et il serait difficile de trouver une région vinicole ou personne ne vieillit son vin en fûts de chêne.

VINS BLANCS
Australie et Nouvelle-Zélande : Chardonnay.
Bordeaux : Graves, Sauternes.
Bourgogne : Chablis, Côte d'Or, Chalonnais.
Californie : Chardonnay, certains Sauvignons.
Champagne : quelques maisons ont

conservé la tradition des fûts de chêne pour la fermentation ou la garde des vins de réserve.
Allemagne : Pinot Blanc et Pinot Gris.
Italie : Chardonnay.
Rhône : Hermitage, Condrieu.
Espagne : Rioja.

VINS ROUGES
Australie : Cabernet-Sauvignon, Pinot Noir, Shiraz.
Bordeaux : grands crus, crus bourgeois.
Bourgogne : Côte d'Or, Chalonnais.
Californie : Cabernet-Sauvignon, Pinot Noir, Syrah, certains Zinfandels.
Italie : Barolo piémontais et Barbaresco, «Super toscans» *vini da tavola*.
Loire : Chinons et Bourgueils traditionnels.
Rhône : Hermitage et Côte Rôtie.
Espagne : Rioja, Ribera del Duero,

aromatiques subtiles telles que l'eugénol et la lactone. Le chêne du Limousin sera utilisé pour les eaux-de-vie comme le Cognac, celui du Berry sera préféré pour les vins.

Après la coupe, les grumes sont sciées en billons qui sont ensuite fendus (et non sciés) afin d'obtenir des douelles séchées à l'air libre pendant deux ou trois ans. C'est alors qu'intervient le talent du tonnelier (voir ci-après).

La forme et la taille du fût

Le meilleur rapport entre la masse de liquide et la surface du bois avec lequel il est en contact est celui offert par le fût de chêne d'une contenance d'environ 225 litres. C'est la taille de la barrique de Bordeaux traditionnelle. La pièce bourguignonne est de 228 litres, celle du Champagne de 220. Cette taille est devenue un standard parce qu'un tel fût peut facilement être manipulé par deux hommes. Les fûts plus petits offrent une surface de contact du liquide avec le bois proportionnellement plus grande, mais ils sont moins économiques ; les plus grands réduisent l'échange entre le bois et le vin.

Aujourd'hui, le vin n'est plus transporté en fût, et la barrique peut être faite de douelles moins épaisses. La barrique de transport traditionnelle a fait place à la barrique de château, plus fine, ce qui favorise l'apport d'oxygène, en quantités infimes mais non négligeables.

L'âge du fût

Le fût de chêne neuf est, bien évidemment, celui qui apportera le plus de composants aromatiques au vin. Lorsque le fût est utilisé pour une vendange (on dit alors « le fût d'un vin »), les tanins et autres substances contenues par le vin, ainsi que les cristaux de tartre, se déposent sur le bois. Année après année, le fût apporte de moins en moins de composants aromatiques : plus la couche de tartre est épaisse, moins le bois a d'effet sur le vin. Une situation idéale si on a simplement besoin d'un contenant pour loger le vin.

Le bois neuf respire davantage que le vieux : ses pores ne sont pas bouchés par les dépôts du vin, aussi l'oxygène pénètre-t-il plus facilement. En outre, le chêne neuf ajoute davantage de tanin et de substances « adoucissantes » provenant de la cellulose du bois, ainsi qu'une plus grande quantité d'arôme de vanille, spécifique du bois neuf. Au bout d'une année d'utilisation, le chêne perd ces caractéristiques : il donne moins de composants aromatiques et l'oxydation est également réduite.

Comment sont fabriqués les fûts ?

Le métier de tonnelier est tout un art, mais seuls quelques-unes de ses techniques nous intéressent ici. Afin de réaliser la forme désirée, on bloque une extrémité des douelles évidées et fléchées à l'aide d'un cercle de moule. On place ensuite une chaufferette à l'intérieur pour élever la température du bois et faciliter ainsi le cintrage. Cette chauffe a pour effet de griller légèrement les parois intérieures du fût.

Or l'expérience a montré qu'une chauffe plus ou moins forte apporte des différences dans l'élevage des vins. Une chauffe importante carbonise le fût et produit un filtre de charbon de bois entre le vin et le bois, avec de forts arômes et une grande variété de composants phénoliques. Une chauffe douce permettra une meilleure extraction des composants du bois avec un peu plus d'astringence.

L'entretien des fûts

Dans l'absolu, un fût ne devrait jamais rester vide : lorsqu'il est plein, le bois gonfle et maintient le fût étanche. Les fûts vides doivent être rincés à l'eau avant usage et désinfectés à l'aide de dioxyde de soufre.

Les vieux fûts et cuves peuvent être réutilisés en enlevant les cristaux de tartre à l'intérieur. Il faut alors les démonter, ensuite raboter les douelles, puis les remonter. On met à jour une nouvelle surface de bois, possédant des qualités qui s'apparentent à celles du chêne neuf.

Ajouter un goût de chêne

Les fûts ne sont pas indispensables pour obtenir un goût de chêne, seule la présence du bois importe. Certaines exploitations du Nouveau Monde utilisent ainsi des copeaux de chêne en infusion dans des cuves pour donner au vin ce goût particulier – une pratique jugée peu orthodoxe en Europe. □

L'assemblage des douelles d'une barrique de chêne.

LA MISE EN BOUTEILLES

Une fois le vieillissement achevé, le vin est mis en bouteilles et quitte le château ou la cave du négociant pour être proposé au consommateur. La mise en bouteilles, la tâche la plus terre à terre et aussi la plus technique, comporte un stade important pour la longévité du vin : le choix du bouchon.

Le bouchon idéal

Le chapitre sur le service des vins (p. 59 à 73) décrit les différents types de bouchons et les problèmes rencontrés au moment du service. Mais qu'est-ce qu'un bouchon de liège ? Anachronisme à l'ère des solutions techniques, cette survivance de l'époque romaine, via le XVIIIᵉ siècle, est toujours en vigueur malgré toutes les tentatives pour lui trouver un substitut. Il existe de nombreux matériaux, comme le plastique ou le métal, qui pourraient tout autant répondre à ce besoin. Pourtant, le liège demeure le sceau sacré non seulement pour les vins fins, mais également pour la plupart des vins ordinaires.

Le liège possède des propriétés physiques originales et reste idéal pour boucher une bouteille de verre. Ses cellules microscopiques forment des « ventouses » qui adhèrent au goulot. Le liège est imperméable aux liquides. Il est inerte, ne réagit pas au contact du vin et ne pourrit pas. Seuls des insectes nuisibles – les charançons – et certains champignons peuvent l'affecter ; en prenant les dispositions adéquates, ces inconvénients peuvent être évités. Aucun matériau de synthèse n'offre une telle combinaison de qualités et une telle garantie de longévité, ce qui explique le règne incontesté du liège.

Le liège provient de l'écorce du chêne-liège, *Quercus suber*. Son cycle de récolte est long, de 9 à 15 ans selon le pays d'origine, et chaque arbre ne produit pas de liège utilisable avant

La mise en bouteilles est le processus le plus automatisé de la production.

d'avoir atteint 50 à 75 ans. Le Portugal est le plus grand producteur – environ 50 % de la récolte mondiale –, suivi par l'Espagne, l'Algérie, le Maroc, la France et l'Italie. Les chênes-lièges ne prospèrent que dans cette petite région occidentale du bassin méditerranéen.

Les producteurs de vin choisissent leurs bouchons selon le temps de vieillissement prévu : à petit vin, petit bouchon ; à grand vin, grand bouchon. Bien conservé en cave, un bon bouchon peut protéger un vin pendant un siècle, bien que, par mesure de sécurité, les grands châteaux rebouchent les vins de leur vinothèque tous les 20 ou 30 ans.

Les bouteilles

La bouteille en verre est presque aussi importante pour le vin que le bouchon. Le verre est un matériau inerte et inaltérable : un ensemble de qualités aussi rares que celles du liège. L'invention de la bouteille solide, produite en masse, est décrite p. 43, mais il faut savoir que sa forme a presque autant d'importance que sa résistance. Jusqu'à la fin du XVIIIᵉ siècle, la plupart des bouteilles étaient sphériques, et donc difficiles à stocker couchées. La lente évolution de la bouteille haute à côtés parallèles, facile à stocker couchée en gardant le bouchon au contact du vin, fut essentielle pour les vins fins, car celle-ci leur offre les meilleures conditions de vieillissement.

L'achat direct

De nos jours, beaucoup d'amateurs essaient d'acheter directement aux caves particulières des producteurs. Cela est possible dans les pays de tradition viticole et constitue parfois une destination de voyage pour les Suisses, les Allemands, les Britanniques et d'autres habitants de pays non viticoles. Mais même ceux qui vivent au sein d'un vignoble et qui connaissent un seul type de vin, peuvent avoir la curiosité de découvrir d'autres régions et emprunter les routes des vins.

Le commerce du vin a donné naissance à un réseau complexe, très présent en Europe et lourdement réglementé. Aux États-Unis, en Australie et dans d'autres pays vinicoles du Nouveau Monde, les schémas sont moins rigides. Mais la vente directe au consommateur est malgré tout interdite dans de nombreux États des États-Unis.

Les négociants

Ceux du Bordelais sont les plus connus dans le métier. Leur rôle historique fut d'acheter le vin de divers châteaux et de le revendre, principalement à l'étranger. Leurs caves le long du quai des Chartrons, à Bordeaux, devinrent légendaires, notamment en raison de ce qui s'y passait. Les pratiques de coupage des vins du Rhône et même d'Espagne avec des Bordeaux, étaient courantes, mais, contrairement aux autres frelateurs de vin, les Chartrons cherchaient avant tout à améliorer les rouges de Bordeaux, et non à les « allonger ». Ils savaient que leur clientèle du nord de l'Europe aimait le Bordeaux puissant, capiteux, d'une couleur dense. Il suffisait d'ajouter une bonne dose d'Hermitage et le tour était joué. L'histoire du Porto n'est pas différente et a abouti à l'élaboration de vins mutés.

Ces procédés qui peuvent apparaître douteux étaient l'une des tâches essentielles du négociant traditionnel. Il était « négociant-éleveur ». Les vins restaient parfois plusieurs années dans sa cave et, pendant ce temps, les fûts étaient remplis, soutirés si nécessaire, et ils vieillissaient doucement dans un environnement approprié. Il était reconnu alors que les caves des négociants bordelais offraient les meilleures conditions de vieillissement. Contrairement aux chais à bouteilles mal adaptés des châteaux de l'époque, les caves profondes et sombres, derrière les élégants bâtiments XVIIIe des Chartrons, étaient le lieu idéal pour une bonne maturation des vins.

La mise en bouteilles au château

Il est de plus en plus rare de trouver un grand vin mis en bouteilles ailleurs que sur le lieu de production. Dans le Bordelais, tous les « châteaux » sont aujourd'hui mis en bouteilles au domaine par l'exploitant. Il n'en fut pas toujours ainsi : ce n'est qu'en 1924 que le baron Philippe de Rothschild (de Mouton) tenta de persuader les autres propriétaires des grands domaines de rendre la chose obligatoire. Même après cette date, certains gardèrent l'habitude de vendre en vrac, et ce jusque dans les années 1960. La justification de la mise en bouteilles au château est sa garantie d'authenticité et de qualité. Les inconvénients sont d'ordre financier : il faut de la place dans les caves pour vieillir le vin pendant deux ans et un capital conséquent pour financer les stocks. Mais un vin mis en bouteilles au domaine correspond (à moins d'agissements gravement frauduleux) à ce qui est marqué sur l'étiquette. Les négociants de l'époque ne s'embarrassaient pas de tels scrupules.

Château ou domaine ?

Il est rare qu'un château ou un domaine devienne un nom de marque en France, exception faite du Bordelais. Dans les autres régions, l'identité du vin est donnée par le vignoble ou le village. Le concept de château fut adopté par les producteurs du Nouveau Monde, qui ont vite compris le parti qu'ils pouvaient en tirer. Ils utilisent fréquemment le mot « château » pour renforcer l'idée que leur domaine suit la tradition classique – bien que fort peu de leurs bâtisses méritent une telle promotion.

L'utilisation du nom d'un domaine ne lie pas la production à une région donnée : un château et un domaine peuvent s'étendre, à condition de ne pas dépasser les limites géographiques – souvent vastes – de l'appellation. En dehors de la France, le concept de château devient encore plus large, une partie du raisin pouvant provenir de vignobles en dehors du domaine. Que signifie alors l'expression de « vin mis en bouteille au château » ? Selon la définition classique, il s'agit d'un vin issu

de vignes appartenant au domaine, vinifié, assemblé, élevé et mis en bouteilles à cet endroit. La distinction entre le vin mis en bouteilles au château et celui vendu en vrac est cruciale pour le propriétaire : l'un est un produit fini, tandis que l'autre n'est qu'une matière première.

Les circuits de commercialisation

Aujourd'hui, l'évolution du marché et l'importance prise par des propriétaires de vignobles ont obligé les négociants à s'adapter. Ceux-ci s'occupent moins d'élever des vins et de financer des stocks que de mettre en bouteilles la majeure partie des productions, sauf les grands crus qui sont tous embouteillés sur place. Ils ont pour rôle l'achat et la vente des vins. L'achat s'effectue sur présentation des échantillons par des courtiers, intermédiaires essentiels entre la propriété et le négoce. Le négociant sélectionne, à un prix qui correspond au cours en place, les vins qu'il souhaite commercialiser. Il peut tout aussi bien acheter des vins en vrac, les assembler et les mettre en bouteilles, qu'acheter des vins qui ont été embouteillés à la propriété. Les ventes se font, pour l'exportation, aux importateurs des différents pays clients, ou, sur le marché intérieur, auprès des acheteurs de grandes surfaces, des grossistes, des cavistes, des restaurateurs ou des particuliers.

Le développement récent de la grande distribution alimentaire ainsi que la baisse de la consommation de vin de table ordinaire ont considérablement changé la structure du commerce des vins. Avec les circuits courts de distribution, à marges réduites, le négociant ne peut plus se permettre de financer, comme autrefois, deux ou trois récoltes dont il assurait aussi l'élevage et le vieillissement. Même si cette situation existe encore en Champagne, il devient de plus en plus rare de trouver des millésimes de plus d'un an ou deux chez les négociants. L'amateur de vin qui souhaite attendre l'apogée des meilleurs crus n'a d'autre choix que d'acheter et de garder ses vins en cave, sauf s'il a la chance d'avoir, à son service, un bon caviste de quartier.   □

LES VIGNOBLES DU MONDE

Au moins 50 pays dans le monde produisent du vin, et presque tous exportent aujourd'hui une partie de cette production : le vin est la boisson la plus commercialisée et la plus répandue sur le marché. Aucun autre produit alimentaire ne circule aussi largement sous une forme aussi reconnaissable, car le vin n'est pas anonyme. C'est le seul produit agricole qui porte sur l'étiquette non seulement le pays ou la région de sa provenance, mais souvent le nom du vignoble précis dont il est issu.

Autrefois, ce vignoble eût été français. Ou il aurait pu provenir de la vallée de la Moselle, en Allemagne, ou de la région du Chianti, en Italie. Les vins californiens ou australiens se consommaient sur place. Mais ces vingt dernières années, on a assisté à une véritable internationalisation des marchés vinicoles, accompagnée d'une amélioration considérable de la qualité des vins en général.

La vigne pousse à l'état sauvage dans les climats tempérés du globe ; les cépages cultivés qui en sont issus sont exploités en Europe, dans la partie orientale du bassin méditerranéen, dans de vastes régions de l'Amérique du Nord comme du Sud, ainsi qu'en Australie. Pour des raisons culturelles plus que climatiques, la viticulture est moins répandue en Asie, à l'est du littoral méditerranéen.

La Méditerranée est le berceau du monde viticole, et si l'on trouve aujourd'hui du vin partout, c'est en raison de la forte prédominance de la culture occidentale, issue de l'Antiquité. Les vastes et florissants vignobles du Nouveau Monde – ceux des Amériques, d'Afrique du Sud, d'Australie, de Nouvelle-Zélande – furent plantés par les Européens. À l'heure actuelle, sur les tables des amateurs de vin du monde entier, les vins de ces pays, et d'autres encore, côtoient ceux des vieux vignobles européens.

Une meilleure conduite des vignobles et l'évolution des techniques de vinification ont entraîné une remarquable amélioration de la qualité des vins ; aussi produit-on beaucoup moins de mauvais vin qu'il y a vingt ans. La quantité de vin de qualité s'accroît dans le monde entier, y compris chez les viticulteurs enthousiastes et innovateurs du Nouveau Monde, qui mettent en question la prédominance des vignobles européens. En même temps, la qualité moyenne des vins de consommation courante s'est améliorée grâce aux progrès réalisés dans les contrôles de qualité.

Parallèlement, la quantité de vin produite et consommée décroît régulièrement. Ceci n'a rien de surprenant. Le vin n'est pas seulement un plaisir merveilleux, parfois sublime. Pendant des siècles, il a été utilisé comme un médicament, un anesthésique et un antiseptique ; c'était aussi une boisson généralement moins dangereuse que l'eau de certaines régions. Avec l'évolution des modes de vie et l'élévation du niveau de vie, le consommateur exige – et obtient – aujourd'hui la qualité plutôt que la quantité. Si la France demeure le pays ayant la plus forte consommation de vin par habitant, celle-ci a cependant diminué de moitié entre 1961 et 1991. L'Italie, l'Espagne et le Portugal ont enregistré des baisses similaires.

Vieux vignobles et Nouveau Monde

Si le commerce du vin se pratique à l'échelle mondiale, les idées qu'il inspire voyagent également, et davantage encore les spécialistes qui s'y consacrent. Les pays du Nouveau Monde sont, depuis plus d'un siècle, des observateurs attentifs des traditions viticoles européennes. Les nouvelles industries vinicoles ont toujours eu un œil tourné vers l'Europe et ont su tirer profit du savoir-faire des immigrants, d'informations techniques et de la référence que constituaient les vins importés.

Dès les années 1980, les échanges se faisaient dans les deux sens. Les viticulteurs français, stupéfaits de l'explosion des ventes de vin du Nouveau Monde dans des pays où la France avait toujours régné, commencèrent à envoyer leurs enfants faire des stages en Californie et en Australie. Les grandes maisons de Champagne entreprirent d'y acheter des terres pour y planter des vignes. Elles furent suivies par l'élite du Bordelais : le baron Philippe de Rothschild s'allia à Robert Mondavi pour produire Opus One. Moueix de Pomerol, les Champagnes Roederer, Deutz, Mumm, Taittinger et bien d'autres s'implantèrent en Californie – et parfois aussi en Australie et en Nouvelle-Zélande. En dépit de cette nouvelle concurrence, le prestige et la qualité des vins

Mariage entre le Nouveau Monde et l'Ancien : les chais d'Opus One dans la vallée de Napa, en Californie.

français continuent à servir de référence. Les millions de Chinois se laisseront-ils un jour séduire en masse par le vin ? Le processus a en tout cas commencé, de même qu'au Japon et en Inde. La carte géographique des vins du monde est en perpétuelle mutation.

Comprendre l'univers du vin

Cette fantastique diversité pose malgré tout quelques problèmes aux consommateurs. Le choix est très vaste : comment savoir quels vins sont les meilleurs ?

C'est l'approche géographique qui paraît la plus claire ; aussi les 400 pages qui suivent proposent-elles une étude des vignobles du monde, selon chaque région, elle-même subdivisée selon les cas. Au niveau local, on trouvera jusqu'aux villages, domaines et producteurs de caves particulières. L'idée de départ paraît relativement simple : les pays ont des régions de production qui se divisent en vignobles distincts ; les producteurs possèdent des vignes et élaborent des vins. Ce schéma s'applique bien à certains endroits, mais pas partout, et le monde du vin ne cesse de changer.

Beaucoup de pays du Nouveau Monde mettent l'accent sur un autre facteur que le terroir. En jetant un coup d'œil sur leurs étiquettes, vous reconnaîtrez beaucoup de noms français : ce sont ceux des cépages, trans-plantés dans la quasi-totalité des pays producteurs. Les consommateurs de ces nouveaux pays ont pris l'habitude de donner au vin le nom du cépage : Char-donnay ou Cabernet-Sauvignon, par exemple, indi-quent le style du vin. Les consommateurs comme les législateurs européens ne se satisfont guère de ces appellations. Lorsqu'ils jugent le statut et la qualité d'un vin, c'est la provenance géographique du raisin qui prime sur le cépage.

Partout, la qualité du vin est garantie par le nom de la propriété: dans les régions traditionnelles, un château ou un domaine est considéré comme une marque. Les vignobles du Nouveau Monde possèdent également leurs domaines ainsi que leurs sociétés vinicoles qui deviennent des indicateurs de style et de qualité. Ainsi, en Australie, un consommateur peut-il prendre l'habi-tude de s'approvisionner chez un producteur parce qu'il a confiance dans la qualité de ses vins et connaît le style de la maison. Ce sont alors les noms du cépage et du producteur sur l'étiquette, plutôt que celui du terroir, qui sont des garanties. En Europe, l'accent mis sur la provenance donne une indication non pas dif-férente, mais supplémentaire, de la qualité du vin. Et, dans le monde entier, les amateurs s'habituent à parler aussi bien de terroir que de producteur et de cépage.

LES PAYS VITICOLES

Pour prospérer, la vigne exige un climat aux caractéristiques précises. La période de maturation doit être suffisamment longue pour que la fructification du raisin se fasse dans de bonnes conditions, et l'hiver assez froid pour forcer la vigne au repos. La vigne a besoin d'une certaine quantité de lumière du jour, de chaleur et d'eau : voir p.105. Elle se plaît en climat tempéré, dans des zones situées entre 30 et 50° de latitude nord et sud.

Un climat tempéré

Les zones tempérées se rencontrent en Europe, en Asie et en Amérique du Nord, dans l'hémisphère Nord, en Amérique du Sud, en Afrique du Sud, en Australie et en Nouvelle-Zélande, dans l'hémisphère Sud, régions qui offrent l'équilibre nécessaire de pluie, de température et d'exposition.

Des pentes douces

Dans les pays viticoles classiques, les zones élevées sont exclues, car, à leur latitude, l'altitude modifie les conditions climatiques, les températures deviennent trop froides et les vents trop forts. En revanche, les hauts plateaux sont des sites recherchés en Australie, dans le sud de l'Italie et là où les étés sont chauds. Ces vignobles bénéficient d'une fraîcheur d'altitude et d'un meilleur équilibre climatique.

Grâce à l'irrigation, on exploite aussi certaines terres qui, normalement, sont trop arides pour la viticulture – notamment dans l'hémisphère Sud et certaines régions des États-Unis. Les meilleurs sites se trouvent à flanc de coteau : l'écoulement des eaux s'y fait bien, et les effets du soleil y sont optimisés.

Les plaines sont peu plantées en vignes, souvent parce que d'autres cultures y sont plus rentables.

Régions viticoles

LES RÉGIONS VITICOLES DE QUALITÉ

À l'intérieur de vastes zones de même latitude offrant des conditions climatiques adéquates, pourquoi les vignes prospèrent-elles dans certaines régions plutôt que dans d'autres ? Et comment les pays viticoles définissent-ils et contrôlent-ils ces zones ?

Le choix du site

L'homme peut modifier les conditions naturelles – grâce à l'irrigation dans les pays secs, par exemple –, mais le choix du site est vital pour le vignoble. Les vignerons de la Rome antique savaient que les vignes aiment un versant ensoleillé, près d'une rivière. L'ensoleillement, l'altitude, le sol et le sous-sol, alliés au climat tant général que local, expliquent pourquoi le vin de certains vignobles est toujours meilleur. La France a développé le concept de terroir, rassemblant l'ensemble des facteurs qui influent sur la qualité du vin.

Cette approche traditionnelle est souvent remise en question par certains modernistes, persuadés que la science peut remédier aux faiblesses de la nature. Toutefois, il n'existe pas de bons viticulteurs qui pensent que le site n'a pas d'importance. Nous allons voir à quel point celui-ci joue un rôle.

Les besoins de la vigne. Elle doit être abritée des vents froids, qui peuvent la dessécher et abîmer les jeunes feuilles et les fruits. Elle a besoin de suffisamment de chaleur pour croître et de soleil pour un bon mûrissement du raisin.

Les choix concernant le type de sol sont plus subtils. Ce dernier possède quatre fonctions : il sert de support, fournit l'humidité, procure de la chaleur (il se réchauffe et se refroidit plus ou moins vite) et nourrit la vigne. Pour se développer, toute plante a besoin de nutriments – ces derniers, s'ils existent à l'état de traces dans l'eau de pluie, suffisent. Les substances fournies par le sous-sol du vignoble importent-elles tant ? Nous abordons ici un domaine

sacro-saint. Le Château Pétrus a un goût riche et concentré à cause du fer contenu dans le sous-sol. Le Chevalier-Montrachet est plus léger que son voisin Montrachet parce que le sol est plus pierreux. C'est en tout cas ce que disent certains spécialistes. Certains œnologues australiens remettent cela en question, soutenant qu'il n'existe aucune raison scientifique pour que des sols subtilement différenciés par le classement donnent des vins différents.

Le sol et le terroir. Le sol est-il davantage qu'un support pour la vigne ? Poser une telle question en France est un sacrilège : tout le système des appellations d'origine contrôlées est bâti sur le principe de la protection des meilleurs sols. Un Grand cru de Bourgogne est meilleur qu'un Premier cru parce que la composition de son sol est plus adéquate.

C'était le point de vue prédominant jusqu'à ce que la Californie et l'Australie se mettent à produire des vins de qualité – dans toutes sortes de sols. Les experts français qui travaillent dans les vignobles du Nouveau Monde ont souvent trouvé que les sols où on avait planté de la vigne ne convenaient pas pour une production de vin de qualité. La situation était d'autant plus anarchique qu'il n'existait pas de directives délimitant les endroits où l'on pouvait cultiver tel ou tel cépage.

Les viticulteurs du Nouveau Monde se préoccupent avant tout de l'alimentation en eau et de la température d'un vignoble. Si l'eau de pluie ou celle de la nappe phréatique se révèle insuffisante, ils irriguent. S'il ne fait pas assez ou trop chaud, ils plantent le vignoble ailleurs. Nombre de vignobles étaient encore récemment des pâturages à moutons ou des champs de blé et beaucoup retourneront à cet état. Il est difficile d'imaginer la colline de Corton ou les croupes de graves du Médoc cultivant autre chose que de la vigne, mais, dans

le Nouveau Monde, un tel ordre établi n'existe pas.

On pense que le sol confère certains arômes au vin : tous les ouvrages spécialisés français ou italiens évoquent la façon dont les divers minéraux, l'argile ou le calcaire d'un sol affectent le goût du vin. Cette théorie reste à prouver par l'analyse scientifique. Toutefois, les dégustateurs peuvent faire la différence entre les vins de vignobles d'un même cépage et de sols différents, sans pouvoir l'expliquer. Ils n'ont pas la certitude que ces différences sont exclusivement dues à la composition des sols dont les vins sont issus.

La fertilité et les éléments minéraux ne suffisent pas à définir un sol. Chacun diffère par sa structure : certains sont aérés et perméables et se réchauffent rapidement, d'autres (d'argile) sont lourds, humides et frais. Les plus grands crus poussent sur des sols pauvres et perméables, composés de graviers et d'un sous-sol calcaire. Les sols denses et humides favorisent la pourriture et se réchauffent lentement. Un sol riche et fertile produit des vins très ordinaires : la vigne doit souffrir pour donner du bon vin.

La garantie de qualité

Tous les vins de qualité portent une étiquette indiquant leur provenance. Le système français du contrôle de qualité est longuement décrit ci-dessous parce qu'il a servi d'exemple à l'ensemble des réglementations européennes, de l'Italie à la Bulgarie, et parce que ses principes ont été retenus par les pays membres de l'Union européenne, entre autres. Le pouvoir de l'Union en tant qu'importateur est énorme : elle a fait modifier les réglementations des vignobles du Nouveau Monde dans les années 1990. L'Europe centrale et l'Europe de l'Est, la Nouvelle-Zélande et l'Australie ont dû harmoniser leurs lois avec celles des pays européens.

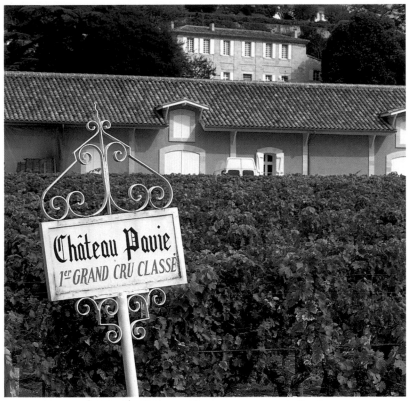

À Saint-Émilion, on affirme son statut avec fierté.

Le développement de la fraude.

Ce sont les contrefaçons qui ont stimulé l'application rigoureuse des lois régissant l'étiquetage – le système des appellations. Au fur et à mesure que le commerce du vin grandissait et que les meilleurs crus atteignaient des prix plus élevés, il devint tentant pour certains négociants étrangers sans scrupules de vendre des vins contrefaits. Les Romains furent sans doute confrontés à du faux Falerne, et l'authenticité d'un fût de vin de Bordeaux était sans doute difficile à prouver au Moyen Âge, mais le problème commença à prendre véritablement de l'ampleur au XXe siècle.

C'est à cette époque que le développement de l'industrie du luxe, avec la multiplication des marques commerciales liée aux économies de marché, encouragea la fraude. Les propriétaires des grands châteaux bordelais furent horrifiés de trouver de faux Margaux et de faux Latour sur les marchés belges, allemands et anglais. Ils n'avaient guère les moyens de se défendre légalement. En réalité, les négociants bordelais ou bourguignons avaient depuis longtemps fait preuve de laxisme en expédiant des vins en vrac sous des appellations prestigieuses. Le vin était de toute façon «ajusté» au goût anglais en Angleterre, fortifié aux Pays-Bas, édulcoré en Allemagne, et les négociants palliaient aisément une insuffisance de qualité de vins d'appellations prestigieuses en les assemblant à d'autres vins de meilleure qualité.

En Espagne, la ligue des viticulteurs de la Rioja établit sa législation en 1560, mais il fallut attendre les années 1980 au XXe siècle pour que la réglementation d'origine soit véritablement appliquée et permette ainsi une meilleure qualité.

En Italie, le Chianti devint l'une des premières zones viticoles contrôlées, lorsque le grand-duc de Florence en établit les limites en 1716. Une réunion internationale interdit en 1883 l'utilisation d'appellations d'origine fausses ou fictives. Mais le laxisme législatif obligea les producteurs à se regrouper dans des groupements de vins de qualité comme ceux des Chiantis Classici.

L'histoire de la réglementation française.

En France, l'histoire de la réglementation est exemplaire. Vers 1860, un écrivain dénonça les marchands bourguignons en ces termes : «Lorsqu'il le souhaite, le commerçant en vins devient Dieu, et n'hésite pas à reproduire le miracle des noces de Cana.» Cette allusion au fait de changer l'eau en vin est exagérée, mais l'apport de vin rouge algérien dans les assemblages de vins du Rhône, puis de vins du Rhône dans les Bourgognes fut une pratique courante dont le but essentiel était l'amélioration des vins expédiés à l'exportation. Mais ces mauvaises habitudes devaient prendre fin, ne fût-ce que pour protéger les viticulteurs et les négociants sérieux. C'est ainsi que la législation de l'appellation d'origine commença en France. Le processus débuta en 1919, mais remonte en fait bien plus loin. Le Bordelais s'était doté d'une réglementation protectionniste au Moyen Âge, interdisant que le vin de l'intérieur des terres soit vendu comme Bordeaux – il s'agissait davantage de rivalité commerciale dirigée contre le port de Libourne que de contrôle de qualité.

En France, la loi de 1905 fut une première mesure contre l'étiquetage frauduleux, les déclarations des viticulteurs permettant de surveiller la quantité de vin produite dans un lieu donné. La loi spécifiait également que les appellations d'origine ne pouvaient figurer sur l'étiquette que si elles étaient véritables. Il fallait donc définir les terroirs. Mais on se heurta à de gros problèmes : comment définir le vignoble de Champagne ou du Bordelais ? La délimitation du vignoble Champagne donna lieu à des émeutes de viticulteurs mécontents à Épernay en 1911. Le gouvernement confia bientôt cette tâche aux autorités locales. La loi de 1919 établit un cadre : les vins d'appellation d'origine devaient être élaborés dans des lieux bien précis et selon des méthodes conformes aux coutumes locales, dans le respect «des usages locaux, loyaux et constants».

Mais on exigeait davantage que la simple mention du lieu d'origine : la loi devait contrôler également la quantité et la qualité. Une nouvelle loi décréta en 1927 que les autorités pouvaient interdire des cépages qui ne convenaient pas pour la région. Le rendement et le degré d'alcool furent peu à peu réglementés. Toutefois, la loi connut des variations dans son application, et il fallut de nombreuses années avant que les vignobles les plus nobles soient définis, délimités et contrôlés. 1935 marqua une nouvelle étape lorsqu'on ajouta le mot «contrôlée». Ce fut la naissance de l'INAO (Institut National des Appellations d'Origine), qui dirige toujours le système. Les AOC furent étendues et modifiées, et c'est sous l'œil vigilant des responsables de l'INAO que les vins sont promus AOC.

La législation européenne

L'Union européenne a adopté le principe de l'AOC et défini la notion de vin de qualité produit dans une région déterminée (VQPRD). Les lois de l'Union européenne stipulent que seuls les vins élaborés dans une zone définie peuvent porter son nom sur l'étiquette, et les pays membres sont tenus de contrôler le rendement, les cépages et les limites précises de chaque appellation.

L'amateur de vin français voyageant il y a 10 ou 20 ans aux États-Unis pouvait s'étonner de trouver du vin californien portant les étiquettes «Chablis» ou «Bourgogne», sans oublier toutes les autres appellations françaises réputées. Cette pratique fut également courante en Espagne jusqu'en 1973, époque à laquelle le Royaume-Uni entre autres, principal marché pour les «Sauternes» espagnols, devint membre de l'Union européenne : l'Espagne n'eut pas d'autre choix que de se soumettre à la législation en vigueur. Ces vins étaient d'ailleurs de mauvaises copies de l'appellation usurpée.

La réglementation de l'Union européenne rendit l'importation de ces vins impossible en Europe. Puis des traités étendirent cette interdiction à d'autres pays, contre des concessions qui leur furent faites par l'Union européenne. Ainsi la fameuse étiquette australienne «Bourgogne Blanc» a aujourd'hui été bannie de Sydney à Perth comme de Paris à Londres.

Le Champagne a été une plus grande source de difficulté. Bien qu'il s'agisse d'une appellation véritablement géographique, le mot «champagne» était utilisé pour définir la méthode d'élaboration avec seconde fermentation en bouteille pratiquée dans cette région. Cette technique est largement utilisée dans le monde entier. Un décret de l'Union européenne interdit aujourd'hui la mention «méthode champenoise» pour tous les vins extérieurs à ceux de la Champagne. Comment décrire ces vins ? Et comment les différencier des Mousseux élaborés selon des méthodes différentes et moins nobles ? Des termes tels que «méthode traditionnelle» ne sont pas aussi explicites que celui de «méthode champenoise».

La législation en Italie. La loi, comme le montre l'exemple français, vise à réglementer l'élaboration et le commerce du vin, en garantissant des critères de production et une authenticité de l'origine. Mais, dans certains cas, les critères imposés n'ont pas été les bons.

La législation italienne, par exemple, a parfois davantage fossilisé des pratiques qu'elle n'a préservé de nobles traditions. Les hommes au pouvoir ont parfois fait en sorte que des régions bénéficient de la DOC (*Denominazione di Origine Controllata*, équivalent de l'AOC), alors qu'elles ne le méritaient pas. Ce n'est pas parce qu'un vin est élaboré d'une certaine façon dans une vallée donnée depuis des générations qu'il est bon. Il peut être grandement amélioré si l'on modifie les cépages et les techniques. La loi italienne a été modifiée et vise à augmenter la qualité: les zones DOC sont moins nombreuses et plus strictes.

La législation en Allemagne. La France a fondé son système sur le principe que les meilleurs vignobles produisent les meilleurs vins, si bien qu'il existe une véritable hiérarchie des terroirs. En Allemagne, tous les vignobles sont égaux : chacun a une chance d'obtenir la meilleure note de qualité. La seule variable reconnue par la loi est le taux de sucre du raisin, qui peut être analysé. Mais cela ne représente aucune garantie de qualité pour le consommateur, et il n'existe aucune différenciation entre les vignobles. En Allemagne, la multitude des noms de vignobles fut considérée comme un obstacle à la reconnaissance du vin. Aussi la loi de 1971 a-t-elle regroupé de nombreux petits vignobles sous une appellation générique qui masque l'origine du vin et donne-t-elle l'impression qu'un vin au nom prestigieux provient d'un certain village ou vignoble, ce qui n'est absolument pas le cas. De nombreux producteurs et la plupart des amateurs de vin pensent que la loi allemande est d'une complexité rare et qu'elle se fonde sur des critères différents de ceux des autres pays.

Les viticulteurs allemands consciencieux limitent souvent le rendement de leur vigne, bien que ce ne soit pas exigé par la loi, et n'utilisent un nom de vignoble que lorsqu'il est approprié. La loi s'efforce de se calquer sur les pratiques des meilleurs viticulteurs.

La législation du Nouveau Monde

Ce n'est que récemment que les pays du Nouveau Monde ont commencé à réglementer leurs appellations. Jusqu'en 1994, les Australiens pouvaient utiliser le nom géographique qui leur plaisait. Certaines régions ont acquis la réputation de produire des vins de qualité, mais, contrairement à l'Europe, elles n'avaient pas de limites définies. Cela pouvait créer une confusion dans l'esprit du consommateur, mais donnait une plus grande liberté au producteur. Maintenant, et à partir de 1995 en Nouvelle-Zélande, un système d'appellations est en place. Aux États-Unis, les étiquettes mentionnent l'État, le comté et la VA (Viticultural Area), strictement délimitée.   □

FRANCE

—

VINS DE BORDEAUX, GRANDS CRUS DE BOURGOGNE, CHAMPAGNE,

CÔTES-DU-RHÔNE, CHÂTEAUNEUF-DU-PAPE... AUTANT DE VINS

FRANÇAIS PRESTIGIEUX, AUTANT DE RÉGIONS DIVERSES,

CARACTÉRISÉES PAR LEURS CLIMATS ET LEURS SOLS.

—

Les vins français servent de référence à ceux du monde entier. Lorsque l'on dresse une liste des vins, la France semble occuper naturellement la première place. Il y a une vingtaine d'années, on pouvait affirmer que les meilleurs vins du monde étaient français, à l'exception des blancs allemands et des vins doux de la péninsule Ibérique. Aujourd'hui, la France doit faire face à la concurrence aussi bien qu'aux imitations, et ce à tous les niveaux de qualité. Mais, dans quelque pays que ce soit, tous ceux qui entreprennent d'élaborer de grands vins essaient d'imiter, pour le surpasser, ce qui se fait en France ; cette suprématie, qui tient peut-être davantage à un préjugé favorable qu'à la seule supériorité de la qualité, semble inébranlable. Au Cap comme à San Francisco, à Sydney comme à Auckland, les dégustateurs se réfèrent à des vins classiques français pour qualifier la production de leur région. Dans ces villes, et dans bien d'autres, on trouve des vins français – modestes ou sublimes – pour satisfaire à la demande des connaisseurs comme à celle du grand public qui n'ignore pas, même si son savoir est peut-être limité, que vin et France sont synonymes.

La gamme des vins français

L'une des raisons de la suprématie de la France réside dans l'extraordinaire gamme de vins qu'elle produit. Et ce grâce à la diversité de ses climats, qui permet de faire des blancs légers dans la Loire comme des rouges puissants dans le Midi. La France a tiré parti de ses avantages géographiques pour imposer des vins ou des régions vinicoles, qui règnent sur le reste du monde. Le Bordelais, la Bourgogne et la Champagne : chacune de ces régions produit un style de vin inégalé, bien que souvent imité. Mouton-Rothschild, Chambertin, Krug, ces grands noms sont connus dans le monde entier. Derrière viennent la Loire, le Rhône, l'Alsace, qui produisent des vins peut-être encore plus inimitables. Sans oublier la vaste gamme des appellations et des régions dont sont issus les vins plus traditionnels : Cahors et Madiran, la Provence, le Jura. Toutes ces régions, et d'autres encore, produisent au moins quelques vins fins, réputés à l'étranger. Vient enfin toute la série des vins français qui sont parfois inconnus hors des frontières de l'Hexagone, voire hors de leur région, mais qui offrent une palette très diversifiée : la Blanquette de Limoux, par exemple, le merveilleux Marcillac rouge des collines de l'Aveyron ou encore les délicieux blancs, inattendus, de Bellet, près de Nice. Il faut encore citer les régions vinicoles de forte production, où l'on peut trouver des îlots de qualité parmi les vins d'assemblage bon marché : les crus du Languedoc, les vins du Minervois ou de Corbières – sans oublier les Vins Doux Naturels, typiquement français.

Tous ces vins existent depuis plus de deux siècles. En fait, il y en avait encore davantage jadis, avant que le phylloxéra et l'évolution commerciale ne forcent de nombreux vignerons à se reconvertir, laissant leurs vignobles en friche. Mais, au cours des années 1980, une vague d'innovations déferla sur les régions vinicoles françaises, dans le Midi principalement, donnant naissance à de nouveaux styles de vins. À la liste des grands et moins grands classiques vinrent ainsi s'ajouter des vins très prometteurs. Dans les collines du Midi, le retour aux traditions de vieilles vignes et faibles rendements, allié aux derniers progrès de la technologie, se traduit par la production de vins dont la qualité enthousiasme les dégustateurs à Paris, comme à Londres ou à New York. Il faut noter que le même phénomène a gagné la Provence, les grands territoires du sud du Rhône et le Sud-Ouest.

Outre le retour aux sources des vieux terroirs, la viticulture des plaines, plus récente et destinée à la production en masse, a été réaménagée. Les techniques australiennes et américaines révolutionnent des vignobles qui produisaient des vins médiocres, au fur et à mesure que des spécialistes à l'esprit ouvert y trouvent les conditions favorables à la culture des cépages classiques, dont sont issus les meilleurs vins. La France a beaucoup appris de ces vignobles implantés dans le Nouveau Monde : elle produit aujourd'hui des vins étiquetés Chardonnay et Cabernet-Sauvignon (des vins de cépage), issus de vignes plantées dans le Midi, traitées selon les méthodes les plus avancées et dont les vins sont commercialisés avec un soin particulier de leur présentation – sans la moindre concession aux notions classiques de terroir et de tradition.

LES RÉGIONS VITICOLES DE FRANCE

Au sud de Paris, il existe peu de départements sans vignes ; les vignobles les plus importants du pays sont représentés ici. Une carte détaillée se trouve au début de chaque chapitre.

Régions viticoles

- Champagne
- Alsace
- Val de Loire
- Bourgogne
- Jura
- Savoie
- Bordeaux
- Côtes-du-Rhône
- Languedoc et Roussillon
- Sud-Ouest
- Provence
- Corse

— Frontière

N

0   100   200 km

Les vins de cépage

Les vins de cépage ont eu davantage de succès à l'export qu'en France, car le public a besoin de se faire à l'idée que le Midi est capable de produire des vins intéressants ; il est toutefois réconfortant de penser que ces vins surpassent ceux d'autres vignobles du monde.

En s'ouvrant à ces nouveaux concepts, la France est donc en train d'ajouter un atout de plus à ses acquis. Les régions traditionnelles sont du reste, elles aussi, en train d'observer ce qui se passe dans les autres pays producteurs et de réagir. De nouvelles générations de viticulteurs et de propriétaires, informés et ouverts aux nouvelles méthodes, prennent maintenant le relais en Bourgogne, dans le Rhône et en Alsace. La révolution a été moins sensible dans le Bordelais, région de tout temps plus perméable aux innovations ; mais malgré son savoir-faire séculaire, celle-ci, poussée par la concurrence, a encore amélioré sensiblement la qualité de ses vins. Même en Champagne, où l'on pensait que la perfection avait été atteinte, certaines modifications des méthodes se sont avérées bénéfiques.

Une viticulture à grande échelle

La France, comme l'Italie et l'Espagne, est un pays viticole complet. La vigne est cultivée dans plus de la moitié de ses départements. 914 000 ha de vignes fournissent du raisin à chaque vendange. Si cette superficie est moindre qu'autrefois, la production moyenne annuelle de plus de 53 millions d'hectolitres – près de sept milliards de bouteilles – met tout de même la France à la deuxième place parmi les pays viticoles (détail des chiffres p. 586). Seule l'Italie produit davantage de vin.

Plus d'un tiers du vin français bénéficie de l'appellation d'origine contrôlée (AOC), dont la définition légale est décrite ci-après. Cette suprématie des vins d'AOC, relativement nouvelle, souligne une tendance intéressante. On boit aujourd'hui beaucoup moins de vin qu'il y a trente ans ; la consommation moyenne par habitant se situe actuellement autour de 60 litres par an, alors qu'elle était de 154 litres en 1954, mais on consomme du vin de bien meilleure qualité.

La législation

La viticulture française est l'un des secteurs agricoles les plus réglementés au monde. Chaque mention figurant sur l'étiquette est régie par la loi, et chaque bouteille appartient à une catégorie précise, soit, par ordre décroissant : appellation d'origine contrôlée (AOC), vins délimités de qualité supérieure (VDQS), vins de pays et vins de table.

Appellation d'Origine Contrôlée (AOC)

Les lois régissant l'AOC ne s'appliquent pas uniquement à la France. Pour les grands vins du monde, se reporter p. 130.

En France, les Appellations d'Origine Contrôlée recouvrent des régions produisant du vin conformément aux critères locaux. Il en existe environ 450. Il faut souligner deux points importants : premièrement, ces AOC sont soumises à une réglementation régionale ; deuxièmement, il y en a de plusieurs niveaux. La réglementation vise à préserver des traditions et des qualités locales, afin de mettre en valeur l'originalité de chaque village et de chaque terroir.

Cette réglementation a été établie, et modifiée, avec l'accord des producteurs et négociants de chaque région, aussi reflète-t-elle les usages du pays. Dans le Bordelais, c'est généralement le château qui constitue l'unité vinicole. Ce concept, quelquefois mythique et élastique, est traité p. 142, mais il ne s'agit en aucun cas d'une aire délimitée. En Bourgogne et ailleurs, au contraire, le vignoble prime sur le ou les propriétaires.

La réglementation diffère donc dans ces deux régions. Dans le Bordelais, des AOC relativement larges recouvrent une commune entière, ou même, dans le cas de l'AOC Margaux, jusqu'à cinq communes. Les vignobles spécifiques ne sont pas notés, bien que tout le monde sache que certains sont meilleurs que d'autres. À l'exception des terres manifestement inappropriées comme les basses prairies, l'AOC se contente de définir l'appellation générique, comme Margaux ou Saint-Julien.

À l'intérieur de ces districts, une deuxième division distingue les châteaux (dont la hiérarchie, en Médoc, remonte à 1855), les villages et les crus bourgeois. Mais cela n'est nullement du ressort de l'AOC. L'étiquette de Château Margaux comme celle du vin le plus modeste portent toutes deux la même mention « Appellation Margaux Contrôlée ».

En Bourgogne, une commune telle que Gevrey-Chambertin, d'une taille comparable à celle d'un village du Médoc, aura sa propre AOC, mais sera en plus subdivisée en une douzaine de vignobles clairement dénommés. Certaines étiquettes porteront l'AOC Gevrey-Chambertin, d'autres, l'AOC Gevrey-Chambertin Premier Cru, et quelques-unes porteront leur propre AOC ainsi que l'appellation Grand Cru. En revanche, quelques vignobles périphériques n'auront pas été jugés dignes de l'appellation Gevrey et n'auront droit qu'à l'AOC Bourgogne.

On trouve des exemples plus simples de ces divers niveaux de classification dans beaucoup d'autres régions. Dans le Rhône, l'AOC plus large de Côtes-du-Rhône est parsemée de communes censées produire un meilleur vin et autorisées à utiliser l'AOC Côtes-du-Rhône-Villages. Quelques-unes ont obtenu la distinction supplémentaire qui consiste à rajouter leur propre nom derrière cette dénomination de Côtes-du-Rhône-Villages. Le niveau supérieur échappe complètement à l'AOC Côtes-du-Rhône et porte son seul nom, comme l'AOC Gigondas.

La réglementation des AOC. Une fois qu'une AOC a été définie – ses frontières délimitées, et toute terre inappropriée exclue –, d'autres règles interviennent qui définissent les cépages pouvant être cultivés, la production maximale, le degré d'alcool minimal, et parfois maximal. Les cépages sont ceux qui existaient dans la région au moment où l'appellation a été définie : c'est tantôt une culture en monocépage, tantôt une culture de toute une gamme de cépages. Les rouges de Cornas doivent être issus à 100 % de Syrah, alors que plus bas dans la vallée, à Châteauneuf, on peut cultiver jusqu'à treize cépages.

Les restrictions quantitatives sont les plus discutées. Chaque AOC a défini un rendement maximum, exprimé en hectolitres de vin par hectare de vignoble (hl/ha). Une petite AOC de prestige aura droit à une production moindre qu'une AOC plus large. Le maximum peut être dépassé si l'AOC l'autorise, selon la vendange. Et ce rendement annuel peut parfois se situer au-dessous du maximum autorisé. Par contre, un producteur peut solliciter l'autorisation de produire jusqu'à 20 % de plus, à condition de soumettre son vin à une commission de dégustation (pour être labélisé), et il ne peut, comme autrefois, vendre son excédent de production comme vin de table ; il doit l'envoyer à une distillerie ou à une vinaigrerie.

On constate ainsi que le rendement maximal correspondant normalement à une AOC peut être largement dépassé, avec la permission officielle de l'Institut National des Appellations d'Origine (INAO).

Dans certaines régions, les méthodes de production font partie de l'AOC. En Champagne, par exemple, une réglementation précise définit les processus de pressurage des raisins et d'élevage des vins.

Les lois d'AOC régissent également le nombre de pieds de vigne plantés par hectare, l'amendement des sols, l'utilisation d'engrais, les techniques de taille, la chaptalisation, la liste des produits autorisés dans les vinifications, le traitement des vins, ainsi que les mouvements. C'est ce dernier point que les autorités ont le plus de mal à contrôler. Chaque quantité produite est enregistrée, et on vérifie qu'elle correspond bien à la taille du vignoble dont elle est issue. Mais une

fois que le vin quitte le lieu de production, les quantités sont beaucoup plus difficiles à vérifier.

La protection des appellations. Le système des AOC est contrôlé et régi par l'INAO, qui s'acquitte de sa tâche avec la plus grande rigueur. Celui-ci mène « un combat dans le monde entier afin de protéger les appellations d'origine de toute menace extérieure ». Par menace, on entend, entre autres, l'utilisation abusive du nom d'un vin – ce peut être, par exemple, le nom Champagne appliqué à un Mousseux, aussi bien qu'à toutes sortes de produits comme une moutarde ou un parfum. Les responsables des Commissions européennes soutiennent l'INAO dans cette protection des appellations et ont négocié avec certains pays comme l'Australie, afin d'établir une reconnaissance mutuelle de leurs appellations.

Pour démontrer le bien-fondé de son combat, l'INAO précise : « Contrairement à une marque, qui appartient à un

Au-delà du mur, ce vignoble de Gevrey-Chambertin est classé premier cru.

individu ou à une société... l'appellation est la propriété commune et inaliénable de tous ceux qui travaillent sur les terres auxquelles cette appellation s'applique.»

De leur côté, certaines appellations travaillent à protéger leur nom. L'industrie du Champagne est particulièrement active dans ce domaine, grâce au Comité Interprofessionnel du Vin de Champagne (CIVC), qui a engagé des poursuites judiciaires dans plusieurs pays pour protéger le nom de son vin. D'autres régions se sont dotées d'organismes similaires.

Vins Délimités de Qualité Supérieure (VDQS)

Cette appellation concerne des régions vinicoles jugées moins prestigieuses que les AOC. La réglementation est la même, mais les zones sont délimitées en fonction des frontières des communes, avec moins de précision que les AOC. Les VDQS représentent aujourd'hui environ 1 % de la production française de vin.

Vins de Pays

Ces vins, qui représentent environ 15 % de la production française, constituent une catégorie spéciale de vins de table, plus proche des vins d'AOC. Ils sont issus de lieux spécifiques et élaborés selon des règles très strictes. Leur nombre est en augmentation rapide, et correspond bien à la philosophie de diversité qui sous-tend, côté officiel, les classifications françaises : il n'existe pas de pyramide de qualité absolue, mais plutôt des réglementations séparées et parallèles. Ce système des vins de pays a l'avantage de permettre aux viticulteurs d'utiliser des cépages interdits par l'AOC, parce qu'ils ne sont pas traditionnels dans la région. Dans de nombreuses parties du pays, les zones d'AOC et celles des vins de pays se superposent, et ces dernières permettent des innovations. Les Chardonnays, par exemple, ne font pas partie de la liste AOC du Muscadet. Mais la zone vin de pays de la vallée de la Loire (Jardin de la France) autorise la culture de plusieurs cépages non traditionnels à la région. Ainsi, un vigneron élevant du Muscadet peut utiliser quelques parcelles de son vignoble pour faire des essais avec du Chardonnay et vendre ce vin sous l'étiquette de vin de pays. Des expériences similaires ont introduit le Cabernet-Sauvignon et le Merlot dans le Midi ; le Viognier, raisin réputé du Rhône septentrional, s'est étendu plus au sud ; et le Chardonnay, originaire de Bourgogne, est omniprésent dans tous les vignobles de France, jusqu'en Corse. D'autre part, les vins de pays peuvent permettre l'utilisation de cépages dont l'AOC juge la qualité insuffisante.

Les zones de Vins de Pays. Il existe trois sortes de Vins de Pays : régionaux, départementaux et locaux.

Les Vins de Pays régionaux sont issus des surfaces les plus largement délimitées ; il en existe quatre : les vins du Pays d'Oc, du Jardin de la France, du Comté Tolosan et des Comtés Rhodaniens. Ils proviennent donc du Midi, de la partie méridionale du Rhône et de Provence ; de la vallée de la Loire ; du Sud-Ouest, du nord du Rhône et de Savoie.

Les Vins de Pays départementaux proviennent d'à peu près tous les départements français producteurs de vin, depuis la Meuse, au nord-est, jusqu'aux Pyrénées-Atlantiques, au sud-ouest.

Les Vins de Pays locaux, délimités par une « zone » locale, recouvrent des territoires plus réduits, dont la taille varie. Ils portent souvent des noms de vallées ou de sites. Ces vins locaux se trouvent essentiellement dans le Midi, où ils ont souvent contribué à faire

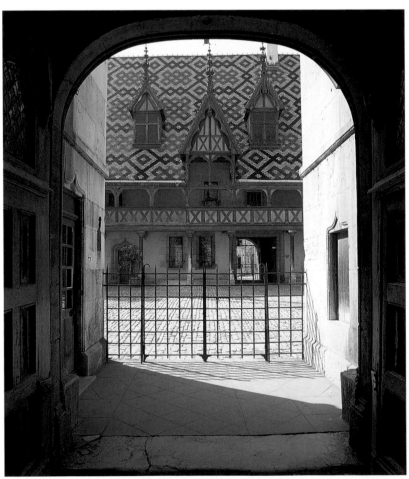

Le fameux toit de l'hôtel-Dieu de Beaune.

revivre des vignobles ruinés par la croissance des régions de forte production sur les plaines côtières. Dans d'autres cas, ils font reconnaître un petit vignoble perdu au cœur de la France, ou permettent aux vignerons des AOC d'élaborer de nouveaux styles de vin.

Les Vins de Pays autorisent les producteurs à écouler leur vin comme vin de table, dont une partie seulement sera déclarée vin de pays. Dans la plupart des endroits, le producteur a le choix entre trois noms : celui de la zone, et si celui-ci ne convient pas en raison de la réglementation ou parce qu'il est inconnu, celui du département et celui de la région. Un vin de Pays d'Oc peut ainsi provenir de l'Aude (et il pourrait d'ailleurs porter cette appellation), ou d'une zone spécifique de l'Aude – Coteaux de Narbonne, Val de Dagne, etc.

De plus, la réglementation plus souple des Vins de Pays permet l'assemblage. Un négociant peut acheter toute une série de cépages ou de vins du Midi et utiliser l'appellation Vin de Pays d'Oc, un peu comme les sociétés australiennes autorisées à utiliser l'appellation «Produit du Sud-Est de l'Australie».

La réglementation

Chaque région possède une liste des cépages autorisés, choisis, dans le cas d'une zone, parmi ceux de la liste départementale. Dans certains cas, la quantité maximale et minimale de certains cépages est définie : un minimum de 10 ou 20 % de cépages «classiques» est parfois stipulé, afin d'ajouter parfum et élégance à des cépages plus neutres.

Les rendements sont contrôlés, bien que leurs niveaux soient assez élevés : la norme est de 80 hl/ha pour les vins de pays de zones délimitées, mais elle peut être de 70 hl/ha seulement. Pour les vins de pays départementaux, elle peut être de 90 hl/ha – deux fois le rendement des meilleures AOC.

Des normes très strictes régissent le taux minimal d'alcool naturel, la teneur en acidité volatile et en dioxyde de soufre. Un échantillon de chaque cuve est analysé. Une commission de dégus-

Tonneau sculpté des caves du Champagne Louis Roederer.

tation goûte ensuite chaque vin avant de lui accorder l'appellation Vin de Pays. La réglementation de l'étiquetage interdit l'utilisation des mots «Château» ou «Clos», réservés aux AOC, mais «Domaine» est autorisé. Contrairement à la plupart des AOC, les vins de pays peuvent mentionner le cépage qui figure parfois en gros caractères sur l'étiquette.

Les vins de certaines régions ont déjà été promus ou reclassés VDQS et AOC. Ce qui veut dire qu'un certain style a été défini et que le vin peut alors être soumis à la réglementation plus rigide des appellations de rang supérieur. D'autres vins de pays disparaîtront sans doute d'eux-mêmes.

Les vins de table

Une proportion de 55 % du vignoble français produit du vin de table, catégorie sous laquelle se classent également les vins de pays. La plupart de ces vins de table sont rouges et proviennent des régions du Midi, de Provence et de Corse. Sur leurs étiquettes ne figurent ni l'indication des régions d'origine ni le cru, mais seulement le nom du pays, France. Généralement mélangés, les vins de table sont vendus sous des noms de marque.

Les spécialités

La France regorge de spécialités. De nombreuses AOC produisent du vin pétillant en même temps que du vin tranquille ; d'autres régions se spécialisent dans les vins doux.

Les Crémants et les vins pétillants. De nombreux vins pétillants sont produits en France suivant les normes d'une appellation contrôlée, par exemple le Champagne ainsi que les divers Crémants de Bourgogne, d'Alsace et de la Loire, etc.

Les autres vins mousseux, produits selon les méthodes «industrielles» décrites p. 114-115, ne sont pas régis par les normes de l'AOC. Les cépages utilisés peuvent provenir de n'importe quelle région de France ou même d'un autre pays de l'Union européenne. Ils portent un nom de marque et la dénomination Vin Mousseux.

Les Vins Doux Naturels (VDN). L'élaboration de ces vins permet de garder une partie des sucres naturels du raisin en ajoutant de l'alcool au cours de la fermentation.

Ces vins doux, produits selon des méthodes traditionnelles dans le Languedoc et le Roussillon, sont essentiellement consommés en France, où ils sont très appréciés à l'apéritif. Il en existe plusieurs types, dont l'un des plus réputés est le Muscat de Beaumes-de-Venise (voir p. 258), et toute une variété d'appellations situées le long de la côte méditerranéenne, qui sont décrites en détail p. 283.

Les mistelles et les Vins de Liqueur. Plusieurs régions de France ajoutent du jus de raisin non fermenté à l'eau-de-vie locale, ce qui donne des mistelles. Il ne s'agit pas de vins. Le Pineau des Charentes de la région de Cognac, par exemple, contient un quart de cognac et trois quarts de jus de raisin, provenant du même domaine. Cette boisson sucrée est généralement pâle ou ambrée, parfois rosée. Son élaboration est réglementée par une AOC. De même que le Floc de Gascogne et le Macvin du Jura, les autres mistelles se trouvent sous de vieilles désignations – ainsi le Ratafia en Champagne – et ne répondent pas à une réglementation en AOC, mais à la catégorie fiscale des Vins de Liqueur, dont font partie le Porto, le Xérès et l'ensemble des vins mutés d'importation.

Les étiquettes de vin français

La plupart des étiquettes françaises sont d'une parfaite clarté. Les mentions Appellation Contrôlée, Vin Délimité de Qualité Supérieure ou Vin de Pays indiquent le statut et la provenance.

Les vins de table sont libellés comme tels, sans autre précision.

Chaque étiquette porte l'adresse du propriétaire ou de la société qui a procédé à la mise en bouteilles. Pour les vins de table, il s'agit parfois d'un simple code d'embouteillage afin d'éviter toute confusion avec une AOC. Les deux premiers chiffres donnent le numéro du département où le vin a été mis en bouteilles – mais pas nécessairement produit. Le consommateur a ainsi une idée de son style : de nombreux négociants sont situés

dans le Bordelais (33, Gironde), la Loire (44 pour le Pays nantais, 49 pour Angers et Saumur). 21 indique la Côte-d'Or, 71 le Mâconnais et Chalon-sur-Saône, 69 le Beaujolais et 89 le Chablis.

Ce code permet de repérer des vins provenant de jeunes vignes de régions d'AOC, lesquels n'ont droit qu'à la catégorie des vins de table, mais une mention telle que Jeunes Vignes mérite que l'on vérifie sa région d'origine. Toutefois, le vin peut avoir été transporté d'une autre région de France et seulement mis en bouteilles dans la région mentionnée.

Le commerce du vin en France

Il y a plus d'un demi-million de viticulteurs en France, et environ 100 000 d'entre eux se conforment à une réglementation AOC. Ils ne produisent pas tous du vin : certains vendent leur raisin à des négociants, d'autres à une coopérative locale.

Les producteurs ne vendent pas toujours sous leur propre nom : ils préfèrent parfois céder leur production en vrac à un négociant qui l'assemble à d'autres vins et la met en bouteilles sous un nom de marque.

Les coopératives. Celles-ci offrent un service aux viticulteurs qui possèdent peu de terres et sont dépourvus d'équipement. Elles sont nées au début du

siècle, lorsque la baisse du prix des vins obligea les vignerons à se reconvertir. Les unes ont maintenu les normes en vigueur il y a une vingtaine d'années ; les autres ont investi dans un équipement moderne, et certaines d'entre elles élèvent même des vins en fûts de chêne.

Les meilleures rémunèrent les viticulteurs en fonction de la qualité des raisins qu'ils leur livrent, et encouragent la plantation de cépages nobles. D'autres encore font même venir des conseillers pour guider leurs membres dans la conduite de leurs vignobles. En outre, les coopératives assurent la commercialisation de l'ensemble de leur production, soit en livrant en vrac à des négociants, soit en commercialisant elles-mêmes le vin en bouteilles. Elles produisent généralement des vins d'un bon rapport qualité/prix.

Les négociants. Leur rôle est d'acheter des vins mis en bouteilles à la propriété (qui seront revendus tels quels), ou d'acheter des vins en vrac afin d'élaborer des assemblages pour les élever, les embouteiller et les commercialiser sous leurs marques.

La plus grande partie du vin français passe par le négoce à un moment ou à un autre, exception faite du vin vendu directement par des coopératives ou par des producteurs de caves particulières.   □

LE VOCABULAIRE DU VIN FRANÇAIS

Les termes concernant la dégustation, la production et la description sont définis dans le glossaire (voir p. 594). Par ailleurs, pour comprendre les étiquettes, il est possible de se reporter p. 44.
Voici certains termes particuliers que l'on peut trouver sur les étiquettes ou les catalogues de vin :

Millésime : année de production.
Mise en bouteilles au château/domaine : mise en bouteilles sur le lieu de production. Il peut s'agir aussi d'une cave coopérative.
Mise en bouteilles dans nos caves : il s'agit généralement des caves d'un négociant.

Négociant : acheteur qui revend aux grossistes et aux grandes surfaces ou aux importateurs étrangers.
Négociant-éleveur : achète le vin, l'assemble, l'élève dans ses caves et le met en bouteilles.
Négociant-embouteilleur : procède à la mise en bouteilles et gère des stocks.
Vignoble : il peut s'agir d'une seule parcelle de terrain ou de toute une région (« le vignoble bordelais »). Il est alors subdivisé en zones.
Propriétaire-récoltant : propriétaire d'un vignoble, qui produit également son vin.
Vigneron : il peut aussi bien s'agir d'un ouvrier que d'un viticulteur-propriétaire.

BORDEAUX

LES VIGNOBLES DE LA RÉGION DE BORDEAUX SONT LA PLUS IMPORTANTE SOURCE DE GRANDS VINS DANS LE MONDE, QU'ILS SOIENT PRESTIGIEUX OU NON.

Séductrice, charmante, élégante, quelquefois arrogante, mais aussi paysanne et campagnarde, la Gironde ne manque pas d'états d'âme. Elle reflète l'esprit de Bordeaux et du Bordeaux, un esprit né du frottement d'aristocrates et de paysans, de marchands anglais et hollandais, et de vignerons. Quittez la ville, prenez n'importe quelle direction et vous vous retrouvez au milieu de vignes. Chaque château, chaque cru, chaque appellation

La magnificence du Château Pichon-Longueville Baron, second cru classé de Pauillac, témoigne de la prospérité du XIXe siècle à Bordeaux. Ses nouveaux propriétaires des années 1980 l'ont entièrement remis à neuf.

Gironde et la forêt des Landes. Ici se pratique la religion Cabernet, cépage indocile qui exige du soleil pour arriver à maturité et du temps pour se révéler. De Margaux à Saint-Estèphe en passant par Saint-Julien et Pauillac, le Médoc propose quelques-uns des plus grands vins du monde. Quelques noms comme Latour, Lafite-Rothschild, Margaux ou Mouton-Rothschild suffisent à attiser l'imaginaire de tous les amoureux du

possédant une personnalité et une originalité uniques, un amateur pourra passer sa vie entière à les explorer. Rive gauche, Pessac-Léognan et Graves racontent la naissance de la vigne bordelaise, née dans les faubourgs de Bordeaux voilà près de 2 000 ans. Ce vignoble à forte personnalité démontre aussi la diversité girondine, depuis les seigneurs de Pessac-Léognan jusqu'aux petits vignerons de Langon. Cette riche appellation réussit aussi bien les rouges que les blancs secs, alliant générosité et rigueur. Au centre des Graves, Sauternes et Barsac conservent les humeurs liquoreuses du Sémillon et du Sauvignon en s'adonnant au rite de la pourriture noble, née de la magie des automnes brumeux. Plus au nord, le Médoc des vins ne se livre guère. Le promeneur doit le surprendre à la dérobée pour saisir quelques vues sublimes entre la

vin. Autant de crus qui illustrent le fabuleux potentiel du terroir médocain et son étonnante complexité. Les vins expriment l'élégance et la race. Rive droite, passé la Dordogne et en remontant vers le nord, le Libournais impose la vérité du Merlot, cépage opulent et chatoyant. À Pomerol et à Saint-Émilion, les vins jouent la séduction en délivrant des arômes de fruits rouges et noirs, de la souplesse, de la rondeur et de la gourmandise. Bordeaux élabore de grands vins depuis des siècles : le poète romain Ausone fut le premier à en faire les louanges. Cultivées depuis fort longtemps, les meilleures croupes de graves sont aujourd'hui les plus belles parcelles des plus grands crus (le vignoble du Château Pape-Clément date de 1331). À l'aube du XVIIIe siècle, le commerce des grands vins capables de vieillir est né à Haut-Brion.

Les régions et les styles de vin

La carte ci-contre permet de visualiser le partage du vignoble bordelais en deux régions séparées par la Garonne et l'estuaire de la Gironde : la rive gauche, avec Bordeaux pour capitale, et la rive droite, avec le port de Libourne pour ville principale. Les différences géographiques de ces deux régions se retrouvent dans le style des vins rouges, par exemple, car, si le cépage Cabernet-Sauvignon domine sur la rive gauche, la rive droite est le fief du Merlot. D'autres différences sont liées à l'histoire : tandis que les grands vignobles du Médoc et des Graves tiraient parti de l'activité du grand port de Bordeaux pour commercialiser leurs vins dans le monde entier, les propriétés de taille plus modeste de Saint-Émilion et de Pomerol, sur la rive droite, devaient se contenter du petit port de Libourne, dont l'exportation n'était pas l'activité première.

Certains grands crus de Graves produisent aussi de superbes vins blancs secs, bien que cette catégorie reste l'apanage du vaste vignoble d'Entre-deux-Mers, entre la Garonne et la Dordogne. Au sud-est de la région, les vins liquoreux se partagent le vignoble de part et d'autre de la Garonne, avec les fameux crus de Sauternes et de Barsac, rive gauche, et des appellations moins connues comme celles de Sainte-Croix-du-Mont et de Loupiac, rive droite.

Une forte production

Si Bordeaux est l'un des plus grands vignobles pour la qualité de ses vins, il l'est également pour la quantité de sa production. Avec 115 000 ha, le vignoble bordelais est plus étendu que celui de l'Allemagne et quatre fois plus vaste que celui de la vallée californienne de Napa, qui est en quelque sorte l'équivalent américain du Bordelais. En outre, les années 1980 ont été marquées par une forte progression des rendements, qui dépassent régulièrement les 5,5 millions d'hectolitres (soit 660 millions de bouteilles) alors que le record historique de 1979 s'établissait à 4 millions. Et il ne s'agit presque exclusivement que de vin d'appellation contrôlée. Depuis 1970, la majorité de la production ne concerne plus le vin blanc mais le rouge, qui représente aujourd'hui plus de quatre bouteilles de Bordeaux sur cinq.

Les châteaux de Bordeaux

Le concept de château est issu du Bordelais. Le terme pourrait laisser entendre qu'à chaque vin portant l'étiquette d'un château correspond une superbe bâtisse avec des douves et des tours, mais il n'en est rien. Ces vieux châteaux existent, mais ils sont rares. De plus, nul ne sait combien d'entre eux peuvent légalement prétendre à cette désignation (la législation en la matière n'est pas strictement appliquée), certains organismes avançant le chiffre de 7 000, d'autres celui, moins fantaisiste, de 1 000. En fait, il s'agit le plus souvent de fermes vouées exclusivement à la viticulture, et rares sont celles qui disposent d'une maison de maître, ou d'un véritable château.

Le château de Bordeaux est une entité de vignoble aux mains d'un seul propriétaire cultivant sa vigne et élaborant son vin. La taille de l'exploitation peut varier entre 150 ha (comme dans le Médoc) et quelques hectares seulement (comme à Pomerol), et le vignoble être d'un seul tenant ou constitué de parcelles disséminées sur la même commune. Cette originalité a donné naissance à la notion de cru, terme lié au terroir d'origine, à son environnement et à l'homme qui l'exploite. Certains châteaux ont une dimension et une réputation qui leur permettent de vinifier leurs raisins sur place, d'élever leurs vins et de les mettre en bouteilles « au château ». D'autres se contentent de vendre leur production en vrac ou même de livrer leur raisin à la cave coopérative locale. Cette notion de cru, de château ou de propriété reste profondément ancrée dans l'histoire du Bordelais et de nombreux autres vignobles s'en sont inspirés, en France comme dans toutes les régions viticoles du monde.

Les vinifications

Bordeaux a créé des styles de vins aujourd'hui appréciés (et copiés) dans le monde entier.

L'élaboration d'un vin de Bordeaux fait appel aux règles classiques de vinification (voir p. 112-113). Mais, si les grands principes sont simples, les pratiques d'assemblage et d'élevage en barriques offrent des options beaucoup plus complexes à maîtriser. L'assemblage consiste à marier différentes cuves issues de parcelles différentes, donc de cépages différents, de vignes plus ou moins vieilles, récoltées plus ou moins tôt, ou tard. L'assemblage est un art difficile qui consiste à obtenir le meilleur équilibre et la meilleure expression du terroir en fonction de la qualité du millésime. Une partie de ce qui n'est pas retenu dans l'assemblage du « grand vin » est assemblée dans un « second vin » et le solde, à savoir les cuves qui n'ont pas été retenues dans les deux premiers choix

LES APPELLATIONS ET LES ÉTIQUETTES

Le Bordelais est divisé en 57 appellations d'origine contrôlée. La totalité des vignobles du département de la Gironde bénéficie de l'AOC Bordeaux tandis que l'AOC Bordeaux Supérieur couvre la même zone, mais applique des conditions de production plus strictes.

On distingue trois groupes à l'intérieur de cette zone : à l'ouest, sur la rive gauche de la Garonne et de la Gironde, se succèdent les AOC Sauternes, Barsac, Graves, Pessac-Léognan et Médoc ; à l'est, sur la rive droite de la Dordogne et de la Gironde, on trouve le Libournais (AOC Saint-Émilion, Pomerol, Fronsac), Bourgeais et Blayais ; entre les vallées de la Garonne et de la Dordogne s'étend l'AOC Entre-deux-Mers. Le vignoble du Médoc se divise lui-même en AOC Médoc, avec une partie en AOC Haut-Médoc, et les prestigieuses appellations communales de Saint-Estèphe, Saint-Julien, Pauillac, Margaux, Moulis et Listrac.

Les vins de Bordeaux sont le plus souvent des vins de crus dont l'étiquette porte le nom d'un château, mais leur statut reste celui de l'appellation dont ils proviennent : Château Lafite est un AOC Pauillac et Château Pavie est un AOC Saint-Émilion. Les classifications sont détaillées p. 146 et p. 149 pour le Médoc, p. 159 pour les Pessac-Léognan, p. 164 pour les Sauternes, p. 172 pour le Saint-Émilion.

LES RÉGIONS VITICOLES DE BORDEAUX

Sur la rive gauche de la Gironde et de la Garonne se trouvent les appellations Médoc, Pessac-Léognan, Graves et Sauternes, tandis que le Libournais (Saint-Émilion, Pomerol ainsi que leurs satellites) et l'Entre-deux-Mers s'étendent sur la rive droite.

Régions viticoles

- Médoc
- Pessac-Léognan
- Graves
- Sauternes, Barsac, Cérons, Loupiac, Ste-Croix-du-Mont
- Entre-deux-Mers
- Ste-Foy-Bordeaux
- Premières Côtes de Bordeaux
- Côtes de Bordeaux St-Macaire
- St-Émilion et communes satellites
- Pomerol, Lalande-de-Pomerol
- Côtes de Blaye
- Côtes de Bourg
- Bordeaux-Côtes-de-Francs
- Fronsac, Canon-Fronsac
- Côtes de Castillon
- Graves de Vayres
- Bordeaux

Limite des appellations contrôlées Bordeaux
Limite de département
Autoroute
Route principale
Autre route

(comme celles issues des plus jeunes vignes), est vendu en vrac au négoce comme vin d'appellation générique. Cette pratique de l'assemblage permet donc à un château de diffuser, sous son étiquette, le vin que son propriétaire considère comme le meilleur, quelle que soit la qualité du millésime.

L'élevage est une autre composante de la qualité d'un grand cru. La pratique du stockage en barriques de bois de chêne n'est pas récente, puisqu'elle était autrefois la seule possible pour la garde et le transport des vins. À cette vocation première se sont ajoutées d'autres vertus constatées par des générations de vinificateurs : pour que le vin se bonifie en barrique, il doit être assez puissant et concentré et la barrique, neuve ou récente, le bois neuf conférant un certain caractère au vin (voir p. 117). Le choix de la proportion de barriques neuves pour une vendange donnée est donc une composante essentielle des qualités d'un cru, et seuls les plus grands crus de Bordeaux utilisent systémati-quement, année après année, 100 % de barriques neuves. Les petits châteaux qui élaborent des vins moins concentrés et font l'expérience du bois neuf se retrouvent parfois avec des vins dominés par des notes boisées qui masquent un peu trop les arômes naturels du raisin.

Tous les vins rouges de Bordeaux sont vinifiés selon les mêmes techniques et à partir des mêmes cépages, mais, malgré leurs points communs, ils se distinguent par des styles très divers. Le pourcentage des cépages d'une propriété est l'un des principaux facteurs de ces différences : lorsque l'assemblage comporte plus de Merlot que de Cabernet-Sauvignon, les vins sont plus amples, plus ronds et plus doux et évoluent plus vite que dans la proportion inverse.

Quant aux rendements des vignes, ils sont tout aussi déterminants pour la concentration des vins et leur caractère. Le terroir d'origine, lui aussi, a son importance puisqu'il marque la nature de chaque appellation d'un certain style, décrit dans les chapitres qui suivent. La qualité du terroir, le mode de culture, le choix de la date des vendanges, le tri rigoureux des raisins avant leur entrée dans les chais, la conduite des vinifications, la sélection des cuves, les assemblages et l'élevage en barriques sont donc autant de facteurs de différences d'un cru à l'autre pour un même millésime.

La vigne occupe les meilleurs terroirs de Bordeaux depuis des siècles et les cépages ont été progressivement sélectionnés pour leurs performances locales. Les grands crus ne sont pas le fruit du hasard : leur qualité, leur classification et leur prix sont justifiés par leur histoire et celle de leurs vins. Les prix élevés ont permis de poursuivre les investissements nécessaires à l'élaboration de grands vins, dont les plus concentrés, de grande garde, sont le plus souvent à la hauteur de leurs promesses. On a rarement la bonne surprise de voir un petit château s'élever au rang des grands et les sacrifices les plus douloureux ne sont guère récompensés, car le terroir reste maître de la qualité.

Au lendemain des années 1970, les nouvelles techniques ont changé les vinifications en blanc, à Bordeaux comme partout ailleurs. La qualité des pressoirs

LES CÉPAGES

Les cépages classiques de Bordeaux sont décrits p. 34-41, mais il est intéressant de souligner leur rôle et l'influence de chacun d'entre eux sur la composition des assemblages des vins de Bordeaux.

VINS ROUGES

Pour élaborer ses vins, Bordeaux a créé sa propre recette en assemblant trois variétés de vignes en cépages principaux et quelques autres en cépages secondaires.

Cabernet-Sauvignon. C'est un cépage dominant du Médoc, en particulier dans les crus classés, où il peut représenter plus de 80 % dans la cuvée finale du grand vin. Dans les meilleurs crus, en AOC Pauillac, Saint-Julien, Saint-Estèphe ou Margaux, les croupes de graves maigres bien drainées constituent son terrain de prédilection. Son caractère est tout autant prisé dans les AOC Graves rouges, mais les sols calcaires de Saint-Émilion lui conviennent moins bien (voir les facteurs de qualité p. 173). Les vins marqués par le Cabernet-Sauvignon sont des vins de garde, assez tanniques dans leur jeunesse, développant une élégance inégalée avec l'âge.

Cabernet Franc. C'est un cépage très utilisé en association avec le Merlot à Saint-Émilion, où il joue un rôle déterminant. Moins tannique que le Cabernet-Sauvignon, il participe dans une moindre mesure aux assemblages des Médocs et des Graves et de la plupart des vins de Bordeaux.

Merlot. Cépage-clé des vins de Pomerol et dominant dans de très nombreux vins de Saint-Émilion, le Merlot est un cépage secondaire essentiel aux vins du Médoc et des Graves, où, en complément du Cabernet-Sauvignon, sa souplesse et son intensité aromatique lui font jouer un rôle déterminant. Il s'épanouit dans les terres grasses un peu lourdes où le Cabernet-Sauvignon ne se plaît pas.

Malbec. Autrefois très répandu dans le Médoc et apprécié pour son mûrissement précoce et ses notes fruitées, il contribue aux assemblages, pour l'intensité de sa couleur. Sensible aux maladies, c'est aujourd'hui un cépage mineur.

Petit Verdot. Ce cépage médocain mûrit plus tardivement que le Cabernet-Sauvignon (troisième époque hâtive). Les années chaudes lui conviennent. Il est à l'origine d'un vin très coloré, tannique, aromatique, de garde. Il entre pour 5 à 10 % dans les assemblages.

VINS BLANCS

Deux cépages principaux se partagent les faveurs des terroirs bordelais, le Sauvignon et le Sémillon. Cépage classique de la région, le Sémillon donne le meilleur de lui-même lorsqu'il est « rôti » par la pourriture noble en Sauternais. Quant au Sauvignon, il fait de plus en plus d'adeptes grâce à ses expressions aromatiques dans les vins secs.

Sémillon. Cépage de base des vins blancs secs et des plus grands Sauternes, c'est le cépage blanc le plus répandu de la région bordelaise. Attaqué par la pourriture noble (voir p. 163), son jus concentré donne naissance aux plus grands nectars liquoreux. En version blanc sec, il est le plus souvent assemblé au Sauvignon.

Sauvignon. Cépage de plus en plus important pour les crus de Graves blancs et les AOC Entre-deux-Mers, il existe aussi en Sauternais comme cépage secondaire.

Muscadelle. Cépage très aromatique mais fragile, il est très apprécié dans les assemblages lorsqu'il parvient à maturité.

Vignoble du Château Cheval-Blanc, l'un des crus les plus prestigieux de Saint-Émilion.

et les cuves en acier inoxydable, qui permettent une meilleure maîtrise des températures de fermentation, ont été les moteurs d'une véritable révolution des vins blancs : le Sauvignon et le Sémillon se montraient enfin sous un jour meilleur, avec de belles notes fruitées et des vins équilibrés agréables à boire. Ces changements récents ont permis aux meilleurs crus de Pessac-Léognan de s'élever au rang des grands vins blancs et au vignoble d'Entre-deux-Mers de vendre des blancs très bien faits, désormais d'un excellent rapport qualité/prix.

Les méthodes de vinification sont décrites p. 158 pour les vins blancs secs et p. 163 pour les vins liquoreux.

Les millésimes et le vieillissement

Bordeaux est la seule ville du monde dont les conditions météorologiques se répandent comme une traînée de poudre dans le monde entier, au point qu'un millésime qui sera bon à Bordeaux sera souvent jugé bon partout (ce qui est rarement vrai). Et, lorsque les conditions climatiques sont particulièrement favora-

bles, les propriétaires et les négociants n'hésitent pas à proclamer un millésime du siècle, souvent bien avant les vendanges, nouvelle rapidement relayée par la grande presse.

L'influence de l'océan Atlantique, à l'ouest, donne au vignoble bordelais un climat de type océanique (voir les facteurs de qualité p. 150 et 173). Les dangers sont les gels d'hiver qui peuvent anéantir une partie du vignoble (comme en 1956), les gelées printanières, les coups de froid au moment de la floraison, la grêle, les étés trop humides et les pluies au moment des vendanges.

Les variations climatiques donnent d'une année sur l'autre des millésimes très différents. Ces disparités ayant été gommées par une succession exceptionnelle de bons millésimes dans les années 1980 (1981, 1982, 1983, 1985, 1986, 1988 et 1989), on aurait pu croire que la nature du climat avait changé. Mais, si la décennie suivante a bien commencé (avec un excellent 1990), 1991 a rappelé au monde du vin que la nature était capricieuse, en cumulant

gel de printemps et fin d'été pluvieuse. 1992 n'a pas été gâté par la nature et 1993 et 1994 auraient été des années exceptionnelles sans les pluies de septembre. 1995 et 1996, d'une qualité supérieure à la moyenne, ont « dopé » le marché, trop optimiste pour le faible 1997. En 1998, les Merlots ont surclassé les Cabernets, et 1999 souffre d'irrégularités. Même si les progrès des technologies de vinification permettent de sauver l'honneur, en tirant le meilleur parti de raisins moins mûrs, la qualité d'un millésime reste imprévisible à Bordeaux, et les millésimes des années à venir resteront toujours à la merci des conditions climatiques.

Les meilleurs millésimes de certains grands crus de Bordeaux rouges peuvent vieillir pendant 10, 20, voire 30 ans ou plus. Certaines grandes bouteilles du XIXe siècle sont quelquefois ouvertes avec recueillement et dégustées en silence : le vin peut être miraculeusement bon. Mais ces moments privilégiés ne sauraient faire oublier que la vaste majorité des crus de Bordeaux n'a pas la même longévité, d'autant que les vinifications actuelles privilégient les caractères fruités sur les caractères tanniques des vins de garde.

En revanche, certains petits châteaux de Saint-Émilion ou du Médoc peuvent atteindre un caractère complexe après trois, quatre ou cinq ans de bouteille, en fonction de la qualité du millésime. Les crus classés des Graves, du Médoc ou de Saint-Émilion gagnent à être vieillis plus longtemps, selon le millésime. Mais seuls les meilleurs crus des meilleures appellations comme Margaux, Pauillac ou Saint-Julien peuvent supporter des décennies de vieillissement.

En général, mais ce jugement mérite quelques exceptions, les vins rouges de la rive gauche (Médoc et Graves) ont un potentiel de vieillissement plus grand que ceux de la rive droite (Saint-Émilion et Pomerol). Les caractères des millésimes sont également à considérer : les 1975 et 1976, portés au pinacle des millésimes du siècle au moment de leur naissance, ont évolué très différemment, les 1976 dépassant leur apogée après 15 ans, tandis que les 1975, durs et austères, sont restés fermés pendant très longtemps, certains pouvant ne jamais s'ouvrir.

Les classements

Les vins de Bordeaux en général, et du Médoc en particulier, vivent en compétition au sein d'une hiérarchie bien établie. Les grands châteaux font l'objet d'un intérêt mondial et les amateurs ont toujours éprouvé le besoin d'être guidés par une échelle de valeurs fournissant des indications claires sur la qualité d'un cru et son prix.

La première classification officielle de 1855 (voir encadré) résulte de quelques décennies de commerce : en effet, les courtiers de place se référaient, dans leurs échanges, aux « premiers », « deuxièmes », « troisièmes », « quatrièmes » et « cinquièmes crus ».

Le reste du vignoble bordelais est régi par des classements plus récents, qui n'ont pas le même recul historique et n'obéissent pas à des critères d'analyse identiques. Les Sauternes ont fait l'objet d'une classification en même temps que les vins du Médoc, tandis que les vins de Graves n'ont été classés qu'en 1953 et les châteaux de Saint-Émilion en 1954 (voir pages suivantes).

Tout classement dans la hiérarchie des crus implique que chaque château classé est censé ne rien changer au terroir reconnu au moment du classement. Ce principe logique laisse supposer que l'entité territoriale d'un château soit immuable, ce qui, au fil des cessions et acquisitions, est rarement le cas : toute vigne acquise par un château classé peut entrer dans l'assemblage. Il n'existe à ce jour de cas de déclassement qu'à Saint-Émilion, notamment pour extension de la superficie de son vignoble. □

LE CLASSEMENT DE 1855

Le classement de 1855 est resté inchangé jusqu'à nos jours (exception faite de Château Mouton-Rothschild, promu de deuxième à premier cru en 1973). À part Château Haut-Brion, premier cru situé dans le Pessac-Léognan, il ne concerne que les vins rouges du Médoc. Cette échelle des crus – classés par ordre de mérite de premier (pour les meilleurs) à cinquième – a été établie lors de l'Exposition universelle de 1855 en fonction de la moyenne des prix des vins au cours du siècle précédent. Depuis cette date, bien des choses ont changé – certains châteaux ont été divisés, d'autres ont été agrandis –, mais le classement est resté : cela signifie que la hiérarchie des terroirs d'origine était juste et que la défense des privilèges des mieux classés a des arguments pour contrer la critique.

Premiers crus
Ch. Lafite-Rothschild, Pauillac
Ch. Latour, Pauillac
Ch. Margaux, Margaux
Ch. Haut-Brion, Pessac-Léognan
Ch. Mouton-Rothschild, Pauillac

Deuxièmes crus
Ch. Rauzan-Ségla, Margaux
Ch. Rauzan-Gassies, Margaux
Ch. Léoville-Las-Cases, St-Julien
Ch. Léoville-Poyferré, St-Julien
Ch. Léoville-Barton, St-Julien
Ch. Durfort-Vivens, Margaux
Ch. Lascombes, Margaux
Ch. Gruaud-Larose, St-Julien
Ch. Brane-Cantenac, Cantenac-Margaux
Ch. Pichon-Longueville, Pauillac
Ch. Pichon-Longueville Comtesse de Lalande, Pauillac
Ch. Ducru-Beaucaillou, St-Julien
Ch. Cos d'Estournel, St-Estèphe
Ch. Montrose, St-Estèphe

Troisièmes crus
Ch. Giscours, Labarde-Margaux
Ch. Kirwan, Cantenac-Margaux
Ch. d'Issan, Cantenac-Margaux
Ch. Lagrange, St-Julien
Ch. Langoa-Barton, St-Julien
Ch. Malescot-St-Exupéry, Margaux
Ch. Cantenac-Brown, Cantenac-Margaux
Ch. Palmer, Cantenac-Margaux
Ch. La Lagune, Ludon
Ch. Desmirail, Margaux
Ch. Calon-Ségur, St-Estèphe
Ch. Ferrière, Margaux
Ch. Marquis d'Alesme-Becker, Margaux
Ch. Boyd-Cantenac, Cantenac-Margaux

Quatrièmes crus
Ch. St-Pierre, St-Julien
Ch. Branaire, St-Julien
Ch. Talbot, St-Julien
Ch. Duhart-Milon, Pauillac
Ch. Pouget, Cantenac-Margaux
Ch. La Tour-Carnet, St-Laurent
Ch. Lafon-Rochet, St-Estèphe
Ch. Beychevelle, St-Julien
Ch. Prieuré-Lichine, Cantenac-Margaux
Ch. Marquis de Terme, Margaux

Cinquièmes crus
Ch. Pontet-Canet, Pauillac
Ch. Batailley, Pauillac
Ch. Grand-Puy-Lacoste, Pauillac
Ch. Grand-Puy-Ducasse, Pauillac
Ch. Haut-Batailley, Pauillac
Ch. Lynch-Bages, Pauillac
Ch. Lynch-Moussas, Pauillac
Ch. Dauzac, Labarde-Margaux
Ch. d'Armailhacq (ex-Mouton-Baron-Philippe), Pauillac
Ch. du Tertre, Arsac-Margaux
Ch. Haut-Bages-Libéral, Pauillac
Ch. Pédesclaux, Pauillac
Ch. Belgrave, St-Laurent
Ch. de Camensac, St-Laurent
Ch. Cos Labory, St-Estèphe
Ch. Clerc-Milon, Pauillac
Ch. Croizet-Bages, Pauillac
Ch. Cantemerle, Macau

LES RÉGIONS VITICOLES DU MÉDOC, DES GRAVES ET DE SAUTERNES

La carte ci-dessous montre la longue bande de vignobles qui s'étire le long de la rive gauche de la Garonne et de la Gironde. Le Médoc est divisé, au nord, en AOC Médoc et, au sud, en AOC Haut-Médoc, où se trouvent les appellations communales de Saint-Estèphe, Saint-Julien, Pauillac et Margaux. Les Graves ont, au nord, une sous-appellation Pessac-Léognan tandis que l'AOC Sauternes, au sud, constitue une enclave dans l'appellation des Graves.

Régions viticoles

- Bas-Médoc
- Haut-Médoc
- St-Estèphe
- Pauillac
- St-Julien
- Listrac
- Moulis
- Margaux
- Graves
- Pessac-Léognan
- Cérons
- Barsac
- Sauternes

∿ Courbe de niveau de 10m
— Autoroute
— Route principale
— Autre route

FRANCE
Bordeaux

N

0   10   20 km

MÉDOC

Le Médoc est un peu le bout du monde, isolé du reste de la France par les eaux brunes de la Gironde et du reste du globe par l'océan Atlantique. La vigne n'y occupe qu'une mince bande qui s'étire tout au long de la péninsule, entre l'estuaire et la grande forêt des Landes qui filtre la fraîcheur des brises atlantiques. Cette situation géographique privilégiée, combinée à un sous-sol unique et à des croupes graveleuses, donne naissance à de grands vins.

Les facteurs-clés qui constituent l'environnement du Médoc sont analysés p. 150. Les autres ingrédients de la magnificence et du succès des grands crus sont le choix des cépages qui se sont imposés localement et la proximité du port international de Bordeaux. Les vins du Médoc, tout comme ceux des Graves, ont été découverts il y a fort longtemps par les amateurs d'Europe du Nord, qui s'approvisionnaient déjà à Bordeaux au temps des Romains. Les premiers crus du Médoc, tels Margaux, Latour ou Lafite, étaient déjà connus des importateurs de grands vins il y a trois siècles. Cet engouement a généré une demande mondiale qui perdure et encourage les propriétaires à faire les investissements et les sacrifices nécessaires à l'élaboration de grands vins.

Les châteaux

La prospérité des grands crus a laissé un autre héritage : les châteaux. C'est au sein du Médoc que se trouve la plus forte concentration de grands domaines viticoles du monde. Certains propriétaires n'ont pas hésité à afficher leur richesse et leur prétention en édifiant de superbes constructions de styles divers et controversés. S'il subsiste aujourd'hui quelques joyaux tels le Château de Lamarque, qui date du Moyen Âge, ou le Château d'Issan, construit au XVIIᵉ siècle, la grande majorité des édifices furent

Façade du Château Cos d'Estournel.

construits aux XVIIIᵉ et XIXᵉ siècles. Les tourelles et les somptueuses façades égaient certes la monotonie d'un paysage sans attrait, mais ces monuments ne constituent qu'une facette des châteaux médocains. Plus importants, en effet, sont les chais, bâtisses souvent dénuées de charme, qui abritent les équipements vinaires, les barriques et les stocks de bouteilles au niveau du sol.

Les cépages et les styles de vin

Le cépage prédominant des appellations du Médoc est le Cabernet-Sauvignon, qui se trouve assemblé en proportions variables avec le Merlot, le Cabernet Franc et le Petit Verdot. La part de Cabernet-Sauvignon dans l'assemblage final d'un château est une indication du style de vin : plus elle est importante, plus le vin sera austère et plus il pourra être considéré comme un vin de garde.

Autres composantes du caractère d'un château, sa situation géographique et son statut. Les grands crus

LES APPELLATIONS DU MÉDOC

Il existe une hiérarchie dans les appellations du Médoc.

AOC Médoc. Autrefois nommée Bas-Médoc en raison de sa situation plus basse, en aval de la Gironde, cette région a changé de nom à la demande des vignerons. Ici, sur une large étendue de vignes au nord et au nord-ouest de Saint-Seurin-de-Cardonne, se trouvent de nombreux petits châteaux et quelques grandes propriétés. Une importante partie des vins sont centralisés par les coopératives locales pour être commercialisés en Médocs génériques.

Les bois, les pâturages et les marécages se partagent les vallons tandis que le vignoble occupe les collines de graves. Pour les châteaux, voir p. 157.

AOC Haut-Médoc. Cette appellation regroupe tous les vignobles situés au sud, en amont de la Gironde, qui n'appartiennent pas aux communes de Moulis et Listrac ni aux quatre appellations prestigieuses de Saint-Estèphe, Pauillac, Saint-Julien et Margaux. Plus en retrait par rapport à l'estuaire de la Gironde, à l'exception de Saint-Seurin, Lamarque, Cussac, Ludon-Médoc et Macau, cette appellation dispose de quelques très beaux sites.

Cinq des crus classés en 1855 (voir p. 146) et de nombreux crus bourgeois réputés (voir p. 157) sont situés dans l'AOC Haut-Médoc.

AOC communales. Ces dernières, décrites en détail dans les chapitres qui suivent, représentent le summum dans la hiérarchie des appellations médocaines : par ordre alphabétique, il s'agit de Listrac, Margaux, Moulis, Pauillac, Saint-Estèphe et Saint-Julien.

Les autres vignobles cèdent leur production à la coopérative locale ou commercialisent leurs vins sous l'appellation Haut-Médoc ou Médoc.

– classés pour la plupart en 1855 (voir p. 146) – ont adopté un encépagement plus riche en Cabernet qu'en Merlot, ainsi que des sélections et des conduites d'élevage des vins bien particulières (voir p. 142). Ils occupent les sols les mieux drainés dotés des meilleures graves.

Sur les parcelles défavorisées par un sol plus lourd, le Merlot donne des vins plus soyeux et agréables à boire plus jeunes. Ceux-ci ne restent pas très longtemps en barriques trop neuves. Les meilleures propriétés ont la volonté de garder un certain nombre de parcelles en vieilles vignes, plus avares en quantité mais donnant des raisins plus concentrés.

Les vins rouges du Médoc se distinguent des vins de Saint-Émilion et du reste de la rive droite par une droiture, une finesse et une austérité ainsi que par les arômes dominants du Cabernet-Sauvignon.

Les crus bourgeois

D'un point de vue historique, le concept et la désignation « cru bourgeois » sont largement antérieurs à la notion de « cru classé», puisqu'ils remontent au Moyen Âge et n'étaient pas réservés aux vins du Médoc. La liste qui a été établie en 1932 ne comprend que les vins du Médoc et dénombre 444 crus bourgeois, dont 99 supérieurs et 6 supérieurs exceptionnels. Cette sélection n'a bénéficié d'aucune reconnaissance officielle et est tombée en désuétude. Dès 1962, un Syndicat des crus bourgeois a publié une nouvelle sélection, suivie d'autres, toujours non officielles. Les instances bruxelloises tolèrent la mention « cru bourgeois », mais ne lui accordent aucune place dans la hiérarchie des classifications. Enfin, en 2001, un arrêté ministériel a fixé les conditions d'un véritable classement composé de trois catégories. Le classement officiel a été publié en juin 2003 : il comprend 247 crus bourgeois, dont 8 supérieurs et 9 exceptionnels. Depuis le millésime 2003, ce sont les seuls vins pour lesquels il est autorisé de faire figurer la mention « cru bourgeois » sur l'étiquette. □

La taille et la réputation des grands crus du Médoc permettent d'opérer une sélection des meilleures cuvées pour le meilleur assemblage, vendu sous l'étiquette du château et appelé « grand vin » ou « premier vin ». Le solde de la production, écarté par cette première sélection, se retrouve dans un « second vin » commercialisé sous une autre étiquette. Cette pratique a toujours existé dans les plus grands châteaux du Médoc, puisque le second vin du Château Latour date de plus de deux siècles et que celui de Château Mouton s'appelait Mouton Cadet dans les années 1930 (le Mouton Cadet d'aujourd'hui est une marque commerciale d'un simple Bordeaux). Cet usage séculaire a connu un regain d'intérêt avec les dix glorieuses des années 1980 grâce aux forts rendements (ou à cause d'eux) et à une volonté confirmée de ne garder, sous l'étiquette du « grand vin », que le meilleur.

Les « seconds vins » ne font l'objet d'aucune réglementation autre que celle imposée par leur appellation. Mais, bien que ces vins soient issus des vignes d'un domaine (château) bénéficiant d'un classement – cru classé ou cru bourgeois –, il est évident que leurs producteurs perdent tout droit d'y faire référence. Moins concentrés que les « grands vins », les « seconds vins » sont à boire plus rapidement.

Un bon millésime devrait être à l'origine d'un excellent « second vin » dans la mesure où toutes les cuves mériteraient d'y être assemblées, sauf peut-être celles qui proviennent de jeunes vignes dont le rendement est souvent trop généreux. Dans un millésime difficile, où les raisins ne sont pas à pleine maturité, la sélection est plus sévère et les cuvées qui entrent dans l'assemblage du « second vin » sont souvent plus légères. La sélection s'opère en fonction d'un certain équilibre de l'assemblage du « premier vin » et il n'est pas rare, dans des années très mûres comme 1982 ou 1986, de trouver des « seconds vins » dignes des « premiers ».

Il peut exister une troisième étiquette pour certains châteaux, voire une quatrième, mais ces usages sont rares et les cuves qui ne sont pas retenues dans un premier assemblage ni dans un second sont le plus souvent commercialisées en vins génériques d'appellation (AOC Saint-Estèphe, Saint-Julien, Pauillac ou Margaux).

QUELQUES SECONDS VINS

Premiers crus classés
Lafite-Rothschild : Les Carruades
Latour : Les Forts de Latour
Margaux : Pavillon Rouge du Château Margaux

Seconds crus classés
Brane-Cantenac : Notton
Cos d'Estournel : Pagodes de Cos
Ducru-Beaucaillou : La Croix
Durfort-Vivens : Domaine de Cure-Bourse
Gruaud-Larose : Sarget de Gruaud-Larose
Lascombes : Ségonnes
Léoville-Las-Cases : Clos du Marquis
Léoville-Poyferré: Moulin-Riche
Montrose : La Dame de Montrose
Pichon Baron : Les Tourelles de Longueville
Pichon Lalande : Réserve de la Comtesse
Rauzan-Ségla : Ségla

Troisièmes crus classés
Calon-Ségur : Marquis de Ségur
Cantenac-Brown : Canuet
Lagrange : Fiefs de Lagrange
La Lagune : le Moulin de Ludon
Malescot-Saint-Exupéry : La Dame de Malescot
Palmer : Alter Ego

Quatrièmes crus classés
Beychevelle : Amiral de Beychevelle
Duhart-Milon-Rothschild : Moulin de Duhart
Marquis de Terme : des Gondats
Prieuré-Lichine : de Clairefont
Talbot : Connétable de Talbot

Cinquièmes crus classés
Grand-Puy-Ducasse : Artigues-Arnaud
Grand-Puy-Lacoste : Lacoste-Borie
Haut-Batailley : La Tour-d'Aspic
Pontet-Canet : Les Hauts-de-Pontet

Crus bourgeois
Caronne-Ste-Gemme : Parc rouge de Caronne
Castéra : Bourbon la Chapelle
Chasse-Spleen : l'Oratoire de Chasse-Spleen
Citran : Moulin-de-Citran
Gloria : Peymartin
Labégorce-Zédé: Admiral
Meyney : Prieuré-de-Meyney
Ormes-Sorbet : Conques
Phélan Ségur : Frank Phélan
Siran : S de Siran
Sociando-Mallet : la Demoiselle
Tour-de-By : Roque de By

LES FACTEURS DE QUALITÉ

Cette coupe géologique du sous-sol de la région de Pauillac montre les sédiments de graves déposés par la Gironde sur une roche de fond composée de calcaire avec des poches d'argile. Les vignobles des meilleurs crus sont situés sur les talus graveleux les plus profonds, qu'on appelle les « croupes » de graves. La perméabilité de ces graves sur sous-sol calcaire permet un bon drainage.

Localisation

Le vignoble de Château-Latour, un premier cru célèbre, occupe une « croupe » de graves qui domine les « palus » de rives de l'estuaire. La pente, assez marquée, facilite le drainage. La proximité de la Gironde est un autre facteur de qualité, car elle protège contre les gels de printemps. Les vignobles des meilleurs crus sont localisés sur d'autres « croupes » dont la déclivité s'atténue vers l'ouest.

LE MÉDOC : COUPE GÉOLOGIQUE

Sable   Calcaire et marnes

Graves   Poches d'argile

Grès   Calcaire

Vignobles

Sols de graves

Les graves illustrées sur cette photo montrent les différences entre les gros galets et les gravillons liés à des sédiments sablonneux. Les graves permettent un bon écoulement des eaux. En sous-sol, une fine couche composée de sables, de fines graves et d'argile repose sur une roche compacte, formée de sédiments calcaires (comme à Margaux) ou sableux (à Mouton), ou encore argileux (à Latour). La superposition de ces strates sédimentaires donne trois propriétés favorables à la viticulture : le sol et le sous-sol offrent un environnement pauvre qui limite le rendement de la vigne ; le sous-sol perméable permet aux racines de la vigne de descendre à 4 ou 5 m de profondeur ; cette perméabilité des sols empêche aussi, bien sûr, les eaux de pluie de stagner ou de s'accumuler.

Pluviométrie

Les chutes de pluie qui, souvent, s'abattent sur le Médoc sont affectées par l'influence protectrice de la ceinture forestière des Landes, au sud et à l'ouest du vignoble. Cette carte montre la pluviométrie moyenne en millimètres pendant la période cruciale du mois de juillet. Les vents d'ouest, porteurs de pluie, traversent la zone forestière, et les précipitations touchent davantage l'ouest du Médoc, avant d'atteindre le vignoble. Les vignerons préfèrent un été plutôt sec et des vendanges sans pluies, afin de favoriser la maturation des raisins et de les récolter dans les meilleures conditions. Les pluies d'hiver et de printemps sont bienvenues, mais, dans l'ensemble, le Médoc ne manque pas d'eau et craint moins la sécheresse que l'excès de précipitations.

Sol de graves à Pauillac.

Drainage

Si les graves favorisent un bon écoulement des eaux de pluie, les cours d'eau souterrains améliorent encore ce drainage. Sous les sols de surface se trouvent aussi les vestiges du système datant de l'époque où le niveau de la Gironde était plus bas qu'aujourd'hui. Les propriétaires de châteaux n'en ont pas moins dû investir lourdement dans ce domaine.

Moyenne des précipitations (mm) en juillet

CRUS DE SAINT-ESTÈPHE

Tout au nord du Haut-Médoc, les vignes sont plantées sur des sols plus lourds et argileux que ceux du sud de l'appellation. Les vins solides et austères de Saint-Estèphe avaient la réputation de prendre beaucoup de temps à s'épanouir, ce qui reste vrai pour quelques châteaux, tandis que d'autres ont adopté des vinifications donnant des styles de vin plus souples, acceptant plus de Merlot dans leur assemblage. Le vin rouge de Saint-Estèphe reste néanmoins plus robuste et plus tannique que celui de Pauillac ou de Saint-Julien.

L'APPELLATION

Les terres de la commune se trouvent à la limite nord de celles de Pauillac. Les châteaux du sud de l'appellation, comme Cos d'Estournel, dominent les vignobles de Lafite et de Mouton, n'en étant séparés que de quelques centaines de mètres par un fond de vallée marécageux. Par ailleurs, le même Château Lafite déborde d'une parcelle sur Saint-Estèphe. Plus au nord, l'appellation Médoc comporte moins de croupes de graves et plus de zones de marécages sauvages. Saint-Estèphe ne dispose que de cinq crus, classés en 1855, mais il existe de nombreux crus bourgeois d'excellent renom.

Château Andron-Blanquet

Cru bourgeois Voisin du Château Cos d'Estournel, doté d'un vignoble très bien situé de 16 ha au sud de l'appellation, ce cru est réputé pour ses vins denses et charnus qui ont besoin de vieillir en bouteille.

Château Beau-Site

Cru bourgeois supérieur Les vignes de ce cru dominent la Gironde, facteur de qualité reconnu pour de bons vins. Ceux-ci sont bien structurés, riches et de bonne garde.

Château Calon-Ségur

3ᵉ cru classé Situé à la sortie du village de Saint-Estèphe, Calon-Ségur est le plus septentrional des crus classés en 1855. Ses vins ont d'excellentes qualités de garde, surtout depuis les millésimes des années 1995 et suivantes.

Château Chambert-Marbuzet

Cru bourgeois supérieur Appartenant aux propriétaires de Haut-Marbuzet, ce cru produit des vins agréables et souples qui ne demandent pas des années de patience pour être consommés.

Château Cos d'Estournel

2ᵉ cru classé Réputé pour l'extravagance architecturale de son château de style oriental, dont la façade masque les chais à barriques, Cos d'Estournel est surtout respecté pour la magnificence de ses vins. Le vignoble est complanté de 40 % de Merlot. Les vinifications font appel aux dernières technologies, mais le vin reste très classique. Jean-Guillaume Prats, fils de Bruno, l'ancien propriétaire, vinifie avec brio pour la SA Domaine Reybier, nouvel acquéreur de ce vignoble de 65 ha, à l'issue d'une vente compliquée.

Château Cos Labory

5ᵉ cru classé Voisin de Cos d'Estournel, Cos Labory est d'un style très différent, moins complexe et d'une maturation plus rapide. Les quelques récents millésimes se montrent flatteurs.

Château Le Crock

Cru bourgeois supérieur Il s'agit d'un superbe château dont les vignes jouxtent celles de Montrose et de Cos d'Estournel ; ses vins restent classiques et impressionnants. Sous l'égide de la famille Cuvelier, le château a été restauré et les chais refaits à neuf.

Château Haut-Beauséjour

Cru bourgeois Les 20 ha de ce domaine acquis par le Champagne Roederer en 1992 sont complantés majoritairement de Merlot (Cabernet-Sauvignon 40 %) et donnent des vins équilibrés, fermes et typés.

Château Haut-Marbuzet

Cru bourgeois exceptionnel Avec des vignes qui dominent la Gironde, au sud-est de l'appellation, une bonne maîtrise des vinifications et l'apport de bois neuf, les vins de Haut-Marbuzet sont d'une couleur foncée et d'une grande puissance.

Château Lafon-Rochet

4ᵉ cru classé Lafon-Rochet possède un vignoble exposé au sud en direction du Château Lafite, avec de très vieilles vignes complantées à 55 % de Cabernet-Sauvignon. C'est un bon vin de garde dans les meilleurs millésimes.

Château Le Boscq

Cru bourgeois supérieur C'est un vignoble de 16 ha confié en fermage à la maison Dourthe. Avec autant de Merlot que de Cabernet-Sauvignon associé à un peu de Petit Verdot, ce domaine qui a changé de mains en 1995 est en constant progrès. Le millésime 2000, réussi, très coloré, au fruité très mûr, exprime de façon significative le potentiel du Château Le Boscq.

Château Lilian-Ladouys

Cru bourgeois supérieur Composé de 48 ha répartis sur un grand nombre de petites parcelles, dont la majorité en vieilles vignes, ce cru a connu une véritable renaissance.

Château Meyney

Cru bourgeois supérieur L'un des meilleurs vins de l'appellation, Meyney est aussi un grand classique et l'un des fleurons des ex-Domaines Cordier. Ses vins sont à la fois puissants et flatteurs.

Château Montrose

2ᵉ cru classé Possédant l'un des plus beaux vignobles de Saint-Estèphe, sur une croupe dominant les eaux de la Gironde, Montrose est l'archétype de l'appellation avec ses vins robustes, charnus, de très grande garde. La situation de son vignoble et le style de ses vins le font comparer au Château Latour, plus au sud. Depuis le millésime 1989, ce « Latour » de Saint-Estèphe est cependant moins austère à la suite d'un changement dans la conduite des vinifications. C'est l'un des meilleurs crus du Médoc dans les grands millésimes comme en 1990 et en 1996.

Château Les Ormes de Pez

Cru bourgeois exceptionnel Appartenant à la famille Cazes, de Lynch-Bages (voir Pauillac), le château produit des vins flatteurs bien équilibrés.

Château de Pez

Cru bourgeois exceptionnel Jean-Claude Rouzand (Champagne Roederer) a acquis ce cru en 1995. Son vignoble de 26 ha, le cuvier et le château ont été restaurés de fond en comble. L'excellence de 1998 et 1999 témoigne de l'effort entrepris.

Château Phélan-Ségur

Cru bourgeois exceptionnel Après quelques déboires au début des années 1980, ce cru de 64 ha a été repris par la famille Gardinier. Le renouveau de Phélan-Ségur date du millésime 1986, avec de superbes réussites dans les millésimes 1996 et 1998.

Château Tronquoy-Lalande

Cru bourgeois supérieur Cru d'un style traditionnel de Saint-Estèphe, il produit des vins de longue garde aux tanins fermes.

CRUS DE PAUILLAC

Avec trois premiers crus classés en 1855 et une pléthore d'autres grands crus, Pauillac s'impose comme le cœur du Médoc. Ici, le Cabernet-Sauvignon règne en maître et donne ces notes si caractéristiques de cassis, de bois de cèdre et d'épices. Les grands vins de Pauillac se distinguent aussi par une bonne structure et une puissance qui révèle, avec le temps, une grande élégance et une grande finesse, surtout dans les millésimes les plus mûrs. Le style des vins de Pauillac varie entre l'austérité d'un Château Latour et la souplesse d'un Château Lafite-Rothschild.

L'APPELLATION

Non moins de 18 châteaux de Pauillac ont été classés en 1855. Ils couvrent une grande partie de l'appellation et laissent peu de place à des petits châteaux dont les prix seraient plus abordables. Heureusement, les seconds (ou troisièmes) vins, dans les grands ou les petits millésimes, sont parfois de bonnes affaires. Les grands vins sont eux-mêmes à consommer occasionnellement, ne serait-ce que pour constater ce qui sert de référence aux meilleurs vins du monde entier.

À quelques exceptions près, comme Mouton-Rothschild, qui produit un vin blanc, Pauillac produit des vins rouges.

Château d'Armailhac

5e cru classé Pendant quelques années, jusqu'en 1989, ce château appartenant à la famille du baron Philippe de Rothschild s'est appelé Mouton-Baron-Philippe. Les vins d'Armailhac sont des classiques de Pauillac, mais n'ont pas la grandeur de leur voisin Mouton.

Château Batailley

5e cru classé C'est un vin de grande garde élaboré d'une manière traditionnelle à partir d'un vignoble de 55 ha au sud-ouest de l'appellation.

Château Clerc-Milon

5e cru classé Situé à l'est des propriétés des familles Rothschild (Mouton et Lafite), au nord de l'appellation, Clerc-Milon fut acquis par le baron Philippe de Rothschild (Mouton) en 1970. La rénovation du château a commencé à se constater dans les vins à partir des millésimes 1985 et 1986.

Château Croizet-Bages

5e cru classé C'est un cru original pour Pauillac, car son encépagement en Cabernet-Sauvignon est minoritaire dans l'assemblage, composé en majorité de Merlot et de Cabernet Franc. Les vins sont souples et évoluent rapidement.

Château Duhart-Milon

4e cru classé Les 63 ha de la propriété font partie du patrimoine de la famille Rothschild, de Lafite, sur le plateau du Pouyalet. Il n'existe pas de château, mais un vaste vignoble qui s'étend de l'ouest de celui de Lafite et de Mouton jusqu'à la jalle du Breuil au nord. À partir du millésime 1983, les vins expriment le potentiel du terroir.

Château Grand-Puy-Ducasse

5e cru classé Avec un château en plein cœur de la ville de Pauillac et un vignoble qui s'est étendu récemment à 40 ha, ce cru reste dans la gamme des vins de Pauillac classiques.

Château Grand-Puy-Lacoste

5e cru classé Repris en 1980 par la famille Borie, de Ducru-Beau-caillou (Saint-Julien), ce cru dispose d'un superbe vignoble de 50 ha sur le plateau, non loin de Lynch-Bages. Bien que très structurés, les vins conservent un style fruité.

Château Haut-Bages-Libéral

5e cru classé Le vignoble, qui appartient à la famille Merlaut, est bien situé, avec une parcelle qui jouxte Latour. Comme pour un grand nombre de crus de Bordeaux, les efforts de replantation et de modernisation des chais de vinification ont produit les effets attendus, avec des vins qui expriment mieux les qualités du terroir et des cépages. Les meilleurs millésimes, comme 1985, 1986 et 1990, méritent d'être gardés en cave.

Château Haut-Batailley

5e cru classé Gérée par la famille Borie (voir Ducru-Beaucaillou, Saint-Julien), cette propriété de 22 ha n'a pas de château, mais produit un vin réputé qui atteint sa maturité rapidement.

Château Lafite-Rothschild

1er cru classé Les voyageurs qui viennent du nord pour se rendre à Pauillac peuvent entr'apercevoir le Château Lafite, masqué par la verdure des jardins en terrasses ou caché par l'imposant chai de surface. Les quelque 94 ha que compte le vignoble se trouvent justement placés sur le pourtour nord du plateau de Pauillac, séparés du vignoble de Saint-Estèphe par la jalle du Breuil. Le sol est graveleux et bien drainé, composé de graves fines, de taille plus petite que celles du vignoble de Latour, plus au sud.

La situation exceptionnelle de son vignoble fait que Lafite a toujours été premier cru depuis que ce terme existe, au début du XVIIIe siècle. À cette époque, le vignoble de Lafite, tout comme celui de Mouton et de Latour, appartenait au célèbre marquis de Ségur. Ce dernier fixa les frontières entre Mouton et Lafite qui, en ce temps-là, ne formaient qu'une seule et même propriété. Lafite fut acheté en 1868 par les banquiers Rothschild et resta leur propriété jusqu'à nos jours. Pendant quelques années, la propriété ne donna aucun vin digne d'un premier cru tel qu'il en existait aux XVIIIe et XIXe siècles, mais, depuis 1974, date de la reprise de la gestion du château par Éric de Rothschild, Lafite a progressivement gagné en qualité pour atteindre le summum des grands crus dans les meilleurs millésimes des années 1980. Aujourd'hui, les vins de Château Lafite se comparent favorablement à ceux de leur voisin Mouton ou à ceux de Latour, situé à l'autre extrémité de l'appellation.

Le grand vin de Château Lafite est généralement constitué de 70 % de Cabernet-Sauvignon, tandis que celui de Mouton en compte 85 %. La proportion de Merlot du Château Lafite atteint 15 %, pour seulement 8 % à Mouton. Ces différences expliquent que le vin de Lafite soit généralement plus fin et plus délicat que celui de son voisin. Cette grande finesse n'en est pas moins contrebalancée par une grande concentration et une belle structure. L'ensemble peut être considéré comme indestructible dans le temps : certains dégustateurs ont prédit que le millésime 1982 devrait tenir au moins 40 ans... Seuls les millionnaires jeunes et en bonne santé pourront suivre son évolution.

Château Latour

1er cru classé Les vins du Château Latour étaient déjà prisés au

Moyen Âge et les frontières des quatre carrés de vignes au centre du vignoble n'ont pas changé depuis : situé sur deux petites croupes graveleuses permettant un excellent drainage naturel, celui-ci offre un accès à la Gironde et une bonne protection contre le mauvais temps.

L'ensemble du vignoble représente une surface cultivée de 60 ha, soit les deux tiers du vignoble de Lafite si l'on compte toutes les parcelles périphériques, généralement écartées dans l'assemblage du grand vin.

Ce grand classique dominé par le Cabernet-Sauvignon est entré dans la légende pour sa longévité.

L'excellence de son terroir permet à Latour de produire d'excellents vins, même les mauvaises années. Dans les meilleurs millésimes, il produit un monstre de concentration, de couleur noire, qui demande, pour s'épanouir, une patience se mesurant en décennies. Les impatients peuvent se consoler avec le second vin, Les Forts de Latour, ou avec le vin générique de Pauillac embouteillé au château, dont l'étiquette est ornée du dessin de la fameuse tour. Après des années de domination anglaise, Latour a été repris en 1993 par François Pinault, un homme d'affaires français.

Château Lynch-Bages

5ᵉ cru classé Vin traditionnel élaboré selon les toutes dernières technologies de vinification, tel est le paradoxe d'un des meilleurs crus du Médoc de la décennie 1981-1991. Le style du vin de Lynch-Bages est souple et accessible mais néanmoins concentré, avec la pro-

fondeur et la structure d'un vrai grand Pauillac. Le vignoble en culture ne représente pas moins de 90 ha sur l'un des meilleurs sites de l'appellation.

Château Lynch-Moussas

5ᵉ cru classé Avec un encépagement de 30 % de Merlot, Lynch-Moussas produit des vins assez légers d'une grande souplesse.

Château Mouton-Rothschild

1ᵉʳ cru classé Voir encadré.

Château Pédesclaux

5ᵉ cru classé Ce cru assez peu connu, de petite taille pour le Médoc (25 ha), produit des vins de qualité homogène dans les millésimes récents.

Château Pibran

Cru bourgeois supérieur Acquis par le groupe Axa, ce petit cru produit un vin d'une couleur dense dans un style fruité mais concentré.

Château Pichon-Longueville Baron

2ᵉ cru classé Les deux châteaux Pichon-Longueville se regardent en chiens de faïence de part et d'autre de la départementale D2 qui traverse le hameau de Saint-Lambert. À l'ouest de la route, le château de « Pichon Baron », remis à neuf après son acquisition par le groupe d'assurances Axa, s'impose par ses tours élancées et témoigne de l'âge d'or du Médoc, au milieu du XIXᵉ siècle. Les nouveaux chais de surface, à l'architecture audacieuse et controversée, sont flanqués tout contre le château et un immense bassin produit des effets de miroir sur cet

ensemble contrasté. Grâce à la manne du groupe Axa, le vignoble initial a été agrandi de nombreuses parcelles, si bien que la surface en culture dépasse aujourd'hui 68 ha, essentiellement au sud du château, face au vignoble du Château Latour mitoyen.

Château Pichon-Longueville Comtesse de Lalande

2ᵉ cru classé La seconde moitié du Château Pichon-Longueville se trouve aux mains de la générale May-Éliane de Lencquesaing, qui a marqué de sa forte personnalité les récents aménagements de son superbe château et de ses dépendances. Au milieu d'un petit parc, les chais à barriques sont enterrés et les autres bâtiments intégrés dans la verdure. Le vignoble, mitoyen de celui de Latour, avec quelques parcelles sur

Saint-Julien, est planté à 35 % de cépage Merlot et seulement 45 % de Cabernet-Sauvignon. Cet encépagement original, associé au superbe terroir, donne des vins souples et puissants qui rivalisent souvent, dans les bons millésimes, avec les premiers crus. Une sélection très rigoureuse pour l'assemblage du grand vin donne au second vin, la Réserve de la Comtesse, une réputation qui n'a jamais été démentie.

Château Pontet-Canet

5ᵉ cru classé Imposante propriété dotée d'un superbe vignoble de 78 ha au sud de celui de Mouton, très réputé au début du siècle, le château a été repris au milieu des années 1970 par Guy Tesseron, qui a produit d'excellents vins, les meilleurs millésimes étant ceux de la fin des années 1980.

CHÂTEAU MOUTON-ROTHSCHILD

Au classement de 1855, il était classé second, mais, grâce au caractère et à la pugnacité du baron Philippe de Rothschild, il fut promu au rang de premier cru classé en 1973 – le seul changement intervenu dans le classement depuis 1855. Ses vignes (75 ha) sont attenantes à celles de Lafite, mais l'encépagement en Cabernet-Sauvignon y est plus important (85 %). L'opulence des meilleurs millésimes confère à ce vin une puissance et une complexité inégalées et la magnificence des millésimes comme 1982, 1985, 1986, 1988, 1989, 1990 et 1998 a confirmé son nouveau statut de premier cru.

Mouton n'a pas de château impressionnant, mais son musée d'art d'inspiration bachique mérite une visite. Chaque millésime de Mouton est signé d'une œuvre d'art reproduite sur l'étiquette.

CRUS DE SAINT-JULIEN

Saint-Julien est la plus petite appellation du Médoc par la taille (896 ha), mais l'une des plus grandes par le renom, avec 11 crus classés sur quelque 40 propriétés. Les styles de vin peuvent varier d'un château à l'autre, mais les dégustateurs reconnaissent en Saint-Julien des vins denses, puissants et concentrés, dotés d'une grande finesse. Plus concentrés que des Margaux, plus fins que des Pauillacs, les vins de Saint-Julien sont surtout rouges. Mais, comme ailleurs dans le Médoc, on y produit des vins de l'appellation Bordeaux blancs.

L'APPELLATION

Saint-Julien est une enclave entre Pauillac, au nord, et l'AOC Haut-Médoc de Lamarque et Cussac, au sud. Deux cours d'eau (jalles) en constituent les frontières naturelles. Le terroir est composé d'une série de croupes de graves bien drainées par les jalles et par la Gironde.

Château Beychevelle

4ᵉ cru classé Ce somptueux château du XVIIIᵉ siècle offre une vue superbe sur les prés des rives de la Gironde. Avec ses 85 ha de vignes sur le plateau, il produit un vin charmeur qui, dans les meilleurs millésimes, vieillit fort bien et également un second vin, l'Amiral de Beychevelle.

Château Branaire-Ducru

4ᵉ cru classé Château mitoyen de Beychevelle, mais dont le vignoble est constitué de parcelles disséminées sur l'appellation, Branaire-Ducru donne des vins qui ont un certain corps sans avoir l'élégance de leurs voisins des rives de la Gironde.

Château Ducru-Beaucaillou

2ᵉ cru classé Situé sur une belle croupe de graves des bords de la Gironde, ce cru appartenant à la famille Borie produit des vins bien structurés et pleins de sève dans un style traditionnel. Depuis le millésime 1993, Ducru-Beaucaillou montre une grande tenue et une constance remarquable, sans doute grâce à une sévère sélection, bénéfique pour le second vin diffusé sous l'étiquette La Croix.

Château Gloria

Créé en 1940, ce vignoble dont Henri Martin, alors maire de la commune de Saint-Julien, rassembla les 48 ha de vignes parcelle après parcelle, au fil des ans, offre un vin tendre et séduisant, appréciable pour son fruit dans ses premières années.

Château Gruaud-Larose

2ᵉ cru classé Avec un vignoble de 84 ha très bien situé, Gruaud-Larose est l'un des fleurons de Saint-Julien depuis plus de 250 ans. En 1815, les notes d'un courtier décrivent le vin comme « ayant de la substance, mais soyeux, avec une belle concentration d'arômes ». Ce vin a besoin de temps pour atteindre son apogée. Le second vin porte l'étiquette Sarget de Gruaud-Larose. Pendant des années sous le contrôle des Domaines Cordier, la propriété a été acquise en 1997 par le groupe Taillan (Merlaut).

Château Lagrange

3ᵉ cru classé Cette vaste propriété de 108 ha a été acquise en 1983 par le groupe japonais Suntory, qui n'a pas hésité à investir des millions de yens dans la réfection du vignoble, l'installation d'équipements de vinification flambant neufs, la construction d'immenses chais à barriques climatisés. Dès le millésime 1985, la renaissance du Château Lagrange se percevait dans le vin.

Une sélection rigoureuse rend le second vin de ce cru particulièrement prisé : il est diffusé sous l'étiquette Fiefs de Lagrange.

Château Langoa-Barton

3ᵉ cru classé En 1715, Thomas Barton quitta l'Irlande pour s'installer à Bordeaux et devint négociant en vins. En 1821, Hugh Barton acheta Langoa et, un peu plus tard, acquit une partie du domaine de Léoville. Anthony Barton a hérité des deux châteaux qu'il gère dans le respect des traditions. Langoa représente 16 ha de vignes et diffuse ses vins à des prix très raisonnables.

Château Léoville-Barton

2ᵉ cru classé Léoville était autrefois un vaste domaine faisant face au vignoble de Latour, au nord de l'appellation Saint-Julien. La partie du vignoble aujourd'hui entre les mains de la famille Barton représente 47 ha et produit des vins élégants.

Château Léoville-Las-Cases

2ᵉ cru classé Cette grande propriété représente la moitié de l'ancien vignoble de Léoville, qui s'étendait de Beychevelle, au sud, jusqu'à Latour, au nord, sur une succession de croupes graveleuses des bords de la Gironde. Ses 97 ha comprennent le vieux clos entouré d'un mur de pierre qui jouxte la départementale D2. Les vins sont très concentrés, pleins de sève, longs en bouche et d'une extraordinaire longévité. Ils sont souvent comparés à ceux de son voisin Latour, de l'autre côté de la limite de l'appellation. Le grand vin fait l'objet d'une sélection si rigoureuse que le second vin, le Clos du Marquis, est très recherché par les initiés.

Château Léoville-Poyferré

2ᵉ cru classé Troisième tiers de l'ancien Château Léoville, il compte 80 ha de ce qui était considéré, autrefois, comme les meilleurs terroirs. Il est longtemps resté dans l'ombre des deux premiers et son renouveau a été conduit par Didier Cuvelier. Depuis le millésime 1989, les vins sont beaucoup plus concentrés grâce à une forte réduction des rendements et à une sévère sélection. Les vins non retenus dans l'assemblage sont commercialisés sous l'étiquette Château Moulin-Riche.

Château Saint-Pierre

4ᵉ cru classé Cette propriété de 17 ha se trouve entre les mêmes mains que le Château Gloria (voir ci-dessus). Les vins sont traditionnels, de couleur foncée et riches en matière. Ils mettent un certain temps avant de s'ouvrir. Le millésime 1996 est particulièrement réussi.

Château Talbot

4ᵉ cru classé Ce vaste domaine de 102 ha appartient à la famille Cordier. Les vins des meilleurs millésimes se montrent concentrés, riches en tanins mais souples. La dimension de ce domaine permet d'élaborer un second vin diffusé sous l'étiquette Connétable de Talbot. Le Château Talbot élabore aussi un vin blanc de Sauvignon élevé en barriques neuves portant l'étiquette Caillou Blanc.

CRUS DE MARGAUX

Le village de Margaux est connu dans le monde entier grâce à son fameux château, premier cru du même nom. L'appellation Margaux a pour mérite de représenter la plus imposante liste de crus classés en 1855 : 22 sur 70 propriétés. Les vins de l'appellation expriment des caractères communs : plus aimables et moins austères que les vins de Pauillac, mais tout aussi qualifiés pour une longue garde. À l'exception du vin blanc du Château Margaux (Pavillon Blanc), tous les vins sont rouges.

L'APPELLATION

Margaux se trouve au sud du Médoc, dans un paysage de prairies et de bois dominés par quelques croupes de graves. Les graves de Margaux sont plus grosses que celles du nord, et les dépôts de galets sont séparés de langues marécageuses toujours humides.

Contrairement aux autres appellations communales du Médoc, l'aire d'appellation Margaux dépasse la superficie de la commune de Margaux : du nord au sud, ses 1 100 ha se partagent entre les communes de Soussans, Margaux, Arsac, Cantenac et Labarde.

Pour ajouter à cette confusion, l'administration postale regroupe neuf communes sous le même nom de Margaux, dont cinq se trouvent en dehors de l'appellation, mais peuvent faire figurer légalement le terme de Margaux – leur adresse administrative – sur leurs étiquettes. Pareillement, le Château Margaux est un cru très différent du vin de Margaux générique.

Un plateau central regroupe le vignoble de Cantenac, au sud-est, jusqu'à Marsac, dans la commune de Soussans. Vers le sud, le sud-est et le sud-ouest, sept parcelles situées sur des élévations de terrain sont plantées de vignes. Les meilleurs crus se trouvent sur les bords du plateau central : les Châteaux Margaux, Palmer et d'Issan donnent à l'est, sur la Gironde. Pouget, Cantenac et Kirwan donnent au sud, face aux marécages situés à la lisière sud des dépôts de graves.

Curieusement, un certain nombre de châteaux ont leur siège et leurs chais au cœur du village de Margaux, tandis que leur vignoble est éparpillé en parcelles diverses un peu partout dans l'appellation.

Château d'Angludet
Cru bourgeois supérieur Ce cru de 32 ha sur les communes d'Arsac et de Cantenac se distingue par des vins tanniques et austères dont la longévité est comparable à celle des crus classés.

Château Boyd-Cantenac
3ᵉ cru classé Ce petit domaine de 18 ha produit des vins puissants et de longue garde issus de vieilles vignes.

Château Brane-Cantenac
2ᵉ cru classé Cette vaste propriété de 85 ha située sur la pente sud du plateau central appartient à la famille Lurton. Les millésimes des années 1970 étaient décevants, mais Henri Lurton a vinifié de superbes vins dès 1996.

Château Cantenac-Brown
3ᵉ cru classé C'est l'un des crus repris par le groupe Axa. Tout au long des années 1970 et 1980, les vins de Cantenac-Brown avaient la réputation d'être austères et sans charme. Depuis le millésime 1988, la nouvelle gestion et les investissements consentis sont couronnés de succès.

Château Dauzac
5ᵉ cru classé Pour ce vignoble de 45 ha non loin de la Gironde, sur la commune de Labarde, des investissements récents réalisés par la MAIF, propriétaire depuis 1988, ont amélioré la qualité des derniers millésimes. La propriété est conduite par André Lurton depuis le millésime 1993.

Château Desmirail
3ᵉ cru classé Récemment reprise en main par Denis Lurton, cette propriété de 30 ha renoue avec la qualité.

Château Deyrem Valentin
Cru bourgeois Le Cabernet-Sauvignon domine légèrement le Merlot dans ce vignoble de 13 ha. Un robuste Margaux qu'il faut attendre 5 ou 6 ans.

Château Durfort-Vivens
2ᵉ cru classé Autre propriété de la famille Lurton, d'une surface de 30 ha, qui dispose d'un encépagement majoritaire en Cabernet-Sauvignon. Aujourd'hui régie par Gonzague Lurton, son avenir est plein de promesses.

Château Ferrière
3ᵉ cru classé Repris en 1992 par le groupe Taillan-Merlaut, ce cru produit des vins d'une excellente qualité. Le second vin est étiqueté Les Remparts de Ferrière.

Château Giscours
3ᵉ cru classé Cette propriété de 75 ha de vignes située à Labarde était à l'abandon. Son vignoble a été replanté et les chais reconstruits au cours des 20 dernières années. Giscours a connu son âge d'or au cours des années 1970, car la réussite n'a pas été au rendez-vous au début des années 1980. Heureusement, certains millésimes comme les 1986, 1988 et 1989 sont élégants et séduisants.

Château La Gurgue
Cru bourgeois supérieur Le siège se trouve dans le village de Margaux et les 12,5 ha de vignes sont situés à l'ouest du village. Ce cru appartient aux mêmes propriétaires que le Château Chasse-Spleen (voir Moulis).

Château Haut-Breton-Larigaudière
Cru bourgeois Le château abrite un restaurant. Le vignoble qui s'étend sur plus de 12 ha produit un Margaux souple et fruité.

Château d'Issan
3ᵉ cru classé Ce superbe château romantique entouré de douves est doté d'un vignoble de 30 ha bien exposé sur les pentes est du plateau. Le vin est généralement flatteur dans sa jeunesse et, curieusement, de longue garde. L'un des meilleurs crus de l'appellation, il appartient à la famille Cruse.

Château Kirwan
3ᵉ cru classé Très bien placé sur le plateau graveleux, à l'est de Brane-Cantenac, Kirwan (35 ha) produit des vins souples privilégiant le Merlot et le Cabernet Franc. Cette souplesse s'affine avec le vieillissement. L'intervention de l'œnologue Michel Rolland dès 1993 a hissé ce cru à son vrai niveau.

Château Labégorce
Cru bourgeois supérieur Cette propriété de 36 ha, située entre Margaux et Soussans, a changé de propriétaire en 1989, et de très importants investissements ont été consentis. Il en résulte un solide Margaux de garde.

Château Labégorce-Zédé

Cru bourgeois exceptionnel De qualité constante, ce vin vinifié de façon traditionnelle provient d'un vignoble de 27 ha, situé sur la commune de Soussans. Luc Thienpont, son propriétaire, possède également le Vieux-Château- Certan à Pomerol.

Château Lascombes

2ᵉ cru classé Le domaine remis en état par Alexis Lichine a été cédé à un groupe de brasseurs anglais. Après deux décennies de millésimes sans grand intérêt, les vins de Lascombes se sont montrés plus flatteurs vers la fin des années 1980. Le nouveau chai de vinification, qui a été construit en 1986, explique sans doute les changements. À noter que l'accueil réservé aux visiteurs est remarquable.

Château Malescot-Saint-Exupéry

3ᵉ cru classé Réputés pour être tanniques et d'une jeunesse sans grâce, les vins de Malescot-Saint-Exupéry s'épanouissent avantageusement avec l'âge. Le château se trouve dans le centre de Margaux, tandis que ses vignobles de 24 ha sont au nord de l'appellation.

Château Margaux

1ᵉʳ cru classé Voir encadré.

Château Marquis d'Alesme-Becker

3ᵉ cru classé Cette petite propriété typique de 13 ha est à l'origine d'un Margaux ferme.

Château Marquis de Terme

4ᵉ cru classé Cette propriété appartient depuis 1935 à la famille Sénéclause. Le vignoble de 40 ha, dominé par le Cabernet-Sauvignon (55 %) et le Merlot (35 %), donne un Margaux droit et franc.

Château Marsac-Séguineau

Cru bourgeois Avec ses 10 ha de vignes divisés en deux parties, près de la commune de Marsac, au nord de Margaux, cette propriété de taille modeste produit des vins solides et classiques.

Château Martinens

Cru bourgeois Ce château du XVIIIᵉ siècle est doté d'un vignoble de 25 ha, à l'ouest, sur les bords du plateau de Cantenac. Le cépage Merlot domine et donne d'excellents vins de Margaux.

Château Monbrison

Cru bourgeois supérieur Cette petite propriété de 21 ha sur la commune d'Arsac produit des vins superbes, denses, qui méritent un long vieillissement.

Château Palmer

3ᵉ cru classé Voisin du Château Margaux, Palmer a souvent élaboré de meilleurs vins que le Premier cru dans les années 1960 et 1970. Aujourd'hui, ses vins sont toujours superbes et possèdent un fruit, une puissance et un équilibre rares. Certaines parcelles du vignoble sont sur la même croupe de graves que Château Margaux. L'encépagement comprend 40 % de Merlot, les cuvaisons sont longues et les sélections rigoureuses : autant de facteurs expliquant que Palmer « joue dans la cour » des grands vins.

Château Pouget

4ᵉ cru classé Cette petite propriété de 10 ha, peu connue, élabore de bons vins.

Château Prieuré-Lichine

4ᵉ cru classé Il s'agit en effet de l'ancien prieuré jouxtant l'église de Cantenac. Alexis Lichine a créé cette propriété en regroupant 68 ha de par-

celles de vignes clairsemées sises dans les cinq communes de l'aire d'appellation Margaux. Son fils Sacha a vendu le domaine au groupe Ballande en 1999. Les vins sont élégants, plus denses que par le passé. Il y a une petite production de vin blanc.

Château Rausan-Ségla

2ᵉ cru classé Grâce à une meilleure conduite des vignes, de nouveaux chais de vinification et une plus grande rigueur dans les sélections, Rausan-Ségla s'est de nouveau hissé au rang qui était le sien en 1855. À partir du millésime 1988, les vins sont impressionnants.

Château Rauzan-Gassies

2ᵉ cru classé Seconde moitié de l'ancien Château Rauzan, moins réputée, ce vignoble produit des vins de qualité inégale.

Château Siran

Cru bourgeois exceptionnel Doté d'un magnifique château et d'un vignoble de 24 ha sur la commune de Labarde, Siran produit des vins denses et soyeux qui vieillissent bien.

Château du Tertre

5ᵉ cru classé Dissimulé derrière des bois à Arsac, le vignoble de 50 ha est dominé par le Cabernet-Sauvignon, planté sur un affleurement de graves. Albada Jelgersma, nouveau propriétaire (et fermier de Giscours), assume, dès le millésime 1997, le brillant renouveau de cette propriété qu'il a entièrement restaurée.

Château La Tour-de-Mons

Cru bourgeois supérieur Cette propriété de 35 ha sur la commune de Soussans est réputée pour ses vins souples et séduisants. Son vignoble est complanté en parties presque égales de Merlot et de Cabernet-Sauvignon, sur un sol dont le caractère argileux prédomine.

CHÂTEAU MARGAUX

L'unique Premier cru classé de l'appellation est une propriété magnifique : son château seigneurial a été construit en 1820 sur un domaine dont les limites n'ont pas changé depuis le XVIIᵉ siècle. Sa renaissance, en 1978, après quelques années de déclin, témoigne de la grandeur de son terroir. Ses 78 ha de vignes complantées de 75 % de Cabernet-Sauvignon, sur la face est du plateau de Margaux, sont un point de départ dans la recherche de l'excellence. Une sélection draconienne ne garde quelquefois que 50 % de la récolte pour le grand vin, le solde étant assemblé pour le second vin : Pavillon Rouge. Au-delà de sa souplesse et de son charme, le vin de Château Margaux s'affirme avec une belle structure, garant de sa longévité. Pavillon Blanc est le nom du vin blanc du château, exclusivement issu de Sauvignon.

AUTRES CRUS DU MÉDOC

Tous les crus du Médoc ne sont pas des crus classés situés dans des communes renommées : l'arrière-pays et les zones viticoles situées entre les appellations vedettes recèlent un grand nombre d'excellents crus en appellation Haut-Médoc. Plus au nord, l'AOC Médoc est un vaste terrain de chasse pour les amateurs de bonnes affaires. Dans tous les cas, les meilleures parcelles sont situées sur les plus hautes terres, les mieux drainées, sortes d'îlots au milieu des terres marécageuses et des bois.

AOC MOULIS

La petite commune de Moulis, avec son hameau du Grand-Poujeaux, est la plus petite AOC du Médoc. Situés à l'écart de la Gironde, à l'intérieur des terres et à l'ouest de Margaux, ses vignobles sont plantés sur un plateau au sous-sol graveleux. Les vins rouges de Moulis sont de couleur sombre, dotés d'un bon potentiel de vieillissement.

Château Chasse-Spleen

Cru bourgeois exceptionnel L'un des crus bourgeois les meilleurs et les plus connus, Château Chasse-Spleen élabore des vins dignes de certains crus classés : souples et charmeurs dans leur jeunesse, ils ont une densité permettant un long vieillissement.

Château Dutruch-Grand-Poujeaux

Cru bourgeois supérieur Cette propriété élabore des vins concentrés ayant une belle structure et vieillissant bien.

Château Maucaillou

Cru bourgeois supérieur Dans cette propriété de 69 ha, Philippe Dourthe élabore des vins bien structurés, avec des notes boisées dues aux barriques de bois neuf.

Château Poujeaux

Cru bourgeois exceptionnel Autre propriété (avec Maucaillou et Chasse-Spleen) qui rivalise en tête des crus de l'appellation, elle offre de superbes vins d'une couleur intense, d'une belle expression aromatique et d'un grand potentiel de vieillissement.

AOC LISTRAC

Au nord de Moulis, Listrac regroupe un certain nombre d'excellents crus qui élaborent des vins assez robustes, dont l'austérité s'efface avec l'âge. Ces vins sont plus aimables et plus fruités dans les millésimes moins mûrs.

Château Clarke

Cru bourgeois supérieur À partir d'une propriété à l'abandon sur un terroir ingrat, Edmond de Rothschild a eu la volonté (et les moyens) de créer un grand cru. Les 53 ha de vignes plantées sur des sols artificiellement drainés expriment de plus en plus de bonne sève. Au milieu des années 1980, les vins étaient agréablement fruités ; les millésimes plus récents sont bien construits et gagnent en profondeur.

Château Fourcas-Dupré

Cru bourgeois supérieur Cette propriété de 44 ha élabore un vin puissant et bien équilibré.

Château Fourcas-Hosten

Cru bourgeois supérieur Excellent vin composé à 45 % de Merlot, il mérite de vieillir pour exprimer son potentiel aromatique.

Autres châteaux de Moulis et de Listrac

La Becade, Bel-Air-Lagrave, Biston-Brillette, Brillette, Duplessis-Fabre, Lestage et Mayne-Lalande.

AOC HAUT-MÉDOC

Château Belgrave

5ᵉ cru classé Non loin de Saint-Julien, ce château négligé pendant des années a fait l'objet d'investissements vers la fin des années 1980, à la suite d'un changement de propriétaire. Le vignoble de 54 ha est bien situé. Les vins montrent de plus en plus de caractère.

Château de Camensac

5ᵉ cru classé Situé près du village de Saint-Laurent, à l'intérieur des terres par rapport à Saint-Julien, cette propriété de 65 ha est entre les mains de la famille Forner.

Château Cantemerle

5ᵉ cru classé Cette propriété de l'extrême sud du Médoc a connu un renouveau grâce à l'équipe des Domaines Cordier, dirigée par Georges Pauli. Le vignoble de 67 ha est largement planté en Merlot, conférant au vin une puissance veloutée et des notes fruitées. Les millésimes 1997 et 1998 sont particulièrement réussis.

Château Citran

Cru bourgeois supérieur Reprise en 1996 par le groupe Taillan (Merlaut), cette grande propriété de 90 ha a été revalorisée grâce à d'importants investissements. Citran figure aujourd'hui parmi les meilleurs crus du Haut-Médoc et ses vins sont à la fois puissants et harmonieux.

Château La Lagune

3ᵉ cru classé Situé au sud de l'appellation Margaux, non loin de l'agglomération de Bordeaux, La Lagune est une propriété de 65 ha qui élabore des vins souples, très aromatiques, séduisants et soyeux en bouche. La construction d'un nouveau chai en 2004 laisse augurer un vin encore meilleur.

Château La Tour-Carnet

4ᵉ cru classé Situé sur la commune de Saint-Laurent, ce cru acquis par Bernard Magrez a été restauré de fond en comble. Le vin, toujours solide, a gagné beaucoup en élégance.

Château Sociando-Mallet

Ce vignoble de 65 ha, planté surtout en Cabernet-Sauvignon, doit être considéré comme un « super bourgeois ». Grand vin de garde, du niveau des crus classés.

Autres châteaux

D'Agassac, d'Arcins, d'Arsac, Beaumont, Bel-Air, Bel-Orme-Tronquoy-de-Lalande, Le Bourdieu, Caronne-Sainte-Gemme, Coufran, Dillon, Fonréaud, Hanteillan, de Lamarque, Lanessan, Larose-Trintaudon, Lestage, Liversan, Malescasse, de Malleret, Peyrabon, Puy-Castéra, Ramage-la-Bâtisse, Reysson, Sénéjac, Tour-du-Haut-Moulin.

AOC MÉDOC

Château La Cardonne

Cru bourgeois supérieur Reprise par Guy Charloux, cette imposante propriété de 87 ha produit des vins dotés d'une bonne structure et de notes boisées.

Château Loudenne

Cru bourgeois supérieur Cette belle propriété des bords de Gironde a été acquise par la famille Lafragette en juin 2000. Elle produit un vin rouge facile et un vin blanc sec et précis.

Château Rollan-de-By

Cru bourgeois supérieur Un vignoble de 40 ha et un cuvier ultramoderne contribuent au succès de ce vin structuré, complexe, « soyeux et gourmand ». Le « super vin » (rare) de Rollan-de-By, Haut-Condissas, atteint le niveau des meilleurs crus classés.

Autres châteaux

De By, Greysac, Les Ormes-Sorbet, Patache d'Aux, Potensac, Saint-Bonnet, La Tour-de-By, Tour-Haut-Caussan, La Tour-Saint-Bonnet.

PESSAC-LÉOGNAN ET GRAVES

La vaste région des Graves s'étend sur la rive gauche de la Garonne. Cette région viticole est la plus ancienne de Bordeaux et son vignoble existait bien avant celui du Médoc, certaines propriétés (comme le Château Pape-Clément) ayant plus de 700 ans d'histoire.

L'appellation Pessac-Léognan

L'appellation Pessac-Léognan, proche de l'agglomération bordelaise, s'honore de crus classés. Leur terroir étant meilleur, les propriétaires ont toujours tenu à marquer leur différence par rapport au sud de l'ancienne appellation de Graves, qui comprenait l'ensemble de la région, et ont fini par obtenir gain de cause : les autorités ont reconnu une nouvelle appellation, Pessac-Léognan, à partir du millésime 1986 et pour 55 crus incluant tous les crus classés en 1959 (voir encadré).

Travail de la vigne au Château La Mission-Haut-Brion.

Le style des vins rouges de Pessac-Léognan

Les sols présentent une telle diversité que les Pessac-Léognan offrent une palette de vins de caractères très variés : pour s'en convaincre, il suffit de comparer sur plusieurs décennies deux vins rouges comme Haut-Brion et Domaine de Chevalier. Sans avoir la constitution tannique de certains vins du Médoc, ni le charme fruité de ceux de Saint-Émilion, les vins rouges de Pessac-Léognan présentent souplesse et équilibre, ainsi que de belles notes de cerise, de tabac et de chocolat mêlées. Le renouveau des conduites de vinification a permis une meilleure expression des terroirs mais, également et avant tout, des cépages. Le Cabernet-Sauvignon y est dominant, comme dans le Médoc. Les autres cépages autorisés sont le Cabernet Franc, le Petit Verdot et le Cot (Malbec). Ces derniers sont très peu utilisés.

Le style des vins blancs de Pessac-Léognan

Les vins blancs de la région de Pessac-Léognan connaissent une réputation grandissante et le fameux Domaine de Chevalier n'a plus l'exclusivité des très grands vins blancs. Le mariage des deux cépages blancs (Sémillon et Sauvignon) n'est pas toujours la règle, car quelques crus comme Smith-Haut-Lafitte, Malartic-Lagravière ou Couhins-Lurton élaborent des blancs de Sauvignon pur. Ceux de Chevalier, Fieuzal et Laville-Haut-Brion ont été égalés, voire dépassés, par bien d'autres crus dans les millésimes des années 1990. Le Sémillon donne du corps, le Sauvignon ajoute du fruit, ce qui rend la hiérarchie des crus toujours difficile à prédire en fonction du millésime.

Outre les fermentations à température contrôlée, on utilise également des pratiques d'extraction d'arômes, telles les macérations pelliculaires, qui consistent à laisser les moûts un certain temps en contact avec les peaux de raisin. L'utilisation de barriques neuves est une autre option, qui permet à certains blancs d'avoir un complément d'arômes boisés. Enfin, certains crus adoptent la pratique du bâtonnage : il s'agit de remettre périodiquement les lies fines en suspension à l'aide d'un bâton. Cette méthode donne du gras au vin. Autant d'efforts d'œnologues réputés (Denis Dubourdieu, Christophe Ollivier…) dans la recherche d'une meilleure expression des vins, qui ont été largement récompensés par l'engouement croissant des amateurs avec, pour corollaire, une certaine augmentation des prix.

Les cépages des vins blancs de Pessac-Léognan

Entre le Sauvignon et le Sémillon, les avis sont partagés, et les propriétaires de Pessac-Léognan se sont scindés en deux écoles distinctes : ceux qui défendent le premier et les inconditionnels du second. L'un d'entre eux, André Lurton, propriétaire d'un certain nombre de châteaux, milite en faveur du Sauvignon pour les arômes qu'il apporte. D'autant que la réglementation de l'AOC Pessac-Léognan stipule un encépagement minimum de 25 % de Sauvignon pour le droit à l'appellation. D'autres préfèrent le Sémillon pour sa plus grande neutralité aromatique et son adaptation à l'élevage sous bois. En fait, la plupart des châteaux assemblent les deux cépages, et rares sont ceux où le Sauvignon domine (les Châteaux Couhins-Lurton, Smith-Haut-Lafitte, La Garde et Malartic-Lagravière).

Un troisième cépage est autorisé, il s'agit de la très aromatique Muscadelle. Mais ce cépage arrive rarement à complète maturité tant il est sujet à la coulure et aux maladies de la vigne.

Les propriétés les plus renommées, telles que Carbonnieux, Fieuzal, La Louvière, Malartic-Lagravière et Smith-Haut-Lafitte, n'hésitent pas à vendre leur vin blanc plus cher que leur vin rouge. Certains de ces meilleurs crus, surtout lorsqu'ils sont essentiellement issus de Sémillon, méritent de mûrir quelques années en cave, tandis que ceux issus de Sauvignon, surtout dans les années moins mûres, se boivent sur leur fruit, dans les cinq premières années.

L'appellation Graves

L'aire de l'appellation « Graves » s'étire vers le sud sur quelque 55 km avant d'atteindre la petite ville de Langon. En son point le plus large, cette langue de vigne peut atteindre 20 km d'est en ouest. Cette amplitude explique l'absence d'unité du vignoble, d'autant que la diversité des vins qui y sont produits rend toute généralisation impossible. On y produit non seulement de superbes vins rouges, mais également des blancs, en sec comme en liquoreux. Car c'est au sein des Graves que se situent les appellations « Barsac » et « Sauternes », le vin liquoreux le plus célèbre au monde (voir p. 163). Cette situation se complique davantage lorsque l'on découvre que les crus de Sauternes produisent aussi des vins secs. Curieusement, ces derniers n'ont pas le droit d'être étiquetés « Graves », mais seulement « Bordeaux ».

Malgré son étendue, le vignoble des Graves est un patchwork de parcelles dont la production ne dépasse pas la moitié de celle d'autres appellations comme le Haut-Médoc ou le Saint-Émilion.

Comme son nom le laisse entendre, la région des Graves est une série d'affleurements de dépôts sédimentaires dominés par des galets mêlés à des sables, des strates ou des poches argileuses accumulés au cours des temps. Le paysage est vallonné, souvent boisé, tandis que les meilleurs vignobles occupent les croupes les mieux drainées. La composition des sols et des sous-sols varie considérablement d'un cru à l'autre. Bien que les vins blancs des Graves aient une réputation croissante, le vignoble est dominé par les rouges, dont la surface moyenne d'encépagement est de 68 % pour l'ensemble de la région, Graves et Pessac-Léognan ; elle est de 75 % pour la région des grands crus situés au nord (Pessac-Léognan).

De même qu'il existe une AOC Bordeaux Supérieur (blanc) désignant des vins doux, l'appellation Graves Supérieurs ne concerne que les vins blancs moelleux. La production annuelle s'élève à 20 000 hl. C'est au sud de l'aire d'appellation, près de Langon, que l'on trouve les meilleurs producteurs (Château Lehoul et Château Pont-de-Brion).

Un avenir prometteur

Les Graves sont en pleine mutation : à l'initiative des grands crus de Pessac-Léognan, chacun rivalise avec son voisin à la recherche d'un meilleur vin. Les glorieuses années 1980 ont permis les investissements qui faisaient gravement défaut dans cette région moins soutenue par le négoce bordelais que, par exemple, celle du Médoc. Certaines propriétés présentent aujourd'hui d'excellents vins qui méritent la comparaison avec certains crus classés de Pessac-Léognan et l'avenir des vins blancs, comme celui des vins rouges, est prometteur. Les récents investissements en nouveaux chais de vinification et le soin apporté à la conduite des vignes devraient permettre à la grande qualité des sols de mieux s'exprimer. Longtemps dans l'ombre des grands crus du Médoc, les meilleurs crus de Graves devraient connaître un succès mérité.   □

LE CLASSEMENT DES PESSAC-LÉOGNAN

Les propriétés de Pessac-Léognan sont régies par un classement datant de 1959. L'ensemble des châteaux énumérés ci-dessous, tous situés dans le nord de l'appellation, sont des crus classés et, avec quelque 40 autres, ont droit à l'AOC Pessac-Léognan.

VINS ROUGES
Premier grand cru
Ch. Haut-Brion

Crus classés
Ch. Bouscaut
Ch. Carbonnieux
Dom. de Chevalier
Ch. de Fieuzal
Ch. Haut-Bailly
Ch. La Mission-Haut-Brion
Ch. Latour-Haut-Brion
Ch. La Tour-Martillac
Ch. Malartic-Lagravière
Ch. Olivier
Ch. Pape-Clément
Ch. Smith-Haut-Lafitte

VINS BLANCS
Crus classés
Ch. Bouscaut
Ch. Carbonnieux
Dom. de Chevalier
Ch. Couhins
Ch. Couhins-Lurton
Ch. Haut-Brion
Ch. La Tour-Martillac
Ch. Laville-Haut-Brion
Ch. Malartic-Lagravière
Ch. Olivier

CRUS DE PESSAC-LÉOGNAN

Les 1 150 ha de l'appellation se situent dans les communes limitrophes de l'ouest et du sud de la cité de Bordeaux. Depuis sa reconnaissance en septembre 1987 (avec le millésime 1986), l'appellation s'est imposée par la qualité des vins, tant blancs que rouges. Aujourd'hui les Pessac-Léognan atteignent le prix des bons Médocs et Saint-Émilion. Ils en ont la qualité mais s'en distinguent par les substances aromatiques qu'ils contiennent. Les communes qui ont droit à l'appellation sont Cadaujac, Canéjean, Gradignan, Léognan, Martillac, Mérignac, Pessac, Saint-Médard-d'Eyrans, Talence et Villenave-d'Ornon.

Château Bouscaut

Cru classé La plus belle propriété de Cadaujac appartient à la famille de Lucien Lurton, qui a toujours préféré la finesse à la puissance. Son vin blanc fait l'objet d'une fermentation sous bois depuis 1988 et les millésimes 1999 et 2000 sont particulièrement réussis.

Château Carbonnieux

Cru classé Ce superbe château du XVIIIe siècle, occupé quelque temps par des bénédictins, est l'un des pionniers de la production de vin blanc dans les Graves. Aujourd'hui aux mains de la famille Perrin, la propriété de 90 ha dispose depuis 1990 d'un chai où blancs et rouges sont élaborés selon les toutes dernières technologies. Le blanc de Carbonnieux est ample et présente des notes de pain grillé. Le rouge a des notes boisées et des tanins souples.

Château Les Carmes-Haut-Brion

Complètement encerclée par l'urbanisation de la banlieue bordelaise, cette petite propriété de 4,5 ha située à Pessac est un véritable joyau et possède de très vieilles vignes. Seul un vin rouge y est produit, charmeur mais sans grande concentration.

Domaine de Chevalier

Voir encadré p. 161.

Château Couhins-Lurton

Cru classé Cette petite propriété de 5,5 ha est détachée du Château Couhins, devenu une station de recherche de l'INRA. Planté à 100 % de Sauvignon, ce château situé à Villenave-d'Ornon appartient à André Lurton. Les vins sont fermentés et élevés en barriques neuves.

Château de Cruzeau

Autre propriété de Lucien Lurton, ce vignoble, replanté en 1974, produit un vin blanc de Sauvignon non boisé ainsi qu'un rouge austère élevé en barriques, qui ne manque pas de tenue.

Château de Fieuzal

Cru classé Une des vedettes du cru, il est plus renommé pour son superbe blanc que pour son robuste rouge. Le vin blanc est fermenté et élevé dans des barriques neuves pendant 16 mois et prend quelques années avant d'atteindre sa maturité. Le rouge, bien bâti, avec une concentration d'arômes de guignes et de tanins, peut être étonnant.

Château de France

Cette belle propriété de 32 ha de vignes produit un vin rouge velouté et séduisant (60 % de Cabernet-Sauvignon) ainsi qu'un blanc très aromatique, bien équilibré (80 % de Sauvignon, 10 % de Sémillon et 10 % de Muscadelle) et élevé en barriques neuves.

Château La Garde

Vieille propriété de la commune de Martillac, remise à neuf, ses meilleures cuves sont élevées en barriques neuves et diffusées sous l'étiquette Réserve. Concentrés et veloutés, ces vins peuvent se boire jeunes tout en ayant un bon potentiel de vieillissement : ils sont séduisants et vendus à des prix raisonnables. Une petite quantité d'un vin blanc élégant est issue à 100 % de Sauvignon.

Château Haut-Bailly

Cru classé Un grand nombre de dégustateurs s'accordent à le reconnaître : Haut-Bailly est leur cru de Pessac-Léognan favori. Élaboré avec maestria, il n'a peut-être pas la puissance et la concentration de certains autres, mais il est toujours élégant. Son charme cache de beaux tanins qui ne demandent qu'à vieillir, dans les grands millésimes comme dans les petits.

Château Haut-Brion

Cru classé Haut-Brion est l'unique cru des Graves qui, en 1855, fut classé Premier grand cru au même titre que les meilleurs vins du Médoc. Vin de noble race et d'une régularité étonnante dans sa qualité, il mérite pleinement cette distinction. Même dans les millésimes difficiles comme 1987 et 1991, Haut-Brion a sorti des vins élégants avec de beaux arômes. Au milieu des années 1980, il s'est montré moins sévère et plus affable, mais demande toujours un certain nombre d'années avant d'atteindre son apogée.

Haut-Brion est la propriété du duc et de la duchesse de Mouchy, cette dernière étant l'héritière de la famille Dillon, qui a acquis le château en 1935.

Haut-Brion ne s'est jamais reposé sur ses lauriers et, sous la direction de Jean-Bernard Delmas, toute une équipe ne cesse de rechercher comment améliorer les vignes et le vin. Une petite quantité d'un vin blanc très prisé est produite. La fermentation en barriques de bois neuf est une pratique récente pour la majeure partie des blancs et, les années moins satisfaisantes, comme 1986, aucun vin blanc n'a été commercialisé. Le second vin rouge, qui porte l'étiquette Bahans-Haut-Brion, est considéré comme l'un des meilleurs seconds vins de Bordeaux.

Château Larrivet-Haut-Brion

La propriété de 45 ha a bénéficié d'importants investissements pour construire un nouveau chai. Depuis le millésime 1988, tant le blanc ample et épicé que le rouge ferme et boisé sont étonnants. Les rendements sont volontairement bas et tous ces efforts devraient entraîner une hausse constante de la qualité.

Château Laville-Haut-Brion

Cru classé de blanc Cette propriété de Pessac est, en fait, le vignoble de blanc du Château La Mission-Haut-Brion (voir ci-après). Laville est un vin blanc légendaire dont quelques bouteilles, vieilles de 50 ans, se sont révélées étonnantes. Après une période de déclin, dans les années 1970, ce célèbre vin blanc a retrouvé sa qualité dans les années 1980. Peut-être un peu moins somptueux que le blanc de Haut-Brion, élaboré par la même équipe, c'est un vin blanc opulent et magnifique. Marqué par le bois neuf dès son enfance, il lui faut une décennie pour atteindre sa maturité en bouteille et s'ouvrir. Son prix est élevé, mais, dans les grands millésimes, c'est un vin d'exception.

Château La Louvière

Le beau château de la Louvière situé sur les terres de la commune de Léognan est le porte-drapeau des propriétés d'André Lurton (avec les châteaux Couhins-Lurton, de Cruzeau, de Rochemorin, etc.).

Son vin blanc, un vin solide aux notes boisées, est marqué par le Sauvignon. Le vin rouge montre une belle structure et vieillit bien. La Louvière vinifie et élève le Château Coucheroy, un modeste château d'un bon rapport qualité/prix, qui se décline en blanc comme en rouge.

Château Malartic-Lagravière

Cru classé Repris en 1998 par Alfred-Alexandre Bonnie, ce château de 54 ha est surtout réputé pour son vin blanc issu du cépage Sauvignon à 100 %. Depuis peu, 20 % de Sémillon participent au vin. Les rouges ont une réputation de vins austères, mais sont en réalité souples et dotés de beaux tanins bien liés. Tout comme les blancs, ils méritent quelques années de garde.

Château La Mission-Haut-Brion

Cru classé de rouge Cette propriété de 22 ha, contiguë au Château Haut-Brion, a été acquise par ce dernier en 1983. Mais les deux vins sont très différents : le premier se montre tout en finesse et en harmonie, tandis que le second est un vin puissant possédant une grande profondeur d'arômes. C'est un vin cher qui reflète la conviction de son pro-

priétaire : La Mission serait très proche du Premier cru classé en terme de qualité – ce qui est vrai pour un grand nombre de millésimes.

Château Olivier

Cru classé Au cœur de l'appellation se trouve ce superbe château médiéval entouré de douves, ancien rendez-vous de chasse du Prince Noir, d'une architecture majestueuse. Depuis la reprise en main du domaine par la famille Bethmann, la qualité des vins s'améliore.

Château Pape-Clément

Cru classé Sans doute l'une des plus anciennes propriétés de Bordeaux, elle a été créée en 1300 par Bertrand de Got, archevêque de Bordeaux, qui deviendra pape sous le nom de Clément V. Elle est aujourd'hui assiégée par le développement urbain de la commune de Pessac. 1985 a marqué, dans la qualité, un tournant qu'aucun millésime n'a ensuite démenti. Pape-Clément est un vin puissant et plein de sève, avec une belle concentration et une grande longueur en bouche. La propriété a développé un petit vignoble complanté de cépages blancs (2,5 ha de Sémillon, de Sauvignon et de Muscadelle), qui donne un vin rare et de haute qualité (non classé).

Château Pique-Caillou

Propriété de la commune de Mérignac, ce château avec un vignoble de 14 ha ne produit que des vins rouges, souples et bien construits, qui évoluent assez vite en bouteille.

Château de Rochemorin

C'est l'une des nombreuses propriétés d'André Lurton, située sur la commune de Martillac. Elle donne de bons rouges charnus et des blancs classiques qui peuvent s'apprécier assez jeunes. S'ils ne sont pas les meilleurs vins de la gamme d'André Lurton, leur prix reste raisonnable.

Château Le Sartre

Propriété en cours de rénovation sous l'égide de la famille Perrin (du Château Carbonnieux), ce château propose un rouge meilleur que le blanc, dans le même style que Carbonnieux, mais à la moitié du prix de ce dernier.

Château Smith-Haut-Lafitte

Cru classé En 1990, cette grande propriété de Martillac fut cédée à prix fort par des Anglais à Daniel et Florence Cathiard. Ceux-ci ont immédiatement pris toutes les mesures pour rénover le vignoble et les chais et s'entourer des conseils des meilleurs « œnologues volants » de la région. Sous l'ancien régime du négociant Eschenauer, le château était déjà réputé pour ses blancs comme pour ses rouges : les vins produits pour la famille Cathiard montrent à quel point les investissements ont porté leurs fruits. Le vin blanc, tout particulière-

ment, issu de Sauvignon à 100 %, est une merveille d'équilibre avec de belles notes fruitées. La sélection étant rigoureuse, le second vin rouge est recherché et porte l'étiquette Les Hauts-de-Smith.

Château La Tour-Haut-Brion

Cru classé De la même famille que le Château Haut-Brion, contigu à Laville-Haut-Brion, il produit dans son vignoble de 4,9 ha un vin rouge, marqué par un fort bouquet de Cabernet-Sauvignon.

Château La Tour-Martillac

Cru classé Gérée depuis plus d'un siècle par la famille Kressmann, cette propriété offre des vins rouges qui, malgré leur côté gras et charnu, se montrent élégants. Les vins blancs, bien équilibrés, sont boisés mais gardent leur fruit pendant des années. La constance de la qualité de ces vins d'un millésime à l'autre est remarquable.

DOMAINE DE CHEVALIER

Cru classé Datant de 1770, ce vignoble situé sur le point culminant de la commune de Léognan est l'un des plus beaux des Graves et produit deux des plus grands vins de Bordeaux. Le rouge est bien construit, élégant et puissant, sans toutefois être un monstre de concentration, et possède une âme fruitée et des notes boisées. Le blanc est fin, délicat et ample, d'une rareté qui peut justifier son prix. Outre son terroir unique au milieu d'une clairière, le secret de Chevalier réside dans l'intransigeance des sélections au moment de la récolte. La vendange de raisins blancs est fermentée sous bois, et reste en fût pendant 18 mois. Les vins de Chevalier, en rouge comme en blanc, ont suffisamment de concentration pour se permettre quelques décennies de garde et le blanc mérite au moins 8 ans de bouteille.

CRUS DE GRAVES

Jusque dans les années 1970, la plupart des propriétés du sud des Graves vendaient leurs vins en vrac au négoce bordelais : la mise en bouteilles à la propriété est donc un phénomène relativement récent qui s'est largement développé. Rivalisant pour produire les vins rouges et les vins blancs les plus séduisants, les propriétaires ont également adopté des méthodes de vinification sophistiquées. Certains se vouent à la religion de la qualité en produisant des vins rouges dotés d'une belle concentration de tanins et de superbes arômes et destinés à une longue vie ; d'autres ont le culte des vins flatteurs à boire jeunes. Les styles de vins, tout comme leur qualité, sont donc assez disparates.

Les propriétés sont rassemblées autour de certaines communes, comme Portets ou Langon, sur des affleurements de graves. Seuls les vins produits sur ces types de sol ont droit à l'appellation ; les autres vignobles, comme ceux proches de la Garonne, n'ont droit qu'au statut d'AOC Bordeaux.

Château d'Archambeau

Cette propriété située sur la commune d'Illats produit des blancs superbement élaborés et d'excellents rouges veloutés.

Château Le Bonnat

Propriété de Gérard Gribelin (du Château de Fieuzal) à Labrède, ce château élabore des vins rouges dans 40 % de barriques neuves, tandis que les blancs sont fermentés sous bois et élevés en barriques de bois neuf.

Clos Bourgelat

Situé sur la commune de Cérons, ce vignoble donne des vins rouges fruités et veloutés et des vins blancs frais et nerveux.

Château Brondelle

Ce vignoble de 62 ha occupe une belle croupe graveleuse. Le rouge fait la part belle au Cabernet-Sauvignon et au bois neuf.

Le vin blanc, élaboré avec du Sauvignon et du Sémillon, est un vin pur, moderne, né en cuve Inox et de macérations pelliculaires.

Château Cabannieux

Dans cette propriété de près de 20 ha, sise au nord de l'aire d'appellation Graves, on produit un vin rouge marqué par le Merlot et un vin blanc à base de Sémillon, fin et distingué.

Château de Chantegrive

La famille Lévêque a travaillé pendant 25 ans pour créer un vignoble de 92 ha à Podensac. L'élevage des vins en barriques, introduit en 1988, donne des résultats impressionnants. Le bois neuf est réservé à la Cuvée Caroline en blanc et à la Cuvée Édouard en rouge. La propriété compte d'autres crus tel le Château Bon Dieu des Vignes.

Clos Floridène

L'œnologue Denis Dubourdieu, éminemment respecté dans la région pour ses conseils en matière de vinification des vins blancs, est propriétaire de ce cru à Pujols. Pionnier des pratiques de macération pelliculaire et de bâtonnage, il produit sur son propre vignoble des vins blancs tout à fait remarquables.

Château du Grand Bos

Sur une dizaine d'hectares, Cabernet-Sauvignon et Merlot font jeu égal, l'un apportant la structure, l'autre un fruité souple.

Domaine de Hauret-Lalande

Située à Cérons, cette propriété de la famille Lalande (de Château Piada, à Barsac) produit des vins blancs aromatiques.

Château Haut-Selve

La propriété de 24 ha est l'œuvre de Jean-Jacques Lesgourges. Son premier Graves rouge, l'un des meilleurs, porte le millésime 1996.

Château Lehoul

Ce vignoble d'une dizaine d'hectares sis au sud de l'aire d'appellation, près de Langon, produit des vins rouges, blancs secs et liquoreux, qui passent tous par le bois. Le rouge brille par son fruité exubérant (Cabernet-Merlot), le blanc sec « sauvignonne » floralement, le liquoreux, à base de Sémillon, tend vers l'équilibre.

Château Magence

Cette belle propriété réputée du sud des Graves produit des vins rouges flatteurs et des vins blancs bien équilibrés.

Château de Portets

Cet imposant château qui domine la Garonne est entouré d'un vignoble de 30 ha sur la commune de Portets. Son vin blanc est élevé en fûts de bois neuf et son rouge, souple et bien construit, passe 18 mois en barriques.

Château Rahoul

Réputé pour ses vins blancs, issus d'un heureux mariage entre le Sémillon et le bois dans les années 1980, cette propriété a été reprise par Alain Thiénot.

Château Respide-Médeville

Vins rouges avec une belle concentration de tanins et des vins blancs fermentés sous bois, très prometteurs.

Château de Roquetaillade-La Grange

Cette grande propriété située à Mazères élabore des vins blancs dominés par le Sémillon et des vins rouges dotés d'une belle structure, qui méritent de vieillir.

Château Saint-Robert

Le Crédit foncier est propriétaire de ce vignoble de plus de 30 ha où l'on trouve presque autant de Merlot que de Cabernet alors que les vignes blanches comprennent beaucoup de Sauvignon.

Château Toumilon

Ce vignoble du sud de l'aire d'appellation produit des vins blancs et rouges de bonne facture, très réguliers.

Château Le Tuquet

Dans cette vaste propriété de 35 ha proche de Beautiran, qui borde la route Bordeaux-Langon, on vinifie un Graves rouge léger et fruité et un Graves blanc vif et gai.

Vieux-Château-Gaubert

Petite propriété créée par Dominique Haverlan, elle produit de bons vins élevés en barriques.

Villa Bel Air

Dans ce grand vignoble de 45 ha Jean-Michel Cazes (Lynch-Bages et Axa), produit avec des méthodes de vinification modernes des vins rouges (Cabernet-Sauvignon) et blancs (Sauvignon-Sémillon) d'une grande élégance et vivacité, caractérisés par des notes boisées.

Autres producteurs

Les vins blancs secs produits dans les grands châteaux de Sauternes font partie des bizarreries des appellations. Il faut citer « Y » d'Yquem, « R » de Rieussec, le Château Doisy-Daëne, et «M» de Malle.

SAUTERNES

Le Sauternes, considéré comme l'un des plus grands vins blancs liquoreux du monde, provient d'une zone située dans le sud des Graves. L'appellation Sauternes appartient à quatre communes, en dehors de la ville de Sauternes même : Fargues, Bommes, Preignac et Barsac. Il existe également une appellation Barsac, mais certains producteurs préfèrent commercialiser leur vin sous l'étiquette de l'AOC Sauternes, plus connue. Le Sauternes, vin sensuel aux couleurs d'or, aux notes profondes de miel, de noisette et d'orange, constitue un vin classique de fin de repas, à déguster seul ou avec un dessert. En France, il se boit traditionnellement très frais, en apéritif ou en accompagnement du foie gras.

Les cépages du Sauternes sont identiques à ceux des Graves blancs : Sauvignon, Sémillon et Muscadelle. Le Sémillon étant davantage sujet au *botrytis* (pourriture noble) que le Sauvignon, on le privilégie en le faisant entrer à 80 % dans l'assemblage, pour 20 % de Sauvignon, auquel on mêle parfois un peu de Muscadelle.

L'importance de la pourriture noble

Dans le Sauternais, tout concourt naturellement à produire des vins liquoreux, mais personne ne connaît l'origine exacte du Sauternes tel qu'il existe aujourd'hui. Certains en attribuent la paternité à un propriétaire local qui aurait importé la technique d'Allemagne en 1847, mais d'autres affirment qu'on produisait ce vin liquoreux avant cette date. Quoi qu'il en soit, si cette partie du monde semble avoir actuellement l'apanage de ce type de vin, ce n'est pas sans risque, car la chaleur estivale n'est pas suffisante pour garantir la surmaturité et la douceur nécessaires à l'élaboration d'un bon Sauternes. Il faut que les conditions climatiques favorisent l'apparition et l'action du *Botrytis cinerea* (pourriture noble), champignon entretenu par une certaine humidité, qui décolore

Le Château de Suduiraut produit un Sauternes réputé pour sa grande concentration.

les baies, les recroqueville et concentre leur teneur en sucre, en acidité et en glycérol. Le *botrytis* est à l'origine de phénomènes chimiques tellement complexes que personne ne connaît exactement son fonctionnement, mais tout le monde peut profiter de la saveur caractéristique dont il enrichit un vin. Le Sauternes est un vin riche, onctueux et mielleux, corsé par une pointe d'acidité propice à un vieillissement optimal. Au fur et à mesure de sa maturation, il prend une couleur plus profonde et un goût plus sec, presque de brûlé.

Le Sauternais est traversé par le Ciron, une rivière froide, qui se jette dans la Garonne, fleuve plus chaud : cette configuration géographique particulière favorise l'apparition de brumes automnales stagnant au-dessus des vignes avoisinantes. C'est le moment idéal pour que les spores de *botrytis* se multiplient et s'activent sur les grappes. En règle générale, les brumes se dissipent sous le chaud soleil de midi, mais, si l'humidité se prolonge dans l'après-midi, les conditions sont idéales pour une bonne déshydratation des raisins. Si ce n'est pas le cas, le *botrytis* risque de dégénérer en infâme pourriture grise, et le raisin est perdu. La pourriture noble ne se répartit de façon uniforme que les années exceptionnelles, comme 1990. Mais, la plupart du temps, le *botrytis* est très localisé, ce qui oblige les récoltants à faire plusieurs vendanges successives.

Les tries, au moment des vendanges, restent le facteur essentiel de la réussite d'un bon Sauternes. Certaines années, le *botrytis* reste très limité ou se produit très tardivement.

Si, à la mi-octobre, le raisin est toujours sain et très mûr, mais sans la moindre trace de pourriture noble, la tentation de vendanger est très forte. Si l'on y succombe, on obtient un vin moelleux riche, mais sans le parfum spécifique et complexe que confère le *botrytis*. Certains domaines, comme Château d'Yquem, attendent jusqu'au dernier moment, espérant toujours une attaque du champignon, et n'envoient les vendangeurs que lorsque la contamination est suffisamment étendue. En 1985, année où le *botrytis* est apparu exceptionnellement tard, Yquem récoltait encore en décembre, bien après la grande majorité des propriétés.

Le bon moment
Quand on attend pour vendanger, on risque de voir le temps s'aggraver. Début novembre, il n'est pas rare qu'une semaine de pluies ininterrompues détruise sur pied tous les raisins. Certaines années, 1982, 1991 ou 1992, pour ne citer que celles-là, ceux qui ont vendangé précocement, par chance ou par manque d'audace, ont récolté des grappes de meilleure qualité que les risque-tout. Plus tard, en effet, les raisins étaient gonflés de pluie et dénaturés par la pourriture grise. Mais, en règle générale, ceux qui prennent leur temps se voient récompensés par une qualité supérieure.

Les années 1980 ont donné naissance à une nouvelle pratique de concentration des moûts, la cryoextraction, qui consiste à congeler les raisins pour en séparer l'eau de pluie. Les partisans de ce nouveau procédé soulignent que la cryoextraction devrait être réservée aux raisins botrytisés uniquement. En 1989 et 1990, années marquées par la sécheresse et la chaleur, la machine est restée au repos, mais elle a tourné à plein régime les années humides, comme 1987, où elle a aidé certains domaines à sauver une partie des récoltes. Même Yquem possède sa chambre de cryoextraction et tous les détracteurs de ce principe,

voyant que son utilisation restait raisonnable, se sont tus peu à peu.

Les récentes améliorations
Le Sauternes a connu le même phénomène que les Graves secs : une nette amélioration de la qualité entre 1980 et 1990 alors que les deux décennies précédentes avaient singulièrement brillé par leur manque de panache. On a connu, il est vrai, de grands millésimes, 1975 et 1976 notamment, mais rares ont été les domaines qui ont offert des vins remarquables. Les prix bas décourageaient les vignerons d'investir dans de nouveaux équipements. Rien de surprenant à ce que la qualité en ait pâti ! Aujourd'hui, les temps ont bien changé. Les fûts de chêne neuf, autrefois rares dans la région, sont omniprésents (parfois trop !), même si certains aiment à garder une partie de leur vin dans des cuves inox pour leur conserver une certaine fraîcheur.

Le secret du grand Sauternes réside dans les vendanges : une fois que les grappes sucrées et botrytisées à souhait sont à l'abri des chais, le tour est joué ! Les grands domaines comme Yquem, La Tour Blanche et Raymond-Lafon essaient de récolter les raisins avec un degré d'alcool potentiel compris entre 20° et 22°, afin d'obtenir des vins avoisinant un degré d'alcool acquis de 14-14,5 % vol, le reste s'exprimant

en sucre résiduel. Les années de grande maturité, une teneur en sucre aussi élevée est pratiquement la norme. Les années plus classiques, il faut absolument procéder aux tris successifs pour pouvoir obtenir des moûts concentrés. Un procédé plus rapide consiste à récolter des raisins très mûrs, avec un taux d'alcool de 15 % vol, et à les chaptaliser pour atteindre un niveau de 13 % vol plus l'équivalent de 4 % vol en sucres résiduels. Inutile de préciser que la dégustation d'un tel vin est souvent décevante.

Le Sauternes aujourd'hui
Dans les années 1960, on avait perdu l'habitude de se référer à la classification de 1855 (voir encadré) en raison du nombre de vins médiocres proposés par les domaines classés. La découverte d'un grand vin, même les bonnes années, relevait plus de la loterie que d'un quelconque classement. Au début des années 1980, certains producteurs voulurent sortir du cercle vicieux mauvaise vinification-vin médiocre-prix bas. Ils prirent conscience que seule une hausse de la qualité pourrait rétablir la réputation de ce qui était, pour certains, le plus grand vin liquoreux du monde. Aujourd'hui, après cinq millésimes exceptionnels – 1988, 1989, 1990, 1997 et 2001 –, le consommateur n'a que l'embarras du choix. □

LA CLASSIFICATION DES SAUTERNES

La lettre (B) indique les propriétés de Barsac autorisées à vendre leur vin sous l'étiquette Barsac ou Sauternes. L'ordre suivi est celui de la classification de 1855.

Premier cru supérieur
Ch. d'Yquem

Premiers crus
Ch. La Tour Blanche
Ch. Lafaurie-Peyraguey
Clos Haut-Peyraguey
Ch. de Rayne-Vigneau
Ch. de Suduiraut
Ch. Coutet (B)
Ch. Climens (B)
Ch. Guiraud
Ch. Rieussec

Ch. Rabaud-Promis
Ch. Sigalas-Rabaud

Deuxièmes crus
Ch. de Myrat (B)
Ch. Doisy-Daëne (B)
Ch. Doisy-Dubroca (B)
Ch. Doisy-Védrines (B)
Ch. d'Arche
Ch. Filhot
Ch. Broustet (B)
Ch. Nairac (B)
Ch. Caillou (B)
Ch. Suau (B)
Ch. de Malle
Ch. Romer du Hayot
Ch. Lamothe
Ch. Lamothe-Guignard

CRUS DE SAUTERNES

La distinction entre les Sauternes des cinq communes est très subtile. Celui de Barsac se démarque par la clarté de sa robe ainsi que par la délicatesse et l'élégance de ses arômes. Certains Sauternes, comme Château Rieussec et Château Guiraud, offrent une telle richesse qu'elle peut paraître exubérante. Quelques amateurs préfèrent la plus grande finesse proposée par des Barsacs tels que Château Climens ou Château Doisy-Daëne. Dans ces querelles de connaisseurs, où tout est affaire de goût, la qualité n'est pas en jeu. Au nord de Barsac, une autre appellation, Cérons, produit des vins blancs liquoreux (voir encadré, p. 167). Des vins blancs doux sont également élaborés dans d'autres régions des Graves, sous l'appellation AOC Graves Supérieurs. Ils sont de qualité moyenne.

Château d'Arche
2ᵉ cru classé Pierre Perromat loue cette propriété ancienne depuis 1981 et a redoré son blason quelque peu terni en prenant des mesures énergiques : réduction des rendements, vendanges les plus tardives possible et augmentation de la proportion de barriques neuves. Le résultat est à la hauteur de ces efforts sous la forme d'un vin riche, doux et onctueux, qui reste d'un prix abordable car encore peu connu.

Château Bastor-Lamontagne
Cette vaste propriété, ouvertement tournée vers le commerce, respecte les techniques traditionnelles sans prétendre au perfectionnisme des grandes. Les vins qu'elle élabore depuis de nombreuses années sont d'autant plus admirables : Sauternes délicieux, épicés, racés et très bien équilibrés. Bon rapport qualité/prix.

Château Broustet
2ᵉ cru classé Château Broustet élabore un Barsac puissant qui manque souvent de concentration et d'équilibre. Ce cru vendu par les Fournier (ex-pro-priétaires de, Château Canon) cherche son propre style. Il a du corps et de la souplesse. Il possède une clientèle fidèle.

Château Caillou
2ᵉ cru classé Un beau petit château domine cette célèbre propriété de Barsac. La qualité globale n'a pas été rehaussée par la production d'une cuvée spéciale appelée Crème de Tête, à laquelle sont réservés les meilleurs lots. Les vins sont gentiment agréables, mais présentent peu de profondeur et de richesse, sans présence systématique de pourriture noble.

Château Climens
1ᵉʳ cru classé Il s'agit de l'une des rares propriétés qui puissent quelquefois rivaliser avec Château d'Yquem, bien que les deux vins soient différents. Climens est un Barsac, avec toutes les subtilités inhérentes à son terroir. Jeune, il reste le plus souvent modeste. Après dix ans en bouteille, il commence très progressivement à dévoiler l'élégance majestueuse dont il est capable. Depuis le millésime 1983, Climens n'a jamais démérité et même les vins des médiocres

annéés 1972 et 1973 se sont révélés délicieux.

Château Coutet
1ᵉʳ cru classé L'une des propriétés les plus connues de Barsac, ce château a failli à sa réputation pendant de nombreuses années, avec notamment des variations étonnantes d'une bouteille à l'autre. Heureusement, Coutet a retrouvé le droit chemin à la fin des années 1980 en élaborant des vins concentrés qui dissimulent la délicatesse du Barsac derrière la richesse considérable du fruit. Les grandes années, on élabore une cuvée spéciale, la Cuvée Madame.

Château Doisy-Daëne
2ᵉ cru classé Pierre Dubourdieu élabore un vin au style léger et délicat (sauf en 1989). Son Sauternes fait plutôt jouer le charme que la puissance mais, les petites années, son caractère acidulé peut décevoir. En revanche, les bons millésimes peuvent révéler la quintessence du Barsac.

Château Doisy-Dubroca
2ᵉ cru classé Cette propriété appartient à la famille Lurton qui possède également Château Climens. Les deux vins sont donc élaborés exactement de la même façon mais, différence de terroir oblige, Château Doisy-Dubroca n'a pas la distinction de son aîné.

Château Doisy-Védrines
2ᵉ cru classé Restée longtemps effacée, cette propriété de Barsac a pris son essor en 1988. Elle propose depuis lors un vin fin et complexe, élaboré dans

un style assez ample, que développe un long vieillissement dans des barriques, neuves en grande majorité.

Château de Fargues
La famille Lur-Saluces, qui a été pendant longtemps propriétaire de Château d'Yquem, possède Fargues. Si les terres entourant ce château en ruine sont singulièrement pauvres, les vins sont riches et voluptueux, car ils sont élaborés par les maîtres du genre (l'équipe de Château d'Yquem). Cette réussite est le triomphe d'une viticulture et d'une vinification de haut rang sur un modeste terroir. Jeune, Fargues est souvent meilleur qu'Yquem, mais, avec l'âge, ce dernier prend invariablement le dessus, ce qui justifie sa suprématie.

Néanmoins, si vous avez la chance de goûter l'une des 10 000 bouteilles que la propriété élabore chaque année, vos papilles en garderont à coup sûr un souvenir inoubliable. Fargues est commercialisé à moitié prix de son célèbre frère, mais il n'en est pas moins le deuxième vin le plus cher de l'appellation.

Château Filhot
2ᵉ cru classé Les vignobles de Filhot se regroupent autour d'un magnifique château du XVIIIᵉ siècle. Le propriétaire Henri de Vaucelles ne cache pas son but commercial (sa grande propriété est lourde à gérer), ce qui ne l'empêche pas de produire certaines années, comme en 1976 et en 1990, un Sauternes riche et plaisant. Le Crème de Tête 1990 est somptueux.

Château Gilette

Cette propriété est unique dans le Sauternais : l'élaboration des vins, à partir de vignes à faible rendement, ne se fait que les années exceptionnelles. Elle possède en outre la particularité de ne vendre son vin, auprès de la clientèle particulière, qu'après un séjour de 10 ou 15 ans dans ses chais. En 1999, on vendait le millésime 1979. Le vin évolue donc beaucoup plus lentement que d'autres, si bien qu'un « jeune » Gilette a encore un goût immature et se bonifie pendant des décennies en bouteille, longtemps après que d'autres Sauternes ont épuisé leur potentiel. Au palais, c'est une explosion d'arômes et de parfums de miel et d'abricot, auxquels se mêle le goût de noisette du Sauternes arrivé à son apogée. Il est extrêmement cher, comme tout bon Sauternes d'âge comparable.

CHÂTEAU D'YQUEM

1ᵉʳ cru supérieur Le plus grand Sauternes, mais aussi le plus cher. Son prix élevé a permis à son ancien propriétaire, le comte Alexandre de Lur-Saluces, qui assure toujours la gestion de la propriété, de maintenir des normes exemplaires. Son équipe de 150 vendangeurs étale la récolte sur des mois, si nécessaire ; la chaptalisation n'est pas pratiquée, le vin vieillit pendant 3 ans dans des barriques de chêne neuf et tout lot qui ne correspond pas aux normes fixées est impitoyablement rejeté. Les 103 ha de vignobles parfaitement entretenus sont divisés en quatre parcelles donnant des vins de caractères différents, ce qui permet l'assemblage des meilleurs lots. Ce procédé confirme le dicton selon lequel c'est dans le vignoble, et non dans la cave, que s'élabore un grand Sauternes. Yquem est avant tout un vin d'artisan, ce qui explique sa profonde complexité.

Sa production est limitée à 7 000 bouteilles.

Château Guiraud

1ᵉʳ cru classé Après avoir acquis en 1981 cette propriété, certes vaste, mais mal en point, le Canadien Hamilton Narby s'attela à sa résurrection. C'est aujourd'hui chose faite, sous la ferme direction de Xavier Planty. Riche et ample, son Sauternes présente une texture crémeuse, rehaussée de parfums de pêche et de chêne. Il n'est jamais chaptalisé, car on ne vendange pas avant que le raisin offre plus de 300 g/l de sucre (18°).

Château Clos Haut-Peyraguey

1ᵉʳ cru classé Comme le dit lui-même Jacques Pauly, propriétaire de cette petite propriété située à Bommes, c'est la finesse, et non la puissance, qui l'intéresse. Et, en effet, on ne qualifiera jamais l'un de ses vins des adjectifs « riche », « opulent » ou « surchargé » ! Mais depuis le millésime 1995 les vins de Jacques Pauly se sont étoffés et appartiennent désormais au petit groupe des cinq ou six « premiers des premiers ».

Château Lafaurie-Peyraguey

1ᵉʳ cru classé De 1967 à 1977, ce vin n'a pas fait l'objet des meilleurs soins et restait quelconque. Un changement de régime a apporté une transformation radicale. Le Château Lafaurie, désormais vieilli dans 50 % de chêne neuf, est superbe : soyeux, élégant, il garde un léger goût de chêne. C'est le modèle des Sauternes. Les millésimes modestes, comme 1984 et 1987, il comptait parmi les meilleurs de l'année. Tout le mérite en revient à Georges Pauli, œnologue des Domaines Cordier, qui a pris en main ce Premier cru dans les années 1980.

Château Lamothe

2ᵉ cru classé Tous les espoirs reposent sur la nouvelle génération qui a pris les commandes. Jusqu'à présent, le Château Lamothe s'est montré plutôt décevant, avec des vins manquant un peu de structure et de concentration.

Château Lamothe-Guignard

2ᵉ cru classé Depuis l'acquisition de la propriété par les Guignard en 1981, les caves ont été rénovées. La qualité du vin s'en est trouvée considérablement améliorée. Depuis 1986, il est délicieux : riche et sucré, avec un

léger goût de chêne, il marie élégance et complexité. Et sa qualité continue de s'améliorer d'année en année. C'est un autre exemple de bon rapport qualité/prix.

Château Liot

Barsac connu, élaboré dans un style léger, manquant quelquefois de *botrytis* et vieillissant dans des cuves et des barriques, dont 15 % de chêne neuf, Liot est relativement bon marché et constitue un bon Sauternes agréable à consommer en apéritif.

Château de Malle

2ᵉ cru classé Ce cru a eu la réputation de proposer des vins fins mais trop légers. Les millésimes 1989 et 1990 ont révélé tout le potentiel de ce domaine qui, en 1996 et 1998, a produit de grands liquoreux onctueux et riches. Le château lui-même, aux mains de la comtesse de Bournazel, est un véritable joyau.

Château de Myrat

2ᵉ cru classé Le vignoble a été entièrement reconstitué à partir de 1988 et la première récolte a été effectuée trois ans plus tard. Victime du mauvais climat dans un premier temps, le propriétaire actuel, le comte de Pontac, a réussi de grands vins en 1997, 1998 et 2001.

Château Nairac

2ᵉ cru classé Jusqu'à la fin des années 1960, le vin était vendu en vrac. Tout a changé lorsque Tom Heeter et son épouse, Nicole Tari, ont acquis la propriété. De 1972 à 1987, date de son départ, Heeter a élaboré des vins brillants, même les années sombres comme 1974. Le Château Nairac a toujours été marqué par le parfum du chêne neuf, un peu excessif au goût de certains. Depuis 1988, le vinificateur Max Amirault a pris le relais de façon admirable. Le millésime 1990, après un séjour de 30 mois dans le chêne, est un Barsac classique. Depuis 1995, le fils Heeter-Tari a réussi de brillants millésimes (superbe 1997).

Château Rabaud-Promis
1er cru classé Dans les années 1960, ce château pouvait se vanter d'avoir les caves les plus négligées du Sauternais. Aujourd'hui, la situation a bien changé et le responsable actuel, Philippe Dejean, élabore depuis 1983 l'un des meilleurs vins de la région. Derrière de discrets arômes de chêne, son Sauternes fait davantage assaut de charme que de puissance, rehaussé, les meilleures années, par une exquise fraîcheur et un caractère racé.

Château Raymond-Lafon
Cette propriété appartient à la famille Meslier. Pierre Meslier, qui a dirigé Château d'Yquem pendant des décennies, applique ici les mêmes techniques perfectionnistes. Les rendements sont très bas et le vin séjourne pendant 3 ans dans des barriques de bois neuf.

Depuis 1979, Château Raymond-Lafon a présenté une succession de vins somptueux exigeant un long vieillissement. En reculant le plus possible les vendanges, Meslier a élaboré des vins excellents, même lors d'années difficiles comme 1985 et 1987. Cette superbe qualité justifie la troisième position du vin sur l'échelle des prix du Sauternes (après Yquem et Fargues).

Château de Rayne-Vigneau
1er cru classé Vaste propriété implantée sur une colline riche en pierres semi-précieuses, Château de Rayne-Vigneau s'est longtemps complu dans des vins médiocres et commerciaux. Un récent relèvement des normes n'a pas entraîné une amélioration aussi fulgurante que dans d'autres propriétés. Néanmoins, Rayne-Vigneau est redevenu une source fiable de bons Sauternes. Depuis 1990 – exception faite de l'année 1994 – ce château produit d'excellents vins fins.

Château Rieussec
1er cru classé Appartenant depuis 1984 à la famille Rothschild, de Lafite, cette propriété est en plein essor. Avant 1984, Rieussec élaborait des vins gras et somptueux, souvent délicieux, mais quelquefois un peu trop chargés, à la limite du « vulgaire ». Même si les millésimes plus récents sont toujours puissants et forts en alcool, la richesse du fruit semble peser plus lourd dans la balance. Les millésimes 1996 et 1997 comptent parmi les meilleurs Rieussec. Rieussec a reconquis sa réputation d'être l'un des grands domaines de Sauternes.

Château Saint-Amand
Bien que les vignes se trouvent à Preignac, on pourrait facilement prendre ce charmant cru, de facture traditionnelle, pour un Barsac. Jamais très concentré, ce Sauternes affiche une remarquable élégance. De bon rapport qualité/prix, il est parfois vendu sous l'étiquette Château de la Chartreuse.

Château Sigalas-Rabaud
2e cru classé Les établissements Cordier sont fermiers de ce cru de 14 ha. Cela a contribué au retour au premier plan de ce Sauternes connu pour être l'un des plus fins. Ce château a produit deux fois trois millésimes de légende : 1988, 1989 et 1990 ainsi que 1995, 1996 et 1997.

Château de Suduiraut
1er cru classé Si, pour vous, un Sauternes doit exprimer de la puissance et de l'opulence, alors Suduiraut est le vin qu'il vous faut. Malheureusement, il lui arrive de verser dans une certaine exubérance, et même de grands millésimes comme 1983 et 1986 se sont révélés décevants. Mais en 1990, le vin a été magnifique.

Deux ans plus tard, la propriété a été vendue au groupe d'assurance Axa, propriétaire de nombreux châteaux dans le Médoc (voir p. 157). Le vinificateur, Pierre Pascaud, n'aura ainsi plus à composer avec les cinq sœurs ex-propriétaires et leurs fantaisies. On ne s'étonnera pas qu'un vignoble contigu de celui d'Yquem produise de parfaits Sauternes.

Château La Tour Blanche
1er cru classé La classification de 1855 donnait ce Sauternes comme le meilleur après Yquem. Pourtant, les vins des années 1970 et du début des années 1980 étaient peu engageants. Heureusement, Jean-Pierre Jausserand a relevé les normes : les vendanges sont beaucoup plus sélectives, les lots ne correspondant pas aux normes sont déclassés et le pourcentage de barriques neuves a atteint 100 % en 1990. Depuis 1988, La Tour Blanche mérite à nouveau son titre de Premier cru.

Château d'Yquem
Voir encadré p. 166.

CÉRONS

Les vignerons des trois communes de Cérons, Podensac et Illats ont droit à l'appellation Cérons pour leurs vins blancs liquoreux, mais peuvent également élaborer du Graves blanc sec AOC à partir des mêmes vignes. En 1981, la production de Cérons était de 808 000 bouteilles pour 790 ha, mais, en 1989, la proportion était tombée à 372 000 bouteilles de blanc liquoreux, contre 1 168 000 de blanc sec. Au meilleur de sa forme, le Cérons peut ressembler à un Barsac léger, mais des rendements supérieurs (40 hl/ha contre 25 hl/ha dans le Sauternais) l'empêchent d'atteindre la richesse d'un Sauternes. Les vins de Cérons sont donc plus légers et moins sucrés.

Château de Cérons
Défenseur de longue date de l'appellation, Jean Perromat en produit un des exemples les plus racés. Sur son domaine, les rendements sont inférieurs à 30 hl/ha et, depuis 1988, une partie des récoltes fermente en barrique. Le millésime 1990 a été vraiment exceptionnel, avec une teneur en sucre naturelle d'un potentiel de 23 % vol. Les vins sont très bien équilibrés et ils vieillissent avec élégance.

Grand Enclos du Château de Cérons
Propriété indépendante du château, le Grand Enclos produit 9 600 bouteilles environ, dans les bonnes années, de vins blancs et rouges (AOC Graves et Cérons). Propriété acquise en 2002 par Giorgio Cavanna, auteur du célèbre vin toscan Castello di Ama. À suivre absolument.

Autres producteurs
Il faut aussi signaler : Château d'Arricaud, Clos Bourgelat (voir aussi Graves, p. 162).

ENTRE-DEUX-MERS

Limitée par la Dordogne au nord et la Garonne au sud, une petite enclave vallonnée égaie le paysage austère et plat des Graves et du Médoc : c'est le plateau de l'Entre-deux-Mers, sillonné de vallées où se nichent fermes et bosquets. Son nom de pays « entre deux mers » provient du fait que la marée atlantique remonte dans les deux fleuves à 150 km de l'océan.

Dans un lointain passé, la viticulture n'était qu'une activité parmi d'autres, dans cette campagne où les vignes côtoyaient les prés à vaches, les champs de blé et les vergers. De nos jours, l'Entre-deux-Mers représente le plus important vignoble du Bordelais et la zone viticole AOC la plus vaste de France.

Autrefois productrice de vins blancs doux sans grand caractère, cette région s'est diversifiée dans les années 1980, et on a le choix aujourd'hui entre plusieurs styles de vins de qualité.

Les côtes de Bordeaux, suite de collines escarpées mais peu élevées, forment la frontière sud. C'est là que se trouvait au Moyen Âge l'un des vignobles les plus importants du Bordelais.

Les districts et les appellations

La région est un patchwork d'appellations. Une bonne partie du vin rouge n'a droit qu'à la simple AOC Bordeaux ou à celle de Bordeaux Supérieur. Ce dernier est souvent d'un bon rapport qualité/prix. L'AOC Entre-deux-Mers est réservée au vin blanc sec.

Les meilleurs vins rouges proviennent des Premières-Côtes-de-Bordeaux, AOC qui s'applique également aux vins blancs liquoreux (les vins blancs secs gardent l'étiquette Entre-deux-Mers). Ces vignobles orientés à l'ouest et surplombant la Garonne changent de dénomination en se prolongeant au sud-est ; ils s'appellent alors Côtes de Bordeaux Saint-Macaire.

Les Premières-Côtes se subdivisent en trois petites appellations vouées aux vins blancs doux : Sainte-Croix-du-Mont, Loupiac et Cadillac. Toutefois, ces dernières sont souvent intégrées au groupe de vins blancs liquoreux des statistiques officielles du Bordeaux et, par extension, assimilées aux larges groupes d'appellations de vins du Sauternais. D'après ces mêmes statistiques, si l'appellation Cadillac reste avec une production confidentielle, les deux autres sont en plein essor.

D'autres zones de la région possèdent leur propre appellation : Entre-deux-Mers Haut-Benauge, enclave de vin blanc située à cheval sur la frontière de l'Entre-deux-Mers ; Graves de Vayres, sur les graviers de la Dordogne ; Sainte-Foy-Bordeaux et ses vins blancs et rouges. Il ne faut pas confondre l'appellation Graves de Vayres avec l'AOC Graves qui se situe sur l'autre rive. Ses 350 ha se partagent entre vignes blanches et vignes rouges. Le Château Lesparre produit de bons vins rouges et blancs.

PRODUCTEURS ET NÉGOCIANTS

Les coopératives produisent 40 % des vins de la région. Parmi les bons domaines, on peut citer :

VINS ROUGES
Premières-Côtes-de-Bordeaux : Brethous, de Chastelet, Dudon, la Gorce, Grimont, du Juge, Lagarosse, Nenine, de Plassan.

VINS BLANCS LIQUOREUX
Cadillac : Fayau, Manos, Renon, Suau.
Loupiac : du Cros, Loupiac-Gaudiet, Domaine du Noble, Peyrot-Marges, de Ricaud, Rondillon.
Sainte-Croix-du-Mont : La Grave, Loubens, La Rame du Mont.

VINS BLANCS SECS
Haut-Benauge : le Bos, Haut-Reygnac, Domaine de la Serizière.
Entre-deux-Mers : Bonnet, Camarsac, Sainte-Marie.

Les styles de vin

L'Entre-deux-Mers doit être (et est généralement) un vin blanc sec issu de Sauvignon et de Sémillon. La réglementation de l'AOC fut souvent bafouée par le passé, notamment avec l'exportation de vins plus ou moins moelleux vers les marchés d'Europe du Nord. Lorsque la mode de ces vins prit fin, la région s'en ressentit, si bien que les coopératives et quelques propriétaires indépendants décidèrent de réagir en revenant à des vins secs et frais. Bien leur en prit, car les ventes continuent de progresser. Dans l'enclave du Haut-Benauge, les vins restent secs malgré un parfum très présent de Sémillon.

Les vins moelleux ou liquoreux des Premières-Côtes multiplient leurs efforts pour se hisser au rang des grands, mais ils ont du mal car le *botrytis* (voir Sauternes p. 163) sévit rarement et les acheteurs leur préfèrent les Sauternes, valeurs sûres et connues. Les petites AOC Loupiac et Sainte-Croix-du-Mont sont mieux situées, avec leurs vignes plantées près de la rivière et susceptibles d'être affectées par le *botrytis*. C'est là que se trouve le potentiel pour élaborer de bons vins blancs moelleux correspondant aux normes et au style du Sauternes. Les liquoreux de Loupiac (12 000 hl), de Cadillac (6 500 hl) et plus encore ceux de Sainte-Croix-du-Mont (16 000 hl) se sont grandement améliorés et ont trouvé leur spécificité.

Faute d'indication précise sur l'étiquette, il est difficile de savoir si un vin rouge AOC Bordeaux provient ou non de cette région de Gironde. Les Premières-Côtes, quant à elles, sont très identifiables : souvent d'un prix compétitif, les vins sont bien structurés, avec une bonne base de Merlot, et témoignent de caractère. C'est dans ces vignobles des « Côtes » que l'on produit les meilleurs Clairets, des vins rouges légers issus de saignées en cours de fermentation. □

BOURG ET BLAYE

Les visiteurs du Médoc ont en permanence sous les yeux, de l'autre côté des eaux brunes du vaste estuaire de la Gironde, les pentes boisées de Blaye. Très visibles, elles restent cependant difficiles d'accès, sauf si l'on s'aventure sur le bac de Lamarque entre Saint-Julien et Margaux.

Le paysage vallonné de la rive droite de la Gironde est doté de nombreux vignobles, bien qu'en quantité plus limitée que sur l'autre rive. Et, pourtant, favorisés par leur plus grande accessibilité, Blaye et Bourg étaient au Moyen Âge des ports vinicoles importants alors que Pauillac et Margaux vivaient de l'élevage des moutons et de la culture du blé.

Bourg et Blaye élaborent à la fois des vins blancs et des rouges (les meilleurs). Ce sont les vignes des bords de la Gironde qui offrent les vins de meilleure qualité; celles de l'intérieur réservant leur abondante production aux coopératives. En résumé, on peut dire que ces deux zones sont une bonne et abondante source de bon Bordeaux rouge.

Vignoble autour de la vieille église de Cars à Blaye.

Les cépages et les styles de vin

Principaux cépages, le Merlot et le Cabernet Franc entrent dans la composition de vins rouges de style « rive droite » rappelant le Fronsac et le Saint-Émilion. Les vins blancs sont élaborés à partir de Sémillon, de Sauvignon et de Colombard, cépage du Cognac voisin. Quelques rouges comportent également une certaine proportion de Malbec, ainsi que du Cabernet-Sauvignon.

Les vins de Blaye et de Bourg avaient la réputation d'être robustes, sombres et de longue garde. Selon un écrivain du XIXe siècle, il fallait attendre une dizaine d'années pour déguster ces vins qui, selon lui, dépassaient les Médocs courants par leur structure, leur fruité et leur caractère. Aujourd'hui, ce style est toujours présent, mais, dans l'ensemble, les vins du Médoc se sont améliorés davantage. Un vin de Bourg ou de Blaye mérite

de vieillir entre trois et dix ans dans les bons millésimes. Les vins blancs ressemblent à ceux de l'Entre-deux-Mers.

Les zones et les appellations

Bourg est la plus petite des deux zones, mais la viticulture y est intensive, tout autour du port de Bourg. L'AOC Côtes-de-Bourg couvre les meilleurs sols, sur les coteaux qui surplombent la Dordogne, (les appellations Bourg et Bourgeais ne sont plus en usage). Les quelque 3 100 ha de vignes sont consacrés en majorité au vin rouge, contre une infime quantité de vin blanc. La zone de Blaye est beaucoup plus étendue, bien que la superficie des vignobles soit à peu près identique. Ses trois appellations couvrent la même zone : l'AOC Blaye (ou Blayais) correspond à des vins blancs et, surtout, rouges, Côtes-de-Blaye à des vins blancs secs et Premières-Côtes-

de-Blaye à des vins blancs et rouges. Cette dernière appellation limite les cépages aux classiques de Bordeaux et exige des rendements modérés. □

PRODUCTEURS ET NÉGOCIANTS

Les coopératives dominent la production, mais un nombre croissant de producteurs mettent leur vin en bouteilles. La production de vin blanc est en déclin tandis que celle de vin rouge est en forte progression en raison d'une popularité grandissante. Parmi les meilleurs producteurs, citons :

Barbe, Bertinerie, Les Billauds, Charron, la Croix-Saint-Jacques, Gardaut Haut-Cluzeau (blanc), du Grand Barrail, Haut-Bertinerie (blanc), Haut-Sociando, Les Jonqueyres, Loumède, le Menaudat, Les Petits Arnauds, Pérenne, Peyraud, Segonzac, La Tonnelle, le Virou.

LES RÉGIONS VITICOLES DU LIBOURNAIS

Autre dénomination de la rive droite, le Libournais, qui tire son nom du port de Libourne sur la Dordogne, comprend les vignobles de Saint-Émilion, Pomerol, Fronsac et leurs satellites.

SAINT-ÉMILION

Les vieilles pierres de la cité médiévale de Saint-Émilion.

Cette célèbre région consacrée au vin rouge est regroupée autour du village de Saint-Émilion, situé à quelque 40 km au nord-est de Bordeaux, sur la rive droite de la Dordogne. Ce petit pays a une longue tradition vinicole, puisque ce sont les Romains qui y ont introduit la vigne. Le Château Ausone, près duquel ont été exhumés les restes d'une belle villa romaine, a été baptisé ainsi en mémoire du poète et consul Ausone, qui cultivait ses propres vignes en ces lieux. Le village de Saint-Émilion lui-même porte le nom d'un ermite qui y vécut au VIIIᵉ siècle.

À Saint-Émilion, le visiteur est frappé par la pure beauté du village, que les collines environnantes enserrent comme un amphithéâtre. C'est aussi là que se trouve une église monolithe creusée dans le rocher, la seule complètement enterrée d'Europe. Très fréquenté en plein été, c'est un ravis-sant lieu de séjour en dehors de la saison touristique. Le vignoble s'étend sur 5 200 ha. En plus des neuf communes autorisées à utiliser l'appellation Saint-Émilion, quatre autres peuvent l'accoler à leur nom. Ce sont les communes périphériques de Saint-Émilion : Lussac, Montagne, Puisseguin et Saint-Georges (voir p. 176).

Les zones vinicoles et les châteaux

La multiplicité des vins de Saint-Émilion s'explique par deux facteurs, d'une part, la grande diversité des sols, soussols et microclimats et, d'autre part, le nombre de producteurs indépendants (plus de 900). La plupart des propriétés sont de toutes petites entreprises familiales et c'est ici que se trouve la plus grande coopérative du Bordelais, qui compte plus de 200 membres.

Les onze premiers grands crus classés se répartissent sur deux zones. La première (pour neuf d'entre eux) correspond au plateau calcaire et aux versants sud d'un demi-cercle de 8 km, s'étirant de l'est à l'ouest de Saint-Émilion. C'est notamment là que sont établis les Châteaux Ausone, Canon et Magdelaine. La deuxième zone, les Châteaux Cheval-Blanc et Figeac, se situe à environ 4 km à l'ouest du village, vers la limite du Pomerol, là où le sol est constitué de gravier et de sable.

La Jurade

Cet organisme, responsable aujourd'hui de la promotion du Saint-Émilion dans le monde, a été créé au XIIᵉ siècle par Jean sans Terre, le fils d'Éléonore d'Aquitaine. En signant la charte de Falaise, il permettait aux villageois de gérer leur propre réglementation du vin. En 1289, sous Édouard Iᵉʳ, ces pouvoirs ont été étendus à huit autres paroisses : ce sont ces neuf communes qui constituent aujourd'hui l'aire de l'appellation Saint-Émilion.

Les cépages

Le Cabernet-Sauvignon à floraison et maturation tardives, omniprésent dans le Médoc, s'adapte généralement mal à la froideur des sols et au micro-climat du nord-est du Bordelais. En revanche, le Merlot et le Cabernet Franc peuvent parfaitement s'acclimater. Ils entrent généralement à part égale dans la composition du Saint-Émilion, même si certains châteaux donnent la préférence à l'un ou l'autre. Ainsi, Magdelaine et Tertre-Rôtebœuf privilégient un pourcentage élevé de Merlot, alors que Cheval-Blanc adopte un mélange basé sur deux tiers de Cabernet Franc.

Le sol frais du Pomerol, argileux et riche en fer, est particulièrement bien adapté au Merlot. Il y occupe les trois quarts de la superficie des vignobles, à côté du Cabernet Franc, qui en couvre à peu près un cinquième, et du Cabernet-Sauvignon (5 % environ). Bien que le Merlot soit très répandu dans le monde, il ne produit généralement que des vins légers, au goût de prune, à boire rapidement. À Pomerol, il semble avoir trouvé son terrain idéal et les vins atteignent une profondeur et une richesse qui peuvent durer 30 ou 40 ans, voire davantage.

Le style Saint-Émilion

La multiplicité des vins rend littéralement impossible de dégager un style propre au Saint-Émilion. Une qualité cependant est indéniable et constante : la séduction d'un Saint-Émilion jeune par rapport à l'austérité d'un Médoc du même âge. Comment expliquer cette constatation ? Essentiellement par les cépages dominants : d'une part, le Cabernet Franc, à maturation précoce, et, d'autre part, le Merlot charnu, au goût de prune, qui se combinent pour créer des vins souples et fruités, avec une bonne vinosité et un bon degré d'alcool, rehaussés par une acidité, des tanins et autres composants aromatiques en quantité suffisante. Certaines années fraîches, les vins des propriétés moyennes peuvent être franchement décevants à cause de leur caractère faible et léger et de leur manque de corps : il faut alors les consommer jeunes (dans les trois ans), sur leur fruit.

Toutefois, les grands millésimes des meilleures propriétés ont une espérance de vie qui peut varier entre dix et vingt ans, surtout s'ils sont conservés dans de bonnes conditions. Un Saint-Émilion modeste d'une bonne année sera souvent à son apogée au bout de six à huit ans. □

LE CLASSEMENT DU SAINT-ÉMILION

Le classement de 1855 avait omis les crus de Saint-Émilion. Un siècle plus tard, cet oubli était réparé: les propriétés ont été classées en fonction de leur sol, de leur réputation et après dégustation de leur vin. En théorie, si ce n'est en pratique, ce classement est remis en cause tous les dix ans, contrairement à celui du Médoc, apparemment figé pour l'éternité. Il a été revu en 1969, en 1985 et en 1996.

Actuellement, on compte 13 premiers grands crus classés et 55 grands crus classés. Deux des premiers grands crus classés portent la lettre A et les autres B.

Premiers grands crus classés
Ch. Ausone (A)
Ch. Cheval-Blanc (A)
Ch. Angélus (B)
Ch. Beau-Séjour-Bécot (B)
Ch. Beauséjour (B)
Ch. Belair (B)
Ch. Canon (B)
Ch. Clos Fourtet (B)
Ch. Figeac (B)
Ch. La Gaffelière (B)
Ch. Magdelaine (B)
Ch. Pavie (B)
Ch. Trottevieille (B)

Grands crus classés
Ch. l'Arrosée
Ch. Balestard-la-Tonnelle
Ch. Bellevue
Ch. Bergat
Ch. Berliquet
Ch. Cadet-Bon
Ch. Cadet-Piola
Ch. Canon-la-Gaffelière
Ch. Cap de Mourlin
Ch. Chauvin
Ch. La Clotte
Ch. La Clusière
Ch. La Couspaude
Ch. Corbin
Ch. Corbin-Michotte
Ch. Couvent des Jacobins
Ch. Curé-Bon
Ch. Dassault
Ch. La Dominique
Ch. Faurie-de-Souchard
Ch. Fonplégade
Ch. Fonroque
Ch. Franc-Mayne
Ch. Grandes Murailles
Ch. Grand-Mayne
Ch. Grand-Pontet
Ch. Guadet-St-Julien
Ch. Haut-Corbin
Ch. Haut-Sarpe
Clos des Jacobins
Ch. Lamarzelle
Ch. Laniote
Ch. Larcis-Ducasse
Ch. Larmande
Ch. Laroque
Ch. Laroze
Ch. Matras
Ch. Moulin du Cadet
Clos de l'Oratoire
Ch. Pavie-Decesse
Ch. Pavie-Macquin
Ch. Petit-Faurie-de-Soutard
Ch. le Prieuré
Ch. Ripeau
Ch. St-Georges-Côte-Pavie
Clos St-Martin
Ch. la Serre
Ch. Soutard
Ch. Tertre Daugay
Ch. Tour-du-Pin-Figeac (Giraud-Bélivier)
Ch. Tour-du-Pin-Figeac (Moueix)
Ch. La Tour-Figeac
Ch. Troplong-Mondot
Ch. Villemaurine
Ch. Yon-Figeac

LES FACTEURS DE QUALITÉ

L'histoire, la composition des sols et le microclimat de la région viticole de Saint-Émilion et du Libournais, sur la rive droite de l'estuaire, sont très différents de ceux du Médoc et des Graves, sur la rive gauche.
Ces facteurs géologiques et climatiques, alliés aux cépages dominants, qui sont ici le Merlot et le Cabernet Franc, produisent des vins de styles bien particuliers.

Sols

La composition des sols du Libournais est beaucoup moins homogène que dans le Médoc. Cependant, hormis quelques exceptions, les plus grands crus se trouvent tous sur des catégories de sols particulières : le plateau calcaire et le versant argilo-calcaire des collines et des coteaux situés au pourtour du village de Saint-Émilion. Le calcaire absorbe l'eau et la conserve tout en en drainant l'excès. Aux abords de l'appellation Pomerol, le sol est plus sablonneux, avec des graves et des poches d'argile. Si ces graves facilitent bien l'écoulement des eaux, l'argile n'est pas favorable à la culture de la vigne à cause du mauvais drainage et du risque que les racines soient immergées dans l'eau. À Pétrus, cependant, une pente douce permet un écoulement naturel des eaux.

ST-ÉMILION : COUPE GÉOLOGIQUE

Climat

Le climat du Libournais est relativement similaire à celui du Médoc : bien que plus à l'intérieur des terres, cette région est aussi sous l'influence maritime de l'océan, avec des hivers doux et des étés chauds, sans être caniculaires. Les mois les plus chauds sont ceux de juillet et d'août, avec une température moyenne de 20 °C. Les chutes de pluie ont surtout lieu l'hiver. On craint la fraîcheur et l'humidité, qui peut affecter la floraison en juin, tout comme la maturité de la vendange en septembre et au début du mois d'octobre. Les gels d'hiver (comme en 1956) ou du printemps (comme en 1991) sont plus à redouter sur cette rive droite, surtout dans la zone au nord de Saint-Émilion, la plus éloignée de

Pentes calcaires sur le coteau au-dessous du Château Ausone.

l'océan et du fleuve, que sur les bords de la Gironde, mieux tempérés par l'estuaire. On se souvient encore dans toute la région des catastrophiques gelées de 1965 qui ont anéanti la récolte de nombreux vignobles, quand elles n'ont pas détruit des vignes entières.

Sites et exposition

Le Libournais étant doté d'un climat relativement frais pour la viticulture, on comprend que l'exposition des vignes au soleil revêt une certaine importance. L'altitude, plus élevée dans cette région que dans le Médoc, entraîne aussi des températures un peu plus basses. Le plateau du Libournais ainsi que les coteaux de Saint-Émilion, aux pentes exposées au sud ou au sud-ouest, sont autant de pièges pour les rayons du soleil. Certains domaines comme Ausone ou Le Tertre-Rôtebœuf ont des vignobles parfaitement exposés au sud, et certains châteaux comme Trottevieille profitent des bienfaits du soleil tout au long de la journée. Les coteaux offrent aux vignobles des sites qui, malgré leurs pentes, sont relativement protégés des vents du nord et de l'ouest, tandis que les terres, plus ouvertes, du plateau sont moins abritées. De vénérables caves, à la fraîcheur idéale pour le stockage à des fins de vieillissement, ont été creusées dans le calcaire des coteaux.

CRUS DE SAINT-ÉMILION

Les propriétés sont moins étendues que celles du Médoc ou des Graves et par conséquent, la production est inférieure. L'appellation se répartit sur sept communes, mais la plupart des grands châteaux se trouvent à Saint-Émilion même. En outre, de nombreuses petites propriétés avoisinantes envoient leurs raisins à la coopérative (voir p. 175) ou vendent directement leur vin : c'est une bonne région pour faire du tourisme viticole.

Château l'Angélus

Premier grand cru classé C'est l'une des plus grandes propriétés de l'appellation, avec une production annuelle de 144 000 bouteilles. De lourds investissements des propriétaires, la famille de Boüard de Laforest, ont permis de hisser les vins au niveau des meilleurs de l'appellation. Un second vin, Le Carillon d'Angélus, a été créé en 1987.

Château Ausone

Premier grand cru classé Si c'est la plus grande propriété de l'appellation par la qualité, avec Château Cheval-Blanc, c'est aussi l'une des plus petites par la quantité (24 000 bouteilles par an), et ses vins sont très difficiles à trouver dans le commerce. Le château est magnifiquement situé au sommet d'un coteau, à la sortie de Saint-Émilion, et ses caves calcaires font office de régulateur thermique naturel. Depuis 1976, à l'arrivée d'un nouveau régisseur, Pascal Delbeck, la propriété a été complètement restructurée. Des querelles de

famille ont modifié le statut de ce cru dont Alain Vanthier assume désormais seul l'exploitation. Le millésime 2000 de ce grand vinificateur est déjà un vin de légende. Son prix est exorbitant. Peu importe, il est introuvable.

Château Balestard-la-Tonnelle

Grand cru classé Il est rare que l'ancienneté d'un cru soit attestée par un poète. Dans ce cas, un poète célèbre : Villon. Il évoque ce vin dans un poème qui est cité sur l'étiquette. Le vignoble s'étend sur 10 ha. Balestard- la-Tonnelle est un vin charpenté de longue garde.

Château Beauséjour (Duffau-Lagarrosse)

Premier grand cru classé Peut-être le moins connu des Premiers grands crus, ce château est en pleine restructuration, depuis 1990. On abaisse progressivement le pourcentage, autrefois élevé, de Cabernet Franc et on adopte le principe des vendanges récoltées le plus tardivement possible. Depuis une dizaine d'années les vins sont régulièrement excellents.

Château Belair

Premier grand cru classé Appartenant à la famille Dubois-Challon, cette propriété élabore un vin dans lequel on retrouve la concentration d'Ausone et un

peu de sa structure tannique, mais qui connaît une maturation plus précoce. Bien considéré à juste titre, le château a donné naissance à de très bons vins dès la seconde moitié des années 1980.

Château Cadet-Piola

Grand cru classé Située sur un des points culminants du plateau au nord de Saint-Émilion, cette propriété bénéficie d'un microclimat particulièrement favorable. Peu étendue, elle élabore un assemblage à base de 28 % de Cabernet-Sauvignon, ce qui donne des vins assez tanniques dans leur jeunesse et qui commencent à s'adoucir après quelques années en bouteille.

Château Canon

Premier grand cru classé L'une des plus belles propriétés de Saint-Émilion, Canon donne des vins pouvant égaler Cheval-Blanc et Ausone dans les meilleures années. La qualité a fait un bond en avant lorsque Éric Fournier, de la famille des propriétaires, a pris les rênes en main en 1982. Acheté par les Wertheimer (Chanel), Canon est conduit par Kolasa (ex-Latour) qui a dû refaire entièrement le chai – car il était contaminé – dans le but de produire des vins conçus pour durer. Ces vins dégagent un caractère élégant et un arôme de cèdre après quelques années en bouteille.

Château Canon-la-Gaffelière

Grand cru classé Complètement transformée par le comte de Neipperg lorsqu'il l'a acquise, cette propriété est désormais dirigée par le jeune et brillant Stephan de Neipperg, selon qui technologie de vinification ultramoderne et élevage traditionnel doivent aller de pair. Certains vignobles sont situés à flanc de coteau tandis que d'autres se trouvent en contrebas, sur les sols sablonneux et plats. Canon-la-Gaffelière a produit des vins remarquables dans

les années 1988, 1996, 1997, 1998, 1999 et 2000.

Château Cheval-Blanc

Premier grand cru classé Deuxième plus grande propriété, Château Cheval-Blanc bénéficie d'une réputation bien établie. Situé pratiquement à la limite du Pomerol, son vignoble est relativement étendu (200 000 bouteilles par an) et repose sur des sols très variés (gravier, sables anciens, sur argile). Une partie de l'originalité de son vin provient de sa composition, dans laquelle entrent 66 % de Cabernet Franc, plus que n'en comporte tout autre premier grand cru classé. Le vin se caractérise par sa richesse, sa maturité et son intensité; trompeur par son caractère aimable dans sa jeunesse, il vieillit facilement 40 ans, voire davantage.

Château La Dominique

Grand cru classé Ce château voisin du vignoble de Pomerol a une longue histoire. C'est des étoiles montantes, qui a présenté de très bons vins ces dernières années. Clément Fayat, propriétaire depuis 1969, est conseillé par le grand vinificateur du Pomerol, Michel Rolland, qui encourage les vendanges effectuées le plus tard possible, permettant d'atteindre une maturation maximale. Les vignobles comptent 80 % de Merlot. Extrêmement concentrés, sans être trop tanniques, les vins sont très gras et ronds. Les 100 000 bouteilles produites annuellement trouvent rapidement preneur : La Dominique est un grand séducteur.

Château Faugères

Grand cru Corinne et Péby Guisez sont passés de la production de films à la production de vin. Sur 28 ha, 70 % de Merlot assisté de 30 % de Cabernet sont à l'origine d'un Saint-Émilion ample, équilibré et savoureux – un must pour les œnophiles. Le même soin est apporté à la vinification du Cap de Faugères, un Côtes-de-Castillon. La cuvée Péby, en hommage à Péby Guisez, décédé, appartient au peloton de tête des grands crus.

Château Figeac
Premier grand cru classé Propriété de la famille Manoncourt, ce château constitue certainement l'une des plus belles propriétés à visiter. Situé à la limite du Pomerol, il est voisin de Château Cheval-Blanc. Sur un sol de petites graves de quartz provenant des volcans du Massif central, ses vins tirent leur caractère original du pourcentage élevé de Cabernet-Sauvignon (environ un tiers) dans leur composition. Généralement assez concentrés, les vins sont cependant souples et séduisants, même encore relativement jeunes. Ils sont très bons à déguster lorsqu'ils sont d'âge moyen.

Clos Fourtet
Premier grand cru classé Construit devant l'église collégiale sur un ancien fort, Clos Fourtet possède d'immenses caves souterraines. Son vin à base de Merlot, élégant et fin, est produit dans un chai très moderne.

Clos des Jacobins
Grand cru classé Cette propriété des Domaines Cordier, en plein cœur de l'appellation, élabore sans faillir des vins extrêmement séduisants. De style généreux et velouté, ils sont parfaits à boire après quelques années.

Château Larmande
Grand cru classé Situé au nord du village de Saint-Émilion, ce vignoble occupe un terrain sablonneux de 18 ha complanté pour les deux tiers en Merlot. Propriétaire depuis le début du siècle, la famille Mèneret-Capdemourlin s'en est séparée en 1991. Aujourd'hui propriété du groupe La Mondiale, Larmande a brillé de tous ses feux dans les années 1990. Son prix est raisonnable.

Château Magdelaine
Premier grand cru classé Dotés d'un très haut pourcentage de Merlot dans leur assemblage, les bons millésimes de Magdelaine possèdent l'opulence et la richesse qu'on associe généralement à un bon Pomerol. Cela n'est pas surprenant puisque le château appartient à la famille Moueix, l'un des principaux producteurs de Pomerol. La propriété, dont le panorama surplombant la Dordogne est magnifique, présente des vignobles en forme de U. De par sa qualité, le vin est l'un des meilleurs premiers grands crus classés.

Château Pavie
Premier grand cru classé L'un des plus gros producteurs parmi les Premiers Grands Crus Classés, ce château appartient depuis 1998 à Gérard Perse, le dynamique propriétaire de l'excellent Château Monbousquet (Saint-Émilion Grand Cru).

Château Pavie-Decesse
Grand cru classé Gérard Perse, qui a acquis cette propriété en 1997, a multiplié par deux la qualité et le prix du vin. Le domaine élabore des vins assez puissants et assez riches en tanins dans leur jeunesse.

Château Pavie-Macquin
Grand cru classé Cette propriété, située sur la Côte de Pavie et bénéficiant d'un excellent microclimat avec exposition au sud, est à l'origine d'un Saint-Émilion charnu et souple.

Clos Saint-Martin
Grand cru classé Clos Saint-Martin est le plus petit producteur de grand cru classé. Si rien d'exceptionnel ne s'est produit au début de la décennie 1980-1990, on a pu constater une nette amélioration dès l'année 1990.

Château Soutard
Grand cru classé Entre les mains de la famille de Ligneris depuis 1785, c'est l'une des plus anciennes propriétés de Saint-Émilion. La culture biologique y est pratiquée de pair avec une gestion traditionnelle. Les vins sont très denses et assez tanniques dans leur jeunesse, et les meilleurs se gardent plus de 20 ans. Les millésimes 1990 et 1998 sont exceptionnels.

Château Le Tertre-Rôtebœuf
Grand cru Sur cette minuscule propriété, d'où ne sortent que 27 000 bouteilles par an, l'audacieux François Mitjaville élabore un vin ressemblant à un Pomerol. Son goût du risque se retrouve à tous les stades : il attend le dernier moment pour vendanger, son vignoble est composé presque exclusivement de Merlot, la fermentation s'effectue avec les baies entières et les vins sont tous logés dans des barriques neuves, même les années non prometteuses. Il s'est fait remarquer avec le millésime 1982 et n'a jamais déçu depuis, touchant au sublime avec les millésimes 1997, 1998, 1999 et 2000. Malheureusement, ces vins sont pratiquement introuvables dans le commerce en raison de leur production réduite et de leur renommée.

À signaler : François Mitjaville a acquis une propriété dans les Côtes de Bourg, Château Roc-de-Cambes, dans laquelle il applique les mêmes principes.

Château Troplong-Mondot
Grand cru classé Cette magnifique propriété, l'une des plus grandes de Saint-Émilion, est entre les mains de Christine Valette depuis 1980. Sous sa direction et avec les conseils de l'œnologue Michel Rolland, elle a produit une succession de millésimes superbes, dont les 1990, 1998 et 2000.

Château Trottevieille
Premier grand cru classé Les vins de cette propriété sont restés décevants jusqu'en 1985 environ, date à laquelle les innovations de Philippe Castéja, notamment l'élevage des vins en barriques neuves à 100 %, ont permis à la qualité de remonter nettement.

Alors qu'auparavant les vins vieillissaient prématurément, ceux de Ph. Castéja sont beaucoup plus sérieux et destinés à être bus à moyen terme.

Union des Producteurs de Saint-Émilion
Sur les presque 1 000 producteurs de Saint-Émilion, plus de 200 sont membres de la coopérative locale, très réputée, qui est la plus importante du Bordelais. Outre les vins de propriété qu'elle met en bouteilles, notamment plusieurs grands crus, la coopérative diffuse un certain nombre de vins d'assemblages, parmi lesquels on peut citer : Royal Saint-Émilion, Côtes Rocheuses, Cuvée Gallus et Haut-Quercus.

LES « VINS DE GARAGE » DE SAINT-ÉMILION
On appelle ainsi des vins très soigneusement élaborés, très chers, très bons et très rares, produits sur quelques hectares. Ces réussites rapides font des émules…

Château La Mondotte
Le vin de Stephan de Neipperg est aussi riche que recherché internationalement.

Château de Valandraud
Ce vin créé par Jean-Luc Thunevin est construit, imposant, déjà célèbre.

Château Le Tertre-Rôtebœuf
Voir ci-dessus.

CRUS DES COMMUNES PÉRIPHÉRIQUES

L'AOC Saint-Émilion n'est que le cœur d'une vaste zone vinicole. Pomerol et Fronsac, à l'ouest, sont traités séparément (voir p. 177 et 179). Les villages du nord-est, de l'autre côté de la rivière Barbanne, ont le droit d'ajouter Saint-Émilion à leur nom. Ces communes périphériques sont détaillées ci-dessous. À l'est, se trouvent les AOC Côtes-de-Castillon et Bordeaux-Côtes-de-Francs.

Lorsque la zone de Saint-Émilion fut délimitée en 1936, les producteurs de certaines régions se trouvant juste en dehors de l'appellation demandèrent de pouvoir juxtaposer le nom de Saint-Émilion à celui de leur commune. Cinq villages reçurent cette autorisation : Lussac, Montagne, Parsac, Puisseguin et Saint-Georges. Cependant, dans un souci de rationalisation, l'INAO (Institut national des appellations d'origine) décréta en décembre 1972 que les vins des communes de Parsac et Saint-Georges pourraient figurer sous l'étiquette « Montagne ». Aujourd'hui, la plupart des producteurs de Saint-Georges préfèrent l'appellation Montagne à celle de Parsac.

L'intérêt des vins des communes périphériques de Saint-Émilion n'est pas négligeable. Les cépages autorisés sont les mêmes (Cabernet-Sauvignon, Cabernet Franc, Merlot, Malbec et Carmenère) et poussent sur des sols et sous-sols assez proches de ceux de Saint-Émilion et du Pomerol voisins. Dans les meilleurs cas, les vins rivalisent facilement avec certains grands crus de Saint-Émilion. En outre, ne bénéficiant pas du prestige d'une grande appellation, ils sont souvent plus accessibles.

Montagne Saint-Émilion
Commune la plus étendue et sans doute la plus connue, Montagne Saint-Émilion couvre environ 1 500 ha et se trouve près de la limite du Pomerol, à l'ouest de Lussac et de Puisseguin. Le sol se compose principalement d'argile pure et d'argile mélangée à du calcaire ou à du gravier, avec des traces éparses de fer dans le sous-sol. Les meilleures propriétés proposent des vins d'une qualité identique à celle d'un grand cru de Saint-Émilion standard : souples et fruités, les Montagnes témoignent de finesse et d'un bon potentiel de vieillissement. On compte deux coopératives.

Les principaux châteaux sont les suivants : Calon, Corbin, Maison Blanche, Maison Neuve, Roc de Calon, Roudier, des Tours.

Lussac Saint-Émilion
À 9 km au nord-est de Saint-Émilion se trouve la deuxième commune périphérique par la superficie (1 400 ha). Le sol est très varié : coteaux argilo-calcaires au sud-est, petit plateau de gravier à l'ouest et argile pure au nord.

CÔTES-DE-CASTILLON ; BORDEAUX-CÔTES-DE-FRANCS

À l'est de Saint-Émilion et de ses communes périphériques se trouvent deux petites appellations de Bordeaux relativement peu connues.

Côtes-de-Castillon
Les vignobles sont regroupés autour de l'ancienne cité de Castillon-la-Bataille, nommée ainsi après la bataille qui s'y déroula en 1453 et marqua la fin de la guerre de Cent Ans. Avant 1989, cette région n'était autorisée à utiliser le nom Côtes-de-Castillon que s'il était précédé des termes Bordeaux ou Bordeaux Supérieur ; depuis, elle a le droit d'utiliser sa propre appellation pour ses vins rouges. Elle compte 2 800 ha de vignobles, dont 75 ha plantés en raisins blancs répondant à l'AOC Bordeaux. Les vins sont assez proches de ceux des satellites de Saint-Émilion, bien qu'un peu moins tanniques dans leur jeunesse, et ils demandent quelques années en bouteille pour s'arrondir et s'assouplir.

Les bons châteaux sont notamment : Château Côte Montpezat et Cap de Faugères d'Aiguilhe.

Bordeaux-Côtes-de-Francs
À dix kilomètres au nord de Castillon-la-Bataille se trouve la commune de Francs. Les vignobles se resserrent sur 450 ha, dont 30 ha de cépages blancs. L'appellation couvre le vin rouge comme le blanc, qui peut être sec ou doux. Les cépages blancs autorisés sont les mêmes que dans tout le Bordelais : Sémillon, Sauvignon et Muscadelle. Les vins rouges sont très colorés, ont un bouquet séduisant et sont assez gras au palais.

Les principaux châteaux sont : Les Charmes-Godard, de Francs, Laclaverie et Puygueraud.

Lussac est allié à deux titres à son voisin Puisseguin. Non seulement ils partagent la même coopérative, mais en plus, c'est le collège des Échevins de Lussac Saint-Émilion et Puisseguin Saint-Émilion qui fait la promotion commune de leurs vins.

Les principaux châteaux sont les suivants : Barbe-Blanche, Bel-Air, de Lussac, Lyonnat, Tour-de-Grenet, Vieux-Château-Chambeau.

Puisseguin Saint-Émilion
Commune la plus à l'est, limitrophe des Côtes de Castillon, l'appellation couvre à peine 750 ha, dont l'un des points culminants de la Gironde (89 m d'altitude). Environ le tiers des 120 vignerons sont membres de la coopérative locale. Le sol est en majorité argilo-calcaire sur un sous-sol rocheux.

Les principaux châteaux sont les suivants : Bel Air, du Branda, Moulin-Listrac, Roc de Boissac.

Saint-Georges Saint-Émilion
C'est de loin la plus petite des cinq communes périphériques, avec simplement 175 ha. La plupart des producteurs vendent leur vin sous l'appellation Montagne Saint-Émilion, conformément au décret de l'INAO de 1972.

Les principaux châteaux vendant leur vin sous l'étiquette Saint-Georges Saint-Émilion sont les suivants : Belair-Saint-Georges, Calon, Cap d'Or, Saint-André-Corbin, Saint-Georges, Tours du Pas Saint-Georges.

POMEROL

En dépit de ses dimensions réduites, cette région productrice de vins rouges est l'un des joyaux du Bordelais en raison de la qualité et du caractère unique de ses vins.

Situé à quelque 29 km à l'est de Bordeaux, le vignoble occupe 730 ha jouxtant la partie ouest de la grande région de Saint-Émilion (sept fois plus étendue), avec laquelle il partage deux autres frontières communes : la Dordogne, au sud, et la Barbanne, au nord. Au-delà de cette dernière commence la zone de Lalande-de-Pomerol. À l'ouest, cette bucolique campagne vinicole est brutalement interrompue par le passage de la bruyante N89, au-delà de laquelle ne subsiste qu'une poignée de châteaux.

Contrairement à son voisin Saint-Émilion, la région de Pomerol n'a pas de véritable centre, sauf, peut-être, l'ancien port fluvial de Libourne, d'où les vins étaient autrefois expédiés à l'étranger. La plus grande maison de négociants, les Établissements Jean-Pierre Moueix, a conservé ses bureaux et ses entrepôts sur les quais. Le village éparpillé de Pomerol n'a pas vraiment d'âme à offrir au visiteur, et seule son église se détachant sur un océan de vignes vaut le coup d'œil.

Bien que la vigne y existât déjà du temps des Romains, il fallut attendre la Seconde Guerre mondiale pour que les vins commencent à être connus, à l'exception de Château Pétrus, déjà récompensé par une médaille d'or à l'Exposition universelle de Paris en 1878. Cette obscurité historique s'explique en partie par les faibles dimensions de la région et en partie par son relatif isolement. Les principales propriétés ne comptent en général que quelques hectares, avec une production moyenne annuelle de quelques dizaines de milliers de bouteilles ; on est loin des 240 000 bouteilles de maintes propriétés du Médoc. L'isolement de Pomerol s'est

Le vignoble de Vieux-Château-Certan.

prolongé pendant une bonne partie du XIXᵉ siècle en raison du nombre limité de ponts sur la Dordogne et la Garonne : la région a donc échappé à la vigilance des grands négociants de Bordeaux, situation qui se retrouve aujourd'hui dans la mesure où la plupart des propriétaires de Pomerol négocient directement.

Aucune autre grande région vinicole du Bordelais ne doit autant à un seul homme, en l'occurrence Jean-Pierre Moueix. Dans les années 1930, il quitta sa Corrèze natale pour s'installer comme négociant sur la rive droite de la Dordogne et acheta petit à petit des propriétés. Aujourd'hui, il détient tout ou partie de plusieurs grandes propriétés de Pomerol, dont Pétrus, La Fleur-Pétrus, Latour à Pomerol et Trotanoy. L'entreprise, maintenant dirigée par son fils Christian, cumule toujours les deux activités de fermier et de négociant. Un grand nombre des ventes de Pomerol et d'autres vins de la rive droite transitent également par les Établissements Jean-Pierre Moueix.

L'appellation

Il existe une seule appellation : Pomerol. Cette région n'a pas été incluse dans la classification de 1855 des vins de la Gironde et, contrairement à Saint-Émilion et aux Graves, cette exclusion n'a jamais été corrigée. Pomerol échappe donc à tout classement officiel, à la grande satisfaction des principaux producteurs. Il existe cependant une classification officieuse fondée sur la qualité, les réussites passées et le prix – résultat d'une grande rareté et d'une forte demande.

Les styles de vin

Cette région se cantonne aux cépages rouges. C'est notamment le royaume du Merlot, qui occupe les trois quarts de la superficie des vignobles. Le Cabernet Franc en couvre à peu près un cinquième, et le Cabernet-Sauvignon, 5 % environ. Les autres cépages autorisés, pratiquement introuvables, sont le Cot (Malbec) et le Carmenère.

Dans l'ensemble, les vins de Pomerol peuvent se boire assez jeunes et la plupart sont séduisants entre 4 et 6 ans après la vendange. Malgré leur forte intensité en tanins, ils manquent généralement (sauf en 1986) de la droiture des vins du Médoc. Après 2 ans en bouteille, les petits crus séduisent par leur arôme de prune et, bien arrondis, sans aspérités, présentent une plénitude au palais. Les grands vins ont un pouvoir de séduction analogue, qui est renforcé par une plus grande richesse et une concentration supérieure, ainsi que par des arômes complexes aux notes exotiques d'épices et d'herbes. Au fur et à mesure que les vins les plus fins mûrissent, ce qui, pour les meilleurs millésimes (comme 1975, 1982, 1989 et 1990), peut durer 40 ans ou plus, beaucoup prennent des caractères épicés, deviennent plus charnus et plus voluptueux, ce qui leur donne la réputation d'être les Bordeaux les plus sensuels et peut-être les plus ensorceleurs. □

CRUS DE POMEROL

Les propriétés de Pomerol sont souvent petites par suite du partage des terres lors des successions. Les meilleures se trouvent pour la plupart au nord-est de la commune, dans la partie la plus élevée du plateau.

Château
Le Bon Pasteur

Cette propriété appartient à la famille de Michel Rolland, le fameux œnologue qui a influencé le style de nombreuses propriétés de Pomerol et de Saint-Émilion en préconisant des vendanges tardives et une longue macération.

Sur un site qui semblerait a priori dénué de potentiel, Le Bon Pasteur produit un Pomerol excellent, qui se boit à 3 ans et beaucoup plus tard dans les grandes années.

Château Bonalgue

Ce domaine de 6,5 ha près de Libourne utilise 50 % de chêne neuf et élabore un vin qui doit s'assouplir avant d'être bu, entre 5 et 7 ans. Pierre Bourotte possède également Château Les Hautes-Tuileries à Lalande-de-Pomerol (voir encadré p. 179).

Château Beauregard

Reprise en 1991 par le Crédit foncier, cette superbe propriété de 16 ha d'un seul tenant à majorité de Merlot est complantée d'un important pourcentage de Cabernet Franc (35 %) sur un sol composé de graviers, sables et argile avec un sous-sol de crasse de fer, caractéristique des meilleurs terroirs de Pomerol.

Château
Certan de May

Située sur la partie la plus élevée et la meilleure du plateau de Pomerol, cette propriété appartient à la famille Barreau-Badar depuis 1974. Ses vins des années 1990 se sont montrés régulièrement brillants, à l'exception de 1993. Ils sont intensément riches et concentrés et méritent d'être gardés.

Château Clinet

Depuis 1986, Michel Rolland est le consultant dans ce domaine récemment acquis par Jean-Louis Laborde. Sur 9 ha, 70 % de Merlot récoltés très mûrs assurent à ce vin patiemment élevé une longévité étonnante, mais il faut savoir l'attendre.

Château
La Conseillante

Le charmant Dr Francis Nicolas et sa famille possèdent cette propriété magnifiquement située, sur le flanc est du plateau de Pomerol, en face de Saint-Émilion. Cet emplacement est sans doute responsable de la forte proportion de Cabernet Franc dans l'assemblage. Les années 1980 ont régulièrement donné de beaux millésimes, encore surclassés par les somptueux 1990, 1995 et 2000. Les meilleurs vins vieilliront au moins 20 ans.

Château l'Église Clinet

Appartenant à Denis Durantou, ce vignoble essentiellement composé de Merlot a résisté aux terribles gelées de 1956 et possède donc encore de très vieilles vignes. Sa petite production (24 000 bouteilles par an) fait sans doute obstacle à sa réputation car il produit pourtant l'un des meilleurs Pomerols.

Château l'Enclos

Si cette propriété ne peut prétendre rivaliser avec les grandes, elle n'en propose pas moins d'excellents vins, relativement bon marché, délicieux quelques années après la vendange.

Château l'Évangile

En 1990, la branche de la famille de Rothschild propriétaire de Lafite-Rothschild a pris une part majoritaire dans cette propriété afin de s'implanter sur l'autre rive. Le château est considéré depuis toujours comme l'un des fleurons de Pomerol. Tous les œnophiles lui reconnaissent des arômes de violette.

Château La Fleur-de-Gay

Élaboré à partir de vignes 90 % Merlot situées sur une petite parcelle du Château La Croix-de-Gay, ce cru n'existe que depuis 1982. Michel Rolland y prodigue ses conseils d'œnologue et obtient un vin constamment superbe. C'est l'une des étoiles de Pomerol.

Château La Fleur-Pétrus

Autre fief de la famille Moueix, il offre le vin le plus élégant de Pomerol. Le modeste château repose sur un sol de graves, juste en face de Pétrus, dont le sol est constitué d'argile : cela explique certaines différences de caractère. À son apogée après un élevage de 5 ou 6 ans, le vin peut vieillir plus de 20 ans les bonnes années.

Château Lafleur

Ce brillant château appartient à Mlle Marie Robin et limite sa production à 12 000 bouteilles par an. Son vin est très convoité depuis que le millésime 1982 s'est fait une réputation internationale. Il est issu de Merlot pur, ou presque, et peut égaler, voire surpasser, son voisin Pétrus. Son coût et sa rareté le rendent quasiment introuvable.

Château Latour à Pomerol

Le vignoble de cette propriété se compose de 25 parcelles

CHÂTEAU PÉTRUS

Considéré comme le meilleur domaine de Pomerol, Pétrus appartient conjointement à Mme Lacoste-Loubat et aux Établissements Jean-Pierre Moueix, qui en assurent la régie. Les ingrédients de sa réussite sont nombreux. Les vignobles sont plantés sur un sol d'argile pure au point culminant du plateau de Pomerol, ce qui assure un drainage naturel excellent et une exposition maximale au soleil. Les vignes sont complantées de Merlot avec très peu de Cabernet Franc et leur grand âge (certaines parcelles dépassent 70 ans) explique les très faibles rendements. Autant de privilèges qui sont remarquablement exploités par M. Jean-Claude Berrouët, l'œnologue responsable de ces vins sublimes, qui évoluent magnifiquement en bouteille pour devenir la quintessence même d'un grand Pomerol.

différentes, dont certaines entourent l'église du village de Pomerol et les autres longent le château.

Appartenant à Mme Lily Lacoste mais gérée par les Établissements Jean-Pierre Moueix, cette propriété compte parmi les douze meilleures de Pomerol. Son vin est très dense, compact et n'est pas sans rappeler le Château Trotanoy.

Château Nenin

Dotée d'une riche histoire, cette vaste propriété de 27 ha élaborait déjà il y a un siècle l'un des plus fameux Pomerols. Depuis plusieurs années cette propriété n'a pas produit les vins qu'on en attendait. Elle a été acquise par la famille Delon (Léoville-Las-Cases) qui s'est lancée dans une réfection totale. Les millésimes 1997 et 1998 justifient toutes les ambitions, le prix s'en ressent. Le deuxième vin est étiqueté Fugue de Nenin.

Château Petit Village

Acquis en 1989 par AXA-Millésimes, ce château a été mis en vente à un prix très élevé ; Gérard Perse (Pavie, Monbousquet, etc.) s'en est porté acquéreur en 2002, mais la transaction n'a pas abouti. Ce château élabore un vin concentré et voluptueux, capable de rivaliser avec quelques-uns des meilleurs. Les plus grands millésimes peuvent vieillir au moins 20 ans.

Le Pin

Le plus petit des grands Pomerols, Le Pin produit à peine plus de 6 000 bouteilles par an et appartient à la famille Thienpont, qui possède également Vieux-Château-Certan. Très recherché depuis le millésime 1982, son vin, d'un prix prohibitif, est littéralement introuvable.

Château de Sales

Avec une production d'environ 240 000 bouteilles, ce domaine se classe facilement comme le plus grand domaine pour le volume de vin produit. C'est aussi le seul vrai château dans une région où l'on trouve surtout de modestes maisons de campagne, quand il ne s'agit pas de simples fermettes.

De Sales ne produit pas un grand vin, mais un vin assez précoce, à consommer après quelques années.

Château Taillefer

Cette propriété de 18 ha, vaste selon les critères de Pomerol, repose sur un sol sablo-graveleux. Elle appartient à la Société Bernard Moueix. Taillefer propose un style de Pomerol léger, à maturité précoce.

Château Trotanoy

Appartenant à la famille Moueix et situé dans la partie ouest de l'appellation, Trotanoy est la demeure de Jean-Jacques Moueix.

Il se place parmi les douze premiers Pomerols, pouvant même, les meilleures années, comme 1989, 1990 et 1998, se montrer aussi dense qu'un Pétrus et présenter le même potentiel de longévité, pour un prix nettement inférieur.

Vieux-Château-Certan

Propriété de la famille Thienpont, originaire de Belgique, ce château a longtemps été considéré comme le meilleur Pomerol. Ce n'est qu'après la Seconde Guerre mondiale que Pétrus a menacé son titre. Avec une production de plus de 60 000 bouteilles par an, c'est la plus vaste des grandes propriétés de l'appellation. Le style du vin est très différent de celui de Pétrus, en partie sans doute à cause de l'assemblage de Cabernet Franc et de Cabernet-Sauvignon, qui, à l'occasion, lui donnent un faux air de Médoc.

Château Vray-Croix-de-Gay

Ce vignoble petit, mais bien placé, élabore des vins vieillissant avec bonheur.

Le clocher de l'église de Pomerol.

LALANDE-DE-POMEROL

Cette appellation couvre la rive nord de la Barbanne, qui constitue la frontière du Pomerol. Le vin provient de deux communes, Lalande-de-Libourne (Lalande-de-Pomerol) et Néac. Les sols sont bons, avec un sous-sol de graves à Lalande et un plateau plus élevé de graviers et de sables à Néac. Le Merlot domine l'assemblage. Les vins rouges ont profité des cours astronomiques des Pomerols et plusieurs châteaux atteignent des prix élevés.

Mûrissant plus vite que la plupart des Pomerols, ces vins en offrent une version allégée, avec le même goût puissant et flatteur.

Comme à Pomerol, la plupart des propriétés sont petites et vendent leur vin directement. Il est donc assez difficile de se procurer du Lalande-de-Pomerol dans le commerce.

Parmi les principaux châteaux, il faut citer : Bel-Air, Belle-Graves, Bertineau-Saint-Vincent, La Fleur Saint-Georges, Grand Ormeau, les Hauts-Conseillants, Siaurac, Tournefeuille.

FRONSAC ET CANON-FRONSAC

La région des vins rouges de Fronsac et Canon-Fronsac se trouve à l'ouest de Libourne, de l'autre côté de la rivière Isle. Sa réputation internationale ne s'est rétablie qu'au début des années 1980 alors que, aux XVIIIe et XIXe siècles, ses vins étaient aussi convoités que les Saint-Émilion et plus cotés que les Pomerols. Cette renaissance tardive doit beaucoup à l'action entreprise par de nouveaux investisseurs, dont les Ets Moueix (voir Pomerol p. 177).

Bordée par deux rivières, la Dordogne et l'Isle, l'AOC Fronsac couvre sept communes. Le village de Fronsac, qui a donné son nom à l'appellation, se trouve au sud de la région. L'AOC Canon-Fronsac, également au sud-sud-ouest, occupe Saint-Michel-de-Fronsac et une partie du village de Fronsac. La surface globale est de 800 ha pour Fronsac et de 300 ha pour Canon-Fronsac.

D'un point de vue géologique, les coteaux sont les prolongements de la Côte de Saint-Émilion. Le sol est à tendance argilo-calcaire avec un sous-sol de calcaire à astéries, typique dans le Bordelais. Le relief accidenté de la région empêche la stagnation des eaux et la proximité des rivières protège les vignes de gelées. Les cépages autorisés sont le Cabernet-Sauvignon, le Cabernet Franc, le Malbec et le Merlot, ce dernier étant largement dominant.

Les styles de vins

Avant les changements opérés dans les années 1970 et 1980, on reprochait souvent à ces vins leur dureté et leur rusticité, caractères qui découlaient d'une maîtrise insuffisante des techniques de vinification et d'élevage, à Fronsac comme ailleurs.

Aujourd'hui, on constate une plus grande souplesse. Les vins de Fronsac et Canon-Fronsac sont assez délicats tout en ayant gardé une solide charpente tannique. Ils ont un arôme de fruits rouges et sont légèrement épicés. Leur robe, rouge rubis, est assez sombre.

On peut commencer à boire les Fronsac deux ans après la vendange, mais ils ne révèlent pleinement leur caractère qu'après une plus longue maturation. Les meilleurs vieilliront dix ans et plus. Dans les deux appellations, il n'y a pas de classement de châteaux. Les traditions vineuses des Fronsac sont défendues par la Confrérie des Gentilshommes du Duché de Fronsac.   □

PRODUCTEURS

Les principaux châteaux sont :

Château Barrabaque *Canon-Fronsac*
9 ha. À retenir la Cuvée de prestige.
Château Canon-Moueix *Canon-Fronsac*
Vin riche et parfumé issu de vieilles vignes.
Château Dalem *Fronsac*
15 ha, vignoble et chai restaurés. Vin épicé et équilibré.
Château de la Dauphine *Fronsac*
Signé Moueix, un vin plein de rondeur et d'harmonie, issu d'un vignoble de 33 ha.
Château La Fleur-Cailleau *Canon-Fronsac*
4 ha cultivés en biodynamie.
Château Fontenil *Fronsac* Michel Rolland (voir Pomerol) y élabore un vin de garde.
Château Mazeris-Bellevue
Canon-Fronsac Haute teneur en Cabernet, à conserver 5 ans.
Château Moulin-Haut-Laroque *Fronsac*.
L'un des vins les plus séduisants de Fronsac.
Château Moulin-Pey-Labrie
Canon-Fronsac Structure dense pour un vieillissement de 10 ans.
Château de la Rivière *Fronsac* Domaine du XIIIe siècle ; vins riches et fruités.
Château Villars *Fronsac* Assez grande propriété aux vins riches et concentrés.

Le port de Libourne marque l'entrée de Fronsac. C'est de ce petit port que furent autrefois exportés les vins de la rive droite de la Garonne.

BOURGOGNE

L'OPULENTE BOURGOGNE CACHE EN SON CŒUR
L'UN DES PLUS FAMEUX VIGNOBLES DU MONDE,
QUI PRODUIT DES VINS RICHES ET ÉLÉGANTS.

Le Château Corton-André, avec ses tours et son inoubliable
toit de tuiles colorées, se trouve à Aloxe-Corton, village situé
au pied du fameux coteau de Corton et de ses grands crus,
Corton et Corton-Charlemagne.

Célébrée pour ses vins depuis Charlemagne, la Bourgogne n'usurpe pas sa réputation. En effet, les vins rouges de Chambertin ou les blancs de Montrachet sont des joyaux uniques au monde. Toutefois les vins bourguignons peuvent parfois décevoir. La production présente en effet une certaine hétérogénéité qui s'explique de plusieurs façons : d'une part, par le morcellement des vignobles en petites parcelles, voire en lopins familiaux ; d'autre part, par un climat très changeant et des cépages difficiles à cultiver. L'amateur de vin désireux de capter les subtilités des arômes et des parfums d'un Bourgogne doit donc choisir, sélectionner afin de trouver son bonheur parmi les innombrables vins de producteurs ou de négociants et de démêler l'écheveau des appellations.

Le fossé entre succès et échec, entre bonne et médiocre vinification, entre petits vins et grands crus, est plus profond que dans toute autre région viticole. Mais, quand un Bourgogne est bon, il l'est réellement : on est tenté de le considérer comme l'un des meilleurs vins du monde. Aujourd'hui, l'arrivée d'une nouvelle génération de viticulteurs, détermi-

nés à ne pas se reposer sur leurs lauriers et prêts à innover, permet tous les espoirs. Vaste région située au centre-est de la France, s'étirant du nord au sud sur 300 km, la Bourgogne d'aujourd'hui a gardé la même envergure que la province médiévale du même nom. Seule une petite partie de la « Grande Bourgogne » produit du vin. Entre Chablis, au nord, et Beaune, à l'est, par exemple, les vignes se font plus rares. Passé la sortie d'Auxerre-Sud, l'autoroute A6 ne cesse de monter et, parvenant à une ultime colline, débouche sur un panorama de vignes s'étendant à perte de vue jusqu'à la plaine de la Saône. C'est là le cœur de la Bourgogne viticole, celui des coteaux privilégiés de la Côte d'Or, des villages au nom célèbre (Meursault, Nuits-Saint-Georges, Gevrey-Chambertin, entre autres) élaborant les plus beaux vins. Plus au sud, en Côte chalonnaise, dans le Mâconnais et le Beaujolais, le vin est aussi la ressource principale. Malgré leurs différences, les vins de Bourgogne se reconnaissent à leurs cépages principaux : Chardonnay pour les blancs, Pinot Noir pour les rouges. La région viticole du Beaujolais est la seule zone à utiliser le cépage Gamay.

Les régions de Bourgogne

La Bourgogne vinicole se divise en six régions.

■ **Chablis et Yonne.** Isolés au nord, le Chablis et les vignobles de l'Yonne élaborent des vins blancs issus de Chardonnay dans un style proche de celui de la Côte d'Or, en plus sec. Quelques autres vignobles de l'Yonne – Coteaux de Joigny, Auxerrois, Tonnerrois, Vézelay – produisent des rouges très appréciés. L'Yonne jouxte la Champagne et n'est pas très éloignée des vignobles de la vallée de la Loire, plus à l'ouest.

■ **Côte d'Or.** Centre bien nommé des grands vins, rouges et blancs. Ses vignobles de coteaux orientés à l'est s'étirent sur une bande entre Dijon et Santenay. C'est là que sont élaborés les vins les plus complexes, les plus chers et de plus grande longévité.

■ **Hautes Côtes.** Zone située à l'ouest du coteau principal de la Côte d'Or. Les vignes sont plantées dans les zones protégées des hauteurs boisées. Les vins y sont plus simples : c'est la version plus rustique de ceux de la Côte d'Or.

■ **Côte chalonnaise.** Chapelet de villages dont les vignobles prolongent ceux de la Côte d'Or vers le sud, dans le département de la Saône-et-Loire. On y élabore des rouges et des blancs de caractère et dont le rapport qualité/prix est excellent.

■ **Mâconnais.** Vaste région plus méridionale, à l'ouest de la ville de Mâcon, proposant des vins rouges légers et fruités, mais surtout des blancs. Certains villages, dont Pouilly-Fuissé et Saint-Vérand, sont réputés pour la qualité de leurs blancs.

■ **Beaujolais.** Vaste région s'étendant pratiquement jusqu'à Lyon. On y produit des rouges souples et abordables, issus de Gamay. C'est la seule région à ne pas utiliser le Pinot Noir.

Le site, le sol et le climat

Le sous-sol bourguignon se compose généralement de calcaire ou de roches apparentées de l'ère jurassique. La géologie étant très complexe, ce sont les conditions locales qui prévalent. Là où le calcaire affleure et où les coteaux sont escarpés, le type de roche prend une grande importance dans la viticulture. Cette formation et ses effets sur la qualité sont évidents en Côte d'Or (voir p. 194). Les grands crus du Beaujolais, en revanche, sont implantés sur des montagnes d'origine granitique.

Le climat est frais. Certaines années, notamment lorsque l'été a été pluvieux, les baies de Pinot Noir ne parviennent pas à maturité. Un mois de septembre froid et humide, phénomène assez courant, peut anéantir un millésime. Un été trop chaud peut être fatal au délicat Pinot Noir. Pour la Bourgogne, une bonne année doit être exempte de gelées printanières, connaître un beau mois de juin pour la floraison, une chaleur constante rafraîchie l'été par de faibles pluies et un mois de septembre chaud et sec.

Le processus complexe de sélection des premiers crus et des grands crus résulte de siècles d'expérience. Ces parcelles sont dotées d'un bon microclimat, d'une exposition privilégiée et d'un sol propice.

Les cépages et les styles de vin

Ce qui frappe d'abord dans un Bourgogne rouge, ce sont ses arômes de Pinot Noir. Ensuite émergent les qualités propres au cru et au millésime, plus ou moins exprimées en fonction des extractions qui résultent de la conduite des vinifications.

Les jeunes vins de Pinot Noir ont rarement la couleur, l'ampleur et la puissance des vins issus de Cabernet-Sauvignon ou de Syrah. Qu'il s'agisse d'un petit ou d'un grand vin, un Bourgogne rouge se doit d'être subtil et sensuel, sans trop d'évidence ni d'autorité. Un vin simple doit offrir une odeur et de belles notes de fruit (framboise et cerise, le plus souvent) et une douceur toute naturelle. Avec le temps, les meilleurs crus gagnent en richesse et en complexité pour développer des

LES APPELLATIONS DU BOURGOGNE

Le Bourgogne est doté d'une hiérarchie compliquée d'appellations : les AOC régionales, les AOC village, les premiers crus et les grands crus.

Appellations régionales

Elles couvrent tous les vins provenant d'un vignoble situé dans les limites géographiques de l'appellation.

Bourgogne
Vins rouges, blancs ou (plus rarement) rosés de n'importe quelle partie de la région. Les rouges sont issus de Pinot Noir (le César et le Tressot, deux variétés traditionnelles, sont également autorisés dans l'Yonne). Les blancs sont issus de Chardonnay ou de Pinot Blanc. Les étiquettes peuvent mentionner le cépage (Pinot Noir ou Chardonnay) ainsi que certains secteurs (Hautes Côtes de Beaune, Hautes Côtes de Nuits, Côte chalonnaise) ou, dans l'Yonne, le nom de certains villages (Irancy, Saint-Bris).

Bourgogne (Grand) ordinaire
Vins provenant également de toute la Bourgogne, mais les cépages Gamay (pour le rouge) et Aligoté (pour le blanc) sont autorisés.

Bourgogne Aligoté
Le cépage Aligoté produit un vin blanc sec.

Bourgogne Passetoutgrain
Vin rouge à base de Gamay et provenant pour au moins un tiers de Pinot Noir.

Mâcon et Beaujolais
Le système d'appellation régionale comprend ces deux régions, qui possèdent cependant leurs propres AOC (voir p. 207 et 209 respectivement).

Vins de village, premiers crus et grands crus

Les principaux villages de la Côte d'Or, et des autres régions, sont dotés de leur propre appellation. Ainsi, le vin élaboré sur la commune de Gevrey-Chambertin peut être étiqueté en tant que tel. Dans les villages de la Côte d'Or et à Chablis, certains vignobles ont droit au statut de premier cru. L'étiquette mentionne alors le nom du village et celui du vignoble – par exemple, Gevrey-Chambertin Le Clos Saint-Jacques.

Les grands crus sont des appellations à elles seules. À ce niveau, les vignobles donnent leur nom : par exemple, Chambertin.

Les limites de l'AOC et celles de la commune ne coïncident pas forcément : une zone produisant du vin jugé inférieur aux normes du village ne recevra alors qu'une appellation régionale.

LES RÉGIONS VITICOLES DE BOURGOGNE

Les six régions de Bourgogne sont présentées ici :
Chablis est isolé au nord-ouest, tandis que les cinq autres
longent le plateau bourguignon, à l'est, à l'entrée
de la large vallée de la Saône. On trouvera plus loin
des cartes plus détaillées (Chablis et Yonne, p. 187 ;
Côte d'Or et sud de la Côte chalonnaise, p. 193 ;
Chalonnais, Mâconnais et Beaujolais, p. 204).
Les Hautes Côtes figurent sur la carte de la Côte d'Or.

Régions viticoles

- Chablis
- Côte de Nuits, Hautes Côtes de Nuits
- Côte de Beaune, Hautes Côtes de Beaune
- Côte Chalonnaise
- Mâconnais
- Beaujolais

--- Limite de département

Autoroute

Route principale

Autre route

N

0   10   20   30 km

arômes puissants. Et les meilleurs millésimes expriment, après quelques années de bouteille, une concentration aromatique remarquable.

Qui dit Bourgogne blanc dit presque nécessairement Chardonnay, cépage qui peut varier énormément dans ses arômes et ses parfums, suivant la vinification, le vieillissement et le terroir. Les amateurs apprennent à déceler les notes de beurre et de pain grillé dans le Bourgogne blanc élevé dans le chêne, pratique courante pour les vins de Côte d'Or. Les blancs génériques (Bourgogne AOC, vins de Mâcon, Chablis…) passent rarement en barrique et doivent avoir un parfum net, sans trop d'acidité, mais qui laisse percevoir des arômes de fruits et de miel. Les meilleurs blancs, comme les meilleurs rouges, gagnent en complexité en vieillissant. Un grand Bourgogne blanc sera un vin ample, avec des notes de miel et de noisette. Les qualités les plus apparentes sont la concentration et la complexité.

Le Beaujolais est issu de Gamay, cépage sans lien de parenté avec le Pinot Noir. Ses parfums et ses qualités sont décrits p. 209 à 212.

Producteurs et négociants

La Bourgogne est le royaume des petits propriétaires. Il existe très peu de grandes propriétés, comme dans le Bordelais, et le terme de château n'y a pas le même sens d'entité vitivinicole cultivant la vigne et élaborant le vin. Ce sont, par tradition, les négociants (par opposition aux vignerons) qui ont fait la réputation de la Bourgogne. Ils achètent les raisins pour assurer les vinifications ou le vin nouveau chez plusieurs vignerons pour l'élever, l'assembler et le mettre en bouteilles sous leur propre marque. Mais, si le rôle de quelques négociants se borne à ces activités, nombreux sont ceux qui possèdent eux-mêmes des vignobles.

Toutefois, depuis les années 1970, la tendance chez les producteurs est de mettre eux-mêmes leur vin en bouteilles. Recherchez sur l'étiquette la mention « Mis en bouteille à la propriété » ou « au domaine ». Le producteur défend son nom et sa réputation, mais doit se révéler d'une grande polyvalence pour

Le village de Volnay, perché sur le coteau de la Côte de Beaune.

être aussi brillant en cave que dans la vigne. Certains producteurs talentueux ont acquis ainsi une réputation internationale. Les vins mis en bouteilles par le vigneron sont, il faut en convenir, souvent élaborés en toutes petites quantités et peuvent être difficiles à acquérir. En revanche, l'un des avantages du système de négoce est que le négociant peut acheter et assembler suffisamment de vin pour proposer une quantité équilibrée dans une même appellation.

On reproche aux Bourgognes des négociants-éleveurs d'avoir moins de caractère que ceux des vignerons. Certaines maisons de Bourgogne sont parfois critiquées pour leurs cuvées médiocres. On reproche aussi aux négociants de finir par annihiler l'individualité de chaque village et de chaque cru en la ramenant à un style maison sans vice ni vertu. Ces critiques n'ont aucun sens et la « frontière » ne se situe plus, en ce début de XXIe siècle, entre vignerons et négociants-éleveurs, mais entre bons et mauvais vins.

Les coopératives sont importantes dans le Mâconnais, dans les Hautes Côtes, à Chablis et dans le Beaujolais. Les meilleures investissent dans de nou-

veaux équipements et encouragent les vignerons à produire de meilleurs raisins. Leurs vins se classent quelquefois parmi les valeurs les plus sûres. Une nouvelle génération de vinificateurs a commencé à manifester son talent dans les années 1980, s'attachant à améliorer les vins de toutes les catégories. À la fin de la décennie, une réduction des prix a rendu les petits Bourgognes plus abordables. Les meilleurs domaines ont réussi à maintenir leurs prix, ce qui a creusé le fossé entre les grands vins et les AOC régionales et de village.

Vinification du Bourgogne rouge

Les « recettes » modernes de vinification en rouge (voir p. 112-113) sont très discutées en Bourgogne, et l'obsession devient l'amélioration de la qualité: rendement des vignobles, pressage des baies, durée et température de fermentation, filtrages et autres processus, durée de l'élevage et choix des matériels.

De par ses cépages et son climat, le cas de la Bourgogne est particulier. Il est beaucoup plus délicat d'extraire des baies de Pinot Noir couleur, tanins et autres composants aromatiques que de celles d'autres variétés comme le Cabernet-Sauvignon ou la Syrah. L'élaboration du Bourgogne rouge nécessite donc beaucoup d'attention et de douceur.

Le climat est frais, très variable d'une année sur l'autre, et l'arrivée à maturité des fruits est toujours aléatoire. Une bonne maturité dépend à la fois du temps et du site. Rien d'étonnant à ce que les meilleurs vignobles, ceux des premiers et des grands crus, se trouvent sur les versants les plus privilégiés, ceux où toutes les conditions optimales (sol, pente, orientation) sont remplies. Mais le Pinot Noir ne doit pas non plus trop mûrir : les baies les meilleures, au parfum le plus subtil, doivent être mûres à point sans surmaturation.

D'autres éléments peuvent encore influencer la qualité des vins, quelle que soit la qualité des terroirs. Interviennent ainsi le choix du clone de Pinot Noir et la question du rendement. Le Pinot Noir est une variété instable. Les techniques modernes permettent le clonage des meilleurs plants : un vigneron peut ainsi planter plusieurs hectares de vignes rigoureusement identiques. Le problème est que, selon le cas, le terme « meilleur » recouvre différentes définitions. Pour les agronomes officiels, il s'agira de clones anti-virus tandis que, pour de nombreux viticulteurs, il sera synonyme de productivité (ce qui ne donnera pas forcément les meilleurs vins). Comme partout, les plus petits rendements garantissent une meilleure qualité, mais ce phénomène est accentué en Bourgogne et plus particulièrement en Côte d'Or. Les limites établies par la réglementation des AOC varient d'année en année, ce qui n'empêche pas de plus en plus de viticulteurs de réduire leurs rendements au-dessous du seuil autorisé.

Les raisins qui arrivent aux chais sont foulés avant d'être égrappés, mais cette tradition a tendance à se perdre et la vendange arrive aujourd'hui éraflée. Les adeptes de l'ancienne école affirment que les rafles contribuent à rompre la masse de pulpe de raisin en fermentation, tout en constituant un apport en tanins et en donnant du caractère au vin.

Les températures automnales fraîches affectent la fermentation, bien que l'introduction des systèmes de contrôle de chauffage du moût ait pallié cet inconvénient. Les nouvelles cuves thermorégulées (à circuits de refroidissement ou de réchauffement) offrent de nombreuses possibilités au viticulteur. Elles peuvent lui permettre de maintenir la température au-dessous du seuil de température de fermentation pendant quelques jours. Grâce à la prémacération à froid, préalable à la fermentation, un premier mélange juspeaux est effectué, dont le but est de favoriser une première extraction de la couleur, des tanins et des arômes. Le viticulteur peut également décider de réchauffer le moût pour accélérer le déclenchement de la fermentation. Ici encore, il y a autant de façons de faire qu'il y a de producteurs.

Les caves froides contribuent à la lenteur et à la douceur de la maturation, et la plupart des bons vignerons limitent le collage ou le soutirage. Certains Bourgognes ne sont pas filtrés du tout, car le vin gagne ainsi en complexité (s'il en a le potentiel), ce qui explique la présence d'importants dépôts en bouteille.

Vinification du Bourgogne blanc

Le Bourgogne blanc est moins exigeant dans son élaboration. Les vins classiques de Côte d'Or et quelques-uns de Chablis et de la Côte chalonnaise fermentent dans des fûts de chêne. D'autres sont élaborés dans des cuves d'acier inoxydable, puis sont élevés en fûts de chêne quelques mois, jusqu'à la fin de la fermentation malolactique. Le vin reste sur ses lies fines, avec un collage et un filtrage réduits au minimum avant la mise en bouteilles. Le bâtonnage (mélange des lies fines) ajoute au vin de l'ampleur et le rend plus complexe.

La fermentation en fût, associée à un vignoble bien situé, de faible rendement, et un vieillissement long et tranquille produisent dans un grand Bourgogne blanc une combinaison unique de puissance, de grâce et de longévité.   □

LIRE UNE ÉTIQUETTE DE BOURGOGNE...

Si les étiquettes des vins de Bourgogne présentent des graphismes très différents, les réglementations prévoyant les mentions obligatoires sont précises. Les informations concernent principalement l'appellation et le producteur.

Le nom de l'appellation doit être indiqué en gros caractères, et ce, quel que soit le niveau d'appellation : régionale, village, premier cru ou grand cru. À ce nom doit être accolée la mention « appellation contrôlée » ou « appellation d'origine contrôlée », écrite dans un caractère plus petit. Ainsi, Nuits-Saint-Georges sera suivi des mots Appellation Nuits-Saint-Georges contrôlée.

Pour un premier cru : le nom du lieu-dit, c'est-à-dire de la parcelle de vigne, suivra le nom de la commune : Pommard Épenots, par exemple. Cette désignation de l'appellation devra également être complétée par la mention Appellation Pommard premier cru contrôlée.
Pour un grand cru : le nom du grand cru, appellation à part entière, doit figurer sur l'étiquette, en gros caractères.

Ce nom doit également être suivi de la mention Appellation grand cru contrôlée. Ainsi, par exemple, le grand cru rouge Romanée-Saint-Vivant, produit sur la commune de Vosne-Romanée, sera étiqueté Romanée-Saint-Vivant, Appellation grand cru contrôlée.

La confusion peut cependant naître chez l'amateur. Plusieurs communes produisent des vins d'appellation premier cru qui portent le même nom. Ainsi le lieu-dit Les Perrières se retrouve-t-il à Meursault, à Beaune, à Nuits-Saint-Georges...

Le nom du producteur ou du négociant doit figurer sur l'étiquette, s'il a lui-même embouteillé le vin. Les précisions sur la mise en bouteilles (faite au domaine ou chez le négociant) ainsi que la distinction entre producteur et propriétaire-récoltant sont des mentions facultatives. Il est à noter que la mention du millésime, tout comme le type d'élevage des vins (en fût par exemple), ou l'âge des vignes sont également des indications facultatives. Seuls sont obligatoires, outre le nom et l'adresse de l'embouteilleur, le titre alcoométrique et le volume contenu dans la bouteille.

CHABLIS

Le Chablis est devenu l'un des vins blancs français les plus connus… hors de France ! Sa notoriété a même été largement usurpée dans les pays du Nouveau Monde pour étiqueter des vins blancs de qualité inférieure produits outre-Atlantique, ce qui a porté préjudice à cette appellation française prestigieuse.

Le vrai Chablis provient du nord de la Bourgogne, de la petite ville de Chablis et de 19 autres villages et hameaux du département de l'Yonne. (Pour les autres appellations de l'Yonne, voir encadré p. 190.) Comme pour tous les bons Bourgognes blancs, le cépage est le Chardonnay, qui pousse ici sur des coteaux de calcaire kimméridgien et d'argile. Ces coteaux forment la pointe sud du Bassin parisien, vaste dépression géologique circulaire qui s'étend du nord de la France au sud de l'Angleterre, jusqu'au village de Kimmeridge, dans le Dorset. Le sol est rempli des coquilles fossilisées d'une petite huître, *Exogyra virgula*, et cela contribue à un drainage efficace, malgré la forte proportion d'argile.

Le climat
et le problème des gelées

Le climat de Chablis est à dominante continentale : les hivers sont rigoureux et les étés, chauds. Les fluctuations annuelles de l'ensoleillement et de la pluviosité entraînent d'énormes variations de qualité et de quantité entre les millésimes. Les vignerons redoutent les gelées printanières, qui peuvent causer des dommages irréparables aux jeunes ceps, et attendent chaque année avec angoisse les mois d'avril et de mai.

Les années 1950, aux printemps particulièrement peu cléments, ont donné naissance aux premières « chaufferettes » destinées à protéger la vigne. Ces étuves à huile étaient remplies et allumées à la main aux

Vignoble du grand cru des Grenouilles.

premières heures du jour. Depuis, elles se sont modernisées : leur remplissage se fait, aujourd'hui, de manière automatique à partir d'une cuve à pétrole installée au bas des coteaux. Cette méthode de chauffage est efficace mais coûteuse. Une seconde méthode, l'aspersion, consiste à arroser les vignes d'eau lorsque la température atteint le point de gel, si bien qu'un manteau protecteur se forme autour des jeunes bourgeons. L'eau gelant à 0 °C, la vigne peut supporter une température de –5 °C sans souffrir. Même si elle n'est pas aussi efficace qu'on le souhaiterait, la protection contre le gel garantit un rendement raisonnable chaque année et contribue à l'extension du vignoble.

Les appellations

Chablis possède quatre appellations : grand cru, premier cru, Chablis et Petit Chablis.

Le grand cru de Chablis est divisé en sept « climats » (parcelles). L'appellation Chablis couvre une bonne partie de la région. Le Petit Chablis est une autre appellation moins réputée.

Le style Chablis

Dans le chêne ou sans chêne : tel est ici le dilemme. Sur cette question, deux écoles défendent farouchement leur propre style de vin. La tradition veut que le Chablis soit vinifié et élevé dans des fûts de chêne, seul matériau disponible auparavant. L'arrivée des cuves de ciment et d'acier a ouvert de nouvelles possibilités. Certains producteurs sont restés fidèles au chêne, d'autres l'ont complètement abandonné et d'autres encore y sont revenus. Les adversaires du chêne prétendent qu'il affecte les arômes fruités du Chablis, et ses partisans affirment qu'il sublime le vin en y ajoutant une certaine complexité.

Curieusement, certains Chablis vinifiés sans chêne prennent, avec le temps, les arômes subtils de noisette qu'on lui associe naturellement. Ce vin offre une telle diversité que, tout en restant sec, il offre aujourd'hui une plénitude et une richesse qui contrastent avec sa réputation d'austérité. En vin nouveau, sa séduction immédiate provient de son fruit et de sa jeunesse, structurés par une bonne acidité. Après une phase de réserve où il ne révèle rien, il commence à développer de merveilleux arômes, signe distinctif d'un bon Chablis. Bien qu'un jeune Chablis d'un bon millésime ait déjà de l'attrait, mieux vaut attendre quelques années de bouteille pour le savourer pleinement : cinq ans pour un premier cru, et de sept à dix ans pour un grand cru, d'évolution plus lente.

Les bons points des grands crus sont l'intensité de leurs arômes et leur capacité de vieillissement. Les divers crus ne sont pas toujours faciles à reconnaître, d'autant que leurs différences proviennent plus souvent de la conduite de la vigne et des vinifications de chaque vigneron que des caractères propres à chaque terroir. □

LE VIGNOBLE DE CHABLIS ET DE L'YONNE

Le Chablis est le vin le plus réputé de l'Yonne. Les autres vignobles sont représentés sur l'encart inséré sur la droite. La grande carte illustre le vignoble de Chablis, avec ses trois appellations : Chablis « village » ordinaire, premier cru et grand cru. Le Petit Chablis n'y figure pas. Les sept vignobles de grand cru dominent la ville de Chablis sur le versant sud.

CHABLIS ET L'YONNE

Zones viticoles de l'Yonne
- Chablis
- Bourgogne
- Sauvignon de St-Bris

Zones d'appellation Chablis
- Chablis
- Chablis Premier Cru
- Chablis Grand Cru
- - - Limite de département
- Autoroute
- Route principale
- Autre route

PRODUCTEURS ET NÉGOCIANTS

Les étiquettes du vignoble de Chablis indiquent l'appellation: Petit Chablis, Chablis, Chablis premier cru (suivi du nom du climat), Chablis grand cru (suivi du nom du climat). Le nom du village n'est pas mentionné: Chablis est une appellation. Étant donné le morcellement des parcelles, plusieurs vignerons peuvent se partager un même cru et la qualité dépend donc du producteur. Certains producteurs ajoutent le nom d'un domaine ou d'un château au leur. Une partie des vins se vendent par l'intermédiaire des négociants de Chablis ou de Côte d'Or et de la coopérative locale.

Jean-Marc Brocard

Le Domaine Sainte-Claire de Brocard, dans le village isolé de Préhy, couvre quelque 75 ha de vignobles répartis entre Montmains et Saint-Bris. Il évite tout contact de ses vins avec le chêne pour produire un Chablis fruité.

La Chablisienne

La coopérative locale, La Chablisienne, couvre environ un tiers de la production de Chablis, avec près de 200 membres pour un peu plus de 1 200 ha. Son rôle commercial est donc considérable dans l'appellation. Fondée en 1923, elle fut l'une des premières coopératives de France. Les vignerons lui apportent du moût et non des grappes, car elle est dépourvue de pressoir. Encore récemment, les vins étaient élevés en cuves, mais, depuis peu, elle fait vieillir certains premiers ou grands crus en fûts de chêne, surtout pour La Grande Cuvée, une sélection des plus vieilles vignes des vignobles de premier cru. Le style de la maison est toujours celui d'un Chablis classique. Le vin est vendu sous l'étiquette La Chablisienne ou sous celle de ses divers membres, comme s'ils étaient des producteurs indépendants, ce qui donne lieu à quelques confusions. Elle vend, par ailleurs, du vin en vrac à des négociants de Chablis et de Beaune.

Domaine Jean Collet

Gilles, le fils de Jean Collet, a repris le flambeau. De nouvelles caves ont été construites pour vinifier les raisins des 25 ha de vignobles, qui comptent d'importantes parcelles à Montmains et à Vaillons et des parcelles plus petites de Valmur, Montée de Tonnerre et Mont de Milieu. Jusqu'en 1985, les Collet n'utilisaient que des foudres et des pièces (grandes et petites barriques), mais, depuis, ils se sont aussi équipés de cuves d'acier, notamment pour le Chablis village. La plupart des premiers et grands crus fermentent dans des foudres et mûrissent quelques mois dans des pièces avant la mise en bouteilles. Les Collet élaborent des vins riches et stylés.

René Dauvissat

Voir encadré p. 190.

Jean-Paul Droin

Appartenant à la nouvelle génération des vignerons de Chablis, Droin est un jeune homme qui a repris le domaine de son père en y imprimant sa marque. Ses vignobles s'étendent sur pratiquement 20 ha, avec un grand nombre de petites parcelles dans plusieurs premiers crus et dans la plupart des grands crus. Vaillons, Montée de Tonnerre, Valmur et Vaudésir sont les plus importants. Depuis 1985 environ, il défend avec enthousiasme le chêne neuf et renouvelle inlassablement toutes sortes d'expériences visant à atteindre la cuvée idéale de Chablis. Quelquefois, ses vins sont une brillante réussite, mais ils sont souvent trop marqués par le bois.

Jean Durup

Le Domaine de L'Églantière, dans le village de Maligny, est aujourd'hui le plus grand domaine de Chablis, avec 130 ha répartis en 10 ha de Petit Chablis, 40 ha de Fourchaume et Vaudevey, et 80 ha de Chablis village. Les méthodes de vinification sont simples, avec une manipulation du vin réduite à son minimum et sans un soupçon de bois. Pour Durup, le chêne est une hérésie qui dénature les arômes authentiques du Chablis. Il travaille également sous les noms de Domaine de Valéry et Domaine de Paulière, ainsi que de Château de Maligny.

William Fèvre

Avec son Domaine de la Maladière, Fèvre s'affiche comme le plus grand propriétaire de grands crus de Chablis : il possède une parcelle dans chacun des grands crus à l'exception des Blanchots. Plusieurs parcelles de premiers crus de Chablis et de Petit Chablis lui appartiennent également. Fèvre est le partisan le plus virulent du chêne neuf ; c'est lui qui, le premier, a construit une cave souterraine avec des chais à

LES GRANDS CRUS DE CHABLIS

Les sept grands crus totalisent près de 100 ha et s'alignent sur un coteau à la sortie de Chablis. Ils sont entièrement plantés. Ce sont, du sud au nord:

Blanchots. Avec ses 11,5 ha, c'est le grand cru le plus léger et le plus accessible, car les vins qui en sont issus tendent à arriver à maturité plus tôt que d'autres. Le sol est particulièrement blanc et crayeux, d'où le nom du vignoble.

Les Clos. C'est le vignoble le plus étendu, avec 26 ha répartis entre plusieurs propriétaires. Ce grand cru est généralement considéré comme le plus apte au vieillissement, le dernier à arriver à maturité et le plus ferme.

Valmur. Avec ses 13 ha, ce grand cru est assez proche de Vaudésir ; il n'a ni l'intensité ni le potentiel de longévité du vignoble des Clos.

Grenouilles. Plus petit des grands crus, avec 9,5 ha, il se trouve juste à côté de la rivière Serein, infestée de grenouilles ! Le vignoble est partagé entre Louis Michel (voir ce nom), Jean-Paul Droin (voir ce nom) et la coopérative La Chablisienne (voir ce nom).

Vaudésir. Avec 16 ha, dont une partie de La Moutonne, ce vignoble situé sur le coteau des grands crus n'en a pas l'appellation : c'est une parcelle de 2,3 ha dans Vaudésir et Preuses qui appartenait autrefois aux moines de l'abbaye cistercienne de Pontigny. Le principal producteur, Long-Depaquit (voir ce nom), élabore un vin racé d'une grande finesse.

Preuses. Ce vignoble de 11 ha partageant La Moutonne avec Vaudésir est considéré généralement comme plus élégant que Les Clos.

Bougros. Vignoble de 16 ha, il ressemble beaucoup aux Blanchots, avec une certaine rusticité.

barriques pour son Chablis Champs Royaux. Aujourd'hui le domaine Fèvre est affermé par Bouchard Père & Fils, dirigé depuis septembre 1998 par Joseph Henriot. Il est arrivé que les vins paraissent très marqués par le bois dans leur jeunesse, puis qu'ils prennent des arômes complexes avec de belles notes minérales au vieillissement.

Domaine Laroche

C'est l'un des phares de Chablis, qui a grandi avec l'appellation en passant de 6 ha en 1960 à 100 ha aujourd'hui, avec des vignes dans Les Clos, Blanchots, Bougros, Vaudevey, Beauroy, Montmains, Vaillons et Fourchaume. Le meilleur Chablis village de Laroche s'appelle Chablis Saint-Martin, d'après le patron de la ville, et le Chablis Saint-Martin Vieilles Vignes le surpasse encore. Le must est la Réserve de l'Obédiencerie, issue d'une minuscule parcelle de vieilles vignes de Blanchots, dont les raisins sont vinifiés avec un soin minutieux. Michel Laroche possède par ailleurs une maison de négoce.

Domaine des Marronniers

Après avoir commencé par louer quelques arpents de vignes en 1976, Légland a peu à peu étendu son Domaine des Marronniers. Ce dernier couvre aujourd'hui 18 ha, avec 3 ha de Montmains, 1 ha de Bourgogne blanc et 1 de Petit Chablis. Ses vins sont de parfaits exemples de bon Chablis sans bois, doté de belles notes minérales propres à ce terroir. Par curiosité et pour le contraste, Légland fait également une cuvée sous bois.

Long-Depaquit

Bien qu'il appartienne à la maison de négoce Bichot, de Beaune, Long-Depaquit est géré de façon indépendante. Sa grande fierté est son minuscule vignoble de La Moutonne. La Moutonne est un clos monopole magnifié par Albert Long-Depaquit à qui l'on doit la constitution du domaine

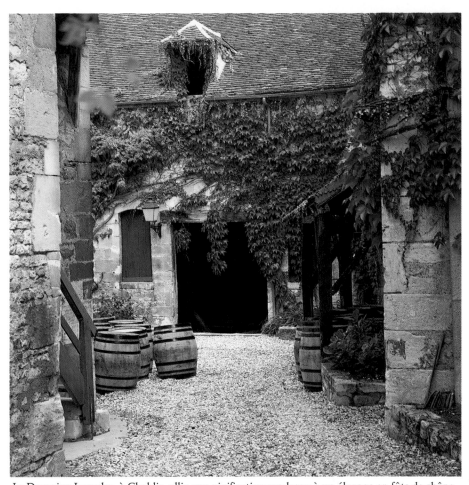

Le Domaine Laroche, à Chablis, allie une vinification moderne à un élevage en fûts de chêne.

PREMIERS CRUS DE CHABLIS

Les premiers crus se sont étendus au même rythme que le vignoble. On en comptait 692 ha en 1991 contre 477 en 1982. Dans le même temps, de nouveaux noms sont apparus, ou réapparus puisque nombre d'entre eux existaient avant le phylloxéra, lorsque l'Yonne pouvait s'enorgueillir de quelque 40 000 ha de vignes. On prétend que ces premiers crus ressuscités retrouvent le terroir et le microclimat des anciens. Le plus renommé est Vaudevey, à proximité du village de Beine. Les meilleurs premiers crus seraient Mont de Milieu, Fourchaume et Montée de Tonnerre, qui se trouvent sur le même coteau que les grands crus.

La liste complète des premiers crus comporte quelques noms que l'on trouve rarement sur les étiquettes. En effet, il arrive que le producteur leur préfère la désignation plus générale (en caractères gras dans la liste qui suit): par exemple, Fourchaume, de préférence à L'Homme Mort.

Les Beauregards : Côte de Cuissy.
Beauroy : Troesme, Côte de Savant.
Berdiot
Chaume de Talvat

Côte de Jouan
Côte de Léchet
Côte de Vaubarousse
Fourchaume : Vaupulent, Côte de Fontenay, L'Homme Mort, Vaulorent.
Les Fourneaux : Morein, Côte de Prés Girots.
Mont de Milieu
Montée de Tonnerre : Chapelot, Pied d'Aloue, Côte de Bréchain.
Montmains : Forêt, Butteaux.
Vaillons : Châtains, Séchet, Beugnons, Les Lys, Mélinots, Roncières, Les Épinottes.
Vaucoupin
Vaudevey : Vaux Ragons.
Vauligneau
Vosgros : Vaugiraut.

qui porte son nom. Depuis 1997 le bois prend plus d'importance. Long-Depaquit possède, outre La Moutonne, des vignes dans Les Lys, Vaucoupin, Montmains et Les Clos.

Louis Michel

Grand partisan du Chablis sans notes boisées, il a abandonné ses tonneaux il y a 30 ans et effectue la fermentation et l'élevage de son vin dans des cuves d'inox, en évitant le plus possible de manipuler le jus et le vin. Le résultat est un Chablis de rêve, laissant transparaître les qualités classiques de l'appellation : une belle vivacité avec des notes minérales. Michel a peu à peu étendu son domaine à 22 ha, parmi lesquels 14 ha en premiers crus (Montmains, Butteaux, Montée de Tonnerre, Vaillons et Forêt), ainsi que quelques parcelles en grands crus (Grenouilles, Les Clos et Vaudésir). Il diffuse

aussi ses vins sous l'étiquette Domaine de la Tour Vaubourg.

J. J. Moreau

C'est la plus grande maison de négoce de Chablis ; elle appartient au groupe Hiram Walker/ Allied Lyons. Toutefois, la famille Moreau a conservé ses vignobles, avec quelques parcelles dans les crus (Vaillons, Les Clos, notamment Clos des Hospices, des petits lopins à Valmur, Vaudésir et Blanchots), ainsi qu'un grand vignoble en Chablis, le Domaine de Bieville. Le contact du vin avec le bois est évité pour favoriser les notes fruitées.

Raveneau

Raveneau est l'un des grands noms de Chablis, qui s'est forgé d'abord avec François, et maintenant avec Bernard et Jean-Marie, ses fils. Le domaine, assez compact, compte 7,5 ha, notamment à Butteaux, Chape-

lot et Montée de Tonnerre pour les premiers crus, Valmur, Les Clos et Blanchots pour les grands crus. Comme son père, Jean-Marie a une approche empirique de la vinification, sans règle fixe sur le vieillissement dans le bois. Tout son vin passe au moins une année en fût (fût neuf ou de 10 ans d'âge). Les grands crus sont mis en bouteilles au bout de 18 mois. Les vins obtenus sont vifs, amples et complexes.

A. Régnard
Patrick de Ladoucette, de Château du Nozet dans le Val de

Loire (voir p. 246), a repris cette très ancienne maison de négoce de A. Régnard (qui comprend une vieille marque de Chablis : Albert Pic). Les investissements dans de nouveaux équipements ont été considérables, le style de la maison refusant le bois. Les vins sont fermes, mais assez austères dans leur jeunesse.

Autres producteurs

Une multitude d'autres producteurs sont en train de passer sur le devant de la scène, au fur et à mesure que les négociants s'en retirent. Il faut suivre Gilbert Picq & Fils, Domaine Billaud-Simon, Domaine Barat, Jean-Pierre Grossot, Domaine des Malandes, Francine et Olivier Savary, Domaine de Vauroux, et, parmi les adeptes de la vinification dans le chêne, Pinson et Vocoret. Lamblin et Simmonet-Febvre sont des négociants locaux.

RENÉ DAUVISSAT

René Dauvissat a hérité d'un minuscule domaine en 1950, qu'il a étendu jusqu'à ses 11 ha actuels, avec des vignobles sur Vaillons, Séchet, Les Clos, Preuses, sans oublier le cru qui fait son renom : Forêt. Au milieu des années 1960, il a introduit des cuves en acier inoxydable pour une fermentation avec un meilleur contrôle des températures, mais il continue à fermenter une partie de son vin en fûts neufs. Un passage en fûts était une technique d'élevage de son père que ni lui ni son propre fils, Vincent, n'ont estimé devoir changer. Selon la qualité du cru et du millésime, le vin est logé entre 6 et 10 mois en pièces. Les Chablis de Dauvissat méritent de vieillir en bouteille pour atteindre leur apogée.

APPELLATIONS DE L'YONNE

Outre Chablis, plusieurs vignobles sont parsemés dans le département de l'Yonne. Même s'ils n'ont pas recouvré leur prospérité du XIXe siècle, quelques vignobles connaissent un regain d'intérêt.

Bourgogne rouge et **blanc** sont les principales appellations, généralement suivies du nom du village :
Irancy possède sa propre appellation depuis 1977 pour un vin rouge à base de Pinot Noir, avec une pointe de César et de Tressot. Le rosé est également autorisé. Côte de Palotte est le vignoble le plus connu.
Coulanges-la-Vineuse produit un vin rouge plus léger et plus fruité qu'Irancy, à partir de Pinot Noir uniquement.
Épineuil possède aussi sa propre appellation pour le vin rouge, uniquement à base de Pinot Noir. C'est le dernier village à élaborer du vin de l'ancien vignoble de Tonnerre.

Chitry couvre les vins rouge et blanc, à base de Chardonnay et de Pinot Noir, provenant du village de Chitry-le-Fort.

Côte d'Auxerre date de 1992 et couvre surtout les vignobles de Pinot Noir et de Chardonnay de Saint-Bris-le-Vineux, d'Auxerre et de quelques villages alentour.
Vézelay fait du Bourgogne rouge et blanc sur quelques coteaux bien exposés.
Sauvignon de Saint-Bris, vin blanc issu du seul Sauvignon Blanc planté en Bourgogne, ancien VDQS, est devenu AOC en 2002, avec effet rétroactif dès le millésime 2001.
Crémant de Bourgogne (voir p. 206) est élaboré dans l'Yonne. La coopérative SICAVA du hameau de Bailly est très renommée pour son crémant et représente un débouché commercial intéressant pour les vignobles de villages comme Saint-Bris et Chitry.

CÔTE D'OR

La « Côte d'Or » bourguignonne est une étroite bande de vignobles, orientée à l'est et au sud-est, qui s'étire de Dijon, au nord, à la limite du département de la Côte-d'Or, en passant par Beaune. Cette « côte » marque la limite est de l'écheveau de forêts et de collines que sont les hauteurs bourguignonnes. La vaste plaine formée par la Saône s'étend à ses pieds, vers l'est.

Constituant ce que les géographes appellent un « escarpement », la Côte renferme un sous-sol stratifié très riche, qui constitue le facteur essentiel de la qualité exceptionnelle des vignobles (voir p. 194).

Un autre facteur important du prestige de la Côte d'Or est la proximité des grands axes routiers : les vignobles sont sur la voie qui relie depuis deux millénaires le Nord et le Sud, des Flandres à la Provence, de Rome à Paris (inaugurée par les légions romaines). Aujourd'hui, les autoroutes A6 et A31, complétées par les nationales 6 et 74, évitent définitivement à cette région l'enclavement dont ont souffert tant d'autres zones rurales de France.

L'histoire, comme la géographie, a été généreuse envers la Côte d'Or : la région fut l'un des premiers centres de la vie monastique en France, avec la grande abbaye bénédictine de Cluny, dans le Mâconnais ; en 1098, l'abbaye de Cîteaux, première maison de l'ordre cistercien, fut fondée près de Beaune. En un an, celle-ci se dota de son premier vignoble, à Meursault, et, sous l'égide de son père supérieur, saint Bernard, y ajouta rapidement quelques arpents supplémentaires. La contribution des moines à la renommée du vignoble bourguignon fut capitale. S'ils n'en furent pas les fondateurs – les Romains y avaient cultivé la vigne avant eux et Charlemagne avait déjà vanté le vin de cette région –, ce sont eux qui l'organisèrent. Ils édifièrent des enclos autour de leurs vignobles, dont, en 1330, la muraille qui ceint toujours le Clos de

L'entrée d'un grand cru.

Vougeot. Ils procédèrent à des expériences, des améliorations et des observations. Ce sont les cisterciens qui ont fait des vins de la Côte d'Or des vins prestigieux.

La Bourgogne a eu autant de chance avec ses maîtres temporels qu'avec ses chefs spirituels. À la fin du Moyen Âge, les ducs de Valois aimaient la grandeur en toutes choses, surtout en matière de vins et de mets. Ils avaient en outre la puissance et l'argent leur permettant d'exiger le meilleur. Vers 1375, le duc Philippe le Hardi s'intéressa au Bourgogne rouge et encouragea le « pineau », ancêtre de l'actuel Pinot Noir, au détriment du Gamay, cépage prolifique mais de qualité médiocre. Son petit-fils, Philippe le Bon, perpétua cet engouement : « Les ducs de Bourgogne sont connus dans la chrétienté comme les seigneurs du meilleur vin. Nous maintiendrons notre réputation. »

La Révolution, en déportant les moines, morcela leurs possessions sur la Côte d'Or. Après Napoléon, peu de clos monastiques restèrent aux mains d'un propriétaire unique.

Avec la fragmentation des vignobles, les négociants, capables d'acheter et d'assembler du vin provenant de plusieurs petites parcelles, assirent peu à peu leur domination. L'avènement du chemin de fer les favorisa encore davantage : ils purent exporter leur vin plus facilement (la Côte d'Or n'a pas de voie navigable pratique) et les moins scrupuleux d'entre eux allongèrent leurs grands vins avec un peu de vin du Sud. Cette pratique persista pendant une bonne partie du XXᵉ siècle, ce qui fit croire que le Bourgogne rouge était un breuvage sombre et sirupeux rappelant vaguement le vin algérien.

Les villages et les crus

La Côte d'Or est scindée en son milieu par Beaune, ville qui abrite la plupart de ses marchands de vin, et parsemée de villages donnant leur nom aux vignobles, ou vice versa. Par exemple, Chambolle-Musigny a été baptisé ainsi car Chambolle est l'ancien nom du village et Musigny un vignoble fameux planté sur l'une de ses collines. Le nom de certains villages, Volnay, Meursault, Pommard, se suffit à lui-même.

Chaque village (ou, du moins, la plupart d'entre eux) possède son appellation d'origine générique ainsi que de nombreuses désignations de sites ou de climats dont les plus remarquables sont classés en premier cru ou, mieux encore, en grand cru. Le système d'étiquetage et de classement est détaillé p. 182.

La Côte d'Or se divise en deux parties : la Côte de Nuits au nord et la Côte de Beaune au sud.

Deux AOC sont situées à l'ouest du coteau principal : Hautes Côtes de Nuits et Hautes Côtes de Beaune. Elles sont détaillées p. 196.

Les styles de vin

La Côte de Nuits produit presque exclusivement du vin rouge, tandis que la Côte de Beaune produit des rouges et des blancs. Le Pinot Noir (en rouge) et le Chardonnay (en blanc) sont les deux cépages principaux.

Bien que le cépage soit identique d'un vignoble à l'autre, les styles de vin sont très différents en raison des divers terroirs et surtout de l'individualité marquée du producteur bourguignon. Négociants et vignerons, grands ou petits, ont chacun leur propre conception de ce que doit être un grand Bourgogne et de la façon dont un terroir doit exprimer ses qualités. Le choix d'un vin exige donc une grande attention.

En règle générale, les vins gagnent en complexité, en prix et en potentiel de vieillissement en fonction de l'échelle du classement où ils se situent, de l'AOC village jusqu'au grand cru en passant par le premier cru. Toutefois, certains premiers crus peuvent paraître ternes et tristes à côté d'une splendide AOC village. La main de l'homme, et les rendements qu'il demande à sa vigne seront tout aussi déterminants que la qualité intrinsèque du terroir.

Au gré des modes, tant chez les consommateurs que chez les vinificateurs, le Bourgogne rouge a changé de style. Au XVIIIᵉ siècle, c'était un vin léger, presque rosé. Au XIXᵉ siècle et dans la première partie du XXᵉ, il devient plus tannique avec une plus grande teneur en alcool (souvent grâce à la chaptalisation) et d'une couleur plus prononcée. Aujourd'hui, on assiste à un retour à des vins équilibrés et aromatiques, d'une couleur moyenne à soutenue et d'une plus faible teneur en alcool. Toutefois, leur élaboration diffère selon les écoles (voir p. 184-185).

Les bons vinificateurs peuvent produire de superbes vins dans des appellations moins prestigieuses. Les AOC Bourgogne et Côte-de-Beaune-Villages des grands domaines étant élaborées selon les mêmes normes que les grands crus, les acheteurs peuvent réaliser de très bonnes affaires.

Les millésimes et le vieillissement

En Côte d'Or, les millésimes sont un autre facteur de diversité imposé par les conditions climatiques de la région. Et un bon millésime en Côte de Nuits n'implique pas nécessairement un bon millésime à Volnay ou Meursault. En effet, les conditions climatiques peuvent avoir des effets très localisés.

Il est rare qu'un grand cru de Bourgogne ait une durée de vie aussi longue qu'un grand cru de Bordeaux. Un grand vin de Bourgogne atteindra son apogée après une dizaine d'années de bouteille (même s'il peut vieillir deux fois plus longtemps), tandis que les appellations communales et la plupart des blancs pourront être ouverts après trois années. Il existe de vieilles bouteilles de grand Bourgogne, mais ce sont des exceptions.

Le Bourgogne rouge est un vin fragile dont le transport et le stockage réclament beaucoup de soin : de nombreuses bouteilles exportées vers des pays lointains, surtout s'il s'agit de pays chauds, souffrent du voyage.

Les très bons vins blancs vieillissent plus longtemps que ne le laisserait penser leur couleur : un Montrachet d'un bon millésime, par exemple, restera fermé pendant cinq ans et pourra se garder plus de dix ans. □

Traitement des vignes au Clos de Vougeot. Le château se trouve au milieu du vignoble monastique promu au rang de grand cru.

LE VIGNOBLE DE LA CÔTE D'OR

La Côte de Nuits, qui tient son nom de Nuits-Saint-Georges, forme la partie nord de la Côte, et la Côte de Beaune, la partie sud. À l'ouest, dans la campagne vallonnée, se trouvent les vignobles des Hautes Côtes.

Régions viticoles

- Côte de Nuits
- Hautes Côtes de Nuits
- Côte de Beaune
- Hautes Côtes de Beaune

Vignobles

- Grand Cru
- Premier Cru
- AOC régionales, AOC village

- Courbe de niveau (altitude)
- Limite de commune
- Autoroute
- Route principale
- Autre route

LES FACTEURS DE QUALITÉ

Les vignobles de la Côte d'Or ont subi un examen minutieux au terme duquel ils ont été classés en diverses catégories, de l'appellation régionale générique jusqu'au grand cru, en passant par l'AOC « village » et le premier cru. Trois facteurs déterminent la qualité : le sol, la déclivité et l'exposition.

Sols

Le sous-sol se compose de marne et de deux sortes de roches calcaires (voir coupe géologique). L'érosion des coteaux a conduit à des combinaisons de sols très diverses. Ainsi, à un endroit donné, le sol est le produit de la strate située juste en dessous de la surface et de celle qui se trouve à une altitude supérieure, des débris d'érosion se frayant un chemin le long de la pente pour se mélanger au sol, plus bas. Le bas de la côte, quant à lui, se fond dans la plaine et offre un sol alluvial moins favorable à la production de grands vins.

Les grands crus et les premiers crus occupent une bande distincte au long de la pente. C'est l'endroit où les affleurements de marne donnent le meilleur terroir – en particulier pour les vins rouges –, celui qui est le mieux drainé et le plus facile à travailler. Les vignobles de vin blanc sont concentrés dans des zones à prédominance calcaire, comme à Meursault. On trouve presque toujours une roche mère de nature calcaire en haut des coteaux, comme à Corton : le vignoble du grand cru blanc Corton-Charlemagne se trouve au-dessus de celui du Corton rouge.

Escarpement

La Côte d'Or est un escarpement résultant d'une anomalie géologique qui a conduit à l'érosion du bord du plateau bourguignon, à l'ouest. À l'est, la vaste plaine de la Saône constitue la base de la côte. La continuité de cet escarpement est rompue par de petites vallées formées par les rivières se jetant dans la Saône.

Les vignobles sont implantés sur les coteaux orientés au sud-est et situés entre la plaine, à l'ouest, et les collines boisées, à l'est. Leur altitude peut varier entre 150 m et 400 m, mais il faut noter que les meilleurs crus se situent toujours à mi-pente.

LA CÔTE DE NUITS : COUPE GÉOLOGIQUE

Sites et expositions

La coupe géologique montre un emplacement typique en Côte d'Or, avec un village qui se situerait au pied de l'escarpement, entre les vignobles et les terres de la plaine, vers l'est. Le terrain où pousse la vigne est soumis aux contraintes du relief : trop haut sur les pentes, le microclimat devient nettement plus frais ; trop bas dans la plaine, les gelées tardives sont une réelle menace. Certains endroits sont plus susceptibles que d'autres de subir la grêle, mais personne ne sait exactement pourquoi. Les pentes offrent des sites bien drainés, avec des sols adéquats. L'exposition à l'est et au sud-est renforce la chaleur du soleil et protège des vents d'ouest, porteurs de pluie.

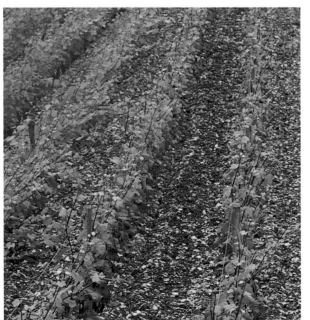

Romanée-Conti : l'un des terroirs les plus chers du monde.

VILLAGES DE LA CÔTE DE NUITS

Dans cette partie nord de la Côte d'Or, on cultive presque exclusivement le Pinot Noir, à quelques exceptions près, qui sont mentionnées dans le texte. Le vignoble commence à la pointe sud de la ville de Dijon et s'étend sur 22 km jusqu'à Corgoloin, au nord de Beaune. Chaque village possède sa propre AOC communale des premiers crus et pour la plupart des grands crus. Les communes sont répertoriées du nord au sud. Des noms de producteurs sont indiqués pour chaque village. Ceux qui possèdent des parcelles dans plusieurs villages ainsi que les négociants sont cités p. 202. Dans la liste ci-dessous, le « N » entre parenthèses signale un vin de négoce.

Les villages de la Côte d'Or (Côte de Nuits et Côte de Beaune) sont très fiers de leur système de classement, pourtant horriblement compliqué. Essayons de comprendre.

Chaque village ou commune possède une AOC. Mais ce n'est pas si simple : certaines AOC « village » empiètent sur les villages voisins et d'autres ne comprennent pas la totalité du terrain situé dans les limites de la commune citée. Ainsi, un vin AOC Nuits-Saint-Georges peut provenir de Prémeaux, un village adjacent.

Au sein d'une même commune, certains vignobles n'ont pas droit à l'AOC du village, mais uniquement à l'AOC Bourgogne ou à l'une des autres appellations génériques.

La plupart des communes comptent également des vignobles classés premier cru ou grand cru. Les arcanes de cette nomenclature sont décryptées p. 182, mais n'oubliez pas qu'en termes d'AOC un grand cru n'est pas considéré légalement comme faisant partie d'un village.

On trouve donc quatre catégories de vin dans une commune typique, dont seules les deux catégories intermédiaires (AOC village et premier cru) portent le nom de la commune, contrairement à l'AOC générique et au grand cru.

Côte-de-Nuits-Villages

Cette AOC s'applique aux vignobles de cinq villages : Fixin et Brochon au nord, Prémeaux-Prissey, Comblanchien et Corgoloin à l'extrémité sud de la Côte. Ces cinq noms sont si peu connus que certains producteurs et négociants leur préfèrent l'appellation générale Côte-de-Nuits-Villages (à l'exception de Fixin).

Marsannay

En 1987, Marsannay-la-Côte a été dotée de sa propre AOC communale pour le vin rouge et le vin blanc provenant des coteaux situés à l'ouest de la nationale 74. D'autres parcelles de ce village et de ses voisins (Couchey et Chenôve) sont autorisées à cultiver du Pinot Noir pour élaborer du Marsannay rosé, un vin unique en Bourgogne. Le rouge, cependant, prédomine ici.

Les vignobles rouges sont en pleine expansion et les vins s'améliorent grâce à la nouvelle AOC. Ils ont une belle couleur et une bonne structure, mais ne prétendent pas être à la hauteur des grands villages de la Côte. Le rosé est l'un des meilleurs de France : sec et ample, il peut vieillir.

Parmi les producteurs, citons : René et Régis Bouvier, Marc Brocot, Domaine Charlopin-Parizot, Bruno Clair, Domaine Fougeray de Beauclair, Alain Guyard, Louis Jadot (N).

Fixin

C'est là que commence la vraie « Côte » : la pente s'accentue et l'étude du sous-sol révèle que la bande de calcaire est le prolongement de celle des premiers crus de Gevrey-Chambertin.

L'appellation Fixin recouvre les villages de Fixin et Fixey (ainsi que Brochon, qui ne possède pas d'AOC propre, mais dont les meilleures parcelles ont droit à l'étiquette Fixin). La Côte de Nuits compte ici ses cinq premiers crus.

Les meilleurs vignobles sont situés à mi-coteau : Clos du Chapitre, La Perrière, Les Hervelets. Ils produisent de puissants Bourgognes rouges avec un bon potentiel de vieillissement. Fixin produit du vin blanc en petite quantité.

Parmi les producteurs, citons : Domaine Bart, Vincent et Denis Berthaut, Régis Bouvier, Bruno Clair, Pierre Gelin, Domaine Huguenot, Philippe Joliet (Domaine de La Perrière), Domaine Marion.

Gevrey-Chambertin

Les grands crus de la Côte de Nuits commencent au sud du village de Gevrey-Chambertin. 9 vignobles totalisant 87 ha (plus que tout autre village) ont ce statut et 28 autres sont classés premier cru.

Gevrey-Chambertin est une appellation très étendue couvrant Gevrey même et la moitié de la commune de Brochon, au sud immédiat de Fixin. Installés dans une vallée secondaire, les premiers crus bénéficient d'une exposition sud-sud-est. Plein sud, les grands crus s'alignent sur le coteau principal de la Côte, à l'abri des bois. Ce sont les fameux vignobles de Chambertin, Clos de Bèze et une demi-douzaine d'autres qui sont autorisés à accoler le nom de Chambertin au leur (par exemple, Charmes-Chambertin). Outre les grands et les premiers crus, une vaste zone a droit à l'appellation Gevrey-Chambertin. C'est donc un nom qu'on lit fréquemment sur les cartes des vins.

Chambertin est devenu célèbre grâce à Napoléon Ier, réputé en avoir fait une consommation quasi exclusive – coupé d'une grande quantité d'eau.

CÔTE DE NUITS GRANDS CRUS

Bonnes Mares	Grands Échezeaux
Chambertin	Griotte-Chambertin
Chambertin-Clos de Bèze	Latricières-Chambertin
Chapelle-Chambertin	Mazis-Chambertin
Charmes-Chambertin	Mazoyères-Chambertin
Clos des Lambrays	Musigny
Clos de la Roche	Richebourg
Clos St-Denis	La Romanée
Clos de Tart	La Romanée-Conti
Clos de Vougeot	Romanée-Saint-Vivant
Échezeaux	Ruchottes-Chambertin
La Grande Rue	La Tâche

Si les grands crus déçoivent rarement, pour ne pas dire jamais, leur qualité reste variable. Cette diversité est due en partie au morcellement. Une vingtaine de propriétaires se partagent les 13 ha de Chambertin, ce qui représente une moyenne de 3 000 à 3 600 bouteilles par an chacun. Le Clos de Bèze étant moins morcelé, la qualité des vins est meilleure qu'à Chambertin (ceux-ci peuvent porter l'étiquette Chambertin-Clos de Bèze). Les deux vins ont un bon potentiel de vieillissement. Charmes-Chambertin est un autre grand cru ayant la réputation d'être régulier et de maturation rapide.

Les premiers crus sont magnifiquement situés, et les meilleurs d'entre eux (ceux des meilleurs producteurs) peuvent facilement se mesurer aux grands crus. Le Clos Saint-Jacques est le plus célèbre. Aux Combottes n'est classé que premier cru alors qu'il se trouve sur le même coteau que les grands crus.

Le Gevrey-Chambertin « village » ne s'achète qu'en fonction du nom du producteur : tous les vins ne sont pas dignes du nom du village.

Le meilleur Gevrey-Chambertin est puissant, fruité et tannique et possède une structure qui lui permet de durer. Il s'agit alors d'un vin de garde à conserver une vingtaine d'années.

Parmi les producteurs, citons : Pierre Amiot, Denis Bachelet, Lucien Boillot & Fils, Bourée Père & Fils, Alain Burguet, Bruno Clair, Pierre Damoy, Maison Delaunay, Joseph Drouhin (N), Drouhin-Larose, Bernard Dugat, Domaine Dujac, Michel Esmonin, Louis Jadot (N), Philippe Leclerc, Grillot Marchand, Denis Mortet, Domaine les Perrières, Charles Quillardet, Jean Trapet, Joseph Roty, Armand Rousseau, Christian Serafin, Domaine Tortochot, Domaine des Varoilles.

Morey-Saint-Denis

C'est un petit village coincé entre deux célébrités, mais abritant tout ou partie de cinq grands crus. Les vignobles sont implantés sur le coteau calcaire qui va de Gevrey-Chambertin jusqu'à Vougeot en passant par Morey-Saint-Denis. Deux des grands crus de ce village sont d'anciens clos de monastère ceints de murs (Clos de Tart et Clos Saint-Denis, sur la colline qui domine Morey), de même que le premier cru Clos de la Bussière, à la sortie du village. Contrairement à l'habitude, certains des premiers crus se trouvent plus en altitude que les grands crus. Une minuscule quantité de vin blanc est produite.

Autre trait inhabituel pour la Bourgogne : Clos de Tart est un monopole et possède sa propre exploitation et ses chais à côté des vignes. Les autres grands crus sont Clos de la Roche et Clos des Lambrays (promu en 1981, également monopole) ainsi qu'une petite partie des Bonnes Mares (voir Chambolle-Musigny ci-après).

Morey-Saint-Denis élabore des Bourgognes rouges de garde dans le style classique et solide de la Côte de Nuits : les vins de grand cru peuvent être somptueux, notamment ceux de Clos de la Roche et de Clos Saint-Denis. On compte quelques excellents producteurs et la qualité d'ensemble est élevée. Le Clos des Lambrays a été replanté en 1980 et, malgré des vignes relativement jeunes selon les normes grand cru, les vins sont voluptueux. Clos de Tart s'est nettement amélioré lors des derniers millésimes.

Les autres vins de Morey (premiers crus et vins de village) sont d'un bon rapport qualité/prix par rapport aux appellations voisines.

Parmi les producteurs, citons : Pierre Amiot, Guy Castagnier, Domaine du Clos des Lambrays, Domaine Dujac, Faiveley (N), Robert Groffier, Hubert Lignier, Mommessin (Clos de Tart), Domaine Ponsot, Armand Rousseau, Taupenot-Merme.

Chambolle-Musigny

La puissance alliée à l'élégance et à la complexité sont les signes distinctifs des meilleurs vins de ce village, qui font partie des plus grands rouges de Bourgogne. Ils sont moins tanniques et moins structurés que les vins

---

LES HAUTES CÔTES

À l'ouest de la Côte d'Or s'étend une zone de collines boisées s'ouvrant sur quelques vallées protégées. Les vignobles des Hautes Côtes ont décliné après la crise du phylloxéra. La renaissance de la viticulture, amorcée par la coopérative régionale, entraîne également celle des propriétés privées.

Le Chardonnay et l'Aligoté sont cultivés pour le vin blanc, et le Pinot Noir pour le rouge. L'appellation utilisée est Bourgogne plus le suffixe Hautes Côtes de Nuits ou Hautes Côtes de Beaune.

■ **Hautes Côtes de Nuits**
Les villages sont : Arcenant, Bévy, Chaux, Chevannes, Collonges-lès-Bévy, Curtil-Vergy, L'Étang-Vergy, Magny-lès-Villers, Marey-lès-Fussey, Messanges, Meuilley, Reulle-Vergy, Segrois, Villars-Fontaine, Villers-la-Faye.

■ **Hautes Côtes de Beaune**
Les villages sont : Baubigny, Bouze-lès-Beaune, Cirey-lès-Nolay, Cormot, Échevronne, Fussey, Magny-lès-Villers, Mavilly-Mandelot, Meloisey, Nantoux, Nolay, Rochepot, Vauchignon.

■ **Villages de Saône-et-Loire**
Sont également inclus dans l'appellation : Change, Créot, Épertully, Paris-Hôpital, et une partie de Cheilly-lès-Maranges, Dezize-lès-Maranges, Sampigny-lès-Maranges.

Producteurs

Maison Bouhey-Allex
Marc Bouthenet
Denis Carré
Yves Chaley
Chanson Père & Fils
François Charles & Fils
Claude Cornu
Édouard Delaunay & Ses Fils
Doudet-Naudin
Ch. de Dracy
Guy Dufouleur
Guillemard Dupont
Jean Féry
Denis Fouquerand
Marcel-Bernard Fribourg
Maurice & Jean-Michel Giboulot
Jean Gros
Georges Guérin & Fils
Caves des Hautes Côtes
Groupement de Producteurs
Lucien Jacob
Robert Jayer-Gilles
Jean Joliot & Fils
La Jolivode
Honoré Lavigne
A. Ligeret
Ch. Mandelot
René Martin
Mazilly Père & Fils
Ch. de Mercey
Moillard
Domaine de Montmain
Henri Naudin-Ferrand
Parigot Père & Fils
Domaine du Prieuré
Antonin Rodet
Domaine Saint-Marc
Michel Serveau
Simon Fils
Thévenot-Le Brun & Fils
Alain Verdet
Domaine des Vignes des Demoiselles

de Morey-Saint-Denis et de Gevrey-Chambertin.

Le village est blotti dans une vallée qui interrompt la continuité du coteau calcaire. Les deux grands crus de la commune, Musigny et Bonnes Mares, sont magnifiquement situés sur le coteau est, aux frontières sud et nord de l'appellation. Le sol se composant d'un calcaire plus pur que dans la zone plus au nord, les vins sont plus légers. Parmi les grands crus, Bonnes Mares est souvent considéré comme le plus puissant et le plus concentré, et Musigny comme le plus raffiné et le plus subtil. Parmi les premiers crus, Les Amoureuses et Les Charmes sont des valeurs sûres. Les quelques vignes de Chardonnay produisent un vin blanc rare. Dans l'ensemble, les vins de village ont une qualité inférieure à celle de Morey-Saint-Denis.

Parmi les producteurs, citons : Amiot-Servelle, Michel Noëllat, Pierre Bertheau, Château de Chambolle-Musigny, Joseph Drouhin (N), Robert Groffier, Alain Hudelot-Noëllat, Daniel Moine-Hudelot, Georges Roumier, Domaine des Varoilles, Comte Georges de Vogüé.

Vougeot

Le Clos de Vougeot, ancien vignoble de monastère, est l'un des plus vastes (50 ha) et des plus célèbres grands crus de Bourgogne. Malheureusement pour l'acheteur, il est divisé entre 80 propriétaires possédant des petites parcelles, qui élaborent des vins de styles très différents. Une telle superficie recouvre immanquablement

des types de sol très variés. Aussi certaines parcelles donnent-elles des vins meilleurs que d'autres. Le vignoble descend en pente douce du château, sous la crête de la Côte, jusqu'à la nationale 74. Le meilleur terroir se trouve au sommet et jouxte le grand cru de Musigny. La partie la plus basse n'est séparée du vignoble AOC village adjacent que par l'enceinte du Clos et, par conséquent, ne peut être considérée comme supérieure à la partie haute que pour des raisons historiques.

Du fait de ce morcellement, le nom du vigneron compte encore plus ici que dans le reste de la Bourgogne. Mais les normes se sont améliorées récemment, faisant du Clos de Vougeot un vin de plus en plus fiable. Les meilleurs ont un goût puissant, riche, presque doux, et sont de longue garde. S'ils ne sont pas les plus subtils des Bourgognes, ils ont une réelle opulence et une texture veloutée.

Parmi les autres vins de Vougeot, on trouve certains premiers crus et des vins de village vivant à l'ombre du grand cru, ainsi qu'une petite quantité de vin blanc provenant du premier cru Clos Blanc.

Le château médiéval du Clos abrite le quartier général de la Confrérie des chevaliers du Tastevin de Bourgogne, société qui se consacre à la promotion des vins de Bourgogne en organisant des dégustations, des cérémonies hautes en couleur et des dîners de prestige. La Confrérie récompense du label « Tastevin » les

vins dont elle juge qu'ils représentent bien l'appellation.

Parmi les meilleurs producteurs, citons : Domaine Bertagna, Joseph Drouhin (N), Jean Gros, Alain Hudelot-Noëllat, Domaine Mongeard-Mugneret, Georges Roumier, Château de la Tour, Domaine des Varoilles.

Flagey-Échezeaux

Cette appellation constitue un comble de complexité difficile à saisir, même pour les Bourguignons. Flagey est un village, mais, sur l'étiquette, Vosne-Romanée remplace le nom communal de Flagey-Échezeaux pour tous les vins qui ne sont pas grand cru (il n'y a pas de premier cru). Les grands crus, Échezeaux et Grands Échezeaux, se situent au-dessus de Vougeot, plus près de Vosne-Romanée que du village qui porte leur nom. Il s'agit de

vins puissants et parfumés, les Échezeaux devant mûrir parfois 10 ans et les Grands Échezeaux encore davantage. S'ils sont chers, ils restent cependant plus abordables que les grands crus voisins de Vosne-Romanée.

Parmi les producteurs, citons : Joseph Drouhin (N), René Engel, A. F. Gros, Méo-Camuzet, Mongeard-Mugneret, Domaine de La Romanée-Conti et Robert Sirugue.

Vosne-Romanée

Ce village abrite six grands crus (La Romanée, La Romanée-Conti, Romanée-Saint-Vivant, Richebourg, La Tâche et la Grande Rue) et les célèbres vins, aux prix fabuleux, du Domaine de La Romanée-Conti (unique propriétaire des grands crus La Romanée-Conti et La Tâche).

DOMAINE DE LA ROMANÉE-CONTI

Unique propriétaire de La Romanée-Conti et La Tâche, et principal propriétaire de Richebourg, Romanée-Saint-Vivant, Grands Échezeaux et Montrachet, le Domaine pourrait n'être célèbre que pour les grands crus qu'il possède. À ces richesses, il convient d'ajouter un style de vinification propre : vendanges tardives de raisins mûrs, faibles rendements, fermentations longues et chaudes, séjour de 18 mois dans des fûts de chêne neuf et filtrage minimal. Les résultats, s'ils sont controversés, n'en donnent pas moins des vins toujours riches, capiteux et d'une grande opulence. Il s'agit de vins de très grande garde. Une production limitée et des prix justement élevés rendent ces vins difficiles à trouver, mais ils sont un modèle pour tous les Bourgognes rouges.

Le vignoble Les Argillières, au-dessus de Prémeaux-Prissey, est situé au sein de l'appellation Nuits-Saint-Georges.

Les grands crus sont tous regroupés au-dessus du village. Les grands crus atteignent des niveaux de prix élevés. Heureusement, une poignée d'excellents premiers crus, comme Aux Malconsorts (à côté de La Tâche, sur le coteau), Les Suchots, Les Chaumes, Aux Brûlées et Les Beaux Monts, dont beaucoup produisent des vins remarquables, rivalisent avec les grands crus pour leur opulence épicée et leur capacité à vieillir 10 à 15 ans, voire davantage.

L'appellation de la commune de Vosne-Romanée a connu des fortunes diverses : certains vignerons ont profité du prestige du nom pour diffuser des vins médiocres à vil prix, mais cette situation appartient au passé et les vins des années 1980 et 1990 sont plus fiables.

Parmi les producteurs, citons : Robert Arnoux, Sylvain Cathiard, J. Confuron-Cotetidot, Forey Père & Fils, Jean Grivot, Jean Gros, Gros Frère & Sœur, Henri Jayer, Leroy, Manière-Noirot, Méo-Camuzet, Mongeard-Mugneret, Denis Mugneret, Pernin-Rossin, Bernard Rion Père & Fils, Domaine de La Romanée-Conti (voir encadré p. 197), Robert Sirugue et Jean Tardy.

Nuits-Saint-Georges

Cette petite ville est, après Beaune, le second centre vinicole de Bourgogne, et abrite également de nombreux négociants.

Les vignobles sont séparés en deux par un petit cours d'eau. Il n'y a ici aucun grand cru mais une quarantaine de premiers crus (Les Vaucrains, Les Pruliers, Les Saint-Georges, Les Argillières, Clos de la Maréchale, pour n'en citer que quelques-uns).

Les vignobles de l'appellation s'étendent sur 7 km le long de la Côte. Aussi n'est-il pas surprenant que les styles de vin soient si différents. Ceux de l'extrémité nord de l'AOC, comme La Richemone et Les Damones, jouxtent ceux de Vosne-Romanée, avec lesquels ils partagent des vins au caractère parfumé et opulent.

Au sud de la ville, les vignobles de premier cru se prolongent jusqu'au-delà du village de Prémeaux, le plus méridional étant le Clos de la Maréchale. Les vignobles sont moins élevés, les sols plus lourds et les vins très aromatiques et robustes.

Les vins des premiers crus et de l'appellation village sont généralement prêts à boire après 5 ans en bouteille et peuvent rester à leur apogée pendant encore 3 ans. Le vin blanc est rare.

Nuits-Saint-Georges possède son propre hospice, petit frère de celui de Beaune. Celui-ci possède 9,5 ha de vignoble de grand cru et ses vins sont de bonne tenue.

Parmi les producteurs, citons : Bertrand Ambroise, Domaine de l'Arlot, Jean-Claude Boisset (N), Jean Chauvenet, Georges et Michel Chevillon, Robert Chevillon, Georges Chicotot, Daniel Chopin-Groffier, Jean-Jacques Confuron, Robert Dubois & Fils, Dufouleur Frères (N), Joseph Faiveley, Henri Gouges, Domaine Machard de Gramont, Hospices de Nuits, Labouré-Roi, François Legros, Lupé-Cholet, Alain Michelot, Moillard, Domaine Moillard-Grivot, Domaine de la Poulette, Henri & Gilles Remoriquet, Daniel Rion, Domaine Thomas, Domaine Fabrice Vigot.

VILLAGES DE LA CÔTE DE BEAUNE

La partie méridionale de la Côte d'Or commence au nord de la ville de Beaune, où les vins sont principalement rouges, à base de Pinot Noir. La prédominance des vins rouges s'arrête au sud de Beaune, vers Meursault et Puligny-Montrachet, connus dans le monde entier pour leurs grands vins blancs (Chardonnay), pour reprendre un peu plus bas. La Côte de Beaune s'étire sur 25 km environ et comprend une vingtaine de villages possédant chacun sa propre AOC, répertoriés ci-après du nord au sud. Cependant, à la mode bourguignonne, les limites de la commune ne coïncident pas nécessairement avec celles de l'appellation. En outre, certains premiers et grands crus sont partagés entre deux villages. Les producteurs sont indiqués pour chaque village. Certains de ceux qui possèdent des parcelles dans plusieurs villages ainsi que les négociants sont cités p. 202-203. Dans la liste ci-dessous, le « N » entre parenthèses signale un vin de négociant.

Côte-de-Beaune-Villages

Cette appellation de vin rouge peut être utilisée par tous les villages de la région, excepté Aloxe-Corton, Beaune, Pommard et Volnay. Elle permet aux vignerons des villages moins connus d'utiliser un nom réputé et signifie également que les négociants peuvent assembler des vins de deux villages ou plus pour élaborer un vin équilibré. Une AOC Côte-de-Beaune existe pour les vins produits à proximité de Beaune, mais elle est de petite dimension.

Ladoix-Serrigny

Ce petit village situé sur la route conduisant de Nuits-Saint-Georges à Beaune s'abrite à l'ombre de l'énorme coteau couvert de vignobles de Corton. C'est le trait dominant du paysage du nord de Beaune : une grande colline ovale coiffée de bois. Les vignobles de grand cru couvrent trois de ses coteaux.

Ladoix, village le plus au nord de la Côte de Beaune, partage avec Serrigny l'une des appellations oubliées de Bourgogne, puisque les meilleurs vignobles se trouvent sur la colline de Corton et que les vins peuvent être étiquetés grand cru ou premier cru Aloxe-Corton. Depuis peu, l'INAO reconnaît le rang de premier cru à quelques lieux-dits. Les vins sont surtout rouges, même si quelques vignobles en altitude, comme Les Gréchons, produisent de bons blancs.

Parmi les producteurs, citons : Capitain-Gagnerot, Michel Mallard, André Nudant.

Pernand-Vergelesses

Ce village situé sur la face ouest de la colline de Corton possède des parcelles de grand cru Corton et Corton-Charlemagne (voir Aloxe-Corton ci-après). Il est réputé pour son premier cru Île des Vergelesses ainsi que pour ses vins blancs (environ 20 % de la production du village). Les vins rouges village et premier cru exigent au moins 5 ans en bouteille et peuvent se bonifier encore 10 ans.

Parmi les producteurs, citons : Bonneau du Martray, Marius Delarche, P. Dubreuil-Fontaine, Laleure-Piot.

Aloxe-Corton

Le village est dominé par la colline de Corton et ses deux grands crus : Corton (seul grand cru rouge de la Côte de Beaune et le plus vaste de Bourgogne) et Corton-Charlemagne (pour les vins blancs).

Officiellement, Corton occupe le coteau est de la colline, et Corton-Charlemagne, les coteaux sud et sud-ouest. La réglementation a aligné les limites des appellations sur les types de sol : les vignobles les plus élevés, où le sol est léger, avec un pourcentage élevé de craie, sont classés en Corton-Charlemagne, quoi qu'en disent les cartes. Leurs vins blancs comptent parmi les meilleurs au monde : leur bouquet distingué et épicé, au goût de noisette, ne commence à s'ouvrir qu'après 5 ans et reste encore magnifique pendant 15 ou 20 ans.

Plus bas sur le coteau, le sol s'enrichit et rougit, tout en restant très diversifié selon son emplacement autour de la colline. Le vin (rouge) peut s'appeler grand cru Corton, bien que, dans la pratique, son nom soit lié à celui d'un vignoble spécifique (Corton-Les Bressandes, Corton-Clos du Roi, Corton-Les Renardes). Les vins sont puissamment aromatiques, mais avec un goût de terroir prononcé, et extrêmement tanniques dans leur jeunesse (il leur faut 6 ou 7 ans en bouteille pour qu'émergent leurs arômes et leurs notes fruitées et épicées).

Plus bas, sur le coteau est, sont implantés les premiers crus rouges d'Aloxe-Corton. Nettement moins onéreux que les grands crus de Bourgogne, les vins sont flatteurs mais se conservent beaucoup moins longtemps.

La partie inférieure du coteau produit des vins de village rouges : relativement légers, ils représentent une bonne valeur marchande.

Parmi les producteurs, citons : Bernard Dubois & Fils, Michel Gay, Antonin Guyon, Louis Jadot (N), Louis Latour (N), Rapet, Daniel Senard, Tollot-Beaut, Michel Voarick.

Chorey-lès-Beaune

Curieusement, ce village et la plupart de ses vignobles se trouvent sur le côté est de la « Route des vins », la N74. Pas de grands crus ou de premiers crus ici, mais des vins de village, presque toujours rouges, à boire rapidement, présentant une belle couleur, une grande fraîcheur et des parfums de fruits rouges, doux et mûrs.

Parmi les producteurs, mentionnons : Germain Père & Fils, Maillard Père & Fils, Tollot-Beaut.

Savigny-lès-Beaune

Le village se trouve dans une vallée coupant la Côte et ses vignobles s'étendent sur les coteaux, de part et d'autre. Au nord, ils côtoient ceux de Pernand-Vergelesses. Les premiers crus comprennent Aux Vergelesses, Les Lavières, Aux

CÔTE DE BEAUNE GRANDS CRUS	
Bâtard-Montrachet	Corton
Bienvenues-Bâtard-Montrachet	Corton-Charlemagne
Charlemagne	Criots-Bâtard-Montrachet
Chevalier-Montrachet	Montrachet

Serpentières et Aux Guettes. Les vignobles situés au sud de Savigny, en direction de Beaune, comprennent les premiers crus La Dominode, Bas Marconnets et Hauts Marconnets.

Savigny est un important producteur de vins rouges dont les prix sont très raisonnables pour des Bourgognes de Côte d'Or. Les premiers crus se distinguent par leurs arômes séduisants et par un goût vif et fruité. Ils sont à boire entre 4 et 10 ans. Savigny produit également un peu de vin blanc.

Parmi les producteurs, citons : Pierre Bitouzet, Simon Bize & Fils, Luc Camus, Capron-Manieux, Chandon de Briailles, Doudet-Naudin, Maurice Ecard & Fils, Pierre Guillemot, Antonin Guyon, Laleure-Piot, Jean-Marc Pavelot, Rapet, Seguin, Henri de Villamont.

Beaune

La cité médiévale de Beaune, qui a donné son nom à toute la région, est le centre du commerce des vins de Bourgogne. Elle attire les touristes toute l'année, mais les amateurs de vin s'y pressent surtout lors du festival de trois jours qui se tient dans la ville fortifiée le troisième week-end de novembre. Ces Trois Glorieuses, ainsi qu'on les appelle, culminent, en effet, avec la vente aux enchères organisée par les Hospices de Beaune, le dimanche (voir p. 201).

L'appellation Beaune comprend de loin la plus vaste zone (320 ha) de vignobles de premiers crus de la Côte de Beaune, alignés en rangs serrés au-dessus de la ville. Ils sont environ une trentaine, dont Les Marconnets, Les Fèves, Les Bressandes, Le Clos des Mouches, Les Grèves, Les Teurons, Les Vignes Franches et Les Epenottes.

À cet endroit, la pente de la Côte de Beaune est plus douce. Vues des murailles médiévales de Beaune, la haute colline et ses rangées ininterrompues de premiers crus sont impressionnantes.

La majeure partie du vin est rouge et une importante production de vins de qualité fait de cette AOC une des plus fiables de la région. De style plus aimable que les crus prestigieux de la Côte de Nuits, ces vins sont dotés d'arômes élégants et d'un beau goût fruité et épicé (à boire entre 6 et 10 ans d'âge). Les vins blancs sont moins distingués et se boivent plus jeunes.

Nombre de grands négociants de Bourgogne possèdent des caves sous les rues de Beaune et des parcelles dans des vignobles de premier cru. Drouhin possède une grande parcelle du Clos des Mouches ; Le Clos des Ursules de Louis Jadot fait partie des Vignes Franches ; et Bouchard Père & Fils détient Vigne de l'Enfant Jésus dans Les Grèves.

Parmi les producteurs, citons : Bouchard Aîné & Fils (N), Bouchard Père & Fils (N), Champy Père & Fils, Chanson Père & Fils, Joseph Drouhin (N), Hospices de Beaune, Louis Jadot (N); Jaffelin (N), Louis Latour (N), P. de Marcilly Frères, Albert Morot, Patriarche Père & Fils (N), Jacques Prieur, Remoissenet Père & Fils (N).

Pommard

Un des noms les plus célèbres de la Côte d'Or, le Pommard est un vin dont le rapport qualité/prix a retrouvé une juste mesure.

Au sud de Beaune, le vignoble forme un large ruban produisant des vins rouges de qualité (Pommard ne fait que du vin rouge), interrompu par le village, au fond d'une petite vallée, et reprenant jusqu'à Volnay.

Les meilleurs premiers crus (Epenots, Rugiens, Clos de la Commeraine) donnent des vins rouges de couleur profonde, avec des arômes intenses, une bonne concentration, du corps et une complexité qui peut se bonifier en bouteille pendant 10 ans.

Parmi les producteurs, citons : Comte Armand, Roger Belland, Jean-Marc Boillot, Domaine de Courcel, Jean

Garaudet, Michel Gaunoux, Vincent Girardin, Domaine Mussy, Domaine Parent, Château de Pommard.

Volnay

Le village se situe assez haut sur le coteau, les vignobles s'étendant de part et d'autre, et en dessous. Ses vins de premier cru (Caillerets, Champans, Clos des Chênes et Clos des Ducs), délicats, soyeux, au parfum de violette et de fraise, sont renommés pour la qualité de leur vinification. Agréables à partir de 4 ou 5 ans, les Volnays peuvent vieillir bien plus longtemps.

Tout le vin est rouge. Le premier cru, Les Santenots, côtoie la zone d'AOC Meursault, qui produit surtout du vin blanc, et un peu de rouge vendu sous le nom de Volnay.

Parmi les producteurs, citons : Marquis d'Angerville, Jean-Marc Bouley, Joseph Drouhin (N), Hubert de Montille, Domaine de la Pousse d'Or, Joseph Voillot.

Monthélie

Perché sur la colline de Meursault, ce vieux village, proche du sud de Volnay, possède quelques sites bien exposés au sud. Jusqu'au milieu des années 1980, ses vins (surtout rouges) étaient considérés comme des Bourgognes plutôt rustiques et sans prétention. Aujourd'hui, des vinificateurs de talent commencent à exploiter le potentiel de leurs parcelles et les meilleurs producteurs élaborent des vins avec de bons arômes, pleins de caractère, bien structurés, et d'un bon rapport qualité/prix. Les plus connus des 9 premiers crus de Monthélie sont Sur La Velle et Les Champs Fulliot.

Parmi les producteurs contribuant à la bonne réputation de Monthélie, citons : Paul Garaudet, Comte Lafon et Château de Monthélie.

Auxey-Duresses

Blotti dans la vallée qui se trouve à l'ouest de Monthélie, ce village

produit deux tiers de vin rouge et un tiers de vin blanc. Les premiers crus, comme Les Duresses et Clos du Val, sont plantés de Pinot Noir et peuvent donner de beaux rouges au goût de framboise, soutenant la comparaison avec les Volnays. Les meilleurs blancs, au délicieux goût de pain grillé et de noisette, n'ont rien à envier aux Meursaults mais se boivent plus jeunes.

Parmi les producteurs, citons : Jean-François Diconne, Domaine Leroy, Jean-Pierre et Laurent Prunier, Michel Prunier, Pascal Prunier, Vincent Prunier.

Saint-Romain

En remontant la vallée sur 3 km, on atteint la bordure des Hautes Côtes (voir p. 196) où, sur un promontoire rocheux, se campe Saint-Romain. Ce village produit des quantités assez régulières (204 000 bouteilles par an) de vins blancs frais et nets d'un très bon rapport qualité/prix, ainsi que des rouges fermes aux notes de cerise.

Parmi les producteurs, citons : Bernard Fèvre, Maison Germain Père & Fils, Alain Gras, Louis Latour (N), Olivier Leflaive, Leroy, René Thévenin, Charles Viénot (N).

Meursault

Meursault est quasiment une ville et ses vignobles couvrent les coteaux allant de Volnay, au nord, à Puligny-Montrachet, au sud. Le calcaire, excellent pour les vins blancs, prédomine. Malgré son étendue et son grand renom pour les vins blancs, Meursault ne possède pas de grands crus, mais un nombre impressionnant de premiers crus (Les Charmes, Les Perrières, Les Genevrières, Les Gouttes d'Or...).

On y élabore aussi du vin rouge, mais ce sont les blancs à l'arôme puissant et persistant, d'une grande longévité, qui ont fait la réputation de la commune. Les premiers crus donnent les vins les plus fins et les plus concentrés, les vins de village ayant moins de caractère. La production étant très importante, la qualité ne peut qu'être variable et les vins au caractère le plus marqué sont généralement mis en bouteilles au domaine.

Parmi les producteurs, citons : Domaine d'Auvenay, Bitouzet-Prieur, Domaine Vincent Bouzereau, Michel Bouzereau, Dominique Caillot, Raoul Clerget, J. F. Coche-Dury, Domaine Darnat, Domaine J. P. Dicone, Château Génot-Boulanger, Domaine Henri Germain, Bernard Glantenay, Albert Grivault, Patrick Javillier, François Jobard, Rémi Jobard, Jean-Luc Joliot, Comte Lafon, Domaine Jean Latour-Labille, Mazilly Père & Fils, Château de Meursault, Michelot, René Monnier, Pierre Morey, Domaine Prieur-Brunet, Michel Prunier, Château de Puligny-Montrachet, Ropiteau Frères, Domaine Roulot, Roux Père & Fils, Henri de Villamont.

Blagny

Coincé entre les deux célèbres appellations de vin blanc Meursault et Puligny-Montrachet, ce hameau se cantonne au vin rouge qui est commercialisé sous son propre nom. Ses vins blancs sont étiquetés Meursault (s'ils proviennent des vignobles situés au nord du hameau) ou Puligny-Montrachet (s'ils proviennent des vignobles près de Puligny-Montrachet).

Saint-Aubin

Saint-Aubin, caché derrière la côte principale, élabore des vins rouges et blancs à partir d'un bon coteau exposé au sud et situé à l'ouest de Puligny-Montrachet. Les vins sont légers, vifs, souvent délicieux et à des prix raisonnables. Parmi les producteurs, citons : Jean Chartron, Hubert Lamy.

Puligny-Montrachet

Le grand cru de Montrachet, qui élabore l'un des meilleurs vins blancs de Bourgogne, et assez justement parmi les plus onéreux, est à cheval sur la limite séparant Puligny de Chassagne. Ces deux villages ont annexé le nom du grand vignoble au leur, ce qui crée une confusion toute bourguignonne : de vastes quantités de vin blanc peuvent inclure le nom magique de « Montrachet » dans leur nom.

Puligny se concentre sur le vin blanc avec quatre grands crus – Le Montrachet, Chevalier-Montrachet, Bienvenues-Bâtard Montrachet et Bâtard-Montrachet – et une foison de superbes premiers crus. Les grands vignobles occupent des sites excellents bénéficiant d'une déclivité idéale, avec une orientation au sud-est, et d'un sol à dominante calcaire bien drainé.

Les vins de grand cru mettent du temps à développer tout leur potentiel. Dans les bons millésimes, les bouteilles des meilleurs producteurs peuvent vieillir 20 ans, voire davantage.

Les vins de premier cru de Puligny sont plus élégants que ceux de Meursault. Le Cailleret, Les Combettes et Les Pucelles sont les plus concentrés et les plus lents à atteindre leur maturité. Le Puligny-Montrachet Village est plus aimable, mais il peut être cher. Un peu de vin rouge est élaboré.

Parmi les producteurs, citons : Bouchard Père & Fils (N), Louis Carillon, Jean Chartron, Chartron et Trébuchet, Henri Clerc, Domaine Jadot, Marquis de Laguiche, Louis Latour (N), Domaine Leflaive, Olivier Leflaive, Domaine Jean Pillot & Fils, Étienne Sauzet.

Chassagne-Montrachet

Les trois grands crus de Chassagne sont Les Criots-Bâtard-Montrachet, Montrachet et Bâtard-Montrachet, qu'il partage avec son voisin Puligny.

Le Chassagne-Montrachet blanc ressemble beaucoup au Puligny, avec peut-être un peu plus de richesse, due au caractère plus méridional de la pente. Les normes de vinification sont très élevées.

Contrairement à Puligny, près de la moitié du vin de Chassagne est rouge. Peu connus, ces vins peuvent se révéler d'un rapport qualité/prix intéressant.

Ces vins rouges, souvent sous-estimés, sont souples, fruités et bien structurés. Les bons millésimes peuvent vieillir 10 ans.

Parmi les producteurs, citons : Guy Amiot, Bachelet-Ramonet, Domaine Roger Belland, Bernard Colin, Marc Colin, Michel Colin-Deléger, Lamy-Pillot, Duc de Magenta, Château de la Maltroye, Bernard Morey, Marc Morey & Fils, Michel Morey-Coffinet, Domaine Michel Niellon, Domaine Jean Pillot & Fils, André Ramonet, Antonin Rodet.

Santenay et Maranges

À cette extrémité sud de la Côte de Beaune, le vin rouge reprend possession du terrain. On compte plusieurs premiers crus, qui donnent de bons vins d'une certaine rusticité, avec des goûts de terroir prononcés. Il ne faut pas les garder trop longtemps, mais les déguster entre 5 et 8 ans. Les trois villages de Dezize-lès-Maranges, Sampigny-lès-Maranges et Cheilly-lès-Maranges partagent l'AOC de Maranges avec six premiers crus.

Parmi les producteurs, citons : Roger Belland, Château de la Charrière, René Fleurot-Larose, Mestre Père & Fils, Prieur-Brunet, Louis Lequin.

HOSPICES DE BEAUNE

Organisme de charité, les Hospices de Beaune datent de 1443, lorsque Nicolas Rolin, chancelier du duché de Bourgogne, employa sa fortune à fonder un hôpital pour les malades et les indigents. Des bienfaiteurs continuant depuis lors, et aujourd'hui encore, de leur faire don de terres comprenant des vignobles, les Hospices comptent actuellement 60 ha de vignes réparties en 39 parcelles sur toute la Côte, à l'exception du Pouilly-Fuissé donné en 1996. Ils cultivent eux-mêmes leur vignoble et vinifient leurs vins, qui sont ensuite élevés par des négociants. Les prix que ces vins atteignent lors de leur spectaculaire vente aux enchères du mois de novembre servent de référence pour tout le millésime. Les vins rouges et blancs des Hospices, élaborés de façon traditionnelle, sont bons mais tendent à être extrêmement chers.

PRODUCTEURS ET NÉGOCIANTS DE LA CÔTE D'OR

Les principaux producteurs et négociants de la Côte d'Or sont répertoriés ci-dessous. Certains noms figurent également dans les paragraphes consacrés à chaque village : voir Côte de Nuits (p. 195-198) et Côte de Beaune (p. 199-201). Cette liste, inévitablement incomplète, énumère trois catégories différentes : les grands négociants, qui achètent du vin ou du raisin en plusieurs endroits et à plusieurs producteurs, puis élaborent et commercialisent leur vin ; les grands vignerons, qui mettent eux-mêmes en bouteilles les vins qu'ils élaborent dans plusieurs villages ; et, enfin, les domaines dont les noms comptent pour les Bourgognes de qualité. Ces catégories interfèrent nécessairement les unes sur les autres : certains négociants sont également propriétaires et certains producteurs vendent à des négociants. Les producteurs travaillant dans un seul village figurent dans les paragraphes consacrés aux villages.

Robert Ampeau
Meursault, Volnay, Puligny-Montrachet, Pommard. Ce spécialiste des blancs établi à Meursault produit également de bons rouges.

Pierre André
Aloxe-Corton. Ce producteur-négociant, Château de Corton-André, propose un bon Corton.

Domaine Marquis d'Angerville
Volnay. C'est un des pionniers de la mise en bouteilles au château. Il possède des terres à Volnay, Meursault, Pommard.

Domaine de l'Arlot
Prémeaux. Ce récent domaine, qui possède des terres à Nuits-Saint-Georges, utilise les meilleures techniques de vinification et des raisins provenant de beaux vignobles.

Domaine Roger Belland
Santenay. Possédant des terres dans les grands crus Corton et Corton-Charlemagne et d'autres vignobles à Santenay, Puligny et Chambertin, le domaine élabore de bons vins traditionnels.

Domaine Bertagna
Vougeot. Ce domaine propose des vins élégants de ses meilleures parcelles de Chambertin, du Clos Saint-Denis et du Clos de Vougeot.

Domaine Simon Bize et Fils
Savigny-lès-Beaune. Ce domaine familial très estimé a des terres autour de Savigny.

Château de Bligny
Puligny, Pommard, Beaune, Aloxe-Corton, Vosne-Romanée, Nuits-Saint-Georges. Ce château est viticole depuis une vingtaine d'années ; le vin, encore jeune, ne manque pas d'élégance.

Jean-Claude Boisset
Ce dynamique négociant-éleveur, particulièrement actif en Côte de Nuits, contrôle de nombreuses entreprises de négoce, dont Charles Viénot.

Domaine Bonneau du Martray
Pernand-Vergelesses. Ce principal propriétaire de Corton et Corton-Charlemagne produit des rouges et des blancs superbes.

Bouchard Aîné & Fils
Beaune. Maison de négoce familiale fondée au XVIIIᵉ siècle, reprise par Jean-Claude Boisset en 1994 et spécialisée dans la vinification et l'élevage.

Bouchard Père & Fils
Beaune. Cette affaire de négoce est aussi grand propriétaire de vignobles sous le nom de Domaines du Château de Beaune. Elle a été reprise par le Champenois Joseph Henriot.

Domaine Jean-Marc Bouley
Volnay et Pommard. Il diffuse des vins de bonne facture.

Domaine Louis Carillon
Puligny-Montrachet. Propriétaire dans les principales communes de la Côte de Beaune, cette vieille entreprise familiale se consacre au Bourgogne blanc.

Chanson Père & Fils
Beaune. Maison de négoce familiale fondée en 1750, acquise en 1999 par Bollinger. Propriétaire de 38 ha de vignes, uniquement premiers crus et un grand cru.

Domaine Maurice Chapuis
Aloxe-Corton. Ce domaine de Corton propose un très bon Corton-Charlemagne.

Chartron & Trébuchet
Puligny-Montrachet. Négociant et propriétaire (Domaine Chartron), il se consacre surtout au Bourgogne blanc.

Domaine Robert Chevillon
Nuits-Saint-Georges. Ce domaine récent applique des méthodes traditionnelles.

Domaine Bruno Clair
Marsannay. Un vignoble de 23 ha dans 12 AOC, dont grands et premiers crus. Une vinification traditionnelle de belle facture.

Domaine Coche-Dury
Meursault. C'est un spécialiste de Bourgogne blanc : Meursault, Corton-Charlemagne et Volnay de très bonne qualité.

Domaine Confuron-Cotetidot
Vosne-Romanée. Bons Nuits-Saint-Georges, Échezeaux, etc.

Domaine de Courcel
Pommard. Vins classiques de longue garde, très amples.

Doudet-Naudin
Savigny-lès-Beaune. Négociant et propriétaire. Vins traditionnels pour une longue maturation.

Joseph Drouhin
Beaune. Ce négociant et important propriétaire de la Côte d'Or et de Chablis fait des vins bien construits et fiables.

Domaine Dubreuil-Fontaine
Pernand-Vergelesses. Ce propriétaire à Corton et dans les environs élabore d'excellents vins.

Dufouleur Frères
Nuits-Saint-Georges. Ce négociant élabore des vins de façon traditionnelle.

Domaine Dujac
Morey-Saint-Denis. C'est la propriété de Jacques Seysses, vinificateur réputé, qui possède des vignes dans les grands crus et sur la Côte de Nuits.

Joseph Faiveley
Nuits-Saint-Georges. Ce négociant et propriétaire applique des méthodes de vinification modernes avec des résultats probants.

Domaine Michel Gaunoux
Pommard. Vins rouges très traditionnels de la Côte de Beaune.

Domaine Jacques Germain
Chorey-lès-Beaune. Possède de bonnes terres à Beaune et à Chorey et produit un vin de qualité.

Domaine Machard de Gramont
Nuits-Saint-Georges. Ce domaine de taille moyenne respecte la tradition et s'applique à préserver le style de chaque cru.

Domaine Jean Grivot
Vosne-Romanée. Ses grands crus de Côte-de-Nuits sont d'une grande concentration.

Hospices de Beaune
Voir encadré p. 201.

Hospices de Nuits
Nuits-Saint-Georges. Petit frère des Hospices de Beaune, il est doté de très belles vignes à Nuits.

Jaboulet-Vercherre
Beaune. Grand négociant et propriétaire de vignobles à Beaune.

Louis Jadot
Beaune. Ce négociant est un important propriétaire de vignobles qui élabore de très bons vins rouges et blancs.

Jaffelin
Beaune. Négociant lié à Drouhin (voir ce nom).

Domaine Henri Jayer
Vosne-Romanée. Grand producteur de Côte de Nuits, il produit des vins dans le respect des techniques traditionnelles.

Labouré-Roi
Nuits-Saint-Georges. C'est un négociant spécialisé dans les vins blancs de toute la région.

Domaine Michel Lafarge
Meursault. Vins provenant de Volnay, Meursault et Beaune.

Domaine des Comtes Lafon
Meursault. Vins blancs excellents (notamment de Montrachet) et très bons vins rouges (Volnay).

Louis Latour
Beaune. L'un des meilleurs négociants, il fait des rouges et (surtout) des blancs en provenance de toute la région, et offre toute une gamme de vins superbes.

Dominique Laurent
Ce négociant-éleveur est un spécialiste du boisé (« 200 % de bois neuf »). Sa jeune maison est de grande notoriété.

Domaine Leflaive
Puligny-Montrachet. Grandes réussites dans les Bourgognes blancs de Montrachet et du voisinage. Olivier Leflaive est également négociant.

Domaine Leroy
Vosne-Romanée. Propriétaire et négociant, il détient une partie du fameux Domaine de La Romanée-Conti (voir ce nom). Diverses acquisitions ont étendu le Domaine Leroy qui possède quelques sites de premier choix.

Lupé-Cholet
Nuits-Saint-Georges. Cette maison de négoce, propriétaire de vignes, est affiliée à la maison Bichot.

Domaine du Duc de Magenta
Chassagne-Montrachet. Dans ce domaine, les vins, de très grande classe, sont élaborés par Jadot (voir ce nom), de Beaune.

Prosper Maufoux
Santenay. C'est un négociant qui élève tous ses vins (rouges et blancs) en fûts.

Domaine Méo-Camuzet
Vosne-Romanée. Corton, Vougeot, autres grands crus : vins de très grande classe.

Domaine Prince Florent de Mérode
Ladoix-Serrigny. Ancienne propriété féodale, ce domaine comprend des sites exceptionnels sur la colline de Corton.

Moillard-Grivot
Nuits-Saint-Georges. C'est un négociant et propriétaire de bonne réputation.

Domaine Mongeard-Mugneret
Vosne-Romanée. Ce domaine en pleine expansion offre des rouges concentrés très appréciés.

Domaine Monnier & Fils
Meursault, Pommard, Puligny-Montrachet. Les beaux vins, blancs et rouges, de ce domaine sont élaborés de façon traditionnelle.

Patriarche Père & Fils
Beaune. Ce très gros négociant est également le propriétaire du Château de Meursault.

Château de Pommard
Pommard. Ce vaste domaine enclos offre des vins solides.

Domaine de la Pousse d'Or
Volnay, Pommard, Santenay. Ces Bourgognes rouges sont équilibrés, élégants et vieillissent bien.

Domaine Jacques Prieur
Gevrey-Chambertin, Beaune, Meursault, etc. Ce domaine possède de bons vignobles qui offrent une gamme de vins excellents.

Domaine Ramonet
Chassagne-Montrachet. Son Bourgogne blanc de premier ordre provient de Montrachet et des environs.

Reine-Pédauque
Aloxe-Corton. Négociant et propriétaire, il possède de bons sites, notamment autour de Corton.

Remoissenet Père & Fils
Beaune. Ce négociant et propriétaire fait une vinification de qualité, ses blancs étant meilleurs.

Domaine Daniel Rion
Nuits-Saint-Georges. Ce vignoble en Côte de Nuits produit des vins élaborés avec les dernières techniques afin de privilégier le fruit.

Domaine de La Romanée-Conti
Voir encadré p. 197.

Ropiteau Frères
Meursault. Le vignoble de cette maison est désormais contrôlé par Bouchard Père & Fils.

Domaine Armand Rousseau
Gevrey-Chambertin, Morey-Saint-Denis. Ce pionnier de la mise en bouteilles produit des vins très traditionnels souvent cités en référence.

Roux Père & Fils
Saint-Aubin, Meursault, etc. Propriétaire dans le sud de la Côte de Beaune et négociant depuis peu, il élabore des vins modernes, propres et typiques, les blancs étant les meilleurs.

Domaine Étienne Sauzet
Puligny-Montrachet. Ces Bourgognes blancs classiques proviennent de grands crus et de premiers crus.

Domaine Daniel Senard
Aloxe-Corton. Les Cortons rouges de la plus grande renommée sont très concentrés.

Tollot-Beaut & Fils
Chorey-lès-Beaune. Ce vaste domaine autour de Corton et Beaune produit des vins rouges robustes de garde.

Château de la Tour
Vougeot, Beaune. Ces excellents Bourgognes rouges très concentrés sont très bien notés.

Domaine des Varoilles
Gevrey-Chambertin. Un long élevage caractérise les vins rouges de ce domaine de la Côte de Nuits.

Henri de Villamont
Savigny-lès-Beaune. Négociant et propriétaire autour de Corton, Savigny et Puligny, fait de bons rouges de Savigny.

Domaine Michel Voarick
Aloxe-Corton. Faibles rendements de beaux vignobles de Corton pour des vins de garde.

Domaine Comte Georges de Vogüé
Chambolle-Musigny. Grand propriétaire de grands crus et de premiers crus.

LES RÉGIONS VITICOLES DU CHALONNAIS, DU MÂCONNAIS ET DU BEAUJOLAIS

Le Chalonnais, ou région de Mercurey, comprend 5 villages importants et une multitude de vignobles utilisant les AOC régionales. Mâcon est le centre d'une vaste région de vins blancs et rouges ; le Beaujolais, plus au sud, comprend 10 villages de cru à son extrémité nord.

FRANCE
Lyon

Régions viticoles

Côte chalonnaise

☐ Villages appellations

☐ AOC Bourgogne Côte chalonnaise

Mâconnais

☐ Villages appellations

☐ AOC Mâcon

Beaujolais

☐ Cru

☐ AOC Beaujolais-Villages

☐ AOC Beaujolais

- - - Limite de département

Autoroute

Route principale

Autre route

N

0   10   20 km

CÔTE CHALONNAISE

Au Château de Rully, la famille des comtes de Ternay élabore du vin depuis six siècles.

Ce n'est pas parce que le département de la Côte-d'Or s'arrête à Chagny que les vignobles en font autant. Les collines exposées au sud se prolongent en Saône-et-Loire et les vignobles ne sont interrompus que par une petite vallée fluviale. La sagesse a guidé les géographes qui ont tracé les limites de cette région, car la ligne bien nette de la Côte d'Or se brise ici pour devenir une succession de collines et de vallées. La géologie est similaire à celle de la Côte d'Or, avec des affleurements de calcaire et de marne et quelques bons sites escarpés bien exposés.

Cette région tient son nom de Côte chalonnaise de la ville de Chalon-sur-Saône, assez éloignée des vignobles, mais cœur de la région (que l'on appelle également région de Mercurey, du nom de l'un de ses principaux villages). Les vins ont droit aux appellations générales ou régionales de Bourgogne (voir p. 182) ainsi qu'à l'AOC Bourgogne Côte chalonnaise. En outre, 5 villages peuvent utiliser leur propre nom : du nord au sud, Bouzeron, Rully, Mercurey, Givry et Montagny. Une bouteille de Côte-Chalonnaise typique indique clairement le nom du village (et l'AOC), ainsi que le producteur. Peu de vignobles sont réputés, malgré la présence de quelques premiers crus.

On élabore aussi bien du rouge que du blanc, avec une prédilection pour le premier, ainsi que du crémant. Les cépages sont traditionnels : Pinot Noir pour le rouge (assemblé à du Gamay pour le Bourgogne Passetoutgrain) et Chardonnay pour le blanc. L'Aligoté est également cultivé pour certains vins blancs, notamment dans le village de Bouzeron, qui possède sa propre appellation pour ce vin.

Le style Côte chalonnaise
Les blancs de Chardonnay sont dans le style des Bourgognes blancs pro-duits plus au nord, mais à un prix plus doux. Moins demandés que les vins de Pouilly (Pouilly-Fuissé), dans le Mâconnais, ils sont plus abordables. Sans prétendre à la grandeur, à la concentration et à la race d'un Montrachet ou d'un Meursault, ils possèdent une vive personnalité et du charme. Les bons millésimes peuvent vieillir une décennie, mais, en général, ce sont des vins à déguster entre 2 et 4 ans après la vendange. L'Aligoté se boit assez jeune, mais les meilleurs, comme ceux de Bouzeron, se bonifient en bouteille.

Les rouges sont assez inégaux, mais, les bonnes années, les producteurs les plus sérieux produisent des Bourgognes authentiques mettant en valeur le caractère du Pinot Noir et capables de vieillir entre 4 et 6 ans. Les vins de toute la région, l'AOC Bourgogne Côte chalonnaise, sont souvent de bon rapport qualité/prix. □

VILLAGES ET PRODUCTEURS

Les villages dotés de leur propre appellation sont répertoriés ici, du nord au sud, et les producteurs importants nommés. Les autres vignobles utilisent l'AOC Bourgogne. Plusieurs négociants, signalés par un (N), et domaines possèdent des parcelles dans plusieurs villages.

Bouzeron

Surtout réputé pour son Aligoté, qui lui a valu une appellation en 1979, ce petit village de la Côte chalonnaise produit également quelques vins rouges intéressants. Il n'y a pas de premier cru.
Parmi les producteurs, citons : Bouchard Père & Fils (N), Domaine Chanzy, A. et P. de Villaine (qui s'est distingué pour son Aligoté provenant d'un vignoble composé de vieilles vignes).

CRÉMANT DE BOURGOGNE

Le Crémant de Bourgogne est une appellation de Bourgogne pétillant, qu'il soit rouge, blanc ou rosé. Le terme Crémant est originaire de Champagne et désignait à l'origine des vins fermentés en bouteille à une pression inférieure de moitié à celle des mousseux. Les vins étaient donc moins effervescents.

Contrôles de qualité

En Bourgogne, ce terme s'applique désormais à des mousseux de haute qualité élaborés sous les mêmes contrôles très stricts que dans les autres régions de France élaborant des Crémants, l'Alsace, la Loire, etc.
Ces contrôles sont semblables à ceux appliqués au Champagne et concernent le cépage utilisé, la seconde fermentation en bouteille et le séjour en bouteille (9 mois en Bourgogne). Les principaux cépages utilisés dans le Crémant de Bourgogne sont : Chardonnay, Pinot Noir, Sacy, Aligoté et Gamay.
Le Crémant de Bourgogne est produit en quantités de plus en plus grandes. On le trouve principalement chez les négociants de la zone de Nuits-Saint-Georges, en Côte d'Or, et chez les négociants et coopératives de la Côte chalonnaise et du Mâconnais.
Les coopératives de Lugny, Viré et Buxy viennent en tête de la production de Crémant de Bourgogne. La coopérative SICAVA de Bailly, près de Saint-Bris-le-Vineux, dans le département de l'Yonne, est un autre producteur important.

Rully

À l'ombre de son château, Rully trône sur ses 19 premiers crus. Ses rouges clairs et plaisants sont plutôt légers, bien que les meilleurs puissent rivaliser avec ceux de Mercurey. Les blancs élégants, avec une pointe d'épice, sont majoritaires et tendent à occuper le devant de la scène. Par conséquent, les vins utilisés pour le Crémant de Bourgogne viennent aujourd'hui de vignobles moins réputés et plus éloignés. Le succès des

grands blancs de Rully a encouragé les producteurs à adopter la fermentation en cuve pour leur ajouter intérêt et complexité.
Seuls quelques-uns des meilleurs vignobles ont le statut de premier cru. Parmi les producteurs les plus importants, citons : Domaine Belleville, Jean-Claude Brelière, Chartron & Trébuchet (N), André Delorme, R. Dureuil-Jenthial, Domaine de la Folie, Domaine de l'Hermitage, Paul & Henri Jacqueson, Domaine de la Renarde (Jean-François Delorme), Château de Rully (Antonin Rodet).

Mercurey

Ce village, où les rouges dominent, avec un soupçon de blanc, possède un vignoble trois fois plus étendu que celui de Rully. Il est doté de grands domaines bien gérés.
Un Mercurey d'un bon producteur peut être un Bourgogne rouge intéressant et d'un bon prix, qui peut vieillir entre 4 et 6 ans. Plusieurs vignobles sont des premiers crus mais d'autres, même non classés, jouissent d'un bon renom. Les meilleurs vignobles comprennent Clos du Roi, Clos Voyen ou Les Voyens,

Clos Marcilly, Les Champs Martin, Clos des Fourneaux, Clos des Montaigus, Clos des Barraults et Clos l'Évêque.
Parmi les producteurs, citons : Domaine de Chamerose, Chartron & Trébuchet (N), Michel Juillot, Antonin Rodet (Château de Chamirey) et Hugues de Suremain. La coopérative de Mercurey, qui compte 180 membres, a une bonne réputation.

Givry

Givry est un centre historique du vin, remontant à l'époque médiévale, avec une prédilection pour les vins rouges qui attestent la renommée de l'appellation. Les vins sont puissants, quelque peu rustiques, mais capables de bien évoluer en bouteille.
Il existe de nombreux premiers crus dont quelques-uns sont plus réputés que les autres : Clos Salomon, Cellier-aux-Moines, Servoisine, Clos Jus…
Parmi les producteurs, citons : Domaine du Gardin-Clos Salomon (propriétaires de tout le vignoble), Jean-François Delorme, Domaine Joblot, Louis Latour (N), Domaine Ragot, Domaine Thénard.

Montagny

L'appellation couvre 4 villages : Montagny-lès-Buxy, Saint-Vallerin, Buxy et Jully-lès-Buxy. Buxy possède une importante coopérative : ses membres, dont les activités s'étendent jusqu'au Mâconnais, élaborent la majorité du vin local. La zone de Montagny produit exclusivement du vin blanc issu de Chardonnay. Tous les vins atteignant 11,5 % vol peuvent être étiquetés comme premiers crus.
Parmi les producteurs, citons : Cave des Vignerons de Buxy (coopérative), Louis Latour (N), Domaine des Moirots, Antonin Rodet (N), Château de la Saule.

MÂCONNAIS

Ce vaste vignoble est le premier de Bourgogne à ressentir le souffle chaud du Sud. La ville de Mâcon a longtemps joué un rôle important de centre de commerce du vin et de port fluvial et s'approvisionnait dans les villages du nord-ouest de cette belle campagne vallonnée. Cette zone produit du vin rouge et blanc sous l'AOC Mâcon. Plusieurs villages sont autorisés à utiliser leur propre nom et certains, comme Pouilly, ont acquis une grande réputation.

Le paysage est idyllique, avec de ravissants villages et tous les signes d'une polyculture réussie, par opposition à la monoculture austère de la Côte d'Or. La région étant plus méridionale, le climat est moins rude et les étés peuvent être assez chauds. Les hivers restent froids, rappelant que la Bourgogne, enfoncée à l'intérieur des terres, est ouverte à l'air froid venant du nord et de l'est.

La campagne est toute en ondulations, quelques collines émergeant de-ci de-là. Les vignes sont surtout plantées sur les coteaux exposés à l'est, plus protégés, entre bois et champs. La géologie du sous-sol est complexe et comporte d'innombrables lignes de failles. Mais on trouve des coteaux calcaires, parfaits pour le Chardonnay, et des zones de roche granitique au sol sablonneux, propices au Gamay. Près de Viré, Clessé et Lugny, le sol est propice aux vins blancs légers. Les collines les plus élevées et les meilleurs coteaux sont regroupés au sud de la région. C'est là que des villages célèbres cultivent le Chardonnay pour élaborer des vins blancs comme le Pouilly-Fuissé et le Saint-Véran. (À ne pas confondre avec le Pouilly Fumé, un vin de Loire. Voir p. 243.)

Les appellations

Les vins rouges et les vins blancs sont couverts par diverses AOC : le rouge peut être une AOC Mâcon rouge ou un Mâcon supérieur s'il possède un degré d'alcool supplémentaire. Le Mâcon blanc suit la même règle. Si le blanc est 100 % Chardonnay, le rouge, lui, est le plus souvent issu de Gamay, même si le Pinot Noir est autorisé. Le suffixe Villages peut être accolé si le vin provient de l'une des 43 communes répertoriées et, pour le vin blanc, le vrai nom du village peut être rattaché, comme dans Mâcon-Azé ou Mâcon-Viré.

Le Pouilly-Fuissé est un vin blanc provenant de plusieurs villages du sud du Mâconnais. Pouilly-Vinzelles et Saint-Véran sont similaires. Les rouges à base de Pinot Noir peuvent porter l'étiquette Bourgogne ou (avec du Gamay) Passetoutgrain (voir p. 182).

Les cépages et les styles de vin

Le Mâcon blanc, comme ses diverses AOC, est issu du cépage originaire d'un village de la région : le Chardonnay. Certains vins, surtout ceux de Pouilly et des environs, sont des Bourgognes typiques valant parfois un bon vin de la Côte de Beaune ou de la Côte chalonnaise. En général, le style du Mâcon blanc est plus aimable et plus léger, d'une part, en raison du climat plus clément et, d'autre part, à cause de l'utilisation de clones de Chardonnay différents.

La vinification de la région est dominée par les coopératives, dont plusieurs sont importantes et bien équipées, qui adaptent leurs différents styles de vin blanc en fonction du marché. Par exemple, certains vins sont élevés dans du chêne neuf pour plus de richesse et de complexité tandis que d'autres sont élaborés dans l'acier inoxydable pour privilégier vivacité et fruit. Ce dernier style est plus représentatif du Mâcon blanc classique : pâle, il est léger, frais, net et ouvre l'appétit.

Le Gamay est de plus en plus courant pour les rouges et le Mâcon rouge vit quelque peu dans l'ombre de son voisin plus célèbre, le Beaujolais. Il se boit jeune et frais.

Pouilly-Fuissé et ses voisins

Tout au sud du Mâconnais, à la limite des départements de la Saône-et-Loire et du Rhône, se trouve une zone renommée pour ses vins blancs. Les collines sont ici des falaises calcaires bien plus abruptes et couvertes de vignes très denses.

Depuis que le Pouilly-Fuissé s'est fait connaître aux États-Unis et sur d'autres marchés étrangers, vers le milieu de ce siècle, l'augmentation de la demande a conduit à une surproduction et à des prix excessifs.

L'appellation couvre 4 villages (voir p. 208), dont les terres sont idéales pour la culture du Chardonnay. Bien qu'il n'existe pas de premier cru, certains noms de vignobles figurent sur l'étiquette. La majeure partie du Pouilly-Fuissé provient de la coopérative locale, et le reste de quelques producteurs réputés (voir page suivante). Le meilleur Pouilly-Fuissé, élaboré à partir de vieilles vignes bien situées, est fermenté au moins partiellement dans du chêne neuf.

C'est un vin riche et ample, un vin de garde à la hauteur de sa renommée. Ce n'est malheureusement pas le cas de toutes les bouteilles.

Les appellations satellites de Pouilly-Loché et Pouilly-Vinzelles couvrent le vin des villages avoisinants. Ce vin ressemble au Pouilly-Fuissé, mais est généralement meilleur marché. L'AOC Saint-Véran est plus grande et couvre les terres de l'extrême sud du Mâconnais. Du fait que celles-ci empiètent sur le Beaujolais, leur vin peut également être appelé Beaujolais blanc. Le principal village de Saint-Véran, curieusement, se nomme Saint-Vérand.

Le rapport qualité/prix des vins du Mâconnais est excellent. Assez réguliers, la clémence du climat étant plus favorable au Chardonnay que dans le Nord, ils sont fiables dans la plupart des millésimes et méritent de passer un an en bouteille.   □

APPELLATIONS ET PRODUCTEURS

Le Mâconnais est dominé par les coopératives, les domaines privés étant plutôt concentrés autour des prestigieux villages de vin blanc des appellations de Pouilly. Les grands négociants de Beaune (voir p. 202-203) n'oublient pas ces vins. Les négociants locaux indiqués ci-dessous sont suivis d'un (N).

Mâcon

La région de Macon fait à la fois du rouge et du blanc, ce dernier étant majoritaire. Le cépage blanc est le Chardonnay. L'AOC Mâcon est rare : la plupart des vins blancs atteignent le niveau de l'AOC Mâcon Supérieur (11 % vol au lieu de 10 % vol), mais l'étiquette la plus courante, Mâcon-Villages, indique que le vin provient de l'un des 43 villages prétendant à une plus grande qualité.

Le Mâconnais fournit trois bouteilles de Bourgogne blanc sur quatre, presque toutes provenant des coopératives, qui élaborent également du Crémant de Bourgogne (voir p. 206). Certains vins de coopérative sont bons, notamment les cuvées spéciales, et l'on remarque un nombre croissant de bons producteurs indépendants.

Parmi les villages ayant droit à l'AOC Mâcon-Villages, ceux qui présentent un certain intérêt sont Chardonnay (patrie du cépage), Fuissé, Igé, Loché, Lugny, Prissé, La Roche-Vineuse (la bien nommée !). Mâcon-Viré et Mâcon-Clessé disparaissent dès 2002 au profit de la nouvelle appellation Viré-Clessé (552 ha), créée en 1998.

Parmi les producteurs, citons : Château de la Bruyère (Mâcon), Domaine de la Feuillarde (Mâcon), Domaine Jean Manciat (Mâcon), Domaine des Poncetys (lycée viticole, Mâcon). Domaine d'Azenay (Mâcon-Villages), Domaine des Bruyères (Mâcon-Villages),

Château London (Mâcon-Villages), Francis Pichet & Fils (Mâcon-Villages), Domaine Gérald et Philibert Talmard (Uchizy), Domaine Jean Thévenet (Clessé), Trenel Fils (N) [Charnay-lès-Mâcon]. Les caves coopératives d'Azé, Clessé, Igé, Lugny et Viré ont toutes une bonne réputation.

Pouilly-Fuissé

L'AOC compte 4 villages : Fuissé, Chaintré, Solutré-Pouilly et Vergisson. Solutré possède d'excellents vignobles situés sur des coteaux exposés est-sud-est, sous l'énorme roche calcaire classée comme site préhistorique. Le village de Fuissé possède une succession de vignobles bien placés, également orientés à l'est.

Une partie du vin est élaborée par la coopérative locale de Chaintré et vendue sous ses marques ou sous celles des grands négociants bourguignons, qui achètent du vin à la coopérative et aux petits vignerons.

La majorité de la production (90 %) est entre les mains des producteurs qui vendent sous leur nom tels : Auvigue (N), Domaine Daniel et Martine Barraud, Domaine Cordier (N), Domaine J. A. Ferret, Château de Fuissé, Domaine Guffens-Hynen, Louis Jadot (N), Domaine Roger Lasserat, Pascal Renaud, Domaine Jacques et Nathalie Saumaize, Domaine La Soufrandise, Domaine Thibert, Domaine des Trois Tilleuls, Verget (N), Château Vitallis.

Pouilly-Vinzelles et Pouilly-Loché

Peu de producteurs utilisent ces AOC de vins blancs couvrant de petites zones à l'est de Pouilly-Fuissé. Les vins sont semblables à ceux de Pouilly-Fuissé, mais souvent bien meilleur marché, car leur nom est moins connu. Parmi les noms que l'on rencontre, citons : Domaine Cordier, Cave des Crus Blancs (Vinzelles), Domaine Mathias (Chaintré), Domaine Saint-Philibert (Loché).

Saint-Véran

Cette AOC comprend des vignobles dans les villages de Saint-Vérand, Chânes, Chasselas, Davayé, Leynes, Prissé, Saint-Amour et Solutré, qui se trouvent autour du cœur de l'appellation de Pouilly-Fuissé. Ici encore issu du cépage Chardonnay, le vin blanc est moins superbe mais plus abordable que le meilleur Pouilly-Fuissé. Les vignes de cette appellation sont bien exposées sur des coteaux calcaires, et, s'il est correctement vinifié, le Saint-Véran peut parfaitement égaler ses voisins en qualité.

Parmi les producteurs, citons : Auvigue (N), Paul Beaudet, Domaine Michel Delorme, Domaine des Deux Roches, Georges Duboeuf (N), Domaine de la Feuillarde, Roger Lasserat, Louis Latour (N), Domaine des Poncetys (lycée viticole), Domaine des Valanges.

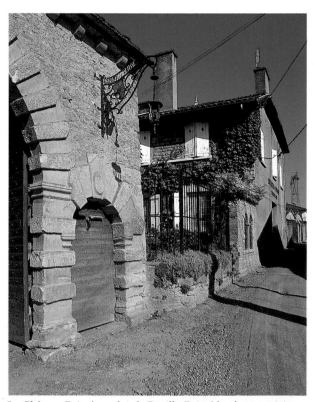

Le Château Fuissé produit le Pouilly-Fuissé le plus prestigieux.

BEAUJOLAIS

Un des vins les plus connus au monde, le Beaujolais traverse actuellement une crise d'identité. S'il est considéré comme un vin rouge facile à boire, sans grande ambition, ses meilleurs producteurs aimeraient qu'on le prenne davantage au sérieux. Une grande partie de sa réputation, ou de sa notoriété, provient du Beaujolais Nouveau, propulsé sur le marché début novembre, quelques semaines seulement après les vendanges. Ce qui était autrefois un plaisir seulement local est devenu un phénomène de mode à Lyon, puis à Paris, et gagne maintenant le Japon.

Les connaisseurs décrient le vin nouveau, mais, certaines années, plus de la moitié des raisins récoltés sont vendus comme Beaujolais Nouveau, et les marchands étrangers en vendent d'énormes quantités à des gens qui n'achètent pratiquement jamais de vin rouge.

Le Beaujolais fait officiellement partie de la Bourgogne, mais, en dehors de sa proximité et des affaires de négoce qu'il partage avec elle, il n'a pas grand-chose à voir avec la Côte d'Or. Le calcaire typique du reste de la Bourgogne cède la place au granite et aux roches ignées d'une chaîne de montagnes séparant la Loire, à l'ouest, de la Saône. Ici est cultivé le Gamay, cépage prétendument inférieur, proscrit de la Côte d'Or par les ducs de Bourgogne au Moyen Âge. Les techniques de vinification sont également particulières.

La région tient son nom de la cité médiévale de Beaujeu, nichée au milieu des collines. Fief de seigneurs locaux, qui dirigeaient la région comme si elle leur appartenait, elle se heurta au gouvernement de Paris et Richelieu fit abattre la forteresse en 1611. Aujourd'hui, Villefranche-sur-Saône et Belleville, toutes deux dans la vallée empruntée par l'autoroute A6 et le TGV, sont les capitales du Beaujolais.

Vignes de Gamay.

Les 3 zones et les appellations

Le Beaujolais couvre une vaste zone du sud de Mâcon jusqu'à la banlieue lyonnaise et limitée à l'est par la vallée de la Saône. Les vignobles partent du pied des coteaux et montent jusqu'aux sommets boisés des collines. Le point culminant de la région est à plus de 1 000 m et les vignes montent jusqu'à une altitude d'environ 500 m. Les collines les protègent contre les vents d'ouest et le climat est chaud et plutôt sec.

Les communes, au nombre de 60, produisent du vin en plus ou moins grande quantité. La moitié nord de la région compte la plus forte densité de vignobles, sur un sous-sol granitique, et élabore les meilleurs vins. Plus au sud, à partir de Villefranche-sur-Saône, c'est le royaume du calcaire.

L'ensemble de la région a droit à l'AOC Beaujolais, ou Beaujolais Supérieur si le degré d'alcool est plus élevé. L'AOC Beaujolais-Villages est réservée aux 39 communes de la moitié nord. Dans cette zone limitée, la plus septentrionale de la région, 10 villages sont autorisés à donner leur nom à leur vin : ce sont les crus du Beaujolais.

Dans le Beaujolais, les termes de cru et grand cru (utilisés indifféremment) s'appliquent à tous les vignobles de ces villages spécifiques, et non à un vignoble particulier, comme dans le reste de la Bourgogne. La différence de qualité entre un Beaujolais ordinaire et un cru est considérable. Les crus, notamment, ont une capacité à vieillir en bouteille que n'ont pas les Beaujolais et les Beaujolais-Villages. Chacun d'eux a sa propre personnalité, décrite aux pages suivantes.

Cette région mérite d'être visitée : les routes en lacet donnent une vue magnifique sur les vignobles et nombreux sont les endroits où l'on peut déguster et acheter du vin. Les bons restaurants abondent, malgré une gastronomie plus rustique que raffinée.

La vinification, l'élevage et les styles de vin

La méthode normale pour faire le vin rouge consiste à fouler en partie les grappes, à la fois pour égrapper les baies et pour permettre au jus de s'écouler et aux levures de lancer la fermentation. Dans le Beaujolais, on utilise une variante locale de la macération carbonique, baptisée macération beaujolaise traditionnelle ou, plus simplement, méthode du Beaujolais. Pour ce faire, les grappes doivent être jetées entières dans la cuve et, par conséquent, on n'utilise pas de machine à vendanger.

Les grappes de raisin mûr sont donc versées dans la cuve, qui est ensuite scellée. La fermentation commence et le gaz carbonique qui se dégage se condense au-dessus des raisins en fermentation, ralentit le processus et agit comme un antiseptique. Les grappes du dessus écrasent celles du dessous, ce qui permet à la fermentation de commencer dans le jus accumulé au fond de la cuve. Certains producteurs pompent ce jus et en arrosent la couche supérieure pour accélérer le processus.

La chaleur dégagée par la fermentation active celle qui se produit à l'intérieur des baies, qui éclatent et alimentent le processus. Une fois cette étape terminée, les raisins sont pressés, et une seconde fermentation se produit. Les levures jouent un rôle important : on ensemence la cuve de levures sèches qui ont des vertus aromatiques pour ce qui deviendra le Beaujolais Nouveau.

Le but de cette macération est d'extraire le maximum de couleur et d'arôme : le cépage Gamay s'y prête particulièrement puisque sa principale vertu est son parfum fruité et juteux.

Dans la véritable macération carbonique, du gaz carbonique est injecté dans la cuve pour prolonger le processus de macération.

Les caves modernes, notamment celles des négociants et des coopératives, utilisent des systèmes de contrôle de température pour éviter une fermentation à température élevée et optimiser les parfums de fruits et l'arôme. La technique traditionnelle, encore employée par les plus petits domaines, plus soucieux de qualité, permet une fermentation plus chaude, qui extrait

COTEAUX DU LYONNAIS

Cette zone de 50 communes, au sud du Beaujolais, en a adopté les cépages (Gamay pour les rouges, Chardonnay et Aligoté pour les blancs). Le blanc est produit en infime quantité et le rouge peut être considéré comme le petit cousin du Beaujolais.

Ses 340 ha plantés donnent moins de vin qu'un seul cru de Beaujolais. La zone part de la limite sud du Beaujolais, contourne la ville de Lyon par l'ouest et jouxte la Côte-Rôtie au sud. Elle n'est plus que l'ombre de ce qu'elle était au XVIIIᵉ siècle, époque à laquelle elle comptait 13 500 ha…

Le producteur principal est la coopérative de Saint-Bel, dans la partie nord de la zone, bien que quelques domaines soient aussi très prospères.

davantage de tanin et de couleur des grappes. Certaines années, le vin fermente lentement dans des cuves jusqu'à une date avancée dans l'hiver ; il est ensuite élevé en fûts pendant le printemps et l'été, puis mis en bouteilles en septembre de l'année suivante. On est bien loin de la commercialisation accélérée du Beaujolais Nouveau.

Les deux sortes de Beaujolais sont des vins corrects, que l'on doit apprécier pour ce qu'ils sont. Un verre de Beaujolais Nouveau violet, d'une année mûre et bien fait, ensoleille les tristes journées de novembre. Un Beaujolais courant de 1 an, frais et fruité, met en appétit et accompagne à merveille un plat de cuisine française traditionnelle. Les crus plus sérieux peuvent vieillir de 3 à 7 ans et devenir plus concentrés et plus raffinés. Malgré la différence de cépage, ils ressemblent alors étrangement aux Bourgognes rouges de la Côte d'Or. □

Le village et les deux tours caractéristiques de l'église de Régnié, entourés de vignobles.

VILLAGES ET PRODUCTEURS

La plupart des Beaujolais et des Beaujolais-Villages sont vendus sous le nom du négociant ou de la coopérative (ou, à l'étranger, de l'importateur) sans beaucoup d'explications sur leurs origines. Les étiquettes des bouteilles des 10 crus sont plus explicites et, selon les vins, donnent les noms des propriétés et des négociants (une liste de ces derniers figure p. 212).

Presque tout le Beaujolais est rouge. Le blanc, autorisé, est produit en petites quantités à partir du Chardonnay, dans les vignobles où l'AOC Saint-Véran (voir p. 208) empiète sur le Beaujolais. Le Beaujolais blanc est un autre nom du Saint-Véran.

LES CRUS DU BEAUJOLAIS

Il s'agit de 10 villages s'échelonnant du nord au sud sur une vingtaine de kilomètres, dans la partie nord du Beaujolais. Ils utilisent leur propre nom et leurs vins témoignent de leur caractère particulier. Ces villages et leurs vignobles sont situés sur les monts du Beaujolais, qui dominent la vallée de la Saône.

Les vignes sont cultivées sur des sols granitiques, sans calcaire, par de petits vignerons qui vendent leur vin au négoce. Quelques grands domaines existent toutefois. Les villages sont répertoriés par ordre alphabétique, du nord au sud.

Saint-Amour

À quelques kilomètres au sud-ouest de la ville de Mâcon (et faisant en réalité partie du Mâconnais), Saint-Amour est le plus septentrional des crus du Beaujolais et l'un des plus petits. La plupart des vignes sont plantées sur les coteaux orientés est-sud-est, à une altitude de 250 m. Saint-Amour produit un Beaujolais léger, délicatement fruité, conçu pour être dégusté jeune, mais qui s'améliore après 2 ou 3 ans en bouteille. Son nom romantique attire les acheteurs. Le vignoble ne comptant que 317 ha, la quantité produite est insuffisante et, comparés à ceux des autres crus, les prix sont élevés par rapport à la qualité.

Quelques producteurs vendent leur vin blanc de Chardonnay sous le nom de Saint-Véran.

Les producteurs sont regroupés autour du village de Saint-Amour-Bellevue. En font partie Denis et Hélène Barbelet, Domaine Le Cotoyon, Georges Duboeuf (N), Domaine des Ducs, Domaine du Haut-Poncie, François Launay, Domaine du Moulin Berger, Michel Tête.

Juliénas

Le Juliénas, qui tiendrait son nom de Jules César, comprend quelques-uns des sites viticoles les plus anciens du Beaujolais. Les coteaux élevés et escarpés, granitiques, présentent un excellent potentiel de mûrissement du raisin.

Les vins de cette appellation sont plus solides et moins fins que ceux de Saint-Amour ; ils s'ouvrent entre 2 et 4 ans après les vendanges. L'appellation possède une superficie plantée de 600 ha, soit deux fois plus que Saint-Amour, grâce à l'annexion des deux hameaux voisins : Jullié et Emeringues.

Parmi les producteurs, citons : Cave du Bois de la Salle (coopérative), David Boulet, Domaine du Clos du Fief, Domaine du Granit Doré (Georges Rollet), Franck Juillard, Château de Juliénas, Domaine Matray, Domaine des Monilles (Laurent Perrachon), Domaine Bernard Santé, Domaine Michel Tête.

Chénas

Ce cru tire son nom des forêts de chênes du Moyen Âge auxquelles se sont peu à peu substituées les vignes. La plus petite (285 ha) et la moins connue des appellations du Beaujolais, Chénas se trouve à la limite de Moulin-à-Vent. Leurs vins se ressemblent d'ailleurs beaucoup.

L'appellation comprend une partie de la commune de La Chapelle-de-Guinchay. Les meilleurs vins de Chénas partagent le caractère de Moulin-à-Vent et peuvent se révéler assez riches et concentrés, sans posséder la capacité de vieillissement d'un Juliénas, par exemple.

Parmi les producteurs, citons : Cave du Château de Chénas (coopérative), Domaine de Chênepierre (Gérard Lapierre), Domaine des Ducs, Hubert Lapierre, Daniel Passot, Domaine des Pierres (Georges Trichard), Raymond Trichard.

Moulin-à-Vent

Tirant son nom d'un moulin à vent se trouvant au sommet d'une colline, l'appellation est diversement considérée comme la plus belle, la plus sérieuse et la « reine » du Beaujolais ou, tout au contraire, comme la plus atypique de la région. En tout état de cause, il s'agit certainement du cru de Beaujolais le plus onéreux et le plus apte à vieillir. Le sous-sol granitique recouvert d'une couche de sable riche en manganèse confère un caractère particulier au vin. Les meilleurs vins, de couleur rubis foncé, peuvent conserver une puissance et une structure impressionnantes après 10 ans. Certains producteurs les élèvent sous le chêne pour tirer le meilleur parti de leur structure et de leur potentiel de vieillissement.

Avec 660 ha de vignes, Moulin-à-Vent est l'un des crus les plus productifs.

Parmi les producteurs, citons : Domaine Desperiers Père & Fils, Domaine Les Graves, Château des Jacques, Château Moulin à Vent, Domaine de la Rochelle, Domaine des Terres Dorées, Domaine Benoît Trichard, Le Vieux Domaine.

Fleurie

Village au nom aussi ravissant que le site où il se trouve, perché sur une colline au cœur du Beaujolais, Fleurie produit des vins séduisants qui, en partie grâce à leur nom facilement identifiable, sont extrêmement populaires et presque aussi coûteux que ceux de Moulin-à-Vent. La plupart des vignes (860 ha) sont plantées à une altitude d'environ 300 m, sur des sables granitiques relativement pauvres ou des graviers argileux. Les bons millésimes sont riches en fruit, faciles à boire dans leur jeunesse, mais encore meilleurs après 2 années.

Parmi les producteurs notables, citons : Cave Coopérative de Fleurie, Château des Labourons (Comte B. de Lescure), Domaine de la Madone (Jean-Marie Després), Domaine André Metrat, Domaine du Point du Jour.

Chiroubles

Situé en altitude (entre 300 et 1 000 m) dans les collines à l'ouest de Fleurie, Chiroubles

(370 ha) domine l'ensemble du Beaujolais et, de façon assez appropriée, offre le vin le plus léger et, aux dires de certains, le plus équilibré de la région. De couleur claire, ce cru du Beaujolais le plus parfumé doit être bu dans les 2 ans. À la mode aujourd'hui, les vins de Chiroubles ne sont pas bon marché.

Parmi les producteurs, citons : Domaine Émile Cheysson, Henry Fessy (N), Domaine des Gatilles, Domaine de la Grosse Pierre (Alain Passot), La Maison des Vignerons à Chiroubles (coopérative), Domaine Morin, Christophe Savoye, René Savoye.

Morgon

Morgon (1 100 ha) produit certains Beaujolais mémorables ; il est souvent placé en second, après Moulin-à-Vent, dans la hiérarchie des crus. Les meilleurs vignobles poussent dans un sol composé d'ardoise appelé terre pourrie du Mont du Py : les vins provenant de ces vignes sont particulièrement amples et concentrés. Ils ont une couleur profonde, beaucoup de corps et développent des arômes de fruits exotiques avec l'âge. Ce sont des vins de garde au bouquet original, qui a donné naissance au verbe « morgonner », pour décrire ces mêmes arômes dans d'autres vins. L'appellation couvre cependant quelques vins qui se montrent quelquefois grossiers et lourds, défaut que l'on retrouve dans tous les vins inférieurs de chaque cru.

Parmi les producteurs, citons : Domaine Aucœur, Jean-Marc Burgaud, Domaine Louis-Claude Desvignes, Domaine de Fontriante, Marcel Lapierre, Dominique Piron, Domaine des Sornay, Domaine des Souchons, Domaine de Thizy.

Régnié

Régnié (700 ha) est devenu le dixième cru du Beaujolais en 1988, alors qu'il détient avec Juliénas le record des plus anciens vignobles, puisqu'ils datent de l'époque romaine. Les vins de Régnié sont représentatifs de leur emplacement entre Morgon et Brouilly. Au nord, ils sont robustes avec de forts arômes de fruits, tandis que, au sud, les sols plus sablonneux leur confèrent une couleur plus claire et un caractère plus délicat et aromatique (plus près du Brouilly).

Parmi les producteurs, citons : Château du Basty, Domaine des Braves, Louis-Noël Chopin, Hospice de Beaujeu, Domaine Dominique Jambon, Domaine de Ponchon, Domaine des Vallières.

Côte-de-Brouilly

Le Mont de Brouilly est une colline de bonne taille se dressant au-dessus des vignobles, à l'ouest de Belleville, dans la commune de Brouilly. Les vignobles encerclant la colline possèdent leur propre appellation, Côte-de-Brouilly (325 ha), tandis que le reste de la commune est du Brouilly. Les vins sont généralement considérés comme supérieurs à ceux de Brouilly, car ils proviennent de coteaux privilégiés. Ils sont plus riches et ont plus de caractère, les raisins mûrissant bien sur le Mont de Brouilly, et ont une teneur en sucre plus élevée (leur taux d'alcool minimal est donc plus élevé que dans les autres crus). On prétend également que la « terre bleue », à base de granite, de ce volcan éteint apporte un degré de finesse qui manque au Brouilly. Un Côte-de-Brouilly est à son apogée entre 1 et 3 ans.

Parmi les producteurs, citons : Dominique Lacondemine, Domaine Large, Château Thivin et Château du Grand Vernay (Claude Geoffray pour les deux).

Brouilly

Cru le plus étendu, le plus productif et le plus méridional de la région du Beaujolais, Brouilly élabore toute une série de vins ordinaires à peine mieux considérés que les Beaujolais-Villages, mais également de très bons vins, au goût de raisin, avec beaucoup plus de substance et une durée de vie supérieure (de 2 à 4 ans). On le trouve beaucoup plus facilement dans le commerce que les autres crus du Beaujolais. L'AOC couvre plusieurs communes (1 300 ha).

Parmi les producteurs, citons : Domaine de Bel-Air, Château de la Chaize, Domaine Dubost, J. Gonard & Fils (N), Bernard Jomain, Jean Lathuilière, Château Thivin.

BEAUJOLAIS-VILLAGES

L'appellation Beaujolais-Villages couvre toute la partie nord de la région, le haut Beaujolais, et comprend 39 communes, ainsi que les crus du Beaujolais. En théorie, les villages sont autorisés à utiliser leur propre nom, mais, dans les faits, ils ne le font pratiquement jamais. On retrouve donc sous l'appellation Beaujolais-Villages des vins de qualité et de styles très différents.

L'ensemble de la zone se compose de sols granitiques à l'origine : légers, chauds et sablonneux, sans calcaire. Les vins ne bénéficient généralement pas des qualités de garde des crus et doivent être consommés entre 1 et 2 ans.

On compte plusieurs centaines de petits domaines et de producteurs qui mettent en bouteilles leur propre vin, mais aussi des coopératives et des négociants. Les producteurs sont difficiles à répertorier, car, en général, ils vendent directement le peu de vin qu'ils vinifient.

BEAUJOLAIS

C'est l'appellation qui couvre les vins de la moitié sud du Beaujolais. La majorité est commercialisée par les négociants ou les coopératives, mais on dénombre quelques propriétaires privés. La plupart vendent directement à leurs clients, mais quelques-uns se livrent à l'exportation. À son apogée, c'est-à-dire à 1 an, ce vin doux au parfum de fruit est très agréable.

NÉGOCIANTS DU BEAUJOLAIS

Le Beaujolais a ses propres marchands de vin, dont beaucoup sont installés autour de Villefranche-sur-Saône. Ils vendent des assemblages, mais un nombre croissant d'entre eux représentent et vendent des vins d'un seul domaine portant le nom du négociant. Parmi les principaux négociants, citons :

Georges Dubœuf
Romanèche-Thorins. Grand nom, connu dans le monde entier, il fournit du vin sous son propre nom et, parallèlement, mène une activité de négociant mettant en bouteilles les vins de domaines indépendants.

Trenel & Fils
Charnay-lès-Mâcon. Cette entreprise familiale a une bonne réputation pour les crus.

Pierre Féraud
Belleville. Petite entreprise, elle est réputée pour ses vins de qualité.

Parmi les autres négociants, citons encore : Gabriel Aligne (Beaujeu), Henry Fessy (Saint-Jean d'Ardières), Sylvain Fessy (Belleville), Chanut Frères (Romanèche-Thorins).

CHAMPAGNE

ON OUBLIE PARFOIS QUE CE BREUVAGE DES GRANDES OCCASIONS
EST AUSSI UN EXCELLENT VIN. SOUVENT IMITÉ, JAMAIS SURPASSÉ,
C'EST LE NEC PLUS ULTRA DES VINS PÉTILLANTS.

Les caves de la maison Krug, l'une des marques de
Champagne les plus réputées. Le dégorgement qui suit
la seconde fermentation en bouteille est toujours effectué
sur des pupitres de bois.

Les austères paysages de la Champagne, balayés par le vent, ne semblaient guère destinés à donner naissance à une telle merveille. Dans ce climat typique du Nord, de sombres forêts bordent les collines, de mornes plaines s'étendent tristement au pied des versants exposés aux bises glacées d'hiver. Pourtant, dès le début du Moyen Âge, ces vallons crayeux acquièrent la réputation d'abriter un grand vignoble, et sous Napoléon Iᵉʳ, le vin pétillant de Champagne avait déjà fait la conquête des nobles et des puissants, de Paris à Saint-Pétersbourg. « Mérité dans la victoire, nécessaire dans la défaite » : si l'on ignore l'identité de son auteur, cet adage exprime pourtant bien l'attitude du monde entier envers le Champagne, le vin dont se délectent les vainqueurs et avec lequel se consolent les perdants depuis deux siècles.

Le vin de Champagne était déjà célèbre bien avant de devenir pétillant. Entre 816 et 1825, trente-sept rois de France furent couronnés dans la cathédrale de Reims, après que saint Remi y eût baptisé Clovis, en 496. Le célèbre évêque possédait du reste ses propres vignobles dans la région. Dès le IXᵉ siècle, on commença à parler des vins d'Épernay, et les nombreux cloîtres de la région encouragèrent la culture de la vigne ainsi que l'exportation du vin. Les grandes foires médiévales, qui avaient lieu dans cette région, à la croisée des grandes routes d'Europe, étendirent encore la renommée de ses vins. Au XVIᵉ siècle, le pape Léon X possédait des vignobles en Champagne, tout comme les rois de France, d'Angleterre et d'Espagne. Le vin de Champagne est à l'époque un vin rouge faible en couleur, intense en arôme, tranquille et non pétillant. Les bulles sont le résultat d'un accident naturel, soigneusement entretenu. Dans cette région du Nord au climat froid, le vin nouveau a, en effet, tendance à doucement refermenter au printemps, avec l'élévation de la température ambiante. Or toute fermentation produit, entre autres, du gaz carbonique dont les bulles remontent jusqu'à l'air libre. C'est ce gaz carbonique qui, emprisonné en bouteilles épaisses et fermées d'un bouchon solidement maintenu en place, produit l'effervescence. La maîtrise de cette seconde fermentation et les nombreux progrès réalisés dans l'élaboration et le conditionnement ont permis au Champagne d'accéder au rang de premier vin au monde, symbole de fête dans tous les pays.

La naissance du Champagne

Il est bien peu probable qu'un vin comme le Champagne ait pu avoir un véritable inventeur. Mais cela n'a pas empêché les écrivains d'en attribuer la paternité à dom Pierre Pérignon, moine bénédictin de l'abbaye d'Hautvillers, près d'Épernay, à la fin du XVIIᵉ siècle. D'après les récits de l'époque, c'était un très grand vinificateur. Il améliora systématiquement le rouge déjà célèbre de la région, cherchant à produire à partir des meilleurs Pinots Noirs un vin très pâle, presque blanc. Si une vendange soignée, un pressurage rapide et savant suivi d'un délicat assemblage des différents crus du vignoble sont aujourd'hui les règles de base observées par les producteurs de la région, il faut savoir que ce sont des principes que dom Pérignon appliquait déjà il y a trois siècles. Celui-ci réussit ainsi à produire un vin blanc effervescent mais, à cette époque, toute apparition de gaz en bouteille était le signe d'une mauvaise vinification, et il fallut attendre encore deux siècles pour que pétillant et Champagne deviennent synonymes.

À la suite de son couronnement à Reims, Louis XIV envoya du vin de Champagne à Charles II, roi d'Angleterre, ce qui ne manqua pas de mettre ce vin à la mode chez les Anglais. Selon les archives de l'époque, les acheteurs commandaient bouteilles et bouchons en même temps que leurs fûts. Le vin (rouge) était ensuite mis en bouteille dans les caves de l'aristocratie anglaise. Un auteur anglais évoque le Champagne « pétillant » dès 1664, et la première mention de bulles apparaît en France en 1712, quand la cour du duc d'Orléans lance la mode de ce nouveau breuvage. Néanmoins, à la fin du XVIIIᵉ siècle, 10 % seulement des vins de Champagne étaient pétillants, la majeure partie de la production étant élaborée en vin blanc nature (notamment de Sillery) et en rouge.

Si les Champenois avaient appris à faire pétiller leur vin, ils maîtrisaient encore mal le processus. Selon les années, tantôt les bulles refusaient de se former, tantôt la seconde fermentation était si brutale que de nombreuses bouteilles explosaient. Les ouvriers des caves furent obligés de porter des masques pour se protéger des éclats de verre, jusqu'à ce que des progrès considérables eussent amélioré tant la fabrication des bouteilles que la vinification.

L'essor des négociants

Il fallait donc apprivoiser cette seconde fermentation capricieuse, responsable d'autant de faillites que de fortunes soudaines. En Champagne, ce furent les négociants qui s'y employèrent, remplaçant peu à peu les moines et les aristocrates à l'époque des guerres napoléoniennes. Leurs maisons possédaient suffisamment d'assise et de capital pour fabriquer, faire vieillir et distribuer (exporter surtout) le vin pétillant de Champagne.

En 1840, le marché du Champagne est déjà florissant. Les négociants ont appris à tirer avantage de toutes les améliorations techniques. Ils favorisent les assemblages, afin d'obtenir des cuvées plus homogènes. Le dégorgement (voir p. 114) est introduit en 1813. Les machines à boucher et les muselets font leur apparition au cours des années 1820 et 1830. Mais la découverte la plus importante est celle de la quantité de sucre nécessaire pour provoquer une seconde fermentation fiable. Lorsqu'en 1837 on parvient à des calculs plus précis, le taux de bouteilles qui explosent tombe à environ 5 % (il est aujourd'hui de 1 %). À la fin du XIXᵉ siècle, le Champagne est devenu un géant industriel et commercial, qui n'a plus rien de commun avec les productions vinicoles, à caractère bucolique et artisanal, des autres régions. Il en est encore ainsi de nos jours.

La fabrication du Champagne

La vinification est décrite et illustrée p. 114. Le secret d'un grand Champagne réside dans la rigueur avec laquelle on taille la vigne et sélectionne le raisin. Vient ensuite la seconde sélection, réalisée par l'assemblage (voir p. 216).

Les cépages

Trois cépages seulement sont autorisés pour l'élaboration du Champagne : le Pinot Noir, le Pinot Meunier et le Chardonnay. Le Pinot Noir donne du corps et de la longévité à l'assemblage, bien que son vin puisse paraître un peu austère quand il est jeune. Le Pinot Meunier, une variété de Pinot très fruité, fournit de beaux arômes en assemblage. Le Chardonnay, quant à lui, apporte l'élégance et la race.

La région

La Champagne s'étend à quelque 145 km au nord-est de Paris. Elle occupe le bassin d'une mer intérieure disparue à l'ère tertiaire, qui, pendant des centaines de millénaires, déposa des couches superposées de sédiments crayeux formant l'essentiel du sous-sol champenois. Des soulèvements géologiques ont créé les plateaux de la Montagne de Reims et de la Côte des Blancs, aux vignobles renommés, et qui possèdent la plus grande concentration de villages d'appellation Grand cru et Premier cru (voir p. 217). La Champagne couvre environ 35 000 hectares, dont les trois premières régions, décrites ci-dessous, forment le véritable cœur. À une centaine de kilomètres, au sud-est du département de l'Aube, se trouve une autre région importante, à laquelle il faut ajouter quatre régions périphériques (voir plan).

■ **La Montagne de Reims.** Ce plateau forestier, situé au sud de Reims, entre la Marne et la Vesle, est bordé de larges versants en pente douce, sur lesquels le vignoble s'étend d'abord vers l'est avant de rejoindre la vallée de la Marne, au sud. Partiellement exposée plein nord, c'est la partie la plus froide de la Champagne. On y cultive les trois cépages, mais son climat tempéré frais et sa longue saison de végétation en font le fief privilégié du Pinot Noir.

Cette région possède neuf villages d'appellation Grand cru et un grand nombre de Premiers crus. Outre son Grand cru, le village de Bouzy, exposé au sud, est également connu pour son vin rouge tranquille.

LES RÉGIONS VITICOLES DE LA CHAMPAGNE

La Montagne de Reims, la Vallée de la Marne et la Côte des Blancs forment les trois régions principales, et les régions périphériques englobent le grand vignoble de l'Aube (voir agrandissement).

FRANCE

Reims

0 5 10 km

Zones viticoles

- Vallée de la Vesle
- Vallée de l'Ardre
- Montagne de Reims
- Vallée de la Marne
- Côte des Blancs
- Côte de Sézanne
- Troyes
- Côte de l'Aube
- AOC Rosé des Riceys
- - - Limite de département
- Autoroute
- Route principale
- Autre route

L'AUBE

■ **La Vallée de la Marne.** Son vignoble, situé sur les deux rives de la Marne, s'étend de l'ouest de Château-Thierry à l'est d'Épernay. Son altitude est plus basse que celle des deux autres régions centrales, son sol moins crayeux, avec une prédominance d'argile. Cette zone est surtout connue pour son Pinot Noir et son Pinot Meunier.

Elle possède deux villages à l'appellation « grand cru » : Ay et Tours-sur-Marne (ce dernier uniquement pour ses raisins noirs). Situés tous deux sur la rive nord, ils sont exposés au sud.

■ **La Côte des Blancs.** Elle s'étend sur une vingtaine de kilomètres au sud d'Épernay. Ses versants, exposés nord-sud, culminent à 250 m. Les vignobles sont situés sur les flancs est et ouest de la colline, les meilleurs crus se trouvant à l'est. Son sol crayeux, allié à son climat plus doux, en font le fief privilégié du Chardonnay.

■ **Le vignoble de l'Aube.** Région la plus méridionale de Champagne, qui s'étend sur plus de 100 km au sud d'Épernay, elle est la plus proche du Chablis. Son climat étant plus continental, avec des hivers plus froids et des étés plus chauds, le raisin y mûrit davantage. Son sol d'argile et de marne kimméridgienne, semblable à celui de Chablis, est plus riche. Ses vignes produisent 80 % de Pinot Noir, et une partie de la production de l'Aube est achetée par des maisons de négoce de Reims ou d'Épernay.

■ **La Côte de Sézanne.** C'est la région la plus nouvelle et la moins connue de la Champagne, car les vignes n'y ont été plantées que dans les années 1960. Grâce à sa situation assez méridionale, le raisin, presque exclusivement du Chardonnay, mûrit très bien, donnant des vins amples et riches.

Style et producteurs

Contrairement à la plupart des grands vins français, le Champagne porte un nom de marque plutôt que celui du terroir. Autre caractéristique : il existe très peu de cuvées provenant d'un seul vignoble ou d'un seul village, car le principe du vin de Champagne consiste à assembler plusieurs crus et plusieurs années. Les grandes maisons de Champagne réalisent la plus grande partie de leurs ventes avec leur cuvée « Brut sans année » selon le style de la maison (voir plus loin l'assemblage). On ne produit de vins millésimés que les meilleures années – tous les 4 ans en moyenne –, et la cuvée ne se compose alors que de vins d'une même récolte. La plupart des maisons élaborent aussi des cuvées de prestige avec ou sans millésime.

LE VOCABULAIRE DU CHAMPAGNE

STYLE DE VIN

Blanc de Blancs : cuvée élaborée uniquement avec du Chardonnay. Vins d'une grande finesse et d'une rare délicatesse.

Brut nature : non dosé.

Brut : très sec.

Demi-sec : plutôt doux.

Doux : très doux.

Grand cru : vin de l'une ou de plusieurs des 17 communes classées « grand cru ».

Grande marque : maison appartenant à l'Institut des grandes marques de Champagne, fondé en 1882.
La plupart des 26 membres représentent aujourd'hui les plus grandes maisons.

Brut sans année : brut non millésimé.

Rosé : Champagne auquel on a généralement ajouté de 10 à 15 % de vin de Champagne tranquille, rouge.
Les perfectionnistes laissent le raisin noir teinter le jus dans la cuve.

Sec : en Champagne, signifie demi-sec.

MENTIONS SUR L'ÉTIQUETTE

Des codes en petits caractères indiquent l'origine du vin.

CM : coopérative de manipulation.
Le vin provient d'une coopérative.

MA : marque d'acheteur (ou auxiliaire).

ND : négociant-distributeur.

NM : négociant-manipulant, appartenant à l'Institut des grandes marques de Champagne ou à l'Institut des négociants en vins de Champagne.

R : récoltant, qui vend ses raisins à une coopérative qui lui rétrocède quelques bouteilles.

RC : récoltant coopérateur manipulant.

RM : récoltant-manipulant ; Champagne vinifié et commercialisé par un vigneron, avec ou sans l'aide d'une coopérative.

SR : société des récoltants, réunion de vignerons.

La différence de style entre un Champagne de grande maison et celui d'un petit vigneron ou d'une coopérative est considérable. Les facteurs géographiques (voir p. 217) expliquent que le meilleur raisin, provenant des versants les mieux exposés dans les meilleurs villages, est aussi le plus rare. Les grandes marques de Champagne sont donc prêtes à payer plus cher le raisin en provenance de ces vignobles privilégiés. Une grande maison utilisera les meilleures matières premières, vieillira son vin au-delà du minimum légal de quinze mois et ajoutera ses meilleurs vins de réserve à l'assemblage pour son Brut sans année. La cuvée sera plus complexe, vieillira mieux et sera plus coûteuse qu'un Champagne modeste.

L'assemblage

Le Champagne est le vin d'assemblage par excellence. Chaque année, le chef de cave doit élaborer une cuvée homogène qui corresponde au style, à la qualité et à l'image de la maison, qu'il s'agisse d'un Brut sans année ou d'une cuvée de prestige. Tout commence à l'époque des vendanges, lorsque la maison sélectionne ses raisins dans les diverses régions, parmi les différents cépages. Il lui arrive, pour équilibrer ses stocks, d'acheter davantage de raisin. Au début de l'année, une fois la fermentation alcoolique terminée, mais avant la seconde fermentation en bouteille, le chef de cave assemble non seulement plusieurs cépages, mais plusieurs cuvées d'un même cépage provenant de vignobles différents par leur classement ou leur provenance. Cette élaboration – qui fait souvent appel à un grand nombre de cuvées différentes (de trois ou quatre à cinquante ou même soixante-dix), dont certaines appartiennent à des années antérieures – a pour but de mettre en valeur les qualités spécifiques du Champagne de chaque maison, et non de produire chaque année le même vin.

Selon la maison, l'accent sera mis davantage sur les raisins blancs ou les noirs, la quantité de vin de réserve (qui peut représenter de 15 % à plus de 30 % de l'assemblage) et les crus des différentes régions et des différents villages. □

LES FACTEURS DE QUALITÉ

Le vignoble champenois ne semble pas prédestiné à la production de grands vins en raison de sa situation septentrionale. Cependant, la composition exceptionnelle du sol et du sous-sol et l'exposition des vignobles permettent d'obtenir des raisins mûrs dotés d'une bonne teneur en acidité.

Classement du vignoble

Les Champenois ont un système original et rigoureux de classement selon ce qu'ils dénomment « l'échelle des crus », exprimée en pourcentage. Sur un total de 200 villages qui produisent du Champagne, 17 ont le privilège d'être classés en cru à 100 % et peuvent prétendre à l'appellation « grand cru » ; 40 villages sont classés de 99 à 90 % et ont le droit de se dénommer « premier cru », tandis que les autres, classés de 89 à 80 %, ont droit à la désignation « second cru ». Afin d'obtenir le meilleur équilibre, une très large majorité de Champagnes sont le résultat d'un assemblage.

Alluvions

Lœss et argile

Grès et argile avec lignite

Craie à bélemnites

Craie à micrasters

Vignobles

LA CÔTE DES BLANCS : COUPE GÉOLOGIQUE

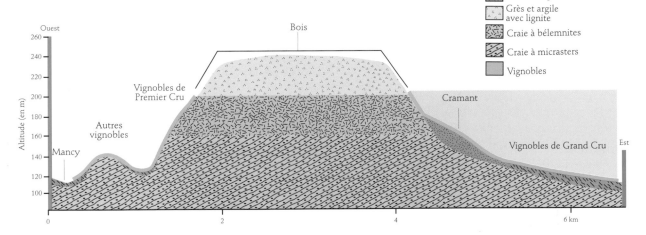

Climat

Bien que la région soit dotée d'un climat frais, on constate certains microclimats plus chauds. La moyenne annuelle des températures se situe tout juste au-dessus de 10 °C, le minimum requis pour un bon mûrissement du raisin. En revanche, ce type de climat offre deux avantages : les raisins mûrissent très lentement, ce qui permet une constance dans les apports d'éléments aromatiques, tandis que leur acidité naturelle reste élevée. Deux phénomènes qui ne se produisent pas dans des régions plus chaudes et qui conviennent particulièrement à l'élaboration de vins effervescents.

Sol crayeux du vignoble de Cramant.

Site

Les meilleurs vignobles sont situés sur les pentes dont l'altitude varie entre 80 m et 210 m, comme ceux de la Montagne de Reims et ceux de la Côte des Blancs.
Les meilleurs crus se concentrent dans une fourchette plus précise (entre 90 et 150 m d'altitude).

Sols

Les meilleurs sites, telles la Montagne de Reims ou la Côte des Blancs, se trouvent sur un lit de dépôts calcaires de deux types : à bélemnites et à micrasters. Cette seconde roche, propre à la Champagne, se trouve sur les coteaux de plus forte inclinaison. La nature particulière des sols et sous-sols calcaires de la Champagne entraîne un bon drainage des eaux en cas de pluie et la constitution d'une large réserve d'eau en cas de sécheresse, ce qui permet aux racines de la vigne de s'alimenter dans les pires conditions météorologiques. La craie joue le rôle d'une éponge.

PRODUCTEURS ET NÉGOCIANTS

La plupart des Champagnes sont élaborés et vendus par des maisons – négociants-manipulants – possédant certains (rarement la totalité) des vignobles qui les approvisionnent ; ce sont ces négociants qui assemblent le vin, le mettent en bouteilles et le font vieillir. Ils utilisent des raisins de toute la région, bien que les maisons les plus prestigieuses sélectionnent essentiellement ceux des trois régions principales. Les maisons les plus importantes et les plus connues sont les « grandes marques », qui regroupent 26 membres. La plupart des viticulteurs vendent leur raisin à l'une de ces maisons, bien que certains commercialisent leur propre Champagne. D'autres font partie d'une coopérative.

Il y a des milliers de marques de Champagne, allant de celles des vignerons qui apposent leur étiquette sur des vins élaborés par une coopérative, jusqu'aux « marques d'acheteurs », portant l'étiquette d'un détaillant ou d'un restaurant. Vous trouverez ci-dessous les négociants-manipulants les plus connus, ainsi que quelques marques plus modestes, de grande qualité.

Henri Abelé
Cette très vieille maison rémoise, fondée en 1757, appartient au groupe espagnol Freixenet. Son style traditionnel, que l'on retrouve aussi bien dans ses millésimés que dans ses Bruts sans année, est assez riche et corsé, voire même un peu trop généreux. La nouvelle cuvée, Les Soirées Parisiennes, est toutefois beaucoup plus légère et plus élégante.

Agrapart
Ce récoltant-manipulant d'Avize, qui exploite 9 ha de Grand Cru, ne produit que des Blancs de Blancs. Les vins de réserve sont logés en barriques.

Michel Arnould
Ce récoltant-manipulant ne vinifie que du Champagne Grand Cru de Verzenay, l'un des plus intéressants de la Montagne de Reims. Le vignoble s'étend sur 12 ha. C'est un Champagne de caractère.

Ayala
Cette Grande Marque, fondée en 1860, se situe à Ay. La Grande Cuvée Millésimée est meilleure que leur Brut sans année dominé par le Pinot Noir.

Barancourt
Cette maison de Tours-sur-Marne, fondée par trois jeunes vignerons et reprise en 1994 par le groupe Vranken, offre une vaste gamme de vins, provenant essentiellement de leurs 102 ha de vignes, dans la Montagne de Reims et la Côte des Blancs. Le meilleur est leur étonnant Bouzy Rouge (en vin tranquille).

Edmond Barnaut
Philippe Sécondé, petit-fils d'Edmond Barnaut, exploite un vignoble de 11,5 ha à Bouzy (Grand Cru). Il propose des Champagnes généreux au dosage juste.

Herbert Beaufort
Les Beaufort sont vignerons à Bouzy (Grand Cru) ; leur vignoble couvre 17 ha. Les Champagnes sont vifs, certains sans fermentation malolactique.

Beaumont des Crayères
Cette coopérative d'Épernay, qui regroupe 210 viticulteurs pour 75 ha de vignes, est fort réputée pour sa Cuvée Nostalgie.

Besserat de Bellefon
Cette maison d'Épernay appartient aujourd'hui au groupe Marne et Champagne (voir plus loin). Son style est plutôt léger. La Cuvée des Moines (anciennement Crémant des Moines) connaît un durable succès, particulièrement dans la restauration.

Billecart-Salmon
Cette Grande Marque familiale modeste élabore des vins de qualité exceptionnelle, qui vont en s'améliorant. Située à Mareuil-sur-Ay, elle possède 5 ha de vignes.

Blin
Cette coopérative dynamique (85 viticulteurs/110 ha) de Vincelles produit des Champagnes agréables, légers et fruités.

Boizel
Cette maison d'Épernay, qui a été fondée en 1834, est dirigée par Mᵐᵉ Roque-Boizel. Bruno Paillard et ses associés sont désormais entrés dans le capital de Boizel. Cette maison exporte une grande partie de ses vins, surtout son Brut sans année, un Champagne équilibré aux agréables notes aromatiques. Son Blanc de Blancs, tout comme sa cuvée de prestige Joyau de France, est un excellent Champagne.

Bollinger
Cette maison prestigieuse, fondée en 1829 et située à Ay, appartient aux descendants du fondateur. Elle possède un superbe vignoble de 143 ha, qui fournit 70 % de ses approvisionnements en raisin. Ses cuvées sont dominées par le Pinot Noir et partiellement fermentées en fût, ce qui leur confère un style quelque peu austère les premières années, pour se bonifier et s'épanouir après quelques années en bouteille. Les vins de réserve sont mis en magnums pour une meilleure conservation. Les stocks représentent plus de cinq années de vente. Le RD (Récemment Dégorgé), un vin longtemps resté sur lattes avant d'être dégorgé, est l'un des meilleurs vins de Champagne, de même que les Vieilles Vignes Françaises, un grand vin produit en très petites quantités à partir de vignes datant d'avant le phylloxéra. La Cuvée Spéciale non millésimée est de bonne facture, et chaque bouteille porte une contre-étiquette garantissant que le vin a été vieilli pendant trois ans.

Bonnaire
Ce très important récoltant-manipulant de Cramant (14 ha à Cramant, 8,5 ha dans la Vallée de la Marne) est un spécialiste des Blancs de Blancs. La meilleure cuvée est le Spécial Club, toujours millésimé.

Château de Boursault
Construit et habité par la veuve Clicquot qui y mourut, le château est depuis 1927 la propriété des Fringhian. Le Pinot Meunier entre dans la composition de ces Champagnes légers et fruités.

Albert Le Brun
C'était l'une des deux marques de Châlons-en-Champagne, son nouveau propriétaire l'a transférée. La cuvée Vieille France est logée dans une bouteille trapue, copie d'un flacon du XVIIIᵉ siècle. Elle naît d'un assemblage qui privilégie le Pinot Noir.

Le Brun de Neuville
Cette coopérative de la Côte de Sézanne regroupe 145 membres et 140 ha de vignes. Ses vins à base de Chardonnay possèdent un attrait fruité immédiat.

Canard-Duchêne
Ce Champagne fut relancé dans un nouveau conditionnement en 1992, avec une qualité grandement améliorée. Le Brut sans

Les vignes dominant le village de Mareuil-sur-Ay dans la Vallée de la Marne.

année possède un style équilibré et élégamment fruité. LVMH, qui détenait cette marque, l'a cédée en 2003 à Alain Thienot.

De Castellane
Bien que peu connue à l'étranger, cette marque est réputée en France. Elle produit une cuvée 100 % Chardonnay très ample et puissante, mais les cuvées Commodore et Florens de Castellane sont admirables, moyennement corsées et élégantes, avec des nuances biscuitées. La maison, située à Épernay, appartient au groupe Laurent-Perrier (voir plus loin).

Cattier
Le Champagne Cattier est surtout connu par son Clos du Moulin (2,2 ha), l'un des rares clos champenois. C'est un Champagne non millésimé fin et complexe qui est né de l'assemblage de trois années.

Charles de Cazanove
Cette grande maison familiale d'Épernay a beaucoup de succès en France. Son meilleur vin est la cuvée de prestige Stradivarius, un assemblage de 60 % de Chardonnay et de 40 % de Pinot Noir.

Charbaut
Cette maison d'Épernay a été reprise par le très dynamique Paul Vranken (voir p. 222), la famille Charbaut ayant conservé ses 56 ha de vignes. La cuvée de prestige de la marque est étiquetée Certificat. C'est un Blanc de Blancs de très belle qualité livré en bouteille spéciale incolore.

Guy Charlemagne
Ce récoltant-manipulant de Mesnil-sur-Oger est un spécialiste du Blanc de Blancs. Ses deux Champagnes millésimés sont remarquables.

Cheurlin & Fils
Cet important négociant-manipulant de l'Aube, propriétaire d'un vignoble de 25 ha, produit des Champagnes souples et fruités.

Raoul Collet
Fondée en 1921, la plus ancienne coopérative champenoise produit plus d'un demi-million de bouteilles d'un Champagne solide et masculin.

Comte Audouin de Dampierre
Audouin de Dampierre choisit d'excellents vins pour les vendre sous son étiquette. Son Blanc de Blancs Prestige est coiffé d'un bouchon maintenu par un muselet de ficelle, comme au XVIIIe siècle. Excellent et coûteux.

Delamotte
Cette maison très ancienne, fondée en 1760, produit des vins dominés par le Chardonnay. Elle est contiguë du Champagne Salon et fut dirigée par Charles de Nonancourt. Aujourd'hui elle est contrôlée par Laurent-Perrier (Bernard de Nonancourt), comme le Champagne Salon.

Deutz
Cette grande maison d'Ay, fondée en 1838 et reprise par Louis Roederer en 1993, possède un style fruité assez hardi, notamment en ce qui concerne son Brut sans année. La cuvée de prestige William Deutz est moyennement corsée avec des arômes fins et intenses, et le Blanc de Blancs est l'une des cuvées les plus élégantes de Champagne.

Devaux
C'est la marque commercialisée par l'Union auboise, un groupement de coopératives de l'Aube. Grâce à ses 750 viticulteurs et à ses 1400 ha de vignes (80 % de

Pinot Noir), elle produit des Champagnes fins, fruités et équilibrés.

Drappier

Cette maison familiale très estimée produit une remarquable gamme de vins dans la région de l'Aube, où elle possède 34 ha de vignes. Les vins sont riches et biscuités, surtout la Grande Sendrée, issue d'un seul vignoble de vieilles vignes. Le Brut non millésimé est très intéressant.

Jacky Dumangin

Ce producteur de Chigny-les-Roses exploite un vignoble de 5 ha et vinifie des Champagnes francs et délicatement fruités.

Duval-Leroy

Cette importante maison de la Côte des Blancs possède 140 ha de vignes, mais achète néanmoins la majeure partie de son raisin. Elle commercialise ses vins sous différentes étiquettes en « marques d'acheteurs ». Sous son propre nom, on trouve un rosé élégamment parfumé et un excellent Brut sans année. La Cuvée des Roys millésimée est équilibrée, avec d'agréables arômes fruités.

Charles Ellner

Cette marque fondée au début du siècle dernier n'a pris le statut de négociant-manipulant qu'en 1972. Elle dispose d'un important vignoble de 54 ha et conserve ses vins de réserve sous bois. Le Chardonnay est fortement privilégié pour les hauts de gamme, des Champagnes qui recherchent l'élégance.

Esterlin

C'est une marque lancée en 1985 par la coopérative de Mancy. Son importante production de Champagnes dominés par les Chardonnays du Sézannais donne des vins faciles et réguliers.

Nicolas Feuillate

Cette marque appartient à un groupement de 85 coopératives, qui représente 4 000 viticulteurs et 1 600 ha de vignes. Ses meilleures cuvées sont la cuvée de prestige Palmes d'Or et un Blanc de Blancs millésimé.

Henri Germain & Fils

Le président Germain conduisait le club de football de Reims à la belle époque de Kopa. En même temps il dirigeait le Champagne Germain. Cette marque a été reprise par le groupe Frey qui l'a cédée à Paul Vranken (voir p. 222).

Pierre Gimonnet

Les Gimonnet exploitent un vignoble de 26 ha dans la Côte des Blancs. Ils vinifient des Champagnes très intéressants, faiblement dosés, voire non dosés ; ce sont des vins fins, tous des Blancs de Blancs évidemment. Ils produisent également le Champagne Larmandier Père & Fils (Mme Gimonnet est née Larmandier).

Michel Gonet

Le plus important récoltant-manipulant de la Côte des Blancs dispose de 40 ha de vignes, surtout des Grands Crus, et produit des vins d'un bon rapport qualité/prix. Michel Gonet vinifie et vend également le Champagne Marquis de Sade.

Gosset

Bien qu'elle soit la plus ancienne de Champagne, cette maison d'Aÿ, de taille moyenne, dont l'histoire remonte à 1584, n'a rejoint les Grandes Marques qu'en 1992. Elle possède l'excellente réputation de produire des vins qui vieillissent bien en bouteille et qui ne sont commercialisés qu'après plusieurs années de vieillissement. La Grande Réserve, comme le Grand Millésime, sont de remarquables exemples d'un style riche, épanoui et fleuri.

Alfred Gratien

Marque familiale de négoce qui a récemment changé de mains, mais l'élaboration demeure très traditionnelle, la première fermentation se faisant toujours dans des petits fûts usagés. La Cuvée Spéciale sans année est un vin dominé par le Pinot Meunier, ce qui lui donne beaucoup de corps et un attrait immédiat, même jeune. Les cuvées millésimées vieillissent remarquablement bien, prenant, avec le temps, une riche saveur de noix.

Charles Heidsieck

Cette Grande Marque a connu un remarquable essor vers le milieu des années 1980, lorsqu'elle fut acquise par le groupe Rémy-Cointreau, qui racheta ensuite Piper-Heidsieck (voir plus loin). Le chef de cave Daniel Thibault a complètement transformé le Brut Réserve (sans année). Cette cuvée, où les deux Pinots constituent environ les trois quarts de l'assemblage, avec un pourcentage étonnamment élevé de Pinot Meunier, contient désormais jusqu'à 40 % de vins de réserve. C'est un Champagne riche, corsé, et l'un des meilleurs Bruts sans année.

Heidsieck & Cie Monopole

Heidsieck & Cie déposa le nom Monopole en 1860 et devint Heidsieck Monopole en 1923. La maison fut achetée par Seagram en 1972, qui l'a revendue à Paul Vranken en 1996. Ses vins sont étiquetés Blue Top et Diamant Bleu (cuvée de prestige).

Henriot

Cette maison, fondée en 1808, dispose d'un beau vignoble de 125 ha, notamment dans la Côte des Blancs. En 1986, Joseph Henriot apporta son vignoble à Veuve Clicquot, dont il devint président et qu'il quitta en 1994 pour racheter Bouchard Père & Fils (voir p. 202) et relancer sa marque de Champagne, la Cuvée des Enchanteleurs, un Souverain Brut et haut de gamme.

Jacquart

Les membres de cette coopérative rémoise possèdent 1 000 ha de vignes. La marque est réputée en France pour ses Champagnes légers et fruités.

Jacquesson

Cette petite maison bicentenaire est connue pour son agréable Brut sans année et son Signature, plus imposant et plus austère – une cuvée spéciale fermentée et vieillie en fût.

Krug

Voir encadré p. 221.

Lanson

Le Black Label de Lanson est un Champagne vif, avec de belles notes fruitées et des saveurs d'agrumes. Les cuvées millésimées ont, par le passé, été remarquables. La marque a été cédée au groupe Marne et Champagne, mais sans ses vignobles.

Larmandier-Bernier

Mme Larmandier, née Bernier, et son fils exploitent des vignobles situés dans les Grands et Premiers Crus de la Côte des Blancs. Ils produisent des Champagnes fruités et vifs ainsi qu'un intéressant Coteau champenois rouge de Vertus.

Laurent-Perrier

Cette Grande Marque, l'une des plus grandes et des meilleures maisons de Champagne, produit des vins parmi les plus élégants. Son Brut sans année, qui contient un fort pourcentage de Chardonnay, est un vin de Champagne exquis, avec un bouquet fleuri et un palais finement équilibré qui s'améliore encore avec l'âge. Elle élabore également un Champagne non dosé, l'Ultra Brut, et une superbe cuvée de prestige, le Grand Siècle. La maison, située à Tours-sur-Marne, appartient à la famille Nonancourt et possède 105 ha de vignes. Début 2004, Laurent-Perrier a pris le contrôle du Champagne Trouillard et de son vignoble de 80 ha, et donc des marques Jeanmaire, Oudinot et Beaumet.

Leclerc-Briant

La production de cet important récoltant-manipulant d'Épernay est originale. Il propose trois Champagnes vinifiés sans assemblage issus de raisins provenant de trois parcelles sélectionnées. Son rosé est le plus rouge de tous les Champagnes rosés et son meilleur vin est étiqueté Cuvée Divine.

Mailly Grand Cru
Cette étrange coopérative fondée en 1929 est réservée aux vignerons dont les vignes sont situées dans la commune de Mailly. Elle produit un Champagne monocru presque toujours dominé par les Pinots Noirs.

Marne et Champagne
C'est l'un des groupes les plus importants de la région, mais il ne possède pas de vignes, et on voit rarement son nom sur une étiquette : la plus grande partie de la production est vendue sous la marque de l'acheteur ou sous toute une variété de sous-marques. Parmi ses quelque 300 étiquettes, on peut citer Eugène Clicquot, Gauthier, Giesler et Alfred Rothschild.

Mercier
Cette maison d'Épernay appartenant au groupe LVMH (voir Moët) produit un Champagne moyennement corsé et fruité sans prétention.

Moët & Chandon
C'est la marque de Champagne la plus vendue dans le monde. Moët & Chandon est aussi la maison de Champagne qui possède le plus grand vignoble de toute la Champagne : 558 ha.

La qualité du Brut Impérial sans année est dans un style léger et fruité. Les cuvées millésimées sont toujours des Champagnes de qualité, assez corsés.

Moët & Chandon produit également l'un des Champagnes les plus renommés (et les plus chers), la fameuse Cuvée Dom Pérignon, qui gagne en complexité au vieillissement. La maison produit aussi une petite quantité de Dom Pérignon rosé.

Moët appartient au groupe Louis Vuitton Moët-Hennessy (LVMH), le géant des produits de luxe, propriétaire de plusieurs autres maisons de Champagne.

Moutard Père & Fils
Ce négociant-manipulant de l'Aube, producteur de vins ronds et pleins, est le seul à proposer un Champagne issu d'Arbane, un cépage encore autorisé. (Le vigneron Aubry, de Jouy-lès-Reims, cultive également d'anciens cépages.)

Jean Moutardier
Cette maison de négoce sise au Breuil est productrice d'un vin réussi à 100 % de Pinot Meunier.

Mumm
Ce n'est peut-être pas l'une des Grandes Marques les plus prestigieuses, mais c'est certainement l'une des plus productives, et elle exporte 70 % de ses Champagnes dans 135 pays. Si son vin le plus connu, le Cordon Rouge, avec sa bande rouge caractéristique sur l'étiquette, est un Champagne délicatement fruité, la cuvée de prestige Grand Cordon (54 % Pinot Noir et 46 % Chardonnay) est remarquable, de même que le Mumm de Cramant (Blanc de Blancs).

Mumm a appartenu de longues années à Seagram, qui l'a cédée à un fonds de pension américain. En 2000, celui-ci a vendu Mumm au groupe Allied Domecq.

Napoléon
Cette maison familiale est la Grande Marque de Champagne la plus petite et la moins connue. Ses Champagnes sont d'excellente qualité, notamment les cuvées millésimées.

Bruno Paillard
L'avenir de cette maison rémoise, fondée avec succès en 1981 par Bruno Paillard, est assuré. Son Brut sans année possède beaucoup de fruité et de finesse, et se révèle souvent meilleur qu'un bon Champagne millésimé. La date de dégorgement est indiquée sur chaque bouteille afin d'en garantir la fraîcheur.

Palmer
Il s'agit de la marque commerciale d'une coopérative très bien cotée (170 viticulteurs, 310 ha de vignes), qui possède des intérêts majoritaires dans les vignobles « grand cru » de la Montagne de Reims.

Pannier
Cette coopérative de Château-Thierry, la plus proche de Paris, n'ignore pas le Pinot Meunier et produit deux cuvées de prestige.

Joseph Perrier
Cette Grande Marque de Châlons-en-Champagne possède 20 ha de vignes dans la Vallée de la Marne. La Cuvée Royale sans année est de qualité inégale. Son meilleur vin, la Cuvée Joséphine, est un assemblage à parts presque égales de Pinot Noir et de Chardonnay. Laurent-Perrier a contrôlé brièvement cette maison qui, depuis fin 1998, est alliée à Alain Thienot (voir ci-dessous).

Perrier-Jouët
Fondée en 1811, cette maison d'Épernay a été vendue par Seagram en juin 1999 (de même que Mumm) à un groupe américain qui l'a cédée un an plus tard au groupe Allied Domecq. Élégance, finesse et régularité caractérisent ses vins, à haut pourcentage de Chardonnay. La cuvée Belle Époque Blanc de Blancs, dans sa bouteille Art nouveau décorée d'anémones, est le meilleur et l'un des plus élégants et des plus féminins des Champagnes. La qualité du Grand Brut sans année est très régulière, avec des arômes délicieusement fruités.

Phillipponat
Cette petite maison de Mareuil-sur-Ay se fait peu remarquer, si ce n'est par son bon Champagne corsé, issu d'un seul vignoble, le

---

KRUG

Peut-être le plus grand nom de la Champagne, cette maison produit des vins riches et amples qui ont besoin d'années en bouteille avant de donner le meilleur d'eux-mêmes. Krug fait vieillir ses Champagnes pendant très longtemps avant de les commercialiser : le millésime 1988, par exemple, n'est sorti qu'en 1999. Tous ses vins sont fermentés en fût. La Grande Cuvée sans année est sans doute le vin le plus régulièrement remarquable produit dans la région. Les frères Henri et Rémy Krug se chargent de l'assemblage, constitué d'un fort pourcentage de vins de réserve et de Pinot Meunier, cépage qu'ils défendent fermement. Parmi les autres vins uniques de Krug, il faut citer le Collection, des millésimes plus anciens et plus rares, et le Clos du Mesnil, un 100 % Chardonnay, issu d'un seul vignoble. En janvier 1999, LVMH a pris le contrôle de Krug.

Clos des Goisses. Après avoir appartenu pendant dix ans à la société Marie Brizard, Phillipponat, dirigé par Charles Phillipponat, a rejoint en 1997 le groupe Boizel-Chamoine-Champagne (BCC).

Piper-Heidsieck

Le groupe Rémy-Cointreau, déjà propriétaire de Charles Heidsieck (voir plus haut), possède désormais cette maison située à Reims. Tous deux ont aujourd'hui le même chef de cave, Daniel Thibault. « Piper » est en général plus léger et plus fruité que son cousin Charles. Le Brut sans année est à dominante de raisins noirs, bien qu'il contienne moins de Pinot Meunier que le Charles Heidsieck.

Le Brut Sauvage est l'un des meilleurs Champagnes non dosés sur le marché, et la cuvée de prestige Rare, un merveilleux Champagne ample et racé.

Pol Roger

Cette maison familiale traditionnelle d'Épernay possède 85 ha de vignes et élabore des vins de très grande qualité, réputés pour leur grande finesse.

Outre la cuvée Sir Winston Churchill – c'était en effet son Champagne préféré –, Pol Roger élabore une excellente cuvée spéciale PR, plus riche et plus généreuse.

Pommery

Il y a une douzaine d'années, le groupe LVMH s'est emparé de Pommery et de son superbe vignoble de 300 ha. En 2002, la marque Pommery a été cédée à P. F. Vranken, LVMH conservant le vignoble, suivant une méthode déjà exploitée lors de l'achat et de la revente de Lanson. Le Brut sans année est de bonne facture, tandis que les cuvées Louise Brut et Rosé sont remarquables.

Louis Roederer

Cette grande maison familiale, fondée il y a plus de deux cents ans, produit quelques-uns des meilleurs vins de Champagne. Ses 180 ha de vignes fournissent l'essentiel de son approvisionnement. Le Brut Premier sans année exprime le fruit. C'est un vin néanmoins riche et ample. La fameuse cuvée de prestige, Cristal de Roederer, créée en 1876 pour le tsar Alexandre II, est considérée comme l'un des meilleurs vins de Champagne haut de gamme dans les bons millésimes.

Ruinart

Cette Grande Marque fondée en 1729 est relativement peu connue, en partie en raison de sa petite production. Les vins, très bien faits, ont un style élégant et fleuri, notamment la cuvée de prestige Dom Ruinart Blanc de Blancs. Située à Reims, cette maison appartient au groupe LVMH (voir Moët).

Salon

Cette petite maison reprise par le groupe Laurent-Perrier est située à Mesnil-sur-Oger, dans la Côte des Blancs. Il s'agit en fait d'une Grande Marque qui élabore un superbe vin. Issue exclusivement de Chardonnay, sa cuvée toujours millésimée est très recherchée par les connaisseurs.

Jacques Selosse

Anselme Selosse est vigneron à Avize. C'est un homme à principes qui a décidé d'élaborer des Champagnes de caractère. Ses vins fermentent et sont élevés dans le bois, sa cuvée Substance exploite le principe de la « perpétuelle », les vieux vins apprenant aux jeunes à mûrir. Ce spécialiste du Blanc de Blancs (dont un non dosé) vinifie également un somptueux Blanc de Noirs.

Taittinger

Fondée en 1930, cette maison rémoise est « jeune » parmi les Grandes Marques. Plus de 50 % de son raisin provient de ses 257 ha de vignes. Son style tend à être délicat et élégant, bien qu'après une dizaine d'années en bouteille le Blanc de Blancs devienne plus riche et plus ample. Le Brut Réserve sans année est essentiellement issu de Chardonnay. La cuvée de prestige Comtes de Champagne est issue à 100 % de Chardonnay.

Telmont

Propriétaire d'un vignoble de 30 ha, ce négociant-manipulant produit deux cuvées intéressantes : Grand Millésime (assemblage) et Grand Couronnement (Blanc de Blancs).

Alain Thienot

Alain Thienot a fondé sa marque en 1980, puis a repris Marie Stuart, Joseph Perrier et enfin Canard-Duchêne. Fondée en 1860, cette dernière maison avait été reprise par Veuve Clicquot aux alentours de 1980, puis absorbée, comme Veuve Clicquot même, en 1987 par LVMH, qui s'en est séparé en 2003. Ajoutons que Alain Thienot est également propriétaire dans le Bordelais et qu'il élabore des vins à Aniane, dans le Languedoc.

De Venoge

Cette Grande Marque qui a trop souvent changé de propriétaire a été reprise par le groupe BCC en 1998. La Cuvée des Princes est un grand Blanc de Blancs.

Veuve Clicquot-Ponsardin

Cette Grande Marque, l'une des plus prestigieuses, porte le nom de Mᵐᵉ Clicquot, qui, devenue veuve très jeune, consacra sa vie à développer sa maison de Champagne, au début du XIXᵉ siècle. Ses vins sont aujourd'hui parmi les plus réputés de la région. Le Brut sans année, avec sa célèbre étiquette jaune-orange, est un des meilleurs du genre, avec beaucoup de caractère. La Grande Dame, la cuvée la plus célèbre, est un riche assemblage de deux tiers de Pinot Noir et d'un tiers de Chardonnay. Située à Reims, la maison, qui appartient aujourd'hui au groupe LVMH (voir Moët), possède 300 ha de vignes.

Vilmart & Cⁱᵉ

Ce récoltant-manipulant possède 11 ha à Rilly-la-Montagne et vinifie des vins de base dans du bois neuf, une singularité en Champagne. Il produit des vins de caractère qui doivent être attendus.

Vranken

Cette nouvelle maison, fondée par Paul Vranken en 1976, exploite 162 ha de vignes. L'accent est mis sur le Chardonnay, et les vins sont légers et élégants. Les marques commercialisées comprennent Barancourt, Veuve Monnier, Charles Lafitte, Sacotte, Charbaut-Demoiselle, Heidsieck Monopole, Germain et enfin Pommery.

Autres maisons et vignerons

Henri Billot, Gardet, Goulet, Abel Lepitre, de Meric.

LES AUTRES VINS

L'AOC Champagne ne concerne que les vins pétillants. Les autres vins de la région sont :

Les Coteaux champenois

C'est l'appellation des vins tranquilles de Champagne, rouges et blancs. Les meilleurs rouges proviennent des villages de la Vallée de la Marne : Ay, Bouzy et Cumières.
En raison du climat, on ne peut faire de grands rouges que deux ou trois fois tous les dix ans. Les blancs sont généralement plus satisfaisants.

Le Rosé des Riceys

Cette petite appellation de l'Aube produit l'un des rosés les plus rares de France, issu de Pinot Noir.

ALSACE

LE VIGNOBLE ALSACIEN DÉFIE BIEN DES USAGES
DES AOC FRANÇAISES: LES VINS PORTENT LE NOM DE LEUR CÉPAGE,
ET ON Y PRODUIT UNE MAJEURE PARTIE DE VINS BLANCS.

Église fortifiée du XVᵉ siècle dominant le vignoble
d'Hunawihr, sur la Route du vin d'Alsace.
La longue tradition viticole du
village est illustrée sur l'horloge de l'église.

Du haut des collines boisées d'Alsace, on aperçoit le Rhin et, au-delà, une masse gris bleuté, la Forêt-Noire allemande. Par bien des aspects, cette situation explique comment aborder l'Alsace, apprécier son vin et sa culture. En effet, la large vallée du Rhin et les collines environnantes ont plus de points communs avec les pays de l'Europe centrale qu'avec le reste de la France. S'il n'est pas rare que l'on compare les vins d'Alsace avec certains de leurs voisins allemands, ils sont en fait plus proches des vins blancs secs d'Autriche. L'Alsace partage cependant un certain nombre de cépages à l'Allemagne : Riesling, Gewürztraminer, Sylvaner. Elle fait aussi usage du Pinot Noir (pour sa petite production de vins rouges), du Pinot Blanc (jadis courant en Bourgogne, mais presque unique à l'Alsace aujourd'hui) et du Pinot Gris, également connu sous le nom de Tokay d'Alsace ou de Rülander en Allemagne. Le pays de Bade, de l'autre côté du Rhin, est le vignoble le plus méridional d'Allemagne tandis que l'Alsace est, avec la Champagne, le plus septentrional de France. Situé au nord des vignobles de la Loire, il devrait, de par sa seule latitude, avoir un climat frais. Or il n'en est rien, car les Vosges, qui le longent du nord au sud, le protègent des vents et de la pluie : les vignes alsaciennes, nichées dans les vallées et les recoins les plus chauds des contreforts vosgiens, bénéficient en fait de l'un des climats continentaux les plus secs de France. Le vignoble s'étire sur une centaine de kilomètres, presque sans discontinuer, entre Strasbourg et Mulhouse. Quelques parcelles se trouvent plus au nord, dans le département du Bas-Rhin, et d'autres juste à la frontière : en traversant celle-ci, on se retrouve dans le vignoble allemand du Palatinat (Pfalz).

L'Alsace est le paradis des gastronomes : les restaurants réputés y abondent. L'architecture pittoresque de ses villages témoigne de son riche passé et l'on y cultive la vigne depuis des siècles. Peu de régions ont connu autant de guerres et changé aussi souvent de nationalité que celle-ci : telle fut la rançon de la situation stratégique qu'elle occupe, à la frontière franco-allemande. Aujourd'hui, l'Alsace est plus que jamais française, mais elle ne cesse d'affirmer sa particularité par son attachement à son dialecte, par son esprit fortement régionaliste et par ses vins uniques.

LES VILLAGES VITICOLES D'ALSACE

Le vignoble alsacien est l'un des plus beaux de France.
La Route du vin s'étire sur une longueur de 125 km
et traverse les villages les plus pittoresques que l'on
puisse imaginer. La carte ci-dessous situe les villes,
les principaux villages et les plus importants lieux-dits
classés « grand cru ».

Le climat et les terroirs

L'Alsace est un terroir protégé qui jouit d'une situation extrêmement favorable à la culture de la vigne. Les printemps sont chauds, les étés secs et ensoleillés, les automnes longs et doux, les hivers froids.

La zone de production s'étend sur une grande variété de sols. Leur structure géologique est complexe et comprend différents types de roches recouvrant le granite ancien des Vosges. Au fil des siècles, les vignerons sont parvenus à sélectionner les meilleurs sites : orientés au sud ou au sud-ouest, ils occupent les coteaux des innombrables petites vallées découpant le massif vosgien et forment une bande de vignes dont la largeur est comprise entre 1,5 et 3 km.

Les grands crus

Les vignobles les mieux situés ont atteint une certaine notoriété, le plus souvent pour un type de vin particulier. Depuis 1975, l'INAO délimite les meilleures parcelles et leur attribue le classement de « grand cru ». La liste qui en résulte ne fait pas l'unanimité: certains vignerons invoquent que tel site n'est pas à la hauteur du classement et s'indignent de ce que tel autre ait été omis de la sélection. Tous les producteurs ne font pas usage de l'appellation « grand cru », car la législation n'autorise que les cépages Riesling, Gewürztraminer, Muscat et Pinot Gris. D'autre part, pour être étiquetés « grand cru », les vins doivent être issus de vignes ayant un rendement inférieur à 70 hl/ha.

Ce chiffre demeure élevé par rapport au reste de la France : à titre d'exemple, le rendement d'une vigne de Bourgogne blanc Premier Cru est limité à 30 hl/ha.

Les cépages et les styles de vin

Les principaux cépages plantés en Alsace sont, par ordre alphabétique :

Gewürztraminer. Ce cépage blanc occupe une superficie croissante et couvre près d'un quart du vignoble. Son caractère est très marqué. Dans une bonne année, un Gewürztraminer réussi est un vin épicé, ample et généreux. Dans une petite année, en revanche, il peut être plat et sans grâce.

Muscat. Ce cépage aromatique se présente en deux versions : le Muscat d'Alsace et le Muscat Ottonel. Le premier est sec et son parfum de raisin intense. Il a des rendements très irréguliers et on le plante de moins en moins.

Pinot Blanc. Ce cépage blanc connaît un regain d'intérêt. Il donne des vins blancs frais et secs rappelant le Bourgogne. Une grande partie de la production sert à l'élaboration du Crémant d'Alsace (voir plus loin). Le Klevner est un synonyme du Pinot Blanc.

Pinot Gris (ou Tokay d'Alsace). Cépage minoritaire en Alsace, il n'en donne pas moins des vins blancs riches et complexes. Les secs sont d'une grande élégance et les moelleux ont une générosité étonnante. Les liens entre le Pinot Gris et le fameux cépage hongrois Tokay sont difficiles à trouver, si bien que le nom Tokay d'Alsace sera bientôt officiellement interdit afin d'éviter toute confusion.

Pinot Noir. C'est le seul raisin noir d'Alsace. On en fait des vins rouges peu colorés. Lorsque les rendements ne sont pas trop élevés, ils peuvent être excellents.

Riesling. C'est le cépage le plus élégant et le plus distingué d'Alsace. Il donne des blancs secs grandioses, de longue garde, aussi bien que d'excellents moelleux de vendanges tardives. Contrairement à ses cousins produits en aval du Rhin, le Riesling d'Alsace est soit franchement sec, soit moelleux.

Sylvaner. Ce cépage abonde dans les parties les moins prestigieuses du Bas-Rhin. Il donne de bons vins simples et frais, mais seul un terroir exceptionnel leur permet d'atteindre le niveau de qualité des Rieslings.

Le Chasselas et le Pinot Auxerrois sont deux cépages d'Alsace de moindre intérêt dont les noms figurent plus rarement sur les étiquettes. On les assemble pour faire l'Edelzwicker (voir plus loin).

La vinification

Dans l'ensemble, l'Alsace s'en tient à des méthodes assez traditionnelles de vinification en blanc. Ici, les vins vieillissent dans de grands foudres de bois ou en cuves. Ils sont mis en bouteilles entre six et douze mois après la récolte. Quelques vignerons utilisent avec succès le bois neuf pour la fermentation ou l'élevage du Pinot Blanc.

Les millésimes et l'élevage

Rares sont les millésimes catastrophiques en Alsace, car la région jouit d'un climat plutôt régulier. Un millésime sera bon si l'automne, long et chaud, permet l'élaboration de vins de vendanges tardives (voir plus loin).

Lire une étiquette de vin d'Alsace

En Alsace, les étiquettes sont plus simples que celles des vins du reste de la France : la première information que l'on y trouve est le nom du cépage et la seconde, celui du propriétaire. Le nom du vignoble ou du village de production est souvent mentionné, surtout dans le cas d'un grand cru.

Les autres termes génériques que l'on peut rencontrer sont les suivants.

Crémant d'Alsace. C'est un vin pétillant obtenu par une seconde fermentation en bouteille (méthode traditionnelle). Les Crémants sont blancs, quelquefois rosés, et sont généralement issus de Pinot Blanc.

Edelzwicker. Il s'agit d'un vin blanc issu d'un assemblage de cépages « nobles » (edel), le Chasselas et le Sylvaner étant les plus courants. Le terme a tendance à disparaître.

Vendange tardive. Cette mention indique que le vin est issu de raisins vendangés à maturité optimale, ce qui ne signifie pas nécessairement plus tard que la normale. C'est l'équivalent du Spätlese allemand. Un vin issu de Vendanges tardives est le plus souvent moelleux mais peut être sec : on ne le découvre qu'en le dégustant. D'autre part, cette catégorie ne s'applique qu'aux principaux cépages : Gewürztraminer, Pinot Gris, Riesling ou Muscat.

Sélection de Grains nobles. Ces vins sont faits uniquement à partir de raisins atteints de pourriture noble (Botrytis cinerea) et récoltés par tris successifs (voir p. 163). On n'en produit que dans les années très chaudes. Ce sont toujours des vins doux et riches, qui peuvent vieillir très longtemps.   □

LES 50 GRANDS CRUS D'ALSACE

En 1975, la notion de grand cru est officialisée par l'INAO (décrets de 1983 et 1992). La plupart des crus sont situés à une altitude de 200 à 300 m. Les voici avec le nom de leur commune, des environs de Strasbourg jusqu'aux environs de Mulhouse, via Colmar.

Steinklotz

Marlenheim Les 40,6 ha du Steinklotz au sol calcaire caillouteux sont exposés au sud-sud-est. Les vins sont fruités et épicés.

Engelberg

Dahlenheim et Scharrachbergheim Exposées plein sud, pentues, ces terres marno-calcaires (15 ha) sont à l'origine de vins charpentés de garde.

Altenberg de Bergbieten

Bergbieten Ce terroir de 29 ha exposé au sud-est se compose de marnes argileuses truffées de cailloutis dolomitiques. Les vins sont floraux et longs en bouche.

Altenberg de Wolxheim

Wolxheim 31 ha de sol marno-calcaire argileux produisent des Rieslings d'une grande longévité, qui prennent des arômes d'hydrocarbures.

Bruderthal

Molheim Ce cru épouse une pente douce. Son sol marno-calcaire est caillouteux vers le haut. Les Rieslings et Gewürztraminers sont floraux et persistants.

Kirchberg de Barr

Barr Au-dessus du village, dès 215 m, le Kirchberg s'élève de 100 m. Son terroir composite (40 ha) est majoritairement argilo-calcaire et il faut savoir attendre ses vins.

Zotzenberg

Mittelbergheim Les 36 ha de marnes et de calcaire du jurassique, exposés au sud et à l'est, produisent des vins de longue garde.

Kastelberg

Andlau Ce grand cru de petite taille (5,82 ha) et de forte pente est unique en Alsace par son sol schisteux de Steige du primaire et par son encépagement exclusif de Riesling. Il donne un grand vin minéral de longue garde.

Wiebelsberg

Andlau Situé à l'est du Kastelberg, ce terroir quartzique ferrugineux siliceux exposé au sud et sud-est est au service de Rieslings floraux de longue garde.

Moenchberg

Andlau et Eichhoffen Ce cru de 12 ha s'élève doucement. Son orientation au sud favorise la maturité du Riesling qui est à l'origine de vins aussi charpentés qu'élégants.

Muenchberg

Nothalten Le cru s'étend sur 18 ha de faibles pentes d'environ 300 m d'altitude, dont le sol de dépôts volcaniques est sablo-caillouteux. Il produit des grands vins de Riesling tout en élégance.

Winzenberg

Blienschwiller Ce cru renommé de 19 ha, exposé au sud et sud-est, s'étend sur une forte pente. Son sol de granite désagrégé à deux micas convient aux Rieslings et aux Gewürztraminers et donne des vins plantureux de raisins très mûrs.

Frankstein

Dambach-la-Ville Ce vaste cru de 56 ha occupe quatre parcelles orientées à l'est et au sud-est, dont les sols granitiques à deux micas sont filtrants. Les Rieslings et Gewürztraminers sont floraux.

Praelatenberg

Kintzheim Le sol gneissique, siliceux et quartzique de ces 19 ha de fortes pentes, orientés à l'est et au sud-est, favorise l'expression aromatique des cépages alsaciens.

Gloeckelberg

Rodern et Saint-Hippolyte Le cru s'étend sur 23 ha de sol granitique, terres brunes acides et sablonneuses, orientées au sud et sud-est. Les vins sont élégants et persistants.

Altenberg de Bergheim

Bergheim Le cru investit la pente sud de la colline de Grasberg, dont les marnes calcaires rouges ferrugineuses du jurassique accueillent 35 ha de Riesling et de Gewürztraminer, à l'origine de vins amples et puissants.

Kanzlerberg

Bergheim Ce vignoble orienté au sud et sud-ouest est situé sur des faibles pentes. La surface délimitée est la plus petite de tous les grands crus : 3,23 ha ! Un sol lourd argilo-calcaire de marnes grises et noires à gypse de Keuper accentue la puissance aromatique de vins qui doivent être attendus.

Geisberg

Ribeauvillé Ce cru de forte pente face au sud n'a pu être exploité qu'à la suite de la construction de murets. Son sol marno-argilo-gréseux et gypseux (8 ha) semble fait pour exalter la finesse et la puissance du Riesling.

Kirchberg de Ribeauvillé

Ribeauvillé Aussi ancien que le précédent dont il est contigu à l'ouest, au sol identique, mais orienté sud-sud-ouest, ce cru donne des Rieslings qui ont un caractère très accusé et un grand potentiel de garde.

Osterberg

Ribeauvillé De même ancienneté et de même sol que le Geisberg dont il est contigu à l'est, mais orienté à l'est et au sud-est et de plus faible pente, ce cru se développe sur 24,6 ha. Il accentue la typicité du Riesling mais convient très bien au Gewürztraminer et au Pinot Gris.

Rosacker

Hunawihr Ce cru s'étend sur 26 ha exposés à l'est et au sud-est. Son sol lourd de calcaire et de dolomies, allégé

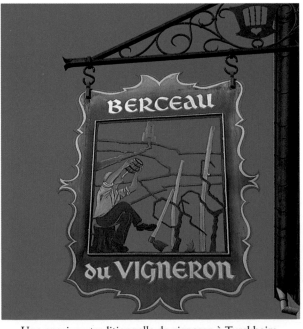

Une enseigne traditionnelle de vigneron à Turckheim.

par des éboulis siliceux-gréseux, est favorable à l'expression des arômes minéraux et épicés du Riesling.

Froehn

Zellenberg Ce terroir argilo-marneux-schisteux orienté au sud et sud-est stimule le fruité du Gewürztraminer.

Schoenenbourg

Riquewihr et Zellenberg Ce cru se développe aujourd'hui sur 53 ha en de fortes pentes orientées au sud et sud-est. Le sol marneux, dolomitique et gypseux convient au Riesling, fin, épicé et de longue garde. On y pratique avec succès les vendanges tardives.

Sporen

Riquewihr Sa pente est faible. Il fait face au sud-est. Son sol est argilo-marneux et riche en acide phosphorique, convenant parfaitement à l'opulence du Gewürztraminer et du Pinot Gris.

Sonnenglanz

Beblenheim Le cru s'étend sur 33 ha orientés au sud-est. Son sol de marnes calcaires caillouteuses est lourd, le Gewürztraminer et le Pinot Gris y gagnent en puissance aromatique.

Mandelberg

Mittelwihr et Beblenheim Ce terroir s'étend sur 22 ha en une pente moyenne orientée au sud et sud-est. La terre marno-calcaire favorise la finesse et le fruité.

Marckrain

Bennwihr et Sigolsheim Son sol marno-calcaire orienté à l'est et au sud-est s'élève en pente douce et convient au Gewürz-traminer, dont il magnifie les arômes, et au Pinot Gris.

Mambourg

Sigolsheim Ce vaste cru de 62 ha marno-calcaire superbement exposé au sud est particulière-ment favorable au Gewürztraminer dont la richesse peut aller jusqu'à la lourdeur.

Furstentum

Kientzheim et Sigolsheim La pente de ce grand terroir est raide.

Orientés au sud et sud-est, les 30 ha de sol brun calcaire et pauvre assurent puissance et finesse aux cépages alsaciens.

Schlossberg

Kientzheim Le Schlossberg est le premier grand cru officiel d'Alsace, reconnu dès 1975 ! C'est aussi un des plus vastes (80 ha). Sa pente est raide, ponctuée de murets, orientée plein sud. Son sol argilo-sableux riche en sels minéraux convient aux quatre cépages nobles alsaciens qui y puisent richesse et finesse.

Wineck-Schlossberg

Katzenthal et Ammerschwihr Le coteau, orienté sud et sud-est, s'élève de 280 à 400 m d'altitude. Son granite désagrégé à deux micas favorise la fraîcheur florale du Riesling.

Sommerberg

Niedermorschwihr et Katzenthal Le sol d'arènes granitiques de ce vignoble de 28 ha orienté plein sud accentue la typicité du Riesling.

Florimont

Ingersheim et Katzenthal Le cru s'étend sur 21 ha de marne calcaire orientée sud-est. Le Gewürztraminer y est somptueux, élégant et long.

Brand

Turckheim Ce cru s'étend sur 58 ha d'arènes granitiques aux deux micas, orientés au sud et sud-est. Le Riesling en particulier y donne des vins riches et de garde.

Hengst

Wintzenheim Ce vignoble complantant 76 ha de marnes calcaires, orientés sud-sud-est, donne de l'opulence au Gewürztraminer et de la longévité au Riesling.

Steingrubler

Wettolsheim Le haut (350 m) de ce cru est argilo-sableux, propice au Riesling, alors que le bas (280 m), marno-calcaire, est propice au Gewürztraminer. Ces 23 ha exposés au sud-est sont à l'origine de vins charpentés et de garde.

Eichberg

Eguisheim Orienté au sud-est, ce cru s'étend sur 58 ha de terres argilo-sableuses exaltant les arômes des grands cépages alsaciens.

Pfersigberg

Eguisheim et Wettolsheim Exposé est-sud-est, le sol marno-calcaire et argilo-limoneux de ce vaste cru (76 ha), entre 250 et 330 m d'altitude, donne corps et fruité au Gewürztraminer.

Hatschbourg

Hattstatt et Voegtlinshofen Les 47 ha de sol marno-calcaire limoneux, orientés au sud et sud-est, favorisent la finesse aromatique des quatre cépages nobles.

Goldert

Gueberschwihr Le haut du cru (330 m) est calcaire alors que la partie inférieure (230 m) est argileuse. De ces 45 ha exposés est-sud-est sont issus les meilleurs Gewürztraminers et les Muscats les plus fins.

Steinert

Pfaffenheim et Westhalten Ce vignoble extrêmement calcaire s'étend sur 39 ha orientés au sud-est. Les Gewürztraminers, Pinots Gris et Rieslings sont tous très aromatiques et de longue garde.

Vorbourg

Rouffach et Westhalten Ce vaste cru de 73 ha au sol marno-calcaire, orientés sud-sud-est, convient aux quatre cépages nobles, producteurs de vins fins, puissants et de garde.

Zinnkoepfle

Soultzmatt et Westhalten Dans ce cru le plus élevé d'Alsace (420 m), la vigne de 68 ha descend jusqu'aux villages (220 m). Elle est exposée sud et sud-est et complante des terres de calcaire coquillier gréseux. Le Gewürztraminer y est épicé et le Riesling fin.

Pfingstberg

Orschwihr Exposé au sud-est, ce cru de 28 ha s'élève de 250 à 350 m d'altitude. Son sol de grès calcaire, de grès micacé et argilo-gréseux, retenu par des murets, exalte le caractère floral des cépages nobles.

Spiegel

Bergholtz et Guebwiller Orienté à l'est, ce vignoble de 18 ha a un sol de marnes gréseuses et argilo-sableuses qui convient aux quatre cépages nobles, et plus particulièrement au Gewürztraminer.

Kessler

Guebwiller Ce cru est exposé au sud-est à une altitude de 300 à 390 m. Le sol sablo-argileux rougeâtre, retenu par des murets, stimule le caractère floral du Gewürztraminer.

Kitterlé

Guebwiller La forte pente de ce cru situé entre 270 et 360 m d'altitude a nécessité la construction de murets afin de retenir un sol léger et sablonneux. Les 26 ha sont complantés de Gewürztraminer, de Pinot Gris et de Riesling, donnant trois vins concentrés de grande garde.

Saering

Guebwiller Ce cru de 27 ha est exposé à l'est et au sud-est. Son sol lourd marno-sableux est retenu par des murets. Les quatre cépages nobles s'y complaisent, le Riesling particulièrement.

Ollwiller

Wuenheim Ce vignoble est orienté au sud-est. Le sol sablo-argileux rougeâtre contribue à la finesse et à l'élégance du Riesling.

Rangen

Thann et Vieux-Thann Ce cru est unique par sa situation et son sol. C'est le plus méridional d'Alsace, le plus raide (68 %) et le seul dont le terroir soit d'origine volcanique : laves basiques, grès, terres maigres brunes. Il s'étend sur 19 ha plein sud, ses Rieslings sont les plus fins, ses Gewürztraminers et ses Pinots Gris allient puissance et typicité.

PRODUCTEURS ET NÉGOCIANTS

En Alsace, les producteurs cumulent souvent les fonctions de vignerons et de négociants. Beaucoup possèdent des vignes et achètent du vin dans plusieurs communes. C'est pourquoi le nom du village indiqué ci-dessous pour chaque producteur peut n'être que celui du siège de l'entreprise. Quelques coopératives (voir p. 230) produisent également des vins de qualité.

J.B. Adam

Ammerschwihr. Entreprise familiale établie depuis le début du XVIIe siècle et produisant essentiellement du Riesling et du Gewürztraminer et, parfois, des Vendanges tardives, des Pinots Noirs et des Pinots Blancs élaborés selon des vinifications traditionnelles.

Lucien Albrecht

Orschwihr. Fondée en 1772, la maison Albrecht vinifie tous les cépages, mais se distingue par son Riesling issu du grand cru Pfingstberg.

Jean Becker

Riquewihr. Maison familiale établie en 1610 et vinifiant tous les principaux cépages. Ses meilleurs vins sont le Muscat, le Pinot Noir, le Gewürztraminer (du grand cru Froehn) et le Riesling.

Léon Beyer

Eguisheim. Négociant depuis le XVIe siècle et vigneron depuis le milieu du XIXe siècle, Beyer est connu pour ses vins secs, en particulier son Gewürztraminer (cuvée des comtes d'Eguisheim), son Riesling et son Muscat. Les mots « grands crus » ne figurent pas sur les étiquettes.

Paul Blanck & Fils

Kientzheim. Blanck produit une vaste gamme de vins dans tous les cépages, mais ses Rieslings des grands crus Furstentum et Schlossberg sont particulièrement remarquables. Les vins sont également vendus sous l'étiquette Domaine des Comtes de Lupfen.

Albert Boxler & Fils

Niedermorschwihr. Producteur de petits volumes de vins exceptionnels, comme le grand cru Brand en Riesling et en Pinot Gris (dont un Sélection de Grains nobles) et le grand cru Sommerberg en Riesling.

Domaine Ernest Burn

Gueberschwihr. Dans cette belle propriété de 10 ha, on produit les Rieslings et Muscats remarquables du grand cru Goldert.

Joseph Cattin & ses Fils

Voegtlinshofen. Cousin de Théo (voir ci-dessous), Joseph Cattin est un vinificateur de talent qui produit du Muscat, du Gewürztraminer grand cru Hatschbourg (dont une cuvée en Vendanges tardives) et un Pinot Noir particulièrement réussi.

Théo Cattin & Fils

Voegtlinshofen. Théo est plus connu que son cousin (voir ci-dessus) et produit de bons Gewürztraminers (grands crus Hatschbourg et Bollenberg), du Pinot Gris et un beau Riesling (grand cru Hatschbourg) qui vieillit très bien et pour lequel il est renommé.

Domaine Marcel Deiss

Bergheim. Jean-Michel Deiss fait partie du trio des trois meilleurs producteurs d'Alsace. Ses vins issus de plusieurs cépages sont aussi harmonieux qu'originaux, et ses grands crus incomparables.

Dopff & Irion

Riquewihr. Née en 1945 d'une scission avec la maison Dopff Au Moulin, cette entreprise est aujourd'hui contrôlée par la coopérative de Pfaffenheim. Sa gamme comprend le Riesling Les Murailles (du grand cru Schoenenbourg), le Gewürztraminer Les Sorcières, un vin puissant et de bonne garde, le Muscat Les Amandiers et le Pinot Gris Les Maquisards. Après s'être longtemps tenu à l'écart du système, Dopff commercialise aujourd'hui des grands crus.

Dopff au Moulin

Riquewihr. Fondée au XVIe siècle, cette maison est depuis longtemps en tête de la production de Crémant d'Alsace, avec sa Cuvée Julien, sa Cuvée Bartholdi, son Blanc de Noirs et son Brut Sauvage, pour ne citer que les meilleurs. De bons vins tranquilles sont aussi vendus sous l'étiquette Domaines Dopff.

Rolly Gassmann

Rorschwihr. Ses vins riches et généreux ont des taux de sucre résiduel élevés. Son vignoble ne comporte pas de grands crus. Il fait un excellent Muscat Moenchreben (un lieu-dit de Rorschwihr, pas le grand cru de

HUGEL & FILS

La plus célèbre maison d'Alsace, fondée en 1639, est actuellement dirigée par la treizième génération de Hugel. Certains vins de ses vastes caves situées sous le village de Riquewihr sont centenaires. La gamme de base comprend notamment un bon Gewürztraminer et un Pinot Blanc de Blancs. Ses gammes Cuvée Tradition et Jubilé Réserve personnelle sont d'une réelle qualité. À l'origine du style Vendange tardive, Hugel en est l'un des principaux producteurs et, par ailleurs, excelle dans l'élaboration des Sélections de Grains nobles : ses Pinots Gris et ses Rieslings sont tout à fait remarquables dans cette catégorie. Les grands crus de la maison proviennent des vignobles Sporen et Schoenenbourg. Hugel vinifie d'importants volumes de vins fiables de qualité constante.

Le Vin de Pays des Côtes de Meuse est un vin qui provient de vignes situées à l'ouest de Metz.

Eichhoffen), un Auxerrois très réputé et de bonnes cuvées comme la Réserve Rolly Gassmann, dans tous les cépages classiques.

Willy Gisselbrecht & Fils

Dambach-la-Ville. Comme nombre de vignerons alsaciens, Willy Gisselbrecht produit une vaste gamme de vins de différents niveaux de qualité et de différentes cuvées, y compris des grands crus et des Vendanges tardives. Sa plus grande réussite est sans doute le Gewürztraminer, mais le Pinot Gris peut aussi être excellent.

Domaine André & Rémy Gresser

Andlau. Une très ancienne maison (1667) qui jouit d'une image dynamique. Sa réputation est fondée sur les Rieslings grands crus, le Pinot Noir Brandhof et le Gewürztraminer Andlau.

J. Hauller & Fils

Dambach-la-Ville. Hauller commercialise d'assez gros volumes

de vins de tous les cépages d'un bon rapport qualité/prix. Il met en avant son Sylvaner, mais ses meilleurs vins sont le Gewürztraminer grand cru Frankstein et différentes cuvées de Riesling.

Albert Hertz

Eguisheim. Relativement récente, la maison Hertz est déjà considérée comme l'un des meilleurs producteurs de Pinot Noir de la région. Son vin est élégant et bien équilibré. Gewürztraminer et Riesling sont également d'excellente facture.

Hugel & Fils

Voir encadré sur la page précédente.

Zind Humbrecht

Wintzenheim. Léonard Humbrecht est un apôtre inlassable des petits rendements. Sa propriété de 30 ha est extrêmement bien située et ne compte pas moins de quatre grands crus. Ses méthodes de vinification sont traditionnelles. Son Pinot Gris et son Gewürztraminer sont des vins exceptionnels.

André Kientzler

Ribeauvillé. Vinificateur de premier ordre, il affectionne les cépages dits mineurs comme le Chasselas et l'Auxerrois. Ses plus grands vins sont le Gewürztraminer (grand cru Kirchberg de Ribeauvillé), le Riesling (en particulier le grand cru Geisberg et le grand cru Osterberg) et le Pinot Gris.

Kuentz-Bas

Husserren-les-Châteaux. La maison Kuentz date de 1795 et s'est unie avec André Bas en 1918. Elle produit des vins de grande qualité, notamment en Vendanges tardives. Les meilleurs

cépages sont le Gewürztraminer, le Pinot Gris, le Muscat et, de plus en plus, le Pinot Noir. Kuentz-Bas élabore aussi des Crémants d'Alsace.

Domaine Seppy Landmann

Soultzmatt. Les Gewürztraminers du Grand Cru de Zinnkoepfle de ce vigneron de talent sont célèbres.

Gustave Lorentz

Bergheim. Cette maison familiale établie depuis 1836 produit des Gewürztraminers particulièrement réussis, comme le grand cru Altenberg de Bergheim et la Cuvée particulière. Le Pinot Blanc, le Pinot Gris, le Riesling et le Muscat sont bons

Jos Meyer

Colmar. Jean Meyer est très préoccupé par l'avenir des cépages alsaciens autres que les quatre cépages nobles autorisés pour l'appellation « grand cru ». C'est pourquoi il nomme son Chasselas « H » pour identifier son origine (grand cru Hengst). Ses meilleures cuvées sont le Riesling Jos Meyer grand cru Hengst et plusieurs Gewürztraminers.

René Muré

Rouffach. La presque totalité des vins du domaine provient du Clos Saint-Landelin (grand cru Vorbourg), que Muré possède depuis 1935. On remarque le Pinot Noir, le Riesling et le Muscat. Le Crémant d'Alsace est une spécialité.

Domaine Ostertag

Epfig. André Ostertag n'est pas un vigneron alsacien conventionnel. Il n'a pas peur de tenter des expériences, qui se traduisent évidement par des résultats variables, allant de l'échec inattendu à la plus remarquable réussite.

Ses meilleurs vins sont sans doute le Pinot Gris et le Riesling du grand cru Moenchberg, mais il a fait dans sa carrière de très grands vins, quels que soient le cépage ou le type.

Preiss-Zimmer

Riquewihr. Même si les terres appartiennent toujours à la famille Zimmer, la vinification a été reprise par la cave coopérative de Turckheim à la fin des années 1980, et le niveau de qualité s'est nettement amélioré. Les meilleurs vins sont les Gewürztraminers et les Rieslings.

Edgard Schaller & Fils

Mittelwihr. Schaller fait des vins extrêmement secs qui ont souvent besoin de plusieurs années de cave. C'est le cas des Rieslings (surtout les Vieilles Vignes du grand cru Mandelberg). Il élabore également de très bons Pinots Blancs, des Gewürztraminers et des Crémants d'Alsace.

Domaine Schlumberger

Guebwiller. Cette entreprise familiale s'est constitué un immense vignoble au fil des ans et possède aujourd'hui le plus grand domaine d'Alsace, et l'un des plus grands de France. Certaines parcelles sont en terrasses si abruptes qu'aucune mécanisation n'est possible, mais le terroir mérite tous les efforts ! Le cépage qui a fait la réputation de Schlumberger est le Gewürztraminer, en particulier la Cuvée Christine, issue de Vendanges tardives, et la Cuvée Anne, une Sélection de Grains nobles. Les Pinots Gris et les Rieslings des grands crus Kitterlé et Saering sont aussi des vins magnifiques.

Domaine Schoffit

Colmar. À la tête de cette exploitation est Bernard Schoffit, heureux propriétaire d'un vignoble de 16 ha, et en particulier du Clos Saint-Théobald, dans le célèbre grand cru Rangen. On doit également à ce talentueux vinificateur de rares et coûteuses Vendanges tardives et Sélections de Grains nobles.

Louis Sipp

Ribeauvillé. Les meilleures cuvées de Louis Sipp ont besoin de quelques années pour atteindre leur apogée. Les plus grandes réussites sont les Rieslings (grand cru Kirchberg de Ribeauvillé), suivis de près par les Gewürztraminers (grand cru Osterberg).

Pierre Sparr

Sigolsheim. Les vins de Sparr sont très fruités, généreux, et gardent parfois une pointe de sucre résiduel. Les meilleurs sont issus de Pinot Gris, de Riesling et de Gewürztraminer. Cette maison produit aussi des vins d'assemblage de grande qualité, comme Kaefferkopf (Gewürztraminer/Pinot Gris) et Symphonie (Riesling/Pinot Gris/Pinot Blanc/Gewürztraminer), ainsi que des vins pétillants.

Trimbach

Ribeauvillé. Avec Hugel, Trimbach a fait plus que quiconque pour la promotion des vins d'Alsace dans le monde entier. Ses vins comprennent le Gewürztraminer, en particulier la Cuvée des Seigneurs de Ribeaupierre, et le Pinot Gris, mais les Rieslings sont sans l'ombre d'un doute les meilleurs de la région. La Cuvée Frédéric-Émile, issue des deux grands crus, n'est surpassée que par le Clos Sainte-Hune, parcelle qui appartient à la famille Trimbach depuis plus

de 200 ans. Elle se trouve à l'intérieur du grand cru Rosacker, mais n'est pas étiquetée « grand cru ». Le Clos Sainte-Hune est un vin de très grande classe, malheureusement introuvable dans le commerce. Cet archétype de Riesling est souvent considéré comme le meilleur vin d'Alsace.

Domaine Weinbach

Kaysersberg. La famille Faller produit sur son vignoble du Clos des Capucins des vins très impressionnants. Trois en sont issus exclusivement : Pinot Gris Sainte-Catherine, Riesling Cuvée Théo et Gewürztraminer Cuvée Théo.

Alsace Willm

Barr. Bien qu'ils appartiennent maintenant à Wolfberger, la coopérative d'Eguisheim, les vins Willm conservent le caractère distinct du Clos Gaensbroennel. Les meilleurs vins sont le Gewürztraminer et le Riesling.

Les caves coopératives

Les caves coopératives réputées pour la qualité de leurs vins sont nombreuses en Alsace, parmi lesquelles : Bennwihr, Union Vinicole Divinal (Obernai), Eguisheim, Caves de Hoen (Beblenheim), Ingersheim et environs (Colmar), Kientzheim-Kaysersberg, Pfaffenheim-Gueberschwihr (Rouffach), Ribeauvillé et environs, Sigolsheim et environs (Kaysersberg), Turckheim, Westhalten et environs.

CÔTES-DE-TOUL ET VIN DE LA MOSELLE

Les Côtes-de-Toul s'étendent sur une centaine d'hectares et ont accédé à l'Appellation d'Origine Contrôlée le 31 mars 1998. La région possède une longue tradition viticole, mais son vignoble, très septentrional, souffre de contraintes climatiques et la vigne tend à être supplantée par d'autres cultures. Le principal cépage est le Gamay, mais on trouve également du Pinot Noir et, pour les blancs, un peu d'Auxerrois et de Pinot Blanc. Le Gris de Toul est un rosé délicat issu de Gamay : son acidité agréable lui confère beaucoup de fraîcheur. Le Gamay donne par ailleurs un vin pétillant, et possède un goût de levure et de fruit. Les années les plus chaudes, le Pinot Noir donne des vins rouges légers.

Le Vin de la Moselle représente une zone minuscule classée en VDQS qui lutte pour sa survie. Il est produit dans les villages de la vallée de la Moselle, près de la ville de Metz et vers la frontière luxembourgeoise. Ces vignobles sont les plus septentrionaux de France et leurs vins rappellent ceux du Luxembourg. Les conditions climatiques rendent la culture difficile : les gelées de printemps posent fréquemment des problèmes. Les principaux cépages de la Moselle sont le Müller-Thurgau, le Rivaner, ainsi que le Pinot Noir et l'Auxerrois.

LOIRE

LA MAJESTUEUSE VALLÉE DE LA LOIRE OFFRE À L'AMATEUR
DES VINS QUI SE DÉCLINENT EN UNE INFINIE VARIÉTÉ
D'ARÔMES ET DE COULEURS.

Le splendide château de Saumur domine la ville et ce fleuve
majestueux qu'est la Loire. Les environs sont couverts
de vignobles, qui produisent à la fois des vins tranquilles
et des mousseux.

La vallée de la Loire, qui compte parmi les régions viticoles les plus étendues de France, produit une si riche palette de vins qu'il est difficile de leur trouver des caractéristiques communes. En effet, la gamme des vins de Loire se décline sur un large registre allant des vins blancs secs, demi-secs, moelleux ou liquoreux aux vins rouges légers ou profonds et intenses en passant par les rosés secs ou moelleux ou les Crémants. Les fluctuations du climat comptent pour beaucoup dans ces déclinaisons. Une année fraîche donne des vins secs et acides, à boire rapidement, tandis qu'un été et un automne chauds sont souvent à l'origine de vins riches, au grand potentiel de vieillissement. Un autre facteur non négligeable est la variété du raisin, qu'il s'agisse des cépages locaux ou des cépages importés plus récemment d'autres régions de France.

Le fleuve français le plus long coule dans un paysage de douces collines, de champs verts et de vignes, longeant des châteaux magnifiques et des villes tranquilles. Les vignobles bordent les cours d'eau, la Loire, large et lente, et ses affluents comme le Cher, l'Indre, l'Allier et la Vienne, lesquels ont tous donné leur nom à un département. Des affluents moins importants, comme l'Aubance, le Layon, la Sèvre Nantaise et la Maine, créent des microclimats dans les vallées étroites et profondes qu'ils ont creusées. La Loire prend sa source dans le sud du Massif central, où les quelques parcelles de vigne actuelles apparaissent comme les vestiges de domaines autrefois plus étendus. À mi-chemin de son parcours vers la mer, à l'endroit où elle amorce son virage à l'ouest, la Loire atteint la première des trois grandes régions viticoles, celle de Sancerre et de Pouilly, qui produit des vins blancs fruités, herbacés, grâce au cépage Sauvignon Blanc, dont la popularité a conquis le monde entier. Les vastes étendues de la Touraine et de l'Anjou composent la deuxième région viticole, avec toute une famille de vins blancs, tranquilles ou pétillants, ainsi que la plus importante production de vins rouges de Loire. La dernière région, la basse Loire, se pose en total contraste. Elle représente le royaume du Muscadet (appelé aussi Melon de Bourgogne), un vin blanc léger et fruité qui évoque la mer. Car l'océan n'est jamais très loin, comme le prouve la pluviométrie élevée du Pays nantais.

L'histoire des vins de Loire

L'origine des vignobles ligériens pourrait remonter à l'époque gallo-romaine, mais, ce qui est sûr, c'est que la viticulture de cette région doit son développement à saint Martin, fondateur de l'abbaye de Marmoutier à Tours, en 372, et cela surtout en Anjou et en Touraine.

Les vins de Loire connurent leurs heures de gloire à la Renaissance, quand les châteaux royaux possédaient chacun leur propre vignoble et que la gastronomie française était en plein essor dans cet opulent jardin de la France. On y cultivait la vigne ainsi que toutes les plantes maraîchères et tous les fruits. Angers et Nantes étaient des ports de commerce où l'on importait les épices et d'où l'on exportait du vin, Paris et la région parisienne représentant alors, comme aujourd'hui, un marché important pour tous les vins de Loire.

Des vignobles en déclin

Outre certaines régions du Centre comme l'Orléanais, où la vigne n'a pas été replantée après la dévastation du phylloxéra, il reste toujours des régions de Loire où la viticulture décline. Certaines zones limitrophes, comme les Coteaux du Loir et Jasnières, ne produisent pas plus de 180 000 bouteilles par an, d'autres cultures étant plus rentables pour les fermiers. En comparaison, le cœur des pays de Loire semble être prospère. Les vins rouges de Saumur, Chinon et Bourgueil, les vins blancs de Vouvray, les Crémants et autres vins mousseux de Saumur, le Muscadet et, surtout, les vins de Sancerre et de Pouilly se vendent bien. En revanche, d'autres vins qui ont contribué à la renommée de la Loire, comme le rosé d'Anjou, sont moins recherchés.

Les cépages et les styles de vin

Outre les cépages locaux, les vins de Loire sont issus de cépages bordelais et bourguignons. Le Gamay, le Pinot Noir et le Chardonnay de quelques vignobles au sud du fleuve indiquent que le Beaujolais et la Bourgogne ne

Vignoble de Vouvray (Le Mont) avec la ville de Tours en arrière-plan.

sont pas loin. Plus au nord, le Sauvignon Blanc, variété propre à la Loire et au Bordelais, devient prédominant. En amont de la Loire, la présence du Pinot Noir rappelle que Sancerre et Pouilly-sur-Loire ont fait autrefois partie du duché de Bourgogne. On trouve en Touraine et en Anjou le Chenin Blanc, autre cépage dominant de la région. Il s'agit d'une variété de vigne locale qui est à l'origine de nombreux styles de vin. Enfin, le Cabernet Franc et le Cabernet-Sauvignon sont les cépages rouges du Centre-Loire.

La variété des cépages permet aux viticulteurs de diversifier le style de leurs vins. Il n'est pas rare de voir un même producteur proposer du vin rouge et du vin blanc, tranquille ou effervescent. Cependant, la production de blanc domine largement, avec un total de 180 millions de bouteilles, en moyenne, contre 122 millions pour les vins rouge et rosé.

Les négociants et les propriétés

La Loire reste une région de petits domaines qui se rapproche davantage de la Bourgogne que du Bordelais. Toutefois, si les Bourguignons se sont enrichis grâce à la renommée de leurs vins, il n'en a pas été de même pour les producteurs de la Loire, dont le talent n'est pas toujours récompensé à sa juste valeur. Le Muscadet, le Sancerre, le Pouilly Fumé (blancs), le Bourgueil et le Saumur-Champigny (rouges) représentent les seules productions vinicoles relativement prospères.

Peu de coopératives viticoles garantissent un revenu aux producteurs, ce qui implique une liberté totale de négociation des prix en fonction des stocks disponibles et de la demande des négociants. Le plus souvent situés dans la région du Muscadet, entre Saumur et Nantes, les négociants achètent des vins dans différents domaines pour les assembler. Les achats se font généralement en fonction du prix et les vignerons ne céderont ainsi que leurs cuvées les moins réussies, ce qui explique qu'un Sancerre embouteillé dans la région nantaise soit souvent décevant. □

LES RÉGIONS VITICOLES DE TOURAINE, D'ANJOU ET DE BASSE LOIRE

La Loire est représentée ci-dessous ainsi que p. 244 (zone en amont de la Loire). Les vignobles, parfois appelés Pays nantais, se regroupent au sud de Nantes. Au centre, les vignobles se divisent en deux groupes : l'Anjou-Saumur autour d'Angers, et, à l'est, la Touraine centrée sur Tours. Le long des vallées avoisinantes se trouvent d'autres zones de production qui survivent tant bien que mal.

Régions viticoles

L'Ouest

1	Gros-plant du pays nantais
2	Muscadet
3	Muscadet de Sèvre-et-Maine
4	Muscadet Côtes de Grand-Lieu
5	Fiefs vendéens
6	Muscadet des Coteaux-de-la-Loire
7	Coteaux d'Ancenis

Anjou-Saumur

8	Anjou Coteaux-de-la-Loire
9	Savennières
10	Quarts-de-Chaume
11	Coteaux du Layon

12	Coteaux de l'Aubance
13	Anjou
14	Bonnezeaux
15	Saumur
16	Vins du Thouarsais
17	Saumur-Champigny
18	Coteaux de Saumur

Touraine

19	Haut-Poitou
20	St-Nicolas-de-Bourgueil
21	Coteaux de Bourgueil
22	Chinon

23	Coteaux du Loir
24	Touraine-Azay-le-Rideau
25	Jasnières
26	Touraine
27	Coteaux du Vendômois
28	Vouvray
29	Montlouis
30	Touraine-Amboise
31	Touraine-Mesland
32	Cheverny, Cour-Cheverny

- - - - - Limite de département
Autoroute
Route principale
Autre route

N

0   20   40 km

LES FACTEURS DE QUALITÉ

Bien que situés à la limite de la zone où la vigne est cultivée, les vignobles de la Loire ont pu s'épanouir grâce à la combinaison des microclimats et au drainage d'un relief façonné par les cours d'eau. La protection des vallées, l'effet modérateur des rivières et la lumière qui se réfléchit sur leur surface sont autant de facteurs qui contribuent à la maturité du raisin. Ces conditions expliquent les variations de qualité d'un millésime à l'autre, surtout pour les vins rouges et les vins liquoreux.

78	200	243	156
76	193	232	153
69	173	240	149
66	175	227	151

Moyenne des températures (°C) — Moyenne des précipitations (mm)

N D J F | M A M | J J A S | O
REPOS HIVERNAL | PRINTEMPS | ÉTÉ | VENDANGES

CLIMAT

Nantes
- Température
- Précipitations
- 100 Heures d'ensoleillement

Angers
- Température
- Précipitations
- 100 Heures d'ensoleillement

Vouvray
- Température
- Précipitations
- 100 Heures d'ensoleillement

Pouilly
- Température
- Précipitations
- 100 Heures d'ensoleillement

Les caves de Vouvray sont creusées dans le tuffeau.

Climat

Le climat peut varier de façon sensible entre la source de la Loire et son estuaire, ne serait-ce que par l'influence plus ou moins marquée de l'océan Atlantique. Si la région du Muscadet est très ensoleillée, les températures maximales en été se constatent à Pouilly-sur-Loire, tandis que les moyennes les plus hautes au moment des vendanges se trouvent dans l'Anjou.

Au cours du printemps, les vignerons redoutent les gelées noires jusqu'à la fin du mois de mai, tout autant que les pluies excessives d'août et de septembre, avec des risques de pourriture grise.

Millésimes

Les millésimes, dans le Val de Loire, sont marqués par d'importantes différences en quantité comme en qualité. À la fin des années 80 et au début des années 90, cette région, comme l'ensemble des vignobles de France, a connu une succession de millésimes exceptionnels. De mémoire de vigneron, jamais on n'avait produit de rouges aussi concentrés, de blancs moelleux aussi riches qu'au cours des trois grandes années de 1988, 1989 et 1990. Les gelées de 1991 ont brutalement ramené tout le monde à la réalité, avec des récoltes réduites et des vins plus classiques.

Sols

Il existe quatre formations géologiques distinctes. À la source du fleuve se trouvent les anciennes collines granitiques du Massif central, où subsistent quelques rares vignobles.

En suivant le cours de la Loire, on arrive dans une région calcaire qui abrite la région viticole de Sancerre et de Pouilly-sur-Loire. La terre, comme celle de la Champagne, est idéale pour la production de vins blancs. Les coteaux des deux rives du fleuve offrent toute une palette de sols (calcaires, argileux, siliceux) et les différentes pentes et vallées bénéficient de leurs propres microclimats.

La troisième région regroupe tout le centre du Val de Loire ainsi que les petites vallées des affluents. C'est ici le pays du tuffeau, cette roche de couleur crème, d'origine volcanique, suffisamment tendre pour abriter les innombrables caves à vin troglodytiques. Les rivières y ont creusé leur lit, formant peu à peu, sur les deux rives, des falaises dont le drainage, optimal, profite aux vignes qui y sont plantées.

Le quatrième type de sol est le plateau schisteux du Pays nantais que les petites rivières ont largement érodé, ce qui a donné naissance à des versants bien irrigués.

BASSE LOIRE

Les vins du Pays nantais, dans la basse Loire, ont une réputation de vins simples dans le paysage viticole français. Le Muscadet et le Gros-Plant ont un goût inimitable : fruités, jeunes, frais, ils sont parfaits pour accompagner les fruits de mer. Il s'agit d'une combinaison idéale qui a fait la bonne fortune d'un certain nombre de vignerons de la région depuis les années 1970.

Les appellations du Muscadet

Les appellations de la région sont les moins complexes parmi celles des pays de Loire. La plus grande va au Muscadet, qui se présente sous quatre aspects : Muscadet générique, Muscadet des Coteaux-de-la-Loire, Muscadet Côtes de Grand-Lieu et Muscadet de Sèvre-et-Maine. Le premier provient surtout de l'ouest de la région, pour un vin sans prétention (2 200 ha). Celui des Coteaux de la Loire est élaboré sur la rive nord de la Loire, entre Nantes et Ancenis (330 ha). Le Muscadet Côtes de Grand-Lieu est situé à l'ouest de la D 937 Nantes-La Roche-sur-Yon (400 ha). Comme son nom l'indique, le Muscadet de Sèvre-et-Maine naît entre deux rivières, la Sèvre et la Maine, qui se trouvent respectivement au sud et à l'est de Nantes, sur la rive sud de la Loire. Cette région viticole, l'une des plus denses de France, laisse peu de place à d'autres cultures (11 000 ha). Petits villages et petites villes (Vallet, Clisson et La Haie-Fouassière, par exemple) se regroupent autour de hautes églises, témoins d'une longue tradition de prospérité. L'appellation comprend 23 communes qui produisent environ 66 millions de bouteilles par an.

Pendant des siècles, le Muscadet est resté un vin de consommation locale. Mais, depuis les années 1970, il est devenu pour le monde entier le symbole des vins blancs secs faciles à boire.

Près de Clisson, on fait toujours travailler le cheval dans les vignes.

L'élaboration du Muscadet

Les qualités du Muscadet les plus unanimement appréciées tiennent à son caractère frais et fruité ainsi qu'au léger picotement que l'on ressent sur la langue en le dégustant. Ces qualités sont plus sensibles lorsque le vin est mis en bouteille sur lies, en fût avant soutirage, dans sa cave d'origine.

La tendance actuelle est à l'élaboration de cuvées de prestige, issues parfois des meilleurs coupages des producteurs, ou à la commercialisation de vins d'un seul domaine. Si ces vins sont certainement meilleurs que la plupart des Muscadets génériques, ces pratiques laissent supposer un malaise dans le Pays nantais. Pourquoi faire si compliqué pour un vin aussi simple que le Muscadet ? La viticulture est responsable d'une augmentation des rendements (plus de 100 hl/ha dans les années 1980) dans une majeure partie du vignoble. De plus, les superficies en exploitation sont passées de 11 000 à 15 000 ha en

quelques années. Des années trop ensoleillées ont donné des Muscadets moins acides et les excès de rendement n'ont rien arrangé. Tous ces facteurs expliquent que certains producteurs souhaitent affirmer leur différence.

Les autres vins

Le succès du Muscadet a étouffé celui qu'auraient pu connaître les autres vins. Les VDQS Coteaux-d'Ancenis (300 ha) proviennent des deux rives de la Loire aux environs d'Ancenis, région également couverte par l'AOC Muscadet des Coteaux-de-la-Loire. Bien qu'il existe en rouge, rosé et blanc, il est essentiellement proposé en rouge, élaboré principalement à partir des cépages Gamay ou Cabernet (Cabernet Franc ou Cabernet-Sauvignon).

Le Gros-Plant (2 700 ha), autre appellation de VDQS, est un vin blanc élaboré à partir de la Folle-Blanche, l'un des cépages du Cognac. Ce vin très acide accompagne bien la cuisine locale lorsque le millésime a été chaud. Il couvre à peu près la même zone que le Muscadet.

Les VDQS Fiefs Vendéens (380 ha), originaires d'une région isolée au sud-ouest de la Loire, produisent un vin rouge à base de Gamay et de Pinot Noir (au moins 50 %) ainsi que d'un ou des deux Cabernets. On trouve également un peu de vin blanc.

Le haut Poitou, au sud, est une zone VDQS constituée d'un îlot de vignobles où la coopérative locale a commencé à se lancer dans l'exportation de vins rouges, rosés et blancs. Les cépages sont le Gamay, le Cabernet Franc, le Cabernet-Sauvignon, le Sauvignon et le Chardonnay. Les vins du haut Poitou sont essentiellement des vins de cépages aux arômes riches qui expriment le fruit sans autre prétention.   □

PRODUCTEURS ET NÉGOCIANTS

Le pays du Muscadet est celui des vignerons plutôt que des coopératives et les négociants constituent sa force dominante.
La liste ci-dessous en cite quelques-uns parmi les meilleurs et répertorie certaines propriétés indépendantes.

Gautier Audas
L'entreprise de Gautier Audas à Haute-Goulaine ne commercialise que du vin en provenance de domaines choisis, dont Hautes-Perrières, le plus renommé. On peut également citer le Domaine de Goulaine, le Domaine des Claircomtes dans la commune du Pallet, le Domaine de l'Ébaupin et le Domaine de l'Écomandière. L'entreprise a aussi une activité de négoce.

Donatien Bahuaud
Il exploite la propriété de famille, le château historique de la Cassemichère. Le vin est toujours produit puis mis en bouteille sur lies au château, mais cette entreprise viticole se double d'une affaire de négoce avec des caves dans le village de La Chapelle-Heulin. Son Muscadet le plus célèbre est Le Master de Donatien, constitué d'un assemblage de vins soigneusement sélectionnés chaque année au cours d'une dégustation organisée.

Domaine de Beauregard
Henri Grégoire est aussi bon vinificateur que sage gestionnaire. Son Muscadet Sèvre-et-Maine vinifié sur lies est un vin direct et franc vendu à un prix extrêmement avantageux. À signaler un vin rouge (!) de Gamay proposé, lui aussi, à un prix très séduisant.

Guy Bossard
Guy Bossard a choisi la biodynamie dans les années 1970, un geste courageux dans une région très humide qui privilégie traditionnellement les hauts rendements. La qualité de ses vins et leur réputation actuelle démontrent qu'il a fait le bon choix. Il possède 17 ha de vignes dans le village du Louroux-Botterau. Son vin de propriété s'appelle Domaine de l'Écu et sa cuvée supérieure, Hermine d'Or. Il élabore également du Gros-Plant et un Muscadet.

Henri et Laurent Bouchaud
Le Domaine du Bois-Joly, propriété de 13 ha située au Pallet, produit des Muscadets classiques, avec toute la fraîcheur et la légèreté requises. On y trouve également du Gros-Plant et un rouge, le vin de pays du Jardin de la France, à base de Cabernet Franc.

Claude Branger
Dans son vignoble de 14,5 ha, Claude Branger élabore un Muscadet doux mais croquant, le Domaine La Haute Févrie (qui lui a rapporté quelques médailles), ainsi qu'un peu de Gros-Plant. Sa cuvée supérieure, baptisée Excellence, gagne à vieillir, qualité rare pour un Muscadet.

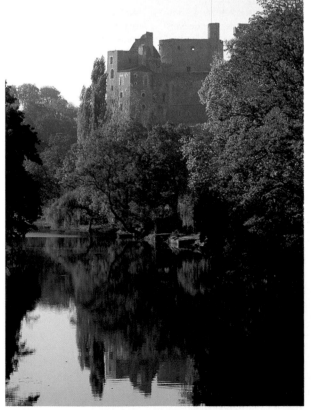

Le château de Clisson au-dessus de la Sèvre.

Robert Brousseau
Le Domaine des Mortiers-Gobin (9 ha) est sur les rives boisées de la Sèvre à La Haie-Fouassière. Il s'agit d'un vieux domaine qui appartient à la famille Brousseau depuis des générations. Les méthodes sont encore traditionnelles, avec élevage en fûts de bois.

Chéreau-Carré
Un des plus grands propriétaires du Muscadet, Chéreau-Carré possède 120 ha répartis entre les membres de sa famille : le Château de Chasseloir, le plus grand domaine, qui constitue le cœur des opérations, le Château du Coing, le Moulin de la Gravelle et le Château de l'Oiselinière. Tous les vins sont embouteillés sur lies dans chaque propriété. La pratique de la fermentation sous bois et la volonté de laisser vieillir certaines cuves de Muscadet font de ce producteur un véritable pionnier en la matière.

Bruno Cormerais
Ce vigneron énergique produit, avec sa femme Marie-Françoise, un certain nombre de vins sur son domaine de 20 ha : du Muscadet de Sèvre-et-Maine, du Gros-Plant et un Gamay appelé vin de pays des Marches de Bretagne. Leurs cuvées de Muscadet portent les étiquettes Domaine Bruno Cormerais, Domaine de la Chambaudière et Cuvée Prestige.

Domaine des Dorices
L'étrange château néo-normand, édifié sur ce domaine par le marquis de Rochechouart au début du siècle, est venu remplacer un manoir beaucoup plus ancien. Toute la propriété appartient désormais à la famille Boullault, qui produit sur 31 ha un Muscadet conçu pour vieillir, le Domaine des Dorices. On peut également y boire le Château la Touche, vin plus léger à boire plus jeune, ainsi que du Gros-

Plant et un vin blanc pétillant baptisé Leconte.

Domaine Gadais Père & Fils

Cette propriété de 32 ha à Saint-Fiacre produit des Muscadets Sèvre-et-Maine d'un excellent rapport qualité/prix. Ce sont des vins fins et typés. Le Gros-Plant du même producteur est bon et d'un prix très sage.

Château de la Galissonnière

Le château date du XIVᵉ siècle, mais doit son nom à un amiral du XVIIIᵉ siècle. Le vignoble, aux mains de la famille Lusseaud, couvre aujourd'hui 30 ha. Il produit deux cuvées : la Cuvée Philippe et la Cuvée Anne (d'après les prénoms de membres de la famille) et un Gros-Plant baptisé Cuvée Valérie. Les Lusseaud possèdent également une autre propriété, le Château de la Jannière.

Marquis de Goulaine

Cette propriété est l'une des plus connues pour le Muscadet. Situé dans le village de Haute-Goulaine, le château est millénaire. La récolte du vignoble de 31 ha est complétée par des achats de vins de propriétés. Environ un tiers du vin est mis en bouteilles sur lies et il existe une cuvée de prestige, la Cuvée du Millénaire. On y trouve également du Gros-Plant.

Domaine Pierre de la Grange

Les Luneau sont vignerons depuis sept générations. Pierre Luneau-Papin vinifie des Muscadets dans son domaine de Landreau et des Gros-Plants

remarquables au Domaine Saint-Méen.

Domaine « R » de la Grange

Rémy Luneau élabore un Muscadet Sèvre-et-Maine sur lies haut de gamme, étiqueté Le Grand « R » de la Grange.

Guilbaud Frères-Moulin

Négociants-éleveurs, ils possèdent trois domaines, le Domaine de la Moutonnière, le Clos du Pont et le Domaine de la Pingossière, soit 30 ha de vignobles. Ils élaborent un certain nombre de cuvées de prestige, notamment Le Soleil Nantais, un vin d'assemblage, et Les Hermines, reconnaissable à sa bouteille spécialement estampée.

Domaine de la Louvetrie

Dans son domaine de 26 ha, Joseph Landron distingue plusieurs terroirs qu'il vinifie séparément, chacun d'entre eux évoluant à son rythme en bouteille, d'où une gamme de Muscadets Sèvre-et-Maine. Bernard Landron, qui travaille désormais avec son frère, a apporté le Clos du Château La Carizière qui s'ajoute à l'Amphibolite et au Fief du Breuil.

Château de la Mercredière

Ce vignoble de 36 ha, sur les rives de la Sèvre, encercle un château du XIVᵉ siècle construit sur un site gallo-romain. Il appartient à la famille Futeul, qui a aussi une activité de négoce. Les Muscadets sont concentrés et puissants.

Louis Métaireau

Pour marquer, il y a plus de 30 ans, son désir d'aller dans le sens d'un Muscadet supérieur et sa volonté de contrer la toute-puissance des négociants, Louis Métaireau a réuni un groupe de producteurs (trois au départ, neuf aujourd'hui, qui se partagent 100 ha) qui commercialisent leur vin sous l'étiquette Métaireau. Ils sont soumis à des

dégustations rigoureuses pendant la vinification et avant l'embouteillage (sur lies dans la cave du viticulteur). Ces vignerons sont réputés pour leur grande droiture qui les a déjà conduits à rejeter leur propre vin. Métaireau possède le Domaine du Grand Mouton.

Château la Noë

Le comte de Malestroit, propriétaire de cette demeure du XVIIᵉ siècle, est un romancier et un chroniqueur du Pays nantais. Il gère lui-même la moitié de ses 65 ha de vignes tandis que les autres parcelles sont laissées en fermage, avec paiement en nature. Curieusement, alors que le château est considéré comme une propriété plutôt que comme une maison de négoce, le vin n'est pas mis en bouteille sur lies.

Château de la Preuille

Les Dumortier au Château de la Preuille – un beau bâtiment – exploitent un terroir de granit porphyroïde à deux micas. Leurs Muscadets (sur lies) sont des vins concentrés qui peuvent se conserver. Le producteur propose également un Gros-Plant sur lies, qui mérite lui aussi une mention.

Château de la Ragotière

Ces 29 ha de vignobles entourant un vieux château et sa chapelle du XIVᵉ siècle produisent du Gros-Plant et du Muscadet. La famille Couillaud, qui possède le domaine, élabore un vin jeune et frais.

Gaston Rolandeau

Ce négociant traditionnel, implanté juste en dehors de la

zone de Sèvre-et-Maine, se concentre sur le Muscadet à Tillières. La gamme de base comprend la Cave de la Frémonderie, vin qui vieillit étonnamment bien, et une cuvée de prestige baptisée Signature de la Loire et présentée dans une bouteille nantaise (prouvant qu'elle a été soumise à deux jurys de dégustation).

Marcel Sautejeau

Affaire de négoce qui embouteille plus de 12 millions de bouteilles par an, toutes appellations confondues (Muscadet, vins d'Anjou, de Saumur et de Vouvray). L'entreprise, située au Domaine de l'Hyvernière près du Pallet, diffuse aussi des vins de domaine comme celui de la Botinière, à Vallet.

Sauvion

Un des négociants les plus dynamiques de la région, très soucieux de la qualité des vins. Cette entreprise familiale a ses caves au Château du Cléray à Vallet. Elle commercialise un certain nombre de marques : Sauvion du Cléray, Cardinal Richard et Carte d'Or. Elle s'approvisionne essentiellement auprès de viticulteurs (pour près de 80 %), sans contrat, préférant attendre les dégustations pour acheter, quitte à payer plus cher. Certains des meilleurs vins sont ensuite vendus comme des cuvées individuelles, sous l'étiquette Découvertes.

Les Vignerons de la Noëlle

Il s'agit d'une des plus grosses coopératives de la Loire, et la seule pour le vin du Pays nantais (bien qu'elle gère également d'autres produits agricoles). Basée à Ancenis, elle élabore des Coteaux-d'Ancenis (rouge, rosé et blanc), des Coteaux-de-la-Loire, du vin de pays ainsi que du Muscadet. Ses vins sont largement distribués sous diverses étiquettes.

CENTRE-LOIRE

Les paysages des anciennes provinces d'Anjou et de Touraine comptent parmi les plus beaux de France. C'est une région dans laquelle l'homme et la nature ont travaillé en harmonie au cours des siècles. Les forêts royales couvrent majestueusement les collines en surplomb des rivières tranquilles, tandis que les villages et les châteaux, en pierre blanche de tuffeau, semblent tout droit sortis d'un livre d'images.

Les vins originaires de ces deux régions offrent toute la variété que l'on peut trouver en France. Pour y voir un peu plus clair, il faut considérer ensemble l'Anjou et le Saumurois et, à part, la Touraine, plus à l'est. L'Anjou et la Touraine bénéficient chacun d'une appellation générale, subdivisée en plusieurs autres, plus localisées.

Les vins d'Anjou et de Saumur
Il existe presque autant d'appellations, et certainement plus de styles de vins différents, dans les quelques kilomètres qui entourent Angers que dans tout le Bordelais. Il est utile de définir deux enclaves, ou sous-régions : une région de vins blancs autour de la rivière du Layon, et la région de vin rouge et de vin pétillant autour de Saumur (voir carte p. 233).

On trouve toutes sortes de vins, depuis les blancs voluptueusement doux de Quarts-de-Chaume ou de Bonnezeaux, dans la vallée du Layon, jusqu'au vin blanc de Savennières, très sec, juste de l'autre côté de la rivière. À l'autre extrémité de la province, sur la frontière avec la Touraine, les vins blancs mousseux de Saumur côtoient le Saumur-Champigny, l'un des vins rouges les plus en vogue en France à l'heure actuelle.

Cette abondance d'appellations signifie concrètement que, pour un producteur, il n'est pas question de se cantonner à un seul vin. Avec de

Vignes de Cabernet Franc, près de Chinon.

petits lopins de terre dans des appellations voisines, il peut élaborer jusqu'à une demi-douzaine de vins différents, portant des noms variés, suivant diverses règles, souvent avec des résultats très variables d'un point de vue qualitatif.

Les vins de Touraine
La Touraine est un peu moins généreuse dans son attribution d'appellations : elles se résument à deux appellations au nord du fleuve et deux au sud. Les appellations de vin rouge, Chinon et Bourgueil, permettent au cépage Cabernet Franc de parvenir à une qualité d'expression qu'il atteint rarement, sauf à Saint-Émilion. Sur l'autre versant, à l'est de la ville de Tours, le Chenin Blanc atteint ce que beaucoup considèrent comme son apogée dans les meilleurs vins de Vouvray et de Montlouis.

À côté de ces appellations classiques, on trouve l'AOC de Touraine, plus étendue, avec les villages de Mesland, Azay-le-Rideau et Amboise. À l'est, à la limite de la Touraine et du Berry, se trouvent deux zones en plein développement : Cheverny et Cour-Cheverny, VDQS depuis 1973 et devenu AOC, ainsi que Valençay.

Les autres vins
À côté de ces grandes appellations, on trouve une foule de noms moins connus, dont certains sont en plein déclin par manque d'intérêt local et à cause d'une situation commerciale difficile et d'un climat notoirement instable. Certes, il serait dommage de les voir disparaître, mais l'avenir des AOC Coteaux-de-l'Aubance en Anjou et Jasnières en Touraine, ainsi que celui de certains VDQS comme les Coteaux-du-Vendômois, est relativement incertain. □

APPELLATIONS

La région Centre-Loire possède un large éventail d'appellations qu'on peut regrouper sous les noms Anjou et Saumur pour la partie ouest de la zone, et Touraine pour la partie est.

LES APPELLATIONS ANJOU ET SAUMUR
Anjou
Il s'agit de l'appellation générale pour les vins non couverts par l'une des AOC plus spécifiques décrites ci-dessous. Elle recouvre en général des vins rouges et des vins blancs secs. Les vins rouges légers (Gamay d'Anjou) et les vins effervescents (Anjou mousseux et pétillant) font l'objet d'appellations séparées.

Anjou Coteaux-de-la-Loire
Petite zone AOC près d'Angers produisant des vins blancs secs et demi-moelleux à partir du cépage Chenin Blanc.

Anjou Villages
Appellation des vins rouges Cabernet de 46 communes au sud-est d'Angers, qui sont de meilleure qualité que l'Anjou rouge classique.

Bonnezeaux
Vins blancs moelleux de première classe, originaires d'un village à l'extrême sud des Coteaux du Layon.

Cabernet d'Anjou et Cabernet de Saumur
Rosés à base de Cabernet (Franc et Sauvignon). Meilleurs que le rosé d'Anjou, ils peuvent être secs ou moelleux.

Coteaux-de-l'Aubance
Vins blancs moelleux et demi-moelleux, à base de Chenin Blanc, élaborés dans la zone de l'Anjou Villages.

Coteaux-du-Layon
Vins blancs moelleux à base de Chenin Blanc dans la vallée du Layon. Certains villages peuvent ajouter leur nom sur l'étiquette après celui de l'appellation générique.

Quarts-de-Chaume
Petite enclave dans les Coteaux du Layon, donnant des vins blancs doux particulièrement savoureux.

Rosé d'Anjou
Vins très clairs, légèrement moelleux, issus du cépage Groslot. En termes de production, il s'agit toujours de l'appellation d'Anjou la plus importante, mais les vins sont en train de perdre leur popularité.

Rosé de Loire
Vins rosés secs, faits avec au moins 30 % de Cabernet, qui peuvent être élaborés dans tout le Val de Loire.

Saumur
Vins tranquilles, rouges et blancs, à base de Cabernet et de Chenin Blanc, élaborés dans 36 communes autour de la ville de Saumur.

Saumur-Champigny
Vins rouges issus de Cabernet, originaires de 9 communes près de St-Cyr-en-Bourg, à l'est de la ville de Saumur.

Saumur mousseux
Vins blancs effervescents, fermentés en bouteille, élaborés dans des caves (souvent creusées dans la roche) autour de Saumur.

Savennières
Vins blancs très secs, à base de Chenin Blanc, élaborés sur la rive nord de la Loire. Lui sont associées deux autres appellations désignant chacune un vignoble : Coulée-de-Serrant et Roche-aux-Moines.

LES APPELLATIONS TOURAINE
Bourgueil et Saint-Nicolas-de-Bourgueil
Région de vins rouges centrée autour de la ville de Bourgueil, sur la rive nord de la Loire. Le cépage est le Cabernet Franc. Le village de Saint-Nicolas-de-Bourgueil possède sa propre appellation pour ses vins, rouges également.

Cheverny et Cour-Cheverny
Cette ancienne zone VDQS a été promue au rang d'AOC en 1993. Le Cheverny peut être blanc, rouge ou rosé (cépages Chenin Blanc, Sauvignon, Chardonnay, Gamay, Cabernet Franc, Pinot Noir, Cot). Le Cour-Cheverny n'est que blanc, un vin typé et acide issu du cépage local Romorantin.

Chinon
Sur la rive sud de la Loire, en face de Bourgueil, cette vaste zone de vins rouges se concentre autour de la ville de Chinon. Le cépage principal est, là encore, le Cabernet Franc.

Coteaux-du-Loir
Des vins rouges, des blancs secs et des rosés produits à 40 km au nord de Tours. Aujourd'hui, le vignoble couvre seulement une superficie de 20 ha.

Coteaux-du-Vendômois
Vignoble classé en VDQS, produisant du vin rouge, blanc et rosé. La production, environ 600 000 bouteilles, est consommée localement.

Crémant de Loire
On trouve du vin pétillant blanc ou rosé dans toute la vallée de la Loire, mais surtout en Touraine. Les contrôles y sont plus sévères que pour les pétillants de Saumur.

Jasnières
Petite appellation pour les vins blancs secs, s'inscrivant dans la plus grande appellation Coteaux-du-Loir, sur le Loir.

Montlouis
Vins tranquilles, demi-secs et doux, produits autour de la ville de Montlouis. Les versions effervescentes s'appellent Montlouis pétillant et mousseux.

Vins du Thouarsais
Petite région de VDQS dans le département des Deux-Sèvres, au sud de l'Anjou. Le rouge et le rosé sont élaborés à partir des deux Cabernets, les blancs, à partir de Chenin Blanc.

Touraine
Grande appellation pour les vins rouges, rosés et blancs (tranquilles et pétillants) produits dans une région qui se trouve au sud de Tours. Certains cépages (le Sauvignon pour les blancs et le Gamay pour les rouges) ont leur propre appellation.

Touraine Villages
Touraine-Amboise, Touraine-Azay-le-Rideau et Touraine-Mesland sont les trois appellations qui produisent des versions des vins de l'AOC de Touraine.

Valençay
Cette nouvelle AOC couvre surtout des vins rouges et rosés, avec quelques blancs, provenant de la région de Valençay dans le département de l'Indre. Les blancs sont issus de Menu Pineau (ou Arbois), de Sauvignon, de Chardonnay, de Chenin Blanc et de Romorantin. Les vins rouges et rosés proviennent des deux Cabernets, de Gamay et de Pineau d'Aunis (un cépage originaire de la Loire, appelé également Chenin Noir).

Vouvray
Région située autour du village de Vouvray sur la rive nord de la Loire, qui produit des vins blancs secs et moelleux ainsi que des Mousseux.

PRODUCTEURS ET NÉGOCIANTS

De nombreux producteurs d'Anjou et de Touraine élaborent des vins sous plusieurs appellations. Par exemple, certains producteurs angevins font des rouges Anjou Villages, des blancs secs Anjou et Savennières et des blancs doux Coteaux-du-Layon. Toutefois, la distinction entre, d'une part, Anjou et Saumur et, d'autre part, Touraine (Bourgueil et Chinon, Vouvray et Montlouis) est très nette.

ANJOU

Aubert Frères
Un des négociants les plus importants de la vallée de la Loire, qui diffuse toute une gamme de vins, dont des Sancerres à l'est et des Muscadets à l'ouest. Ses propriétés des Hardières à Saint-Lambert-du-Lattay produisent des rouges et des blancs d'Anjou, tandis que son Domaine du Mirleau produit du Gamay d'Anjou.

Domaine des Baumard
Entreprise familiale, située dans le village de Rochefort-sur-Loire, qui possède des vignobles dans les appellations Coteaux-du-Layon, Quarts-de-Chaume et Savennières. Laurent Baumard a succédé à son père et introduit des innovations. Le Clos de Sainte-Catherine, un Coteaux-du-Layon demi-sec, et le Clos du Papillon en Savennières expriment la diversité du Chenin Blanc lorsqu'il est jeune ou plus mûr.

Château du Breuil
Sur leur domaine de 36 ha dans la vallée du Layon, Marc et Chantal Morgat produisent des Coteaux-du-Layon racés et moelleux, de l'Anjou rouge et blanc, de l'Anjou Villages rouge, un Crémant de Loire pétillant et un vin de pays du Jardin de la France (rouge et blanc). Les vins doux, spécialement ces dernières années, ont témoigné d'une exceptionnelle profondeur et une grande richesse, tandis que

les vins secs bénéficient de techniques de vinification modernes.

Domaine du Closel
À partir de ce vignoble de plus de 15 ha sont produits plusieurs Savennières précis et typés, en particulier le Clos du Papillon, fleuron de la gamme.

Coulée de Serrant
Nicolas Joly s'est fait connaître en vantant la culture en biodynamie, qui fait appel à la magie et à l'astrologie. Tout cela pourrait être considéré comme une simple excentricité si sa cuvée de Coulée-de-Serrant, provenant d'un vignoble unique à Savennières, n'était pas un grand vin, à tous points de vue. Il utilise le cheval pour travailler dans ses vignobles très pentus. Ces vins ont un très bel avenir devant eux.

Château de Fesles
Après avoir appartenu à Jacques Boivin, puis au célèbre pâtissier Gaston Lenôtre, le Château de Fesles a été acquis par le talentueux Bernard Germain. Ce vignoble de 35 ha – dont 17 ha

de vignes rouges – produit le meilleur Bonnezeaux, un liquoreux aussi riche que fin. Les vins rouges Anjou Villages de Bernard Germain sont excellents.

Jacques Lalanne
Plus grand propriétaire de l'appellation Quarts-de-Chaume, Jacques Lalanne, dont la propriété s'appelle Château de Belle Rive, se consacre sans compter à la qualité. Les rendements sont faibles et seuls les raisins botrytisés sont élus pour entrer dans ses chais de vinification. Le vin subit une fermentation dans des fûts de bois où il reste tout l'hiver, avant une mise en bouteilles en avril ou en mai. Il s'agit de vins d'un long potentiel de vieillissement, même s'ils sont flatteurs dès leurs premières années de bouteille.

Domaine René-Noël Legrand
Curnonsky, angevin, était client de ce domaine qui atteint aujourd'hui une quinzaine d'hectares. René-Noël Legrand vinifie quatre Saumur-Champigny différents, tous fins et subtilement construits.

Domaine Ogereau
Cette propriété de 24 ha complantée d'autant de vignes rouges que de vignes blanches, située à Saint-Lambert-du-Lattay, permet à Vincent Ogereau d'exploiter ses dons de vinificateur. Ses Coteaux-du-Layon Saint-Lambert botrytisés et parfaitement élevés, souvent dans du bois neuf, sont des modèles du genre.

Hervé Papin
Parmi les rares producteurs des Coteaux-de-l'Aubance, Maxime et Hervé Papin, avec leurs 20 ha de vignes, élaborent des vins qui font regretter que cette appellation tombe en désuétude. En effet, leurs vins des grandes années 1989 et 1990, mais aussi ceux de 1991, année moins réussie, témoignent d'un caractère racé. Ils font également de

l'Anjou rouge à partir du Cabernet Franc.

René Renou
Un des grands avocats des vins de la vallée du Layon, mais surtout directeur de l'INAO, il produit un Bonnezeaux et des vins rouges sur 18 ha à Thouarcé.

Domaine de Sainte-Anne
Propriété de 48 ha dans laquelle la famille Brault produit de l'Anjou (rouge et blanc) à base de Chenin, de l'Anjou Villages à base de Cabernet Franc et un peu de Coteaux-de-l'Aubance, moelleux.

Domaine Pierre Soulez
Pierre Soulez vinifie au Château Chamboureau des Savennières et des Savennières Roche-aux-Moines (secs et moelleux) denses et concentrés. Son frère Yves Soulez a quitté Chamboureau pour Saint-Aubin-de-Luigné où il vinifie d'intéressants Coteaux-du-Layon.

Les Vins Touchais
Grande entreprise de négoce et de commerce basée à Doué-la-Fontaine. Elle a amassé des stocks de vins moelleux du Layon qu'elle revend, assez bizarrement, sous le nom d'Anjou blanc Moulin Touchais et non sous celui de Coteaux-du-Layon. Ces vins peuvent être extraordinaires et démontrent la capacité de vieillissement du Chenin Blanc. Toutefois, l'essentiel des activités porte sur les rouges et des rosés francs, qui n'ont pas la qualité supérieure des vins moelleux.

SAUMUR

Ackerman-Laurance
En 1811, Jean Ackerman, revenant de Champagne où il avait travaillé quelque temps, eut la conviction que les vins locaux pouvaient aussi subir une seconde fermentation en bouteille. Première entreprise à élaborer du vin mousseux de Saumur, la maison Ackerman est aujourd'hui associée à son

confrère Rémy Pannier pour produire toute une gamme de Saumur mousseux ainsi qu'un Crémant de Loire (rosé, blanc).

Bouvet-Ladubay

Sans doute la maison d'effervescents de Saumur la plus dynamique et la plus innovatrice, Bouvet-Ladubay, bien qu'appartenant à Taittinger, est gérée par Armand Monmousseau, un pilier de la Touraine viticole. Parmi ses produits, deux cuvées supérieures valent d'être remarquées : Saphir et Trésor (blanc), qui contiennent une certaine proportion de Chardonnay, laissées à fermenter dans des fûts de chêne.

Château de Chaintré

Cette charmante demeure du XVIᵉ siècle, au vignoble clos d'un mur d'enceinte, se trouve dans l'appellation Saumur-Champigny. Le vin de Bernard de Tigny est quelquefois un peu lourd pour du Saumur-Champigny et gagne à vieillir. La fermentation s'accomplit en cuve d'acier inoxydable et le vieillissement en fût de bois. Beranrd de Tigny produit également un peu de Saumur blanc.

Paul Filliatreau

Plus grand producteur de Saumur-Champigny rouge, Filliatreau en compose un qu'il baptise Jeunes Vignes (vignes de moins de 50 ans), un autre appelé Vieilles Vignes et une cuvée spéciale, Lena Filliatreau, élaborée à partir de vignes anciennes sur un sol siliceux. Il fabrique également un Saumur blanc.

Gratien Meyer Seydoux

Une des plus grandes maisons de vin mousseux de Saumur et la seule à avoir été fondée par une maison de Champagne, Alfred Gratien. Sa meilleure cuvée, la Cuvée Flamme (en rosé et en blanc), est un assemblage de vins vieux qu'on laisse généralement vieillir en bouteilles avant de les diffuser.

Langlois-Château

Appartenant à la maison champenoise Bollinger, Langlois-Château produit du vin tranquille de Saumur et du Crémant de Loire (rosé, blanc), mais très peu de vin mousseux de Saumur. Cette stratégie en faveur du Crémant de Loire a ses raisons : les règles de l'appellation sont plus strictes, tandis que les cépages autorisés sont plus nombreux. Le brut se compose de Chenin Blanc, de Grolleau, de Cabernet Franc et de Chardonnay alors que le rosé se limite au Cabernet Franc et au Cabernet-Sauvignon.

Château du Hureau
Philippe Vatan

Philippe Vatan produit aujourd'hui l'un des meilleurs Saumur-Champigny (ainsi qu'un Saumur blanc mémorable). Il diffuse un Saumur-Champigny générique, un Vieilles Vignes ainsi qu'un Saumur moelleux blanc assez rare.

Château de Villeneuve

Ce domaine exploite 22 ha de Cabernet Franc et 6 ha de Chenin (blanc). Le Saumur-Champigny Vieilles Vignes est un modèle de Saumur blanc, Les Cormiers comble les amateurs de Chenin.

BOURGUEIL ET CHINON
Yannick Amirault

En quelques années Yannick Amirault est devenu l'un des vignerons les plus estimés de Bourgueil. Le fruité intense de ses vins est soutenu par des tanins souples et abondants. Cette qualité est due à des raisins parfaitement mûrs. Le Saint-

Nicolas-de-Bourgueil du même producteur atteint le même niveau élevé.

Bernard Baudry

Avec ses expériences sur le bois et la séparation de ses vins en fonction du type de sol dont ils proviennent, Bernard Baudry s'affirme comme un producteur de Chinon sérieux. Ses vins se démarquent par un goût de fruit, équilibré par le bois, et par leur aptitude à vieillir. Il possède 25 ha de vignes à Cravant-les-Coteaux, à l'est de Chinon.

Couly-Dutheil

Il s'agit du plus grand producteur de Chinon basé à Chinon. Il possède 65 ha de vignes et achète du raisin à des vignerons voisins pour alimenter son activité de négoce. Son meilleur vin est le Clos de l'Écho, originaire d'un seul vignoble, qui a appartenu à Rabelais et se trouve juste à l'arrière du château.

Pierre-Jacques Druet

C'est le plus innovateur des producteurs de Bourgueil, qui a importé depuis le Bordelais sa formation et son savoir-faire en matière de vin rouge. Ses vins sont conçus pour vieillir, mais supportent d'être bus jeunes car leur fruité est dominant. Il produit différentes cuvées à partir de différentes parties de son vignoble (planté dans les coteaux supérieurs de Bourgueil). La meilleure d'entre elles s'appelle Vaumoreau et les autres, d'une non moins bonne qualité, Beauvais et Grand-Mont.

Château de la Grille

La spectaculaire propriété de 60 ha au-dessus de la ville de Chinon appartient aux Gosset. Les vins sont élevés dans des fûts de bois vieux et jeune afin d'obtenir un vin rouge qui vieillit bien, et atteint un bon équilibre entre fruité, tanins mûrs et acidité.

Charles Joguet

Charles Joguet a pris sa retraite, mais le domaine porte toujours son nom. Son vignoble de Sazilly compte parmi les rares parcelles qui couvrent les versants exposés au nord, sous la Vienne. À partir de ce joyau sont assemblées diverses cuvées en vertu de l'âge des vignes : ses Jeunes Vignes proviennent de vignes qui ont moins de dix ans d'âge et son Clos de la Cure de vignes près de l'église de Sazilly. Vient ensuite le Varennes du Grand Clos et le Clos de Chêne Vert, ainsi que le plus racé, le Clos de la Dioterie, qui est soumis à un long vieillissement.

Les Caves des Vins de Rabelais

Groupe de plus de 100 producteurs de Chinon, dont certains vins entrent dans des cuvées spéciales, notamment la Cuvée Jeanne d'Arc. Le groupe a été fondé pour aider les petits producteurs à survivre et à lutter contre le pouvoir des négociants.

Jean-Maurice Raffault

Producteur dont les vins, à maturité, peuvent exhaler les parfums de truffe et de violette qui rendent le Chinon si séduisant. Il propose toute une gamme de crus provenant des différentes parties de son vignoble de 30 ha et travaille également avec les Caves des Vins de Rabelais.

Joël Taluau

En tant que président des vignerons de Saint-Nicolas, Joël Taluau est un homme important dans cette petite appellation. Son Domaine de Chevrette, qui totalise 16,5 ha, produit un Cuvée de Domaine et un Vieilles Vignes, élaboré à partir de vignes de 40 ans.

TOURAINE
Pierre Chainier

Cette entreprise combinait autrefois négoce et viticulture, en vendant des vins provenant de toute la Loire. Depuis 1991, une nouvelle orientation est donnée et la maison se limite désormais à la production de vins provenant exclusivement de son domaine de 200 ha et de zones voisines en Touraine. Ses vins de domaine sont particulièrement représentatifs de l'appellation.

Château de Chenonceau
Il était logique que le plus beau des châteaux de la Loire produise du vin. Il est d'ailleurs l'un des rares châteaux de la région à le faire. À partir d'un vignoble de 12 ha situé en hauteur, loin du fleuve, il élabore des vins sous l'AOC de Touraine : vins blancs secs et demi-secs, vins rouges et vins mousseux.

Domaine de la Gabillière
L'école viticole expérimentale d'Amboise élabore d'énormes quantités de vin de qualité à partir de ses 16 ha de vignobles. On peut noter un Sauvignon Blanc concentré et un Crémant de Loire pétillant (blanc).

Joël Gigou
L'un des quelques cultivateurs de la minuscule appellation de Jasnières, dans les Coteaux du Loir, Joël Gigou possède des vignes près du hameau de Lhomme. Il propose surtout des vins blancs secs à base de Chenin Blanc et, les rares bonnes années, il produit également un peu de vin demi-sec.

Domaine Henry Marionnet
Ou Domaine de la Charmoise, si l'on préfère. À la tête de ses 40 ha de Gamay et de ses 20 ha de Sauvignon, Henry Marionnet est un important producteur. Son Touraine Primeur est le meilleur de la région. Ce vigneron heureux a eu l'occasion d'acheter la plus vieille vigne de France tout à côté de chez lui, des ceps préphylloxériques âgés de 120 à 150 années. Il en tire un vin rarissime qui porte l'étiquette Vinifera.

J. M. Monmousseau
Appartenant désormais à la famille Brédut, l'entreprise Monmousseau est célèbre pour ses vins mousseux, le Brut de Mosny (blanc), fabriqué dans de vastes caves de tuffeau à Montrichard. Elle élabore également du Vouvray à partir de ses vignobles et agit comme négociant.

La Confrérie des Vignerons de Oisly et Thésée
Avec 52 membres et 275 ha de vignes, il s'agit d'une grosse coopérative pour la Loire. Elle se démarque aussi par son sérieux, en proposant toute une fourchette de vins de Touraine de qualité. Un chai moderne, équipé de la technologie dernier cri, s'est mis en place ces dernières années. La marque Baronnie d'Aignan (rouge, blanc) est adoptée pour les assemblages tandis que, pour le moment du moins, le nom du cépage est donné aux vins de cépage. Le Sauvignon de Touraine (blanc) est particulièrement prisé.

Jacky Preys
Vaste propriété de 55 ha qui produit des rouges (Gamay et Cabernet Franc), avec un Gamay provenant d'un seul vignoble, Domaine du Bas Guéret, et un assemblage vieilli en fût de bois, Cuvée Royale, composé de Gamay à 50 %, de Cabernet Franc à 25 % et de Pinot Noir à 25 %. Elle produit également une petite quantité de Valençay blanc.

Philippe Tessier
Acteur important sur la scène relativement petite de Cheverny, ce domaine est entre les mains de la même famille depuis trois générations. Il produit des rouges et des blancs (les derniers étant meilleurs que les premiers), avec un terroir particulièrement propice au Romorantin local, qui donne ici un vin blanc fruité et non pas d'une acidité perçante.

VOUVRAY ET MONTLOUIS
Berger Frères
Consortium familial de 20 ha à Saint-Martin-le-Beau, qui fournit tous les raisins servant à l'élaboration des vins de Montlouis. La moitié de la production est du pétillant ; le reste, du vin tranquille, qui peut être sec ou moelleux les bonnes années grâce à ses raisins botrytisés.

Domaine Bourillon d'Orléans
Frédéric Bourillon, propriétaire de 15 ha de vignes, est l'un des animateurs de ce groupe de jeunes producteurs de Vouvray qui font beaucoup pour restaurer la réputation de la région. Ses vins mettent l'accent sur le fruit plutôt que sur l'acidité, qui a tendance à être dominante dans les vins à base de Chenin. Ses vins doux vieillissent dans le bois, mais il utilise les deux types de cuves (acier inoxydable et bois) pour ses vins secs.

Philippe Brisebarre
Philippe Brisebarre réserve l'élaboration de son Vouvray moelleux aux années exceptionnelles, comme 1989 et 1990. Normalement, il se cantonne à un vin sec ou demi-sec, en fonction de la récolte. Il élabore également un vin blanc pétillant selon la méthode traditionnelle, qui vieillit bien.

Deletang Père et Fils
Vignoble de 20 ha autour de Saint-Martin-le-Beau d'où provient le raisin de cette entreprise de Montlouis. Elle se spécialise dans des vins moelleux, issus de différents terroirs (notamment Les Bâtisses et Petits-Boulay) et dans des assemblages composant un vin du domaine. Les celliers Deletang sont remplis de bouteilles poussiéreuses, couvertes de toiles d'araignées, mais les techniques de vinification sont modernes. L'entreprise fait également des vins pétillants et des vins rouges et blancs de l'AOC de Touraine.

Gaston Huet
Nom le plus célèbre de Vouvray. Les vins de Gaston Huet restent de qualité, la vinification étant désormais contrôlée par le gendre de M. Huet, Noël Pinguet. La propriété du Mont est considérée comme la meilleure de Vouvray depuis le XVIIe siècle. Ses vins, ainsi que ceux du terroir Le Haut-Lieu et d'un troisième vignoble, Clos du Bourg, sont vinifiés et vendus séparément. Huet élabore des vins mousseux, des vins doux et un peu de blanc sec tranquille.

Château Moncontour
Énorme vignoble de 108 ha à Rochecorbon, appartenant depuis 1989 à la famille Brédut. L'ascension de ce domaine a stimulé le Vouvray en démontrant qu'il est possible de faire du bon vin de propriété en quantité, dans une région souvent dominée par les négociants. Les Mousseux secs et demi-secs ont connu beaucoup de succès. De petites quantités de vins de l'AOC de Touraine (rouge, rosé, blanc) sont également produites.

Clos Naudin
La famille Foreau possède 12 ha de vignes sur les hauteurs du village et propose la gamme habituelle de Vouvray (du Mousseux et une variété de moelleux en vin tranquille).

Prince Poniatowski
L'arrière-grand-oncle du prince Philippe Poniatowski a été le dernier roi de Pologne. Le Clos Baudoin appartient à la famille depuis 1910. La demeure est à moitié construite dans les falaises de tuffeau. Le vignoble de 22 ha est situé au-dessus, sur le plateau. C'est le site idéal pour le Vouvray traditionnel, où l'on met l'accent sur des vins secs et pétillants, vendus sous le nom Aigle d'Or, et sur les vins moelleux réservés aux années exceptionnelles.

SANCERRE ET POUILLY-SUR-LOIRE

À mi-chemin de sa course vers la mer, la Loire fait un virage à angle droit à la hauteur d'Orléans, passant d'une orientation sud-nord à une orientation est-ouest. Quelques kilomètres avant ce changement de cap, les affleurements des collines crayeuses, plus élevées sur la rive ouest qu'à l'est, où elles forment un plateau, constituent un terrain propice aux vignes.

À l'ouest, l'agréable ville fortifiée de Sancerre domine un ensemble de vignobles, en forme de croissant, orientés au sud et à l'est, un des sites de France les plus denses en vignes, même s'il ne fait que quelques kilomètres de large. De l'autre côté du fleuve, le village de Pouilly-sur-Loire, que traverse la nationale 7, est entouré par un vignoble qui borde le fleuve des deux côtés et profite de ses coteaux calcaires.

Sol siliceux dans les vignobles de Didier Dagueneau.

Les styles de vin

Les deux grandes appellations de cette petite région ont servi de modèle au reste du monde. Les vins blancs de Sauvignon Blanc ont fait des émules en Italie, en Californie, au Chili et, surtout, en Nouvelle-Zélande.

Hors de l'Europe, on oublie un peu trop que la mode du Sauvignon est née dans ces deux petites enclaves. Mais les deux appellations (le Sancerre, plus délicat, à boire assez tôt, et le Pouilly Fumé, plus riche et plus durable) ont tendance à profiter de cet engouement pour faire monter leurs prix.

En décidant de créer un style de Sauvignon au goût ample et au parfum de bois, qu'ils baptiseraient « fumé », les Californiens ont rendu un hommage trompeur à un village où le bois ne sert que de contenant et qui fait tout son possible pour lui substituer l'acier inoxydable, symbole des nouvelles technologies de vinification. En fait, ce terme symbolise le parfum fumé typique du Sau-

vignon, son bouquet d'herbes et de végétaux, son goût qui rappelle quelquefois la groseille ou, quand il est plus mûr, le cassis, et son acidité vibrante, qui donne cette exquise sensation de rafraîchissement.

Les Sancerrois n'oublient pas leurs rouges et leurs rosés à base de Pinot Noir, mais ces derniers ne sont sou-

vent que de pâles imitations des vins rouges de Bourgogne si puissants. Des appellations satellites (voir p. 244) utilisent le même cépage Sauvignon. Il faut noter que les appellations Quincy, Reuilly, Menetou-Salon, sans atteindre la finesse d'un Sancerre ou le charme d'un Pouilly Fumé, sont d'excellents vins qui ont leur propre caractère. □

LES VINS DES MONTAGNES

Quatre vignobles, deux appellations d'origine contrôlée et deux VDQS sont situés dans le cours supérieur de la Loire.

Côtes Roannaises (AOC)
Le département de la Loire, pratiquement à la source du fleuve, produit des rouges et des rosés issus de Gamay, autour de Roanne. Parmi les producteurs, il faut noter Paul Lapandéry et Félix Vial.

Côtes du Forez (AOC)
Cette zone a été revitalisée par la coopérative locale, Les Vignerons Foréziens, avec de bons rouges et rosés réalisés à partir de Gamay. Le Beaujolais est de l'autre côté des montagnes, à l'est.

Saint-Pourçain (VDQS)
Zone au sud de Moulins, dans l'Allier, à mi-chemin entre les vignobles de la Loire

et de la Bourgogne. Les cépages sont bourguignons : Tressalier (Sacy à Chablis), Chardonnay, Aligoté et Sauvignon pour les blancs ; Pinot Noir et Gamay pour les rouges et les rosés. Le plus important producteur est la coopérative Les Vignerons de Saint-Pourçain.

Côtes d'Auvergne (VDQS)
Les vins, produits à partir de 500 ha de vignes situés autour de Clermont-Ferrand dans le Puy-de-Dôme, ressemblent à des Beaujolais.

Le Gamay est utilisé pour les rouges et le Chardonnay pour les blancs. Certaines communes peuvent ajouter leur nom au vin : Boudes, Chanturgue, Corent, Médargues. La coopérative et R. Rougeyron sont des producteurs sans surprise.

LES RÉGIONS VITICOLES EN AMONT DE LA LOIRE

En amont de la Loire, les vignobles les plus importants sont les AOC de Pouilly et de Sancerre. Les zones viticoles, qui s'étendent des montagnes en direction du sud, sont peu connues en France.

Régions viticoles

- Orléanais
- Coteaux du Giennois
- Cheverny, Cour-Cheverny
- Touraine
- Sancerre
- Pouilly Fumé, Pouilly-sur-Loire
- Menetou-Salon
- Valençay
- Quincy
- Reuilly
- Châteaumeillant
- St-Pourçain
- Côtes Roannaises
- Côtes d'Auvergne
- Côtes du Forez
- - - Limite de département

Autoroute
Route principale
Autre route

0   20   40 km

APPELLATIONS ET PRODUCTEURS

La plupart des viticulteurs de la région en amont de la Loire produisent du Pouilly Fumé ou du Sancerre, et il n'existe pas ou très peu de négociants proposant toute une gamme de vins. Les producteurs sont répertoriés ci-dessous sous leur appellation principale.

SANCERRE

Sancerre domine le cours de la Loire du haut de sa colline. Sancerre est une place forte qui protège ses onze communes. Ces satellites, dont les caractères et les vertus de leurs sites respectifs sont reconnus, ont un vignoble sur des coteaux qui comptent parmi les plus pentus de France. Chavignol en est le meilleur exemple, enfoui au creux d'un cirque, avec ses Côtes-des-Monts-Damnés et sa Grande Côte. Bué est un autre village réputé pour ses sites Chêne Marchand et Grand Chemarin. Le Clos du Roi empiète sur le village de Crézancy. Verdigny, quant à lui, peut se targuer d'avoir le Clos de la Reine Blanche.

Bailly-Reverdy

L'alliance de Jean-François Bailly à la famille Reverdy est celle de deux grands noms du Sancerre. Leurs 12 ha de vignes se répartissent ainsi : deux tiers de blanc, un tiers de rouge. Les blancs sont d'excellents exemples de l'appellation, mais Bailly est plus connu pour ses rouges puissants et ses rosés légers.

Domaine Henri Bourgeois

Propriétaire de 60 ha, les Bourgeois dirigent la plus grosse exploitation de la commune de Chavignol. De leurs vieilles vignes, dont une partie des très pentues Côtes-des-Monts-Damnés, ils élaborent une cuvée de prestige (M.D.). Autre cuvée superbe, La Bourgeoise est un assemblage des meilleures cuvées de l'année. Leur Pinot Noir est élevé en barriques et reste l'un des plus concentrés et des mieux réussis.

Lucien Crochet

Ancien négociant, Lucien Crochet a laissé sa place à son fils Gilles. Le vignoble, qui fait la part belle aux Sauvignons complantés, comprend 34 ha dans quelques-uns des meilleurs crus de Sancerre : Chêne Marchand et Grand Chemarin pour les blancs, Clos du Roi pour les rouges.

Vincent Delaporte

Ce domaine familial de petite taille mais de qualité supérieure produit surtout des vins blancs (un peu de rouge) à Chavignol. Les vignobles, très escarpés, sont entretenus manuellement. On trouve les vins Delaporte dans le monde entier et dans quelques restaurants parisiens triés sur le volet.

Fournier Père et Fils

Négociant-éleveur réputé pour la qualité de ses vins. Les vins de sa propriété portent l'étiquette Cave des Chaumières, et sa marque de prestige s'appelle La Chaudouillonne (blanc) tandis que ses vins de négoce (Sancerre, Pouilly Fumé ou Menetou-Salon) se vendent sous différentes étiquettes : Célestin Blondeau, Léon Vatan, Patient Cottat, Charles Dupuy et Henry de Chanvre.

Gitton Père et Fils

Pascal, fils de René, a changé les vieux pressoirs en bois contre des

Le Château du Nozet produit un excellent Pouilly Fumé.

pressoirs pneumatiques plus performants. L'entreprise familiale se plaît à mettre l'accent sur les différences entre les parcelles en embouteillant non moins de dix Sancerres et cinq Pouillys Fumés. Ses caves se trouvent à Sancerre (rouge, rosé, blanc). La maison insiste sur une longue fermentation des vins blancs en barrique, ce qui leur donne cette puissance des vins d'autrefois.

Domaine Laporte

Aujourd'hui reprise par Jean-Marie Bourgeois, cette propriété de 20 ha est équipée de caves modernes et élabore des vins de grande qualité. La cuvée de prestige porte l'étiquette Domaine du Rochoy et provient de vignes à très faible rendement dont les vins sont gardés sur lies fines jusqu'à leur mise en bouteilles. Parmi les autres vins, il faut citer le Clos la Comtesse et le Grand Domaine. Laporte produit également une petite quantité de vins génériques.

Alphonse Mellot

Issu d'une famille de vignerons installée dans la région depuis 1513, doté d'une personnalité marquée qui ne laisse personne indifférent dans le Sancerrois comme partout ailleurs, Alphonse Mellot, à la fois propriétaire de 50 ha de vignes et négociant en Sancerre (rouge, rosé, blanc), fait aussi le commerce de vins d'appellations voisines.

Domaine Natter

Ce domaine est proche de Menetou-Salon. Les Sauvignons complantent des sols argileux, d'où des vins puissants. Les Natter cultivent également un peu de Pinot Noir et produisent donc un vin rouge solide.

Domaine Vincent Pinard

Le vignoble de Vincent Pinard est situé au cœur de l'appellation, à Bué, donc sur des terres calcaires. Les vins sont vinifiés sur lies, soit en cuves, soit en barriques (en barriques neuves pour le haut de gamme). Ils sont fins sans mièvrerie et amples en bouche. Vincent Pinard vinifie également du Pinot Noir et en tire un Sancerre rouge de bonne constitution.

Clos de la Poussie

Spectaculaire vignoble de 32 ha d'un seul tenant, qui ressemble à un extraordinaire amphithéâtre au-dessus du village de Bué. Les vins (rouge, rosé, blanc) sont vendus sous le nom Clos de Chailloux aux États-Unis.

Pierre Prieur et Fils

Propriété de 12 ha à Verdigny, occupant une partie des Monts-Damnés. Elle propose un vin blanc racé ainsi qu'un rouge léger et un rosé, assemblés dans des installations modernes. Le rouge et le rosé sont issus du vignoble Pichon à Verdigny.

Jean Reverdy et Fils

Un des noms traditionnels de Sancerre depuis le XVIIe siècle, Reverdy fait des blancs issus du Clos de la Reine Blanche à Verdigny. Il produit également du rouge et du rosé sur une parcelle de 2 ha.

Domaine Jean-Louis Vacheron

Cette entreprise est spécialisée dans le Sancerre rouge et élève certains de ses vins dans le bois neuf. Le domaine de 37 ha produit un rouge, Les Cailleries, un rosé, Les Romains, et un blanc, Le Paradis.

Autres producteurs de Sancerre

Pierre Archambault, Bernard Balland et Fils, Domaine Joseph Balland-Chapuis, Philippe de Benoist, Fouassier Père et Fils, Jean-Max Roger, Domaine Thomas et Fils, Pascal Jolivet.

POUILLY-SUR-LOIRE

Parmi les villages autour de Pouilly, il faut citer Saint-Andelain, dont les vignobles apprécient spécialement le sol siliceux ; Les Loges, avec un sol crayeux, et Les Berthiers.

Michel Bailly

Michel Bailly a hérité de cette petite propriété de 13 ha. Il possède des parcelles de vigne sur Champ de Gris, Les Griottes et Les Perriers.

Caves de Pouilly

Cette cave coopérative regroupe environ 20 % de la production de l'appellation. Sous l'égide de son directeur Bernard Bouchié, la cave de Pouilly s'est imposée pour la qualité de ses vins. Leurs cuvées spéciales Les Moulins à Vent et surtout Vieilles Vignes ont obtenu de nombreuses médailles et citations.

Patrick Coulbois

En plus de sa production principale de Pouilly Fumé et d'un peu de Pouilly-sur-Loire, Patrick Coulbois élabore également du vin mousseux.

Didier Dagueneau

Qualifié par certains d'enfant terrible du Pouilly, Didier Dagueneau a remis en question de nombreuses traditions viticoles locales avec un certain succès. Il utilise du bois neuf pour la fermentation et produit des vins qui vieillissent bien. Sa meilleure cuvée s'appelle Silex, un nom emprunté à la nature du sol dont elle est issue, et fait partie de ce qui se fait de plus original à Pouilly aujourd'hui.

Jean-Claude Dagueneau

C'est le père de Didier. Sa propriété, le Domaine des Berthiers, se compose de 15 ha de vignes, dont certaines sont plantées à Saint-Andelain et d'autres aux Loges. Il produit aussi un Pouilly-sur-Loire, dont une partie est réservée pour l'élaboration de vins mousseux. La cave voisine appartient à son cousin Serge.

Masson-Blondelet

Association de deux familles de Pouilly établies de longue date, avec des vignobles dans toute la région. Les caves se trouvent à Pouilly et la maison possède une boutique dans la même rue. Sa cuvée supérieure s'appelle Tradition Cullus (la maison produit aussi du Sancerre blanc).

Château du Nozet

La propriété la plus célèbre et la plus impressionnante de toute la région appartient à la famille Ladoucette, qui possède également Comte Lafond dans le Sancerrois. Le meilleur vin de ce domaine de 100 ha, Baron de L, n'est vinifié que les bonnes années. Son prix est élevé, mais il suscite beaucoup d'enthousiasme.

Michel Redde et Fils

Avec un grand domaine de 35 ha et des caves qui se trouvent directement sur la nationale 7 à la sortie de Pouilly, la famille Redde se présente comme l'un des grands producteurs de Pouilly. Elle compose une cuvée normale que vient renforcer, dans les meilleures années, un vin d'exception baptisé Cuvée Majorum.

Guy Saget

Guy Saget est connu dans tous les pays de Loire comme négociant, mais il est avant tout propriétaire de 35 ha à Pouilly et de 1 ha à Sancerre. Ses vins génériques sont séduisants.

Château de Tracy

Descendant de soldats écossais qui ont combattu pour le roi Charles VII contre les Anglais, la famille Estutt d'Assay occupe ce château depuis le XVIe siècle. Le vignoble actuel s'étend sur 27 ha, et la modernisation des caves accomplie par la dernière génération a permis de donner naissance à un Pouilly Fumé très élégant.

Autres producteurs de Pouilly

Bernard Blanchet, Domaine Jean-Pierre Chamoux, Alain Caillebourdin, Didier Pabiot, Jean Pabiot et Fils.

APPELLATIONS EN AMONT DE LA LOIRE

Sancerre et Pouilly Fumé sont des appellations phares de la région Centre-Loire qui comprend aussi les appellations suivantes :

Châteaumeillant

Région de VDQS dans le sud du Cher qui produit des vins rouges et rosés à partir des cépages Gamay, Pinot Noir et Pinot Gris.

Coteaux-du-Giennois

Blancs AOC issus de Sauvignon et de Chenin Blanc, rouges et rosés à base de Gamay et de Pinot Noir, produits aux environs de la ville de Gien, entre Sancerre et Orléans.

Menetou-Salon

Vins blancs, quelques rouges et rosés AOC provenant de Sauvignon et de Pinot Noir.

Pouilly-sur-Loire

Appellation des vins blancs de Pouilly issus de Chasselas plantés sur des sols siliceux.

Pouilly Fumé

Vin blanc de Pouilly-sur-Loire issu de Sauvignon.

Quincy

L'AOC Quincy désigne un vin blanc élégant issu du cépage Sauvignon sur un sol de sables et de graviers.

Reuilly

Ancienne région viticole réputée, le vignoble y renaît avec une production de vins blancs (Sauvignon), de vins rouges et rosés AOC (Pinot Noir et Pinot Gris).

Sancerre

Appellation pour des vins blancs de Sauvignon Blanc et pour des rouges et des rosés de Pinot Noir.

Orléanais

Zone VDQS produisant des rosés et des rouges légers de Pinot Noir et de Pinot Meunier, et des blancs provenant de Pinot Blanc et de Chardonnay.

RHÔNE

LA RÉGION VITICOLE LA PLUS ANCIENNE DE FRANCE PRODUIT
DES VINS DE CARACTÈRE GORGÉS DE SOLEIL, D'UNE COULEUR
PROFONDE, AVEC DES ACCENTS DE FLEURS, DE FRUITS ET D'ÉPICES.

Le cépage Syrah, l'un des meilleurs de la vallée du Rhône,
règne ici en maître autour de La Chapelle.
La nature granitique des sols et l'exposition du coteau font
de l'Hermitage un des meilleurs vignobles.

La vallée du Rhône compte plus d'un vignoble. Du nord au sud, les quelque 200 km séparant Vienne d'Avignon rassemblent aussi bien les rouges aromatiques de Côte-Rôtie, à dominante de Syrah, que les vigoureux rouges de l'Hermitage, le plus célèbre vignoble de la région, et ceux, jeunes et fruités, à base de Grenache, de la zone méditerranéenne des Côtes du Rhône. La vallée du Rhône a longtemps passé pour un peu rétrograde en matière de vinification – et ses coteaux escarpés, dont beaucoup rendent toute mécanisation impossible, n'y sont pas étrangers. La culture de la vigne y est cependant fort ancienne : les vignobles rhodaniens pourraient bien être les plus vieux de France. Les superbes millésimes de la fin des années 1980 et des années 1990 ont encouragé la tendance récente de l'opinion internationale à revaloriser les vins de la région. Le Rhône prend naissance dans les Alpes suisses et parcourt près de 800 km avant de se jeter dans la Méditerranée, près de Marseille, après avoir traversé la frontière française aux abords de Genève. Les vignobles s'étendent de Vienne à Valence – les Côtes du Rhône septentrionales – et de Montélimar à Avignon – les Côtes du Rhône méridionales, bien plus vastes.

Le fleuve trace son cours entre les Alpes, montagnes jeunes du point de vue géologique, et le Massif central, d'époque plus ancienne, modelant tantôt des gorges, tantôt des vallées plus largement ouvertes. Le nord de la région a un climat continental, avec des printemps doux et des étés chauds. Vers le sud, le climat devient méditerranéen, bien qu'atténué par les effets du mistral, vent froid du nord qui peut souffler sans trêve pendant des jours. Des cépages rouges et blancs sont cultivés dans l'ensemble de la région, mais ils donnent rarement tous de bons vins sur les mêmes emplacements. Les rouges du Nord regroupent des vins simples et légers, mais aussi les crus sombres et charnus auxquels la région doit sa réputation. Les rouges du Sud sont issus de plusieurs cépages complémentaires et tendent à se ressembler – ils présentent des arômes très fruités, parfois épicés ou rappelant les herbes sèches, et plus de souplesse que leurs voisins du Nord. Les blancs du Nord offrent un contraste saisissant entre les vins robustes et souvent opulents issus de la Marsanne, et les délicieux blancs délicatement fruités tirés du Viognier. Le Sud, aride, avait jusqu'ici produit des vins blancs sans grand intérêt, mais cela commence à changer.

L'histoire des vins du Rhône

Ce seraient des Grecs phocéens d'Asie Mineure qui auraient introduit la vigne dans la vallée du Rhône. On évoque aussi le rôle de la Perse, d'où serait peut-être originaire le cépage Syrah. Mais ce sont les Romains qui ont développé la viticulture dans cette région, en lui faisant conquérir d'abord toute la vallée puis le reste de la France.

Les préjugés dont sont victimes les vins du Rhône dans certains secteurs du commerce du vin remontent au début du XIXe siècle. Pendant les deux siècles précédents, les meilleurs crus du nord de la vallée, comme l'Hermitage, avaient bénéficié de la même réputation que les grands crus bourguignons de la Côte d'Or ou les domaines alors récemment plantés du Médoc et des Graves à Bordeaux. Le « grand tour » d'Europe en honneur dans les milieux aisés comportait une halte au pied de la colline de l'Hermitage pour les voyageurs traversant la France en direction de l'Italie. Nombre d'entre eux y faisaient étape et goûtaient le vin, qu'ils trouvaient le plus souvent bon, voire excellent.

Vint la période des guerres napoléoniennes. Le blocus des ports français par les Britanniques empêcha le négoce bordelais de se procurer ses vins espagnols préférés, qui servaient à donner plus de couleur au « claret » en dehors des millésimes vraiment exceptionnels. Les négociants se tournèrent alors vers les vins sombres et puissants de l'Hermitage, qui furent condamnés pendant les soixante années suivantes à venir renforcer les vins plus chétifs de Bordeaux et de Bourgogne.

Ce fut ensuite l'époque de l'oïdium et du phylloxéra. Après la destruction des vignobles par le parasite, les vignerons ne se hâtèrent pas de replanter les parcelles les plus escarpées. La crise des années 1930 n'arrangea pas les choses et nombre des meilleurs emplacements restèrent en friche. Les vins produits dans la vallée étaient jugés corrects, sans plus, bons pour la consommation locale, et ce n'est qu'après la Seconde Guerre mondiale que les meilleurs vins du nord de la région retrouvèrent leur réputation. Dans bien des cas, les prix restèrent très bas jusqu'à la fin des années 1970. Dans le sud, à Châteauneuf-du-Pape, les vignerons avaient découvert le potentiel du haut plateau pendant l'entre-deux-guerres, mais, là aussi, les plantations furent lentes et il fallut attendre les années 1950 pour voir les derniers cerisiers et abricotiers céder la place à la vigne. C'est seulement aujourd'hui que l'on peut considérer la vallée du Rhône comme en pleine production.

La géologie et le climat

Les formations rocheuses de la vallée du Rhône résultent du combat géologique entre le Massif central et les Alpes. Entre ces montagnes, le Rhône s'est frayé un chemin jusqu'à la mer. Les roches anciennes du Massif central fournissent aux sols septentrionaux une base volcanique (granitique) qui assure un excellent drainage du vignoble. Les fines couches de terre superficielle – silex, craie, calcaire ou mica – sont souvent érodées sur les pentes les plus raides et doivent être reconstituées à la main. Mais ces mêmes pentes offrent une bonne exposition et sont moins sujettes au brouillard et au gel.

Plus au sud, la vallée s'élargit et les coteaux sont moins escarpés. Le sous-sol est calcaire, sablonneux ou argileux et les sols superficiels comportent des cailloux et des galets dus au recul des glaciers dans des temps très anciens. Ces cailloux sont à la fois une malédiction et un bienfait : ils limitent la mécanisation, mais favorisent le drainage et retiennent la chaleur pendant toute la période de maturation du raisin.

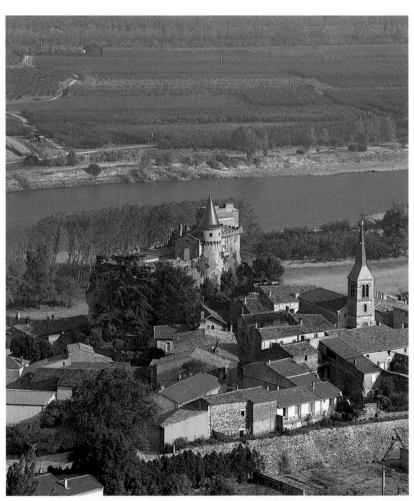

Châteaubourg sur le Rhône, au sud du vignoble de Saint-Joseph.

LES RÉGIONS VITICOLES DU RHÔNE

Le vignoble de la vallée du Rhône s'étend du sud de Vienne jusqu'à Valence (Rhône septentrional) et de Montélimar à Avignon (Rhône méridional). Au nord, le vignoble est accroché aux coteaux tandis qu'au sud, la vallée s'élargit et la vigne occupe de grands espaces.

Régions viticoles

- Côte Rôtie
- Château-Grillet
- Condrieu
- St-Joseph
- Crozes-Hermitage
- Hermitage
- Cornas
- St-Péray
- Côtes-du-Rhône
- Clairette de Die
- Châtillon-en-Diois
- Coteaux du Tricastin
- Côtes du Vivarais
- Côtes-du-Rhône Villages
- Côtes-du-Rhône Villages avec les noms des communes
- Gigondas
- Châteauneuf-du-Pape
- Lirac
- Tavel
- Vacqueyras
- Côtes du Ventoux
- Côtes du Lubéron
- Rasteau (Vin Doux Naturel)
- Beaumes-de-Venise (VDN)
- ○ Commune de la zone d'appellation Côtes-du-Rhône Villages
- --- Limite de département
- Autoroute
- Route principale
- Autre route

0   10   20   30   40 km

Plus le Rhône descend vers le sud, plus le climat devient méditerranéen. Au nord, les étés sont chauds et les hivers froids, avec des risques de gel. La pluie empêche parfois la floraison et peut nuire au millésime, tandis qu'en été des averses de grêle détruisent en quelques instants une année d'efforts. Les pluies automnales favorisent pourriture et maladie. Plus au sud, les conditions climatiques sont plus stables, été comme hiver. Le mistral est aussi un facteur à prendre en considération. Ce vent froid et desséchant souffle du nord-ouest, souvent plusieurs jours d'affilée.

Les cépages et les types de vin

Dans le sud de la région, les vignerons continuent à raconter que ce sont des négociants bourguignons peu scrupuleux qui les ont encouragés à planter du Grenache. Ce cépage est toujours à l'origine de la plupart des grands vins rouges des Côtes du Rhône, à la robe assez pâle, charnus, dotés d'arômes de framboise et parfois d'herbes sèches. Au nord, la Syrah est responsable de la qualité et donne des vins plus colorés et plus tanniques. Elle possède des arômes caractéristiques de baies noires, prenant avec l'âge des nuances de violette et d'épices. Parmi les autres cépages, on trouve le Cinsaut et le Mourvèdre.

Pour les vins blancs, la vallée se divise en deux au confluent de la Drôme. Au nord, la senteur suave et les arômes d'abricot du Viognier dominent à Condrieu, tandis que Marsanne et Roussanne s'imposent en Hermitage. La Marsanne donne un vin robuste et aromatique, alors que la Roussanne a plus de délicatesse et d'expressions aromatiques. Au sud, le Grenache Blanc prend une importance croissante, avec des apports de Bourboulenc, Picpoul, Clairette et Picardan. Les vins de Grenache sont frais et devraient être bus jeunes.

Producteurs, négociants et coopératives

Pendant les années de vaches maigres, négociants et caves coopératives ont dominé la scène. Les coopératives protégeaient les petits viticulteurs et leur assuraient un gagne-pain. La Cave coopérative de Tain-l'Hermitage – qui vinifie toujours 65 % du Crozes-Hermitage, 25 % de l'Hermitage, 15 % du Cornas et 11 % du Saint-Joseph – a joué un rôle majeur. Aucune autre coopérative du Rhône n'aspire à une telle importance, mais celles des villages du Sud continuent de représenter une source non négligeable de vins locaux. Celle de Rasteau, par exemple, est l'un des rares endroits où l'on puisse se procurer une bouteille du Vin Doux Naturel du cru.

Le retard de la région a également bénéficié aux grandes maisons de négoce. Dans le Nord, la plupart avaient (et ont encore) leurs bureaux dans les villes jumelles de Tain et de Tournon. Dans le Sud, bon nombre de négociants continuent d'opérer depuis Châteauneuf-du-Pape. Ils n'ont pas le droit d'utiliser la même bouteille que les vignerons. Il faut y regarder de très près : sur la bouteille du négoce, les clefs de saint Pierre se croisent au-dessus de la tiare pontificale ; sur celles des vignerons, au-dessous.

Dans les Côtes du Rhône, la situation des négociants se trouve encore compliquée par la présence de marchands de Beaune et d'autres centres bourguignons. Il s'agissait autrefois, pour ces marchands, de se procurer des vins puissants destinés à renforcer leurs Bourgognes. Cette pratique est aujourd'hui interdite, mais les Bourguignons continuent de mettre en bouteilles des vins du Rhône. Ceux-ci ne figurent généralement pas parmi les plus intéressants que l'on puisse trouver sur le marché.

Les négociants de Tain et de Tournon embouteillent certains des meilleurs vins de la vallée du Rhône et possèdent d'importants vignobles dans les plus belles AOC. Même quand ils ne sont pas propriétaires, ils pratiquent des achats sélectifs et leurs vins sont plus qu'honorables. Les négociants du Rhône septentrional n'ont pas le droit d'utiliser la bouteille de Châteauneuf-du-Pape. □

LIRE UNE ÉTIQUETTE DE VIN DU RHÔNE

L'étiquette d'un vin du Rhône est plus simple que celle d'un vin de Bourgogne ou de Bordeaux. On n'y trouve aucun grand cru ou premier cru, source de confusion. Certains noms de lieux-dits sont utilisés en Côte-Rôtie, Hermitage ou Cornas, mais ils n'ont aucune valeur légale : c'est le nom du vigneron ou du négociant qui compte.

En Côtes du Rhône méridionales, il faut savoir que seuls les vignerons de l'AOC Châteauneuf-du-Pape peuvent utiliser la bouteille spéciale ornée de la tiare pontificale. Les négociants de Châteauneuf ont droit à une bouteille légèrement différente, avec les clefs croisées au-dessus de la tiare et non au-dessous. Ceux de Tain, de Bourgogne ou d'ailleurs ne sont pas autorisés à l'employer.

Clairette de Die

Sur la Drôme, qui rejoint le Rhône au sud de Valence, se trouve la ville de Die, centre d'une petite région viticole. Une partie du vignoble est classée en AOC Châtillon-en-Diois, mais les vins de Die même sont beaucoup plus intéressants. Leur nom vient du cépage Clairette, bien que l'on utilise aussi du Muscat à petits grains. La Clairette de Die Tradition est un vin mousseux résultant d'une transformation naturelle qui comporte une deuxième fermentation en bouteille. Ce vin est toujours issu d'un assemblage de Muscat et de Clairette, mais les proportions varient selon le producteur.

Vins Doux Naturels

Les Côtes du Rhône méridionales produisent les deux seuls Vins Doux Naturels ne provenant pas du Languedoc-Roussillon. Le plus célèbre est le Beaumes-de-Venise, issu du Muscat à petits grains. C'est un superbe vin de dessert, savoureux et aromatique, comptant 21 % vol d'alcool. Il vient en grande partie de la Cave coopérative de Beaumes-de-Venise, mais deux petites propriétés se distinguent : le Domaine de Durban et le Domaine des Bernardins.

À Rasteau, on fait un Vin Doux Naturel à base de Grenache. Il est le plus souvent vinifié en blanc doux, mais le rouge est généralement meilleur. La coopérative est le principal producteur, mais le Domaine de la Soumade donne des vins plus intéressants (rouges compris).

LES FACTEURS DE QUALITÉ

Dans la vallée du Rhône, le manque de chaleur est rarement un problème, au contraire. Plus préoccupant est le mistral, ce vent sec et froid qui souffle du nord avec violence. Le sous-sol fournit d'excellents sites. Ici, la qualité dépend plus largement des décisions adoptées par les vignerons en matière de cépages et de rendements.

Climat

Il fait chaud dans la vallée du Rhône, mais rarement trop chaud pour les vignes, du moins au nord. En 1989, à Cornas et en Hermitage, comme en 1990 en Côte-Rôtie, le vignoble a souffert. Cépage méditerranéen habitué à la chaleur, le Grenache supporte mieux le soleil que la Syrah. Au sud de la vallée, le mistral peut dessécher la vigne et donner des cuvées moins réussies dont on dit qu'elles ont un « goût de mistral ».

Clones

Pendant les années 1970, il était courant de replanter un vignoble avec des clones à haut rendement produisant des vins sans caractère, et d'une regrettable maigreur. La méthode adoptée dans les années 1980 fut la sélection massale. Il s'agit de multiplier les plants les plus intéressants, choisis dans les meilleures parcelles, afin de mieux exprimer le caractère du vin. Pour la plupart des cépages, les plants les plus remarquables étaient ceux qui possédaient les grains les plus petits, à la peau la plus épaisse. Depuis cette époque, les vignerons du Rhône ont fait preuve d'une attitude plus responsable en matière de plantation.

Sols

Dans le nord des Côtes du Rhône, les meilleurs sols reposent sur une solide base de granite. La composition du sol en surface varie selon les endroits. En Côte-Rôtie, par exemple, la Côte-Blonde est plus sablonneuse et la Côte-Brune, plus argileuse. Les sols de l'Hermitage sont plus complexes, et un bon Hermitage assemblera des raisins de différentes parties de la colline. Les Bessards sont du schiste granitique ; Le Méal est sablonneux ; Les Greffieux, très argileux. Les sols calcaires sont réservés aux vins blancs. Les meilleures vignes des Côtes du Rhône méridionales poussent sur du calcaire. À Châteauneuf-du-Pape, le plateau de Montredon est célèbre pour ses galets.

HERMITAGE ET CROZES-HERMITAGE :
COUPE GÉOLOGIQUE

Hermitage
Crozes-Hermitage

Nord

Sud

Fortes pentes permettant un bon drainage

Vignobles exposés au sud sur de fortes pentes, produisant les meilleurs vins

Altitude (en m)

300

200

100

Tournon

Rhône

Tain-l'Hermitage

0   1   2 km

Vignes sur les pentes de l'Hermitage au-dessus du Rhône.

Rendements

Les rendements doivent rester bas. Une bonne sélection de clones moins productifs pourrait être une solution, car toute vendange qui dépasse 80 hl/ha ne produira pas de grands vins. Quel que soit le plafond fixé par une AOC, dans n'importe quel millésime, la Syrah ne produira pas des vins intéressants au-dessus de 50 hl/ha et les meilleurs vins sont issus de rendements avoisinant plutôt 30 hl/ha. Pour le Grenache, les vignerons émérites avouent que, au-dessus de 25 hl/ha, ce cépage a besoin d'une « paire de béquilles », en l'occurrence la Syrah et le Mourvèdre. Au-dessous de ce rendement, le Grenache peut donner des vins superbes à lui tout seul.

CÔTES DU RHÔNE SEPTENTRIONALES

On trouve de grands vignobles tout au long d'une bonne partie du fleuve, mais les plus remarquables sont localisés dans le nord de la vallée du Rhône. Le secret de cette qualité réside dans le sous-sol granitique. Les premières collines vraiment escarpées apparaissent près de Vienne, ancienne ville romaine située à 24 km au sud de Lyon. Un observateur attentif peut y déceler la trace de terrasses autrefois couvertes de vignes, avant l'époque du phylloxéra. De nos jours, le vignoble septentrional du Rhône ne commence vraiment qu'à Ampuis.

Ampuis est un gros village terne et poussiéreux à cheval sur la route nationale. Mais juste derrière, sur des pentes abruptes, se trouvent les vignobles de Côte-Rôtie, l'un des plus grands vins du monde. Sur le terrain, la colline se divise en deux, la Côte-Brune et la Côte-Blonde. On donne à ces deux noms de nombreuses explications fantaisistes, mais la plus plausible est la plus banale. Le sol de la Côte-Blonde est plus sablonneux en surface, alors que la mince couche de terre recouvrant la Côte-Brune contient une plus forte proportion d'argile. Le sous-sol est granitique.

Le vignoble du Rhône septentrional

Les vins de Côte-Rôtie sont l'expression la plus élégante de la Syrah. Dans une certaine mesure, cela résulte de l'apport d'une petite proportion de Viognier, l'un des cépages blancs les plus délicatement aromatiques. Bien qu'il soit planté un peu partout dans le Midi, c'est seulement dans les appellations Condrieu et Château-Grillet que le Viognier atteint une perfection quasi absolue.

Plus au sud se trouve Saint-Joseph. Les meilleurs vins de cette AOC sont légers et élégants, mais il y en a peu. Après la crise des années 1930, la

Chai de vieillissement dans les caves de Marcel Guigal à Ampuis.

vigne a surtout été plantée dans les plaines alluviales. Des efforts sont en cours pour réhabiliter et développer l'appellation.

Face à Saint-Joseph, sur l'autre rive du fleuve, s'étend Crozes-Hermitage. Cette zone a souffert de la complaisance excessive des autorités qui, dans les années 1950, ont inclu dans les limites de l'appellation des endroits non réputés pour leur qualité. Ces dernières années, cependant, Crozes s'est révélée la plus intéressante AOC des Côtes du Rhône septentrionales. De temps à autre, un vigneron rejoint le camp des plus motivés et décide de mettre son vin en bouteilles au lieu de l'apporter à la coopérative. Les résultats sont plus que convaincants.

Crozes s'étend à l'ombre du grand rocher de l'Hermitage, dont les célèbres vins rouges et blancs font la renommée de cette région septen-

trionale depuis le XVIIe siècle. Sur le plan du style, les vins de l'Hermitage pourraient passer pour l'équivalent « masculin » des vins plus « féminins » de Côte-Rôtie. Ils peuvent être tanniques et fermés au départ, mais les meilleurs prennent un fruité voluptueux et sublime après avoir franchi le cap de la huitième année. Les blancs sont injustement méconnus et dotés, eux aussi, d'une longévité étonnante.

La région nord du Rhône produit un autre grand vin, près du village de Cornas, sur la rive gauche. Si les vins de l'Hermitage sont masculins, ceux de Cornas pourraient pousser l'image au paroxysme – en effet, ils sont tanniques à l'extrême. Le vrai Cornas est lent à se dégager de cette image virile et ne devrait jamais s'apprivoiser complètement, car son caractère sauvage est vraiment l'une de ses grandes qualités.

Les Côtes du Rhône septentrionales recèlent deux appellations supplémentaires. Saint-Péray et ses alentours font un peu de vin blanc; surtout à base de Marsanne, celui-ci peut être mousseux ou tranquille. Enfin, sur la Drôme, au sud de Valence, se trouve le petit vignoble de Brézème. Il constitue un cas un peu particulier, car on ignore souvent son appartenance aux Côtes-du-Rhône génériques, grâce à une dérogation pour son encépagement: 100 % Syrah. Comme à Cornas, le vin ne comporte aucun apport de raisins blancs mais, contrairement au Cornas, il ne s'arrondit pas avec le temps.

Les appellations contrôlées

De Vienne au confluent de la Drôme, la vallée du Rhône compte huit AOC: Côte-Rôtie et Cornas donnent uniquement des vins rouges; Saint-Joseph, Crozes-Hermitage et Hermitage produisent des vins rouges ou blancs; Condrieu, Château-Grillet et Saint-Péray ne font que du vin blanc. On trouve en outre un peu de Côtes-du-Rhône près de Cornas et au lieudit Brézème.

Les appellations sont administrées par l'INAO (Institut national des appellations d'origine), qui détermine les rendements, indique les cépages à utiliser et délimite la superficie des AOC. Dans certains cas, ses décisions sont controversées: le haut plateau de Côte-Rôtie, par exemple, n'est pas considéré comme donnant un fruité de même qualité que la Côte proprement dite. Les rendements varient de 30 hl/ha pour le Condrieu à 50 hl/ha pour le Côtes-du-Rhône. Chaque appellation est dotée d'une limite de production recommandée, mais les meilleurs vignerons s'efforcent de l'abaisser encore davantage.

Aucun rosé n'est fait dans les Côtes du Rhône septentrionales. On produit un peu de Condrieu doux en arrêtant la fermentation. Ce vin a un attrait limité et l'on en trouve fort peu. En Hermitage, quelques vignerons continuent à faire du vin de paille, mais dans des quantités minuscules, bien que certains envisagent une production commerciale.

Les cépages

Le seul cépage rouge autorisé est la Syrah. En Côte-Rôtie, elle peut être assemblée avec 20 % de Viognier au maximum et, en Hermitage, avec 15 % au maximum de Marsanne ou de Roussanne. Cornas et le Côtes-du-Rhône Brézème sont des vins à 100 % Syrah. Condrieu et Château-Grillet doivent être issus à 100 % du Viognier, bien que l'on y ait trouvé quelques pieds de Chasselas. Hermitage et Crozes-Hermitage blancs, ainsi que Saint-Péray, doivent être à base de Marsanne et/ou de Roussanne. La Marsanne est plus répandue que la fragile Roussanne, bien que cette dernière soit probablement le meilleur cépage des deux.

Les techniques de vinification

Les méthodes traditionnelles ont récemment été remises en question du fait de l'apparition de nouveaux concepts empruntés à d'autres régions viticoles. La fermentation à basse température est aujourd'hui utilisée pour produire des vins blancs plus vifs, au lieu de les vinifier en cuves de bois. Pigeage et autopigeage gagnent du terrain et l'on trouve beaucoup plus de bois neuf dans la vallée qu'il y a dix ans. Jaboulet (voir p. 256) et Guigal (voir p. 254) ont été les premiers à recourir au bois neuf, mais c'est l'œnologue de formation bordelaise Jean-Luc Colombo qui en a introduit l'usage auprès de certains petits vignerons des Côtes-du-Rhône septentrionales.

Producteurs et négociants

Les maisons de négoce de Tain et de Tournon sont réputées pour mettre en bouteilles les meilleurs vins de la vallée du Rhône. Certaines comme Jaboulet, Chapoutier, Delas, Guigal sont propriétaires de vignobles prestigieux tandis que d'autres se contentent d'acheter des raisins ou du vin en s'assurant un approvisionnement de qualité, et leur mise en bouteilles reste une garantie. Si les meilleurs négociants se trouvent au nord de l'appellation, là où sont produits les meilleurs crus, nombreux sont ceux qui proposent des vins de l'ensemble de la Vallée du Rhône. Le négoce de la vallée n'a toutefois pas l'autorisation d'utiliser la bouteille spéciale de Châteauneuf-du-Pape (voir p. 250).

Capacité de garde et millésimes

Les vins rouges traditionnels du nord de la vallée ont une longévité légendaire. Les vieux Hermitages, en particulier, étaient très appréciés dans la Russie d'avant la révolution. Quant à savoir si les vins rouges du Rhône produits actuellement ont la même capacité de garde, le débat reste ouvert. Il est néanmoins certain que la plupart des vins d'Hermitage ne commencent à s'épanouir qu'au bout de leur huitième année et, dans certains cas, après une décennie. Le même principe s'applique au Cornas.

Un Côte-Rôtie peut généralement se boire plus jeune. Un vin de la Côte-Blonde peut être abordé vers sa sixième année, mais le Côte-Brune, plus tannique, exige un peu plus de temps. Crozes-Hermitage et Saint-Joseph doivent normalement attendre deux ou trois ans. Mais, au bout de cinq ans environ, ils commencent à perdre de leur charme.

Les vins de Viognier (à l'exception de Château-Grillet) atteignent leur apogée entre un an et demi et quatre ans. Le Château-Grillet passe plus de temps dans le bois et met plus longtemps à se développer. De manière générale, le Condrieu n'est pas un vin de garde. L'Hermitage blanc peut se boire jeune ou vieux, mais il traverse une période plus terne dans l'intervalle. Déguster un vieil Hermitage blanc est une expérience inoubliable.

Les millésimes varient énormément dans le nord des Côtes du Rhône. Dans les années 1980, il n'y a eu que deux millésimes médiocres (1984 et 1987) et chacun des huit autres possède un caractère bien à lui.   □

APPELLATIONS, PRODUCTEURS ET NÉGOCIANTS

Hormis la large cave coopérative de Tain-l'Hermitage, la production vinicole du Rhône septentrional est partagée entre les vignerons qui commercialisent leurs propres vins et les négociants qui achètent des raisins ou des vins en propriété pour effectuer des assemblages. Les appellations sont citées par ordre alphabétique.

BRÉZÈME

Ce petit vignoble de 14 ha plantés (sur 84 ha classés) est un cas particulier : seul vignoble septentrional au sud de Valence, il produit un Côtes-du-Rhône de pure Syrah (plutôt tannique). Il n'y a que deux producteurs : la coopérative et Jean-Marie Lombard.

CHÂTEAU-GRILLET

Avec moins de 5 ha, Château-Grillet est l'une des plus petites

AOC de France, dont la famille Neyret-Gachet a le monopole. Le Château-Grillet est un vin blanc de pur Viognier, comme son voisin de Condrieu. Contrairement à la plupart de ceux de Condrieu, il passe jusqu'à 18 mois en fût et ne s'épanouit pas avant sa cinquième année. Seule sa rareté semble justifier son prix élevé.

CONDRIEU

La superficie occupée par le Viognier est d'environ 90 ha. Si tout le vignoble classé en AOC devait être planté, elle pourrait atteindre 110 ha. Jusque très récemment, les vignes étaient anciennes (jusqu'à 50 ans) et les méthodes de vinification très traditionnelles. Ces dernières années, malheureusement, certains vignerons ont eu tendance à passer le Condrieu dans du chêne neuf. Or, dans les sols de granite et de mica de l'appellation, le Viognier atteint la perfection et prend des arômes de noyau d'abricot et de pêche délicieusement voluptueux. L'apport aromatique du chêne neuf ne pouvait donc que dénaturer ce superbe bouquet. Le Condrieu n'est généralement pas destiné à une longue garde. Dans la plupart des cas, il arrive à maturité vers 18 mois et ne devrait pas dépasser sa quatrième année.

Parmi les vignerons recommandés à Condrieu, citons : Cuilleron ; Dezormeaux ; Multier, au Château du Rozay (attention, chêne neuf) ; Niero et Pinchon ; Alain Paret ; André Perret ; Georges Vernay. Négociants : Delas Frères (les vignes appartiennent à Michel Delas) ; Guigal.

CORNAS

À Cornas, 100 ha de vignes sont consacrés à la production de vins rouges 100 % Syrah. Les qualités du Cornas ont été reconnues dès le début du XIXe siècle, mais c'est seulement vers la fin des années 1960 qu'Auguste Clape commença à mettre ses vins en bouteilles et à les vendre directement, en France et à l'étranger. À la fin des années 1980, Cornas était devenu l'un des vins les plus recherchés de France, la production s'efforçant désespérément de répondre à la demande. Les négociants de Tain et de Tournon continuent de prendre le Cornas pour un vin rustique ; il peut en effet être très tannique dans sa jeunesse et rester sauvage dans sa vieillesse.

Auguste Clape

Ce domaine de 5 ha, dont certaines vignes sont centenaires, a fait la gloire de Cornas. Les Clape, père et fils, assemblent les raisins de leurs différentes parcelles pour produire une cuvée magnifiquement équilibrée qui peut prendre jusqu'à dix ans pour s'épanouir. Ils ont aussi une petite bande de terre classée en Côtes-du-Rhône, de l'autre côté de la route nationale.

Robert Michel

Avec ses 7 ha, Robert Michel possède environ 10 % de l'appellation Cornas. Contrairement à Auguste Clape, il divise ses ressources et produit trois vins : l'un est issu de vignes plantées en terrain plat et banal ; le second d'un coteau baptisé La Renarde ; enfin, son meilleur cru, La Geynale, vient d'une petite parcelle orientée au sud dont les vignes ont entre 60 et 80 ans. La Geynale semble donner un vin splendide, même dans les millésimes moyens.

Autres producteurs

On notera : Allemande ; de Barjac ; Bernard ; Colombo ; Courbis ; Juge ; Jean Lionnet ; Noël Verset ; Voge.

CÔTE-RÔTIE

Cette AOC totalise quelque 210 ha, pour la plupart situés sur le coteau formé par la Côte-Blonde et la Côte-Brune. Il existe une grande quantité de lieux-dits, mais aucun système de cru hiérarchisés. Les lieux-dits les plus réputés sont La Landonne, La Côte Boudin, La Turque, La Châtillonne et La Mouline.

— MARCEL GUIGAL —

Cette maison de négoce possède environ 10 % de Côte-Rôtie et achète en outre des raisins pour produire son Côte-Rôtie Brune et Blonde. Marcel Guigal est également propriétaire de Vidal-Fleury, autre vieille maison de négoce d'Ampuis, dont il a relevé le niveau de manière spectaculaire, surtout pour le vin haut de gamme La Châtillonne. Guigal a été le premier à promouvoir les terroirs individuels en Côte-Rôtie avec ses vins de cru : La Mouline (Côte-Blonde), La Landonne (Côte-Brune) et La Turque (située entre les deux). Ce sont les vins les plus rares et les plus chers de toute l'appellation. Guigal produit du vin dans toute la vallée du Rhône. Parmi eux, on peut remarquer un Hermitage de bon niveau et un Côtes-du-Rhône à dominante de Syrah.

Le Côte-Rôtie est surtout à base de Syrah, mais peut comporter jusqu'à 20 % de Viognier. Traditionnellement, c'est la Côte-Blonde qui abritait le Viognier, cépage ajoutant ses riches arômes aux notes de pivoine et d'œillet de la Syrah. Autrefois, la plupart des vins de Côte-Rôtie étaient un assemblage de raisins de Côte-Blonde et Côte-Brune. Mais les vignerons ont de plus en plus tendance à produire plusieurs vins, ce qui les conduit à isoler leurs meilleurs sites.

Domaine Yves Cuilleron

Yves Cuilleron produit deux Côte-Rôtie (Bassenon et Terres sombres), trois Condrieu et six Saint-Joseph, de véritables vinifications parcellaires précises, pointues, à l'origine de vins remarquables.

Marcel Guigal

Voir encadré p. 254.

Joseph Jamet

Les vins sont aujourd'hui faits par les deux jeunes frères Jamet, Jean-Paul et Jean-Luc. Ils disposent d'environ 6 ha en Côte-Brune et leurs vins sont remarquablement souples et aromatiques.

René Rostaing

Rostaing est l'homme dont tout le monde parle dans l'appellation. Petit propriétaire dans le passé, il a considérablement étendu son vignoble après son mariage avec la fille d'un vigneron très respecté, Albert Dervieux. René Rostaing a poursuivi la politique de son beau-père en embouteillant séparément ses vins de Côte-Brune et Côte-Blonde. Il produit aussi un vin de cru La Landonne. Ses vins sont puissants, concentrés et dotés d'un potentiel de garde considérable.

Autres producteurs

Parmi les autres producteurs, on peut citer Pierre Barge ;

Grappes de Syrah sur les pentes de la Côte-Rôtie.

Gilles Barge ; Émile Champet ; Chapoutier ; Delas Frères ; Jaboulet.

CROZES-HERMITAGE

Cette AOC couvre 1 300 ha et a autrefois produit certains des vins les plus médiocres des Côtes du Rhône septentrionales. La raison en était l'extension de l'appellation, en 1952, au-delà de ses limites d'origine – ce qui permit de produire non seulement sur les collines au nord de Tain, mais aussi sur des terrains alluviaux situés au sud.Plus de 60 % des vins de Crozes-Hermitage sont vinifiés par la grosse coopérative de Tain, qui ne sépare pas les meilleurs terroirs. Ces dernières années ont cependant vu une très nette amélioration de la qualité, avec l'éclosion de nouveaux talents dans le domaine de la vinification, et Crozes-Hermitage est devenu l'une des plus intéressantes appellations de France.

Domaine Combier

Le vignoble s'étend sur 13 ha (blanc et rouge), il complante des terres de graves fines. Laurant Combier excelle tant en rouge qu'en blanc. Il apporte le plus grand soin aux vendanges (manuelles), à la vinification en cuves Inox et à l'élevage en bois neuf… ou presque.

Alain Graillot

Alain Graillot a fait ses premiers vins en 1985. Il possède aujourd'hui 20 ha en Crozes-Hermitage et 1 ha en Saint-Joseph. Il produit aussi quelques fûts d'Hermitage. Depuis 1986, Graillot vinifie un vin haut de gamme appelé La Guirande, encore plus concentré et débordant du splendide fruité propre à la Syrah que ses Crozes-Hermitages génériques.

Autres producteurs

Parmi les meilleurs producteurs, on peut citer en particulier Cave des Clairmonts ; Belle ; Combier ;

Cournu ; Desmeure ; Jaboulet (Domaine de Thalabert) ; Roure ; Viale.

HERMITAGE

Les vins de l'Hermitage ont joui de la faveur royale dans la seconde moitié du XVIIᵉ siècle, quand Louis XIV fit don de quelques bouteilles à son cousin, le roi Charles II d'Angleterre. Pendant plus d'un siècle, cet illustre patronage valut à l'Hermitage une place de choix dans les meilleures caves et sur les tables les plus raffinées. Le niveau déclina au cours du XIXᵉ siècle, quand les vins de la région furent utilisés pour renforcer des cuvées de Bordeaux et de Bourgognes un peu légères, mais la production se poursuivit. Après le phylloxéra, cependant, les vignerons ne se pressèrent pas de replanter la grande colline de l'Hermitage et, sans l'influence des principaux négociants, la production aurait bien pu cesser pour de bon. La bonne fortune sourit à nouveau aux vins de l'Hermitage après la fin de la Seconde Guerre mondiale, mais ils ne retrouvèrent qu'à partir des années 1970 les prix qu'ils méritaient.

Selon des témoignages du XIXᵉ siècle, certains vins de l'Hermitage passaient jusqu'à six ans en fûts de chêne neuf avant la mise en bouteilles et les vins blancs fermentaient en fûts d'acacia neuf. Aujourd'hui, bien peu de vignerons (pour ne pas dire aucun) utilisent du chêne neuf pour leurs vins : l'Hermitage est bien assez tannique sans cela. On trouve néanmoins beaucoup plus de bois neuf qu'auparavant dans les chais et, parmi les principaux vignerons, Gérard Chave est peut-être le seul qui se refuse à introduire des arômes de bois dans son vin.

D'ouest en est, les principaux lieux-dits de l'Hermitage sont : Les Varognes, Les Gessards, Le Gros des Vignes, Les Greffieux, Le Méal, L'Hermite,

La Chapelle, Chante Alouette, Beaumes, Péléat, La Maison Blanche, Les Rocoules, Les Diognières, La Pierreille, Les Murets, La Croix, L'Homme et Les Signeaux. Ces noms apparaissent cependant rarement sur les étiquettes, l'Hermitage étant, selon l'opinion la plus répandue, un assemblage entre plusieurs terroirs de la colline. Des sols de nature variable recouvrent une base de granite et de calcaire.

Ce sont les négociants qui ont maintenu l'Hermitage en vie pendant les années de vaches maigres et nombre des meilleures terres leur appartiennent. La coopérative, tout comme Gérard Chave, est propriétaire d'un grand domaine sur la colline. En revanche, les petits vignerons n'ont parfois qu'une fraction d'hectare et la qualité de leur vin est souvent inégale.

Chapoutier

Propriétaire de 30 ha, Chapoutier possède le plus grand domaine de la colline de l'Hermitage. La maison a également des propriétés importantes dans d'autres appellations : un peu moins de 3 ha en Côte-Rôtie ; 2 ha en Saint-Joseph ; 5,5 ha en Crozes-Hermitage ; et plus de 30 ha en Châteauneuf-du-Pape. Chapoutier produit environ 1 million de bouteilles par an.

Jusque vers la fin des années 1980, l'emploi du vieux bois et des anciennes méthodes vinicoles n'a pas permis à la maison d'exprimer tout le potentiel de ses vignobles. Quand Max Chapoutier prit sa retraite, ses deux fils, Marc et Michel, reprirent le flambeau. Ils forment aujourd'hui une équipe très efficace. Depuis le millésime 1990, la maison Chapoutier a le vent en poupe ; elle représente probablement le meilleur négociant producteur d'Hermitage, avec ses cuvées haut de gamme Le Pavillon et Monier de la Sizeranne. On n'y néglige pas pour autant les autres vins. Ainsi, les blancs, un peu à l'ancienne mode, sont un régal et à leur apogée quand ils sont vieux.

Le Châteauneuf-du-Pape est également remarquable, car Michel Chapoutier est un fervent partisan du Grenache. Dans son Barbe-Rac nouvelle version, il ne met d'ailleurs que du Grenache de très vieilles vignes (80 ans), avec d'excellents résultats.

Gérard et Jean-Louis Chave

Voir encadré ci-contre.

Delas Frères

Cette maison de négoce de Saint-Jean-de-Muzols achète des raisins et des vins dans toute la vallée du Rhône. Certains des raisins viennent de vignobles appartenant à la famille Delas, autrefois propriétaire de la société, qui fait aujourd'hui partie des Champagnes Deutz.

Les vins haut de gamme de Delas sont l'Hermitage Marquise de la Tourette et le Côte-Rôtie Seigneur de Maugiron. Ce sont des vins d'une qualité honorable, mais qui ne peuvent rivaliser avec les meilleurs de chacune de ces appellations. Le Condrieu de Delas est souvent un bon représentant de l'AOC.

Paul Jaboulet Aîné

Jaboulet est une maison de négoce installée à La Roche-de-Glun, au sud de l'Hermitage, qui produit plus de 1,5 million de bouteilles par an. Elle achète des raisins et des vins et la qualité peut donc être variable. Jaboulet est également propriétaire de deux grands domaines : 25 ha en Hermitage et les 35 ha du Domaine de Thalabert en Crozes-Hermitage. La maison est dirigée par

deux cousins, Gérard et Philippe. Le vin haut de gamme de Jaboulet est l'Hermitage La Chapelle, un assemblage de raisins des lieux-dits Bessards, Greffieux, Méal, Diognières, Croix et Maison Blanche. C'est l'un des trois meilleurs de l'appellation.

Les vins de chez Jaboulet sont de type plus bordelais que ceux de Gérard Chave. Le Domaine de Thalabert est aussi un excellent vin. L'Hermitage blanc de Jaboulet, Chevalier de Sterimberg, est plus frais et plus vif que d'autres, et issu d'un assemblage de Roussanne et Marsanne. D'autres vins de la gamme Jaboulet sont plus inégaux, mais il faut noter que certaines années, le Côte-Rôtie Les Jumelles, le Châteauneuf-du-Pape Les Cèdres ou le Cornas figurent parmi les meilleurs qu'on puisse trouver.

Autres producteurs

Desmeure ; Bernard Faurie ; Jean-Louis Grippat ; Marcel Guigal.

SAINT-JOSEPH

Cette appellation suit la rive droite du Rhône de Condrieu à Cornas. Au départ, Saint-Joseph était l'un des meilleurs vignobles du Rhône, un petit cru entre Tournon et Mauves dont les vins atteignaient à l'époque de la Révolution des prix presque aussi élevés que ceux du glorieux Hermitage. L'AOC étendit ensuite ses limites et les révisa encore une fois en 1969, permettant ainsi à des vignerons qui ne le méritaient peut-être pas de se prévaloir de la bonne réputation du Saint-Joseph (800 ha).

GÉRARD ET JEAN-LOUIS CHAVE

Les père et fils Chave sont peut-être les meilleurs vignerons du nord des Côtes du Rhône, mais ils n'ont pas assez de vignes pour satisfaire leurs nombreux admirateurs : moins de 15 ha en Hermitage et 1 ha en Saint-Joseph. Le secret de la qualité Chave réside dans l'attention portée aux détails : pas de trucs ni d'astuces particulières, simplement la vinification la plus soigneuse que l'on puisse imaginer. Entre ses mains, la Syrah prend une superbe élégance, tout en conservant cette note imperceptiblement terreuse qui la distingue des autres cépages. Le vin de Chave est un assemblage de Diognières, Beaumes, Péléat, Bessards et l'Hermite, dans lequel chaque élément joue un rôle important. Le Saint-Joseph de Chave est une rareté qui vaut la peine d'être recherchée. C'est l'un des tout meilleurs vins de l'appellation.

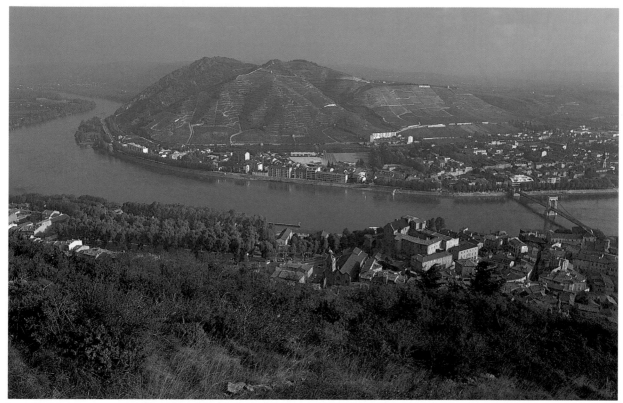

Les vignobles du coteau de l'Hermitage varient en altitude, en pente et en exposition pour produire une gamme de vins différents.

Il existe aussi, heureusement, de bons vignerons dans cette vaste appellation. Certains ont commencé à remettre la vigne là où elle devrait se trouver : sur les coteaux granitiques et non dans les plaines alluviales. À Saint-Joseph même, des vignerons ont replanté les coteaux escarpés pour la première fois depuis des décennies.

Maurice Courbis
Ce vigneron de Châteaubourg s'affaire activement à replanter les coteaux avec l'aide de ses deux fils. Il possède aujourd'hui près de 24 ha en Saint-Joseph et environ 1,5 ha en Cornas. La parcelle de Cornas comporte de très vieilles vignes en pied de coteau et un autre vignoble plus récemment planté sur le coteau lui-même.

Domaine Coursodon
Les Coursodon, de père en fils, continuent d'occuper la première place dans l'appellation Saint-Joseph. Les vinifications parcellaires conduisent à la création de multiples cuvées, qui sont toutes passionnantes. Le blanc est moins excitant.

Domaine Pierre Gonon
Les deux fils ont succédé à leur père et ont augmenté la surface du vignoble qui dépasse désormais 7 ha. Il est complanté de beaucoup de Marsanne, de Roussanne (blanc) et de Syrah (rouge). Deux cuvées de Saint-Joseph blanc sont vinifiées, l'une fraîche et florale, l'autre étiquetée Les Oli-

viers passe par le bois ; elle est grasse, fruitée, miellée, de belle longueur. Le Saint-Joseph rouge est vineux, ses tanins sont aussi mûrs que son fruité.

Domaine Bernard Gripa
Un vignoble composé de 6 ha de Syrah et de 4 ha de vignes blanches permet à Bernard Gripa de démontrer, toutes les années, la régularité qualitative de sa production et de produire une cuvée de prestige, blanche ou noire, excellente et complète : le Berceau.

SAINT-PÉRAY
Cette appellation ne produit que des vins blancs, tranquilles ou mousseux. La Marsanne est ici le principal cépage. Les vignerons peuvent aussi utiliser la Roussanne, plutôt meilleure en fait, mais la plupart sont rebutés par les difficultés rencontrées à la floraison. Dans le meilleur des cas, le

Saint-Péray est une bonne version en mode mineur de l'Hermitage blanc. Les vins mousseux sont bus localement en guise d'apéritif et se rencontrent rarement ailleurs.

Domaine du Tunnel
Son nom fait allusion à un tunnel ferroviaire proche des 5 ha cultivés par Stéphane Robert, devenu vigneron par goût et qui a fait ses classes chez Louis Gripat. Il vinifie sa cuvée Prestige dans le bois neuf, un Saint-Péray modèle par sa finesse, sa nervosité et par la touche vanillée apportée par la barrique.

Autres producteurs
De nombreux producteurs de Saint-Péray ont également des vignes en Saint-Joseph ou en Cornas. Parmi les vignerons qui méritent d'être cités, on trouve Bernard Gripa, Jean Lionnet et Alain Voge.

CÔTES DU RHÔNE MÉRIDIONALES

Les raisins couleur d'encre de la Syrah du Nord se raréfient au sud des berges de la Drôme. La vigne réapparaît au sud de Montélimar, dans un tout autre paysage. Les ceps trapus présentent la traditionnelle forme en gobelet. Argiles sèches et cailloux calcaires remplacent les grands pics granitiques qui s'élèvent au nord de Valence. La plupart des cépages utilisés ici sont d'origine espagnole et sont arrivés dans le sud de la vallée du Rhône au XVIIᵉ siècle.

Le vignoble des Côtes du Rhône méridionales

Le site numéro un de la région est naturellement Châteauneuf lui-même, une appellation dont la prééminence se fonde sur des liens plus qu'incertains avec la papauté. La qualité extrême des meilleurs vins de cette région est due en bonne partie à la plantation du plateau de Montredon, effectuée pour l'essentiel entre les deux guerres. Ici, les galets, gros cailloux blancs et lisses, absorbent la chaleur du soleil le jour et réchauffent les racines des ceps la nuit.

Gigondas est souvent qualifié de « Châteauneuf du pauvre ». Cela est bien injuste car on y produit de grands vins, dont beaucoup sont supérieurs aux vins de qualité courante de la prestigieuse AOC voisine. Le paysage est dominé par les fameuses Dentelles de Montmirail, d'origine calcaire. Et c'est à cause de ces sols calcaires que le Gigondas est un vin légèrement plus dur que le Châteauneuf-du-Pape.

Gigondas est le premier village des Côtes du Rhône méridionales à avoir reçu sa propre appellation. Depuis lors, la même distinction a été accordée à Vacqueyras. Les domaines les plus réputés utilisent beaucoup de Syrah, assemblée au Grenache, pour produire des vins aromatiques très réussis. Lirac et Tavel se trouvent tous deux sur la rive droite du Rhône. Les vins de Lirac res-

Les Dentelles de Montmirail en toile de fond du vignoble de Gigondas.

semblent à ceux de Châteauneuf, mais on y fait aussi beaucoup de rosé, ce qui est interdit à Châteauneuf. Tavel est une AOC strictement réservée aux vins rosés. Ceux-ci sont surtout à base de Grenache, mais les meilleurs domaines l'assemblent avec du Mourvèdre.

Des vins similaires, à dominante de Grenache, sont produits dans les petites appellations rhodaniennes du sud, comme les Coteaux-du-Tricastin, Côtes-du-Ventoux, -du-Vivarais et -du-Lubéron. Mais les meilleurs vins se dissimulent souvent dans le vaste fourre-tout des Côtes du Rhône et Côtes-du-Rhône-Villages. Les villages de Saint-Gervais, Cairanne, Rasteau, Sablet, Séguret et Valréas sont particulièrement dignes d'attention.

Enfin, deux zones de cette région méridionale du Rhône ont le droit de produire un Vin Doux Naturel. Le célèbre Muscat de Beaumes-de-Venise est devenu ces dernières années un vin

de dessert très apprécié ; en revanche, les vins mutés de Rasteau sont moins connus. Le rouge est à base de Grenache Noir et le blanc, de Grenache Blanc.

Les appellations contrôlées

Il existe onze AOC et deux VDN dans les Côtes du Rhône méridionales. Le Châteauneuf-du-Pape peut être rouge ou blanc ; le Gigondas comporte des rouges et des rosés ; le Vacqueyras est exclusivement rouge. Tavel se distingue en étant réservée aux rosés. Les autres – Lirac, Côtes-du-Vivarais, Coteaux-du-Tricastin, Côtes-du-Ventoux, Côtes-du-Lubéron, Côtes-du-Rhône et Côtes-du-Rhône-Villages – peuvent être rouges, blancs ou rosés. Le village de Beaumes-de-Venise a le droit de produire un Muscat doux muté dans la catégorie VDN. Rasteau produit un VDN de Grenache, qui peut être rouge ou blanc.

Les rendements sont fixés par l'INAO (Institut national des appellations d'origine), organisme dont dépend également l'élévation d'un Côtes-du-Rhône-Villages au statut d'AOC de plein droit. La production est de surcroît régulée par les caprices du Grenache, sujet à la coulure lors de la floraison, et qui limite ainsi de lui-même son volume. Une production de 40 hl/ha est inhabituelle pour le Grenache. Les rendements vont de 28 hl/ha pour le Muscat de Beaumes-de-Venise à 50 hl/ha pour les Côtes-du-Rhône. Le Tavel a droit à 42 hl/ha, mais d'autres AOC se limitent à 35 hl/ha.

Les cépages

Le Grenache est le cépage principal des Côtes du Rhône méridionales : 13 cépages sont autorisés par l'AOC Châteauneuf-du-Pape, mais le Grenache Noir représente presque toujours 80 % de l'assemblage. La Syrah et le Mourvèdre tempèrent et rehaussent les arômes de base fournis par le Grenache : les autres variétés (Counoise, Vaccarèse, Terret Noir, Cinsaut et Muscardin) servent plutôt à épicer l'assemblage.

Près de Châteauneuf-du-Pape, Joseph Ducos, alors propriétaire de Château La Nerthe à la fin du XIXe siècle, greffa un certain nombre de cépages locaux après les ravages du phylloxéra. Outre le Grenache, la Syrah et le Mourvèdre, il installa Counoise, Muscardin, Vaccarèse, Picpoul Noir et Cinsaut pour les vins rouges, Clairette et Bourboulenc pour les vins blancs. Sa conviction qu'il s'agissait des variétés convenant le mieux à la région conduisit à intégrer ces cépages dans la première législation d'appellation adoptée pour le Châteauneuf-du-Pape dans les années 1920 avec, en outre, le Terret Noir, le Picardan et la Roussanne. Le cocktail de cépages de Ducos subsiste dans quelques propriétés de Châteauneuf, mais, pour l'essentiel, l'assemblage est très semblable à ce qui se fait ailleurs dans la région : le Grenache Noir domine les rouges ; le Grenache Blanc, les blancs. D'autres cépages sont présents dans de plus faibles proportions, les variétés chères à Ducos se trouvant saupoudrées sur l'ensemble. Ces cépages

mineurs suscitent néanmoins un certain intérêt. Les Perret, du Château de Beaucastel, font grand cas de la Counoise, variété qui a récemment été expérimentée avec de bons résultats dans le Roussillon. Et le Domaine du Vieux Télégraphe produit un vin de pur Cinsaut tout à fait excellent (mais difficile à trouver). Ailleurs en Côtes-du-Rhône, on a plus de chance de dénicher des cuvées expérimentales. La tendance est de plus en plus favorable aux vins dominés par la Syrah ou le Mourvèdre, voire aux vins de cépage. Rabasse-Charavin, Domaine de Sainte-Anne et Château de Fonsalette sont trois noms à retenir.

La Clairette était le cépage blanc traditionnel de toute cette région, mais le Grenache Blanc lui fait de plus en plus concurrence. Le Picpoul, le Picardan, le Bourboulenc et la Roussanne peuvent donner des résultats intéressants. Le

dernier de ces cépages, en particulier, est à l'origine du blanc le plus réputé du Château de Beaucastel.

Le vieillissement

Les vins des Côtes du Rhône méridionales n'ont pas une garde aussi prolongée que leurs équivalents du Nord et mettent aussi moins de temps à s'épanouir. Un bon Châteauneuf ou un bon Gigondas devraient tenir vingt à vingt-cinq ans, mais ils seront déjà agréables à boire après avoir vieilli cinq ou six ans.

Les vins blancs du Rhône ne sont pas considérés comme des vins à mettre en cave. Le Muscat de Beaumes-de-Venise est lui aussi bu dans sa jeunesse. Certains apprécient les Vins Doux Naturels de Rasteau après un vieillissement en bouteille, quand ils ont pris des notes de *rancio* très similaires à celles des VDN de Grenache du Languedoc-Roussillon, plus connus. □

CÔTES-DU-RHÔNE-VILLAGES

Aujourd'hui, l'appellation Côtes-du-Rhône-Villages regroupe 16 communes dont la mention peut être portée sur les étiquettes de vin. Les villages les plus réputés font l'objet de la liste suivante.

Beaumes-de-Venise. Très connu pour ses vins blancs de dessert, qui sont dotés de leur propre AOC, Beaumes produit aussi des vins rouges classiques.
Cairanne. On compare souvent les vins rouges de Cairanne à ceux de Châteauneuf-du-Pape, mais ils n'en ont pas toujours la structure ni la longévité.
Chusclan. Réputée pour ses rosés, cette commune produit néanmoins beaucoup plus de vins rouges d'un caractère fruité.
Laudun. Le vignoble de la commune, l'un des plus anciens de la région, produit un vin rouge et un vin blanc issu des cépages Clairette et Roussanne.
Rasteau. Très connu pour ses Vins Doux Naturels à base de Grenache (AOC Rasteau), Rasteau produit aussi des vins rouges non mutés d'un certain caractère.
Rochegude. La production de cette commune est essentiellement constituée de vins rouges robustes issus de Grenache et de Cinsaut.
Saint-Gervais. Outre la production de superbes vins blancs produits à partir

du fameux cépage Viognier, la commune est réputée pour de bons vins rouges issus de Mourvèdre et de Syrah.
Sablet. Promue AOC Villages dans les années 1970, Sablet est une commune réputée pour la légèreté de ses vins, en rosé comme en rouge.
Séguret. Dans cette commune, les vins rouges de Grenache dominent et montrent de belles notes de tabac.
Valréas. Bien qu'une grande partie des vins rouges de cette commune soient légers, certains sont particulièrement structurés, comme ceux de la cave coopérative.
Vinsobres. C'est l'un des villages dotés du meilleur terroir pour des vins de grande concentration. Mais ce potentiel se trouve rarement dans les bouteilles, souvent diffusées en Côtes-du-Rhône génériques afin de se permettre de plus forts rendements.
Visan. La Syrah gagne du terrain (aux dépens du cépage Grenache) sur les vignobles de la commune dans le but d'élaborer des vins rouges racés.

Les autres communes promues Côtes-du-Rhône-Villages sont celles de Roaix, Rousset-les-Vignes, Saint-Pantaléon-les-Vignes et Saint-Maurice-sur-Eygues.

APPELLATIONS, PRODUCTEURS ET NÉGOCIANTS

Les coopératives jouent un rôle plus important dans le sud du vignoble que dans le nord. La plupart des villages ont leur coopérative, qui permet aux vignerons sans équipement de vinification de vinifier leurs raisins. Les AOC sont décrites ci-dessous par ordre alphabétique avec une sélection des meilleurs domaines. Les vins de pays sont cités page 262.

CHÂTEAUNEUF-DU-PAPE
Châteauneuf a acquis ses attributs pontificaux bien après le retour de la papauté à Rome : même le suffixe « du-Pape » est une addition récente. Bien que quelques crus individuels, comme La Nerthe, aient joui d'une certaine réputation au XVIIIᵉ siècle, Châteauneuf-Calcernier n'était alors qu'un village parmi d'autres produisant des vins convenables dans la région d'Avignon.

Au panthéon local, le premier père fondateur fut Joseph Ducos, responsable de la présence de dix des treize fameux cépages. Ses principes de vinification ne trouveraient aujourd'hui guère de partisans : Grenache et Cinsaut ne devraient pas dépasser 20 % ; Syrah, Mourvèdre, Muscardin et Camarèse (synonyme du Vaccarèse) devraient fournir 40 %, tandis que 30 % seraient représentés par la Counoise et le Picpoul Noir (quasi disparu), et le reste par des cépages blancs, Bourboulenc et Clairette. En fait, il y a bien longtemps que le Châteauneuf-du-Pape n'est plus un mythique assemblage de treize cépages, mais plutôt un vin à base de Grenache assemblé de Syrah, Mourvèdre et quelques autres variétés.

Ducos est mort avant que Châteauneuf ne devienne une AOC. Il n'a rien su non plus du plateau de Montredon et de ses célèbres galets, qui contribuent au caractère du Châteauneuf-du-Pape actuel. Avant la Première Guerre mondiale, c'était une terre de vergers, couverte de cerisiers et d'oliviers. Entre les deux guerres, on commença à débarrasser le plateau de ses arbres, mais la mise en place du vignoble ne fut pas achevée avant les années 1950.

L'appellation comporte des sols variés. Le terrain plus lourd de Courthézon, par exemple, convient moins bien au Grenache – c'est l'une des raisons pour lesquelles il y en a si peu au Château de Beaucastel.

Château de Beaucastel
Ce vaste domaine de 100 ha en Châteauneuf-du-Pape et 30 ha en Côtes-du-Rhône portait autrefois le nom de Cru du Coudoulet, devenu aujourd'hui Coudoulet de Beaucastel. La famille Perrin, qui en est propriétaire, s'occupe aussi de négoce en vins de Gigondas et des Côtes du Rhône.

Les Perrin comptent parmi les rares partisans à Châteauneuf de la version « treize cépages » de ce vin. Pas tout à fait treize, en fait, car leur assemblage comporte six cépages rouges vinifiés séparément. Le vin contient actuellement 30 % de Grenache, 30 % de Mourvèdre, 20 % de Syrah et 10 % de Cinsaut, avec un peu d'autre chose. À Beau-castel, il faut savoir qu'on attend beaucoup de la Counoise.

Le vin diffère également des autres produits de l'AOC dans la mesure où les raisins subissent ici un réchauffement ultrarapide lors de leur arrivée au chai.

Château Fortia
D'une certaine façon, c'est ici que tout a commencé. Ce domaine de 30 ha appartient toujours à un descendant direct du baron Le Roy de Boiseaumarié. Celui-ci, défenseur des intérêts des vignerons de Châteauneuf quand il fallut sauvegarder l'authenticité des vins du village dans les années 1920, lors de l'élaboration des décrets d'AOC, s'appuya notamment sur les recherches de Joseph Ducos. C'est ainsi que les treize cépages entrèrent dans la législation de Châteauneuf.

L'actuel baron Le Roy produit un Châteauneuf traditionnel, issu à 80 % de Grenache. Il parvient à faire des vins de qualité, même dans les mauvais millésimes.

Domaine de la Janasse
Une cinquantaine d'hectares – beaucoup de Grenache – permettent aux Sabon d'affirmer leur savoir-faire. Trois cuvées « identifiées » et un Châteauneuf vieilles vignes sont proposés, tous fruités, épicés et amples.

Château Mont-Redon
Ce domaine de 150 ha domine le Rhône et les terres du Vaucluse. Les treize cépages de l'appellation y sont cultivés. Des vins rouges et blancs sont élaborés de façon traditionnelle, ils ont une grande complexité aromatique en raison du mélange des cépages.

Clos des Papes
Ce domaine de 32 ha, qui produit des vins rouges et blancs, appartient à Paul Avril. L'assemblage du vin rouge comporte 70 % de Grenache, 20 % de Mourvèdre et 10 % de Syrah. Paul Avril est moins satisfait des résultats de la Syrah que de ceux du Mourvèdre, qu'il appelle « le Merlot de Châteauneuf ». Le Clos des Papes est un Châteauneuf traditionnel, ces vins figurent parmi les plus élégants et suaves de l'AOC.

Château Rayas
Emmanuel Reynaud a succédé à son oncle, Jacques ; Château Rayas, légendaire et unique, demeure. Son vin est rare. Il est fait de Grenache pur, issu de vieilles vignes à faible rendement. Un autre vin, baptisé Pignan, comporte à coup sûr de la Syrah et probablement aussi du Cinsaut. Ce qui importe, concernant Rayas, c'est que le domaine donne du bon vin – souvent le meilleur de Châteauneuf –, mais la qualité n'est pas toujours égale d'une bouteille à l'autre dans un même millésime. Le Pignan est également un excellent vin. Quant au Côtes-du-Rhône de Reynaud, Château de Fonsalette, c'est l'un des très bons de l'appellation.

Domaine du Vieux Télégraphe
Ce domaine de 70 ha classés en Châteauneuf-du-Pape appartient à la famille Brunier. Le vin est issu à 70 % de Grenache, complété par de la Syrah et du Mourvèdre en quantités égales. Le Vieux Télégraphe est un vin extrêmement régulier qui figure toujours parmi les meilleurs de la région.

Autres producteurs
Henri Bonnot ; Maurice Boiron (Bosquet des Papes) ; Domaine du Grand Veneur ; famille Gonnet (Domaine Font de Michelle) ;

Beaumes-de-Venise, un village des Côtes du Rhône connu pour son vin blanc de dessert.

Château La Nerthe ; Mont Olivet ; Chapoutier ; La Vieille Julienne.

COTEAUX-DU-TRICASTIN

Sur cette AOC un peu décousue, la population est nombreuse. Les vins sont convenables, surtout consommés sur place. L'un des producteurs à suivre est le Domaine de Grangeneuve.

CÔTES-DU-LUBÉRON

Cette AOC créée en 1988 se situe à l'est d'Avignon. Ici aussi, les divers cépages habituels sont autorisés pour les vins rouges ; l'Ugni Blanc, mieux connu pour ses vertus dans le Cognac, est à la base des blancs. Le vaste domaine de Val Joanis est une source de vins fiables.

CÔTES-DU-RHÔNE

Cette gigantesque appellation est un peu le prix de consolation des vins ne répondant pas tout à fait aux critères de l'AOC Côtes-du-Rhône-Villages. Le client a des chances d'y trouver bon nombre de vins médiocres et quelques bonnes surprises. Le principal cépage rouge est encore une fois le Grenache, mais avec, pour l'instant, plus de Cinsaut que de Syrah ou de Mourvèdre. Les choses évoluent cependant et la qualité des vins devrait nettement s'améliorer au cours des prochaines années. Les vins blancs sont dominés par la Clairette, mais il y a aussi un peu de Roussanne et de Marsanne.

Les vins de négociants sont souvent une bonne affaire quand on en arrive aux Côtes-du- Rhône. Le Parallèle 45 de Jaboulet est généralement un assemblage moitié Grenache, moitié Syrah ; même chose pour le Côtes-du-Rhône de Guigal, très marqué par la Syrah. Les vins de Chapoutier sont également dignes de confiance. Quelques domaines méritent d'être cités : le Château du Grand Moulas est un bon vin, mais sa Cuvée de l'Écu est encore meilleure. Le Château Saint-Estève est un domaine expérimental qui produit constamment de nouveaux vins. Sont à rechercher également le Coudoulet de Beaucastel, du Château de Beaucastel, doté d'une concentration considérable pour un Côtes-du-Rhône (et d'un prix en rapport), ainsi que le rare et onéreux Château de Fonsalette d'Emmanuel Reynaud, peut-être le meilleur de tous les Côtes-du-Rhône.

Côtes-du-Rhône-Villages

Cette AOC est formée par 16 communes (voir p. 259) qui ont le droit d'ajouter leur nom sur l'étiquette. Cette pratique a en quelque sorte servi de terrain d'essai à de futures AOC, comme dans les cas de Gigondas et de Vacqueyras. Les rouges sont à base de Grenache et les meilleurs comportent aussi une petite part de Syrah et de Mourvèdre. Les domaines les plus en vue ont sorti des cuvées spéciales basées sur l'un ou l'autre de ces cépages. Le vin blanc est ici plutôt rare, bien que les villages de Chusclan et Laudun le comptent parmi leurs spécialités.

Parmi les noms à suivre, citons l'excellent Domaine Sainte-Anne à Saint-Gervais, dont le vin à base de Syrah et Mourvèdre a inspiré toute une génération de vignerons de la région ; à Cairanne, le Domaine Rabasse-Charavin excelle dans la Syrah et produit un vin que l'on pourrait facilement prendre pour un bon cru du Nord rhodanien ; à Rasteau, le Domaine de la Soumade se distingue non seulement par ses rouges à dominante de Syrah, mais aussi par ses VDN ; à Sablet, le Domaine des Goubert appartient à la même écurie que l'un des meilleurs Gigondas ; le Château de Courançonne, vin souvent primé de Gabriel Meffre, est surtout à base de Grenache ; on trouve en revanche plus de Syrah dans le Domaine des Grands Devers de René Suard, à Valréas.

CÔTES-DU-VENTOUX

La qualité du vin est rarement digne de la beauté du paysage, avec ses garrigues embaumant le thym et la lavande. Pour l'instant, le seul domaine à retenir est le Domaine des Anges de Malcolm Swann. Les Perrin du Château de Beaucastel, à Châteauneuf, ont avec la Vieille Ferme une réserve de vins réguliers et à prix doux ; Jaboulet embouteille également des vins tout à fait convenables.

Côtes-du-Vivarais

Cette AOC en plein essor produit à partir des cépages habituels des Côtes du Rhône méridionales des vins rouges corrects mais légers, ainsi qu'une certaine quantité de vins blancs et rosés ; le blanc est à base de Clairette, de Marsanne et de Bourboulenc. Bien peu de ces vins sortent de la région, mais, parmi ces derniers, il faut signaler le Domaine de Vigier.

GIGONDAS

Gigondas a toujours vécu un peu dans l'ombre de son célèbre voisin, Châteauneuf-du-Pape. On y produit des vins rouges et rosés surtout à base de Grenache, avec des apports de Syrah, Mourvèdre, Cinsaut, etc. Les sols calcaires de l'AOC peuvent donner des vins tout à fait excellents. La proportion de Grenache est limitée à 80 % et les assemblages doivent comporter au minimum 15 % de Syrah et de Mourvèdre.

Domaine des Pallières

C'est l'un des meilleurs domaines (25 ha) de Gigondas, repris par les Brunier de Vieux Télégraphe (voir p. 260) et produisant de bons vins avec une extrême régularité. La propriété a été la première à mettre du Gigondas en bouteilles à la fin du siècle dernier. Les vins ont une note de dureté typique de Gigondas, mais se gardent longtemps.

Domaine Saint-Gayan

Les 15 ha de vignoble de Roger Meffre sont situés en terrain argileux et donnent des vins puissants, aux tanins souvent agressifs. Ils n'en jouissent pas moins d'un grand prestige, non seulement dans la région, mais aussi dans le reste de la France et à l'étranger.

Autres producteurs

Domaine des Goubert ; Domaine Raspail-Ay.

LIRAC

Les meilleurs Liracs rouges et blancs aspirent à la qualité des Châteauneufs ; les meilleurs rosés à celle des Tavels. L'un des producteurs à citer est Jean-Claude Assémat, itinérant propriétaire des Domaines des Causses et des Garrigues. Il vinifie un bon assemblage de Grenache, Carignan, Mourvèdre et Syrah dans le premier domaine, ainsi qu'une autre cuvée comportant 70 % de Syrah et élevée en fûts de chêne neuf. Parmi d'autres Liracs à suivre, citons le Domaine Roger Sabon (qui fait aussi de bons

Châteauneufs-du-Pape), le Domaine Duseigneur et le Domaine Maby (La Fermade).

TAVEL

Cette appellation produit exclusivement des rosés puissants et riches en alcool, qui touchent un vaste public en France puisqu'ils sont consommés dans de nombreux restaurants vietnamiens et chinois. On a tendance à ne les exporter que lorsqu'ils ont dépassé leur apogée. L'un des problèmes du Tavel vient du Grenache Noir, qui peut s'oxyder un

peu trop vite dans un rosé : les vins prennent alors une nuance légèrement orangée. La solution consiste à utiliser davantage de Mourvèdre. Les meilleurs

domaines sont Château d'Aquéria et Domaine de la Mordorée.

VACQUEYRAS

Vacqueyras a quitté le peloton des Côtes-du-Rhône-Villages en 1989 avec une appellation toute neuve pour ses vins rouges. Ceux-ci ont beaucoup de couleur et de profondeur aromatique et leur promotion au statut d'AOC a été l'une des plus sages décisions de l'INAO. Les meilleurs producteurs sont le Domaine des Amouriers, le Château de Montmirail et le Domaine de la Monardière.

LES VINS DE PAYS

Les vins de pays de la vallée du Rhône méritent de retenir l'attention : non seulement ils réservent souvent une bonne surprise aux voyageurs traversant la région, mais ils sont aussi fréquemment disponibles dans les rayons des grands supermarchés, toujours en quête du meilleur rapport qualité/prix. La plupart de ces vins sont à leur optimum dans leur jeunesse : les conserver en cave ne présente guère d'intérêt.

Sur le plan administratif, les vins de pays de la vallée du Rhône font partie de la grande région Rhône-Alpes, qui en produit environ 400 millions de bouteilles chaque année. Ils vont des blancs vifs en provenance des montagnes proches de la Savoie aux rouges aromatiques de la vallée du Rhône proprement dite.

Vins de Pays des Comtés Rhodaniens

Cette dénomination un peu fourre-tout rassemble des vins venant de l'ensemble de la région Rhône-Alpes. Mais ceux-ci doivent au préalable remplir les conditions leur donnant droit à l'une des appellations suivantes : Coteaux-de-l'Ardèche, Coteaux-des-Baronnies,

Coteaux-de-Grignan, Collines Rhodaniennes, Coteaux-du-Grésivaudan, Balmes Dauphinoises, Allobrogie et Urfé.

Vin de Pays de la Drôme

Il s'agit à 92 % de vins rouges, surtout à base de Grenache, Cinsaut et Syrah, mais il est permis d'y ajouter Gamay, Cabernet-Sauvignon ou Merlot. Le Gamay, notamment, a donné de bons résultats. Ces vins viennent de la rive gauche du Rhône, entre Valence et Montélimar.

Vin de Pays des Collines Rhodaniennes

Ce vin de pays englobe essentiellement l'arrière-pays des Côtes du Rhône septentrionales, une région susceptible de produire une certaine quantité de vins de Syrah d'un niveau acceptable. Environ 60 % des vins sont issus d'un seul cépage, l'accent étant mis sur la Syrah, mais aussi sur le Gamay et le Merlot.

Vin de Pays du Comté de Grignan

Ce vin de pays provient de la rive gauche du Rhône, aux environs de Montélimar. Comme il convient à un produit du sud de la vallée du Rhône, les vins sont dominés par le Grenache et les variétés

habituelles des Côtes du Rhône méridionales. S'ils le désirent, les vignerons ont le droit de faire des vins de cépage à partir du Gamay, du Merlot ou du Cabernet-Sauvignon. Le vin blanc ne représente que 1 % de la production.

Vin de Pays des Coteaux de l'Ardèche

Les vins viennent de la rive droite, à la hauteur d'Aubenas. Le vigneron peut choisir de produire un vin de Cabernet, Merlot ou Gamay, ou s'en tenir à l'assemblage traditionnel à base de Grenache. Les rosés, y compris ceux de pure Syrah, réussissent bien dans la région. Parmi les vins blancs, certains sont issus du Chardonnay et du Viognier.

Vin de Pays des Coteaux des Baronnies

Ce vin provient de l'extrémité est de la région, au-delà de Nyons. Là encore, les vignerons ont le choix : ils peuvent utiliser les cépages traditionnels des Côtes du Rhône méridionales ou des variétés plus demandées. Le Diois n'étant pas loin, ils ont aussi le droit d'utiliser du Pinot Noir. En blanc, les cépages autorisés sont l'Ugni Blanc, le Chardonnay et le Viognier, ainsi que la Clairette et le Grenache Blanc.

JURA ET SAVOIE

LES DEUX PETITS VIGNOBLES DU JURA ET DE LA SAVOIE,
ISOLÉS À L'EST DE LA FRANCE, PRODUISENT QUELQUES VINS
BIEN PARTICULIERS.

Les vins du Jura et de la Savoie sont peu connus hors de ces régions, mais bénéficient d'un marché local assuré. Le vin de pays d'Allobrogie, produit en Haute-Savoie dans le Val d'Arve, est très apprécié des skieurs.

Les montagnes tendent à renforcer la personnalité d'un vignoble en le tenant à l'écart des influences extérieures. Il n'est donc pas surprenant que les vins du Jura, de Savoie et du Bugey n'aient pas grand-chose de commun avec les autres vins de l'est de la France et soient issus de cépages introuvables ailleurs. Le Jura, zone montagneuse assez isolée, avoisine la frontière suisse à l'est de la France. Son paysage est une succession de crêtes rocailleuses et de pâturages champêtres où paissent quelques vaches : c'est aussi un pays de fromages, le comté en particulier. La ville de Lons-le-Saunier occupe le centre de la vaste appellation des Côtes-du-Jura qui s'étend du nord au sud. Le vin y est rouge, blanc ou rosé et même gris ou jaune, sans oublier le Mousseux. L'appellation Arbois, autour de la jolie ville du même nom, donne les meilleurs vins rouges à base de Pinot Noir et des cépages indigènes Poulsard et Trousseau. L'Étoile est une petite appellation surtout productrice de vin blanc tandis que celle de Château-Chalon offre le meilleur vin jaune, le plus original des vins du Jura, issu du Savagnin. Les vignobles de Savoie ont plus de points communs avec ceux de Suisse que du reste de la France, notamment en raison du rôle qu'y joue encore le Chasselas. La Jacquère (blanc) et la Mondeuse (rouge) sont également des cépages propres à la Savoie. La principale appellation, Vin de Savoie, s'étend sur 17 crus qui vont du sud de Chambéry aux rives du lac Léman. La Roussette, autre cépage purement savoyard, est à la base de l'appellation Roussette de Savoie, qui recouvre quelques crus. Il y a aussi le Crépy, vin blanc tranquille, et le Seyssel, vin tranquille ou mousseux. Le pont qui enjambe le Rhône à Seyssel relie la Savoie au Bugey, dont Belley est le centre. Cette région est à l'écart de tout, entre Chambéry et Lyon. Ici, l'agriculture tend à supplanter la vigne. Les vins ont le statut de VDQS et proviennent de plusieurs petits crus. Le rustique Rosé de Cerdon mousseux est une autre curiosité, qui résulte de l'isolement de ces vignobles de montagne. Leur climat, très continental, diffère beaucoup de celui de Bourgogne ou du Rhône septentrional. La vigne souffre de l'altitude, mais les cépages sont parfaitement adaptés à cette rigueur, certains étant précoces et d'autres tardifs, ce qui explique que les vendanges se prolongent jusqu'aux premières neiges de novembre.

JURA

Les vins du Jura, issus de cépages très originaux, figurent parmi les vins français à forte personnalité. On y trouve quatre appellations recouvrant toute une gamme de saveurs et de couleurs. Les vignobles entourent Lons-le-Saunier, ville natale de Rouget de Lisle, compositeur de *la Marseillaise*.

Le climat du Jura est nettement continental, avec des hivers très froids, durant lesquels les températures descendent bien en dessous de zéro et où il neige beaucoup. Les étés sont chauds et ensoleillés, mais la pluviosité peut être forte et les automnes sont longs et doux. Le sol est un mélange de calcaire et d'argile.

Il existe une appellation générale, Côtes-du-Jura, qui regroupe l'ensemble du vignoble, et trois appellations plus précises : Château-Chalon, l'Étoile et Arbois. Le Jura se distingue également par un style de vin particulier, le vin jaune (voir encadré p. 265).

Côtes-du-Jura

Le vignoble des Côtes-du-Jura s'étend au nord et au sud de Lons-le-Saunier sur 72 villages. Les vins sont pour la plupart blancs, issus du Savagnin et du Chardonnay. Les vins rouges et rosés sont à base de Pinot Noir, de Trousseau et de Poulsard. Ce dernier cépage donne des vins très pâles et est parfois vinifié en blanc. Chardonnay et Pinot Noir témoignent de liens étroits avec la Bourgogne et la Franche-Comté alors que Savagnin, Trousseau et Poulsard sont des variétés purement locales. Les vins peuvent être issus d'un seul cépage ou résulter d'un assemblage.

Château-Chalon

Château-Chalon est le nom d'un village et d'une appellation recouvrant 4 communes productrices de vin jaune. Le village étant construit sur le granite, il est impossible d'y avoir des caves souterraines. Elles sont toutes à demi enterrées, donc soumises à d'impor-

Un chai de vin jaune à Château-Chalon.

tants écarts de température qui jouent un grand rôle dans l'apparition du voile de levures *(flor)* propre à l'élaboration du vin jaune.

Les producteurs de Château-Chalon ne sont qu'une douzaine et veillent en bonne harmonie à maintenir un très haut niveau de qualité. Les mauvaises années, comme 1980 et 1984, ils ont déclassé tout leur vin en Côtes-du-Jura au lieu de le vendre sous leur propre appellation. Celle-ci impose des normes sévères : le travail dans les vignes est contrôlé, le rendement maximal est fixé à 30 hl/ha, bien qu'il avoisine plus souvent les 20 hl/ha.

Les autres appellations du Jura incluent le vin jaune – avec un degré minimal d'alcool plus faible, fixé à 11,5 % vol –, mais c'est à Château-Chalon que ce vin hors du commun atteint son sommet. Les effets de la *flor* et les arômes de noix très secs dus à l'oxydation lui confèrent un goût tout à fait original.

L'Étoile

On retrouve cette note d'oxydation dans d'autres vins blancs du Jura comme

l'Étoile, qui tire son nom d'un village proche de Lons-le-Saunier, situé sur une colline au sol riche en étoiles de mer fossiles. L'Étoile est une appellation de vin blanc et de vin jaune depuis 1937. Les cépages autorisés en blanc sont le Chardonnay, le Savagnin et le Poulsard bien que le pur Chardonnay soit plus courant. On trouve parfois un assemblage de Chardonnay et de Savagnin, mais la faible production de Savagnin est le plus souvent conservée pour le vin jaune.

Le vin de table ordinaire passe deux ou trois ans en fût et semble acquérir un peu des arômes de noix propres au Jura. Au premier abord, le vin peut paraître oxydé, mais ce n'est pas le cas : le fruité sous-jacent est vif et intense.

Arbois

L'Arbois est la principale appellation de vin rouge du Jura, mais celle-ci comporte aussi des vins blancs, jaunes ou rosés (parfois baptisés gris ou même corail). Arbois est une jolie petite ville ancienne, avec de beaux toits roux et un imposant clocher. Louis Pasteur y a passé une grande partie de son enfance et ses expériences sur les bactéries et les levures, rapportées dans son traité d'œnologie, ont été menées sur des vins d'Arbois. Le vignoble, aux abords immédiats de la ville, est aujourd'hui entretenu par la maison Henri Maire.

Arbois se targue d'être l'une des toutes premières appellations d'origine contrôlée (AOC) de France, reconnue en 1936 avec celles de Cassis et de Châteauneuf-du-Pape. L'AOC englobe 6 villages dont Pupillin, qui a le droit d'ajouter son propre nom sur l'étiquette, et Poligny, capitale du comté.

Les cépages caractéristiques de l'Arbois et des Côtes-du-Jura rouges sont le Trousseau, le Poulsard et le Pinot Noir. Les vins rouges du Jura sont généralement peu colorés alors que certains des rosés sont au contraire plutôt foncés, le jus restant en contact avec les peaux bien plus longtemps qu'il n'est de coutume ailleurs en France – presque aussi longtemps que pour le vin rouge. Ni le Poulsard, ni le Trousseau n'ont une peau très riche en matières colorantes, mais celle du Trousseau est souvent plus épaisse, ce qui peut donner un goût plus étoffé.

L'Arbois blanc est généralement issu du Chardonnay, parfois avec un peu de Savagnin et, à l'occasion, du Poulsard vinifié sans contact pelliculaire. Le pur Chardonnay aura un caractère variétal tandis qu'un Savagnin pur ou un assemblage de ces deux cépages tendront à un léger arôme d'oxydation rappelant le goût de noix du vin jaune. Cela illustre la principale différence en matière de vinification entre le Jura et le reste de la France : on n'accorde pas la même attention au besoin d'ouiller périodiquement les fûts.

Pour le reste, les techniques de base se ressemblent. Certains chais sont modernes et rationnels, d'autres nettement plus rustiques. Le contrôle des températures de fermentation peut donc être un peu approximatif, mais il est rarement nécessaire étant donné la fraîcheur habituelle à l'époque des vendanges. La chaptalisation est autorisée dans une faible mesure. Le vin est conservé en cuves de ciment, dans de grands foudres, et en petits fûts pour le vin jaune.

Mousseux, Vin de Paille, Macvin

Trois appellations du Jura (à l'exception de Château-Chalon) comportent du vin mousseux, généralement à base de Chardonnay. La vinification suit la méthode traditionnelle et donne d'agréables vins fruités. Plusieurs producteurs élaborent des vins clairs et les envoient ensuite à une société basée près de Lons-le-Saunier, qui en fait des vins mousseux. Mais il faut savoir que le populaire Vin Fou effervescent d'Henri Maire n'est pas issu de cépages du Jura.

On trouve aussi une tradition locale de vin de paille. Ce vin très particulier est produit à partir de raisins laissés sur un lit de paille d'octobre à janvier, ce qui entraîne une dessiccation des baies et donne un jus à la fois plus riche et plus concentré. Quand 100 kg de raisins donnent normalement de 70 à 75 l de moût, ce volume n'est plus que de 20 à 25 l pour le vin de paille. La fermentation en petit fût est très lente et peut durer quatre ans. Le vin de paille est autorisé dans trois appellations – pas à Château-Chalon –, mais il est généralement produit en quantités limitées, le plus souvent pour les membres de la famille et pour les amis. Sa robe est ambrée, son goût riche et doux avec une note de noix.

Dernière appellation locale datant de 1991, le Macvin est en fait l'équivalent jurassien du Pineau des Charentes. C'est un assemblage d'un tiers de marc avec deux tiers de moût de raisin rouge ou blanc.

Vin de pays

La gamme des vins du Jura se complète par le vin de pays de Franche-Comté, qui englobe les deux départements de la Haute-Saône et du Jura. Un groupe de vignerons du village de Champlitte, situé à proximité de Dole, produit un vin rouge à base de Pinot Noir et de Gamay, et un vin blanc à base d'Auxerrois et de Chardonnay. □

LE VIN JAUNE

Contrairement à presque tous les autres, le vin jaune – le plus original des vins du Jura – a un besoin vital d'oxydation. On pourrait le décrire comme la version française du Xérès Fino, car le développement de la *flor* y joue un rôle tout aussi essentiel. Son goût salé de noix rappelle aussi celui du Fino, mais le vin jaune est moins alcoolisé.
Son accompagnement classique est le comté, fromage local à pâte dure.
Le village de Château-Chalon produit le meilleur vin jaune, bien qu'on en trouve aussi dans les autres appellations du Jura.

Il est issu du Savagnin, cépage propre au Jura, capricieux et peu productif. Certains le croient apparenté au Traminer, d'autres évoquent une origine hongroise. Il a un proche parent en Savoie, le Gringet, à la base du Mousseux d'Ayze. Dans le vin jaune, les raisins fermentent normalement jusqu'à un degré alcoolique d'au moins 12 % vol, si possible 13 % vol. Le vin passe ensuite six ans en fûts de 228 l sans soutirage ni ouillage, de sorte qu'un voile de levures analogue à la *flor* du Xérès se forme en surface. Ce phénomène fait l'objet de nombreuses recherches.
À Château-Chalon, la température des caves varie de 8°C à 18°C au cours de l'année. Le voile de levures devient actif pendant l'été et cesse de l'être en hiver, ce qui développe les arômes particuliers du vin. Le travail des levures peut aussi être influencé par le taux d'humidité de la cave d'une part, par le rapport entre la taille du fût et le volume d'air qu'il contient d'autre part.
L'élaboration du vin jaune exige d'infinies précautions, car le risque d'acidité volatile est très élevé.
Le vin est dégusté et analysé tous les six mois.

Une forte évaporation se produit pendant le vieillissement, d'où la contenance inhabituelle de la traditionnelle bouteille jurassienne, le clavelin : ses 62 cl représentent ce qui reste de 100 cl après six ans de fût. La faiblesse des rendements et la lenteur du processus entraînent évidemment un prix élevé, mais le vin jaune mérite une place d'honneur parmi les crus les plus originaux de France.
Tandis que la majeure partie des vins du Jura sont des vins à boire relativement jeunes, le vin jaune vieillit bien. À Château-Chalon, on ne produit du vin jaune que dans les meilleurs millésimes.

PRODUCTEURS ET NÉGOCIANTS

Les grands domaines sont rares dans le Jura et la société Henri Maire domine la région. L'autre producteur important est la coopérative (fruitière) d'Arbois, qui regroupe plus de 140 membres.

Fruitière vinicole d'Arbois
La coopérative d'Arbois représente environ un quart des vignes de l'appellation et ne produit que de l'Arbois, vin jaune et blanc mousseux compris. Fondée en 1906, elle dispose actuellement d'installations parmi les plus modernes de la région.

Château d'Arlay
Ce domaine situé dans le village d'Arlay est l'un des plus anciens du Jura et date du Moyen Âge. Il appartient aujourd'hui au comte Renaud de Laguiche, dont la famille a également une propriété à Puligny-Montrachet en Bourgogne. Le château produit une gamme de Côtes-du-Jura : un blanc de Chardonnay avec un peu de Savagnin, un rouge de Pinot Noir et un Corail, vin rouge léger issu de l'assemblage de cinq cépages, ainsi que du vin jaune et du Macvin.

Caveau de Bacchus
À Montigny-lès-Arsures, Lucien Aviet applique les méthodes traditionnelles. Ses rosés sont d'ordinaire à base de Poulsard et ses rouges sont issus du Trousseau, à peau plus épaisse. Il a très peu de Pinot Noir. Il produit un blanc de Chardonnay avec un peu de Savagnin, ainsi que du vin jaune et du Macvin selon une vieille recette de sa grand-mère.

Christian Bourdy
La famille Bourdy fait du vin à Arlay depuis 1781. Elle possède 5 ha de vignes à Château-Chalon et Arlay, mais achète aussi du raisin en tant que négociant, ce qui lui permet de produire toute la gamme des vins du Jura, y compris l'Étoile et le vin de paille. Ses vins sont très traditionnels. Comme dit M. Bourdy, « œnologiquement parlant, tous les vins du Jura sont malades, mais nous les aimons ainsi et nous refusons de les soigner ».

Jean Macle
M. Macle est l'un des principaux producteurs de Château-Chalon et ses caves, au centre du village, datent du XVIIᵉ siècle. Bien qu'il possède des vignes de Chardonnay, sa réputation repose sur le Château-Chalon, issu du seul Savagnin, et il a beaucoup contribué à rétablir la qualité de l'appellation. Sa vinification méticuleuse donne des vins de grande longévité.

Henri Maire
Si les vins du Jura ont une quelconque réputation hors de leur région d'origine, c'est grâce à Henri Maire. Même si son produit le plus connu, le Vin Fou, un blanc pétillant élaboré par la méthode de transvasement (voir p. 114), ne contient pas une goutte de vin du Jura, il a réussi dans la foulée à faire parler de la région. Les origines de la famille remontent à 1632. Société anonyme depuis 1986, la maison possède quatre importants domaines et achète du raisin, maîtrisant ainsi plus de la moitié de la production régionale. Tous situés autour d'Arbois, ses domaines propres sont ceux de Montfort, de la Croix d'Argis, du Sorbief et de Grange Grillard. La gamme de vins offre l'ensemble des styles et des saveurs du Jura, de l'Arbois velouté au vin jaune à goût de noix.

Rolet Père & Fils
Cette société familiale basée à Arbois produit du vin depuis les années 1940 sur 55 ha classés en Arbois et Côtes-du-Jura. Après des débuts traditionnels, elle s'est dotée de chais et d'équipements modernes. Fait inhabituel dans le Jura, elle s'est spécialisée en vins de cépage, un Poulsard rosé, un rouge de Trousseau et un autre de Pinot Noir. Les vins blancs incluent du Chardonnay passé dans le bois neuf et du Savagnin vinifié en vieux fûts de chêne, ainsi que du Mousseux, du vin jaune et du Macvin.

Domaine de Montbourgeau
Petite propriété appartenant à Jean Gros, réputée pour son vin blanc de l'Étoile à la fois concentré et élégant.

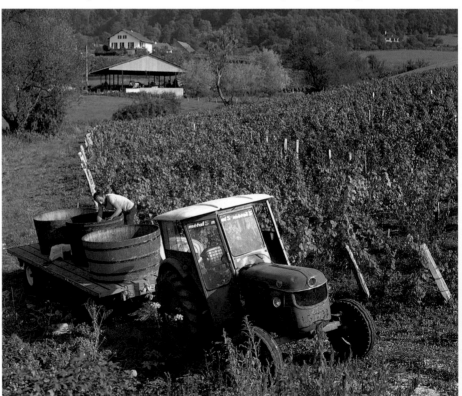

Vendanges de Trousseau pour le vin rouge d'Arbois.

SAVOIE

Entrecoupés de champs de céréales et de pâturages vallonnés, les vignobles s'éparpillent sur une bonne partie des départements de Savoie et de Haute-Savoie. La ville de Chambéry est le centre naturel de la région. Au nord, les vignes s'étendent jusqu'aux rives du lac Léman, quelques parcelles s'étageant sur les coteaux surplombant le lac. D'autres vignobles sont concentrés autour du lac du Bourget et de la ville d'Aix-les-Bains ainsi qu'au sud de Chambéry, dans cette vallée de l'Isère que l'on nomme parfois Combe de Savoie. L'appellation Vin de Savoie est donc très morcelée et inclut 17 crus variant en importance et en saveur. Enfin, de l'autre côté du Rhône, en face de Seyssel, se trouve un vignoble bien distinct, le Bugey, classé en VDQS.

Le sol et le climat

Les montagnes créent un climat incertain. L'hiver, rigoureux, est souvent très enneigé. Les gelées de printemps peuvent frapper les vignes, mais tout système de protection serait une aberration économique. La grêle est un autre fléau potentiel et l'été est généralement chaud, mais parfois humide.

Les lacs du Bourget et Léman créent cependant des conditions favorables et le relief accidenté donne toute une série de microclimats variant d'un versant à l'autre, voire d'un vignoble à l'autre. Les sols de Savoie et du Bugey sont argilo-calcaires, avec des apports minéraux résultant de nombreux dépôts glaciaires.

Les vins et les cépages

Bien que cette région de France ait été italienne jusqu'en 1860, la viticulture s'y inspire plus de la Suisse que du Piémont. Les vins blancs l'emportent largement sur les rouges, les cépages comme la Jacquère, la Roussette et le Chasselas donnant des

La ville de Seyssel sur le Rhône.

vins délicats et légers, en harmonie avec l'air de la montagne. Les vins rouges sont issus du Pinot Noir, du Gamay ou de la typique Mondeuse qui, cultivée en Italie sous le nom de Refosco, donne un vin de cépage dans le Frioul.

Les cépages blancs

La Jacquère est propre à la Savoie et au Bugey. En Savoie, c'est le cépage principal des deux crus voisins d'Abymes et Apremont, où on le nomme également Plant des Abymes. Peu sensible à la pourriture ou à l'oïdium, et guère plus au mildiou, il est facile à cultiver mais donne de moins bons résultats en Bugey car, sous peine d'une verdeur excessive et de goûts herbacés, il a besoin de chaleur et de soleil.

La Molette, de par sa forte acidité, est particulièrement adaptée au vin mousseux et le Gringet, présent dans le vin d'Ayze, est la version savoyarde du Savagnin.

La Roussette, autre cépage blanc caractéristique de la Savoie, doit son nom à la teinte rougeâtre de son raisin mûr, mais porte aussi, par

endroits, celui d'Altesse. On la croit apparentée au Furmint, qui donne le Tokay de Hongrie. Elle pousse aussi en Bugey, mais sa sensibilité au gel et à la pourriture entraîne des rendements irréguliers et une culture encore plus malaisée que celle de la Jacquère.

Le Chasselas prospère sur les rives du Léman depuis le XIIIᵉ siècle. On le trouve aussi en Alsace et à Pouilly-sur-Loire, où il se fait cependant de plus en plus rare. Généralement consommé comme raisin de table en France, du côté suisse du lac il est vinifié sous divers noms locaux tels que Fendant, Dorin et Perlan. En Savoie, on en trouve dans l'appellation Crépy et dans trois crus de Vin de Savoie : Marin, Ripaille et Marignan. Le Chasselas est parfois critiqué pour son peu d'arôme, car il tend à une délicatesse confinant à la neutralité.

Le Chardonnay a été introduit en Savoie au début des années 1960 pour renforcer les arômes parfois trop discrets de la Jacquère, mais cet objectif n'a guère été atteint. Cépage autorisé dans le Vin de Savoie, il est parfois vinifié seul, mais peut aussi être assemblé avec la Roussette dans la Roussette de Savoie. Son nom local est Petite-Sainte-Marie. Dans l'ensemble, sa réussite est cependant plus nette en Bugey (voir page suivante), où il peut donner des vins aux arômes délicats bien typés.

Les cépages rouges

Le cépage rouge le plus caractéristique de la Savoie et du Bugey est la Mondeuse, sans doute apparentée à la Syrah. En Savoie, elle est surtout cultivée dans le village d'Arbin et sur la rive orientale du lac du Bourget, à Chautagne. La Mondeuse occupait la première place dans la région avant que le phylloxéra ne détruise bon nombre de vignobles ; le Gamay et le Pinot Noir ne sont arrivés que bien plus tard. Elle peut être irrégulière en qualité comme en quantité, mais un petit passage en fût affine ses robustes arômes poivrés. En Bugey, elle ne réussit bien que dans les endroits les plus chauds, car sa maturité tardive lui donne parfois trop de verdeur.

Les vignerons, négociants et coopératives

Les vins de Savoie et du Bugey sont produits par un grand nombre de petits vignerons pratiquant généralement la polyculture, de sorte que les céréales et les produits laitiers comptent autant que la vigne. Ces vignerons peuvent appartenir à une coopérative villageoise, comme dans les communes de Cruet, Chautagne et Montmélian, ou bien vendre leurs raisins ou leur vin aux négociants locaux, dont l'importance commerciale est restée intacte jusqu'à aujourd'hui.

Très peu de ces vins circulent hors de la région : l'afflux des touristes, qui viennent assez nombreux en hiver sur les pistes de ski, en été pour des vacances de montagne au bon air –, leur assure un débouché local tout trouvé.

La vinification

Les méthodes appliquées dans les chais de Savoie sont plus ou moins élaborées.

Certaines caves sont résolument rustiques ou peu sophistiquées ; d'autres, au contraire, sont plus modernes, avec des cuves en acier inoxydable. On y pratique le contrôle des températures de fermentation. La fermentation malolactique peut être, ou non, favorisée. La chaptalisation est non seulement autorisée mais généralement nécessaire. Ici et là, on utilise des fûts de chêne pour le vieillissement de la Mondeuse.

Dans l'ensemble, les vins de Savoie et du Bugey doivent être bus relativement vite, tant qu'ils n'ont pas perdu leur fraîcheur aromatique et leur fruité.   □

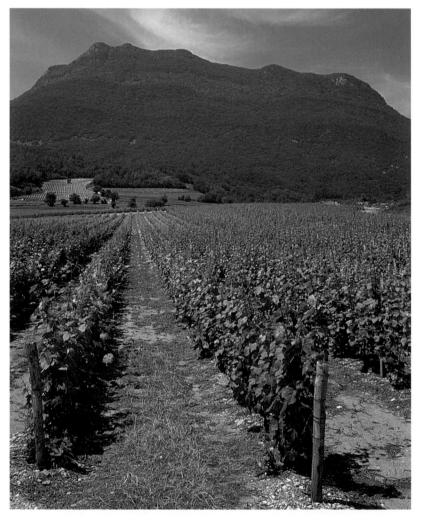

Vignes près du village de Jongieux, à l'ouest du lac du Bourget.

BUGEY

La Savoie rejoint le Bugey à Seyssel, l'appellation Seyssel étant située des deux côtés du fleuve qui sépare les départements de l'Ain et de la Haute-Savoie, le Rhône. Le Bugey est une région isolée, nettement à l'écart de l'axe Lyon-Chambéry, et contenue dans une large boucle du Rhône, au sud-est de l'Ain. Au centre se trouve Belley, ville de marché animée, fière d'avoir vu naître le grand gastronome Brillat-Savarin, l'auteur du célèbre ouvrage *Physiologie du goût*, un recueil précieux d'observations concernant aliments et recettes, et qui était lui-même propriétaire d'un vignoble à Manicle.

Contrairement au Vin de Savoie, le Vin du Bugey n'a pas dépassé le statut de VDQS, mais comporte lui aussi plusieurs crus variant en importance et en personnalité. L'attribution du VDQS en 1957 l'a sauvé d'un oubli total en encourageant le développement de la vigne et le remplacement des hybrides par des cépages tels que Jacquère, Molette, Roussette et Chardonnay, en blanc, Mondeuse, Pinot Noir et Gamay, en rouge. On trouve aussi un peu d'Aligoté et de Poulsard, preuve des liens régionaux avec la Bourgogne et le Jura.

APPELLATIONS ET PRODUCTEURS

Les vins savoyards répondent à une structure officielle complexe. La principale appellation, l'AOC Vin de Savoie, est utilisée seule ou suivie du nom de 17 villages ou zones, dits crus. Il existe trois autres AOC : Roussette de Savoie, Crépy et Seyssel. On trouvera également ici le Vin du Bugey, le VDQS voisin.

VIN DE SAVOIE

L'AOC Vin de Savoie regroupe une vaste étendue de vignobles en 17 crus distincts. Créée en 1973 à partir d'un VDQS de 1957, 70 % de ses vins sont blancs. Les crus sont décrits par ordre d'importance, avec leurs principaux producteurs.

Apremont et Abymes

Le village d'Apremont se trouve au sud de Chambéry. Son principal cépage, la Jacquère, pousse dans des sols essentiellement formés de dépôts glaciaires et donne un vin sec, vif et fruité, avec un goût de silex. On trouve aussi du Chardonnay et de la Mondeuse. Le cru voisin d'Abymes tire son nom d'une catastrophe naturelle : les vignes sont plantées sur des éboulis rocheux, vestiges de l'effondrement d'une partie du mont Granier qui détruisit le village de Saint-André en 1248. Ici aussi, la Jacquère domine devant une petite quantité de Chardonnay. Un dicton local affirme qu'Apremont mûrit à l'ombre et Abymes au soleil, entendant par là que l'Abymes peut être un peu plus tendre et souple, l'Apremont plus ferme et nerveux.

Au Domaine des Rocailles, Pierre Boniface est le principal producteur d'Abymes et d'Apremont, et produit par ailleurs un peu de Vin de Savoie rouge. Il possède 15 ha de vignes et achète les raisins de 25 ha supplémentaires. Ses vins blancs naissent de la technologie moderne tandis que ses rouges, surtout de Mondeuse, vieillissent en fût de chêne pour plus de complexité aromatique. La coopérative Le Vigneron Savoyard est un autre bon producteur d'Apremont.

Arbin et la vallée de l'Isère

Le village d'Arbin, dans la vallée de l'Isère, est plutôt réputé pour son vin rouge, car il n'a jamais suivi le mouvement de ces vingt dernières années en faveur du blanc. La vinification reste traditionnelle, avec fermentation en grands foudres de chêne et vieillissement en fûts plus petits, comme chez Louis Magnin.

Les autres crus de la vallée de l'Isère, au sud de Chambéry, sont Cruet, Saint-Jeoire-Prieuré, Montmélian, Saint-Jean-de-la-Porte et Sainte-Marie-d'Alloix. Comme Charpignat, au nord de Chambéry, ces deux derniers n'existent plus que sur le papier : à Saint-Jean-de-la-Porte, on préfère utiliser l'appellation générique « Vin de Savoie » et, à Sainte-Marie-d'Alloix, il n'y a plus de vignes. La production de Saint-Jeoire-Prieuré est très faible et celle de Cruet et Montmélian est dominée par les coopératives villageoises, avec la Jacquère et la Roussette en blanc, le Gamay en rouge. Non loin de là, Fléterive est candidat au cru et réputé pour ses pépinières de vignes.

Ayze

Ayze est réputé dans la région pour son vin blanc mousseux issu de l'inhabituel Gringet, cépage apparenté au Savagnin du Jura. On utilise aussi la Roussette. La vinification est une version rustique de la méthode traditionnelle – le plus souvent sans aucun dosage, ce qui donne des vins pour le moins vifs, voire d'une austérité à piquer les yeux.

Chautagne

Situé sur la rive est du lac du Bourget, ce vignoble est surtout planté en rouge, avec Mondeuse, Pinot Noir et Gamay, auxquels s'ajoutent, pour le blanc, un peu de Jacquère, de Roussette et d'Aligoté. Les cépages sont le plus souvent vinifiés séparément. Dans le village de Ruffieux, la coopérative est le principal producteur et offre ainsi un débouché à de nombreux petits viticulteurs.

Chignin

Également situé au sud de Chambéry, le vignoble de Chignin pousse sur un coteau escarpé à 360 m d'altitude. La Jacquère domine et offre ici des arômes un peu plus ronds qu'en Apremont ou Abymes. Orientées au sud et au sud-ouest, les vignes bénéficient d'un microclimat plus chaud. Le sol est argilo-calcaire.

Chignin possède un autre cru de blanc bien particulier, le Chignin-Bergeron, Bergeron étant le nom donné ici à la Roussanne cultivée au nord du Rhône. Nul ne sait vraiment comment cette Roussanne est arrivée ici, mais les vignes y sont depuis plus d'un siècle. La production reste faible car ce cépage est beaucoup plus capricieux que la Jacquère et plus sensible aux maladies, mais il donne aussi des vins plus aromatiques et plus complexes. On trouve encore à Chignin un peu de vin rouge issu de Mondeuse, de Gamay et de Pinot Noir. Raymond Quénard est un producteur de premier plan.

Jongieux

Le vignoble de ce cru récent, créé en 1988, occupe à l'ouest du lac du Bourget des coteaux orientés au sud-ouest. Les principales communes sont Jongieux, Lucey, Billième et Saint-Jean-de-Chivetin. Le cépage dominant, la Jacquère, est accompagné d'un peu de Chardonnay, qui réussit mieux ici que dans la vallée de l'Isère, les conditions de culture étant semblables à celles du Bugey. Le plus important cépage rouge est le Gamay, qui donne également du rosé.

Marignan

Cru également à base de Chasselas, dont la production est très limitée.

Marin

C'est le plus récent des crus. Ce village, dont le vignoble surplombe le lac Léman, produit un Chasselas qui donne un blanc délicat, très semblable à celui de Ripaille.

Ripaille

Le magnifique château de Ripaille, datant du XVᵉ siècle, et son vignoble occupent la totalité de ce cru bordant le lac Léman, près de Thonon-les-Bains. Seul cépage présent à cet endroit, le Chasselas donne un vin blanc souple et assez léger. La vinification est traditionnelle, le chai bien géré et fonctionnel.

ROUSSETTE DE SAVOIE

La Roussette de Savoie est une AOC de vin blanc au nom trompeur, car elle peut receler aussi bien du Chardonnay que de la Roussette. Ce n'est un vin de cépage que si l'étiquette mentionne l'un de ses quatre crus : Frangy (le principal, non loin de Genève), Marestel (près de Jongieux), Monthoux (sur la rive sud-ouest du lac du Bourget) et Monteminod (à l'est de Chambéry). Autrement, la Roussette de Savoie peut comporter jusqu'à 50 % de Chardonnay sans que rien ne l'indique. Avec ou sans Chardonnay, le goût de la Roussette est plus ample et gras qu'un Vin de Savoie issu de Jacquère.

CRÉPY

Classé en AOC depuis 1948, le vignoble – dépôts glaciaires sur sol argileux et sous-sol de craie – est situé sur la rive sud du lac Léman, près de Douvaine. Le Chasselas est l'unique cépage et produit des vins blancs souples et délicats, agréablement secs et légers en alcool, mais aux arômes peu marqués. Le Crépy peut à l'occasion être embouteillé sur ses lies fines afin de générer un léger pétillement. On fait par ailleurs quelques essais de Chardonnay, histoire d'agrémenter la neutralité du Chasselas. Les principaux producteurs sont Fichard et Mercier.

SEYSSEL

La plus ancienne appellation de Savoie date de 1942 et ne produit que des vins blancs. Le Rhône traverse la ville et les vignes se trouvent des deux côtés de la vallée. Seyssel est surtout réputé pour son Mousseux, principalement issu de Molette mais comportant souvent un peu de Roussette pour plus de finesse. Grâce à sa forte acidité et à ses arômes discrets, la Molette fournit un excellent vin de base pour le Mousseux, produit selon la classique méthode champenoise.

L'appellation Pétillant de Seyssel, à base de Jacquère, a moins de bulles et de pression qu'un vrai Seyssel mousseux, tandis que la Roussette de Seyssel est un vin tranquille produit uniquement à partir de ce cépage.

Deux producteurs dominent à Seyssel. Le premier, Varichon & Clerc, remonte à 1910 ; il est à l'origine du Seyssel mousseux, la plus petite appellation française de vin effervescent. Le petit-fils du premier Clerc a pris sa retraite en 1968 et la maison a été rachetée par un Bourguignon, Henri Gabet, qui a beaucoup contribué à sa rénovation. Les méthodes de production sont calquées sur le modèle champenois et bénéficient d'installations modernes, y compris des giropalettes. Le meilleur Mousseux est le Royal Seyssel, à base de Molette et d'au moins 10 % de Roussette. La maison produit aussi une Roussette de Savoie tranquille, un Pétillant de Savoie et un vin mousseux sans appellation.

Le second, la maison Mollex, possède le plus grand vignoble de l'appellation, y compris le réputé Clos de la Péclette. Il produit un vin blanc tranquille de Roussette, du Vin de Savoie rouge et du Seyssel mousseux à base de Molette, avec au moins 15 % de Roussette pour plus de finesse. La vinification est simple et traditionnelle, et donne de bons résultats.

BUGEY

Il existe deux VDQS, le Vin du Bugey (blanc, rouge et rosé) et la Roussette du Bugey (blanc), tous deux dotés de nombreux crus à l'existence souvent théorique. Les crus de Vin du Bugey sont situés à Virieu-le-Grand, Montagnieu, Manicle, Machuraz et Cerdon. Les crus de Roussette du Bugey sont à Anglefort, Arbignieu, Chanay, Lagnieu, Montagnieu et Virieu-le-Grand. En règle générale, le vin est vendu comme Vin du Bugey avec une mention de cépage – Jacquère, Chardonnay, Aligoté, Mondeuse, Pinot Noir ou Gamay. L'appellation inclut 63 villages offrant une grande diversité de microclimats, d'altitudes, d'orientations et de sols dans la zone montagneuse entourant Belley. Vongnes est le plus important. Comme en Savoie, la Roussette du Bugey peut contenir une forte proportion de Chardonnay.

La famille Monin, à Vongnes, est le principal producteur de Bugey, mais ses vins sortent rarement de la région. La Roussette du Bugey (à fort pourcentage de Chardonnay), le vin rouge de Mondeuse et un Mousseux (Chardonnay, Jacquère, Aligoté et Molette) représentent l'essentiel de sa gamme.

Les vins du Caveau Bugiste ont également une bonne réputation locale.

Cerdon

Situé à l'écart de la zone, Cerdon est le plus marquant des crus du Bugey. Il englobe 8 villages au sud-est de Bourg-en-Bresse, dont Cerdon même, au cœur d'un amphithéâtre de vignes, est le plus grand. Le rosé de Cerdon est un vin effervescent à base de Gamay, d'un peu de Pinot Gris, de Pinot Noir et de Poulsard. On trouve aussi du vin tranquille, mais c'est le Mousseux, produit selon une méthode dite ancestrale, née de l'incapacité du vin à terminer sa fermentation, qui a le plus de personnalité.

Aujourd'hui, on bloque la fermentation de façon à laisser un peu de sucres résiduels puis on met le vin en bouteilles, où il recommence à fermenter. Au bout d'environ trois mois, il est filtré sous pression et remis en bouteilles. On trouve aussi, hélas, beaucoup de vin pétillant gazéifié d'origine industrielle – qui n'a rien à voir – ainsi que du vin produit selon la méthode traditionnelle, à Lons-le-Saunier, dans le Jura.

Montagnieu et Manicle

Montagnieu, l'un des crus les plus prospères du Bugey, produit du Mousseux et un vin tranquille de Roussette.

Manicle est connu pour ses liens avec le gourmet Brillat-Savarin. Un producteur isolé, André Miraillet, continue de vinifier un blanc de Chardonnay et un rouge de Pinot Noir dans le petit village de Cheignieu-la-Balme. Ses méthodes sont plutôt rustiques, mais les résultats sont convaincants.

Les vins de pays

Le Vin de Pays des Collines Rhodaniennes englobe des vins de Savoie, de Haute-Savoie et d'autres départements voisins. Il existe aussi deux vins de pays de zone : le Vin de Pays d'Allobrogie (les Allobroges étaient la tribu gauloise qui faisait du vin dans cette région au temps de Jules César) et le Vin de Pays des Coteaux du Grésivaudan, dans le département de l'Isère. Ces deux vins peuvent exister en blanc, rouge ou rosé, bien que 95 % de l'Allobrogie soit blanc.

PROVENCE ET CORSE

LE VIGNOBLE PROVENÇAL PEUT S'ENORGUEILLIR DE SON RICHE PASSÉ.
CELUI DE CORSE, EN REVANCHE, LONGTEMPS MÉCONNU, GAGNE EN
POPULARITÉ À MESURE QUE LES AMATEURS DÉCOUVRENT SES VINS ORIGINAUX.

Les raisins mûrissent sans peine sous le soleil méditerranéen, mais le vin est fait dans des caves souterraines bien fraîches. Celles-ci appartiennent au Domaine Pardiguière, près du Luc, dans une belle vallée des Côtes de Provence.

Le vin français est né en Provence. C'est ici, près de cinq cents ans avant l'annexion par les Romains, en 125 av. J.-C., de cette province qu'ils nommèrent *provincia* (territoire conquis), que les premières vignes furent cultivées par les colons phocéens et grecs. La Provence connut une période florissante pendant le Moyen Âge, où ses vins étaient servis à la table des papes, des rois et des nobles. Au XIXᵉ siècle, comme dans une grande partie du sud de la France, la crise du phylloxéra obligea la Provence à sacrifier la qualité à la quantité. Les vieux vignobles en coteaux furent abandonnés au profit de terrains plus plats, où l'on planta des cépages de moindre qualité. Quelques zones subsistèrent toutefois, où tradition et qualité continuèrent de faire bon ménage : en récompense, elles furent parmi les premières de France à obtenir une appellation contrôlée dans les années 1930 et 1940. Tel fut le cas de Cassis et de Bandol. La Provence est le pays du rosé par excellence, mais, depuis 1975, un regain d'intérêt s'est fait sentir pour les vins rouges en même temps que se faisaient connaître de nouveaux vignerons soucieux de qualité. La plupart des vins de Provence sont encore vinifiés par les caves coopératives ou commercialisés par des grandes maisons de négoce, mais ce sont les domaines récents ou ceux entièrement repris en main par de nouveaux dirigeants qui donnent le ton. Ils ont eu les premiers l'idée de planter des cépages non autochtones comme le Cabernet-Sauvignon, tout en s'intéressant de nouveau à leur cépage noir de qualité, le Mourvèdre. Aujourd'hui, on trouve en Provence un nombre étonnant de vins rouges robustes à la forte personnalité, mais les domaines qui les produisent ont pour sérieux concurrents les nouveaux vignerons du Languedoc, du Roussillon et du Rhône. En Provence, les prix sont légèrement surévalués par rapport à la qualité fournie.

Quant à la Corse, son isolement l'a poussée à produire des vins originaux. Pendant un siècle, jusque dans les années 1950, son rôle fut de fournir des vins rouges corsés et bon marché, production qui, dans les années 1960, fut renforcée par l'arrivée sur l'île de nombreux vignerons chassés d'Algérie. Plus récemment, on assiste à une réhabilitation des cépages anciens, des styles de vin traditionnels et des vieux vignobles. L'encépagement corse doit en fait plus à l'Italie qu'à la France et les styles de vin sont très différents de ceux de la Provence.

LES RÉGIONS VITICOLES DE PROVENCE ET DE CORSE

À l'exception des quatre premières communes d'appellation, Palette, Cassis, Bandol et Bellet, les vins de Provence ne jouissent pas, en ce début de XXIᵉ siècle, d'une excellente réputation. Certains domaines commencent toutefois à se distinguer à l'intérieur des vastes appellations Côtes-de-Provence et Coteaux-d'Aix-en-Provence.

La Corse étant un pays de montagnes, les vignes ne poussent que sur son pourtour, en s'accrochant aux coteaux escarpés qui surplombent la Méditerranée. L'essentiel de la production provient de la plaine côtière située à l'est.

- - - Limite de département
Autoroute
Route principale
Autre route

N

0   10   20   30   40 km

FRANCE

Marseille

Ajaccio

Régions viticoles de Provence

- Côtes de Provence
- Coteaux d'Aix-en-Provence
- Coteaux d'Aix-en-Provence les Baux-de-Provence
- Palette
- Bandol
- Cassis
- Bellet
- Coteaux Varois
- Coteaux de Pierrevert VDQS

Régions viticoles de Corse

- Ajaccio
- Patrimonio
- Vin de Corse
- Vin de Corse Calvi
- Vin des Coteaux-du-Cap-Corse
- Vin de Corse Figari
- Vin de Corse Sartène
- Vin de Corse Porto-Vecchio

0 10 20 30 40 50 km

PROVENCE

Prises dans leur ensemble, les appellations d'origine contrôlée de Provence constituent l'un des plus vastes vignobles de France. Depuis toujours, la viticulture est une activité importante dans ce paysage vallonné entrecoupé d'oliveraies, de bois, de vieux villages et de propriétés luxueuses : les vins se retrouvent sur les nombreuses bonnes tables de la région.

En Provence, le soleil est généreux, la pluie suffisante pendant l'hiver et la topographie fournit ce qu'il faut de lieux protégés contre l'agression du mistral. Les sols variés, qu'ils soient cailouteux ou graveleux, sont toujours bien drainés sur les coteaux. On a souvent reproché à la Provence de ne pas tirer parti de cet environnement idéal pour proposer de grands vins et de se cantonner à ses rosés qui, s'ils sont agréables à boire l'été, sont loin d'exploiter le potentiel du terroir.

L'intérêt récent pour les vins rouges vient en partie du rachat de certaines propriétés par des personnes extérieures au monde du vin. Les rouges atteignent aujourd'hui 35 % de la production des Côtes-de-Provence, contre 60 % pour les rosés. Certains de ces rouges sont véritablement bons et dignes d'intérêt : les vignerons savent tirer parti du contexte provençal mais aussi faire intervenir les saveurs «étrangères» de cépages non autochtones et utiliser les techniques les plus modernes en matière de vinification. Les meilleurs vins sont encourageants et laissent présager que l'avenir produira de très grands rouges. Cependant, d'immenses quantités de vins rouges ne sont pas à la hauteur de ce qui se fait de mieux partout ailleurs dans le sud de la France. Les rosés et les blancs s'améliorent aussi à mesure que les techniques de vinification se modernisent, mais la qualité demeure irrégulière.

Les régions vinicoles
La Provence recouvre deux départements, le Var et les Bouches-du-Rhône, et s'étend des Alpes, au nord et à l'est, au Rhône, à l'ouest, et à la côte méditerranéenne, au sud. Le vignoble s'étire de Nice, à l'est, jusqu'au delta du Rhône, à l'ouest. Les noms des différentes appellations peuvent prêter à confusion. La plus importante, les Côtes-de-Provence, se situe principalement au sud (entre Toulon, à l'ouest, et Fréjus, à l'est) et s'applique en outre à quelques parcelles côtières près de Marseille et dans les terres autour de Trets. L'appellation Coteaux-d'Aix-en-Provence se trouve aux environs de la ville du même nom. Entre ces deux zones, se situent les Coteaux-Varois, appellation qui fut créée en 1983.

Les dimensions de ces appellations régionales expliquent la difficulté pour le consommateur d'y retrouver un véritable type. En Provence, seul le nom du domaine ou du propriétaire peut donner une idée du style du vin et représenter une garantie de savoir-faire. Certaines zones commencent cependant à se faire connaître pour leur qualité. Bon nombre d'entre elles se trouvent sur la côte, là où le développement immobilier gagne du terrain. À l'intérieur des terres, les collines boisées des Maures sont dénuées de vignes, mais forment une barrière entre la côte et la large vallée qui, autour de la ville du Luc, possède de bons terroirs.

La Provence compte aussi quatre petites appellations au caractère fortement marqué : les petits vignobles de Bandol, Bellet, Cassis et Palette.

Les cépages
Sur trois bouteilles de Côtes-de-Provence, deux sont du rosé, ce qui laisse imaginer l'importance de cépages aussi peu expressifs, pour ne pas dire ennuyeux, que le Grenache et le Carignan. Ni l'un ni l'autre n'est mauvais, mais aucun n'a la moindre chance de produire un vin intéressant, à moins d'être cultivé sur des coteaux et limité en rendement. Or, les vignes qui produisent les rosés sont plantées sur des terrains plats et donnent des rendements à la limite maximale autorisée par la législation d'AOC... On comprend que, dans ces conditions, le vin n'ait guère de personnalité. Le Cinsaut, au potentiel plus intéressant, est utilisé partiellement dans les rouges. La Syrah, depuis longtemps chez elle en Provence, n'est pas aussi répandue que dans la vallée du Rhône, mais apporte aux assemblages parfum, couleur et personnalité. Le Mourvèdre est traditionnellement le meilleur cépage rouge de Provence. Dans le sud de la vallée du Rhône, il entre dans l'assemblage des Châteauneuf-du-Pape et de certains Côtes-du-Rhône et, en Provence, il est surtout présent dans les zones côtières, en particulier à Bandol, conférant au vin sa personnalité unique.

Le Cabernet-Sauvignon, cépage dont le monde entier proclame qu'il est la clef de l'amélioration des vins rouges en général, a été planté dans de nombreuses nouvelles propriétés. Il se plaît surtout à l'intérieur des terres, dans la relative fraîcheur des collines, et dans les Coteaux-d'Aix-en-Provence, notamment autour des Baux-de-Provence, village perché dans les rochers des Alpilles.

Les cépages destinés aux rares vins blancs sont la Clairette, l'Ugni Blanc et le Bourboulenc, ce dernier étant en déclin, mais les meilleurs sont le Rolle – que l'on trouve surtout à Bellet –, le Sémillon et le Sauvignon. Ces deux derniers apportent aux cépages locaux le parfum et le caractère qui leur font souvent défaut.

Quant aux rosés, ils n'ont de personnalité que s'ils viennent de très bons domaines et incluent un certain pourcentage de bons cépages rouges, en plus des cépages locaux.

Dans l'ensemble, les Côtes-de-Provence blancs et rosés sont faits pour être bus jeunes. C'est également le cas pour la plupart des rouges, hormis les plus robustes qui gagnent à vieillir quelque temps lorsqu'ils sont bien vinifiés. □

APPELLATIONS, PRODUCTEURS ET NÉGOCIANTS

Nombre de vignobles provençaux ne couvrant que de toutes petites parcelles, près de la moitié de la récolte est vinifiée par des caves coopératives. Toutefois, certains domaines ont su reconnaître l'intérêt de l'industrie touristique et assurent eux-mêmes la promotion de leurs vins.

BANDOL

C'est la plus vaste et la plus connue des petites appellations de Provence. L'AOC Bandol s'étend autour de la ville de Bandol, au bord de la mer. La presque totalité de la production est rouge : le vin doit être issu de 50 % de Mourvèdre au moins, le solde étant principalement composé de Syrah et de Grenache. L'appellation impose aussi un minimum de 18 mois d'élevage en fût avant la commercialisation. Le résultat, dans les meilleurs domaines, est un vin très original qui se remarque par sa robe intense, son nez parfumé et sa saveur puissante. Il vieillit à merveille et peut parfois vivre jusqu'à 20 ans.

La Bastide Blanche

Ce domaine de 28 ha, propriété de la famille Bronzo, produit des vins rouges et blancs, les Blancs de Blancs étant généralement les plus appréciés de tous. L'assemblage des rouges contient une proportion de Grenache supérieure à ce qui se pratique dans l'appellation. En conséquence, les vins sont souples, amples, mais d'évolution plutôt rapide.

Moulin des Costes

La famille Bunan est propriétaire de ce domaine de La Cadière, mais également du Mas de la Rouvière et de Belouve au Castellet : avec 75 ha de vignes, elle est ainsi le

premier propriétaire de Bandol. Les rouges, assemblés à partir des différents domaines, sont issus à 65 % de Mourvèdre, à 14 % de Grenache et à 6 % de Syrah. La Cuvée Spéciale, qui n'existe que dans les meilleures années, est un assemblage plus riche en Mourvèdre. Les techniques sont modernes : pour certains, elles cherchent trop « à arrondir les angles » et assouplir les vins, mais il faut reconnaître que le résultat dans les trois couleurs ne manque pas de charme. Les Bunan cultivent aussi du Cabernet-Sauvignon vendu en vin de pays de Mont-Caume qui démontre à quel point le Cabernet peut réussir dans cette région.

Domaine Le Gallantin

Achille Pascal, le propriétaire de ce domaine de 25 ha, l'un des plus petits de l'appellation, est un passionné de vins rouges. Il les fait fermenter à température élevée afin d'extraire du Mourvèdre un maximum de couleur. En conséquence, les vins sont de grande garde et comptent parmi les plus riches de Bandol. Un joli blanc frais et un rosé sont également élaborés au domaine.

Domaine de l'Hermitage

Gérard Duffort a complètement rénové le vignoble et les caves de ce domaine de 36 ha qu'il a acquis en 1974. Les vins sont vinifiés en cuves en Inox et vieillis sous bois. Ses rouges très

denses et puissants contiennent une petite proportion de Syrah, son blanc d'Ugni Blanc et de Clairette est produit en petites quantités et son rosé est particulièrement bon.

Château de Pibarnon

Les vins du comte Henri de Saint-Victor (48 ha) n'échappent jamais aux médailles et aux récompenses dans les concours. Il est vrai que le bois neuf dans lequel ils sont élevés et la forte proportion de Mourvèdre leur donnent un charme indéniable. Le rosé, vinifié en cuves inox, est particulièrement fin et fruité. Le blanc, vif et agréablement acidulé, est issu d'une forte proportion du rare Bourboulenc.

Château Pradeaux

Ses vins rouges peuvent être formidables de profondeur et de richesse, ou alors complètement écrasés par le bois dans lequel ils vieillissent jusqu'à quatre ans. En résumé, ils peuvent être les meilleurs ou les pires de Bandol. Cyril Portalis, qui dispose de vignes très âgées et d'un gros pourcentage de Mourvèdre (plus de 90 %), continue de diriger son domaine de façon traditionnelle. Les grands millésimes sont superbes.

Domaine Tempier

Lucien Peyraud a beaucoup fait pour Bandol. Il a encouragé un fort pourcentage de Mourvèdre. Aujourd'hui, Jean-Marie et François vinifient des vins puissants, extrêmement tanniques et pleins de fruit qui présentent un grand potentiel de garde. Les méthodes de culture et de vinification de ce domaine de 26 ha sont plus que traditionnelles et

empruntent beaucoup à l'agriculture biologique, en limitant les engrais de synthèse et les produits chimiques. Le domaine commercialise deux rouges : une cuvée normale et une Cuvée Spéciale. Dans les années exceptionnelles, les parcelles de Tourtine, Cabassou et La Mignona sont mises en bouteilles séparément. Les Peyraud font un rosé mais aucun blanc.

BELLET

Cette minuscule appellation de rouge, de rosé et de blanc, délimitée par les contreforts des Alpes et la banlieue de Nice, ne compte qu'une poignée de producteurs. Le niveau est élevé : les rouges sont capables de vieillir jusqu'à cinq ans ; les blancs et les rosés ont à la fois personnalité et fraîcheur. Les rouges sont surtout faits à partir de Braquet, cépage plus courant en Italie, et les blancs de Rolle et de Chardonnay. Le volume produit est si faible que les bouteilles sortent rarement de Nice. Le plus grand domaine est le Château de Crémat. Les autres sont Clot Dou Baile, Château de Bellet, Clos St-Vincent et Domaine de Font-Bellet.

CASSIS

Cette petite station balnéaire située juste à l'est de Marseille est connue depuis longtemps pour ses vins blancs. Hélas, le développement urbain et touristique a considérablement réduit la taille du vignoble. L'encépagement compte du Sauvignon, ce qui est rare pour un vignoble aussi méridional, de la Marsanne et de l'Ugni Blanc. Les vins blancs ont de beaux parfums évoquant les herbes de Provence ; les rouges et les rosés sont issus des cépages provençaux traditionnels, Mourvèdre inclus, mais leur production est très limitée par rapport aux vins blancs.

Parmi les principales propriétés, citons le Domaine du Bagnol (rouges, rosés et un beau blanc épicé), le Clos

Sainte-Magdeleine (beaux blancs), le Domaine de la Ferme Blanche (bons rouges et blancs), le Château de Fontcreuse et le Mas Calendal.

PALETTE

Cette petite appellation située immédiatement à l'est d'Aix-en-Provence possède une longue histoire. Du vignoble créé par des carmélites à l'époque médiévale, il ne reste que deux propriétés : le réputé Château Simone et le Domaine de la Crémade, qui vinifient les trois couleurs, mais réussissent mieux le blanc. Le Château Simone possède de très vieilles vignes de Grenache, Mourvèdre et Cinsaut pour les rouges ; de Clairette, Sémillon et Muscat pour les blancs. Les méthodes sont traditionnelles et les vins ont un grand potentiel de vieillissement.

COTEAUX-D'AIX

Cette vaste appellation de vins rouges, blancs et rosés (3 500 ha) s'étend dans la partie ouest de la Provence. De nouvelles plantations de Cabernet-Sauvignon ont rajeuni cette aire d'appellation dont certains rouges sont désormais dignes d'intérêt.

Commanderie de la Bargemone

Établi dans une ancienne commanderie des Templiers, ce domaine n'a été restauré et son vignoble remis en activité que récemment. Son vin est le résultat d'une combinaison de méthodes traditionnelles et modernes, l'inox et la macération carbonique lui conférant un maximum de fruit. Les rouges (15 % de Syrah) sont particulièrement réussis, le

meilleur étant la cuvée Tournebride (50 % de Cabernet-Sauvignon). Les blancs sont issus de Sauvignon, de Grenache Blanc et d'Ugni Blanc.

Domaine les Bastides

Ce domaine de 30 ha recourt à la culture biologique pour faire ses vins rosés et rouges. Le rouge de base, la Cuvée Saint-Pierre, est un assemblage de Grenache, de Mourvèdre et de Cinsaut, tandis que la Cuvée Spéciale comporte 40 % de Cabernet-Sauvignon. Ces vins vieillissent entre 16 et 24 mois en barriques et le domaine produit aussi un vin blanc.

Château de Beaulieu

Ce vaste domaine de 300 ha produit plus d'un million de bouteilles par an. Les installations modernes sont conçues pour faire des vins faciles à boire, qui ne perdent pas pour autant leur caractère végétal et provençal. Le rouge est issu de Grenache, Cabernet-Sauvignon, Mourvèdre et Syrah ; le rosé, de Cinsaut et de Carignan ; le blanc, d'Ugni Blanc, de Clairette, Sauvignon et Sémillon. La famille Touzet se consacre au développement de sa propriété depuis les années 1970.

Château de Fonscolombe

Voilà un de ces domaines d'Aix-en-Provence qui ont la réputation de faire des vins de bon rapport qualité/prix à boire dans leur tendre jeunesse. Les 160 ha de la famille du marquis de Saporta, installée ici depuis le XVIIIe siècle, produisent près d'un million de bouteilles, dont une majorité de rouge. La Cuvée Spéciale est un assemblage de Carignan, Cabernet-Sauvignon, Grenache et Cinsaut vieilli sous bois. Le domaine produit aussi un vin de pays des Bouches-du-Rhône étiqueté Domaine de Boullery.

Château Vignelaure

Hissé au sommet de l'appellation par Georges Brunet, ce

domaine a été acquis par David O'Brien qui, avec le concours de l'œnologue Hugh Ryman, élabore des vins d'une grande qualité. Le vin rouge est aussi bordelais qu'il est possible en Provence, avec un élevage prolongé dans des fûts de chêne (neufs pour un tiers). Toujours comme à Bordeaux, un second vin permet de faire une sélection plus stricte pour le grand vin. Le superbe château abrite une galerie d'art.

LES BAUX-DE-PROVENCE

Cette région de l'extrémité ouest produit des vins rouges, blancs et rosés. Elle s'est imposé des règles très restrictives. Le vignoble se trouve sur l'impressionnant site des Alpilles autour du village fortifié des Baux-de-Provence.

Mas de la Dame

Ce domaine de 57 ha se trouve juste à l'est du Val d'Enfer dans le massif des Alpilles. Il est largement planté en Grenache, ce qui explique que ses vins s'assouplissent relativement vite malgré leur bonne structure de Syrah et de Cabernet-Sauvignon. Il produit deux cuvées de rouge, la Cuvée Réserve et la Cuvée Gourmande. Le Rosé du Mas est un vin très fruité à la forte proportion de Syrah et de Cabernet-Sauvignon.

Mas de Gourgonnier

Ce domaine appartenant à Luc et Frédérique Cartier est situé à l'extrémité sud des Alpilles. Le vignoble de 42 ha, issu d'une propriété familiale beaucoup plus importante à l'origine, est travaillé en culture biologique. Sa meilleure cuvée, la Réserve

du Mas, est un assemblage de Cabernet-Sauvignon (30 %), de Syrah (30 %) et de Grenache. L'autre cuvée comporte 10 % de Mourvèdre et moins de Cabernet et de Syrah. Le vin blanc contient un pourcentage élevé de Sauvignon.

Domaine des Terres Blanches

Noël Michelin, propriétaire de ce domaine de 40 ha au nord des Alpilles, près de Saint-Rémy-de-Provence, est un ardent défenseur de la culture biologique. Il n'utilise ni herbicides ni insecticides dans ses vignes et le moins possible de produits chimiques dans ses chais. Il vinifie dans les trois couleurs : le rouge, issu de Mourvèdre (50 %) et de Syrah (30 %), peut paraître un peu dur dans sa jeunesse, mais s'épanouit toujours avec élégance après quelques années de garde ; le rosé est agréable tout de suite.

Domaine de Trévallon

Reconnu comme le meilleur domaine des Baux, le Domaine de Trévallon est même sans doute l'un des meilleurs de Provence. Néanmoins ces vins n'ont droit qu'à la désignation Vins de pays des Bouches-du-Rhône ! Un encépagement non conforme (rouge, trop de Cabernet-Sauvignon, blanc, de Marsanne-Roussanne) a valu à Éloi Dürrbach, homme de caractère, qu'on lui retire le droit à l'appellation. Il n'en a cure, l'histoire et le marché (voir plus loin) lui donnent raison, car le Dr Guyot, il y a un siècle et demi, remarquait déjà que le Cabernet-Sauvignon produisait des vins de qualité en Provence. Éloi Dürrbach travaille dans la vigne comme en cave selon des méthodes biologiques, s'abstient de coller et de filtrer et élève ses vins 18 mois en fûts. Le vin vieillit lentement et un minimum de cinq ans est nécessaire avant que l'on puisse commencer à le boire. Ensuite, il poursuit sa lente évolution. C'est aujourd'hui le vin le plus cher des Baux, principalement parce qu'il s'est créé un beau marché aux États-Unis. Il est bien distribué dans le monde et on le trouve aussi dans les restaurants de la région.

CÔTES-DE-PROVENCE

Cette appellation, de loin la plus vaste de Provence, produit des vins rouges, blancs et rosés. Les expositions, les sols et les microclimats sont très divers.

Les Maîtres Vignerons de la Presqu'île de Saint-Tropez

Cette coopérative, la plus dynamique de toutes les Côtes de Provence, produit une énorme gamme de vins. Le rouge Carte Noire, conditionné dans la bouteille traditionnelle provençale en forme de fuseau, est le plus connu à l'exportation. La coopérative commercialise aussi les vins de domaines appartenant à ses membres : le Château de Pampelonne, par exemple, qui fait un rouge de Grenache et Cinsaut et une cuvée rouge supérieure à base de Syrah et de Mourvèdre vieillie sous bois.

Château Barbeyrolles

Dans les collines qui surplombent Saint-Tropez, Régine Sumeire dirige ce domaine de 12 ha qui produit des rouges et des rosés de grande qualité. Son rosé est agréable et fruité, mais son rouge est peut-être plus intéressant : assemblage de Grenache, Syrah et Mourvèdre, il est élevé jusqu'à 18 mois sous bois et peut bien vieillir en bouteille. Le domaine produit également un vin blanc.

Domaine de la Courtade

Ce vignoble insulaire (île de Porquerolles) de 30 ha s'affirme comme une valeur sûre. On y vinifie des vins des trois couleurs. Le rouge (Mourvèdre) et le blanc (Rolle) vinifié en barriques ont beaucoup de caractère.

Domaines Gavoty

Bernard Gavoty, critique musical, signait ses chroniques du *Figaro* du pseudonyme « Clarendon », nom qu'il avait donné à ses meilleures cuvées. Roselyne Gavoty, qui vinifie les deux domaines (Petit et Grand Campduny, 110 ha, dont des vins de pays), a maintenu cet usage. Le rosé, particulièrement fruité et coloré, se boit très jeune. Le blanc est un assemblage d'Ugni Blanc, de Rolle et de Clairette. Le rouge, d'un volume nettement moindre, est issu de Syrah, Cabernet-Sauvignon, Mourvèdre et Grenache.

Domaines Ott

La famille Ott, originaire d'Alsace mais installée depuis longtemps en Provence, est très influente dans les Côtes de Provence et à Bandol : elle a fait plus que quiconque pour la promotion des vins provençaux. Ses vins sont chers, mais la qualité est élevée. Ses domaines-phares en Côtes de Provence (58 ha), le Château de Selle (rouge, blanc et rosé) et le Clos Mireille, planté sur des sols sablonneux en bordure de mer (qui fait un superbe blanc), sont les cuvées de prestige d'une gamme qui comprend par ailleurs de grandes quantités de vin rosé de Provence traditionnel.

Commanderie de Peyrassol

Un document datant de 1256 fait état d'une production de « 400 milleroles » (ou 28 000 l) de vin. Fondée en 1204, cette commanderie des Templiers n'a connu que deux propriétaires : les ordres religieux jusqu'en 1790 et, depuis, la famille Rigord. Les maris exerçant des professions libérales, ce sont toujours les femmes qui ont géré le domaine. En 1977, Françoise Rigord instaure la mise en bouteille à la propriété et, en 2001, Philippe Austruy est associé à l'exploitation de ce vignoble de 55 ha. Outre deux cuvées de vin rouge (dont une de prestige, élevée sous bois), on y produit un rosé frais et fruité ainsi qu'un blanc vif et raffiné.

Domaine des Planes

Située sur les coteaux de Roquebrune, près de Saint-Raphaël, cette propriété modèle de 35 ha appartient aux Rieder, une famille suisse-allemande. Sa production variée comporte de bons rouges monocépages : la Cuvée Tradition (100 % Cabernet-Sauvignon) et la Cuvée Mourvèdre. On y trouve aussi un rouge d'assemblage de Grenache et de Syrah et un autre plus complexe, la Cuvée Réserve, qui allie le Grenache au Cabernet-Sauvignon et au Mourvèdre. Le rare Tibouren est cultivé sur ce vignoble pour produire un rosé parfumé et généreux.

Château Réal-Martin

Situé à l'intérieur des terres, ce vignoble de 35 ha est à l'origine de vins fins des trois couleurs, à boire entre deux et cinq ans d'âge.

Domaine Richeaume

C'est un Allemand, Henning Hoesch, qui possède ce domaine de 25 ha produisant certains des meilleurs vins rouges de Côtes de Provence. Il pratique des techniques strictement biologiques et vinifie trois styles de rouges et un peu de rosé et de blanc. Son meilleur rouge est la Cuvée Tradition, un assemblage de cépages locaux, mais il produit aussi un Syrah et un Cabernet-Sauvignon purs. Les vins vieillissent 18 mois en barriques de chêne. Un Blanc de Blancs intéressant est issu entièrement de Clairette.

Domaine de Rimauresque

Les 36 ha du domaine sont orientés au nord-ouest, ce qui contribue à la grande finesse des vins, et en particulier du blanc.

Domaine Saint-André de Figuière

Depuis le millésime 1992, Alain Combard est le nouveau propriétaire de ce domaine de 15 ha à La Londe-les-Maures. Il élabore un blanc, un rosé et deux cuvées de rouge : la Cuvée Marquis comporte 30 % de Grenache, la Cuvée Spéciale est faite principalement à base de Mourvèdre et de Carignan de plus de 70 ans.

Château Sainte-Roseline

Il faut visiter le cloître, l'un des plus beaux de Provence, classé monument historique, et déguster les vins vinifiés dans un chai dernier cri. Bernard Teillaud a acquis cette superbe propriété en 1993 et a tout restauré, aussi bien le vignoble de 90 ha que les bâtiments. Les vins sont à la hauteur de ses ambitions.

COTEAUX-VAROIS

Cette appellation délimite une zone située entre les Côtes de Provence et les Coteaux d'Aix en Provence, donnent des rouges à boire jeune et des rosés classiques.

Domaine du Deffends

C'est l'un des meilleurs : 14 ha plantés en Syrah et en Cabernet-Sauvignon.

Château La Calisse

Vignoble (9 ha) et bâtiments ont été entièrement rénovés dans les années 1990. On y pratique l'agriculture biologique. Des vins blancs et rouges de qualité sont vendus à des prix séduisants.

COTEAUX-DE-PIERREVERT

Cette nouvelle AOC (1998) couvre un vaste terroir, plus frais, le long de la Durance, donnant des vins dans les trois couleurs. Le Domaine de Régusse, avec ses 54 ha, est le plus grand de l'appellation.

CORSE

Les vins de Corse ont été modelés par les montagnes et la mer. La mer, qui isole l'île mais facilite le commerce, a conduit ici les Grecs et leurs vignes cinq cents ans avant notre ère. Idéalement située sur les voies de commerce maritime, l'île de Beauté passa plus tard sous le joug des cités marchandes de la côte italienne, Pise et Gênes. La vigne n'échappa pas à leur influence : les cépages autochtones ont un fort accent italien.

Les montagnes qui la couvrent en majeure partie divisent la Corse en d'innombrables petites vallées, dont chacune s'est forgé un style de vin avec ses propres cépages. Certaines variétés ont disparu lorsque, grâce aux moyens de transport modernes, les insulaires ont découvert de nouveaux plants plus productifs, mais plus de vingt cépages indigènes subsistent.

Jusqu'au début des années 1960, la viticulture était en Corse une activité mineure et circonscrite localement. Mais, à peine arrivés sur l'île, des milliers de rapatriés d'Afrique du Nord entreprirent de la développer dans l'espoir de récupérer le marché des vins en gros détenu par l'Algérie et la Tunisie. Les nouveaux vignobles, presque tous plantés dans les rares terrains plats de l'île, au sud de Bastia, se mirent à produire d'énormes volumes de vins médiocres. Puis on arracha la plupart des nouveaux vignobles et la Corse retrouva son allure première, c'est-à-dire un vignoble réparti, comme avant, entre les pentes montagneuses et les bords de mer.

Les appellations

La Corse possède une AOC générale, Vin de Corse, et deux AOC communales, Ajaccio et Patrimonio. En outre, l'étiquette peut faire suivre la mention Vin de Corse du nom du village d'où provient le vin (voir page suivante). Lorsqu'un vin est simplement étiqueté Vin de Corse, il provient vraisemblablement d'un vignoble de la côte orientale, zone de rendements généreux mais de qualité médiocre. En revanche, on peut s'attendre à une personnalité plus marquée s'il est étiqueté avec le nom d'une commune. Les vins les plus intéressants sont généralement originaires d'Ajaccio et de Patrimonio.

Domaine Fiumicicoli, près de Propriano, dans les environs de Sartène.

Les cépages et les styles de vin

La majorité des vins corses sont rouges. La production de rosé n'est pas négligeable mais celle de blanc se limite à une bouteille sur dix. Les principaux cépages rouges sont le Nielluccio, qui pousse dans le nord, en particulier dans l'appellation Patrimonio, et le Sciacarello, spécialité de la région ouest, autour d'Ajaccio. Ces deux cépages sont originaires de l'île mais nombre d'experts s'accordent à leur trouver un lien de parenté avec le cépage toscan Sangiovese. Le principal cépage blanc, le Vermentino, est un très ancien cépage méditerranéen connu sur le continent sous le nom de Malvoisie ou Malvasia.

Qu'ils soient issus des deux principaux cépages autochtones ou de variétés locales encore plus obscures, les vins rouges sont les plus intéressants.

Le Nielluccio donne un vin peu coloré et sert surtout au rosé. Mais il ne manque ni de caractère, ni de puissance, ni d'équilibre et peut donner de bons vins de longue garde. Le Sciacarello est un raisin très juteux à la peau épaisse donnant des vins qui se caractérisent par une robe soutenue, un caractère structuré et un parfum original agrémenté de notes végétales.

Parmi les cépages importés du continent, on retrouve les classiques du soleil, Carignan, Grenache et Cinsaut, qui donnent ici à peu près les mêmes résultats que dans le sud de la France. La Syrah réussit assez bien.

Quelques cépages comme le Chardonnay, le Merlot et le Cabernet-Sauvignon ont été plantés dans le nord-est de l'île. Les vins qui en sont issus portent le nom de Vin de Pays de l'Île de Beauté. Les vins de pays rosés des meilleurs propriétaires sont excellents.

La Corse produit également de petites quantités de vins doux naturels à base de Muscat, principalement dans les régions de Patrimonio et des Coteaux du Cap Corse.   □

APPELLATIONS, PRODUCTEURS ET NÉGOCIANTS

Les meilleurs vins de Corse, ceux dont la personnalité est le plus marquée, sont généralement issus de petites propriétés familiales. Les différentes appellations, assorties de quelques remarques sur les producteurs les plus fiables, sont présentées ci-dessous.

AJACCIO
À l'ouest de l'île, l'appellation couvre la côte et les collines entourant la ville natale de Napoléon. L'AOC exige que les rouges soient issus d'un minimum de 50 % de Sciacarello, mais la plupart dépassent ce pourcentage. Grenache, Cinsaut et Carignan complètent l'encépagement. L'AOC existe aussi en rosé et en blanc.

Clos d'Alzeto
Le plus haut vignoble de Corse, avec un point de vue remarquable, produit des vins typés et intéressants, surtout le rouge.

Clos Capitoro
Jacques Bianchetti fait ici l'un des plus prestigieux vins de Corse. Les rouges sont issus de Sciacarello et de Grenache, les blancs de Vermentino. Le meilleur est un rouge qui n'est vendu qu'après quelque temps de garde.

Domaine Martini
Cette propriété élabore des rouges et des rosés de façon traditionnelle.

Domaine Peraldi
Ce domaine, un des plus connus de Corse, appartient au comte de Poix, dont la famille en est propriétaire depuis quatre siècles. Il fait du rouge, du rosé et du blanc. Le Clos du Cardinal est un rouge vieilli en fûts de chêne.

Domaine de Pravatone
À deux pas du site préhistorique de Filitosa (qui mérite un détour) sont vinifiés par Isabelle Courrège des vins remarquables, dans les trois couleurs.

PATRIMONIO
Les vignes datent du Moyen Âge, mais leur superficie a nettement diminué depuis le début du siècle. L'AOC exige un minimum de 90 % de Nielluccio pour les vins rouges. Les blancs sont issus de Vermentino et les quelques vins doux naturels de Muscat.

Domaine Antoine Arena
Antoine Arena a la réussite au bout des doigts : des blancs gras, plantureux, des rouges monstrueusement puissants et des muscats fins et riches.

Domaine Gentile
Il s'agit d'un domaine qui remet en vigueur les vieilles traditions locales et produit des rouges, des rosés, des blancs secs et des Muscats blancs doux.

Domaine Leccia
Avec ses équipements modernes et ses techniques de pointe, ce domaine produit de bons vins rouges, généreusement fruités et agréablement structurés. Il est également connu pour son Muscat doux.

VIN DE CORSE
Les meilleurs vins de Corse sont ceux qui proviennent des cinq sous-appellations communales délimitées à l'intérieur de l'appellation générale Vin de Corse.

Vin de Corse Calvi
La ville de Calvi se trouve sur la côte nord-ouest de l'île, en bordure des montagnes les plus hautes et les plus sauvages de la Corse. Le vignoble de Calvi s'étend à l'est et à l'ouest de la ville, dans une région qui est appelée la Balagne.

Les vins, surtout issus de cépages originaires du continent, sont rouges, rosés et blancs, ces derniers étant reconnus comme les meilleurs.

Les producteurs notables sont le Clos Reginu, qui fait un bon rouge avec des cépages locaux relevés de Syrah, le Clos Landry, un spécialiste du rosé, et le Clos Culombu, qui fait des blancs, des rosés et des rouges.

Vin de Corse Coteaux-du-Cap-Corse
C'est une région de vins blancs. Les secs sont issus de Vermentino et les doux de Muscat (l'AOC Muscat du Cap Corse s'étend sur Patrimonio).

Les vignes, dont il ne reste que quelques hectares, sont fortement exposées aux éléments naturels, puisqu'elles se trouvent sur le promontoire de la pointe de l'île.

Vin de Corse Figari
Perché sur les coteaux du sud de l'île, ce vignoble connut une grande expansion à l'arrivée des rapatriés d'Algérie, au cours des années 1960. Ces vignobles « pieds-noirs » ont disparu. Le meilleur vin de Corse Figari est la cuvée Alexandra du Domaine de Tanella.

Vin de Corse Sartène
Cette AOC exige un minimum de 50 % de cépages traditionnels corses, ce qui donne à ses vins une personnalité marquée. Elle suit la côte ouest de l'île, au sud d'Ajaccio. Les vins sont généralement des rouges généreux et parfumés, les blancs sont amples.

Parmi les producteurs, on notera le Domaine Fiumicicoli, propriété dirigée par un adepte des cépages traditionnels corses, le Domaine de San Michele et la coopérative, qui vend sous l'étiquette Santa Barba.

Vin de Corse Porto-Vecchio
Au sud-ouest de l'île, Syrah et Mourvèdre sont assemblés avec des cépages rouges corses. Le leader de l'appellation est le Domaine de Torraccia, une propriété alliant expérimentation et cépages traditionnels.

VIN DE PAYS DE L'ÎLE DE BEAUTÉ
La Corse a un joli nom pour ses vins de pays. Deux groupements de coopératives se partagent l'essentiel de leur production à partir des vignobles des plaines proches de la côte est.

L'Union de Vignerons de l'Île de Beauté respecte la tradition, mais utilise le Merlot, le Cabernet-Sauvignon et le Chardonnay pour améliorer les vins issus des cépages indigènes.

L'Union des Vignerons Associés du Levant (UVAL) est plus dynamique. Elle a pris la Californie pour modèle et ses vins sont frais, joliment étiquetés selon le cépage : Cabernet-Sauvignon, Merlot et Syrah pour les rouges, Chardonnay et Chenin Blanc pour les blancs.

MIDI

LES VASTES VIGNOBLES DU MIDI, OU LANGUEDOC-ROUSSILLON, AVAIENT LA
RÉPUTATION DE PRODUIRE BEAUCOUP DE VINS ORDINAIRES. TOUT A CHANGÉ
DEPUIS QUE L'ON PRIVILÉGIE LA QUALITÉ PAR RAPPORT À LA QUANTITÉ.

Les vignobles escarpés du midi de la France, les meilleurs,
donnent des vins de caractère. Le vieux village de
Saint-Guilhem-le-Désert se trouve au milieu
des vignes des Coteaux du Languedoc.

Le Midi est la région où il se passe les choses les plus intéressantes en matière de viticulture, non seulement pour la France mais pour le monde entier. Le vignoble est vaste. Il longe la Méditerranée depuis les pieds des Pyrénées jusqu'au delta du Rhône. Il recouvre les anciennes provinces du Roussillon et du Languedoc, qui correspondent aux quatre départements actuels des Pyrénées-Orientales, de l'Aude, de l'Hérault et du Gard. Le Grand Sud n'est pas seulement la plus grande région de production de France (40 % du vin français), il est aussi la plus ancienne. Les Grecs y ont introduit la vigne au Vᵉ siècle av. J.-C. et les Romains ont ensuite repris le flambeau. Depuis cette époque, la viticulture joue un rôle vital dans l'économie de la région. Sa période de plus grande prospérité date de la fin du XIXᵉ siècle, lorsque le développement des chemins de fer a permis d'expédier facilement du vin aux mineurs et aux ouvriers du nord de la France. Le vin était mince, acide et peu alcoolisé. À la même époque, les vignobles d'Algérie commençaient à produire des « vins de médecin » généreux, riches en alcool et en couleur, qui servaient à « soigner » les petits vins du Languedoc, en leur apportant les compléments d'alcool et de couleur qui leur faisaient défaut. Les vins issus de ces coupages pour le moins spéciaux passaient ensuite parfois pour des Bourgognes. Puis, vers le milieu des années 1950, la France connut sa première chute de consommation de vin (qui se poursuit d'ailleurs encore aujourd'hui). L'offre surpassa la demande et posa un grave problème de surproduction en Europe (dont le sud de l'Italie partageait la responsabilité). La viticulture du Midi se trouva dépassée à tous les niveaux, depuis l'état des vignes elles-mêmes jusqu'à la commercialisation. Il fallait tout changer. Les vignes étaient plantées avec un seul but, la quantité. La qualité était de peu d'importance. Après un arrachage massif dans les années 1980, et grâce au travail de vignerons qui reconnaissent aujourd'hui que la clef de la réussite réside dans la qualité et tout ce qu'elle sous-entend en amont, la région du Languedoc a opéré avec succès une reconversion spectaculaire. Elle produit des AOC d'une excellente qualité ainsi qu'une vaste gamme de vins de pays, dont certains rivalisent avec les meilleurs vins français.

Les styles de vin

Le Grand Sud produit des vins de styles très différents. Le rouge domine et les appellations sont nombreuses, depuis Collioure, à l'extrême ouest, jusqu'aux Costières-de-Nîmes, à l'extrême est. Parmi la multitude de vins de pays, certains sont connus jusqu'à l'étranger, d'autres n'ayant qu'un intérêt local. Les vins effervescents Blanquette de Limoux et Crémant de Limoux sont issus de la ville éponyme du département de l'Aude. La région produit plus de 90 % des Vins Doux Naturels de France. Certains vins blancs, telle la Clairette du Languedoc (voir p. 292), ont parfois droit à leur propre appellation, mais pour la plupart, ils jouent ici un rôle mineur. Les vins rosés sont bien appréciés, en particulier par les visiteurs estivaux.

Le climat

Le climat méditerranéen est idéal pour la vigne. Les hivers sont doux, les étés chauds et secs. Les pluies qui tombent en hiver et au début du printemps apportent suffisamment d'humidité pour le reste de l'année.

Les vignobles

Les meilleurs vignobles sont situés aux pieds des Pyrénées et du Massif central ainsi que sur les collines rocailleuses des Corbières. Ce sont des zones où aucune culture ne survivrait à part celles de l'olivier et de la vigne. Les conditions arides conviennent à cette dernière et donnent des vins concentrés dont les parfums rappellent parfois les herbes de la garrigue. Les terroirs sont bien variés, et chaque endroit a ses particularités de sorte que, à l'intérieur d'une même appellation, on trouve souvent des terroirs différents.

La vigne a été replantée sur des parcelles où elle avait été abandonnée au siècle dernier, lorsque les viticulteurs étaient descendus s'installer dans les plaines côtières, plus fertiles et plus faciles à cultiver. Les vignobles qui ne peuvent produire que du vin ordinaire sont de plus en plus souvent arrachés, car ils bénéficient de primes d'arra-chage. À terme, le vignoble responsable de la surproduction actuelle devrait disparaître peu à peu.

Les cépages

Le Carignan, le Cinsaut et le Grenache sont les cépages prédominants dans l'ensemble du Midi et constituent la base de la plupart des vins rouges. Nombre des 150 différents cépages du XIXe siècle ont aujourd'hui disparu : les maladies (oïdium et phylloxéra) ou l'arrachage pour manque de productivité ont eu raison d'eux. Ils ont été remplacés par des cépages à fort rendement, le Carignan, l'Aramon et un cépage local à la prolificité légendaire, l'Alicante Bouschet.

Pour quelques-unes des appellations du Midi, la loi a défini un certain nombre de cépages améliorateurs qui doivent obligatoirement figurer dans certaines proportions. Ce fut d'abord le cas du Grenache, rejoint ensuite par la Syrah et le Mourvèdre.

Le Cinsaut se trouve amélioré par une sélection clonale poussée, l'Aramon et l'Alicante doivent disparaître, et le Carignan se maintient. On plante aussi du Cabernet-Sauvignon et du Merlot, ainsi que du Chardonnay et du Sauvignon en blanc. Certains viticulteurs aimeraient même que ces cépages soient autorisés dans leurs appellations, mais, pour le moment, l'utilisation en est plus ou moins restreinte aux vins de pays.

Les cépages blancs que l'on retrouve dans la plupart des appellations, Ugni Blanc, Vermentino, Bourboulenc et Maccabeo, s'associent avec la Roussanne et la Marsanne. Le Picpoul (qui sert au Picpoul-de-Pinet) a connu une renaissance. La Clairette sert dans deux appellations, la Clairette du Languedoc et la Clairette de Bellegarde. On plante aussi du Viognier et d'autres cépages extérieurs à la région, mais, comme on l'a vu avec les cépages rouges, ils ne sont encore autorisés que pour les vins de pays.

La vinification

Si la chaleur du climat méditerranéen pose un problème, c'est bien dans la vinification. Ici, il est indispensable de pouvoir contrôler les températures et de conserver le vin dans des caves isolées.

Les pressoirs à mouvement continu, si bien adaptés aux grands rendements autrefois populaires, ont été remplacés par des pressoirs pneumatiques, moins « violents ». On connaît désormais l'importance du contrôle des températures de fermentation pour les vins rouges comme pour les blancs.

Le principal changement technique intervenu dans la vinification est le développement de la macération carbonique, dont le but est d'extraire des raisins un maximum de fruit et un minimum de tanins grossiers. Le Carignan, qui a tendance à donner des vins peu fruités, durs et tanniques lorsqu'il est fermenté traditionnellement, est métamorphosé par la macération carbonique, qui fait ressortir son caractère fruité et épicé tout en lui laissant sa structure.

L'autre changement important est l'utilisation des barriques de chêne neuf. Dans le sud de la France, il n'y avait pas de tradition de vieillissement des vins, donc pas de caves souterraines. Les vins étaient conservés dans de grands foudres de chêne et toujours vendus dans l'année qui suivait la récolte.

Aujourd'hui, ces foudres, difficiles à entretenir, sont généralement remplacés par des cuves en béton ou en Inox, d'un usage plus facile, et, pour les cuvées de prestige, par des barriques de 225 litres ou par des demi-muids. En vérité, nombre de barriques issues des grands châteaux du Médoc trouvent ici une deuxième vie et donnent des résultats très satisfaisants.

Après avoir découvert les vertus du chêne, les vignerons parviennent aujourd'hui à élaborer des vins d'un style moins boisé. Les meilleurs d'entre eux aiment les barriques à cause de la complexité et de la richesse qu'elles donnent aux meilleures cuvées, sans amplifier un goût désagréable de « bois pur ». La recherche d'un meilleur équilibre entre le vin et le bois favorise ainsi l'expression d'une typicité méditerranéenne plutôt que de rappeler les vins du Nouveau Monde. □

LES RÉGIONS VITICOLES DU MIDI

Le Rhône à l'est et les Pyrénées au sud délimitent cette vaste zone viticole qui ne cesse d'évoluer. La hiérarchie des terroirs des Coteaux du Languedoc a été revue récemment : Grès de Montpellier (regroupe n° 2, 3, 4, 7 et 8 ci-dessous) ; La Clape (n° 13 et 14) ; Terrasses du Larzac (n° 5 et 6, ainsi que des vignobles situés autour de Lodève, d'Octon et d'Aniane) ; Terres de Sommières (à l'ouest de Nîmes) ; Pézenas et Cabrières (voir n° 9) ; et Terrasses de Béziers (au sud de Béziers). La petite AOC Côtes-du-Roussillon-Aspres a été reconnue en 2003.

Régions viticoles

Coteaux du Languedoc

1	Pic-St-Loup	8	St-Georges d'Orques
2	St-Christol	9	Cabrières
3	St-Drézéry	10	Faugères
4	Coteaux de Vérargues	11	Picpoul-de-Pinet
5	Montpeyroux	12	St-Chinian
6	St-Saturnin	13	La Clape
7	Coteaux de la Méjanelle	14	Quatourze

Costières-de-Nîmes
Clairette de Bellegarde
Clairette du Languedoc
Muscat de Lunel
Muscat de Mireval
Muscat de Frontignan
Muscat de St-Jean-de-Minervois
Maury
Minervois

Cabardès
Côtes de la Malepère
Corbières
Blanquette de Limoux
Fitou
Rivesaltes
Côtes-du-Roussillon-Villages
Côtes-du-Roussillon
Collioure, Banyuls

Frontière
Limite de département
Autoroute
Route principale
Autre route

LES VINS DE PAYS

Les vins de pays sont nés de l'évidente nécessité de conférer une identité à des centaines de milliers d'hectolitres anonymes qui jaillissaient de tous les coins du sud de la France. Il fallait leur donner une certaine image. Aujourd'hui encore, le Midi produit 85 % de tous les vins de pays français.

Les vins de pays forment une vaste catégorie, englobant aussi bien des vins simples, agréables pour accompagner les repas de tous les jours, que des vins d'un niveau de première qualité. Dans une certaine mesure, ils sont le reflet de leur région d'origine, même si leur délimitation géographique est davantage fondée sur les frontières administratives que sur la géologie, comme c'est le cas pour les vins d'appellation d'origine contrôlée et de qualité supérieure.

Les « vins de pays de département » et les « vins de pays de zone » sont décrits dans les encadrés de ce chapitre aux côtés de leurs AOC voisines. Tous les vins de pays du Midi peuvent être vendus sous le nom de vin de pays d'Oc, qui autorise l'assemblage de vins provenant de différentes zones et de différents départements.

Les cépages

La législation des vins de pays laisse une grande souplesse dans le choix des cépages. Les vignerons les plus téméraires ont planté des cépages originaux avec un certain succès. Le Cabernet-Sauvignon, le Merlot et le Chardonnay sont maintenant bien établis. On trouve aussi du Sauvignon, du Viognier et bien d'autres. Lorsqu'un vigneron fait à la fois une appellation et un vin de pays, il n'est pas rare que ce dernier soit nettement meilleur – ou nettement pire – que son vin d'appellation. Il en est de même pour les cépages : les meilleurs peuvent être utilisés seuls ou en assemblage – Cabernet-Sauvignon ou Syrah – ou laisser place entière aux pires comme l'Aramon ou l'Alicante Bouschet, bien que ces derniers aient failli disparaître. □

Le Mas de Daumas Gassac est connu pour son vin de pays de l'Hérault.

PRODUCTEURS ET NÉGOCIANTS

Producteurs de qualité

C'est souvent en dehors des AOC que l'on rencontre les vins de pays les plus intéressants. Daumas Gassac est l'exemple le plus connu de vin de pays ayant acquis une réputation – et atteint des prix – susceptible de rivaliser avec ses voisins d'appellation immédiats, mais aussi avec des grands crus prestigieux de l'autre bout de la France. D'autres producteurs élaborent d'excellents vins de pays. Citons, dans le Gard, Roc d'Anglade, Mas Montel et Petit Chaumont ; dans l'Hérault, La Grange des Pères, Domaine d'Aupilhac, Mas des Chimères, Domaine de l'Arjolle, Domaine de Clovallon, Domaine de la Colombette, Domaine Perdiguier et le Mas d'Aimé ; dans le Saint-Chinianais, La Grange de Quatre Sous et Domaine de Limbardié; dans le Minervois, Domaine Paul Louis Eugène et Clos des Centeilles ; à Limoux, Jean-Louis Denois ; et dans le Roussillon, Domaine Gauby, Domaine Cazes, Domaine Ferrer et Ribière ainsi que Le Casot de Mailloles.

Pour chercher la meilleure expression de leur terroir, un nombre croissant de vignerons plus aventureux a décidé de ne plus se soumettre à la discipline imposée par les appellations d'origine contrôlée. Parfois, le sol ou le climat exigent la plantation d'un cépage interdit par la réglementation ; parfois, le style de vinification d'un producteur résulte dans un taux d'alcool supérieur à celui qui est autorisé. Ou encore, dans les régions les plus sèches en particulier, un vigneron recourt à l'arrosage afin d'améliorer la qualité de son raisin, pratique interdite pour les appellations. Par ailleurs, un vigneron élaborant des vins de cépage (issus, par exemple, de 100 % de Carignan ou de Syrah) ne pourra obtenir l'agrément d'une AOC et sera obligé de commercialiser un vin qui peut être bon, voire excellent, sous l'étiquette d'un vin de pays.

Skalli

Robert Skalli, négociant en vins à Sète, a été le pionnier de la reconversion du vignoble pour la production d'une gamme de vins de cépage diffusés en vins de pays d'Oc, sous le nom Fortant de France, et largement exportés.

LES VINS DOUX NATURELS

Les Vins Doux Naturels ne portent pas très bien leur nom. En effet, si le sucre est bien un élément naturel du raisin, la méthode d'élaboration nécessite, comme pour tous les vins mutés, l'intervention de l'homme : la fermentation doit être interrompue par l'adjonction d'alcool, afin de garder au vin sa douceur.

Cette méthode de vinification est une tradition bien implantée dans le sud de la France, que ce soit pour les vins blancs ou pour les vins rouges. Son principe est en effet attribué à Arnaud de Villeneuve, docteur en médecine de l'université de Montpellier à la fin du XIII\e siècle.

Les Vins Doux Naturels du Roussillon – Banyuls, Rivesaltes et Maury – sont appréciés depuis fort longtemps en France, non seulement comme vins de dessert, mais aussi comme apéritifs ou en accompagnement de foie gras. Les VDN élaborés à partir de raisins Muscat dans tout le sud de la France, à Rivesaltes, Saint-Jean-de-Minervois, Frontignan, Mireval et Lunel, doivent être servis frais. Ils sont parfaits à l'apéritif, mais peuvent aussi accompagner du roquefort ou un gâteau aux fruits.

Banyuls
Les meilleurs Banyuls ont une belle robe tuilée sombre et d'amples parfums de raisin sec et de noix. Leur couleur peut être rouge, blanche ou rose, mais tous tendent à se rembrunir avec les années. Le Banyuls, tout comme le Rivesaltes (voir plus bas), peut être volontairement oxydé pour obtenir son caractère *rancio,* ou embouteillé normalement, pour développer un vin de style Porto.

Rivesaltes
Près de la moitié des Vins Doux Naturels de France viennent de Rivesaltes. Les vins mutés étaient assez à la mode dans les années 1930 pour que les Rivesaltes soient parmi les premiers vins à accéder au statut d'appellation contrôlée, en 1936.

Théoriquement, il y a trois types de Rivesaltes, blanc ou doré, rouge et rosé. Dans la pratique, il y a beaucoup plus de couleurs et de styles, car les blancs foncent au vieillissement tandis que les rouges perdent de la couleur. Les Rivesaltes rouges sont à base de Grenache, de Maccabeo et de Malvoisie.

Les Rivesaltes rouges vinifiés de façon traditionnelle ont un goût de *rancio* dû à une légère oxydation. Pour l'obtenir, le vin doit vieillir soit dans de grands foudres de chêne, soit dans des bonbonnes de verre de 30 litres, pendant au moins neuf mois. Ce délai est indispensable pour que le vin subisse les températures extrêmes de l'été et de l'hiver. Le vin brunit avec l'âge et devient plus riche en bouche. Il acquiert des parfums de raisin sec, de noix, de pruneau qui rappellent les cakes et les gâteaux aux fruits. Sa finale est longue mais pas sucrée. Après deux ans d'oxydation, de tels vins sont vendus sous le nom de Rivesaltes Tuilé, pour les rouges, et de Rivesaltes Ambré, pour les blancs.

Le Rivesaltes existe aussi en version millésimée. Comme le Porto Vintage, il est mis en bouteilles jeune et développe son fruit après un certain nombre d'années de vieillissement.

Muscat de Rivesaltes
Cette appellation a été reconnue en 1972. Elle fait appel à deux cépages, le Muscat d'Alexandrie et le Muscat à petits grains, plus aromatique. Ce vin peut être léger, avec un parfum de citron et de miel, ou, au contraire, riche et corsé, parfumé et savoureux, avec un goût d'oranges amères. Il est toujours mis en bouteilles le plus tôt possible, à la fin de l'hiver, afin d'enfermer les arômes du raisin sous le bouchon. Il est préférable de le boire dans ses deux premières années.

Maury
Le Maury est un Vin Doux Naturel rouge, issu principalement du Grenache Noir – la loi requiert un minimum de 50 % –, auquel il doit son caractère. Les raisins sont récoltés en surmaturité, mis à fermenter puis mutés à l'eau-de-vie après trois jours de fermentation. Le vin doit vieillir au moins deux ans, mais on accorde quelques années de plus aux meilleures cuvées. Cela permet de faire apparaître des arômes complexes, noisetés, qui rappellent les pruneaux.

Muscat de Saint-Jean-de-Minervois
Il est issu exclusivement de Muscat Blanc à petits grains, vendangé à la limite de la surmaturité, avec un degré potentiel d'alcool de 14 %vol. Les producteurs cherchent avant tout à conserver le parfum délicat du cépage.

Muscat de Frontignan
Ce Muscat provient des alentours de la ville de Frontignan, près du port de Sète.

Le seul cépage autorisé pour cette appellation, reconnue dès 1936, est le Muscat Blanc à petits grains. En fait, ce cépage s'appelle aussi Muscat de Frontignan.

Le vin en bouteille doit avoir un minimum d'alcool de 15 %vol, dont 5 à 10 % acquis par mutage. Il a une robe dorée, une bouche tendre et sucrée et des parfums de raisins Muscat au nez et en bouche.

Muscat de Mireval
Mireval est une petite ville calme située à 8 km à l'est de Frontignan. Son vin est très proche de celui de sa voisine. Il est pour le moment d'un intérêt local.

Muscat de Lunel
On peut en dire à peu près la même chose que du Muscat de Mireval. Celui-ci vient de la partie est du département de l'Hérault. L'encépagement est également limité au Muscat Blanc à petits grains. ☐

APPELLATIONS ET PRODUCTEURS

Voici un aperçu des appellations de Vins Doux Naturels d'ouest en est, c'est-à-dire de la frontière espagnole jusqu'au delta du Rhône. La plupart des appellations sont à cheval sur des zones présentées plus loin dans ce chapitre.

BANYULS

Les deux villages de Banyuls et de Collioure se trouvent au bord de la Méditerranée, à la limite de la frontière espagnole. L'appellation Banyuls, reconnue en 1936, s'étend aussi sur les communes de Port-Vendres et Cerbère. Les vignes poussent dans une terre de schiste peu fertile, sur des terrasses escarpées des contreforts des Pyrénées.

L'appellation requiert au moins 50 % de Grenache Noir pour les rouges. Carignan, Cinsaut et Syrah sont des cépages accessoires. L'appellation Banyuls Grand Cru a été ajoutée en 1962. En théorie, elle sous-entend une qualité de vin supérieure, avec un minimum de 75 % de Grenache Noir et un vieillissement de deux ans et demi au moins.

Producteurs et négociants

Le vignoble est dans une large mesure entre les mains d'un groupe de trois coopératives, dont l'excellente cave coopérative L'Étoile.

Parmi les meilleurs vins de propriété, on compte ceux du Domaine du Mas Blanc et du Domaine La Tour Vieille, qui élaborent un style de vin selon un système proche de la *solera* espagnole (voir p. 423), sur trois niveaux (*sostres* en catalan).

Il faut en outre signaler les bons vins du Mas de la Rectorie, réputé pour un Banyuls blanc dans le style d'un *manzanilla*, du Domaine Vial-Magnères et du Clos des Paulilles.

RIVESALTES

Cette appellation inclut 86 villages situés pour la plupart dans le département des Pyrénées-Orientales, en partie sur les vignobles des Côtes du Roussillon. Quelques communes se trouvent dans le département de l'Aude et entrent dans les appellations Fitou et Corbières. Nombre de producteurs, producteurs privés ou coopératives, font donc à la fois des vins mutés et des vins de table.

Producteurs et négociants

Il y a un certain nombre de bons producteurs de Rivesaltes, parmi lesquels la coopérative du Mont-Tauch, située dans le village de Tuchan, le Domaine Cazes à Rivesaltes, le Domaine Sarda-Malet à Perpignan et le Château de Corneilla, dans le village éponyme situé au sud de Perpignan. Les vieux Rivesaltes du Domaine de Rancy, à Latour de France, et du Château Mossé, à Sainte-Colombe-de-la-Commanderie, ont aussi une bonne réputation.

MAURY

Maury est une minuscule appellation qui forme une enclave à l'intérieur des plus vastes appellations Rivesaltes et Côtes-du-Roussillon-Villages. Le sol schisteux domine ce terroir situé sur Maury et trois autres communes avoisinantes.

Producteurs et négociants

La coopérative du village de Maury est le plus gros producteur. Mais le vin le plus intéressant vient du Domaine du Mas Amiel, le plus grand domaine indépendant avec 130 ha de vignes plantées pour la plupart en Grenache Noir. Au Mas Amiel, lorsque l'alcool de mutage a été ajouté au marc, la macération se poursuit pendant trois à quatre semaines pour donner au vin toute sa rondeur et sa plénitude.

Ici, on croit fermement qu'il est indispensable de faire vieillir le vin dans des bonbonnes de verre pendant une année entière, de juin à juin. Après cette période, le vin continue de vieillir dans d'énormes foudres de chêne autrichien de 250 hl, qui sont ouillés régulièrement pour compenser l'évaporation naturelle.

Le Mas Amiel commercialise son Maury à 6, 10 et 15 ans. Ce dernier est le meilleur. Il est à la fois extrêmement fruité et concentré et présente des notes de noix et de pruneau qui ne sont pas sans évoquer certains vieux Portos *tawny*.

Dans les mains d'un nouveau propriétaire, le Mas Amiel a replanté en Syrah une partie de son vignoble, dont un quart doit désormais servir à produire des vins de table.

MUSCAT DE SAINT-JEAN-DE-MINERVOIS

Le village de Saint-Jean-de-Minervois bénéficie de sa propre appellation de Vin Doux Naturel depuis 1950. Au début du siècle, le Muscat était souvent limité à de toutes petites parcelles et vinifié dans le but d'une consommation familiale. La production de vin doux naturel est née de cette tradition.

Producteurs et négociants

La coopérative du village fait de bons vins. Il y a quelques bons producteurs indépendants, dont le Domaine Barroubio, le Domaine Clos du Gravillas et le petit Domaine de Gimios.

MUSCAT DE FRONTIGNAN

Les vignobles de Frontignan sont plantés sur un terroir de calcaire agrémenté d'alluvions et de cailloux. Ils se trouvent sur le côté oriental de l'étang de Thau, qui, avec la mer toute proche, est à l'origine d'un microclimat particulier.

Producteurs et négociants

La coopérative locale représente environ les trois quarts de la production de l'appellation. Le domaine privé le plus connu est le Château de la Peyrade.

MUSCAT DE LUNEL

La ville de Lunel se trouve à l'extrémité est des Coteaux du Languedoc. La plupart des viticulteurs font à la fois des Coteaux-du-Languedoc et du Muscat de Lunel.

Producteurs et négociants

La coopérative locale domine la production. Le Château du Grès Saint-Paul et le Domaine de la Croix Saint-Roch sont les principaux domaines indépendants. Leurs propriétaires font des vins plus intéressants et se donnent beaucoup de mal pour conserver à leurs vins fraîcheur et caractère proche du raisin.

ROUSSILLON

Les anciennes provinces du Roussillon et du Languedoc sont souvent associées en une seule expression comme si elles n'étaient pas si différentes. Et, pourtant, le Roussillon a des liens historiques avec l'Espagne et continue à subir son influence. Son climat est généralement le plus chaud de France et ses vins sont parmi les plus généreux et les plus corpulents.

Le vignoble du Roussillon est bordé par la mer à l'est, les Pyrénées au sud et les montagnes de Corbières au nord, de sorte que les vignes ressemblent à un immense amphithéâtre qui surplomberait les plaines fertiles entourant la ville de Perpignan. Les vallées fluviales se glissent dans ce paysage montagneux, l'Agly et ses affluents se frayant des passages tortueux entre les collines.

Le Roussillon est depuis longtemps célèbre pour ses Vins Doux Naturels de Rivesaltes (voir p. 283). Quelque temps avant le Languedoc, il a commencé à abandonner la production de « gros rouge » qui avait été longtemps sa triste spécialité. Plusieurs VDQS créés en 1970 passèrent finalement au rang d'AOC Côtes-du-Roussillon et Côtes-du-Roussillon-Villages en 1977. Quatre des villages, Caramany, Latour-de-France, Lesquerde et Tautavel, ont même le droit de mentionner leur nom sur l'étiquette à côté de l'appellation Côtes-du-Roussillon-Villages. Le Roussillon comporte aussi le petit vignoble de Collioure, promu au rang d'AOC en 1971, et la petite AOC Côtes-du-Roussillon-Aspres, créée en 2003.

Les cépages et les styles de vin

Les Côtes-du-Roussillon-Villages sont toujours rouges, tandis que les Côtes-du-Roussillon peuvent aussi être blancs ou rosés. Le rendement est limité à 45 hl/ha pour les premiers et à 50 hl/ha pour les derniers.

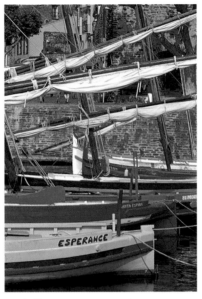

Collioure est un port pittoresque.

L'amélioration de l'encépagement a été amorcée pour les Côtes-du-Roussillon-Villages bien avant de l'être pour les Côtes-du-Roussillon. Depuis 1977, la Syrah et le Mourvèdre doivent être majoritaires dans l'assemblage avec le Grenache, le Cinsaut et – de moins en moins – le Carignan. La

LES VINS DE PAYS

Le Roussillon compte six vins de pays. Le Vin de Pays des Pyrénées-Orientales couvre la totalité du département. Le Vin de Pays Catalan correspond à peu près à l'AOC Côtes-du-Roussillon et occupe la moitié sud du département. Le Vin de Pays des Côtes Catalanes couvre une zone située au nord de Perpignan, autour de la ville de Rivesaltes et dans une partie de la vallée de l'Agly. D'autres noms sont moins répandus. Le Vin de Pays du Val d'Agly et le Vin de Pays des Coteaux des Fenouillèdes se trouvent à l'ouest des Vins de Pays des Côtes Catalanes. Le Vin de Pays de la Côte Vermeille se trouve près des villes de Collioure et Banyuls. La production de vin de pays est rouge pour 70 à 85 %.

Syrah, plantée pour la première fois dans cette région en 1970, est maintenant bien établie. Le Mourvèdre réussit un peu moins bien, car il arrive à maturité beaucoup plus tard. Le Carignan a aussi ses amateurs : ils assurent qu'il donne le meilleur de lui-même dans le Roussillon, puisque son rendement y est réduit, qu'il arrive à parfaite maturité sur ces collines arides brûlées par le soleil et donne ainsi des vins chauds et ronds dotés de tanins souples. En blanc, les Côtes-du-Roussillon ont fait beaucoup de progrès, surtout pour les Muscats secs et les vins à base de Grenache (Blanc ou Gris). Hormis les cuvées de prestige élaborées par les meilleurs producteurs, ces vins ne sont pas de grande garde. À l'origine, ils étaient faits pour être bus aussitôt que possible, mais ceux à base de Syrah en particulier gagnent tout de même à vieillir quelques années en bouteille.

Collioure

L'appellation Collioure désigne des vins rouges, rosés et, depuis 2003, blancs. Les cépages qui donnent ici les meilleurs résultats sont le Grenache, le Mourvèdre et la Syrah. Le Carignan et le Cinsaut sont également autorisés, et on ferme les yeux sur la Counoise. Le Mourvèdre réussit particulièrement bien ici, car il apprécie la proximité de la mer et mûrit bien. Il apporte de la richesse et de la structure aux vins. Les méthodes de vinification sont traditionnelles : les raisins sont égrappés et les fermentations, bien suivies. La loi n'oblige pas à une durée de vieillissement particulière, mais un élevage en bois peut contribuer à faire ressortir le goût du Collioure et en fait un des vins les plus puissants et les plus originaux du sud de la France. Le Collioure est un vin qui gagne également à vieillir en bouteille jusqu'à dix ans, surtout lorsqu'il vient de chez un bon vigneron. □

APPELLATIONS ET PRODUCTEURS

Les vignobles des Côtes du Roussillon couvrent une grande partie du département des Pyrénées-Orientales. Ceux de la petite appellation Collioure se trouvent à l'extrême sud-est du département, au bord de la Méditerranée et à la limite de l'Espagne.

CÔTES-DU-ROUSSILLON ET CÔTES-DU-ROUSSILLON-VILLAGES

L'appellation Côtes-du-Roussillon-Villages est réservée aux 32 villages situées dans la partie nord du département, tandis que celle de Côtes-du-Roussillon correspond à 118 communes se trouvant plus au sud.

Ces 6 500 ha de vignes sont plantés sur différents types de terrains : schiste, sols argilo-calcaires et terrasses caillouteuses.

La vinification est à 70 % aux mains des coopératives, présentes dans presque chaque village, mais quelques domaines privés ne manquent pas d'exprimer leur personnalité. C'est en partie grâce aux coopératives que les communes de Caramany et Latour-de-France ont eu le droit d'ajouter leur nom à l'appellation. Caramany fut une des premières coopératives à vinifier en macération carbonique, dès 1964. Quant à Latour-de-France, elle eut la chance d'avoir parmi ses clients la maison Nicolas, de sorte que son vin – et son joli nom facile à se rappeler – fut vite reconnu des amateurs.

Les Vignerons Catalans

Cette union de coopératives regroupe la plupart des coopératives de village. Elle commercialise une énorme partie des vins du Roussillon : vins de pays, AOC et VDN Rivesaltes.

Domaine Cazes

Cette maison très importante produit de bons Côtes-du-Roussillon, mais s'intéresse aussi à ses vins de pays, en particulier le Credo, issu d'un assemblage de Merlot et de Cabernet-Sauvignon. En blanc, le Muscat sec est à noter.

Domaine Gauby

Gérard Gauby a été surnommé « roi sans couronne » du Roussillon. Qu'il s'agisse de vins AOC ou de vins de pays, c'est le producteur le plus célèbre de la région. Son Muntada, à base de Syrah, est le vin le plus recherché du Roussillon, mais toute la gamme de ses vins est excellente.

Autres producteurs

Parmi les excellents vignerons qui se sont fait connaître au cours des dernières années, il faut mentionner le Domaine de Casenove à Trouillas, le Domaine des Chênes, le Domaine du Clos des Fées et le Domaine Gardiès à Vingrau, le Domaine Ferrer et Ribière à Terrats (où il y a aussi une bonne coopérative), les Domaines Sarda-Malet, Lafage et Laporte aux portes de Perpignan, les Domaines Piquemal et du Mas Créamat à Espira d'Agly, le Château de Jau à Cases de Pène, le Domaine des Schistes à Estagel et le Domaine Força Réal à Millas. Les Côtes-du-Roussillon ont le vent en poupe. En témoigne le grand nombre d'investisseurs, bordelais ou non, qui ont acheté des vignes dans cette région.

COLLIOURE

Les communes de Collioure et de Banyuls se touchent et se partagent les terrasses de vignes plantées en coteaux escarpés. Le sol est pauvre et caillouteux. Les vignes taillées en gobelet souffrent pour survivre au vent et à l'immense sécheresse de ces pentes abruptes.

Avant d'avoir droit à l'appellation contrôlée, les vins rouges de Collioure étaient souvent vendus sous le nom de Banyuls Sec. La production de Collioure est en progression et les viticulteurs, célèbres pour leurs VDN, s'intéressent de plus en plus aux vins rouges non mutés.

Producteurs et négociants

Une grande partie de la production est dans les mains de trois coopératives : le Groupement Inter-producteurs, les Dominicains et l'Étoile. Les vins les plus intéressants viennent du Domaine de la Rectorie, du Domaine du Mas Blanc et du Domaine de La Tour Vieille.

Le cap d'Oullestreil, entre les ports de Banyuls et de Collioure.

CORBIÈRES ET FITOU

Le département de l'Aude est traversé par le fleuve homonyme qui descend des Pyrénées, coule vers le nord et traverse la ville de Carcassonne avant de se diriger à l'est pour se jeter dans la Méditerranée au nord de Narbonne. Il sert de limite entre le vignoble de Corbières et celui du Minervois (voir p. 290). Les vins de Corbières doivent leur nom aux collines accidentées qui dominent le pays. Le vignoble de Fitou forme deux enclaves à l'intérieur de l'appellation Corbières.

La majorité des vins de Corbières sont rouges, même s'il y a aussi un peu de blanc et de rosé. L'appellation couvre une vaste zone au sud-ouest de Narbonne. Au nord, elle est bordée par la vallée de l'Aude tandis que, au sud, elle touche les vignes du Roussillon.

Corbières, l'un des premiers vignobles de France classés en VDQS, en 1951, n'arriva au niveau d'AOC qu'en 1985. C'est à ce moment que fut supprimée l'ancienne appellation Corbières Supérieures, qui était encore attribuée aux vins ayant un plus fort degré d'alcool. La zone d'appellation fut considérablement réduite : elle passa de 44 000 ha à 19 000 ha, dont 15 500 ha sont encore actuellement plantés.

La nature des sols varie, allant de l'argilo-calcaire à grès jusque, bien souvent, à schiste. Les microclimats sont nombreux (voir p. 288), mais, dans l'ensemble, le climat est méditerranéen et se caractérise par des hivers doux et des étés chauds et secs.

Les cépages

Les Corbières traversent une période d'optimisme. En effet, le vignoble a été métamorphosé par l'introduction de cépages améliorateurs tels que la Syrah et le Mourvèdre. Ce fut le début du renouveau, mais il ne faut pas oublier que le Carignan demeure encore le cépage de base de l'appellation. La production des vins blancs ne représente que 3 % du total. On

Le vignoble de Fitou autour de Tuchan.

replante avec des cépages rhodaniens comme la Roussanne et la Marsanne ou le cépage corse Vermentino. La production de vins rosés est, elle aussi, négligeable.

LES VINS DE PAYS

Vin de pays de l'Aude est la désignation générique de l'ensemble du vignoble, qui produit plus de 150 millions de bouteilles chaque année. Chaque vignoble possède néanmoins son propre vin de pays et le pays de l'Aude se subdivise ainsi en 20 désignations différentes, dont les mieux connues sont le Vin de Pays du Val d'Orbieu et le Vin de Pays de la Cité de Carcassonne. Une très large majorité de ces vins de pays est rouge (entre 80 % et 99 %), sauf pour les vins de la haute vallée de l'Aude aux environs de Limoux, où la production de vin blanc est importante.

Dans les Corbières, la qualité des vins de pays est nettement inférieure à celle des vins d'appellation d'origine contrôlée, en particulier lorsque ceux-ci viennent des meilleurs producteurs indépendants.

La vinification et les styles de vin

La macération carbonique est maintenant utilisée largement, en particulier pour le Carignan dont elle met le fruité en valeur. Pour la vinification classique, l'égrappage se généralise et permet de faire des vins plus souples et plus élégants.

L'emploi du bois neuf et les caves dotées d'un système d'isolation ou de climatisation sont désormais la règle, de même que l'utilisation de barriques pour les cuvées de prestige. On remarque en outre une tendance à pratiquer des récoltes plus tardives et de plus longues extractions. Le type de vin ainsi produit peut gagner à vieillir quelques années en bouteille. Par contre, les Corbières rouges élaborés dans le style traditionnel sont faits pour être bus dans les deux ou trois ans qui suivent leur mise en bouteille.

Fitou

À l'exception des VDN, Fitou est la plus ancienne AOC du Midi, puisqu'elle fut reconnue dès 1948. À cette époque, ses vins étaient considérés comme nettement supérieurs à ceux de cette région, Corbières et Minervois ayant en effet attendu les années 1980 pour faire leurs premiers pas vers la qualité.

Le Fitou est toujours rouge et provient des cépages classiques du Sud : une grande proportion de Carignan, du Grenache, du Cinsaut et, en quantité toujours croissante, de la Syrah et du Mourvèdre, dont l'un ou l'autre deviendra bientôt obligatoire.

Le Fitou est mis en bouteilles après un élevage de neuf mois en fût ou en cuve, les cuvées de prestige étant souvent vieillies sous bois pour obtenir plus d'ampleur et une belle complexité. Mais, dans le Fitou comme ailleurs dans le Sud, on peut désormais constater un goût de bois moins marqué dans les vins. □

APPELLATIONS ET PRODUCTEURS

Dans les terres pauvres et arides des collines des Corbières, pas grand-chose ne pousse hormis la vigne et l'olivier. Une nouvelle génération de viticulteurs s'est mis en tête de tirer de beaux vins de ce terroir broussailleux. Ils ont été récompensés de leurs efforts par l'attribution de l'appellation contrôlée en 1985. Les vins rouges de Fitou jouissent de l'appellation contrôlée depuis bien plus longtemps.

CORBIÈRES

Ce vaste vignoble possède plusieurs coopératives. De loin la plus éminente est la Cave d'Embres et Castelmaure, qui se trouve à l'avant-garde de la révolution des Corbières. Depuis que Michel Tardieu et Dominique Laurent font équipe pour conseiller la coopérative, elle a investi dans ses installations et changé ses méthodes de vinification. En 1992, elle a commencé à utiliser des fûts neufs pour son meilleur vin, la Cuvée de Pompadour. Aujourd'hui, les cuvées « C » et « 7 » comptent parmi les meilleurs vins du Languedoc.

La variété des sols et des climats des Corbières est telle qu'on comprend aisément le désir des vignerons de subdiviser l'appellation. Les dix terroirs qui ont été délimités peuvent donner une idée du style de vin que l'on peut trouver dans la bouteille. Ils sont présentés ci-après avec leurs principales caractéristiques et leurs meilleurs producteurs.

Les Corbières sont un pays hanté par les fantômes d'un passé tumultueux. Cette région a été le berceau et le dernier refuge des cathares, les premiers Languedociens à se révolter aussi bien contre l'orthodoxie catholique que contre le pouvoir croissant de la couronne française. Situées parmi les châteaux forts en ruine, qui se fondent dans ce paysage aride et rocailleux, les vignes bénéficient de l'altitude qui adoucit la chaleur estivale et les expose moins à la sécheresse. Les ceps, l'unique culture ici, donnent des vins puissants aux arômes minéraux, dont le goût de fruits rouges se fond petit à petit dans des notes de torréfaction ou, parfois, de chocolat.

Par contre, au nord, sur les coteaux qui descendent vers la vallée de l'Aude, et à l'est, vers le bord de mer, le paysage devient moins austère et le climat plus modéré, donnant naissance à des vins plus ronds et moins rustiques. Les producteurs indépendants se joignent ici aux coopératives, toujours puissantes dans cette région, pour promouvoir, avec succès, le tourisme en même temps que leurs vins. Les vacanciers affluent en effet vers la région, mais aussi plusieurs vignerons vedettes venus du Bordelais et de Bourgogne, tous séduits par le soleil et par ces terroirs magnifiques.

Boutenac

Ce terroir correspond à deux vallées alluviales autour du village de Boutenac. Le Mourvèdre s'y plaît bien, en raison de la proximité de la Méditerranée.

Parmi les bons producteurs, on citera les Châteaux Aiguilloux et La Voulte-Gasparets, et le Domaine du Grand Crès.

Corbières La Méditerranée

Cette zone côtière subit une forte influence maritime. Le Mourvèdre s'y plaît bien sur un sol argilo-calcaire.

Le meilleur producteur est Château de Lastours.

Durban

Cette vaste zone au sud-est de l'appellation Corbières se caractérise par un sol aride et peu fertile. Les collines la coupent de toute influence maritime.

Parmi les meilleurs producteurs, on citera Château de Gléon-Montanié et Château Haut-Gléon.

Fontfroide

Cette zone doit son nom à l'abbaye cistercienne située à l'ouest de Narbonne. Elle n'est séparée de la mer que par une petite rangée de collines. C'est un des endroits les plus secs de France qui, grâce aux vents maritimes rafraîchissants, convient bien au Mourvèdre.

Hautes-Corbières

Il s'agit d'une fusion de trois anciens terroirs : Quéribus, Saint-Victor et Termenès. Ils sont parmi les terroirs les plus élevés et les plus sauvages de l'appellation.

Parmi les meilleurs producteurs, on citera les Domaines Serres-Marzard et Trillol.

Lagrasse

Situés dans la vallée de l'Orbieu sur un sol calcaire, ces vignobles sont plantés à une altitude allant de 150 à 250 m. La montagne d'Alaric tend à modérer les vents dominants.

Parmi les bons producteurs, citons le Château des Auzines, le Château Prieuré Borde-Rouge et Clos d'Anhel.

Lézignan

Occupant l'extrémité nord de l'appellation, ce plateau n'est qu'à une altitude de 50 m. Le vignoble occupe de larges terrasses de pierre.

Les meilleurs producteurs sont le Château Étang des Colombes, le Château Grand Moulin et Roque-Sestrières.

Montagne d'Alaric

Ce terroir est situé sur le flanc nord de la montagne, c'est-à-dire à l'extrémité nord de l'appellation Corbières. Il domine les plaines et profite de l'influence à la fois de la Méditerranée et de l'Atlantique. Le sol est fait de calcaire et de graviers.

Parmi les meilleurs producteurs, on peut citer le Domaine des Chandelles, le Château Hélène et le Château Mansenoble.

Serviès

Ce terroir s'étend dans la zone nord-est de l'appellation, à la limite de la montagne d'Alaric et du plateau de Lacamp. Son sol argilo-calcaire plaît à la Syrah.

FITOU

L'appellation Fitou, qui s'étend sur quelque 2 600 ha, comporte deux zones distinctes : le Fitou-Maritime, qui s'étend sur les plaines côtières autour du village de Fitou, et le Haut-Fitou, plus en altitude. Dans ces terres sèches, on donne la préférence à la Syrah tandis que le Mourvèdre, plus tardif, se comporte mieux dans l'atmosphère humide des bords de mer. Dans l'ensemble, les vins de Fitou-Maritime sont plus légers et se boivent plus jeunes que ceux du Haut-Fitou, plus robustes.

Producteurs et négociants

La plus grande partie de la vendange est entre les mains des coopératives, dont la plus importante est la Coopérative des producteurs du Mont-Tauch ; sa cave principale est située dans le village de Tuchan. Parmi les propriétés privées, il faut mentionner le Château de Nouvelles, les Domaines Bertrand Bergé, La Roudène et de la Rochelierre, Villa Maria Fita, Clos des Camuzeilles et le Château des Erles.

Ouest de l'Aude

La blanquette de Limoux est fière d'annoncer qu'elle est le plus vieux vin pétillant de France et que son histoire remonte à une date encore antérieure à celle du champagne. Le chroniqueur Froissard mentionne en effet, en 1388, les « délectables beuveries de vin blanc Limouxin » et la découverte des vins mousseux daterait ici de 1531.

La ville de Limoux se trouve en haut de la vallée de l'Aude, au sud-ouest de la cité médiévale de Carcassonne. Le vignoble s'étend tout autour, dans un rayon de 20 km.

Les cépages

Le Mauzac, cépage de base de la Blanquette de Limoux, ne pousse qu'ici et à Gaillac. Il a un goût caractéristique de pomme ou de poire, une certaine amertume en finale et une acidité qui le rend particulièrement adapté à la production de vins effervescents. Il faut cependant reconnaître que, pour les Limoux en style plus moderne, le Mauzac manque un peu de nerf. C'est ce qui a encouragé ici la plantation de Chardonnay et de Chenin Blanc.

Les styles de vin

La Blanquette historique, appelée ici ancestrale, doit toujours se faire à partir du seul Mauzac. Elle diffère de la Blanquette plus moderne, vinifiée selon la méthode traditionnelle, comme en Champagne (voir p. 114), par une fermentation reprenant naturellement après la mise en bouteilles. Celle-ci a en effet lieu aussitôt que la fermentation en cuve est terminée. Le vin qui en résulte est peu alcoolique, son style est en général demi-sec, en raison de la petite quantité de sucres résiduels. Même pour la Blanquette moderne, le Mauzac doit être présent à 90 % au moins, le Chardonnay et le Chenin étant admis jusqu'à un total de 10 %. Ce vin reste toujours le produit viticole le plus important de Limoux, malgré un phénomène de mode qui a vu un public jeune préférer la Blanquette ancestrale.

Plus contemporain dans son style est le Crémant AOC, une version plus grasse de la Blanquette. Les proportions entre le Chardonnay et le Chenin, d'une part, et le Mauzac, de l'autre, y sont inversées. Les deux premiers cépages peuvent contribuer jusqu'à 90 %, le Pinot Noir jusqu'à 10 %, alors que le Mauzac est toujours admis, mais peut être tout à fait absent... au moins en principe.

On peut noter aussi le Limoux tranquille, vendu sous le simple nom de Limoux AOC, pour lequel le producteur peut lui-même déterminer les apports respectifs du Chardonnay, du Chenin et du Mauzac. Pour ce vin, les grappes sont ramassées à la main et l'élevage en bois est de rigueur. Enfin, il existe depuis 2003 un Limoux rouge en AOC. Le Merlot doit entrer pour au moins la moitié dans le vin, les autres cépages, au moins deux, étant les deux Cabernets, le Cot, la Syrah, le Grenache et le Carignan.

Producteurs et négociants

Sur les 11 millions de bouteilles de Limoux pétillant produites chaque année, les trois quarts sortent de la moderne Cave Coopérative de Limoux, une cave bien gérée qui existe depuis 1947. Elle produit différentes cuvées qui portent les noms, entre autres, d'Aimery, Cuvée Aldéric et Sieur d'Arques.

Le Domaine de Martinolles est une des meilleures propriétés. Dans ce vignoble de 65 ha, la famille Vergnes produit d'élégants Crémants et Blanquettes, ainsi que du vin de pays.

Il y a 45 autres producteurs, dont certains ne vinifient que leur propre récolte, d'autres achètent des raisins ou du jus de raisin. À chercher : Domaine de Fourn et Domaine de Flassian (Antech). □

MALEPÈRE ET CABARDÈS

Ces deux vignobles situés au nord de Limoux, à l'extrémité ouest de la région, forment la frontière entre le Languedoc et l'Aquitaine. L'influence de l'Atlantique y donne un climat plus frais et plus humide que dans le reste du Midi. La relative richesse du sol encourage la plantation de cépages bordelais. Un VDQS et une nouvelle AOC existent pour les rouges et les rosés : Côtes-de-la-Malepère, au sud-ouest de Carcassonne, et Cabardès, au nord de Carcassonne.

Côtes-de-la-Malepère (VDQS)

Les cépages principaux sont le Merlot, le Cot et le Cinsaut, avec aussi le Cabernet Franc, le Cabernet-Sauvignon, le Grenache et la Syrah comme cépages secondaires. 90 % des Côtes-de-la-Malepère proviennent des coopératives, dont celle de Razes. Mais quelques viticulteurs privés font la mise en bouteilles au domaine, tels le Château de Malviès, le Château de Cointes et le Château du Routier. Leurs vins illustrent parfaitement l'alliance de la chaleur méditerranéenne et de la structure du Sud-Ouest.

Cabardès (AOC)

Les meilleurs vins de Cabardès sont faits avec du Cabernet-Sauvignon, du Merlot et du Grenache. Cabardès est plus chaud et plus sec que les Côtes de la Malepère. Ses vignes sont plantées sur les pentes les mieux exposées, au pied de la Montagne Noire, le dernier contrefort du Massif central. À Cabardès, les domaines indépendants sont plus nombreux que les coopératives. Parmi les meilleures propriétés, il faut citer le Château de Pennautier, le Domaine de Cabrol et le Domaine d'Escourrou.

MINERVOIS

Le village de Minerve donne son nom à une vaste région viticole qui produit essentiellement des vins rouges.

L'appellation du Minervois se trouve en face de celle de Corbières, de l'autre côté de la vallée de l'Aude, dans les contreforts du Massif central. Elle couvre en partie deux départements, l'Aude et l'Hérault. Elle doit son nom au village fortifié de Minerve construit par les Romains et dédié par eux à la déesse de la Sagesse. Le village, l'un des derniers bastions de l'hérésie cathare, joua un rôle important lors de la croisade des albigeois à la fin du XIIe siècle. Le Minervois est avant tout une appellation de vins rouges, mais il produit aussi une certaine quantité de vins rosés et blancs. Il existe même une petite enclave de vins doux naturels dans le village de Saint-Jean-de-Minervois (voir p. 284).

Comme Corbières, le Minervois a reçu le statut d'appellation contrôlée en 1985, après avoir été VDQS depuis 1951. Et, comme dans les Corbières, la qualité de ses vins a considérablement changé au cours de ces dernières années. Il reste bien moins de vignerons qu'autrefois, dont le principal objectif est d'obtenir les plus hauts rendements possibles, aux dépens de la qualité de leurs vins. Dans l'ensemble, les viticulteurs ont compris qu'il fallait suivre les techniques de la viticulture moderne, en réduisant les rendements par un taillage plus rigoureux, des vendanges vertes et un triage scrupuleux des raisins.

Les cépages et les styles de vin

Les vins du Minervois se sont étonnamment améliorés grâce au nouvel encépagement. Dans le meilleur des cas, les rouges sont charnus et bien construits. On utilise de plus en plus de Grenache noir, de Syrah et même un peu de Mourvèdre. La Syrah, bien adaptée au climat sec et chaud du Minervois, peut entrer pour 75 % dans la composition des meilleurs vins. Le Mourvèdre pose plus de problèmes, en partie parce qu'il est plus sensible aux variations d'alimentation en eau. Le Carignan fait toujours partie de l'encépagement légal, mais il est limité à 40 %.

Le Minervois blanc, traditionnellement issu de Maccabeo et de Bourboulenc, est souvent amélioré par un apport de Marsanne et de Roussanne. Il est question que le Viognier soit un jour autorisé, mais, pour le moment, son utilisation est limitée à la production de vins de pays, tout comme le Chardonnay, le Cabernet-Sauvignon et le Merlot.

Les méthodes de vinification ont aussi progressé grâce à des investissements en matériel considérables. La technique de la macération carbonique s'affine ; l'élevage en chêne se répand, avec l'utilisation de quelques barriques neuves. Le Minervois s'intéresse de plus en plus au caractère de ses différents terroirs. La variété des sols et des microclimats a permis de délimiter cinq zones distinctes (voir ci-contre). □

PRODUCTEURS ET NÉGOCIANTS

L'appellation du Minervois couvre une vaste zone, variée, de 4 500 ha de vignes. Il y a 23 coopératives, mais on compte désormais 175 propriétés privées, dont beaucoup ont vu le jour ces dernières années.

Dans le passé, on produisait dans le Minervois, comme partout dans le sud de la France, un vin blanc moelleux, seul blanc avant l'arrivée des blancs secs modernes. Aujourd'hui, il est envisagé de créer une nouvelle AOC, Minervois Noble, pour ces vins moelleux. On peut déjà en dénicher quelques exemples, faits à base de Grenache Blanc et de Maccabeu, récoltés en vendanges tardives.

Daniel et Patricia Boyer-Domergue
Voir encadré ci-dessous.

Château Fabas
Roland Augustin continue le programme de son prédécesseur Jean-Pierre Ormières, qui avait introduit, le premier, l'élevage sous bois.

Château de Gourgazaud
Roger Piquet, ancien directeur général de la maison de négoce Chantovent, a été l'un des premiers à s'intéresser à de nouveaux cépages. C'est en 1974 qu'il a planté ses premiers pieds de Syrah dans son domaine de La Livinière.

Domaine Sainte-Eulalie
Ce domaine du village de La Livinière a été racheté par Isa-

belle Cousral. Elle y a trouvé du Carignan centenaire, dont elle vinifie le jus traditionnellement et non pas par macération carbonique.

Cave Coopérative La Livinière
Les coopératives sont encore de première importance dans le Minervois. Celle du village de La Livinière est des plus entreprenantes. Elle a encouragé ses membres à planter des cépages de qualité, particulièrement la Syrah, en leur versant une prime. Ces efforts ont été couronnés de succès par l'attribution d'une appellation village : Minervois La Livinière.

Autres producteurs
Parmi les meilleurs producteurs, citons le Domaine Borie de Maurel, le Domaine Cathare, le Domaine Piccinini, le Domaine La Tour Boisée, le Château La Grave, le Château Massamier la Mignarde, le Château Villerambert-Julien, le Domaine Aimé, le Château de Beaufort, le Château de Cesseras, le Château d'Oupia, le Domaine Saint-Sernin, le Château Bassanel, le Château Saint-Jacques d'Albas et le Château la Villatade.

LES TERROIRS DU MINERVOIS

Le Minervois peut se diviser en cinq zones produisant chacune des vins de caractère différent.

L'Est : les vignobles connus sous les noms de Les Mourels et Les Serres se trouvent sur la plaine caillouteuse entourant Ginestas et subissent l'influence de la mer. Les vins rouges sont légers et doivent être bus dans les deux ans.
Le Nord : les vignobles du haut Minervois – Le Causse et Les Côtes Noires – se trouvent à une altitude de 200 m et sont marqués par un climat plus dur. Les vins sont fermes et rustiques et peuvent se bonifier pendant cinq ou six ans.
Le Centre : les vignobles des contreforts orientés au sud de la Montagne Noire sont extrêmement chauds. Les lieux dits L'Argent Double et Le Petit Causse produisent des vins rouges aromatiques, bien constitués, fruités épicés, chaleureux et de bonne garde.
Le Centre-Sud : cette zone nommée Les Balcons d'Aude se trouve à l'ouest d'Olonzac. Elle s'étend sur les villages de La Livinière, Pépieux et Rieux-Minervois. C'est le cœur de l'appellation, mais aussi sa partie la plus chaude et la plus sèche. Ses vins rouges épicés sont à boire dans leur prime jeunesse ou après quatre ans en bouteille.
L'Ouest : cette zone connue sous le nom de La Clamoux jouit d'un climat plus humide en raison d'un légère influence de l'Atlantique. Elle donne des vins rouges, blancs et rosés.

CLOS CENTEILLES

Daniel et Patricia Boyer-Domergue élaborent deux vins à base de leur Cinsaut bien-aimé : le Campagne de Centeilles, avec un soupçon de Syrah et de Grenache et d'un style léger et frais qui en fait un vin à boire plus jeune, et le Capitelle de Centeilles de Cinsaut pur. Un troisième vin, le Carignanissime, est une grande réussite, malgré la pauvre estime dans lequel Daniel et Patricia tiennent le Carignan. Enfin, le Clos de Centeilles, issu de quantités égales de Syrah, de Mourvèdre et de Grenache, est destiné à la garde. Tous ces vins bénéficient d'une longue cuvaison, mais sans élevage en bois neuf.

COTEAUX-DU-LANGUEDOC

Les Coteaux-du-Languedoc constituent une vaste appellation qui longe la Méditerranée de Narbonne jusqu'à Nîmes. Son aire s'étend sur 168 communes classées AOC Coteaux-du-Languedoc, à laquelle s'ajoutent les communes classées Clairette du Languedoc, Faugères et Saint-Chinian. En fonction des règles de production prévues dans chacun des décrets – très spécifiques pour les trois dernières –, le vin peut être agréé soit en Coteaux-du-Languedoc, soit dans l'une des trois autres appellations.

Les Coteaux-du-Languedoc ont été reconnus comme VDQS en 1961. L'appellation contrôlée elle-même date de 1985 et ne concernait alors que les rouges et les rosés. Elle couvre maintenant aussi les blancs.

Les Coteaux-du-Languedoc sont en train de vivre une véritable révolution grâce à l'introduction de cépages de caractère et de techniques de vinification modernes, dont la macération carbonique.

Le Château d'Ammelas près de Clermont-l'Hérault.

Les cépages
Ce sont les cépages classiques du Midi. Depuis 1990, la loi exige que les vins d'appellation contiennent un minimum de 50 % de Mourvèdre, de Syrah et de Grenache. Par ailleurs, l'ensemble Carignan-Cinsaut ne doit pas excéder 50 % de l'assemblage.

Pour les vins blancs, les cépages principaux sont le Bourboulenc, le Grenache Blanc, la Roussanne, la Marsanne et le Rolle. Le rendement maximal est de 50 hl/ha pour les rouges, et de 60 hl/ha pour les blancs.

Clairette du Languedoc
Cette appellation est réservée aux vins blancs élaborés exclusivement à partir du cépage Clairette, qui peut aussi faire partie des Coteaux-du-Languedoc blancs. La zone d'appellation couvre dix villages situés entre Pézenas et Clermont-l'Hérault, dans le département de l'Hérault, et connaît une renaissance suite à une révision des techniques de vinification. La Clairette mûrit facilement, mais peut donner un vin trop lourd et alcoolique si elle est vendangée trop tard. Les meilleurs vins sont maintenant vinifiés à 12 % vol contre 13 ou 14 % vol auparavant. La Clairette a également tendance à s'oxyder.

Une bonne Clairette du Languedoc doit avoir dans sa jeunesse une bonne bouche généreuse et suave, avec des parfums d'amande, d'anis et de fruit frais.

Parmi les producteurs qui ont contribué à la réputation de l'appellation, on peut citer notamment la famille Jany dans son Château La Condamine Bertrand et la coopérative d'Adissan.

Faugères
Ce cru comprend sept villages situés au pied des montagnes de l'Espinousse, sur les derniers contreforts du Massif central. Le sol se compose de schiste.

Jusqu'à maintenant, l'AOC est limitée aux rouges et aux rosés ; un octroi pour les blancs est attendu. Les bons producteurs comprennent Domaine Jean-Michel Alquier, Domaine Léon Barral, Domaine Saint-Antonin et Château des Estanilles.

Saint-Chinian
Saint-Chinian est une vaste appellation qui couvre 20 communes du département de l'Hérault. Les vignobles se trouvent pour la plupart sur les contreforts des Cévennes, à une altitude de 200 m. Les raisins mûrissent donc lentement en raison de la fraîcheur des nuits. Le cours de la Vernazobre suit les divisions géologiques. Au nord, le sol est surtout fait de schiste, qui donne en général des vins rouges souples et fruités, à boire jeunes. Le sud possède un sol argilo-calcaire ; il produit des vins plus substantiels. Domaine Canet-Valette, Domaine Borie la Vitarèle, Mas Champart, Domaine Rimbert et Château Coujan sont des propriétés de qualité. □

ZONES ET PRODUCTEURS

Voici les sept zones des Coteaux-du-Languedoc qui ont remplacé les 14 anciens crus. Faugères et Saint-Chinian ont reçu leur propre appellation dès 1982 puis ont été inclus dans l'appellation Coteaux-du-Languedoc en 1985, mais leurs noms figurent généralement seuls sur l'étiquette sans autre mention d'origine.

La valorisation des vins de l'appellation se traduit par la mise en place officielle d'une hiérarchie de zones de production au sein des Coteaux du Languedoc. L'influence des vents et la pluviométrie ainsi que la température moyenne et l'ensoleillement plus ou moins fort dans les zones littorales, les garrigues et les piémonts ont permis de dégager sept zones climatiques, dont les trois premières sont mentionnées dans le décret de l'appellation, qui spécifie des conditions de productions particulières. Pour les autres zones, le travail en vue d'une reconnaissance est en cours.

La Clape et Quatourze

Situées aux portes de Narbonne, les vignes de La Clape se trouvent sur un affleurement de rocher. Elles jouissent de l'un des climats les plus ensoleillés de France, tout en étant rafraîchies par les brises marines. Outre les vins rouges et rosés, les blancs sont ici de bonne qualité, et les producteurs ont le droit – unique au Languedoc pour les blancs – de faire figurer le nom de la zone sur l'étiquette. Le Bourboulenc est particulièrement réussi. Parmi les bons domaines, on remarquera les Châteaux Pech Redon, Pech-Celeyran, La Mire-Étang, Négly et de Marmorières.

Pic-Saint-Loup

Ce cru dynamique et réputé doit son nom à la montagne qui domine l'horizon, à une vingtaine de kilomètres au nord de Montpellier. La zone couvre 13 communes et 1 200 hectares. Pour avoir droit au nom Pic-Saint-Loup, le vin – uniquement du rouge – doit être issu de 90 % au moins des cépages Syrah, Mourvèdre et Grenache. Ces cépages sont représentés pour la moitié dans la zone plantée en AOC. Les autres vins, commercialisés en AOC Coteaux-du-Languedoc, peuvent contenir du Cinsaut et du Carignan, qui est bien présent au sein de la zone. Parmi les bons producteurs, on compte les Domaines d'Hortus et de Mortiès, Mas Brugière, Clos Marie, les Châteaux de Cazeneuve et de l'Euzière, L'Hermitage du Pic-Saint-Loup, Valflaunès et la coopérative de Saint-Mathieu-de-Treviers.

Grès de Montpellier

Les gros galets et le poudingue dominent dans l'est de la zone, alors que l'ouest est plutôt argilo-calcaire. Cette zone contient les anciens terroirs situés autour de la cité ancienne de Montpellier : Vérargues (Château de la Dévèze), Saint-Drézéry (Château Puech Haut), Saint-Christol (vins de pays de La Terre Inconnue), La Méjanelle (Château de Flaugergues et Domaine Clavel), Saint-Georges d'Orques (Château de l'Engarran, Domaines de la Prose, Belles Pierres et Henry). À cela s'ajoute la région de la garrigue à l'ouest de Montpellier (L'Abbaye de Valmagne, Domaine Peyre Rose, Terre Mégère et les vins de pays du Mas d'Aimé).

Pézenas et Cabrières

Cette région comprend les vignobles situés entre Pézenas et Clermont-l'Hérault, y compris certains qui ne faisaient pas partie des anciens terroirs et climats. Ici, la frontière entre vins de pays et vins d'AOC tend à se brouiller, quelques-uns des producteurs élaborant les deux. Les Vins des Coteaux du Thongue attendent leur promotion en AOC. Cabrières se trouve dans le nord de la zone, à la frontière avec Faugères, avec lequel il partage le caractère de ses vins, mais en plus rustique peut-être. Parmi les bons producteurs, on citera Le Prieuré de Saint-Jean-de-Bébian, Les Chemins de Bassac, les Domaines de l'Arjolle, de Clovallon, de la Colombette, La Croix Belle, Deshenry, Perdiguier et Montrose.

Les Terrasses du Larzac

Cette zone bénéficie de sa situation en altitude : les nuits y sont plus fraîches et les vignes souffrent moins de la chaleur estivale qu'ailleurs. Elle couvre les anciens terroirs de Montpeyroux (Mas Jullien, Domaines Saint-Andrieu, l'Aiguilière, d'Apuilhac, Font Caude, Granoupiac, le Château de Jonquières et le Mas Cal Demoura) et de Saint-Saturnin, où la coopérative occupe le devant de la scène. À cela s'ajoutent les villages situés plus au nord, comme Octon et Saint-Jean-de-Blaquières, aux pieds du plateau (Mas des Chimères, Mas Haut-Buis et Domaine de la Sauvageonne).

Les Terres de Sommières

Cette zone s'étend entre les villes de Montpellier et de Nîmes, au nord de l'autoroute. Le terroir est bien marqué par la présence de galets roulés, comme ceux qui se trouvent à Châteauneuf-du-Pape. Souvent, les vins rappellent aussi le style rhodanien. Parmi les quelques bons producteurs, citons Roc d'Anglade, Domaine Arnal, Mas Granier et Domaine de la Coste.

Les Terrasses de Béziers

La ville de Béziers se trouve dans la plaine languedocienne, mais aux alentours, on trouve des terrasses à basse altitude, qui donnent aux vignerons la possibilité de produire des vins de qualité. Ces terrasses s'étendent jusqu'au littoral. Les bons producteurs sont, entre autres, Château le Thou, Château Font des Prieurs et le Domaine du Nouveau Monde.

Picpoul-de-Pinet

Dans cette zone, on produit aussi bien des vins AOC Coteaux-du-Languedoc que des vins de pays dans les trois couleurs. Mais seuls les vins blancs issus à 100 % du cépage Picpoul Blanc ont le droit de faire figurer le nom de cette zone sur l'étiquette. Dans un climat maritime, le Picpoul est à même de donner naissance à un blanc sec mais fruité, qui accompagne à perfection un plateau d'huîtres de Bouzigues, ville toute proche. Mas Saint-Laurent et les Domaines Félines-Jourdan, Gaujal et Morin-Langaran sont parmi les meilleurs producteurs.

LES VINS DE PAYS

Les vins de pays de l'Hérault couvrent l'ensemble du département. L'Hérault est donc le deuxième département de France en termes de production, juste derrière l'Aude. À ces derniers s'ajoutent 28 vins de pays de zone, principalement des rouges et des rosés. Beaucoup de vins sont issus de Cabernet-Sauvignon, de Merlot, de Sauvignon ou de Chardonnay. Les vins coupés avec des cépages inférieurs, Aramon ou Alicante Bouschet, deviennent d'anonymes vins de table ou partent à la distillation.

GARD

Le département du Gard se trouve à la limite est du Midi. Sa principale appellation, Costières-de-Nîmes, est le vignoble qui fait le lien entre le Languedoc et la vallée du Rhône. Alors que cette région est surtout réputée, comme tout le vignoble du Languedoc-Roussillon, pour ses vins rouges, le Gard est aussi connu pour son vin de pays rosé, le Listel, et pour une petite appellation de vins blancs, la Clairette de Bellegarde.

L'appellation Costières-de-Nîmes s'étend sur un vaste plateau au sud de la ville de Nîmes, limité à l'est par le Rhône et au sud par la Camargue. L'autoroute « la Languedocienne » se trouve à son extrémité nord, les vignobles des Coteaux du Languedoc la bordant à l'ouest. La zone d'appellation a été délimitée avec soin : elle couvre 25 000 ha répartis sur 24 communes, mais seule la moitié est actuellement plantée en vignes. 4 100 ha seulement des zones cultivées produisent vraiment du Costières, le reste n'ayant droit qu'au titre de vin de pays.

Cette région viticole fut d'abord reconnue comme VDQS en 1951, sous le nom de Costière-du-Gard, avant de passer en AOC en 1986. Pour éviter toute confusion avec le vin de pays du Gard, le nom a été changé en Costières-de-Nîmes à partir du millésime 1989.

L'appellation Costières-de-Nîmes est limitée aux terroirs qui bénéficient d'un sol particulier appelé grès, fait de graviers et de gros cailloux descendus des Alpes par la vallée du Rhône. Ces galets absorbent la chaleur du soleil au cours de la journée et la restituent la nuit aux vignes, ce qui accélère la maturation des raisins. Le sous-sol contient une grande proportion d'argile, qui retient l'eau et empêche la vigne de trop souffrir de la sécheresse pendant l'été. La proximité de la mer tempère le climat en apportant une certaine humidité qui diminue les effets de la canicule estivale.

Les cépages et les styles de vin

La liste des cépages autorisés ici est en perpétuelle évolution, comme dans bien d'autres vignobles du Midi. Jusque vers 1970, le Carignan dominait encore largement. Aujourd'hui, le Carignan a considérablement diminué et ne représente jamais plus de 40 % dans un assemblage. Depuis 1990, le Grenache compte pour un quart de tous les vins rouges, et le reste est fait de Cinsaut, de quantités croissantes de Syrah et d'un peu de Mourvèdre.

Les Costières-de-Nîmes sont avant tout des vins rouges, mais l'appellation produit du rosé et un peu de blanc, issu de Grenache Blanc, de Maccabeo, d'Ugni Blanc, de Rolle et de Bourboulenc. On commence à ajouter un peu de Marsanne et de Roussanne pour leurs arômes et leur caractère. On a aussi planté du Chardonnay, mais il n'est pour l'instant autorisé que pour les vins de pays.

Les vins des Costières-de-Nîmes ont le caractère épicé et végétal des herbes aromatiques méditerranéennes. Ils ont une certaine rondeur, mais pas forcément la puissance alcoolique des vins du Rhône, auxquels ils s'apparentent cependant. Ce ne sont pas des vins de grande garde et il est préférable de les boire jeunes.

Producteurs et négociants

Contrairement aux autres appellations du Midi, les Costières-de-Nîmes ne doivent pas grand-chose aux caves coopératives, qui ne vinifient qu'un tiers de la production. En revanche, il existe une centaine de propriétaires indépendants qui font de gros efforts pour améliorer la qualité de leurs vins et n'hésitent pas à tout arracher pour reconstituer leur vignoble avec de nouveaux cépages. Ils ont modifié leur façon de travailler la vigne – une plus grande densité de pieds à l'hectare donne de meilleurs résultats – et de faire le vin. Certains ont adopté la macération carbonique et l'élevage en barriques bordelaises. Le passage à l'appellation contrôlée n'a pas manqué de les encourager davantage. Les résultats sont évidents quand on goûte les vins des propriétés comme le Château de Beck, le Château de Rozier, le Château de Campuget, le Château de la Tuilerie, le Château Mourgues du Grès ou le Domaine du Vieux Relais.

Clairette de Bellegarde

Cette appellation est réservée aux vins blancs issus exclusivement de Clairette. Ce cépage est difficile à bien vinifier, mais, lorsque c'est le cas, il peut donner de bons vins secs et noisetés qui ne manquent ni de parfum ni de personnalité.

La production ne dépasse guère les 250 000 bouteilles. Elle vient principalement de la coopérative de Bellegarde et du Mas Carlot, où la famille Blanc en produit depuis plusieurs générations à côté de leur belle gamme de Costières-de-Nîmes et de vins de pays. ☐

LES VINS DE PAYS

On trouve surtout du vin de pays du Gard, mais le vin de pays des Coteaux Flaviens, qui doit son nom à l'empereur romain Flavien, couvre la même zone.
Il donne une forme d'identité aux plantations expérimentales de Merlot, de Cabernet-Sauvignon, et même aux excès du Carignan.
Les vins de pays des Sables du golfe du Lion se sont fait connaître grâce à leur Listel, marque déposée des Salins du Midi. À cheval sur les départements de l'Hérault et des Bouches-du-Rhône, leur centre de production réel se trouve dans le Gard. Plus de 65 % des vins sont vinifiés en rosés et connus sur place sous le nom de Grains de Gris.
Il existe aussi dix vins de pays de zone qui produisent principalement des vins rouges à l'intérieur du département.
Les plus connus sont le vin de pays du Mont Bouquet et le vin de pays des Coteaux du Pont du Gard.

SUD-OUEST

LE SUD-OUEST, QUI S'ÉTEND DE BERGERAC JUSQU'AUX PYRÉNÉES,
S'ENORGUEILLIT D'UNE GRANDE DIVERSITÉ DE VINS,
DUS À DE NOMBREUX CÉPAGES LOCAUX.

Le Château de Crouseilles, propriété de la coopérative de
Crouseilles-Madiran, a beaucoup contribué à redorer
le blason des vins de la région. Situé sur les contreforts
des Pyrénées, il produit un excellent Madiran.

Malgré la très grande diversité de styles qu'offre le Sud-Ouest français, les vins ont quelques caractères communs. La région de production correspond à peu près à l'ancienne province de Gascogne, s'étendant de la limite du département de la Gironde, au nord, jusqu'à la frontière espagnole, au sud. Les vignobles suivent le cours de rivières qui se jettent dans l'estuaire de la Gironde : Bergerac sur la Dordogne, Cahors sur le Lot, Gaillac sur le Tarn et Fronton, Buzet et Marmandais sur la Garonne. Vers l'est, en amont, sur les contreforts du Massif central, le vignoble se raréfie, tandis qu'au sud, au pied des Pyrénées, les régions viticoles ont une identité plus marquée.

Inévitablement, les vins de Bordeaux rouges et blancs servent de modèle et de source d'inspiration à la plupart des vins du Sud-Ouest. L'influence de Bordeaux s'est fait sentir sur le développement de la région, car, historiquement, les négociants bordelais ont dominé le commerce du vin des vallées de la Dordogne, du Lot et de la Garonne, région connue depuis le Moyen Âge sous le nom de haut pays. Ces vins étaient commercialisés en quantité considérable par les négociants de Bordeaux jusqu'à ce que la frontière géographique du vignoble bordelais soit limitée (en 1911) au seul département de la Gironde. L'arrêt de ce commerce ainsi que les ravages du phylloxéra ont frappé durement l'activité viticole du Sud-Ouest. Aujourd'hui, avec un souci de qualité de la part de caves coopératives très actives et d'une nouvelle génération de vignerons, la réputation du Sud-Ouest renaît. Les nombreux cépages traditionnels, auxquels se sont ajoutés ceux du Bordelais, y contribuent. Cette palette de cépages, que l'on ne trouve nulle part ailleurs, donne un caractère particulier à ces vins du Sud-Ouest. La région propose tous les styles de vin, des Gaillacs blancs secs et légers, nature ou pétillants, aux Monbazillacs riches et doux, en passant par les rouges souples de Bergerac et par les rouges solides et puissants de Madiran et Cahors. Le paysage, quant à lui, compte parmi les plus beaux de France et les mieux préservés. Les régions de Dordogne, du Lot, du Tarn, de Lot-et-Garonne, de Tarn-et-Garonne, du Gers et du Pays basque sont des havres de paix où il fait bon vivre, et où les bons vins accompagnent les meilleures tables de France.

LES RÉGIONS VITICOLES DU SUD-OUEST

Les vignobles de Bergerac, des Côtes de Duras et des Côtes du Marmandais sont voisins de ceux du Bordelais. Des vins comme ceux des Côtes de Buzet ressemblent à s'y méprendre à certains Bordeaux. En revanche, Cahors produit traditionnellement des vins robustes et tanniques. Au sud et à l'est de Cahors, les vignobles offrent une diversité de vins originaux. Enfin, les Pyrénées produisent une gamme de vins surprenants du fait de leurs cépages, des blancs moelleux du Jurançon aux rouges corsés du Madiran.

Régions viticoles

- Bergerac
- Montravel
- Rosette
- Pécharmant
- Saussignac
- Monbazillac
- Côtes de Duras
- Côtes du Marmandais
- Cahors
- Vins d'Entraygues et du Fel

- Vins d'Estaing
- Marcillac
- Côtes de Millau
- Côtes de Buzet
- Côtes du Brulhois
- Vins de Lavilledieu
- Côtes du Frontonnais
- Gaillac
- Tursan
- Côtes de St-Mont
- Madiran, Pacherenc-du-Vic-Bilh
- Béarn
- Jurançon
- Irouléguy

BERGERAC

Charmante ville d'une province riche en histoire, Bergerac se trouve au cœur des appellations du département de la Dordogne. L'agriculture y est prospère grâce aux récoltes de fraises, de tabac, de noix, de cèpes et de truffes. Les collines ondulent dans le prolongement naturel de celles de Saint-Émilion. La frontière entre les vignobles de Bordeaux et de Bergerac est purement administrative et se justifie plus par le découpage arbitraire des départements que par le relief.

Bergerac est l'appellation générique pour les vins rouges, blancs et rosés. Côtes-de-Bergerac, une appellation également régionale, désigne des vins rouges qui titrent un degré de plus que les autres (11 % vol au lieu de 10 % vol) ou des blancs moelleux. Les vins d'autres appellations ne peuvent provenir que de zones bien délimitées. Pécharmant est une petite enclave qui produit un vin rouge ; Monbazillac est le blanc moelleux le plus connu de la Dordogne.

Parmi les autres appellations de vins blancs, Rosette et Saussignac sont des appellations moins connues : leurs vins sont souvent reclassés en Bergerac ou Côtes-de-Bergerac, appellations qui se commercialisent plus facilement. Montravel a sa propre appellation pour les rouges et les rosés, ainsi que pour les blancs.

Le site, le climat et le sol
Les vignobles s'étendent de Saint-Émilion jusqu'à l'extérieur de Bergerac et regroupent 93 villages. Le climat qui règne sur cette région est similaire à celui du vignoble girondin. L'influence maritime de l'Atlantique rend les hivers doux et les pluies modérées. Bien que la température moyenne soit légèrement plus élevée, les gelées de printemps sont plus fréquentes, et les averses de grêle, plus violentes. La nature du sol est semblable à celle des vignobles de Bordeaux, et plus parti-

Rouffignac, commune de Monbazillac.

culièrement à celle du Saint-Émilionnais : un mélange de graviers, d'argile et de calcaire. Aujourd'hui, les vins du Bergeracois, et en particulier les blancs liquoreux, rivalisent avec la plupart des Bordeaux.

Les cépages
On retrouve les mêmes variétés de raisins que dans le Bordelais, ainsi que quelques autres cépages. Autrefois, les Bergeracs blancs étaient des assemblages comprenant deux tiers de Sémillon avec un tiers de Sauvignon Blanc, un peu de Muscadelle et d'Ugni Blanc. La tendance actuelle privilégie les Bergeracs secs et vifs avec une forte proportion de Sauvignon Blanc. L'Ugni Blanc a presque disparu.

Les Bergeracs rouges sont des assemblages de Cabernet-Sauvignon, de Cabernet Franc et de Merlot comme pour l'ensemble du vignoble bordelais. Le Malbec est parfois utilisé dans les vignobles de Pécharmant.

Les tendances actuelles
Les méthodes de vinification ont fait d'énormes progrès. Les températures de fermentation des vins rouges et

blancs sont plus soigneusement contrôlées. Des essais de macération et d'élevage sur lies ont apporté une nouvelle dimension aux vins blancs. Les viticulteurs s'intéressent de plus en plus aux barriques de chêne neuf pour l'élevage des vins, surtout les vins rouges, bien que leur usage soit très coûteux. L'influence d'une jeune génération de viticulteurs se ressent sur l'appellation : très motivés, certains remettent en question les principes de leurs parents. D'autres, nouveaux arrivants dans la région, n'ont pas d'idées préconçues. Ils essaient de limiter les rendements et font un gros effort pour améliorer la conduite de la vigne. En effet, ces vignerons, comme d'autres en France et à l'étranger, ont pris conscience que la qualité des raisins et leur condition sanitaire sont des facteurs beaucoup plus déterminants pour la qualité du vin en bouteilles qu'un matériel vinicole à la pointe de la technologie.

Les rouges de Pécharmant
Vin rouge le plus réputé de la Dordogne, le Pécharmant se distingue en général d'un Bergerac rouge par sa charpente, sa chair et son potentiel de vieillissement. « Pech » signifie « colline » en patois, donc « Pécharmant » signifie littéralement « la colline charmante ». Cette petite appellation, à l'est de Bergerac, englobe quatre villages dont les vignes, environ 300 ha, poussent sur des pentes douces exposées au sud.

Le sol, composé de graves sur argile et calcaire, est un terroir idéal pour le Malbec, ainsi que pour le Cabernet et le Merlot. Le Malbec n'est pas très répandu car il est sujet à la coulure, mais il peut jouer un rôle utile pour arrondir le vin et lui apporter un surplus de chair et de structure, à condition que ses rendements soient raisonnables.

Les meilleurs millésimes des meilleurs Pécharmants méritent un long séjour en cave. Pour souligner cette aptitude au vieillissement, la réglementation de l'AOC impose un minimum d'une année de cave en cuves, en barriques ou en bouteilles, avant toute commercialisation. Sur les quarante producteurs de Pécharmant, une quinzaine seulement produisent à eux seuls les trois quarts des vins de l'appellation. Ils utilisent quelquefois des barriques de bois neuf, une pratique nouvelle considérée autrefois comme trop coûteuse. La barrique contribue à la finesse des tanins ainsi qu'au potentiel de vieillissement des vins. Les caves se sont progressivement équipées avec, par exemple, le matériel nécessaire pour assurer un contrôle des températures en cours de fermentation. Certains domaines, tout comme leurs voisins bordelais, commercialisent aujourd'hui un second vin de leurs jeunes vignes ou de leurs cuvées moins réussies.

Les vins liquoreux de Monbazillac

Le Monbazillac, grand vin liquoreux de Dordogne, a besoin, tout comme le Sauternes, du développement de la pourriture noble, ou *Botrytis cinerea,* pour rôtir les grappes et atteindre l'apogée de la qualité. Les vignobles, qui s'étendent au sud de la Dordogne répartis sur cinq villages, couvrent 3 400 ha. Ils sont, pour la plupart, exposés au nord, ce qui peut paraître surprenant à première vue, mais, faisant face à la rivière, ils bénéficient des brumes automnales qui favorisent le développement de la pourriture noble. Les Monbazillacs sont élaborés à partir des mêmes cépages que les vins liquoreux du Bordelais, en général dans les proportions de 73 % de Sémillon, 15 % de Sauvignon Blanc et 12 % de Muscadelle.

Le Monbazillac d'un bon millésime, comme 1997 ou 2001, compte parmi les grands vins liquoreux français, opulent avec une concentration d'arômes caractéristique de la pourriture noble et un important potentiel de vieillissement.

Malheureusement, la réputation du Monbazillac a souffert autrefois de certaines pratiques douteuses. Depuis, les producteurs ont consacré les efforts nécessaires pour améliorer la qualité et la réputation du Monbazillac, avec une volonté de promouvoir la renaissance de l'appellation.

Les vins liquoreux de Saussignac

Le Saussignac, anciennement Côtes-de-Saussignac, est généralement un vin blanc moelleux. Il arrive, dans les meilleurs millésimes comme 2001, qu'il soit aussi riche et aussi liquoreux qu'un grand Monbazillac. Avant que cette appellation n'existe, ce vignoble était dans l'aire délimitée de Monbazillac. Le sol et le microclimat s'y ressemblent beaucoup. Aujourd'hui, l'appellation est restreinte à cinq communes, Gageac, Rouillac, Monestier et Razac-de-Saussignac outre Saussignac même. Depuis 1990, cette nouvelle appellation s'est fait connaître et apprécier par un public de plus en plus large.

Les cépages sont ceux du Monbazillac, avec une forte proportion de Sémillon et un peu de Sauvignon Blanc et de Muscadelle. Les techniques de vinification varient selon le niveau de technologie du domaine, mais, en général, les raisins sont récoltés le plus tard possible. Pour le Saussignac classique, l'équilibre idéal est de 12 % vol d'alcool pour 2,5 % vol de sucres résiduels. Un Saussignac moelleux est sans grand caractère, tandis qu'un Saussignac liquoreux peut être une grande bouteille.

Montravel

En 2002, Montravel s'est séparé de Bergerac, même pour les vins rouges et rosés qui restent néanmoins dans le style bergeracois. Les vins blancs qui, dans le passé, étaient commercialisés tantôt sous l'étiquette de l'appellation Bergerac ou Côtes-de-Bergerac, tantôt sous celle des appellations de Montravel, portent désormais plus souvent le nom de Montravel sur l'étiquette.

En blanc, on distingue trois appellations. AOC Montravel est un vin sec pouvant provenir de quinze villages ; Côtes-de-Montravel est le vin moelleux produit dans les mêmes villages. Le vignoble du Haut-Montravel, situé à part, regroupe cinq villages dont Fougueyrolles, qui se trouve au centre. Le vin est moelleux, encore plus opulent que les Côtes-de-Montravel ; on l'élabore à partir de raisins très mûrs, à défaut de pourriture noble.

Rosette

La minuscule appellation Rosette, qui constitue une anomalie en quelque sorte, est à même de survivre. Officiellement, l'appellation s'étend sur quelques villages au nord du bourg de Bergerac. Tout comme l'AOC Saussignac ou Montravel, elle désigne surtout un vin blanc demi-sec, vendu le plus souvent sous l'appellation Côtes-de-Bergerac. □

LA RENAISSANCE DE MONBAZILLAC

Un bon Monbazillac exige le même travail que les vins liquoreux de Gironde, avec une conduite identique de la vigne, des vendanges par tris successifs et une vinification sous haute surveillance.

Les vendanges manuelles avec tris successifs sont devenues obligatoires à partir du millésime 1992. Le degré minimal potentiel d'alcool est passé de 13 % vol à 14,5 % vol, bien que 20 % vol soient indispensables pour éviter tout recours à la chaptalisation. Dans les grandes années, on obtient un degré encore supérieur. Tout vin qui n'atteint pas le degré potentiel d'alcool requis est aujourd'hui déclassé en Côtes-de-Bergerac moelleux. Les producteurs qui persistent à utiliser les machines à vendanger sont désormais obligés de déclarer leurs vins en Côtes-de-Bergerac, et non plus en Monbazillac.

Plusieurs tris sont effectués au cours des vendanges alors que les rendements se trouvent déjà limités à des niveaux raisonnables. Ils peuvent descendre à 20 hl/ha et ne doivent jamais dépasser 40 hl/ha, le maximum absolu. La plupart des producteurs vinifient dans des cuves d'acier inoxydable et soutirent leurs vins avant de les élever pendant quelques mois dans des foudres ou des barriques. D'autres préfèrent commencer la fermentation en foudre, puis transférer, en cours de fermentation, en barriques, où le vin est gardé ensuite pendant dix-huit mois environ.

PRODUCTEURS ET NÉGOCIANTS

La région de Bergerac représente environ 11 900 ha en AOC. De nombreux producteurs déclarent leurs récoltes sous les appellations génériques. D'autres, tout particulièrement dans la région de Monbazillac, se spécialisent dans l'appellation locale.

Domaine de l'Ancienne Cure

La renommée du domaine repose aujourd'hui sur son Monbazillac, qui se trouve parmi les meilleurs de cette appellation de plus en plus importante. Mais il ne faut pas non plus manquer ses bons rouges aromatiques, ni son blanc, un Bergerac sec issu à 100 % de Sauvignon provenant d'un vignoble à Colombier.

Château Belingard

Le comte Laurent de Bosredon, le propriétaire de ce château, représente l'enthousiasme contagieux et une volonté de remettre en question les idées reçues typique de la génération actuelle des propriétaires récoltants. Il fait des essais de macération pelliculaire et d'élevage sur lies en barriques.

Sa gamme de vins est fort intéressante : un Bergerac blanc sec d'une agréable vivacité, un Bergerac rouge concentré, un Monbazillac blanc liquoreux. Ses meilleurs vins portent l'étiquette Blanche de Bosredon, en l'honneur de sa grand-mère, décédée au début des années 1990 à l'âge de 102 ans.

Domaine des Costes

Nicole et Jean-Marc Dournel ont créé en Pécharmant un vignoble exceptionnel. Avec leur terroir magnifique aux portes de Bergerac et grâce à leur savoir-faire dans le chais, ils ont réussi à se rapprocher de la tête du peloton. Les vins des Dournel démontrent à la perfection la typicité de l'AOC Pécharmant.

Château Masburel

Olivia Donnan et son mari ont racheté cette propriété en 1997 et rénové entièrement le vignoble. Ils se sont fait une réputation de vignerons de premier rang, élaborant des Montravels et des Bergeracs dans les trois couleurs, ainsi qu'un Haut-Montravel doux.

Cave Coopérative de Monbazillac

Le Château de Monbazillac appartient à la coopérative, de même que quatre autres châteaux : Septy, La Brie, Pion et Marsalet. Le vin (2 millions de bouteilles par an) est vinifié dans des installations modernes.

Château de Tiregand

Le domaine phare de l'appellation Pécharmant appartient à la famille Saint-Exupéry, cousins de l'auteur du *Petit Prince*, cousins également des propriétaires du Domaine de Pech Céleyran de La Clape (voir Midi, p. 293). Ils possèdent 40 ha de vignes à Tiregand : Merlot (45 %), Cabernet-Sauvignon, Cabernet Franc et un peu de Malbec, et produisent deux vins rouges, dont l'un est un assemblage de Malbec, et de vins de jeunes vignes. L'utilisation d'un petit pourcentage de barriques neuves contribue à la qualité et à la longévité des Pécharmants.

Château Tirecul-la-Gravière

M. et Mme Bilancini ne font que des Monbazillacs à partir de leurs 9 ha d'un seul tenant, situés au cœur de l'appellation. Mais quels Monbazillacs ! Avec une forte proportion de Muscadelle (jusqu'à 50 %) et un rendement minuscule de 11 hl/ha, leur Cuvée Madame se vend plus cher que la plupart des grands Sauternes. Ici, les vins sont fermentés en barriques, renouvelées pour moitié chaque année.

Château Tour des Gendres

Lorsqu'une appellation a la chance de disposer d'une « locomotive », le niveau d'ensemble des vins est tiré vers le haut. Alain Brumont l'a démontré à Madiran. Luc de Conti, au Château Tour des Gendres, joue ce rôle dans le Bergeracois. Tant ses vins blancs que ses vins rouges sont exceptionnels. Ce résultat est obtenu par le soin extrême apporté à la culture de la vigne, par la vendange de raisins idéalement mûrs et par une vinification perfectionniste adaptée à chaque type de vin.

Clos Les Verdots

Appelé jadis Berdeaux, Verdots est aussi le nom de la rivière souterraine dont le cours sinueux traverse la cave, creusée dans le calcaire, de la propriété. David Fourtout fait dans son chais impressionnant une gamme de Bergeracs de premier rang, ainsi que du bon Monbazillac.

Autres producteurs

Les domaines suivants sont réputés pour leurs Monbazillacs : Clos Bellevue, Ch. La Borderie, Ch. Le Fagé, Ch. Poulvère et Ch. de Theulet ; pour leurs Saussignacs : Ch. Court-les-Mûts, Ch. des Eyssards et Ch. Les Miaudoux ; pour leurs Montravels : Ch. Roque-Peyre, Ch. Puy-Servain, Ch. de Raz et Domaine de Gouyat ; pour leurs Pécharmants : Dom. des Bertranoux et Haut-Pécharmant, Ch. Champarel et Ch. Terre Vieille ; et pour leurs Bergeracs génériques : Domaine Constant et Ch. de la Colline, Ch. Grinou, Ch. de la Mallevieille, Ch. Le Paradis et Clos d'Yvigne.

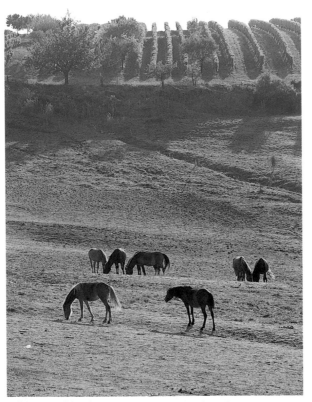

Les vignobles de Monbazillac surplombant la Dordogne.

DURAS, MARMANDAIS, BUZET

Duras, petite ville dotée d'un splendide château, regarde vers l'ouest les vignobles du Bordelais. Seule la limite du département sépare ses vignes de celles de l'Entre-deux-Mers, tandis qu'au nord-est ses vignobles voisinent avec ceux de Bergerac ; les vins de Duras reflètent cette proximité. Également adjacent aux vignobles du Bordelais, le Marmandais s'étend directement au sud, alors que Buzet se trouve au sud-est, le long de la vallée de la Garonne. Le climat ressemble beaucoup à celui de Bordeaux, peut-être plus chaud et plus sec, mais tout aussi sujet à la grêle et aux gelées de printemps. Le sol est un mélange d'argile, favorable aux raisins rouges, et de calcaire, favorable aux raisins blancs. Le sol du Marmandais contient également du silex et du gravier, qui contribuent à la production de vins rouges de qualité.

Côtes-de-Duras

L'AOC Côtes-de-Duras date de 1937, époque où les vins blancs dominaient la production de la région. La réglementation autorise des vins blancs secs et moelleux ainsi que des vins rouges et rosés (en quantité négligeable). Depuis les années 1970, la production de vins rouges a dépassé celle des vins blancs.

Les principaux cépages blancs regroupent le Sauvignon Blanc, le Sémillon et la Muscadelle. Mauzac, Chenin Blanc, Ugni Blanc et Ondenc sont également autorisés, mais on ne les rencontre que rarement. L'assemblage des vins rouges se fait avec du Cabernet-Sauvignon, du Merlot, du Cabernet Franc et du Malbec. Il arrive que le Merlot soit majoritaire.

Le Côtes-de-Duras blanc était autrefois un vin sans caractère marqué, avec un peu de sucres résiduels, élaboré surtout à partir du cépage Sémillon. Aujourd'hui, au contraire, grâce à l'amélioration des méthodes de vinification, les meilleurs blancs sont issus à 100 % de Sauvignon Blanc et possèdent du fruit et une bonne acidité. Ils suivent ainsi la mode des vins plus frais et plus secs. Les raisins les plus mûrs, d'habitude ceux du cépage Sémillon, entrent dans l'assemblage des Côtes-de-Duras moelleux, qui gardent quelques degrés de sucres résiduels. La vinification en rouge suit les méthodes bordelaises, avec un élevage de

PRODUCTEURS ET NÉGOCIANTS

Dans ces régions, les caves coopératives sont les plus importantes unités de production.

Côtes-de-Duras

La coopérative de Berticot-Landerrouat produit à elle seule la moitié du volume de l'appellation. Parmi la cinquantaine de domaines privés, on peut remarquer le Domaine Amblard, le Domaine Durand, le Domaine de Ferrant, le Domaine de Laulan et le Domaine du Vieux Bourg.

Côtes-du-Marmandais

Deux coopératives, Cocumont au sud et Beaupuy au nord, dominent l'appellation. Cocumont, la plus moderne et la plus dynamique des deux, produit des vins dont la qualité reflète bien l'appellation. Mais c'est un producteur indépendant, Elian da Ros (Clos Bacquey), qui est la vedette de l'appellation.

Buzet

Les Vignerons Réunis des Côtes de Buzet (connus aujourd'hui sous le vocable « Les Vignerons de Buzet ») comptent parmi les caves coopératives les plus efficaces et les plus impressionnantes de France. Cette coopérative produit la majorité des vins de Buzet. Elle emploie son propre tonnelier.

Château de Gueyze, Château de Padère et Château Mazelières sont trois domaines individuels dont le vin est vinifié à la coopérative.

Parmi les producteurs indépendants, on peut noter le Domaine du Pech ainsi que le Château de Savagnères, le Château du Frondat et le Château des Tournelles.

12 à 18 mois en cuves, suivi quelquefois d'un élevage en barrique. Le vin ressemble à un jeune Bordeaux avec un agréable goût de cassis.

Côtes-du-Marmandais

Marmande, dans la vallée de la Garonne, est un centre de culture maraîchère. Les vignes y côtoient des champs de fruits et de légumes. Comme à Duras, peu de propriétaires vivent uniquement de la viticulture. L'AOC Côtes-du-Marmandais produit surtout des vins rouges.

Les ravages causés par le phylloxéra au siècle dernier ont entraîné une replantation de vignes hybrides jusqu'en 1950 environ. Les efforts entrepris pour faire renaître le vignoble ont été récompensés en 1955 par le statut de VDQS. En 1983, les cépages rouges ont été limités à un maximum de 75 % de Merlot, Cabernet Franc et Cabernet-Sauvignon, et un maximum de 50 % de Cot, Fer Servadou, Gamay, Syrah et Abouriou (voir p. 296). Il existe également un rosé, en petite quantité, ainsi qu'un vin blanc, issu principalement du Sauvignon Blanc et complété de Sémillon et de Muscadelle.

Buzet

Bien que les vins blancs et rosés soient autorisés dans la réglementation de l'appellation, ce sont les vins rouges qui dominent à Buzet (dénommé Côtes-de-Buzet jusqu'au millésime 1988). Le village est situé sur la rivière Baïse, affluent de la Garonne. Les vignobles s'étendent sur la rive sud du fleuve, entre Agen et Marmande. Les cépages, les rendements et la qualité des millésimes sont calqués sur ceux de Bordeaux : Cabernet-Sauvignon, Cabernet Franc, Merlot et un peu de Malbec pour les rouges ; Sémillon, Sauvignon Blanc et Muscadelle pour les vins blancs.

Ici aussi, la renaissance du vignoble date des années 1950 : le statut de VDQS, donné en 1953, a été suivi par l'attribution d'une AOC en 1973.

CAHORS

Le Cahors, un des meilleurs vins rouges du sud-ouest de la France, provient de la vallée du Lot, plus particulièrement de l'ouest de la ville ancienne de Cahors. Au XIXe siècle, il était connu comme un vin de garde, à boire après des années de cave, avec du gibier.

Aujourd'hui, parmi les vins de Cahors, on trouve des différences marquées de structure et de style. Les meilleurs, aptes à un long vieillissement, sont riches en fruit et en tanins, alors que d'autres, plus légers, sont destinés à une consommation rapide, au cours de leurs premières années. Si l'appellation Cahors est exclusivement rouge, cela n'empêche pas quelques cultures expérimentales de cépages blancs, tels le Viognier et le Chardonnay, entre autres, dont les vins sont actuellement commercialisés en vin de table.

La région de Cahors a beaucoup souffert pendant la crise du phylloxéra ; de nombreux vignobles ont été alors abandonnés. En 1951, Cahors s'est vu attribuer le statut de VDQS, avant de perdre une partie de ses vignes à la suite des gelées de 1956. La région n'a commencé à revivre que dans les années 1960 et cette renaissance a été récompensée par la création d'une AOC en 1971. Depuis, le vignoble s'est considérablement agrandi, passant de 200 ha au début des années 1960 à 4 300 ha de nos jours. Cette superficie représente le maximum réalisable et correspond à l'aire plantée avant le phylloxéra. Les vignobles de Cahors, qui regroupent 45 villages, s'étendent maintenant sur 40 km jusqu'à Fumel à l'ouest.

Le site, le climat et le sol
Le climat subit l'influence de la Méditerranée et de l'Atlantique, car la ville se trouve à distance égale des deux. Sa situation à l'intérieur des terres explique les étés plus chauds et plus secs que ceux du Bordelais, et, pourtant, on redoute les gelées de printemps et la grêle. La

Le sulfatage des vignes.

topographie accidentée des vignobles crée une variété de microclimats. Le Lot a creusé une vallée très sinueuse, à tel point que, parfois, il semble rebrousser chemin, formant ainsi des boucles très larges. Les vignes poussent en terrasses sur les flancs de la vallée et sur les plateaux, ou causses, qui la surplombent.

Un grand débat concerne le sol et la situation de certains vignobles. Il existe deux types de terrains. Les vignobles les plus élevés sont situés sur les causses, plateaux arides qui dominent la vallée ; le sol est composé de craie et de pierre, avec une mince couche de sol arable. En dessous, trois terrasses occupent les flancs de la vallée, dont la plus basse, tout près de la rivière, se trouve sur des terres d'alluvions fertiles. Le sol est alors composé d'argile et de craie en proportion variable, avec du sable, du gravier et de la roche en décomposition. Certains affirment que les vins des causses, qui proviennent des vignes plantées en sol mince et crayeux, possèdent une plus belle structure, alors que d'autres trouvent les vins des coteaux graveleux plus ronds et plus subtils.

Une étude détaillée du terroir de Cahors, qui prend en considération non seulement le sol et le sous-sol mais aussi l'approvisionnement en eau, pourrait un jour donner naissance à un classement des crus. Pourtant, d'autres facteurs influencent le goût des Cahors, en particulier les méthodes de vinification de chaque producteur.

Les cépages
Dans le Sud-Ouest, seul Cahors interdit le Cabernet-Sauvignon et le Cabernet Franc pour les vins de l'AOC. L'assise du vin est le Malbec, connu localement sous le nom d'Auxerrois ; l'appellation exige qu'il entre pour un minimum de 70 % dans le vin, seuil souvent dépassé ; on atteint parfois les 100 %. Les cépages Merlot et Tannat apportent un complément d'équilibre.

C'est l'Auxerrois qui confère au Cahors son caractère robuste et solide et sa bonne structure tannique. Il est très sujet à la coulure, ce qui engendre de grandes fluctuations au niveau du volume de la récolte. Le Merlot adoucit l'Auxerrois, en l'arrondissant. Le Tannat, cépage tardif, apporte un supplément de tanins. Les avis diffèrent quant à sa valeur, certains prétendant qu'il ne fait qu'accentuer les défauts de l'Auxerrois.

La vinification
Pendant que le vignoble s'agrandissait, les techniques de vinification se sont considérablement modernisées. Les cuves en acier inoxydable ont remplacé en partie celles en ciment, les barriques bordelaises ont pris la place des vieux fûts. Certains producteurs prolongent les fermentations afin d'obtenir une plus grande extraction ou font fermenter séparément les différents cépages avant de les assembler avec soin. Les viticulteurs pratiquent une sélection sévère des raisins et produisent dans certains cas deux vins : une cuvée normale et une cuvée de prestige. □

PRODUCTEURS ET NÉGOCIANTS

Il existe quelque deux cents producteurs-embouteilleurs à Cahors, certains bien établis, d'autres appartenant à une nouvelle génération de producteurs. Quelques négociants possèdent également des vignes. Une centaine de vignerons environ vendent leur vin à des négociants.

Domaine de la Bérangeraie
La famille Béranger ne possède que 8 ha, mais leurs Cahors sont bien connus pour leur authenticité. Absence d'herbicides et d'engrais chimiques, récoltes manuelles, vinification traditionnelle mais sans filtration, élevage en béton sans fûts définissent le caractère de ces vins de longue garde. Il y a deux cuvées : Juline, que le Merlot rend plus précoce, et Maurin, plus masculin.

Château du Cèdre
Charles Verhaeghe a hissé ses Cahors au premier rang. Que ce soit le « normal », le Prestige ou le Cèdre, on s'arrache ses vins. Ils ont la couleur du vin noir (ainsi appelait-on le Cahors), sont charnus, concentrés et leurs tanins sont fins. La vinification exploite les techniques les plus modernes et l'élevage est raffiné. Du très beau travail.

Les Côtes d'Olt
La coopérative de Cahors produit à elle seule environ un tiers des vins de l'appellation, avec une variété de vins allant d'un Cahors classique et charpenté à des vins plus légers et fruités. Ses caves sont équipées de cuves en acier inoxydable, mais quelques-uns de ses meilleurs vins passent par des barriques.

Clos la Coutale
Ce domaine, au bord du fleuve, près du village de Viré-sur-Lot, appartient à la famille Bernède, installée ici depuis une centaine d'années. Il évolue avec l'époque et bénéficie maintenant de l'installation de cuves d'acier inoxydable qui permettent de contrôler les températures de fermentation. Le vin semble arriver à maturité assez vite. Il s'avère souvent excellent dans les millésimes moyens comme 1999 ou 2002.

Clos de Gamot
La famille Jouffreau, propriétaire de ce superbe domaine depuis 1610, a beaucoup œuvré pour la renaissance des vins de Cahors. Son vignoble est constitué exclusivement d'Auxerrois, avec des parcelles centenaires, ce qui explique que le Clos-de-Gamot soit un vin de longue garde. La famille Jouffreau est aussi propriétaire du Château du Cayrou et d'un vignoble minuscule sur le causse, qui produit une cuvée de phare, appelée Clos Saint-Jean.

Château Lamartine
C'est de façon spectaculaire que Alain Gayraud, propriétaire de 28 ha, a porté ce vignoble à la réussite. Les vignes sont plantées en terrasse au-dessus de la vallée du Lot, à Soturac, aux limites ouest de l'appellation. À remarquer surtout sa Cuvée Expression, issue à 100 % d'Auxerrois, un vin moderne qui a gagné une renommée internationale grâce à son élégance et à sa finesse ainsi qu'à sa puissance. Les cuvées plus traditionnelles ne sont pas à négliger.

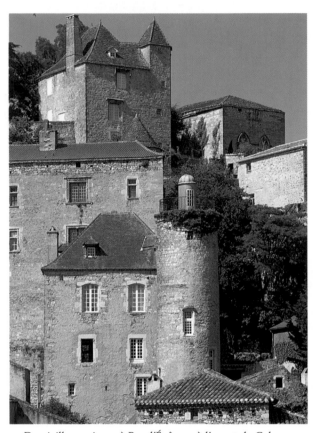

De vieilles maisons à Puy-l'Évêque, à l'ouest de Cahors.

Château la Reyne
C'est la cinquième génération de la famille Vidal qui a récemment pris la relève dans cet excellent domaine. L'étoile de ce vignoble monte vite grâce au travail fait par Johan Vidal. Ce jeune vigneron produit un vin plus moderne, dont la Cuvée Prestige jouit d'un élevage en fût bien maîtrisé.

Château Triguedina
Jean-Luc Baldès représente la neuvième génération de sa famille à être propriétaire de ce domaine de 41 ha. Son vin classique est fait avec 25 % de Merlot, ce qui lui donne une agréable souplesse. La cuvée de prestige Prince Probus est issue d'Auxerrois à 100 %. Jean-Luc fait aussi un vin dans le style d'autrefois, le New Black Wine, ainsi que différents vins de pays, dont un moelleux remarquable à base de Chenin Blanc.

Producteurs et négociants
Parmi les anciens combattants de l'appellation, citons le Château de Caminade, le Domaine d'Eugénie, le Château de Goudou, le Domaine de Pineraie et le Domaine des Bateliers, qui ont tous une bonne réputation. Parmi les cadets, on peut remarquer le Domaine de Cause, le Domaine de Causse-Maisonneuve et le Domaine des Savarines (production biologique). Quelques négociants ont acheté des domaines pour devenir producteurs eux-mêmes. Dans un mouvement inverse, quelques éleveurs se sont lancés dans le négoce. Citons Georges Vigouroux (Château Haute-Serre et Château de Mercuès), les frères Rigal (Château Saint-Didier et Château de Grézels ainsi que le Prieuré de Cénac), Alain-Dominique Perrin (Château de Lagrézette) et Marc Delgoulet (Château de Chambert).

GAILLAC ET FRONTON

La région du sud de Cahors (départements du Tarn, du Tarn-et-Garonne et du Lot-et-Garonne) s'enorgueillit de deux vignobles AOC, Gaillac et Fronton, et de deux VDQS, Vins de Lavilledieu et Côtes-du-Brulhois. L'emplacement de ces vignobles les soumet à diverses influences. Influences climatiques tout d'abord : la Méditerranée toute proche leur apporte chaleur estivale et vents secs, l'océan Atlantique leur envoie la pluie et le Massif central est responsable des hivers froids et des gelées printanières. Influence des cours d'eau, ensuite, qui non seulement ont donné leurs noms aux départements mais engendrent une multitude de microclimats. Enfin, influence des sols très variés, qui permettent à ces régions de cultiver la plupart des cépages propres au Sud-Ouest.

GAILLAC

Vignoble le plus ancien du Sud-Ouest, puisque les Gallo-Romains ont commencé à le cultiver au Iᵉʳ siècle, Gaillac constitue aussi l'une des appellations les plus variées. Il est classé AOC dès 1938 pour ses vins blancs et il faut attendre 1970 pour que les vins rouges et rosés entrent dans l'appellation. Pourtant, c'est le vin rouge qui constitue actuellement l'essentiel de la production (60 %).

Le vignoble s'étend sur 73 villages du Tarn, autour de Gaillac, au nord-est de Toulouse. Albi marque la scission de l'appellation, avec quelques vignes situées dans 7 villages autour de Cunac, à l'est de la ville.

Quelques villages de la rive droite du Tarn (Broze, Cahuzac-sur-Vère, Castanet, Cestayrols, Fayssac, Lisle-sur-Tarn, Montels et Senouillac) sont autorisés à utiliser l'appellation Gaillac Premières Côtes pour leurs vins blancs doux, riches et aromatiques. En théorie, ces vignes doivent être mieux agencées et avoir un rendement plus faible (40 hl/ha au lieu de 45 hl/ha). En pratique, peu de producteurs utilisent cette distinction.

La composition des sols du vignoble de Gaillac est des plus variées : mélange d'argile et de calcaire sur la rive droite du Tarn, contre sable et gravier alluviaux sur la rive gauche. D'un côté, par exemple sur les vignobles en terrasses qui entourent le pittoresque village de Cordes, au nord de l'appellation, le sol est très riche en calcaire, ce qui est idéal pour les vins blancs. De l'autre côté, comme à l'ouest d'Albi, où le sol se compose de sable et de gravier, les conditions sont remplies pour la production de vins rouges très élégants.

Les cépages

Gaillac possède une multitude de cépages, ce qui explique la grande diversité de ses styles de vins. Les cépages traditionnels du Bordeaux, Muscadelle et Sauvignon, coexistent avec les cépages locaux comme le Mauzac, pour les vins blancs. Ce dernier, le plus ancien de Gaillac, peut composer un vin plus ou moins sec suivant son degré de maturité. Le Loin de l'Œil a pris une importance croissante. Un vignoble de blanc doit comprendre au moins 15 % de Sauvignon ou de Loin de l'Œil, ou bien un mélange des deux.

Dans les cépages rouges, c'est le Duras qui prend largement la tête, suivi du Fer Servadou (appelé localement Braucol), de la Syrah et, pour les primeurs, du Gamay, l'ensemble de ces cépages devant représenter 60 % au minimum de chaque vignoble de rouge, complété par du Merlot, du Cabernet Franc ou du Cabernet-Sauvignon.

Les styles de vin

Le vin blanc de Gaillac épouse tous les styles : sec, doux ou moelleux, tranquille, mousseux ou perlé. Le perlé est un vin blanc sec traditionnel. Pour le produire, il faut garder un peu de gaz carbonique de la fermentation malolactique lors de la mise en bouteilles. Dans le verre, les bulles ressemblent à des perles, d'où son nom.

Le Mousseux est élaboré soit selon la méthode champenoise, soit selon la méthode gaillacoise, ou méthode rurale dans d'autres régions de France. À l'origine, on interrompait la fermentation en immergeant les barriques dans de l'eau glacée. Aujourd'hui, on utilise une réfrigération électrique. Après la mise en bouteilles, la fermentation reprend au printemps suivant.

Le moelleux provient de raisins cueillis tardivement, lorsqu'ils sont très mûrs. La fermentation, très lente, est interrompue pour permettre au vin de garder son goût sucré. La teneur en sucres résiduels du Gaillac doux est de 75 grammes par litre, tandis que celle du moelleux est laissée à la libre appréciation de chaque éleveur.

Deux styles de Gaillac rouge, tous deux issus de Duras, se démarquent comme les plus typiques. Dans le premier, on ajoute du Fer Servadou pour la structure et de la Syrah pour la couleur tandis que, dans le second, moins courant aujourd'hui, on mélange du Merlot et du Cabernet. Un Gaillac rouge supporte de vieillir un peu, mais se consomme plutôt jeune.

Le Gaillac rouge nouveau ou primeur, issu de raisins Gamay soumis à une macération carbonique, est une alternative agréable au Beaujolais Nouveau.

FRONTON

Sur un plateau situé entre le Tarn et la Garonne, la petite région de Fronton produit du vin rouge et un peu de rosé.

La composition du sol est si typique qu'elle suffit à délimiter la zone d'appellation. Elle oscille entre le rouget, gravier rouge additionné d'un fort pourcentage de fer, qui est considéré

Le Château de Lastours fait partie des grands producteurs de Gaillac.

comme le terroir idéal, et les boulbènes limoneuses à base d'argile décomposée. Le Fronton tire son fruité caractéristique de la Négrette, qui doit entrer pour 50-70 % dans sa composition. Le vin ainsi obtenu est souple et fruité, avec une faible densité de tanin : il a tendance à s'oxyder facilement et à vieillir rapidement. Il faut donc le mélanger à d'autres cépages capables de vieillir, comme le Cabernet-Sauvignon, le Cabernet Franc, généralement privilégié, et le Fer Servadou. La part de chacun est plafonnée à 25 %. On trouve des vins de Négrette pure mais, d'un point de vue technique, ils ne sont pas conformes à l'appellation.

LAVILLEDIEU

À l'ouest de la ville de Montauban, au nord-ouest des Côtes du Frontonnais, se trouve une petite région vinicole comptant 12 villages regroupés autour de La Ville-Dieu-du-Temple.

Ce vignoble de 150 ha a été classé VDQS en 1954 pour le vin rouge et le vin rosé, produits à partir de Négrette, Gamay, Cabernet Franc, Syrah et Tannat, mais de nombreux vignerons se cantonnent à la production de vins de pays et de vins de table. La coopérative locale vinifie presque la totalité du VDQS Lavilledieu.

CÔTES-DU-BRULHOIS

Promus VDQS en 1984 après avoir été de simples vins de pays, les Côtes-du-Brulhois couvrent deux petites zones coupées en deux par la Garonne (sud-est du Lot-et-Garonne et ouest du Tarn-et-Garonne). Le terme « Brulhois » vient du verbe « brûler », qui se réfère à une tradition locale utilisée pour la distillation. La patrie de l'Armagnac est toute proche !

L'appellation VDQS concerne le vin rouge et un peu de rosé, mais pas de blanc. Les cépages principaux sont le Cabernet-Sauvignon, le Cabernet Franc et le Tannat ainsi que, de façon plus restreinte, le Merlot, le Malbec et le Fer Servadou. Les méthodes de vinification sont simples, avec fermentation et stockage dans des cuves de ciment, pour un vin rouge rustique. Deux coopératives et une poignée de producteurs indépendants assurent la vinification des raisins récoltés sur 200 ha. □

PRODUCTEURS ET NÉGOCIANTS

À Gaillac, comme dans les plus petites zones du Fronton, des Vins de Lavilledieu et des Côtes-du-Brulhois, les coopératives faisaient jadis la pluie et le beau temps. Désormais, les vignerons indépendants occupent une place importante.

Gaillac

Une centaine de producteurs indépendants rivalisent avec trois coopératives qui restent toujours importantes : la Cave de Labastide-Lévis et la Cave de Rabastens sont les plus grandes ; la Cave de Técou, la plus petite, est la meilleure.

Parmi les vignerons individuels, citons le Vignoble Robert Plageoles et Fils pour leur remarquable gamme de vins à base de Mauzac et pour leur promotion de vieux cépages comme l'Ondenc et le Prunelard, le Domaine Causse-Marines, apôtre de Plageoles, le Domaine de la Ramaye, un autre bastion de la typicité, le nouveau Château de Palvié, le Domaine de la Chanade, le Château d'Arlus, le Domaine Labarthe, le Mas Pignou, le Domaine Rotier, le Domaine de Gineste et le Domaine de Pialentou, le Domaine Barreau et le Domaine Salvy. Pour les rouges, citons surtout les Domaines de Larroque et Cailloutis ; pour les vins doux, Château de Mayragues, Mas de Bicary et les Domaines de Long-Pech et Borie-Vieille (beau vin de pays en Muscadelle).

Fronton

Autrefois, l'appellation était divisée en deux : Côtes-de-Frontonnais et Côtes-de-Villaudric, chaque zone ayant sa propre coopérative. Aujourd'hui, l'appellation s'appelle tout simplement Fronton, et la seule coopérative se trouve dans le village de Fronton même.

Parmi la cinquantaine de bons producteurs, citons le Château Bellevue-la-Forêt, le plus grand domaine, qui a donné à Fronton ses lettres de noblesse, le Château Bouissel, le Château Cahuzac, le Domaine Caze, le Château la Colombière, le Château Coutinel, le Domaine de Joliet, le Château la Palme, le Château Plaisance, le Château le Roc et le Domaine de Saint-Guilhem.

Côtes-du-Brulhois

Outre les coopératives de Goulens et de Donzac, on citera le Château la Bastide et le Domaine de Coujétou-Peyret.

PYRÉNÉES

Les vins produits dans les contreforts des Pyrénées se caractérisent par leur particularisme régional, qu'ils tiennent à conserver. Dès le IXᵉ siècle, les vins de Gascogne, du Béarn et du Pays basque se font un nom en désaltérant les pèlerins en route vers Saint-Jacques-de-Compostelle. En 1553, ils entrent dans l'histoire de France par la grande porte, avec le baptême au Jurançon d'Henri IV, futur roi de France. Aujourd'hui, les départements du Gers, des Landes et des Pyrénées-Atlantiques ont cinq AOC (Jurançon, Madiran, Pacherenc-du-Vic-Bilh, Irouléguy et Béarn) et deux VDQS (Côtes-de-Saint-Mont et Tursan). On ne peut pas parler d'un climat, mais de plusieurs climats, soumis à la fois à l'influence des montagnes et à celle de l'océan Atlantique, et qui se subdivisent en une multitude de microclimats et de sols.

JURANÇON

Les vignobles du Jurançon sont situés au pied des Pyrénées, à une altitude moyenne de 300 m, au sud de Pau. L'appellation s'étend sur 700 ha, soit 25 villages, dont Jurançon, perdu aujourd'hui dans la banlieue de Pau, et Monein, autre village notoire. Il s'agit d'une région de polyculture, avec beaucoup de petites parcelles de vigne perdues au milieu de champs et de prés à vaches.

Les cépages et les styles de vin

On connaît plutôt le Jurançon pour ses vins blancs doux, bien qu'il en existe des secs, dotés d'une appellation particulière, Jurançon Sec. Tous les deux sont composés à partir de cépages très différents de ceux du Bordeaux : Gros-Manseng, Petit-Manseng et Petit-Courbu.

Le Gros-Manseng, au rendement le plus important, donne un jus plus sec, tandis que le Petit-Manseng, aux baies très sucrées, produit un jus plus doux.

Ce deuxième cépage a un rendement plus faible et doit faire l'objet de plus de soins. Certains vignerons font l'impasse sur le Courbu ; ils ont l'impression qu'il dénature les Mansengs, mais quelques autres l'aiment pour la nervosité qu'il apporte au vin.

Contrairement à la plupart des autres vins moelleux, la concentration provient du passerillage, processus qui consiste à ramasser les raisins très tard dans la saison. Le botrytis n'arrive jamais au Jurançon. La peau des Mansengs est trop épaisse pour laisser pénétrer la pourriture noble. En outre, cette région connaît des automnes longs et ensoleillés, chaudement ventilés par le *foehn*, en provenance directe d'Espagne. L'effet cumulé de la chaleur du jour et de la fraîcheur de la nuit recroqueville les baies, pleines d'un jus riche, et il faut procéder à plusieurs cueillettes, ou tries.

Certains expérimentent les tonneaux de chêne neuf, tout en étant conscients qu'un séjour trop prolongé risque de dénaturer les arômes délicatement piquants des Mansengs. Le Jurançon Sec est un vin qui se boit relativement jeune, même s'il devient complexe en vieillissant.

Le Jurançon moelleux vieillit bien. Une bouteille d'un grand millésime peut côtoyer sans honte un bon Sauternes ; de plus, elle s'affine avec le temps.

MADIRAN, PACHERENC-DU-VIC-BILH

Il s'agit d'appellations jumelles pour le vin rouge (Madiran) et pour le vin blanc (Pacherenc-du-Vic-Bilh), qui concernent 37 villages autour de Madiran (3 dans le Gers, 6 dans les Hautes-Pyrénées et 28 dans les Pyrénées-Atlantiques). Le vignoble couvre 1 600 ha, à environ 40 km au nord de Pau.

Après avoir failli disparaître, le Pacherenc-du-Vic-Bilh fait son grand retour, même si sa production actuelle ne dépasse pas les 1 100 000 bouteilles (contre 8,5 millions de bouteilles de Madiran). Vic-Bilh, « vieux pays » en gascon, désignait autrefois la région. Pacherenc est une distorsion du patois « pachet en renc », soit « piquets en rangs » en français, indiquant que les vignes poussaient autrefois sur des piquets alignés.

Les vignes se trouvent sur les premiers contreforts des Pyrénées, avec des natures de sols très variables. Les versants orientés ouest sont aptes à la production du Pacherenc, tandis que les versants orientés sud-est conviennent mieux aux cépages noirs. Les gelées tardives de printemps constituent l'un des plus grands dangers pour la récolte ; les étés sont assez chauds pour poser des problèmes de sécheresse. Les automnes, souvent longs et doux, précèdent des hivers particulièrement rigoureux.

Les cépages

Le cépage le plus caractéristique du Madiran est le Tannat, au grain riche en tanin et à la peau dure. Quelques producteurs l'utilisent en monocépage, d'autres ont pris l'habitude d'assouplir les 40 à 60 % de Tannat exigés par l'appellation avec d'autres variétés comme le Cabernet Franc (appelé Bouchy localement) et surtout le Cabernet-Sauvignon.

Pour le Pacherenc-du-Vic-Bilh, les cépages utilisés sont le Gros-Manseng, le Petit-Manseng, le Petit-Courbu ainsi qu'une variété locale, Arrufiac, qui apporte une note originale.

Aujourd'hui, les trois quarts des Pacherencs sont doux ; leur goût de miel et de fruits exotiques est fidèle à l'origine du vin. En effet, comme son voisin, le Jurançon, le Pacherenc était traditionnellement moelleux, sauf dans les années moyennes où il était sec. Désormais, Pacherenc suit Jurançon en produisant des blancs secs ou des moelleux selon les années.

À Madiran, la mode est en faveur d'un usage excessif de barriques neuves. Il est vrai que, après un élevage en cave de sept ou huit ans, le bois donne une certaine rondeur et une ampleur à ces vins. Mais le Tannat, comme l'indique son nom, produit lui-même assez de tanins et n'a pas besoin de ceux venant du bois.

IROULÉGUY

Cette appellation tient son nom d'un petit village du Pays basque, au cœur des Pyrénées, non loin de la frontière espagnole. Après l'invasion phylloxérique du début du siècle, le vignoble du même nom s'était rétréci pour ne plus s'étendre que sur trois villages qui se virent octroyer le privilège de VDQS en 1952. Dix ans plus tard, l'aire fut élargie aux six communes qui comprennent l'AOC actuelle, dont le décret d'application remonte à 1970.

Les vins rouges composent les deux tiers de la production d'Irouléguy. Les blancs et les rosés se partagent le reste. Le Tannat domine l'encépagement pour les rouges, mais les deux Cabernets tiennent également une grande place.

BÉARN

L'appellation comprend trois régions distinctes des Pyrénées : la première, le Jurançon, où les vignerons qui ont du raisin rouge produisent un Rouge de Béarn ; la deuxième, le Madiran, qui produit un Rosé de Béarn ; enfin, la troisième se concentre autour du village de Bellocq et de la pittoresque ville de Salies-de-Béarn. Les vins portent l'étiquette Béarn-Bellocq et peuvent être rouges, rosés ou blancs.

Comme dans tant d'autres endroits, les vignobles ont périclité après la crise du phylloxéra et n'ont dû leur renaissance qu'à la création de la Cave Coopérative de Salies-de-Béarn-Bellocq en 1947. Son Rosé de Béarn parvient à conquérir une clientèle parisienne et le Béarn est classé VDQS en 1951. Il obtient le statut d'AOC en 1975 pour le rouge, le blanc et le rosé.

Le Tannat est, là encore, le cépage dominant pour le rouge et le rosé, leur

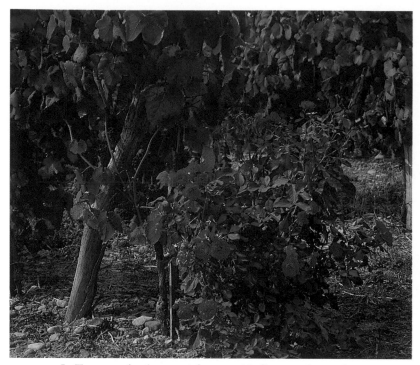

Le Tannat est le cépage qui donne au Madiran sa robe sombre.

apportant structure et corps. Le Cabernet-Sauvignon et le Cabernet Franc ajoutent bouquet et douceur. Le blanc de Béarn-Bellocq est issu du Raffiat de Moncade, un cépage original de la région.

En général, le Béarn est un vin simple et sans prétention. Certains des meilleurs rouges proviennent de la région de Jurançon, où quelques-uns des producteurs produisent du vin rouge en complément de leur gamme de vins habituelle. Ils peuvent le laisser vieillir quelques mois, ce qui contribue à affiner l'austérité du Tannat et du Cabernet.

CÔTES-DE-SAINT-MONT

Les Côtes-de-Saint-Mont ont commencé comme vins de pays avant d'être promus VDQS en 1981. Ils obtiendront peut-être bientôt le statut d'appellation auquel ils aspirent.

Les vignobles des Côtes-de-Saint-Mont se trouvent sur les flancs des collines qui surplombent l'Adour, autour du petit village de Saint-Mont, au nord de Madiran et à l'est d'Aire-sur-l'Adour. Prolongement naturel des vignobles de Madiran et de Pacherenc-du-Vic-Bilh, ils utilisent des cépages identiques.

TURSAN

Le Tursan est un VDQS à la pointe sud-est de la forêt des Landes, avec la petite ville de Geaune au centre. Vieille-Tursan est le plus important des 27 villages de la région, mais le plus célèbre est sans conteste Eugénie-les-Bains, grâce à la présence d'un des meilleurs chefs de France, Michel Guérard, qui y officie dans son hôtel-restaurant.

À l'origine, c'est le vin blanc qui a établi la renommée de Tursan. Le rouge et le rosé n'ont fait leur apparition que dans les années 1960. Aujourd'hui, leur production dépasse celle des blancs. Le cépage principal du Tursan blanc est le Barroque. D'autres cépages ont récemment été autorisés dans un souci d'apport d'arômes et de fraîcheur : par exemple, le Sauvignon, qui peut participer à hauteur de 10 %. Le Tursan blanc est un vin assez frais, avec une acidité fruitée. Le Tursan rouge, issu de Tannat, de Cabernet-Sauvignon et de Cabernet Franc, a un goût plutôt rustique. □

PRODUCTEURS ET NÉGOCIANTS

Les coopératives sont toujours importantes dans la viticulture pyrénéenne, mais toutes les appellations de la région voient fleurir un nombre croissant de producteurs indépendants de bonne réputation.

JURANÇON

Domaine Cauhapé
Henri Ramonteu a fait plus que quiconque pour rehausser la réputation de son appellation. Passionné de Jurançon, il élabore trois vins secs : un standard, une cuvée fermentée en bois et une cuvée Vieilles Vignes, issue de vignes de 80 ans. Ses vins moelleux sont tout aussi variés. Un premier est issu de Gros-Manseng récolté début novembre ; un second, le Vendange Tardive, provient des deux Mansengs à parts égales et mûrit dans le bois pendant 12 mois. Le Noblesse de Petit-Manseng séjourne 18 mois dans le bois, fermentation comprise. Le Quintessence du Petit-Manseng, dont les raisins restent sur pied jusqu'au début du mois de décembre, n'est élaboré que les meilleures années. Les rendements sont très faibles, à peine 8 hl/ha, et le vin reste, là encore, 18 mois dans le chêne. C'est le Jurançon moelleux à son apogée.

Cave coopérative de Gan
La coopérative du village de Gan a servi à améliorer l'image du Jurançon, notamment avec ses vins de propriété.

Château Jolys
Robert Latrille a acquis cette propriété en 1958. Il s'agit du plus grand domaine de l'appellation, avec 12 ha de Petit-Manseng et 25 ha de Gros-Manseng.

Clos Lapeyre
Avec sa production issue de la viticulture biologique, Jean-Bernard Larrieu suit de près Henri Ramonteu.

Clos Uroulat
Charles Hours était pendant plusieurs années président du syndicat des producteurs. Sa Cuvée Marie, élevée délicatement en bois, est parmi les meilleurs Jurançons secs.

Autres producteurs
Les vignerons suivants élaborent des vins de même qualité que les producteurs évoqués ci-dessus : Domaine de Bellegarde, dont le propriétaire actuel a des aïeux qui ont émigré à la Nouvelle-Orléans à l'époque où le vignoble était sinistré par le phylloxéra ; Domaine Bordenave, où la jeune Gisèle Bordenave a repris le vignoble de son père pour élaborer quelques-uns des meilleurs vins doux de la région ; et Domaine Capdevielle, où le doyen Casimir poursuit la voie traditionnelle, ne récoltant que les après-midi, quand le soleil a séché les grappes.

MADIRAN, PACHERENC-DU-VIC-BILH
Alain Brumont, propriétaire médiatique des Châteaux Montus et Bouscassé, fit des vagues en 1982, quand il acheta des barriques d'un an provenant de Château Margaux, ce qui marqua le début d'un élevage en fûts neufs (ou presque) dans le Madirannais. Aujourd'hui, la plupart des producteurs élaborent au moins deux cuvées, dont une de prestige, à maturation en barrique. Pour le Pacherenc, on suit la même pratique, surtout quand il s'agit de vins moelleux. On observe toutefois une tendance à modérer l'usage du chêne, qui peut nuire aux arômes et au bouquet du vin. C'est pourquoi Patrick Ducournau (Domaine Mouréou et Chapelle Lenclos) a développé avec ses cousins, les Laplace de Château D'Aydie, une technique appelée microbullage, qui consiste à injecter des quantités minuscules d'oxygène dans les conteneurs de vin, en cuve ou en bois. Cette technique accélère l'aération du vin en simulant l'oxydation par les douelles, en adoucissant les tanins et en évitant les remontages constants nécessaires avant son introduction. Ducournau et Laplace collaborent avec Didier Barré (Domaine de Berthoumieu) et Jean-Marc Laffitte (Domaine Laffitte-Teston), échangeant leurs idées et leur expérience au profit mutuel.

On admire non moins Guy Capmartin du Domaine Capmartin et son frère Denis du Château Barréjat, les vins du Domaine Crampilh, du Domaine Labranche-Laffont et du Domaine Laffont, voisin. On suivra aussi le progrès du nouveau venu Clos Fardet.

Les coopératives font de bons vins dans ces appellations. Celle de Crouseilles produit uniquement du Madiran, du Pacherenc et des vins de pays, tandis que celle de Saint-Mont accueille également les producteurs de la partie nord du Madirannais, au-delà des frontières de l'appellation. La troisième coopérative, à Castelnau-Rivière-Basse, connaît une renaissance sous la tutelle d'Alain Brumont, dont la propriété se trouve à proximité.

IROULÉGUY
Du point de vue de la quantité de vin produit, la Cave coopérative des vins d'Irouléguy et du Pays basque domine cette appellation, mais on y trouve une poignée de producteurs indépendants, tous excellents : Domaine Abotia, Domaine Arretxea, Domaine Brana (dont la cave spectaculaire est enterrée dans les flancs du Pic d'Arradoy), Domaine Etchegaraya et Domaine Ilarria. Comme dans le Béarn, on produit une grande quantité de vin rosé destiné à désaltérer les vacanciers.

CÔTES-DE-SAINT-MONT
Le Domaine de Maouries, dans le Madirannais, et le Château de Bergalasse, situé juste hors des frontières du Madiran, sont de bons producteurs. Mais ils sont éclipsés par la taille et le renom de la Coopérative des producteurs de Plaimont, qui contrôle la presque totalité de cette VDQS. C'est la coopérative la plus impressionnante du Sud-Ouest. Les adhérents récoltent à la main, les rendements sont strictement limités, la technologie la plus récente de traçabilité a été mise en place, et l'élevage en bois de certaines cuvées est très bien maîtrisé. La gamme de vins est en évolution constante. Les vins blancs secs sont réussis, plus même que les rouges.

TURSAN
Voilà une autre coopérative, les Vignerons de Tursan, qui mène son appellation. Produisant des vins dans toutes les couleurs, elle gère en outre quelques domaines privés. Seuls échappent à sa maîtrise la redoutable entreprise que constitue le Château de Perchade-Perrouchet et le vignoble vedette du chef Michel Guérard qui, dans son élégant Château de Bachen, élabore des vins blancs dans un style Nouveau Monde, en utilisant – que les yeux de l'INRA restent fermés – un peu de Sémillon pour muscler la fadeur du Barroque traditionnel.

AVEYRON ET QUERCY

Le département de l'Aveyron possède une AOC, Marcillac, et trois zones VDQS, Vins d'Estaing, Côtes-de-Millau et Vins d'Entraygues et du Fel. La région du Quercy produit un VDQS, Coteaux du Quercy, sur une zone de 420 ha qui s'étend au sud de Cahors, à cheval sur le Lot et le Tarn-et-Garonne. Le cépage principal est le Cabernet Franc.

Marcillac

L'appellation de Marcillac présente des caractéristiques très particulières. Dans cette contrée, le regard s'attarde sur de belles rangées de vignes à flanc de coteau ou sur quelques pieds accrochés sur des escarpements entre 300 et 600 m d'altitude. Le sol se compose principalement de grès rouge. Les gelées printanières étant fréquentes, on ne cultive pas les versants les plus bas et les plus exposés au gel.

Le Fer Servadou, ou Mansois, représente presque 100 % des vignes. Il donne des vins rouges merveilleusement originaux, avec un certain goût épicé et un parfum de cassis. Les méthodes de vinification sont classiques et le vin séjourne généralement quelque temps dans de vieux foudres (la coopérative utilise des cuves) avant sa mise en bouteilles. Bien que les Marcillacs se boivent jeunes, certains méritent de vieillir.

La coopérative de Valady produit deux tiers du vin, mais quelques vignerons indépendants, dont Philippe Teulier (Domaine du Cros), Jean-Luc Matha (Le Vieux Porche), Claudine Coste à Combret et la famille Laurens à Clairvaux, font des vins d'une plus haute expression.

Vins d'Entraygues et du Fel

Avant l'épidémie de phylloxéra, certains de ces vins montaient jusqu'à Paris. Il reste aujourd'hui 21 ha de vignes, tenus principalement par deux familles. Le minuscule Le Fel est renommé pour son vin rouge, et Entraygues pour son vin blanc. Aujourd'hui, la zone VDQS couvre les trois couleurs : le blanc à base de Chenin Blanc, le rouge et le rosé, de Fer Servadou et de Cabernets. Les méthodes restent assez rustiques, comme il convient à un vignoble « perdu ».

Vins d'Estaing

Les 7 ha du plus petit VDQS de France se situent plus haut dans la vallée du Lot. Les méthodes sont traditionnelles, avec six vignerons se partageant une cave communale. Le meilleur vin est le blanc (Chenin Blanc assagi par du Mauzac). Le rosé est assez fruité et le rouge un peu âpre (Gamay, Cabernet Franc et Fer Servadou).

Côtes-de-Millau

Ce VDQS, qui s'appelait jusqu'en 1993 Vin de Pays des Gorges et Côtes de Millau, couvre environ 50 ha de vignobles près de Roquefort et des gorges du Tarn. La coopérative d'Aguessac est le producteur principal, avec du rouge, du rosé et du blanc.

Coteaux du Quercy

Devenu VDQS en 1997, ce vin surtout rouge est produit par trois caves : les Côtes d'Olt ; La Ville-Dieu-du-Temple ; et principalement les Vignerons du Quercy, à Montpezat-de-Quercy. Parmi la vingtaine de producteurs indépendants, on propose de découvrir le Domaine d'Ariès, le Domaine de la Garde, le Domaine Lafage et, surtout, le Domaine du Merchien.

LES VINS DE PAYS

Les vins de pays tiennent une place importante dans le Sud-Ouest. Beaucoup d'entre eux viennent en deuxième position dans une appellation géographique. Ainsi, le Vin de Pays des Côtes du Tarn est dans l'AOC de Gaillac. Les deux vins proviennent des mêmes raisins : le producteur sélectionne les meilleurs vins pour l'AOC et vend le reste comme vin de pays.

Vin de Pays des Côtes de Gascogne

Ce vin de pays s'est fait une place tout seul au fur et à mesure que les ventes d'Armagnac déclinaient. La région délimitée couvre le Gers.

Le vin blanc, produit à 80 %, est plus réputé. Les cépages utilisés sont l'Ugni Blanc, qui donne de la fraîcheur, et le Colombard, qui apporte du fruité. Toutefois, des vignerons audacieux expérimentent d'autres cépages, surtout le Gros-Manseng.

Les Côtes de Gascogne blancs se consomment dans leur plus tendre jeunesse pour leur fraîcheur et leur fruité. Le plus grand producteur est l'Union Plaimont. La famille Grassa a beaucoup fait pour promouvoir le vin : ses quatre propriétés sont les Domaines de Tariquet, de Rieux, de la Jalousie et de Plantérieu. Parmi les autres propriétés, on peut citer Domaine de San de Guilhem et Domaine de Saint-Lannes.

Vin de Pays des Terroirs Landais

« Vin de pays de zone » du département des Landes avec quatre secteurs de production distincts : les Sables de l'Océan, les Coteaux de Chalosse, les Côtes de l'Adour et les Sables Fauves. La moitié de la production est constituée de vin blanc, un tiers de vin rouge, et le reste, de rosé.

Vin de Pays des Coteaux de Glanes

Le Gamay et le Merlot sont les deux cépages de petites quantités d'un vin rouge doux et fruité produit dans cette région du haut Quercy (département du Lot).

Vin de Pays du Comté Tolosan

Il s'agit d'un vin de pays régional qui couvre non moins de 11 départements de Midi-Pyrénées. Les vins rouges prédominent, avec une petite quantité de blancs et de rosés, composés à partir de cépages locaux et classiques.

ALLEMAGNE
PAYS DU BENELUX, SUISSE, AUTRICHE

LA FRAÎCHEUR DU CLIMAT AMÈNE CES PAYS À PRODUIRE
D'EXCELLENTS VINS BLANCS. LA SUISSE, QUANT À ELLE,
AJOUTE À SON PATRIMOINE DES VARIÉTÉS FRANÇAISES
ET ITALIENNES.

ALLEMAGNE

LES MEILLEURS VINS ALLEMANDS FIGURENT AU PALMARÈS DES GRANDS VINS
DU MONDE ET, MÊME SI CERTAINS VINS COURANTS PEUVENT DÉCEVOIR,
LES EFFORTS RÉCENTS DE JEUNES VITICULTEURS SONT DE BON AUGURE.

Les vieilles caves du monastère d'Eberbach (Rheingau) abritent
un musée des pressoirs. Construites pour recevoir les vendanges
des grands vignobles monastiques, elles datent de 1145.
Aujourd'hui Eberbach est le siège du Domaine d'État.

On sait que la nature du sol, le climat et le choix des cépages sont autant de facteurs déterminants pour le bouquet, la saveur et le style d'un vin. Les vignerons allemands aiment à souligner leur particularisme, face aux autres régions viticoles prestigieuses du monde, car la fraîcheur du climat du nord de l'Europe rend difficile l'obtention d'une bonne maturité du raisin. On compense ce handicap en plantant la vigne sur les sites les mieux exposés. C'est pourquoi la majeure partie des vignobles est située dans l'ouest et le sud du pays et épouse les courbes des vallées fluviales, notamment celles du Rhin et de ses affluents. Les meilleurs coteaux, choisis pour leur ensoleillement et leur proximité des fleuves, bénéficient d'un microclimat offrant une chaleur constante, plus favorable à la maturité des raisins. Chaque parcelle présente une combinaison de propriétés viticoles qui lui est propre, avec une hétérogénéité peut-être plus marquée encore qu'en France : les meilleures parcelles peuvent jouxter des parcelles médiocres. Les aléas climatiques sont autant de risques supplémentaires, car quelques heures de mauvais temps peuvent anéantir les efforts d'une année : les vins allemands résultent d'un travail dans

des conditions limites de viticulture, ce qui explique que la teneur en alcool de ces vins soit souvent relativement basse, tandis que leur acidité peut être particulièrement élevée. L'Allemagne produit essentiellement des vins blancs, qui gardent leurs qualités de fraîcheur et d'élégance pendant plusieurs années. C'est le cas, par exemple, des vins issus du cépage Riesling. Les premiers ceps furent plantés dans les régions du Rhin et de la Moselle par les Romains, qui ont laissé en héritage de beaux monuments, dont une célèbre sculpture représentant des tonneaux de vin arrimés à bord d'un bateau, exposée aujourd'hui dans le Musée régional de Trèves. Puis, après Charlemagne, ce sont les moines et les nobles du Moyen Âge qui ont marqué de leur influence les nombreux domaines dont beaucoup existent encore aujourd'hui. Dès cette époque, et jusque dans les années 1960, le Rhin permettait d'expédier les barriques de vin vers l'Europe du Nord, car les voies fluviales étaient essentielles au transport des vins. Aujourd'hui, le Rhin dispense toujours ses bienfaits aux vignobles situés sur ses coteaux, en leur restituant la chaleur qu'il a absorbée pendant l'été et au tout début de l'automne, juste avant les vendanges.

LES RÉGIONS VITICOLES D'ALLEMAGNE

Les 13 Anbaugebiete, ou régions officielles, sont illustrées ici. Les vins de qualité mentionnent leur région d'origine sur leur étiquette. Les régions viticoles centrales de Rheingau, Nahe, Hesse rhénane, Palatinat et Bergstraße de Hesse sont représentées p. 324, celles de Moselle-Sarre-Ruwer p. 319. Les deux régions de Saale-Unstrut et Saxe situées dans l'ex-République démocratique allemande se développent.

Régions viticoles

- Ahr
- Pays de Bade
- Franconie
- Bergstraße de Hesse
- Moyenne Rhénanie
- Moselle-Sarre-Ruwer
- Nahe
- Palatinat
- Rheingau
- Hesse rhénane
- Saale-Unstrut
- Saxe
- Wurtemberg
- Frontière

0   50   100 km

Il suffit de regarder où se situent les principales régions viticoles pour mesurer l'importance accordée à la proximité d'un cours d'eau. Les vignobles de Bade ne s'éloignent jamais du Rhin. Le Neckar et ses affluents serpentent entre les coteaux du Wurtemberg, avant de rejoindre le Rhin à Mannheim ; le Main, autre affluent du fleuve qui le rejoint à Mayence, façonne au passage les vignobles de Franconie. La petite région de la Bergstraße de Hesse s'étend face à la vallée rhénane, au nord de Heidelberg, tandis que, de l'autre côté du fleuve, la région du Palatinat se particularise en ayant supprimé de son appellation la mention « Rhin » (en 1992). Immédiatement au nord, on trouve la Hesse rhénane, bordée à l'est et au nord par le fleuve, et, sur la rive droite, les vignobles du Rheingau. Les vignobles escarpés des gorges du Rhin constituent la région du Mittelrhein. La Nahe, autre affluent, a également donné son nom à une région viticole.

La région de la Moselle, une des plus connues hors des frontières allemandes, regroupe les vignobles de la Saar et de la Ruwer. La belle région de l'Ahr est proche de l'extrémité nord des zones viticoles de l'ouest du pays. À l'est, les rivières Saale et Unstrut forment une région. Enfin, l'Elbe porte sur ses flancs les vignobles de Saxe (Sachsen).

Régions et réglementation viticole

La réglementation viticole allemande a codifié ces divisions géographiques – et traditionnelles – en *Anbaugebiete*, ou régions officielles. Il en existe 13 (voir carte p. 311), elles-mêmes divisées en *Bereiche*, ou districts.

Autrefois, il existait plusieurs milliers de petites parcelles, chacune sous sa propre étiquette, un peu comme en Bourgogne : une *Einzellage*, ou terroir particulier, équivaut à un cru. Mais une loi datant de 1971 a regroupé plusieurs de ces terroirs traditionnels en *Einzellagen* et leur a attribué une entité légale. Le fait de réduire le nombre des appellations a permis d'éviter la confusion, mais a également fait disparaître quelques nuances qualitatives importantes. De plus, cette loi instaure la notion de *Großlage*, ou terroir collectif, regroupant plusieurs vignobles de caractères similaires, même s'ils ne sont pas forcément contigus.

Ces deux mentions, *Einzellage* et *Großlage*, sont toujours précédées sur l'étiquette par le nom du village où se situe le vignoble. L'étiquette d'un vin allemand ne permet pas au consommateur de savoir si le vignoble cité est une *Großlage* (dénomination collective, donc peu précise) ou une *Einzellage* (vignoble en général plus petit et plus spécifique). Il faut noter que, en classement officiel des vignobles, il n'existe aucun *premier cru* ou *grand cru*.

Les niveaux de qualité

Si l'origine géographique est le premier critère de distinction des vins allemands, le second est leur niveau de qualité officiel, celui-ci étant classé en trois catégories selon la teneur en sucres du jus de raisin (ou moût).

■ **Tafelwein** (vin de table). Catégorie des vins de table ordinaires. Si l'étiquette précise « allemand » *(Deutscher)*, cela signifie que le vin est issu d'un vignoble allemand. Sinon, il s'agit d'un vin d'un autre pays de l'Union européenne mis en bouteilles par un négociant allemand. Il n'est pas rare que certains vins de grande qualité soient commercialisés sous la dénomination *Deutscher Tafelwein* dans le cas où leurs producteurs ne les soumettent pas aux dégustations officielles.

Landwein (vin de pays) : désignation des meilleurs vins de la catégorie *Tafelwein*. Ils n'ont pourtant pas acquis la même renommée que leurs homologues français.

■ **Qualitätswein eines bestimmten Anbaugebietes (QbA)**. Échelon inférieur des vins de qualité. Désigne les vins de qualité d'une région délimitée.

■ **Qualitätswein mit Prädikat (QmP).** Littéralement, « avec distinction ». Échelon supérieur des vins de qualité. Les vins QmP, et c'est ce qui les distingue des QbA, sont élaborés à partir de raisins dont la teneur en sucres est suffisante pour ne nécessiter aucune chaptalisation. Ils sont subdivisés en six sous-catégories, toujours selon le même critère de densité du moût en ordre croissant.

Kabinett : échelon de base des QmP.

Spätlese : littéralement, « vendanges tardives ». Élaborés à partir de raisins plus mûrs, les *Spätlesen* peuvent être aussi bien doux que secs.

Auslese : vin élaboré à partir de grappes sélectionnées. Dans de bons millésimes, la sélection porte parfois sur des raisins atteints de pourriture noble *(Botrytis cinerea)*, produisant des vins doux opulents. On produit également de plus en plus d'*Auslesen* secs.

Beerenauslese : vin liquoreux, élaboré à partir de grains de raisins en surmaturité, sélectionnés un à un.

Trockenbeerenauslese (TBA) : vin élaboré comme les *Beerenauslesen* mais avec des raisins flétris et desséchés *(Trocken)* sous l'effet de la pourriture noble. Ce moût très concentré donne lieu à des vins très doux. Ils sont chers.

Eiswein : littéralement, « vin de glace ». Le moût est encore plus concentré, puisque les raisins ont gelé sur pied. Les *Eiswein* sont des vins rares et chers.

La densité du moût exprime la teneur en sucres naturels du jus de raisin, mais une densité élevée ne signifie pas automatiquement que le vin aura un goût sucré. La tendance actuelle chez les producteurs est d'obtenir des vins plus secs en les laissant fermenter jusqu'à la transformation de tous les sucres en alcool (voir La vinification p. 99).

L'idée maîtresse de la sélection

Cette hiérarchisation officielle des vins allemands de qualité procède du raisonnement suivant : plus les raisins sont mûrs, meilleur est le vin. Elle reflète la difficulté de faire mûrir le raisin dans un climat aussi ingrat, mais traduit également de la part des viticulteurs une recherche de rareté et, par conséquent, de valeur ajoutée. La tradition, entérinée par la loi, est de laisser les raisins sur les ceps le plus longtemps possible, lorsque le temps le permet, pour atteindre une maturation optimale. Les vendanges peuvent donc s'étaler sur deux mois : elles commencent dans les vignobles destinés à produire des vins *Kabinett* tandis qu'ailleurs on rêve de voir s'installer la pourriture noble et de récolter des raisins surmaturés afin de produire un *Auslese* ou mieux encore.

Certains propriétaires remettent en cause cette tradition en abandonnant les vins naturellement doux au profit de vins plus secs, afin de satisfaire à la nouvelle demande des consommateurs. Cette tendance encourage les viticulteurs à limiter leurs rendements, la concentration obtenue assurant ainsi l'équilibre habituellement fourni par le sucre résiduel.

Les vins secs et demi-secs

Une modification de la législation donne l'autorisation de porter la mention *Halbtrocken* (demi-sec) ou *Trocken* (sec) aux vins dont la teneur en sucres résiduels se situe au-dessous d'un certain taux (ou d'une certaine densité). Un Riesling *Trocken* a besoin d'une bonne teneur en sucres naturels et d'une bonne acidité. On réalise un *Spätlese Trocken* ou un *Auslese Trocken* en laissant la fermentation transformer tous les sucres en alcool.

Le caractère des vins

Les vins allemands sont blancs pour une large majorité d'entre eux, mais la superficie plantée en rouge, qui représente à peine 20 % du vignoble, est en augmentation.

Le caractère des vins allemands est déterminé par le district et le vignoble, le cépage, les différents niveaux de qualité décrits ci-dessus et la volonté du producteur. Il faut ajouter à ces critères le millésime, car le climat de l'année joue un rôle de première importance.

Pour chaque niveau de qualité est déterminée une densité de moût minimale, qui varie selon la région : pour obtenir la même qualification, les régions plus au sud doivent atteindre une teneur en sucres naturels plus élevée que celle des régions situées au nord. Ainsi, un *Kabinett* de la Moselle aura un degré moindre d'alcool qu'un *Kabinett* de Bade.

La loi entérine donc les différences dues au climat et à l'environnement, puisque les vignobles septentrionaux sont les plus sensibles aux petites différences d'exposition et de nature du sol. Un domaine allemand peut être com-

Forteresse de Stahleck dominant Bacharach (Mittelrhein).

posé d'une douzaine de parcelles différentes et produire une grande variété de vins dont l'identité sera déterminée par le site et la maturité. Il est donc difficile de classer et de codifier des vins dont les caractères peuvent être aussi disparates.

Les vins allemands, comparés à des vins français ou italiens, ont pourtant une personnalité bien à eux qui se définit plus par un certain équilibre entre le fruité et l'acidité et par le cépage que par le degré d'alcool ou par les caractères dérivant de l'élevage en fûts de chêne, par exemple.

Le vieillissement et les millésimes

De tous les cépages plantés en Allemagne, c'est le Riesling, avec son équilibre bien marqué entre le fruité et l'acidité, qui produit les vins dotés du meilleur potentiel de vieillissement. En général, une bonne concentration en sucres à la vendange allonge la durée pendant laquelle le vin peut se bonifier en bouteilles. Les vins les plus concentrés,

comme les *Beerenauslesen*, atteignent rarement leur apogée avant sept – voire dix – ans de bouteille. L'acidité est tout aussi essentielle pour un bon vieillissement du vin : les années très chaudes produisent souvent des vins de faible acidité, mais d'une teneur en sucre élevée ; ces vins gardent leurs qualités moins longtemps que ceux qui bénéficient dès leur naissance d'un meilleur équilibre.

De par la situation septentrionale des vignobles, les moindres variations climatiques ont, d'un millésime à l'autre, des répercussions importantes sur le style des vins. Une année ensoleillée se traduit par un pourcentage élevé de vins classés en QmP ; une année fraîche ne permet pas toujours un mûrissement suffisant des raisins pour que les vins soient admis au rang de QbA ou même à celui de *Tafelwein*.

Les cépages classiques

Le cépage blanc qui sert de point de repère pour les vins allemands est le

Riesling. Il est capable de bien mûrir au cours des automnes ensoleillés, donnant ainsi des vins dans les différentes catégories de QmP. Au fur et à mesure que de nouveaux cépages se développaient (voir ci-dessous), le Riesling a perdu du terrain en faveur de cépages plus prolifiques et plus faciles à cultiver.

Le Riesling (voir p. 39) demeure un des grands cépages classiques du vignoble mondial. En Allemagne, il occupe les meilleurs sites qui sont les coteaux les plus escarpés, tels ceux de moyenne Moselle (Mittelmosel) et du Rheingau, dont la bonne exposition, associée à la chaleur de l'automne, lui assure la longue période de mûrissement dont il a besoin.

Le Sylvaner (voir p. 43) est l'autre cépage classique des vins blancs allemands. On l'associe surtout à la région de Franconie, mais les plus grands vignobles se trouvent en Hesse rhénane. Il donne des vins secs à la fois concentrés et vifs, aptes à bien vieillir, à condition que les vignobles soient bien situés et les rendements raisonnables.

Terrasses escarpées au bord de la Moselle (Trittenheim).

Vignobles et cépages nouveaux

Depuis les années 1960, les vignobles allemands ont plus que doublé en superficie. Les sites les plus propices étant déjà plantés, souvent depuis des siècles, la plupart des nouvelles implantations manquent des qualités adéquates et ne permettent de produire que des vins bon marché. L'Allemagne vend 20 % de sa production à l'étranger , soit près de 200 millions de bouteilles chaque année, en priorité à la Grande-Bretagne ; viennent ensuite les Pays-Bas, le Japon et les États-Unis. Dans le même temps, elle importe 1,3 milliard de bouteilles en provenance d'Italie, de France et d'Espagne, ce qui fait d'elle le plus gros importateur de vin des pays membres de l'Union européenne.

De nombreux vignobles allemands ont fait l'objet d'un remembrement (*Flurbereinigung*) depuis les années 1960 pour faciliter la mécanisation dans le travail de la vigne et réduire les coûts d'exploitation. Les résultats de ce remembrement sont peu esthétiques, notamment pour les vignobles de Bade dans la région

de Kaiserstuhl, et quelques producteurs ont même soutenu que ces bouleversements avaient changé le climat local.

Parallèlement, en croisant des cépages anciens, les chercheurs ont obtenu de nouveaux cépages, moins sensibles aux maladies, capables de produire des vins de caractère tout en permettant de meilleurs rendements et une teneur en sucres plus élevée : une nouvelle concurrence pour les cépages traditionnels

comme le Riesling et le Sylvaner. Le premier hybride créé, le Müller-Thurgau (Riesling x Sylvaner), permet à des vignobles bien situés de donner un vin blanc de qualité, à condition de maintenir des rendements faibles.

Le cépage Scheurebe (Sylvaner x Riesling), le meilleur des hybrides si l'on juge la qualité des vins, offre de belles réussites à la région du Palatinat. Ces vins s'affirment grâce à leur bouquet et

LIRE UNE ÉTIQUETTE DE VIN ALLEMAND

Pour l'amateur non initié, la lecture des étiquettes de vins allemands reste une énigme ; cependant, celles-ci donnent une multitude d'informations.

Le nom du producteur figure généralement en première position, précédé, le plus souvent, des termes *Weingut* (domaine) ou *Schloß* (château). **Le nom du vignoble** est toujours précédé du nom du village, auquel on ajoute en général le suffixe «-er », marque de l'adjectif. Ainsi, pour dire qu'une bouteille provient de Bernkastel (nom du village), on écrira *Bernkasteler* (« de Bernkastel »). Ainsi, *Bernkasteler Doktor* indique que le vin provient du vignoble « Doktor » à Bernkastel. **Les niveaux de qualité** QbA ou QmP sont toujours indiqués, le second

figurant bien en évidence.

Décodée, l'étiquette fournit donc le nom du producteur, la région d'où proviennent les raisins et le niveau officiel de qualité. Elle peut aussi indiquer le millésime et le cépage, mais ces mentions ne sont pas obligatoires. **L'A.P.** (*Amtliche Prüfung* : examen officiel) est une garantie de qualité. Sa présence atteste que le vin est issu de cépages autorisés, qu'il a atteint le taux de sucre minimal et que la région mentionnée est bien la région d'origine. Si l'étiquette précise *Erzeugerabfüllung*, cela indique que le vin a été mis en bouteilles par le producteur, éventuellement par une coopérative (voir p. 315) ; la mention *Gutsabfüllung* précise une mise en bouteilles au domaine.

à une acidité soutenue ; ils bénéficient d'un bon potentiel de garde.

Le cépage Kerner (Trollinger x Riesling), apprécié pour la constance de ses rendements, donne des vins de caractère robuste, même s'il leur manque la finesse et le charme du Riesling ; grâce à leur teneur en sucre, ces vins satisfont souvent aux critères de qualité leur permettant d'entrer dans les catégories des *Spätlesen* ou des *Auslesen*.

Les vins rouges et la famille des Pinots

Les vins rouges occupent une place grandissante dans l'univers viticole allemand. Les techniques de vinification se rapprochent de plus en plus du modèle français, ce qui entraîne certaines évolutions : des degrés alcooliques plus élevés, des sucres résiduels moins importants et l'utilisation de plus en plus fréquente de la barrique pour l'élevage des vins.

Les cépages utilisés sont, en rouge, principalement le Spätburgunder (Pinot Noir), mais également le Blauer Portugieser, qui donne des vins légers, et le Dornfelder, un nouvel hybride dont les vins ressemblent au Beaujolais. En cépages blancs, on trouve le Weißburgunder (Pinot Blanc), le Ruländer (Pinot Gris) et le Chardonnay (autorisé dans le Sud depuis 1991). Le Spätburgunder et le Weißburgunder atteignent, dans les districts de Bade, Kaiserstuhl et Ortenau, des niveaux de qualité suffisants pour pouvoir prétendre à une diffusion internationale. Ces deux Pinots prospèrent également dans le Palatinat, où les vins qu'ils donnent sont à peine plus acides qu'ailleurs. On trouve en effet des Spätburgunder de grande qualité dans plusieurs régions d'Allemagne, chez des viticulteurs qui ont acquis leur savoir-faire dans d'autres vignobles du monde.

Propriétaires-récoltants et caves coopératives

Exception faite du Bade-Wurtemberg, la majeure partie des meilleurs vins est issue de domaines privés ou de propriétés d'État (Rheinland Pfalz, Hessen, Bayern), voire municipales. Les caves coopératives reçoivent le raisin (jamais de moûts ou de vins) de leurs membres, soit plus d'un tiers de la récolte. Dans le Bade-Wurtemberg, elles couvrent toute la gamme des vins. Ailleurs, la qualité et le style des vins de la coopérative peuvent varier en fonction de la politique commerciale de chaque cave. Les meilleurs vins sont diffusés avec la mention *Erzeugerabfüllung* (mis en bouteilles par le producteur).

De nouveaux styles de vin

Le goût des jeunes consommateurs allemands se tournant vers des vins légers, plus secs et plus fruités, les vignerons produisent actuellement des vins issus de vieilles vignes à faible rendement et peu sensibles à la pourriture grise.

De plus, dans un souci d'écologie, ils privilégient désormais les engrais organiques et limitent le traitement chimique de la vigne. L'utilisation d'autres produits chimiques, mis à part une faible quantité de dioxyde de soufre, a été largement remplacée par un meilleur entretien des chais. Le vieillissement en bois neuf se pratique couramment pour le Pinot et pour d'autres cépages similaires.

Labels de qualité et médailles

On peut trouver sur l'étiquette ou la bouteille de vin trois labels qu'il est bon de connaître. Le premier est un aigle aux ailes déployées, emblème du *Verband Deutscher Prädikatsweingüter* (VDP). Cette association rassemble des producteurs de QmP et son aigle signale des vins de grande qualité – mais de nombreux producteurs de grands vins n'en sont pas membres. En 2002, la VDP a introduit, non sans provoquer un vif débat, un nouveau système de classement tripartite : le niveau de base *(Guts- und Ortsweine),* dont l'étiquette porte le nom d'une région ou d'une commune ; le niveau intermédiaire *(Klassifizierte Lagenweine),* réservé à des vins issus d'un nombre limité de crus *(Lagen),* dont le nom figure sur l'étiquette ; et le niveau supérieur – *Grosse Gewächse* (« grands crus »), *Erste Gewächse* (« premiers crus ») au Rheingau ou *Erste Lage* en Moselle-Saar-Ruwer –, destiné aux meilleurs vins issus des meilleurs crus.

Le second label se présente sous forme d'un macaron ou d'une collerette. Il correspond à la médaille (or, argent ou bronze) que les autorités agricoles allemandes, la *Deutsche Landwirtschaftsgesellschaft* (DLG), décernent à des vins primés par des jurys locaux.

Le troisième, également attribué par la DLG, est un *Weinsiegel* (sceau) de couleur : jaune pour les *Trocken*, vert pour les *Halbtrocken* et rouge pour les autres vins. □

LE LIEBFRAUMILCH ET LES AUTRES VINS GÉNÉRIQUES

Le succès commercial des vins allemands à l'étranger, au cours des dernières décennies, est essentiellement dû au Liebfraumilch et à quelques autres vins blancs demi-secs produits en grosses quantités. Le nom de Liebfraumilch provient d'un petit vignoble près de Worms, autrefois propriété de l'Église. Jusqu'au XIXᵉ siècle, cette dénomination s'appliquait aux vins issus d'un territoire beaucoup plus vaste, mais désignait toujours des vins de grande qualité. Selon la réglementation actuelle, le vin peut provenir de n'importe quelle partie de la Hesse rhénane, du Palatinat, de la Nahe ou du Rheingau. Il s'agit donc d'un vin générique, élaboré principalement à partir des cépages Riesling, Müller-Thurgau, Sylvaner et Kerner. Il doit être un QbA, et afficher une teneur minimale en sucres résiduels. En raison de la concurrence internationale, la qualité du Liebfraumilch répond à des critères peu glorieux où il s'agit plus de ne pas dépasser un certain prix de vente que d'atteindre un niveau d'excellence.

La même approche marketing a été appliquée à d'autres vins génériques comme le Bereich Bernkastel, le Piesporter Michelsberg (une *Großlage*, ou district de production) et le Niersteiner Gutes Dorntal (autre *Großlage*). Ces derniers peuvent provenir d'un vaste district, ce qui permet aux producteurs de faire des assemblages. Certains producteurs, qui possèdent des vignobles réputés à Piesport ou à Nierstein par exemple, se plaignent que ces vins génériques sans intérêt, d'origine géographique aléatoire, font du tort à leurs vins de qualité portant le même nom.

AHR-MOYENNE RHÉNANIE

Le creusement d'un fossé de drainage pour la source Apollinaris en 1853 a permis de découvrir les vestiges d'un rang de vigne, à plus de 4 m de profondeur, ainsi que des pièces de monnaie datant de 268 à 260 av. J.-C. éparpillées au milieu des ceps, témoins historiques d'une culture de la vigne très ancienne dans cette région de l'Ahr, longue de 25 km.

En moins d'un siècle, la superficie de la région a diminué des trois quarts. Le vignoble ne représente plus aujourd'hui que 522 ha, mais ses vins sont très réputés en Allemagne. La production favorise largement les vins rouges, avec 268 ha de vignes pour le Spätburgunder et 95 ha pour le Portugieser. Quant aux cépages blancs, le Riesling et le Müller-Thurgau, ils ne couvrent respectivement que 51 et 42 ha.

L'Ahr, descendant des anciens monts volcaniques Hohe Eifel (culminant à 762 m), s'écoule en direction de l'est, vers le Rhin. La vallée de l'Ahr, aux formations rocheuses étranges, accueille des vignobles escarpés sur ses flancs de schiste couronnés de belles forêts ; sa production de vin trouve grâce auprès du demi-million de visiteurs qu'elle attire chaque année. Ses meilleurs clients viennent en touristes des Pays-Bas et de la Ruhr et les producteurs n'ont aucun mal à satisfaire leurs goûts de néophytes en vacances : dans une ambiance de villégiature, entourés de magnifiques paysages, les touristes n'hésitent pas à payer très cher le privilège d'acheter directement chez le producteur. Cette manne touristique contribue à l'essor de cette région viticole et permet aux petits producteurs une commercialisation à bon compte. Par ailleurs, les coopératives ont une position dominante, car elles contrôlent les trois quarts de la production locale.

Une des spécialités de la région est un vin rosé, le *Weißherbst*, vin fruité, vif, rafraîchissant qui doit sa fraîcheur à une bonne teneur naturelle en acide tartrique, une qualité pour ce type de vin. Bien que cette vivacité soit assez commune à tous les vins des vignobles situés au nord de l'Europe, l'acidité tartrique est plus équilibrée que l'acidité malique, qui résulte d'un manque de mûrissement du raisin et donne au vin une saveur astringente de pomme verte. L'acide tartrique apporte aux vins du Nord une structure que les vins français puisent dans leur tanin.

Moyenne Rhénanie

Face à l'endroit où Rhin et Ahr se rejoignent se trouve le joli bourg de Linz, dans le nord du vignoble de la moyenne Rhénanie (Mittelrhein), vaste de 700 ha. Les vignes, qui s'étendent sur 110 km, disparaissent progressivement depuis plusieurs années, certaines pour faire place aux lotissements de la ville de Coblence, entre autres ; d'autres par manque de main-d'œuvre, ou parce que la viticulture sur ces coteaux escarpés n'est plus rentable. Malgré le réencépagement de nombreux vignobles, plus de la moitié des vignes de Riesling de la région (519 ha) ont au moins 25 ans.

En dépit de l'état préoccupant de la viticulture dans cette ravissante gorge rhénane, tant admirée autrefois par les poètes et les peintres, la situation n'est pas désespérée et tous les espoirs sont permis. La qualité des meilleurs vins de cette région de moyenne Rhénanie commence à être reconnue de par le monde. □

Vignoble surplombant Mayschoß dans la vallée de l'Ahr.

VILLAGES ET PRODUCTEURS

Des monts Eifel jusqu'au Rhin, les vignobles de l'Ahr (vins rouges principalement) longent le fleuve qui traverse une succession presque ininterrompue de bourgades, de villages et de hameaux. Les vignobles de la moyenne Rhénanie (vin blanc principalement) sont disséminés sur toute la longueur des gorges du Rhin.

AHR

L'appellation générique *(Bereich)* Walporzheim-Ahrtal couvre toute la vallée de l'Ahr.

Bad Neuenahr-Ahrweiler

À l'endroit où l'autoroute nord-sud E31 enjambe la vallée de l'Ahr, on peut apercevoir en aval, vers le Rhin, les vignobles bien ordonnés de Heppingen, du district de Bad Neuenahr-Ahrweiler. À l'ouest, l'urbanisation de la région s'étend de plus en plus en amont, mais, heureusement, la vigne, accrochée sur des pentes arides non constructibles, reste hors de portée des promoteurs et une promenade dans les vignobles permet encore de s'évader de l'agitation citadine.

Outre le Weingut Adeneuer à Ahrweiler, il faut évoquer le plus grand domaine, le Staatliche Weinbaudomäne Kloster Marienthal, qui couvre 20 ha et appartient à l'État du Palatinat rhénan. Mais ce sont les plus petits domaines qui offrent les meilleurs vins rouges au futur plein de promesses. Ils font l'objet d'une fermentation traditionnelle, avec rafles et peaux afin que l'extraction de tanins soit maximale et ne contiennent pas de sucres résiduels. Ces vins puissants et austères ne plaisent pas toujours aux touristes en voyage dans la région et on compte sur la fermentation malolactique pour les assouplir quelque peu. Pour leur élaboration, on utilise les raisins mûrs des vieilles vignes sur les parcelles les mieux exposées.

Cette vinification à la française a souvent pour corollaire l'adjonction de sucre dans les moûts. On chaptalise donc ces vins qui n'ont désormais plus droit au classement en QmP. Pour éviter toute complication, cette famille de vins se retrouve commercialisée en tant que *Tafelwein* (voir p. 312), c'est-à-dire en tant que vins de table ordinaires.

Walporzheim et Marienthal

Walporzheim est réputé pour ses vins rouges de qualité comme le Weingut Brogsitters « Zum Domherrenhof », un domaine de 15 ha constitué des anciens vignobles de la cathédrale de Cologne, et le Weingut Nelles à Heimersheim.

Dernau et Mayschoß

Le Weingut Meyer-Näkel de Dernau est un des chefs de file des nouvelles vinifications des vins de l'Ahr. Sa réputation demeure inégalée en Allemagne pour la qualité de ses Spätburgunder, quelquefois élevés en barriques. Le domaine produit surtout des vins rouges, mais aussi du Spätburgunder (Pinot Noir) vinifié en blanc et du Weißherbst. Plus ancienne cave coopérative allemande, Mayschoß-Altenahr reste l'une des plus importantes de la région. Parmi les bons producteurs citons aussi le Weingut Kreusberg et le Weingut Deuzerhof.

MOYENNE RHÉNANIE

Le nord de la moyenne Rhénanie (Mittelrhein) est traversé par une coulée volcanique qui provient des monts Eifel. Le reste de la région présente surtout des sols schisteux. Et, même à Coblence, « am Rhein und Mosel », les vins de moyenne Rhénanie ont plus de caractère que ceux de basse Moselle, région pourtant contiguë. Le Rhin et son fort volume d'eau tempèrent le climat favorisant les printemps précoces et les automnes doux. Malgré la bonne résistance du Riesling à la sécheresse, les pluies abondantes de juin à août sont toujours bienvenues, car les sols sont si peu profonds et le vignoble si escarpé que les eaux s'écoulent trop vite en aval de la vallée. En revanche, et c'est le cas le plus fréquent pour les vignobles en haut des coteaux, le gel d'hiver ou de printemps fait peu de dégâts.

Les petits villages pittoresques des bords du fleuve constituent un passage obligé pour les touristes dans cette région. Les vignes offrent un spectacle grandiose et les vignerons accueillent généreusement les visiteurs qui souhaitent déguster leurs vins.

Bacharach

Ce village situé sur les rives du fleuve a prêté son nom au *Bereich* qui rassemble les vignobles du sud de la région ainsi que ceux de la rive ouest du Rhin. Le vignoble, très dense, fait face aux premières parcelles du Rheingau sur l'autre rive du Rhin. Six embouteilleurs des domaines du Mittelrhein, tous établis à Bacharach, adhèrent au prestigieux VDP (voir p. 315), et notamment le Weingut Toni Jost, le Weingut Walter Perll et le Weingut J. Ratzenberger.

Les vallées profondes, modelées par quatre affluents du Rhin, produisent depuis plusieurs années quelques-uns des meilleurs vins pétillants allemands, car le Riesling de ces vignobles apporte l'acidité nécessaire aux vins de base recherchés par les élaborateurs de *Sekt* de Coblence. Les membres du VDP ont démontré que cette acidité, nécessaire aux vins mousseux, constituait l'épine dorsale de leurs meilleurs vins tranquilles.

Boppard

Le vignoble de Hamm à Boppard a la réputation de produire de bons Rieslings. On peut retenir le nom de Perll, commun à deux domaines.

De Coblence à Königswinter

Au nord de Coblence, sur la rive est du fleuve, se trouvent Leutesdorf et Hammerstein, deux villages réputés pour la qualité de leurs vins. En revanche, Linz, petite ville pittoresque, est plus visitée pour son architecture que pour ses vignobles. Königswinter possède quelques vignobles sur les Siebengebirge (littéralement « sept collines »), dont l'*Einzellage* de Drachenfels.

Mühlental et Lahntal

Le charme rural de la vallée de Mühlental, près de la forteresse d'Ehrenbreitstein à Coblence, est presque boudé par les touristes qui lui préfèrent les trésors de beauté et les paysages spectaculaires des vallées voisines. Elle mérite d'être mieux connue, car elle représente l'image modèle d'un vignoble allemand escarpé, complanté d'une variété de cépages.

Au siècle dernier, le nom *Ehrenbreitstein* évoquait un vin mousseux allemand très prisé à l'étranger. À la même époque, le Lahn, qui traverse Bad Ems avant de se jeter dans le Rhin, produisait un Spätburgunder (Pinot Noir) très réputé dans la région.

Aujourd'hui, dans cette vallée autrefois si importante, sept producteurs seulement ont survécu pour maintenir une tradition viticole vieille de 800 ans. Ils produisent surtout des vins blancs.

Autres producteurs

Parmi les bons producteurs citons le Weingut Lanius-Knab à Oberwesel et le Weingut Weingart à Spay.

MOSELLE-SARRE-RUWER

La région viticole de Moselle-Sarre-Ruwer est l'une des plus spectaculaires d'Allemagne. Ses vignes (12 980 ha) suivent fidèlement le cours des trois rivières éponymes de la région et serpentent, sur leur trace, depuis Coblence jusqu'à la frontière française. Plus d'un quart d'entre elles se situent sur les coteaux vertigineux qui surplombent le fleuve. Parallèlement, un nouveau vignoble de superficie comparable a été créé, dans les années 1960 : des vignes de haut rendement ont été plantées sur un terrain plat, dans un sol qui aurait sans doute mieux convenu à des vergers ou même à des pommes de terre.

Quoi qu'il en soit, c'est l'afflux de vins bon marché en provenance de ces vignobles qui explique en partie le prix dérisoire des vins de la région aujourd'hui, alors que, au siècle dernier, un bon vin de Moselle, issu des coteaux très escarpés, coûtait plus cher qu'un premier cru du Médoc.

Le style des vins de Moselle
C'est un cépage Riesling qui constitue les vignobles de Moselle, donnant un vin blanc sublime et des plus subtils. Les facteurs qui déterminent sa qualité sont examinés page 320, mais il ne faut pas pour autant oublier que la philosophie du producteur compte également. Les vendanges traditionnellement tardives et la fraîcheur des chais expliquent la présence de sucres non fermentés dans le vin en bouteilles. Quand elle est naturelle, elle équilibre de façon agréable l'acidité première du vin. L'ajout de sucre comporte pourtant des risques pour les vins bon marché dont le succès commercial a entaché la réputation de la Moselle.

Les meilleurs Rieslings sont appréciés jeunes, pour leur légèreté et leur fraîcheur, mais aussi pour leur faculté à se transformer, avec l'âge, en vins fascinants et complexes. Les années ensoleillées, les vins de qualité *Auslese* ou de

qualité supérieure reflètent l'équilibre exquis entre le fruit et l'acidité propre au Riesling. En effet, les grands vins de Moselle, quel que soit leur niveau, ne sont jamais très sucrés.

Les cépages classiques
Jusqu'au XVIIe siècle, la région était plantée en majorité avec le cépage Elbling, qui représentait encore 60 % des vignobles au début du XIXe siècle et ne se trouve plus, actuellement, qu'en haute Moselle et parfois en basse Moselle. Le Riesling a pris place sur plus de la moitié des superficies et constitue l'unique cépage dans les sites les plus favorables.

Les autres cépages sont, pour 23,2 %, le Müller-Thurgau et, pour 7,5 %, le Kerner, dont le rendement dépasse de 20 % celui du Riesling. Le cépage Optima a été introduit dans les années 1970, pour renforcer les vins légers ou pour accéder éventuellement de lui-même, mais par la petite porte, au rang d'*Auslese*. C'est un hybride de vignes européennes, qui produit des moûts chargés en sucre mais sans réelle distinction.

Actuellement, la région revient aux vins de qualité qui ont fait sa réputation, c'est-à-dire au Riesling. Alors que le Müller-Thurgau a été largement planté dans les vignobles de deuxième catégorie et donne des vins corrects, dans l'esprit de la région, les meilleurs domaines sont restés insensibles au charme commercial des hybrides plus récents, incapables de donner à leurs vins le caractère régional.

Depuis peu, les cépages rouges, en particulier le Spätburgunder, reviennent timidement.

La rançon de la beauté
Le travail de la vigne sur certaines pentes très raides de la Moselle est difficile et onéreux. Il se mesure en termes de coût, car il requiert des trésors d'ingéniosité. C'est un système de monorails, par exemple, qui a sauvé les vignobles haut perchés de Winningen : il transporte

ouvriers et matériaux à travers les vignes jusqu'aux dernières terrasses. L'exploitation reste coûteuse, malgré les innovations techniques, et on préfère admirer ces sites magnifiques que d'aller y travailler. Dans le domaine Richard Richter (7 ha, 38 % de Riesling), en basse Moselle, les 9 000 pieds de vigne plantés à l'hectare demandent, chacun, trente minutes de travail par an, vendanges comprises. Et la récompense pour ce dévouement est une bouteille de vin par cep. Certes, les coûts d'exploitation des vignobles récents plantés sur terrain plat sont, logiquement, très inférieurs, mais le vin n'a pas la même qualité.

Les districts de la Moselle
La carte (ci-contre) indique les *Bereiche*, ou districts de production. Chacun possède son caractère propre et son style de vin. La basse Moselle *(Bereich Zell)* est décrite, depuis longtemps, comme le parent pauvre de la moyenne Moselle. Et, pourtant, beaucoup de ses vignobles sont bien situés et capables de produire de bons vins.

Le *Bereich* de moyenne Moselle s'appelle officiellement Bernkastel, comme la métropole de la région. Les vignobles apparaissent aux détours du fleuve, sur des coteaux raides, certains parfaitement exposés, d'autres moins bien. Vingt-cinq autres villages, dont certains sont célèbres depuis des siècles, comme Piesport, Wehlen, Graach, bordent le fleuve en amont et en aval ; ils produisent des vins qui atteignent le fabuleux niveau de *Trockenbeerenauslese* et les grands millésimes se gardent des décennies.

La moyenne Moselle s'achève à quelques kilomètres en aval de Trèves, où commence la haute Moselle, à l'autre extrémité de la ville. Les meilleurs vins, les plus délicats et les plus stylés, proviennent des vignobles plantés au confluent de la Sarre et de la Ruwer, et non de ceux qui poussent à cet endroit de la Moselle. □

LES ZONES VITICOLES DE LA MOSELLE

La Moselle se divise en quatre différents districts : basse Moselle, moyenne Moselle, haute Moselle et Sarre-Ruwer, correspondant aux *Bereiche* de Zell, Bernkastel, Obermosel et Moseltor et Sarre-Ruwer. La basse Moselle s'étend de la confluence de la Moselle et du Rhin à Coblence et inclut le village de Zell. À partir de là, commence la moyenne Moselle qui va jusqu'aux environs de Trèves. La haute Moselle, aux coteaux escarpés, s'étend au-delà de cette ville jusqu'à la frontière française. Les rivières Sarre et Ruwer achèvent leur parcours en rejoignant la Moselle de part et d'autre de Trèves.

Districts viticoles

- Vignobles
- --- Limite de district viticole
- Frontière
- Autoroute
- Route principale

N

0   10   20 km

LES FACTEURS DE QUALITÉ

La fraîcheur du climat de la région viticole de Moselle-Sarre-Ruwer explique que le choix du site, le cépage et les conditions climatiques du millésime soient, autant que les rendements, fixés ici par le producteur, des facteurs de qualité déterminants.

LA MOYENNE MOSELLE : PROFIL ET ENSOLEILLEMENT

- ▨ Vignobles de la meilleure qualité
- ☐ Autres vignobles
- ☐ Terrains trop hauts et froids
- ▨ Villages
- —— Courbe de niveau (en m)

Cépages

Cépage classique de Moselle, le Riesling possède un excellent potentiel de qualité, mais à condition d'être planté sur un site très ensoleillé, car il mûrit lentement. Par contre, il résiste bien aux froids de l'hiver. Les autres cépages n'atteignent pas le même niveau de qualité.

Sites et microclimats

Le Riesling ne mûrit bien que s'il est planté sur un site en pente, bien exposé, qui lui assure un ensoleillement maximal et une chaleur suffisante d'avril à octobre ; à une altitude moyenne et à l'abri des vents froids, il doit également bénéficier d'un taux d'humidité convenable. Un classement officiel distingue les vignobles en pente raide (dénivellation supérieure à 20 %), les coteaux (de 5 à 20 %) et les vignobles en terrain plat. Une vigne plantée sur une forte pente et exposée plein sud va jouir d'un meilleur ensoleillement qu'une autre, plantée à mi-coteau ou dans la plaine. Elle ne doit pas, pour autant, être située à trop haute altitude, car elle manquerait de chaleur ; mais un vignoble trop bas, au pied d'un coteau, risquerait de souffrir du gel.

Dans cette région où le moindre rayon de soleil, la moindre heure de chaleur sont vitaux pour la vigne, on recherche les sols schisteux, car ils favorisent le mûrissement en restituant, la nuit, la chaleur emmagasinée le jour.

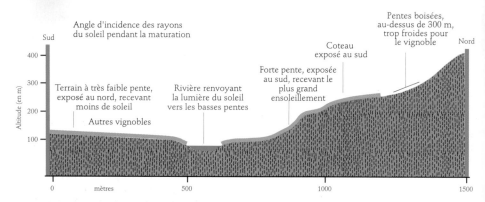

Millésimes

Chaque année est un nouveau défi. Une gelée au printemps ou des pluies en été peuvent empêcher le bon développement des raisins. Mais c'est l'ensoleillement d'août à octobre qui détermine le caractère du millésime. Les années froides, les vins ne dépasseront pas le niveau QbA ; avec un été normal, les vignobles les mieux situés arrivent à produire des QmP, alors qu'un bon ensoleillement en septembre et octobre les conduit au moins aux *Auslesen*. Ces années, trop rares, le Riesling donne de grands vins.

Sonnenuhr (littéralement « cadran solaire ») à Wehlen.

Rendements

Le progrès des techniques de viticulture a permis d'augmenter nettement les rendements, dont la moyenne a atteint, en 1982, 173 hl/ha. Un tel niveau a pour corollaire des vins d'une teneur en acidité anormalement basse, et d'une dilution qui ne permet aucune expression du terroir. Ces forts rendements affectent en particulier le Riesling qui, par manque de concentration, donne un vin ordinaire. La législation ne fixant aucune limite, certains domaines ont pris l'initiative de réduire leur production par la taille ou l'éclaircissage, afin d'obtenir des vins de meilleure qualité. De nouvelles réglementations devraient bientôt limiter des rendements qui restent soumis, à ce jour, aux caprices de la nature et des hommes.

VILLAGES ET PRODUCTEURS

Les meilleurs vignobles de Moselle se trouvent surtout dans les régions de basse Moselle et de moyenne Moselle (voir carte p. 319). Les vins de chacune de ces régions sont décrits ci-dessous, en remontant le fleuve du nord-est vers le sud-ouest.

BASSE MOSELLE

La basse Moselle se trouve dans le *Bereich* de Zell et se divise en six *Großlagen*. La vallée, sinueuse, aux pentes abruptes, est bordée de villages qui attirent de nombreux touristes œnophiles. Le *Bereich* de Zell réunit deux atouts pour obtenir des vins mûrs de bonne tenue : un sol schisteux et des coteaux escarpés. Le Riesling est le principal cépage.

Ces vins de Moselle présentent quelques points communs avec ceux de moyenne Rhénanie. Charpentés, ils développent un agréable goût de terroir sans toutefois rivaliser en finesse et en délicatesse avec les meilleurs vins du *Bereich* de Bernkastel. Leur structure fait d'eux de bons vins secs *(trocken)*, non dépourvus d'une certaine douceur. En effet, la législation allemande autorise une faible quantité de sucres résiduels, même dans les vins « secs ».

Winningen et Kobern-Gondorf

Winningen est l'un des plus grands villages viticoles de Moselle, et le plus important dans cette région. Il partage, avec son voisin Kobern, le beau vignoble en terrasses Winninger Uhlen.

La réputation récente de domaines privés – Richard Richter, von Schleinitz, von Heddesdorff et Heymann-Löwenstein, par exemple – s'est faite sur leurs Rieslings de caractère. Heymann-Löwen-stein, d'esprit très indépendant, ne produit que des vins QbA, dont la grande qualité peut justifier le prix.

Depuis quinze ans, l'association *Deutsches Eck* de Kobern-Gondorf œuvre efficacement en faveur de la qualité. Ses vins, tous des Rieslings, affichent des teneurs en sucre élevées et proviennent de vignobles très pentus, dont le rendement ne dépasse pas 80 hl/ha. Le président, Franz Dötsch, s'est fixé pour objectif de baisser encore ces rendements afin de ne pas dépasser 50 hl/ha.

Cochem et Pommern

Cochem, dont la promenade au bord de l'eau et le château attirent beaucoup de touristes, se trouve au centre de la *Großlage* Rosenhang. Weingut Reinhold Fuchs de Pommern se spécialise dans les vins secs – 90 % de sa production – mis en bouteilles à la propriété.

Zell

À l'extrémité du *Bereich,* en amont du fleuve, se trouvent le bourg de Zell et les villages de Merl, Bremm et Bullay. La superficie de Zeller Schwarze Katz, seule *Großlage* dans le *Bereich* dont le vin soit connu à l'étranger, est passée de 10 à 410 ha. Zeller Schwarze Katz est un nom connu qui n'est pas toujours à la hauteur de sa réputation. D'ailleurs, Albert Kallfelz de Merl, à la limite de la *Großlage,* préfère mettre son propre nom en avant plutôt que celui des vignobles.

MOYENNE MOSELLE

Ses paysages rappellent, en moins spectaculaire, ceux situés en aval. Les meilleurs vignobles, sur les coteaux abrupts, sont morcelés par des vallées latérales. Le fleuve serpente et traverse des villages viticoles très connus.

Les étiquettes des domaines privés mettent rarement en évidence les noms des neuf *Großlagen*, sauf celle de Badstube, un petit vignoble de Bernkastel jouxtant le célèbre Doktor, car les domaines importants possèdent presque tous des vignes dans plusieurs villages. On révère plus ici les *Einzellagen* que dans les autres districts de moindre renommée. L'amateur de vin apprend donc à chercher l'étiquette qui associe le nom d'un domaine réputé à celui d'un des vignobles individuels connus.

Contrairement au Palatinat et à la région de Bade, dont les vins en vogue titrent un degré d'alcool supérieur, le charme des vins de moyenne Moselle réside dans le juste équilibre entre bouquet et saveur. Pour décrire la structure délicate de leurs vins issus du Riesling, les gens du pays emploient le mot *Filigran* (« complexe »).

De Briedel à Kröv

Les vignobles du *Bereich* de Bernkastel commencent au village de Briedel et longent les méandres de la Moselle jusqu'à Erden, traversant Traben-Trarbach et Kröv. Les domaines de la région ne jouissent pas d'une grande réputation, car leurs vins, agréables, fruités et vifs, n'atteignent jamais des sommets de qualité.

De Erden à Graach

Les importants vignobles de moyenne Moselle commencent à Ürzig, où la grande rivière fait un coude. Le village de Erden fait face à ses vignes, qui s'étendent sur la rive nord, bien exposées au soleil ; ses vignobles, Prälat et Treppchen, ont bonne réputation. À Ürzig, le Würz-garten (littéralement « jardin d'épices ») donne des vins aux notes épicées. Parmi les meilleurs domaines, on trouve Bischöfliche Weingüter, Weingut Oekonomierat Dr. Loosen, Weingut Mönchhof-Robert Eymael, Weingut Dr. Pauly-Bergweiler, Weingut Willi Schaefer, Weingut Erden à Wehlen et Weingut Markus Molitor à Bernkastel-Wehlen.

Viennent ensuite des vignobles superbes, exposés au sud-ouest, à Zeltingen, Wehlen et Graach. Les plus prestigieux s'appellent Wehlener Sonenuhr (« cadran solaire »), Graacher Domprobst et Graacher Himmelreich. À retenir, les noms des producteurs J. J. Prüm, S. A. Prüm et Max-Ferdinand Richter.

Bernkastel

Un des rares ponts qui enjambent la Moselle relie le vieux bourg de Bernkastel, « capitale » de moyenne Moselle, à

LE GROSSER RING

Les 27 membres du *Großer Ring* (littéralement « grande couronne »), section locale du VDP, représentent principalement les domaines de Sarre-Ruwer et ceux du secteur de la Moselle entre Erden et Trittenheim. Chaque automne depuis sa création (en 1908), le *Großer Ring* organise le grand événement viticole de la région : une vente aux enchères. Les prix atteints peuvent être très élevés, mais ils n'ont pas, sur le marché, les répercussions de ceux des Hospices de Beaune. Les membres du *Großer Ring*, propriétaires des vignobles les mieux situés, produisent sans doute les Rieslings les plus prestigieux de la région et leurs efforts de promotion profitent à tous les bons vins de Moselle-Sarre-Ruwer.

son récent jumeau, Kues, où siègent plusieurs sociétés vinicoles importantes ainsi que la cave coopérative Moselland. La gloire de Bernkastel est le vignoble « Doktor », qui domine, de son coteau abrupt, les toits du village, et, dans les meilleurs millésimes, donne l'un des meilleurs vins du monde : intense, doux, d'une grande longévité, sa réputation (et son prix : un *Trockenbeerenauslese* 1921 s'est vendu à 23 000 francs) atteint celle d'un Château d'Yquem. Le vignoble (3,2 ha) appartient aux Domaines Wegeler-Deinhard, Dr. Thanisch, Lauerburg et Reichsgraf von Kesselstatt.

De très bons vins proviennent également des vignobles Graben et Alte Badstube am Doctorberg tandis que la *Großlage* Kurfürstlay, vaste vignoble en amont de Bernkastel, fournit des vins de qualité moindre.

De Bernkastel à Piesport

Avant d'atteindre Wintrich puis Piesport, la rivière contourne quelques villages peu réputés et d'autres que la qualité de leurs vins a rendus plus célèbres : Brauneberg, et son vignoble Juffer, Kesten et le Paulinshofberg.

Ce village a donné son nom à Piesporter Michelsberg, une *Großlage* exposée au nord, s'étendant en terrain plat, sur l'autre rive. Piesport a ainsi perdu un peu de sa renommée, même s'il peut encore se prévaloir de vignobles de grande classe, en particulier le grand Goldtröpfchen. Parmi les meilleurs producteurs, citons les Domaines de Trèves, von Kesselstatt, Bischöfliche Weingüter et Vereinigte Hospitien ainsi que Weingut Bernkastel, Weingut Reinhold Haart à Piesport, Weingut Fritz Haag à Brauneberg et Weingut Schloß Lieser à Lieser.

De Neumagen à Longuich

La moyenne Moselle s'achève aux villages de Neumagen (dont le meilleur vignoble s'appelle Rosengärtchen), Trittenheim (le vignoble Apotheke) et Klüsserath (le Bruderschaft) ainsi qu'au Domaine Friedrich-Wilhelm-Gymnasium, propriété d'une œuvre caritative (voir encadré ci-contre).

SARRE-RUWER

La ville de Trèves rompt la succession des vignobles et deux rivières confluantes de la Moselle, la Sarre et la Ruwer, dotent la région de ses meilleurs vignobles. La moitié des membres du VDP régional possèdent des vignobles dans le *Bereich* Sarre-Ruwer, district regroupant les deux vallées. Le Riesling couvre 70 % des surfaces en exploitation et, comme toujours, les terrains très en pente constituent les meilleurs sites. Le district n'est connu à l'étranger que pour ses grands vins. En Allemagne, on trouve les QbA de Sarre les moins chers sous le nom de la *Großlage* Wiltinger Scharzberg mais, le plus souvent, ces vins bon marché, au niveau d'acidité élevé, servent de vins de base pour l'élaboration du *Sekt*, le Mousseux allemand.

Sarre

Les vignobles de la Sarre, en amont de la Moselle, produisent des Rieslings fermes, pleins de caractère et d'élégance.

Comme en Moselle, les sols regorgent de schiste, mais d'une nature plus friable.

Dans les dégustations à l'aveugle, les vins de la Sarre se distinguent par leur bouquet particulièrement intense, chargé de ces notes minérales de schiste que le cépage Riesling sait mettre en valeur.

Les meilleurs domaines sont Schloß Saarstein, Weingut Bert Simon, Egon Müller-Scharzhof (le plus cher de tous), Weingut Reverchon et Weingut von Hövel, sans oublier les propriétés des œuvres caritatives de Trèves (voir plus haut Bernkastel) ainsi que Weingut Le Gallais à Wiltingen, Weingut Forstmeister à Geltz et Weingut Zillingen à Saarburg.

MOSELLAND

Moselland, cave coopérative régionale située à Bernkastel, traite 21 % des raisins de la région. Un tiers des 36 millions de bouteilles produites chaque année est vendu en vrac aux grands négociants ; 38 % sont exportés en Angleterre, où le marché semble prometteur pour les blancs demi-secs. Les dirigeants, estimant que la période de croissance rapide a pris fin, donnent maintenant la priorité à la qualité. Cette politique a entraîné la création d'une gamme de vins supérieurs pour les supermarchés et les magasins d'alimentation allemands ainsi que d'une gamme distincte, destinée aux cavistes. Cette importante cave coopérative contribue en outre au succès des Rieslings *Sekt*, fermentés en bouteilles.

FRIEDRICH-WILHELM-GYMNASIUM

Ce domaine, situé à Trèves et constitué d'un important vignoble et de caves, regroupe 21 parcelles disséminées entre Zeltingen, Graach, Bernkastel, Dhron, Neumagen, Trittenheim, Klüsserath et Mehring, ainsi qu'à Falkenstein, Oberemmel, Ockfen et Wiltingen sur la Sarre. Les vins de chaque parcelle sont vinifiés séparément, puis élevés en barriques de chêne. Ils sont ensuite classés en vertu de leur classement officiel potentiel, de leurs sucres résiduels, et de leur cépage – le Riesling reste présent pour 90 %. Cette division parcellaire conduit à la production de 107 vins de millésimes différents, auxquels s'ajoutent deux *Sekt*, produits sur un vignoble de 36 ha. C'est un merveilleux domaine auquel, peu à peu, se sont ajoutées de nouvelles parcelles. Il mérite sa grande renommée par l'authenticité et le caractère hors du commun de ses vins.

Ruwer

Ce sous-district s'est fait connaître grâce à deux prestigieux domaines, Karthäuserhof et von Schubert (voir encadré), et leurs Rieslings, délicats mais de longue garde. La Ruwer produit, en toutes petites quantités, des vins qui figurent parmi les meilleurs d'Allemagne.

Vignobles enneigés surplombant Zeltingen (moyenne Moselle).

HAUTE MOSELLE

Comparés aux vignobles de la Sarre-Ruwer, ceux-ci sont moins importants. Les guides touristiques désignent le Wasserliesch comme la porte d'entrée de la haute Moselle, malgré le contraste entre ce nom pompeux et les paysages bucoliques du *Bereich* Obermosel. Les vins produits par les 1 100 ha de vignes en aval de Trèves ne peuvent se comparer aux meilleurs vins de Bernkastel ou de Sarre-Ruwer. Rares sont les QmP, ce qui n'empêche pas une poignée de domaines de produire des *Trockenbeerenauslesen*. La majorité des raisins est livrée chaque année à la coopérative centrale du Moselland à Bernkastel (voir encadré p. 322). Les viticulteurs de cette région mènent une vie modeste, comparée à celle des Luxembourgeois, sur l'autre rive de la Moselle.

Le calcaire coquillier remplace ici le schiste de moyenne Moselle. Le sol profond est riche en humus et, contrairement aux coteaux escarpés en aval de Trèves, qui ne conviennent pas à la culture des céréales, la viticulture de haute Moselle a toujours été en concurrence avec l'agriculture. Aujourd'hui, le Weißer Elbling, un cépage prolifique d'origine inconnue, occupe 87 % de ce vignoble de 1 165 ha. En 1989, son rendement a atteint 221 hl/ha. Dans cette région, il est souvent assemblé avec des vins légers issus du Sylvaner. Quelques producteurs ont opté pour une baisse des rendements et produisent des vins légèrement pétillants, d'une agréable fraîcheur.

À Remich, sur l'autre rive de la Moselle, l'impressionnant Domaine Schloß Thorn élabore un rosé à partir du cépage Roter Elbling. Il commercialise également un Riesling et un rosé issu de Schwarzriesling (Pinot Meunier). Le *Bereich* Obermosel cultive, en petites quantités, les cépages Ruländer, Müller-Thurgau, Weißburgunder et de l'Auxerrois (de la famille des Pinots).

VON SCHUBERT

En remontant la Ruwer à l'endroit où elle traverse Eitelsbach, on arrive dans une région de collines qui se prolonge jusqu'à une vallée adjacente. C'est là que se trouve le Domaine des von Schubert, Maximim Grünhaus, qui se divise en trois vignobles. Sous la même étiquette, on peut trouver plusieurs vins différents. Les trois sites, Abtsberg, Herrenberg et Bruderberg, produisent régulièrement des vins qui ont chacun leur propre personnalité, ce qui justifie les trois noms. Et, lorsque l'un des vins manque de caractère, son étiquette ne mentionne pas son vignoble d'origine.

LES RÉGIONS VITICOLES DU RHIN

Cette carte situe les vignobles de la région centrale du Rhin
– Rheingau, Hesse rhénane, Palatinat, Nahe et Bergstraße
de Hesse – qui forment ensemble le cœur du pays viticole
allemand et participent à sa renommée internationale.
Elle montre que la Nahe et la Hesse rhénane sont très
proches du Rheingau ainsi que de certaines des plus
grandes villes de l'ouest de l'Allemagne.

RHEINGAU

Les producteurs du Rheingau qui assurent eux-mêmes la mise en bouteilles bénéficient, pour la commercialisation de leurs vins, de l'excellente réputation de cette région prestigieuse. Plus chers qu'ailleurs, les prix sont souvent justifiés par la qualité des vins : ceux-ci figurent parmi les plus grands blancs allemands. Le Riesling s'y est parfaitement adapté puisqu'il est planté dans la région depuis 1435. Élégants dans leur jeunesse, les vins du Rheingau acquièrent, en vieillissant, de la complexité et un superbe équilibre.

Jusque dans les années 1980, les grands domaines appartenaient surtout à l'aristocratie – Schloß Johannisberg, Schloß Groenesteyn – ou à l'État fédéral de Hesse et assuraient, presque à eux seuls, la réputation des vins de la région. Plus récemment,

des producteurs moins importants ont commencé à élaborer des vins d'une qualité admirable. Depuis quinze ans, nombre d'exploitations ont cessé toute activité, mais, souvent, elles sont reprises par une nouvelle génération de vignerons passionnés et compétents. Les surfaces cultivées ont augmenté de 6 % depuis les années 1980 pour atteindre 3 119 ha, tandis que le nombre d'exploitants a chuté de 25 %, passant de 1 940 à 1 469. Comme il est fréquent dans les plus anciens vignobles de la vieille Europe, la viticulture est un métier à temps partiel pour la grande majorité des producteurs, puisque seulement 304 producteurs possèdent au moins 3 ha.

Les vignes du Rheingau poussent principalement sur les coteaux inférieurs des monts Taunus. À l'est, une *Großlage* de 356 ha, Hochheimer Daub-

haus (près de la ville de Hochheim), longe le Main et se trouve séparée du vignoble principal par les faubourgs de Wiesbaden. À l'ouest, les vignobles escarpés d'Assmannshausen et de Lorchhausen ressemblent beaucoup à ceux de moyenne Rhénanie.

La tradition du Riesling

Un grand nombre de vastes propriétés appartiennent depuis des siècles à des gros producteurs parfaitement équipés et bien organisés. Leurs archives indiquent qu'au fil des siècles les récoltes ont été soit très faibles, soit, quelquefois, catastrophiques. Les produits chimiques (à l'exception du dioxyde de soufre) étaient rarement employés pour protéger la vigne. La nature avait son propre équilibre, que certains producteurs du Rheingau tentent de recréer, pour autant que la

L'abbaye de Ste-Hildegarde est au sommet du coteau des vignes de Rüdesheim.

pollution atmosphérique le permette. Mais ces petites vendanges d'autrefois s'expliquaient aussi par la nature des cépages. Prenons l'exemple du Riesling, qui couvre aujourd'hui 82 % du Rheingau. Ses rendements actuels sont plus constants grâce à une meilleure sélection clonale. Dans le Rheingau, la moyenne des rendements était de 51,8 hl/ha dans les années 1950, passant à 71,1 hl/ha dix ans plus tard pour atteindre 81 hl/ha depuis 1970.

La tendance actuelle préconise une taille plus sévère et l'éclaircissage ou l'élimination des grappes en surabondance pendant l'été. Les rendements moyens des années 1990 devraient donc être en baisse. Les plus petites récoltes, depuis 1950, ont été de médiocre qualité, tandis que les vendanges les plus abondantes, comme celle de 1959, n'ont jamais permis d'égaler la densité de moût de cette année exceptionnelle.

Environ 60 % des vins du Rheingau sont classés en QbA, et 10 % de la récolte est élaborée en *Sekt* (voir p. 348). Le Riesling QbA représente bien le style régional, mais n'est pas toujours rentable à produire. Les QmP en général, et les *Spätlesen* en particulier, sont des catégories de vins qui permettent de meilleures marges bénéficiaires pour les domaines traditionnels privilégiant le Riesling.

Dans la région, les années où les rendements restent raisonnables, le Riesling restitue bien son goût de terroir, ce qui justifie l'utilisation du nom d'*Einzellage*. Ce goût est encore plus prononcé dans les vins les plus secs. Les bons Rieslings du Rheingau ont un caractère racé. Plutôt discrets dans leur jeunesse, ils évoluent lentement puis, tout comme les grands Bordeaux, présentent, avec l'âge, une certaine austérité que l'on ne trouve jamais dans les vins de régions plus chaudes. Dans les meilleurs millésimes, le Riesling du Rheingau compte parmi les plus grands vins du monde.

Comprendre les noms des vins du Rheingau

Dans le Rheingau, comme ailleurs, le nom du vignoble individuel a perdu de

Le Domaine von Simmern à Eltville.

son importance ces dernières années. La commercialisation de vins bon marché sous le nom générique de la *Großlage* y a sans doute contribué. De plus en plus, les producteurs du Rheingau

L'ASSOCIATION CHARTA

Une cinquantaine de producteurs du Rheingau, dont une coopérative, font partie de cette association Charta, créée en 1984. Un jury officiel déguste les Rieslings avant et après la mise en bouteilles, afin de contrôler les normes de teneur en sucres et d'acidité. Ces derniers ne peuvent être expédiés pendant les 18 mois qui suivent la vendange. Techniquement, ce sont des vins demi-secs, bien que leur dégustation ne permette pas de déceler facilement la présence de sucres résiduels. Ils évitent également tout excès d'acidité pour rechercher tout simplement un bon équilibre. Les vins des membres de l'association Charta ont adopté la bouteille allemande en forme de flûte, marquée d'une double arche romaine et de l'inscription *Rheingau Riesling*.

Ces vins sont destinés surtout à la restauration allemande et aux magasins de détail. Les producteurs du Rheingau s'intéressent beaucoup aux accords des mets et des vins, ce qui n'a pas manqué d'influencer le style de leurs vins.

mettent surtout en avant le nom du domaine. Certains ont élaboré des cuvées spéciales, tel le Geheimrat « J », de Wegeler-Deinhard. Cependant, malgré ces initiatives privées et le modeste succès du concept Charta, pourtant excellent dans son principe (voir encadré), la plupart des producteurs comptent également sur le nom du vignoble d'origine pour convaincre les acheteurs.

Le système de dénomination utilisé dans le Rheingau est d'une grande confusion. Par exemple, Johannisberger Erntebringer désigne une *Großlage* de 320 ha mais Johannisberg est également le nom d'un village où se trouvent 9 *Einzellagen* (vignobles individuels tel le Johannisberger Hölle), tandis que le *Bereich,* ou district, de Johannisberg couvre toute la région du Rheingau.

Pour compliquer encore cette situation de noms difficiles à saisir, et toujours dans la famille des Johannisberg, citons le Schloß Johannisberg, le plus impressionnant des domaines du Rheingau.

Les anciennes lois régissant la succession ont conduit à une fragmentation croissante des propriétés, si bien qu'on peut trouver, dans un même endroit du Rheingau, autant de parcelles et autant de propriétaires que dans un vignoble bourguignon. Cette dispersion a été réduite, en certains endroits, par un remembrement, en liaison avec la *Flurbereinigung*, un programme officiel pour la reconstruction et la modernisation du vignoble.

Les fêtes du Rheingau

Comme on peut s'y attendre de la part de la plus prospère des régions viticoles allemandes, le Rheingau gère son image par diverses initiatives individuelles et associatives. Certaines manifestations promotionnelles s'inspirent directement de modèles français, comme, par exemple, la célébration annuelle *die Glorreichen Rheingau-Tage*, qui a lieu au mois de novembre dans l'ancien monastère Kloster Eberbach. Son nom et, beaucoup plus encore, l'esprit de cet événement ont été copiés sur les Trois Glorieuses de Bourgogne, la fête annuelle du Clos de Vougeot. □

LES FACTEURS DE QUALITÉ

Le vignoble principal du Rheingau s'étire sur des coteaux en pente douce et exposés au sud, délimités par des forêts au nord et par le Rhin au sud. Cette orientation vers le sud constitue un facteur important de qualité. Il est en effet possible de récolter des raisins bien mûrs en vendanges tardives sur les meilleurs sites, pour l'élaboration des fameux vins liquoreux du Rheingau.

Le cépage Riesling est particulièrement bien adapté aux différents terroirs et microclimats de cette région, où il reste le cépage prédominant. En quelques années, une sélection clonale a permis d'identifier des clones de Riesling qui ont l'avantage de produire des raisins avec de forts rendements.

Sites et sols

Les vignobles du Rheingau sont tous situés à moins de 5 km du Rhin ou du Main. Les parcelles en lisière de la forêt, sur la partie la plus haute des coteaux, jouissent d'un microclimat moins favorable du fait de leur altitude et de leur éloignement du Rhin. Mais, les années où les raisins arrivent à maturité avant le début officiel des vendanges, la qualité peut être supérieure dans ces vignobles (Rauenthal, Kiedrich ou Schloß Vollrads), car les raisins y mûrissent plus lentement. La date officielle de début des vendanges est fixée pour toute la région sans tenir compte des variations dues aux microclimats. L'argument selon lequel les producteurs sont mieux placés pour choisir la date des vendanges, en fonction de la maturité des

Climat

La région du Rheingau est protégée de la froideur des vents du nord par les monts Taunus et profite des effets calorifiques de la masse des eaux du Rhin.

Ces conditions conjuguées créent des microclimats favorables à la viticulture.

La pluviosité est faible et l'ensoleillement est suffisant. Mais l'exposition des parcelles crée des différences de maturité, les sites les plus protégés bénéficiant du meilleur échauffement et d'une bonne propension à conserver cette chaleur, ce qui favorise le mûrissement du raisin.

 Vignobles

LE RHEINGAU : PROFIL ET EXPOSITION

Les vignes grimpent jusqu'au bois au-dessus d'Eltville.

raisins dans leurs différentes parcelles, mériterait pourtant d'être étudié de près.

À Hochheim, à l'est, le sol est composé d'argile, de sable et de gravier, alors qu'à Lorch, à l'ouest, le schiste et le grès dominent. Mais, pour la qualité, le terroir importe moins ici que le microclimat.

Sélection et teneur en sucre

À ses débuts, la viticulture du Rheingau était entre les mains de l'Église, qui fournissait les connaissances nécessaires à la gestion des vignobles, décidait des dates de vendange et présidait à la sélection des raisins – une tradition qui a survécu jusqu'à l'époque napoléonienne. La production de vins liquoreux à partir de raisins atteints de pourriture noble (ou *Botrytis cinerea*) a commencé aux environs de 1820. La tendance actuelle privilégie le Riesling *Spätlese,* au goût très franc, à partir de raisins exempts de *Botrytis.* Les raisins destinés aux *Spätlesen* peuvent, eux, être cueillis, légalement, sept jours après le début officiel des vendanges ; ceux destinés aux *Auslesen* peuvent être récoltés à tout moment.

VILLAGES ET PRODUCTEURS

La description du Rheingau, ci-dessous, se déroule d'ouest en est. Les vins de qualité de l'ensemble de la région peuvent utiliser le nom du *Bereich* de Johannisberg. Les grands domaines jouent ici un rôle important. Ils figurent sous le nom du village où se tient leur siège social, même si, presque tous, ils possèdent des vignes dans plusieurs villages.

De Lorchhausen à Assmannshausen

Les vignobles du Rheingau changent d'orientation en amont de Assmannshausen et suivent les gorges du Rhin sur la rive droite, jusqu'à Lorch et Lorchhausen, presque en face de Bacharach. Dans cette partie occidentale du Rheingau, les *Kabinett* offrent un bon compromis commercial entre quantité et qualité. Les vignobles sont plantés dans la proportion de 70 % en Riesling, complété par le Spätburgunder. Weingut Graf von Kanitz est le meilleur domaine de Lorch.

Assmannshausen est connu pour ses vins rouges issus du cépage Spätburgunder. Ce dernier n'est planté dans la région que depuis 1740 et a mis moins de 20 ans pour asseoir sa réputation. Les témoins de cette époque ont noté que le Spätburgunder présentait deux avantages : il arrive à maturité 14 jours avant le Riesling et produit toujours une bonne récolte, même les mauvaises années. À l'époque, on qualifiait de « mauvais millésime » les années de vendanges tardives où le producteur attendait désespérément que ses raisins soient bons à récolter. Ce n'est que beaucoup plus tard qu'on a appris à gérer un millésime de *Spätlese*.

Les meilleurs vignobles d'Assmannshausen sont éparpillés sur les 55 ha du site inégal de Höllenberg. L'Assmanns-hauser Frankenthal, planté en parts égales de Riesling et de Spätburgunder, jouxte le Rüdesheimer Berg, l'un des plus prestigieux vignobles du Rheingau. Parmi les grands noms citons Domäne Assmannshausen der Hessischen Staatsweingüter, Weingut Robert König, Weingut Krone et Weingut Lorch.

Rüdesheim

Ce village touristique siège au pied du Rüdesheimer Berg, célèbre pour ses coteaux recouverts de vignes dont la pente devient plus raide à l'approche du sommet. Les vins des parcelles les plus abruptes, comme l'*Einzellage* Berg Schloßberg, se distinguent, lors des dégustations de Rieslings du Rheingau, par une saveur particulière rappelant le sol de schiste.

Les propriétaires les plus connus de la région sont l'État de Hesse (Staatsweingut Rüdesheim), le Dr. Heinrich Nägler et Bernhard Breuer, un des fondateurs du groupe Charta (voir p. 326). Bernhard Breuer est, avec Georg Breuer (Rüdesheim), l'un des porte-parole du comité Erstes Gewächs, un mouvement plus récent et aujourd'hui plus important que la Charta. D'autres domaines réputés du Rheingau possèdent des parcelles de vigne à Rüdesheim : August Eser et Wegeler-Deinhard d'Oestrich, Balthasar Ress et Schloß Schönbom de Hattenheim ainsi que le domaine du Prinz von Hessen de Geisenheim et le Weingut Josef Leitz de Rüdesheim.

Johannisberg et Geisenheim

Le village de Johannisberg possède neuf vignobles individuels. Son nom a été choisi pour figurer sur les étiquettes des vins génériques de l'ensemble de la région, mais le plus connu de ses domaines reste l'imposant Schloß Johannisberg (voir encadré).

Plus près du Rhin que Johannisberg, Geisenheim est connu dans les cercles vinicoles du monde entier pour la Hessische Forschungsanstalt für Wein, Obst, und Gartenbau – l'Institut de recherches viticoles, fruitières et horticoles – qui se consacre aussi bien à la formation qu'à la recherche. Son résultat le plus frappant, dans le domaine de la viticulture, est la sélection de clones à partir d'une population de vieilles vignes. L'institut possède un domaine de 20 ha dans les *Einzellagen* bien connues Geisenheimer Rothenberg et Kläuserweg. Les vins de Geisenheim possèdent quelquefois un agréable goût de terroir. Parmi les producteurs les plus importants citons le Weingut Freiherr von Zwierlein à Geisenheim.

Winkel et Oestrich

Contrairement aux Rieslings de Geisenheim, ceux de Winkel ont de la distinction sans toutefois posséder un goût et un arôme aussi marqués. Les plus célèbres, d'un style à la fois très fruité et d'une acidité soutenue, proviennent des vignes les plus élevées du Schloß Vollrads, membre éminent du groupe Charta, dont le vignoble, détenu par une banque, est vieux de 800 ans.

Même si les Rieslings du village voisin, Oestrich, sont très bons, ils n'atteignent pas le raffinement des meilleurs vins du vignoble Winkeler Hasensprung. D'autres grands vins d'Oestrich sont produits par le Weingut Peter Jakob Kühn et le Weingut Querbach.

Hattenheim

Caché dans les forêts au-dessus de Hattenheim, Kloster Eberbach prête son ambiance prestigieuse aux activités promotionnelles de la région, ventes de vins aux enchères, dégustations, concerts et séminaires. Depuis le XVIIIe siècle, son

LES VINS ROUGES DU RHEINGAU

Le Spätburgunder (Pinot Noir) produit à Assmannshausen un vin rouge très apprécié des Allemands.

Domäne Assmannshausen, propriété de l'État de Hesse rhénane, fait un Spätburgunder léger, qui contient souvent un peu de sucres résiduels et reste difficile à apprécier pour les étrangers. Le domaine est connu également pour son Spätburgunder *Eiswein*.

Certains domaines ont adopté un style de vinification à la fois plus moderne et plus international, basé sur des fermentations plus longues en présence des peaux de raisin. La plupart des domaines du Rheingau pratiquent une fermentation malolactique pour la vinification en rouge, mais il n'existe pour l'instant aucun consensus sur l'élevage. L'enthousiasme pour l'élevage en barriques neuves, en vogue dans les années 1980, s'est quelque peu calmé, mais il est réapparu ces dernières années. Le Weingut Robert Weiler a ainsi une centaine de barriques.

La comparaison du chêne allemand de Hunsrück et Spessart avec celui des forêts de l'Allier, de Nevers et du Limousin alimente le débat.

vignoble le plus connu, le Steinberg (31 ha), est entouré de murs de l'époque cistercienne, comme le Clos de Vougeot, son homologue en Bourgogne. Mais, contrairement à celui-ci, Kloster Eberbach appartient à un seul propriétaire, l'État de Hesse (Staatsweingut). Son vin, charpenté et concentré, est doté d'un fort caractère.

Le Steinberger Riesling Edelbeerenauslese 1959, dégusté trente ans après le millésime, a révélé beaucoup de vivacité et de style, sans faire preuve de la lourdeur pourtant caractéristique de ce millésime unique et chaud. Schloß Schönborn, Schloß Reinhartshausen et Langwerth von Simmern ainsi que le Weingut Hans Lang sont quelques-uns des producteurs de Hattenheim.

Erbach

Peu d'œnophiles contesteraient à Erbacher Marcobrunn sa place dans le peloton de tête des bons vignobles, très nombreux dans la région. Ses 5 ha de vignes, coupés par une ligne de chemin de fer (ce qui ne serait plus autorisé aujourd'hui) profitent d'une source d'eau souterraine. Ses vins se démarquent dans les millésimes moyens ou les années d'extrême sécheresse ; dans les grandes années, ils subissent la concurrence intense de toute la région. Si l'on cherche des comparaisons avec des herbes, des fruits et des légumes pour exprimer leur complexité, l'expression « bouquet garni » paraît leur convenir. Mélangeant arômes de végétaux et de fruits, ce vin robuste exige, pour atteindre son apogée, d'être gardé plus longtemps en bouteilles que d'autres crus.

Parmi les domaines d'Erbacher Marcobrunn, les plus vastes se trouvent les chefs de file de l'*Einzellage* : Schloß Schönborn, von Simmern, l'État de Hesse rhénane (Staatsweingut), Schloß Reinhartshausen ou encore Weingut Jakob Jung et Weingut Freiherr zu Knyphausen.

Sur une île protégée du gel, fréquentée selon les époques de l'année par des cormorans, des hérons, des martins-pêcheurs, des canards sauvages, des sangliers sauvages nageurs et habitée par des ouvriers viticoles, le Schloß Reinhartshausen a planté son vignoble dans le respect de l'environnement. Guidée par le souci d'équilibre naturel, la viticulture écologique s'installe lentement. La pourriture induite par l'humidité du Rhin a jusqu'à présent eu raison des efforts entrepris pour cultiver le Spätburgunder dans le vignoble Erbacher Rheinhell (16 ha). Si ce cépage ne s'adapte pas dans un proche avenir, il ne sera pas maintenu. En revanche, les résultats des cépages Weißburgunder et Chardonnay sont jugés satisfaisants.

Rauenthal et Kiedrich

Près des collines qui dominent le Rheingau, les villages de Rauenthal et Kiedrich produisent de grands vins dans les bons millésimes. Kiedrich est connu localement pour son église et son chœur. Citons le domaine Robert Weil, qui appartient désormais à 90 % à la société Suntory Ltd. d'Osaka (Japon), Robert Weil ayant racheté 10 %.

Eltville et Walluf

L'État de Hesse rhénane possède des domaines viticoles dans le Rheingau et la Hessische Bergstraße dont le siège se trouve à Eltville. Un peu en aval, le domaine J. B. Becker de Walluf produit un Spätburgunder charpenté de qualité exceptionnelle ainsi que des Rieslings ayant du style et une bonne concentration.

Hochheim

En Grande-Bretagne, on connaît le nom de Hochheim au moins depuis le XVIIᵉ siècle, car le vignoble y a établi son meilleur marché étranger. Vers 1680, selon André Simon, la comtesse de Rutland achetait du « Hochheim » dans un récipient appelé

« foudre », dont le volume était variable, mais qui aurait pu contenir les 1 000 litres des *Fuder* actuels. Pourtant, le « Old Hock » que l'on consommait dans les tavernes londoniennes aux XVIIᵉ et XVIIIᵉ siècles avait probablement peu de rapport avec le village de Hochheim. La législation allemande en vigueur définit le « Hock » comme un vin de table ou de qualité (mais pas QmP) des régions septentrionales du Rhin.

La situation orientale de Hochheim, dominant le Main plutôt que le Rhin, lui a conféré une certaine indépendance. En effet, il n'a pas toujours fait partie du Rheingau. Fort d'une longue tradition de vinification, il se vante d'avoir vendangé des *Spätlesen* au moins 160 ans avant Schloß Johannisberg et d'avoir planté le Riesling en cépage unique alors qu'ailleurs il était mélangé avec d'autres. Certaines parcelles des

meilleures *Einzellagen* de Hochheim – Domdechaney, Kirchenstück et Hölle – appartenant aux domaines du Rheingau central, notamment Schloß Schönborn et Weingut Franz Künstler (le plus célèbre aujourd'hui). La ville elle-même regroupe quelques domaines célèbres comme Aschrott (racheté par Künstler), Domdechant Werner, Weingut Königin Victoria Berg ainsi que l'État de Hesse (Staatsweingut) et la majorité des vignes (27 ha) appartenant à la ville de Francfort est également située à Hochheim. Les sols sont composés principalement de sable et de gravier, ce qui explique le goût des vins, proche de celui de Rüdesheim tout en étant différent. La structure des vins se rapproche, elle, de celle des vins du Rheingau, mais le goût et le bouquet évoquent les vins de Franconie – les deux régions ayant le Main en commun.   □

— SCHLOSS JOHANNISBERG —

Situé sur un plateau, entouré de 35 ha de Riesling, le château est visible de loin. Il possède un beau cellier ainsi qu'une collection de vins des grands millésimes, remontant à 1842 et même au-delà. Les vins du Schloß sont fermes, charpentés et portent une étiquette charmante dans le style du XIXᵉ siècle. Les différentes catégories de QmP se reconnaissent à des capsules de couleurs différentes, perpétuant ainsi une tradition commencée au milieu du XIXᵉ siècle avec des sceaux de cire. Tout comme d'autres domaines, Schloß Johannisberg a son propre *Gutsschänke*, ou bar à vins, pratique qui se répand dans la région depuis les années 1970.

NAHE

Il y a mille ans, le vignoble de la Nahe dépassait largement ses limites actuelles et continuait jusqu'à Simmern, au nord, dans le pays montagneux de Hunsrück, guère propice à la vigne. Lorsque des vignobles étaient détruits par une guerre, on ne replantait bien souvent que les meilleurs sites. La majeure partie des 4 635 ha actuellement cultivés se situe près de la Nahe et de ses affluents, les plus petits étant le Guldenbach, l'Ellerbach, le Gräfenbach et le Gäulsbach, et les plus grands, le Glan et l'Alsenz. L'eau et les vallées qu'elle a creusées sur son passage dans les collines environnantes expliquent la configuration des vignobles de la Nahe sur les meilleurs coteaux.

Sols, zones viticoles et climat

En amont, la petite ville d'Idar-Oberstein doit sa réputation aux pierres précieuses qu'on y trouve ; le sol de la région regorge de minéraux qui enrichissent le goût des Rieslings, mais, comme le font remarquer les vignerons de Langenlonsheim, la composition du sol varie tellement qu'elle n'est pas forcément identique au sein d'un même village.

Le vignoble se divise en deux *Bereiche*, Schloßböckelheim et Kreuznach (voir carte p. 324), mais on distingue, en fait, trois sites différenciés par la nature de leur sol. De Bingerbrück, à la confluence de la Nahe et du Rhin, jusqu'à Langenlonsheim, on trouve du schiste et du quartz ; dans les environs de Bad Kreuznach, du schiste rouge décomposé, du lœss et des alluvions ; de Bad Kreuznach jusqu'à Monzingen, du porphyre et du grès coloré. Ce découpage correspond à peu près aux basse, moyenne et haute Nahe *(Untere, Mittlere, Obere Nahe)*, distinctions utilisées par les gens de la région.

Le climat est sec, avec une pluviométrie de 500 mm annuels seulement. Les quelques vignobles plantés sur des coteaux escarpés qui disposent d'un

Schloß Wallhausen (Bad Kreuznach).

matériel adapté peuvent être arrosés. Comme dans toutes les régions viticoles du nord de l'Allemagne, l'influence du microclimat l'emporte sur celle du climat en général.

Cépages et styles de vin

La Nahe produit principalement des vins blancs et, bien que la part des vignes plantées en cépages rouges soit en augmentation (10 %), la récolte de raisins noirs produit surtout du rosé ou *Weißherbst*. Après la Seconde Guerre mondiale, la période du « miracle économique allemand » (1964 à 1972) fut celle de la plus forte expansion des vignobles. Depuis, la croissance n'a pas dépassé 4 %. Le Müller-Thurgau et le Riesling couvrent chacun un quart de la superficie totale, et le Sylvaner, autrefois cépage important de la Nahe, renaît lentement. Les domaines qui, comme Klören à Laubenheim, avaient planté du Bacchus dans un moment de folie, cultivent maintenant le Weißburgunder, de plus en plus populaire sur ces sols lourds, inadéquats pour le Riesling. Le Weißburgunder prend aussi la place du Müller-Thurgau dans certaines parcelles du remarquable Domaine

Dönnhoff à Oberhausen. Quelques domaines, comme Crusius à Traisen et Steitz dans la vallée d'Alsenz, continuent de cultiver plusieurs cépages sur une même parcelle, à titre de curiosité mais aussi pour perpétuer une tradition ancestrale. Steitz va plus loin et ne greffe pas les vignes de ces parcelles. Le Sylvaner et le Riesling dominent, mais on y trouve aussi du Gewürztraminer, du Gutedel, de l'Elbling et les cépages rouges Sankt Laurent et Portugieser. Un tel mélange de cépages, dont les raisins mûrissent à des périodes très différentes mais sont vendangés en même temps, confère un intérêt supplémentaire important aux vins de la Nahe.

Plus vigoureux que ceux de Moselle, les vins de la Nahe reflètent un climat plus chaud et plus sec ainsi que la diversité des sols. Le Riesling apporte ici sa délicatesse, soutenue par une acidité tranchante qui permet au vin de bien vieillir. La Nahe a contribué à la promotion des vins secs, qui représentent aujourd'hui 22 % de la production nationale des vins de qualité.

Vignobles et domaines

Sur les 1 562 propriétaires de vignobles de la Nahe, la moitié vend tout ou partie de sa récolte en bouteilles. Il y a 30 ans, les bons domaines de la Nahe se comptaient sur les doigts d'une main et se situaient tous entre Kreuznach et Schloßböckelheim. Aujourd'hui, il existe de bons vignerons aux environs de Langenlonsheim, Laubenheim, Dorsheim ainsi que dans les vallées adjacentes de la Nahe. Il semble que l'on puisse encore découvrir de bons sites. En revanche, les prix des vins vendus en vrac suivent ceux de la Hesse rhénane, parmi les plus bas d'Allemagne. Les meilleures sources de vins bon marché sont les caves coopératives de Bretzenheim, près de Bad Kreuznach, et de Meddersheim, dans la haute Nahe. □

VILLAGES ET PRODUCTEURS

La région de la Nahe se divise en deux *Bereiche*, Schloßböckelheim et Kreuznach. Les villages les plus connus pour la qualité de leurs vins sont décrits ci-dessous, ainsi que les *Großlagen* et les *Einzellagen* les plus fréquemment rencontrées et leurs principaux domaines. La quasi-totalité des vins sont des blancs.

SCHLOSSBÖCKELHEIM

Ce *Bereich* couvre la moitié sud de la Nahe et doit son nom au village vinicole principal de la région. Attention à ne pas confondre le village et le *Bereich*.

Plusieurs des meilleurs vignobles de la Nahe se trouvent entre Bad Kreuznach et les villages de Niederhausen et de Schloßböckelheim. Burgweg est la *Großlage* de cette zone.

Schloßböckelheim et Niederhausen

Kupfergrube et Felsenberg sont les meilleurs vignobles de Schloßböckelheim ; Kupfergrube est le plus renommé de la région. Il appartient depuis 1998 à la famille Erich Maurer ; on apprécie surtout ses Rieslings, concentrés et de longue garde. Weingut Hans & Peter Crusius et Paul Anheuser possèdent également des terres dans le Schloßböckelheim.

La plus petite *Einzellage* du bord de la Nahe, Oberhäuser Brücke (1,1 ha), près de Niederhausen, appartient au domaine Dönnhoff de Oberhausen, qui est sûrement le meilleur vinificateur de Riesling en Allemagne aujourd'hui. Il y a quelques années, son nom a été amputé du mot « Brücke » ; l'*Einzellage* a été rattachée à Hermannsberg puis à Hermannshöhle avant d'être transférée à la *Großlage* Burgweg, sans nom de vignoble individuel, pour, finalement, récupérer son « Brücke ». C'est à Niederhausen que se trouvent les caves du domaine d'État (Staatliche Weinbaudomäne), autrefois propriété de la Prusse

(ce qui explique l'aigle noir sur l'étiquette) et maintenant celle de l'État de Rhénanie-Palatinat. La formation fait partie intégrante de la tradition dans ce domaine modèle, dont de nombreux employés ou anciens employés ont leurs propres vignobles. Neuf dixièmes des 40 ha s'étirent sur des pentes de plus de 30 % où domine le Riesling. Les vins sont frais, fruités et légers. Ceux de Niederhausen et de Schloßböckelheim peuvent avoir une élégance incroyable. En revanche, les vins de basse Nahe *(Untere Nahe)* et d'Altenbamberg sur l'Alsenz sont moins fins, avec un goût de terroir plus prononcé.

Traisen

Le vignoble le plus renommé de Traisen est Bastei (2 ha), situé juste au-dessous de la falaise Rotenfels (200 m) et planté exclusivement en Riesling. Son vin, le Bastei, possède énormément de caractère ainsi qu'un bouquet et des saveurs d'une incroyable intensité que lui procurent, de toute évidence, le microclimat et le sol. Rotenfels, d'une superficie plus importante, produit un Riesling presque aussi bon. Weingut Crusius possède des vignes dans les deux *Einzellagen*, le domaine d'État seulement à Bastei.

KREUZNACH

Ce *Bereich* tire son nom de la station thermale Bad Kreuznach. La ville, entourée de vignobles, appartient à la *Großlage* Kronenberg. Quelques *Einzellagen*, Kahlenberg et Steinberg, par

exemple, sont reconnues pour la qualité de leurs vins. August E. Anheuser (voir encadré), Staatsweingut Bad Kreuznach et Weingut Reichsgraf von Plettenberg comptent parmi les principaux domaines dont les sièges se trouvent à Bad Kreuznach.

Au nord-ouest de Bad Kreuznach, dans la vallée de Gräfenbach, l'important domaine de Schloß Wallhausen, Prinz zu Salm-Dalberg'sches Weingut, appartient au prince de Salm-Salm. Depuis 1990, Schloß Wallhausen n'a utilisé que le nom de ses meilleurs sites ; les autres vins ont servi à élaborer une cuvée spéciale. Cette rationalisation de la production facilite la compréhension des étiquettes des vins allemands et profite à la fois au consommateur et au producteur.

Rüdesheim

Le village de Rüdesheim – à ne pas confondre avec la ville du

même nom dans le Rheingau – et la région environnante sont au centre de la *Großlage* Rosengarten. Ces vignobles produisent des vins courants mais plaisants, commercialisés sous l'étiquette Rüdesheimer Rosengarten.

De Bad Kreuznach à Bingen

En aval se trouvent les villages de Winzenheim, Bretzenheim et Langenlonsheim où le Riesling cède le pas à d'autres cépages. Les blancs secs de Weingut Erbhof Tesch, à Langenlonsheim, jouissent d'une bonne réputation. Burg Layen, plus éloigné de la rivière, est la patrie du Schloßgut Diel, dont les meilleurs vignobles de Riesling se trouvent à Dorsheim, village tout proche. Le nom de la *Großlage* Schloßkapelle est souvent utilisé sur les étiquettes. Citons également le Weingut Emrich-Schönleber à Monzingen.

WEINGUT AUGUST E. ANHEUSER

Le nom de Anheuser est connu depuis longtemps à Bad Kreuznach, où cette famille produit des vins de la région depuis le XVIIᵉ siècle. Ses Rieslings sont souvent très légèrement pétillants *(spritzig)* et possèdent la structure nécessaire à une longue garde. Comme pour illustrer ce potentiel, le domaine possède une liste de vins rares, comprenant 36 millésimes, par exemple un Schloßböckelheimer Kupfergrube Riesling *Trockenbeerenauslese* de 1921. Il y a aussi des vins intéressants et plus récents, comme des Kreuznacher Rieslings *Auslesen* de 1971. Ces vins démontrent à quel point les bons vins de cette région sont sous-évalués.

HESSE RHÉNANE

La région de Hesse rhénane représente un quart de la superficie viticole allemande. Si la France contrôlait encore cette région, comme au début du XIXe siècle, et imposait une appellation d'origine contrôlée, la petite zone de vignobles situés près du Rhin réclamerait sa propre AOC pour se distinguer du reste de la région, car la Hesse rhénane est surtout connue pour les vins ordinaires qu'elle produit en importante quantité.

Les meilleures parcelles, connues sous le nom de *Rheinterrasse* (« la terrasse du Rhin »), s'étendent à l'est de la région – de Mettenheim, au nord de Worms, via Nierstein jusqu'à Bodenheim, au sud de Mayence – et occupent 2 500 ha, soit 10 % de la Hesse rhénane. C'est là que se trouvent les domaines célèbres qui produisent des vins du même niveau de qualité que ceux du Rheingau, mais à moitié prix.

D'autres zones de production connaissent un regain de popularité. Les villes d'Ingelheim et de Bingen, sur les flancs des collines faisant face au Rheingau, démontrent qu'on peut faire en Hesse rhénane des vins de grande qualité ailleurs que sur la *Rheinterrasse*. On trouve aussi dans l'arrière-pays quelques bons vignerons qui font la mise en bouteilles au domaine, mais ils sont moins nombreux cependant que dans la partie méridionale du Palatinat qui, autrefois, ne produisait pas de vin de qualité (voir p. 335).

L'attrait trompeur des marchés à grande échelle

La taille moyenne d'un domaine de Hesse rhénane (3,2 ha) dépasse à peine la moyenne française ou espagnole, mais représente le double d'un domaine allemand moyen. Cette situation a encouragé les viticulteurs à produire le plus de raisins possible et à vinifier eux-mêmes, avant de céder en gros et à bas prix leurs vins aux négociants. Leurs investissements dans le matériel vini-

Vendanges mécaniques à Rothenberg.

cole les empêchaient de rejoindre des coopératives qui, par définition, n'acceptent que des raisins et non du vin.

À en juger par le volume des ventes, cette méthode a remporté un grand succès commercial, mais ces vins ne pouvaient être vendus qu'à des grandes surfaces ou à des négociants spécialisés dans l'exportation de vins bon marché. Face à cette demande de vins bas de gamme, ils n'ont pu garder leurs parts de marché qu'en baissant leurs prix, ce qui a entraîné un marasme économique et donné une mauvaise image de la région, au détriment des meilleurs domaines.

Les cépages et les styles de vin

De 1950 jusqu'au début des années 1980, le public comme les producteurs des régions du Nord croyaient que la qualité des vins allemands allait de pair avec le taux de sucre résiduel. Le vin *Spätlese,* très demandé, devait être plus doux que le *Kabinett* ou que le QbA. Les cépages traditionnels, Riesling et Sylvaner, ne produisant pas de *Spätlesen* en quantité suffisante pour le marché,

d'autres cépages, le Kerner (voir p. 315) et le Bacchus, furent introduits. La qualité de leurs vins, produits en trop grande quantité, n'était peut-être pas enthousiasmante, mais leur teneur en sucre suffisait à les rendre conformes à la réglementation allemande.

Ce sont les vins bon marché et doux, principalement les blancs, qui ont fait connaître la région, mais la qualité étonnante des vins de certains domaines, surtout dans la *Rheinterrasse*, est encore largement méconnue. Le Müller-Thurgau occupe 23 % des 26 372 ha cultivés, le Sylvaner 14 %, le Kerner et le Scheurebe 8 % respectivement, le Bacchus et le Riesling 7 % chacun, le Faberrebe (Weißburgunder x Müller-Thurgau) 6 % et le Portugieser 5 %. Les vins blancs dominent. Bien que les surfaces cultivées n'aient augmenté que de 8 % dans les années 1980, la part du Riesling a augmenté de 50 %. Certains spécialistes prétendent même qu'il a été planté sur des sites qui ne lui conviennent pas, ce qui n'empêche pas de constater, dans cette évolution de l'encépagement, la preuve d'une volonté de qualité. Néanmoins, c'est pourtant le Kerner (2 173 ha), utilisé pour le Liebfraumilch (voir p. 315), qui a connu la plus grande augmentation (78 %).

On estime que la superficie du vignoble de la Hesse rhénane risque de diminuer dans les années 1990, car certains vignerons renoncent à la viticulture. Les meilleurs vignobles seront repris par les domaines les plus rentables ; les autres seront voués à d'autres cultures.

Les vertus des vins « ordinaires » de la Hesse rhénane

La proportion de vins secs ne dépasse pas 13 % en moyenne, mais elle est bien supérieure dans les meilleurs domaines. Les clients de nombreux domaines privés tiennent le raisonnement suivant : puisque les vins les moins chers de Hesse rhénane sont demi-secs, les meilleurs doivent forcément être secs. S'ils ne subissaient pas diverses influences, les consommateurs du nord de l'Allemagne devraient montrer une préférence pour les vins demi-secs. Même les vins rouges de la Hesse rhénane contiennent souvent du sucre résiduel. Les producteurs lancent sur le marché, à titre de test, tous les styles de vin que la région permet de produire. Les domaines influents d'Anton Balbach, Heyl zu Herrnsheim et d'autres, à Nierstein, reviennent à des vins moins secs.

Près d'un tiers de la production de la Hesse rhénane est exporté, sur les marchés des pays de langue anglaise et au Japon principalement, mais ce marché est aujourd'hui en régression. La presse spécialisée a pour habitude de critiquer la qualité des vins bon marché et, pourtant, lors des dégustations à l'aveugle, note bien ces vins techniquement irréprochables. De plus, le débit rapide des ventes, dans les grandes surfaces où ils sont proposés, favorise leur consommation au bon moment, quand ils sont encore relativement frais et jeunes.

Le pays natal du Liebfraumilch
En 1992, l'Allemagne a exporté environ 336 millions de bouteilles, dont 45 % de Liebfraumilch, un vin d'assemblage où le Riesling, le Sylvaner, le Müller-Thurgau ou le Kerner doivent entrer dans la proportion de 70 % au moins. Les raisins proviennent obligatoirement de Hesse rhénane, du Palatinat, de la Nahe ou du Rheingau.

Peu consommé en Allemagne, le Liebfraumilch est généralement vendu moins cher à l'étranger qu'un rosé d'Anjou ou que la plupart des vins rouges français de la catégorie « vins de pays ». Les vertus des vins ordinaires, exposées au paragraphe précédent, s'appliquent également au Liebfraumilch, puisque près de 60 % de ces vins blancs demi-secs proviennent de la Hesse rhénane.

À Worms, les vignobles entourant la *Liebfrauenkirche* (« l'église de la Vierge ») constituaient autrefois la seule source de Liebfraumilch. La maison Valckenberg possède aujourd'hui 90 % du vignoble d'origine, le Wormser

Les vignobles de Nierstein et de la *Rheinterrasse* vus du Brudersberg.

Liebfrauenstift-Kirchenstück, et a l'intention de rebâtir sa réputation grâce à un encépagement de Riesling et de Weißburgunder, qui seront mis en bouteilles à la propriété.

L'avenir de la Hesse rhénane
Gunderloch, le plus éminent domaine de Nackenheim, considère ses meilleurs vignobles comme des « grands crus » et souhaite ardemment introduire dans la région une classification des vignobles. Il est rejoint dans son souhait par bon nombre de producteurs de la *Rheinterrasse*. Pourtant, après l'insistance pendant plus de 150 ans sur le caractère individuel des vins allemands en fonction des dates et méthodes de vendange, des cépages et de la multitude de provenances, la classification cohérente des vignobles reste un problème non résolu.

Les caves coopératives participent avec d'autres producteurs à l'effort commercial, inauguré avec le millésime 1992, qui consiste à vendre des vins avec la mention *Selection Rheinhessen* (« Sélection de la Hesse rhénane »).

Cette désignation s'applique à des vins mis en bouteilles à la propriété et portant une capsule unique ; ils titrent 12,2 %vol au minimum sans chaptalisation et les raisins, issus de cépages classiques, sont vendangés manuellement ; les rendements restent inférieurs à 55 hl/ha. Ces vins secs sont, de surcroît, présentés à une commission de dégustation qui contrôle leur qualité.

Depuis 1988, la réputation du Sylvaner s'affirme lentement. Il réussit bien dans plusieurs domaines en tant que QbA sec. *RS* (abrégé de *Rheinhessen Sylvaner,* autrement dit « Sylvaner de Hesse rhénane ») est un vin sec, élaboré selon de nouvelles normes de vinification et de dégustation par environ 50 producteurs. Lancé en 1986 avec une étiquette noir et orange, il remporte un modeste succès avec 90 960 bouteilles vendues par an. À l'heure actuelle, beaucoup de producteurs, qui assurent eux-mêmes la mise en bouteilles, vendent leurs vins les moins chers sous le nom du cépage. Généralement secs, ces vins peuvent être très attrayants.   □

VILLAGES ET PRODUCTEURS

La Hesse rhénane est limitée au nord et à l'est par une boucle du Rhin, au sud par la ville de Worms et le vignoble du Palatinat et à l'ouest par les banlieues de Bad Kreuznach dans la région de la Nahe. La majeure partie des vins sont des blancs.

BINGEN ET LA PARTIE OCCIDENTALE

Bingen se trouve à l'extrémité nord-ouest de la Hesse rhénane, sur la rive sud du Rhin en face de Rüdesheim, dans le Rheingau, et des vignobles de la Nahe. Elle donne son nom au *Bereich* qui couvre toute la moitié ouest de la Hesse rhénane.

Depuis la colline qui domine la ville, les 35 ha de vignes de l'*Einzellage* Scharlachberg s'ouvrent au sud sur le paysage vallonné du *Bereich*. Ce vignoble, planté sur des coteaux pour la plus grande part, est l'un des rares à être connu hors de ses frontières. Weingut Villa Sachsen, le domaine le plus important (22 ha), appartient à trois familles allemandes (Prinz Salm, Schriegle et Dietler) et produit surtout du Riesling. Les vins de Binger Scharlachberg et des autres sites sont bien faits. Ils vieillissent en fûts et sont nerveux et souvent pétillants.

Gau-Bickelheim

Plus au sud, à quelques kilomètres de l'autoroute E31 qui coupe la Hesse rhénane en diagonale, se trouve le village de Gau-Bickelheim. Il abrite la coopérative centrale Rheinhessen Winzer, qui regroupe la récolte de 16 pressoirs, bientôt réduits au nombre de 5 par suite d'une modernisation des installations. Elle vend 95 % de sa production en Allemagne. Par l'intermédiaire de sa filiale Winzerkeller Ingelheim, cette coopérative a prévu de développer une gamme de vins de qualité à prix moyen et de les diffuser dans le circuit des cavistes.

Parmi les meilleurs producteurs citons le Weingut Klaus Keller qui rivalise avec les grands domaines allemands Schales à Flörsheim, Michel Pfannebecker à Flomborn, Wittmann à Westhofen et Manz à Weinolsheim.

Ingelheim

On dit que, depuis les collines surplombant Ingelheim, Charlemagne aurait vu la neige fondre sur les pentes du Rheingau, de l'autre côté du Rhin. C'est ainsi qu'il aurait décidé de la plantation de son futur vignoble. Mais, bien que la légende puisse se justifier, car c'est l'historien Bassermann-Jordan qui affirme cela, la principale source de gloire d'Ingelheim est depuis longtemps ses vins rouges issus de Pinot Noir (Spätburgunder). Les vins d'Ingelheim restituent bien le caractère du Pinot, même s'ils sont malgré tout très légers : élégants, mais sans grande concentration. Le vin produit par Weingut J. Neus reste à ce jour le plus connu.

RHEINTERRASSE (« la terrasse du Rhin »)

Il fut un temps où l'influence des religieux de Mayence s'étendait, comme leurs vignobles, aux deux rives du Rhin. À Bodenheim, à quelques kilomètres au sud de Mayence, les vignes étaient nombreuses et bien établies sur les pentes de la *Rheinterrasse*, cette longue falaise qui domine le Rhin.

Plus au nord, le vignoble donne l'impression d'être mal orienté, soit vers l'est, soit au nord ; pourtant, cela n'empêche pas Weingut Kühling-Gillot de produire, dans les bonnes années, un rouge de Pinot Noir qui titre 13 % vol d'alcool naturel tout en conservant quelques grammes de sucres résiduels tout comme le blanc de Pinot Gris. Preuve est faite de ce qu'on peut obtenir en sélectionnant méticuleusement.

Nackenheim

À Nackenheim, la terrasse se rapproche encore du Rhin. Son plus célèbre vignoble, le Nackenheimer Rothenberg, est planté sur une pente à 30 %, dans un sol schisteux qui a la couleur ocre de la terre cuite. Weingut Gunderloch, planté à 70 % en Riesling, y possède des parcelles. Comme d'autres bons domaines, Gunderloch s'est fixé un degré minimal supérieur à celui défini par la loi, et cela pour chaque catégorie de vin. Ses Rieslings *Spätlesen* commencent avec un minimum de 12,2 % vol d'alcool potentiel, ses *Auslesen* à 13,8 % vol, alors que les minima exigés sont respectivement de 11,4 % vol et 12,5 % vol. À Gunderloch, les vignerons opèrent par tris successifs et passent jusqu'à cinq fois dans les vignes pour ramasser les raisins au meilleur moment, c'est-à-dire lorsque leur acidité est jugée satisfaisante.

Nierstein

C'est le vignoble qu'on rencontre en quittant le Nackenheimer Rothenberg. Ici, comme pour d'autres villages de la *Rheinterrasse*, le remembrement (voir p. 314) est terminé depuis un certain temps. Il a coûté 80 000 DM par hectare, mais a permis une réduction des coûts de culture de la vigne. De plus, certains viticulteurs pensent que, sans cette modernisation, la viticulture sur la terrasse du Rhin aurait fini par disparaître par manque de rentabilité. L'époque où la bonne terre rouge était charriée par les fortes pluies d'orage et descendait le Rhin jusqu'à Mayence est désormais révolue.

Les meilleurs crus de Nierstein sont Glöck, Pettenthal, Ölberg et Brudersberg. Nierstein compte 150 viticulteurs dont les plus connus sont Weingut Heyl zu Hermsheim, Weingut Bürgermeister Anton Balbach Erben, Weingut Sankt Anthony et Weingut Georg Albrecht Schneider.

La *Großlage* Niersteiner Gutes Dorntal s'étend sur plus d'une quinzaine de villages, mais, 2 % seulement des vignes poussant à Nierstein même, les vins étiquetés Nierstein ont peu de chance de provenir véritablement du village éponyme, une pratique illégitime, mais légale, qui devrait être abandonnée.

Oppenheim

Les mauvaises relations qu'entretient la commune d'Oppenheim avec la *Großlage* Oppenheimer Krötenbrunnen posent le même problème qu'aux vignerons de Nierstein.

Oppenheim est la plus grande ville de la *Rheinterrasse* et abrite bon nombre de domaines, dont Staatsweingut mit Domäne Oppenheim (domaine d'État) et Weingut Louis Guntrum, ainsi que le musée du vin le plus intéressant d'Allemagne. Sackträger est la meilleure *Einzellage* d'Oppenheim.

PALATINAT

Le Palatinat (*Pfalz* en allemand, anciennement *Rheinpfalz*) est une région étroite de 23 045 ha, qui s'étire à l'ouest du Rhin sur environ 80 km, sur un axe nord-sud. La plus grande partie du vignoble est plantée soit dans la plaine située entre le Rhin et les hautes forêts du Pfälzer Wald, soit sur les pentes douces qui descendent vers l'est, juste au-dessous des forêts qui les protègent des vents d'ouest. Le climat, doux et sec, donne des étés et des automnes chauds.

La frontière franco-allemande de Wissembourg marque la limite sud du Palatinat, mais, en réalité, cette région prolonge naturellement le vignoble alsacien. La topographie est la même : le Rhin à l'est, les collines boisées à l'ouest, et des villages qui se succèdent sur le flanc des coteaux. La région est agréable à visiter. Des centaines de vignerons pratiquent la vente directe dans les jolis villages et les petites villes de la région.

Le Palatinat a longtemps produit des vins ordinaires. Il n'y avait que quelques grands domaines de bon niveau, concentrés dans une poignée de villages au centre de la région, le Mittelhaardt. Une nouvelle génération de propriétaires est venue agrandir la gamme des bons vins, ce qui permet au Palatinat de figurer maintenant parmi les meilleurs vignobles d'Allemagne.

Ces jeunes viticulteurs sont réalistes et ont le vent en poupe. Avec les quelques vieux domaines traditionnellement bons, ils contribuent à l'amélioration du niveau général du Palatinat. Nés pour la plupart dans des petits domaines, ils ont fait des études d'œnologie et se sont formés à l'étranger. Ils savent se remettre en question et réussissent à prouver qu'on peut faire de bons vins dans des régions très éloignées de celles qui ont toujours joui d'une bonne réputation. Mais la distinction d'origine persiste toujours : le Palatinat sud reste la zone de grande

La tradition des fûts sculptés.

production, tandis que le Mittelhaardt constitue le cœur de la qualité.

Viticulteurs, négociants et domaines

Près de la moitié de la production du Palatinat n'est pas mise en bouteilles au domaine mais vendue en gros au négoce. Plus d'un tiers des vins de qualité sont mis en bouteilles par le négociant, le long de la Moselle, pour être vendus soit sous l'étiquette Liebfraumilch, soit sous son nom de *Großlage*. Cette tradition de commerce entre les régions a commencé avant les lois de 1971, qui ont interdit cette pratique consistant à adoucir l'acidité des vins du Palatinat en les assemblant aux vins bon marché de Moselle. Actuellement, comme en Hesse rhénane, la région voisine, le nombre de viticulteurs du Palatinat a baissé et, de plus en plus, ceux qui restent pratiquent la mise en bouteilles au domaine.

Les coopératives ont une grande importance dans le Palatinat et deux des plus grandes dominent le marché de la moitié sud, consacré aux vins de qualité inférieure (voir p. 337). Dans

le Mittelhaardt, là où la qualité est, en moyenne, supérieure au reste de la région, le bon niveau des caves coopératives, comme celles de Bad Dürkheim, Deidesheim, Forst et Ruppertsberg, est régulièrement confirmé par leurs réussites dans les concours nationaux organisés par la *Deutsche Landwirtschaftsgesellschaft* (DLG). Nombre de viticulteurs participent chaque année à ces dégustations, uniquement pour pouvoir comparer leurs vins avec ceux des concurrents. Certains préfèrent toutefois ne pas faire état de leurs succès, sachant pertinemment qu'en présentant un vin de même nom ils ne sont pas certains d'obtenir les mêmes récompenses chaque année ; or, les restaurateurs n'apprécient guère ce genre d'irrégularité. Les coopératives produisent moins de vins secs que leurs confrères viticulteurs-embouteilleurs, car elles ne s'adressent pas aux mêmes marchés.

Cépages et styles de vin

Le Palatinat se trouve dans une période de transition. La mode du vin blanc rustique, demi-sec ou doux, est en train de céder la place à celle d'un blanc plus sec et plus frais. D'autre part, le vin rouge gagne en importance. Le Müller-Thurgau arrive toujours en tête avec 22 %, suivi du Riesling avec 20 % et du Kerner, du Portugieser, du Sylvaner et du Scheurebe. Le Sylvaner trouve un second souffle grâce au vieillissement en fût. Les autres cépages à retenir, pour la qualité qu'ils permettent d'obtenir, sont le Pinot Noir et le Dornfelder en rouge, les Huxelrebe, Bacchus, Ruländer et Ortega en blanc.

Les caves d'État de Neustadt-Mußbach et le petit domaine familial de Knipser à Laumersheim font des essais avec le cépage Gänsefüßer (littéralement « pattes d'oie » à cause de la forme de ses feuilles). Largement planté autrefois, il donnait un vin qui était très apprécié, mais il fut abandonné à cause de ses rendements trop irréguliers. Le Gewürztraminer, lui aussi apprécié depuis toujours, tient bon sur un certain nombre de bons domaines, en dépit de son faible rendement et de l'intérêt modéré que l'on porte aux vins très aromatiques.

Il peut donner des *Auslesen* secs avec 15 % vol ou plus d'alcool acquis, qui sont très demandés dans le sud de la région, mais il n'est jamais aussi bon que lorsqu'il garde quelques grammes de sucres résiduels. Dans le Palatinat méridional, le Pinot Blanc se présente sous différentes formes, du vin de base pour des Mousseux *(Sekt)* aux riches *Auslesen* titrant plus de 16 % vol.

25 % des blancs produits dans la région sont secs. Entre 1982 et 1992, la proportion de vins officiellement secs

– ceux qui portent la mention *trocken* sur l'étiquette – s'est accrue et, aujourd'hui, l'ensemble des vins produits sont généralement plus secs que dans les années 1970.

Le degré d'alcool d'un vin *Kabinett* peut varier de 9,5 % vol (minimum légal) à 12 % vol selon les cépages et il n'existe pas de définition exacte de son caractère propre : c'est souvent un *Spätlese* déclassé qui, dans ce cas, peut être très bon, mais il serait mieux défini si la loi fixait un degré d'alcool maximal. Dans un beau millésime, nombre de *Spätlesen* sont, en termes légaux, des *Auslesen* de moindre qualité. En effet, la demande pour les *Auslesen* reste limitée et les bons domaines se sont toujours imposé des minima de puissance plus élevés que ceux exigés

par la loi (généralement un peu moins d'un degré). Il y a 30 ans, le style des vins blancs du Palatinat – car, à cette époque, personne ne parlait encore des rouges – se reconnaissait par une légère oxydation, une acidité relativement basse pour des Rieslings et un goût de terroir marqué. Aujourd'hui, le Riesling du Mittelhaardt rappellerait plutôt un Riesling du Rheingau en termes de structure, avec une vivacité due à une bonne teneur en acide tartrique.

Les vins rouges et le bois

Dans le domaine des vins rouges, il semble que le cépage Dornfelder (500 ha) soit en train de remplacer le Portugieser (2 300 ha) pour les vins de consommation courante, simples et fruités. Le Pfälzer Dornfelder n'est jamais un grand vin, mais il peut acquérir une certaine complexité s'il est élevé dans des fûts de bois neuf. Au Domaine Münzberg, à Godramstein, dans le Sud, on pense que ce type d'élevage le fait ressembler au Merlot. Dans d'autres domaines, on préfère le laisser vieillir dans du chêne vieux pour qu'il ne prenne aucun tanin et garde ses arômes fruités.

Les discussions autour de l'élevage en fût vont bon train dans le Palatinat (voir p. 117). Si le bois neuf peut changer le caractère des vins de la famille des Pinots, le domaine Lingenfelder, à Großkarlbach, traite son Dornfelder différemment. Lorsque la fermentation est arrivée au point où il ne reste plus guère que 3 % vol d'alcool en puissance, le vin est soutiré et mis en cuves d'acier inoxydable. Il passe ensuite 6 mois dans de grands foudres de chêne avant d'être légèrement filtré, sans collage préalable, puis mis en bouteilles. Il en résulte un vin plein de fruit, équilibré par son acidité.

Le Sud fut longtemps voué à produire des vins de table de consommation courante ; les vins de qualité supérieure sont encore une nouveauté et leur style reste à définir. Les viticulteurs vont-ils élaborer leur propre vin rouge ou s'aligner sur les normes internationales ? Cette question essentielle reste encore sans réponse. □

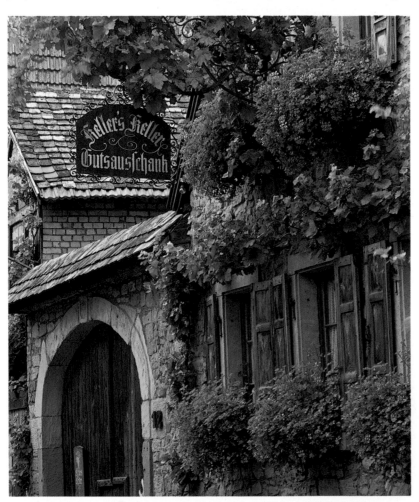

Géraniums et treilles couvrant la façade d'un négociant à Ruppertsberg.

VILLAGES ET PRODUCTEURS

Le Palatinat est divisé en deux *Bereiche* – au nord, le Mittelhaardt/Deutsche Weinstraße, qui jouxte la Hesse rhénane, et, au sud, la Südliche Weinstraße, à la frontière française. Les villages viticoles se trouvent dans la partie méridionale du Mittelhaardt entre Kallstadt et Neustadt. On y produit des rouges et des blancs.

UNTERHAARDT

Le nord du Palatinat est connu sous le nom d'Unterhaardt. Il incluait jadis la vallée de l'Alsenz et plusieurs villages qui appartiennent maintenant à la Nahe. Son sol lourd ne permettait de produire que des vins ordinaires mais, ces vingt dernières années, la réputation de cette région s'est considérablement améliorée. Le vignoble actuel commence juste au nord de Kirchheim-bolanden et la *Weinstraße* (« route des vins ») part du village de Bockenheim, le plus important du Nord. Il y a d'autres bons villages comme Laumersheim et Großkarlbach. C'est d'ailleurs dans ce dernier que Weingut K. & H. Lingen-felder s'est fait une réputation pour ses vins rouges et blancs, vinifiés dans un style classique. Le Weingut Knipser à Laumers-heim utilise différents cépages, dont le Chardonnay et d'autres cépages français, et produit un Riesling élevé en barriques.

Grünstadt se trouve en bor-dure de la forêt et marque la frontière avec le Mittelhaardt.

MITTELHAARDT

C'est le cœur du Palatinat. Les villages viticoles se succèdent sur les coteaux situés sous le Pfälzer Wald (« forêt palatine ») : Kallstadt, Ungstein, Bad Dürk-heim, Wachenheim, Forst, Dei-desheim et Ruppertsberg. C'est dans cette région que se trouvent les vignobles de la plupart des viticulteurs membres du VDP.

Kallstadt

Le plus septentrional des sept meilleurs villages se distingue par son meilleur cru, Steinacker. Les bons producteurs sont Weingut Koehler-Rupprecht et une coopérative, la Winzerge-nossenschaft Kallstadt.

Ungstein

Riches, fruités, fougueux sont les termes qui décrivent le mieux les vins d'Ungstein. Le rouge figure en bonne place, mais les vins blancs de Riesling restent les meilleurs. Weingut Pfeffingen est réputé, ainsi que J. Koch & Sohn et Bärenhof.

Bad Dürkheim

Cette petite ville d'eaux pos-sède d'excellents vignobles. Elle organise chaque année une célèbre fête du vin en sep-tembre, renommée pour être la plus importante au monde. Weingut Fitz-Ritter et Weingut Karl Schaefer sont parmi les meilleurs domaines.

Wachenheim

Village qui produit des vins de qualité, connu pour ses crus Gerümpel et Altenberg. Les vins blancs sont robustes et de bonne garde, dans la tradition locale. Certains domaines font aussi des vins plus secs, d'un style plus actuel. Le domaine le plus connu, Bürklin-Wolf, possède 100 ha de vignes répar-ties sur plusieurs villages du Mittelhaardt. C'est le plus grand des trois domaines célèbres du Palatinat, les trois « B », les autres étant Basser-mann-Jordan et von Buhl (voir plus loin). Les vins sont vieillis en cuves d'acier inoxydable et en bois. Ils servent souvent de référence pour juger les autres vins de la région.

Forst

Forst est réputé pour ses Ries-lings, dont la qualité varie selon le producteur et le terroir dont ils sont issus. En général, les Rieslings de Forst sont des vins droits, fermes et nerveux, dont le caractère est mis en valeur par les nouvelles techniques de vini-fication.

La surface du plus grand vignoble, celui de Ungeheuer, a beaucoup augmenté depuis 1971. Le plus célèbre, Jesuiten-garten, est planté à 100 % en Riesling, mais le meilleur est sans doute son voisin, Kirchen-stück. On a coutume de faire venir du basalte des collines situées à l'ouest de Forst pour recouvrir le vignoble : plus le sol est sombre, mieux il retient la chaleur, dit-on. Citons égale-ment le Weingut Georg Mos-bacher pour son Riesling de grande qualité.

Deidesheim

Deidesheim rivalise avec Forst au cœur du Mittelhaardt, grâce à ses meilleurs crus Hohen-morgen, Grainhübel et Herr-gottsacker. Les deux grands domaines qui dominent la production du village sont, avec Bürklin-Wolf, parmi les plus connus d'Allemagne. Le Domaine von Buhl, modernisé, est maintenant loué à un groupe japonais. Ses 54 ha (plantés en Riesling à 90 %) sont à cheval sur Forst, Deidesheim, Rup-pertsberg et Friedelsheim. On y élabore des vins frais et nerveux, vinifiés pour une bonne garde.

Le Domaine Bassermann-Jordan compte 40 ha de vignes (Riesling exclusivement), bien placées à Forster Jesuitengarten et Deidesheimer Hohenmorgen. Contrairement à von Buhl, Bas-sermann-Jordan élève ses vins en foudres de 2 400 litres.

Les deux domaines appartenant à Deinhard élaborent aussi des vins de qualité.

Ruppertsberg

Le dernier village du Mittel-haardt ne jouit pas tout à fait de la même réputation que son voisin Deidesheim, malgré ses crus de Hoheburg et Linsen-busch qui produisent de très bons vins.

Autres producteurs

Parmi les meilleurs producteurs citons Weingut Weik à Muss-bach-Neustadt, Christmann à Gimmeldingen et surtout le Weingut Müller Catoir à Hardt-Neustadt, le plus célèbre du Palatinat.

SÜDLICHE WEINSTRASSE

Si la plupart des vins du Mittel-haardt ont un style qui les rap-proche plutôt des vins de l'Allemagne du Nord, les petits vins du *Bereich* Südliche Wein-straße (aussi appelé Palatinat méridional) rappellent plutôt ceux d'Alsace ou d'Ortenau dans le pays de Bade.

Le rendement des vignes place les vignobles de la région au second rang de la producti-vité, en Allemagne, derrière ceux du *Bereich* Obermosel. Avant les années 1970, aucun vin digne de ce nom n'était produit à grande échelle.

Le Riesling couvre 7 % du vignoble. Les raisins de la famille des Pinots se plaisent bien sous ces climats. Nombre de viticulteurs utilisent des bar-riques de chêne neuf pour leurs vins rouges.

En termes de volume, les plus grands producteurs sont les deux coopératives, Rhodt unter Rietburg et Deutsches Weintor. Parmi les domaines privés, on peut recommander Weingut Becker à Schweigen, Weingut Siegrist à Leinsweiler, Weingut Rebholz à Siebeldingen et Weingut Dr. Wehrheim à Birk-weiler.

BERGSTRASSE DE HESSE

La Bergstraße de Hesse est un petit vignoble de 400 ha, à la lisière de l'Odenwald, séparé de Worms par la largeur du Rhin (200 m à cet endroit). Les printemps ont la réputation de mettre magnifiquement en valeur les paysages, lorsque les amandiers, les abricotiers, les cerisiers et les pêchers se couvrent de fleurs, ce qui semble arriver en l'espace d'une seule nuit. Le gel est ici exceptionnel, la pluviométrie généreuse ; le sol n'est pas uniforme et se compose de sable, d'argile, de calcaire ou de lœss.

Le vignoble se divise en deux *Bereiche*. Le plus vaste, le *Bereich* Starkenburg, est en fait une extension géographique de la Bergstraße de Bade au nord d'Heidelberg (voir carte p. 324). Le *Bereich* Umstadt est un petit vignoble isolé, qui se situe au sud de la ligne qui relierait Darmstadt à Aschaffenburg en Franconie, au nord-est de la région.

La région produit majoritairement du vin blanc. Elle est plantée sur plus de la moitié en Riesling, la taille du vignoble ayant plus que doublé depuis le milieu des années 1960. Le Müller-Thurgau compte pour 17 %, le Sylvaner 8 % et le Kerner 4 %. Même si le vignoble n'a pas été, à proprement parler, restructuré, les vieilles vignes n'y sont pas plus nombreuses que dans le Rheingau, l'autre région viticole de l'État de Hesse.

Les Rieslings de la Bergstraße de Hesse peuvent facilement rivaliser avec ceux du Rheingau mais, leur volume étant limité, ils sont plutôt rares hors de leur région d'origine.

Les vins produits sur les coteaux sont toujours meilleurs que ceux des plaines ou des plateaux, d'autant que les terrains en pente sont toujours moins fertiles, mieux drainés et mieux exposés que les plaines ou les plateaux. Un quart environ du vignoble est planté sur des pentes si

Vignobles au-dessus d'Unterhambach.

abruptes ou dans des endroits tellement inaccessibles qu'il est pratiquement impossible de le cultiver autrement qu'à la main. Tout ici se fait à petite échelle – plus de la moitié des vignerons possèdent moins de 2,5 ha – et les coûts de production sont tels qu'il n'est pas toujours rentable pour chaque vigneron de faire sa propre vinification. C'est pourquoi la coopérative principale de Heppenheim reçoit les raisins de 70 % des surfaces cultivées. Quant aux viticulteurs du *Bereich* Umstadt, avec leurs 29 ha de vignes, ils livrent leur récolte à leur propre coopérative d'Odenwald.

Lors d'une conférence en 1992, on a calculé que le coût net de production d'une bouteille de Riesling *Spätlese*, issu d'une vigne en pente forte avec un rendement de 75 hl/ha, était de 7,10 DM. Si l'on considère que le prix de vente moyen est 9 DM pour l'ensemble des vins, les caves d'État de Bensheim et de la Bergstraße de Hesse ont une politique de vente raisonnable. □

VILLAGES ET PRODUCTEURS

Heppenheim

À l'extrémité sud, la charmante vieille ville de Heppenheim est l'un des centres de la Bergstraße. Elle abrite la principale cave coopérative de la région, la Bergsträßer Gebiets-Winzergenossenschaft, qui regroupe 570 viticulteurs dont cinq travaillent à temps complet.

Elle encourage ses membres à livrer des raisins de qualité en les leur achetant selon un tarif modulé. En conséquence, le rendement moyen du vignoble (75 ha) est de 84 hl/ha, ce qui est relativement bas pour une coopérative. La fermentation se fait grâce aux levures indigènes (celles qui se trouvent naturellement sur les grappes), ce qui suppose qu'il ne reste aucun produit de traitement sur les baies.

Bensheim

Bensheim est une autre vieille ville pittoresque, centre d'un vignoble de grande réputation. Weingut der Stadt Bensheim compte environ 12 ha, complantés des cépages traditionnels de la région ainsi qu'en Rotberger, un croisement de Trollinger et de Riesling mis au point par l'institut de recherches de Geisenheim (Rheingau). Ses vins ont un niveau d'acidité élevé, ce qui permet de produire du rosé et du *Sekt*.

La coopérative produit de bons QbA et toute une gamme de QmP, dont un *Eiswein*. L'assurance qui couvre la production d'*Eiswein* – puisqu'il y a grand risque à laisser les raisins sur pied aussi tard – est prise en charge par la coopérative, et non par les viticulteurs adhérents.

Avec 37 ha de vignes, le Staatsweingut (vignoble d'État) de Bensheim est le plus grand producteur-embouteilleur de la région. Il se spécialise dans l'*Eiswein*, qu'il élabore principalement sur l'*Einzellage* Heppenheimer Centgericht, produisant 6 cuvées différentes de Riesling en *Eiswein*. Comme il s'agit d'une filiale des caves de l'État de Hesse à Eltville, il suit la technique du Rheingau qui consiste à couvrir les raisins restés sur la vigne avec du papier d'aluminium jusqu'à la vendange.

FRANCONIE

Il y a près de 200 ans, le gouverneur de la ville de Volkach expliqua à ses supérieurs que les vignobles avaient été plantés à des endroits tels que les raisins ne pourraient jamais mûrir « même s'il y avait deux soleils dans le ciel ». Depuis cette déclaration, la taille du vignoble de Franconie a augmenté et diminué alternativement en vertu des conditions économiques et politiques. Ces vingt-cinq dernières années, elle a augmenté de 169 % pour atteindre 5 918 ha. Les meilleures cuvées de Franconie sont des vins de caractère, intenses et de bonne garde, mais très irréguliers d'un millésime à l'autre. Ils se reconnaissent à leur bouteille, basse et toute ronde, qui porte le nom de *Bocksbeutel*.

La Franconie se trouve au cœur de l'Allemagne, à l'est du Rhin, dans une région au climat dur, couverte d'épaisses forêts. Les vignobles se concentrent dans les recoins les plus chauds, le long du Main et de ses affluents. Le volume des vendanges peut varier considérablement selon les millésimes. Ces dernières années ont bénéficié d'une grande douceur et le rendement n'a pas été touché par les gelées d'hiver ou de printemps. Il n'y a donc jamais pléthore de bons vins. En revanche, l'offre est généralement supérieure à la demande en ce qui concerne le vin ordinaire. Dans les années 1990, les meilleurs vignerons ont réduit leurs rendements, en taillant plus court et en coupant une partie des raisins au mois d'août.

Vignobles et cépages

Près de la moitié du vignoble a moins de dix ans, car on a beaucoup replanté et restructuré. Malgré ses centaines d'années d'expérience, le vin allemand reste soumis aux caprices de la mode – ce qui ne signifie pas qu'il réagit aux lois du marché. Jusqu'à un certain point, les grands domaines établis maintiennent leur image et une certaine régularité dans la qualité, mais l'attirance pour les nouveaux hybrides a été irrésistible dans les années 1970, comme au Staatlicher Hofkeller de Würzburg. Il semble aujourd'hui que les viticulteurs se préoccupent davantage de leur avenir. En effet, beaucoup viennent de replanter des cépages qui ont fait leurs preuves depuis des siècles.

Avec ses variations en dents de scie, le climat de Franconie rend difficile de prévoir le coût et le prix des vins, mais le négoce bavarois s'accommode de ses caprices. Les grands buveurs de

Le coteau d'Innere Leiste, en face de Würzburg, est dominé par le château de Marienberg.

bière que sont les Bavarois sont aussi de grands amateurs de vins. Actuellement, on replante surtout du Sylvaner, des cépages de la famille des Pinots et, dans une moindre mesure, du Riesling. Mais les hybrides comme le Müller-Thurgau (47 % du vignoble) et le Bacchus donnent parfois de meilleurs résultats.

Le Scheurebe n'est guère planté, mais il arrive qu'il surprenne et même impressionne des dégustateurs étrangers à la région. Il requiert un environnement favorable pour atteindre une maturité suffisante et donner des vins pouvant prétendre à la catégorie QmP. Il en est de même pour le Rieslaner, un croisement indigène de Sylvaner et de Riesling.

C'est le Bürgerspital qui planta du Riesling dans le célèbre vignoble de Würzburger Stein et commença à le vinifier en cépage unique à la fin du siècle dernier. Lorsqu'il est bon, le Riesling de Stein est un vin séduisant, d'une grande finesse, aux arômes délicats d'une grande longueur. Pour répondre à la demande de vins secs – ce qui nécessite d'éviter le *Botrytis cinerea* –, la production de vins doux *Auslesen* a diminué ces dernières années. Le Riesling, le Sylvaner, le Rieslaner et les Pinots noir, blanc et gris donnent de bons résultats dans le Würzburger Stein et l'on fait aujourd'hui des expériences avec le Chardonnay ; mais, à long terme, il sera sans doute préférable de se consacrer à une gamme plus réduite de cépages pour confirmer la réputation du vignoble.

Les styles de vin

La plupart des bons vins blancs de Franconie ont un léger goût de terroir, particulièrement marqué dans certains crus issus de Sylvaner. Ce cépage traditionnel de Franconie donnait parfois, dans les années 1970, des vins gras qui manquaient d'acidité et s'oxydaient facilement. Aujourd'hui, ses vins sont vinifiés selon les dernières technologies, c'est-à-dire qu'ils ont du caractère mais aussi de la fraîcheur et qu'ils sont vraiment très agréables. Pour plus de la moitié, il

La beauté baroque des caves de la résidence de Würzburg.

s'agit de *Fränkisch trocken*, ce qui désigne un vin contenant moins de 4 g de sucres résiduels. Le *Bocksbeutel*, la petite bouteille ronde et trapue, est utilisé pour les meilleurs vins de la région (environ la moitié). Sa forme originale, sa couleur verte ou ambre sont réservées, en Allemagne, aux vins de qualité issus soit de Franconie, soit de quelques villages de Bade situés sur le fleuve Tauber et près de Baden-Baden. Les vins de qualité inférieure sont vendus dans des bouteilles ordinaires d'un litre.

Surtout connue pour ses vins blancs, la région produit aussi quelques rouges. La demande des restaurateurs et des consommateurs s'accroissant, la production (du Steigerwald et du Mainviereck, principalement) a suivi. Il semble que, si l'extension du vignoble rouge continuait – il couvre actuellement 5 % de la surface plantée –, elle pourrait faire ombrage à l'identité régionale. Mais il est difficile pour les vignerons d'ignorer le succès des vins rouges et de ne pas répondre à la demande. Ils continuent donc de planter du Pinot Noir, du Portugieser, du Schwarzriesling et du Domina (un croisement de Portugieser et de Pinot Noir).

Domaines et terroirs

Les 31 membres du VDP sont répartis tout à fait irrégulièrement dans toute la Franconie. Würzburg abrite trois très vastes domaines.

Les meilleurs terroirs se concentrent sur les versants sud et sud-ouest des collines, plus exposés au soleil, mais aussi aux gelées de printemps. Les versants exposés à l'est sont plus frais et moins sujets aux gelées, mais les raisins y mûrissent moins bien que dans les célèbres parcelles des bords du Main.

Tandis que le gypse et le keuper sont des éléments importants du sol sur les bords du Steigerwald, le sol de Würzburg se caractérise par la présence de calcaire, auquel on attribue la capacité de donner de la finesse au vin. Depuis le début des années 1970, l'institut viticole d'État, en association avec le Staatlicher Hofkeller, a étudié l'influence que pouvaient avoir le sol et le climat sur les arômes, le bouquet et la composition chimique des vins. Ses conclusions, pour le moment, se résument ainsi : « Nous aimerions croire que le caractère d'un vin est conditionné par le type de sol sur lequel poussent les raisins, mais nous devons commencer par tenir compte du climat quand nous voulons parler de ce qui détermine le caractère d'un vin. »

VILLAGES ET PRODUCTEURS

Le vignoble de Franconie est délimité par les méandres du Main, qui dessinent de grandes boucles d'est en ouest. Il regroupe trois Bereiche : le Steigerwald à l'est, le Maindreieck autour de Würzburg au centre et le Mainviereck en descendant le Main vers l'ouest. Les vins blancs représentent 95 % de la production. Le vignoble est réputé pour son fameux Steinwein (un des crus de Franconie); ses meilleures cuvées, à base de Sylvaner, sont des vins secs et droits qui ressemblent beaucoup aux vins blancs français.

STEIGERWALD
La forêt du Steigerwald forme la frontière sud-ouest de la Franconie. Les villages viticoles les plus connus de ce *Bereich* se trouvent au sud de l'autoroute E43.

Castell
Le plus vaste domaine du *Bereich* est celui de Fürst Castell-Castell, situé dans le charmant village du même nom. L'ensemble du vignoble est en coteau, mais les pentes ne sont pas très escarpées. Curieusement, ce domaine est l'unique propriétaire de 8 *Einzellagen*.

Iphofen
Il n'est pas rare que les meilleurs vins du *Bereich* proviennent d'Iphofen. Son vignoble a été restructuré et occupe de vastes pentes. Dans l'*Einzellage* Julius-Echter-Berg, les bons vignerons font des *Kabinett* et des *Spätlesen* titrant presque un degré de plus que le minimum légal.

Parmi les bons producteurs d'Iphofen citons le Weingut J. Arnold, le Weingut Bürgstadt, le Weingut E. Popp, le Weingut Johann Ruck, le Weingut Rupp, le Weingut Wirsching et surtout le Weingut Rudolf Fürst, dont le vin Paul Fürst est un des plus élégants de Franconie.

MAINDREIECK
Ce *Bereich* a pour centre Würzburg, le cœur viticole et culturel de la Franconie.

Volkach
Volkach est une agréable ville qui accueille chaque année, en septembre, quelque 8 000 personnes à l'ombre de ses châtaigniers et de ses tilleuls, pour participer à sa grande fête du vin. Au domaine des von Schönborn, Schloß Halburg, près de Volkach, les Rieslaner passent par une fermentation malolactique pour perdre leur acidité malique de fruit vert. Ce domaine élève aussi du Bacchus, prouvant ainsi que ce cépage peut quelquefois donner de bons vins.

Juste au sud de Volkach, une sorte d'île assez grande se dessine dans le méandre du Rhin et le canal qui le double. Les belles pentes de ce vignoble escarpé, connu sous le nom de Escherndorfer Lump, forment l'une des rares *Einzellagen* connues hors de Franconie.

Non loin de là, à Nordheim, se trouve l'une des meilleures petites caves coopératives. Elle reçoit les raisins de 265 ha, qui peuvent venir d'aussi loin que Steigerwald. Ses vins (Müller-Thurgau, Riesling et un élégant Traminer étonnant par son acidité équilibrée) sont élevés en fûts de bois dans des caves datant du XVIIe siècle, aujourd'hui climatisées.

Cette cave jouit d'une bonne réputation, qui ne cesse de croître. Il en est de même pour les trois petites coopératives de Thüngersheim, Sommerach et Randersacker.

Kitzingen
Kitzingen se trouve en aval de Volkach sur le Main. Sa coopérative régionale, Gebietswinzergenossenschaft, traite un quart de la production de Franconie. Tout ici se fait à grande échelle mais les 1 500 vins différents sont conservés séparément. Les vingt cépages sont en effet vinifiés à part selon leur village d'origine, leur cru et leur classement officiel, dans le but de réduire le nombre de cuvées à 600, comprenant des petits lots de qualité supérieure, destinés aux cavistes.

Randersacker
À quelques kilomètres en amont de Würzburg, Randersacker abrite une bonne coopérative, un certain nombre de bistrots à vins rustiques et quelques bons domaines, dont Weingut Robert Schmitt, qui fait une belle gamme de QmP. On affirme souvent que Randersackerer Pfülben compte parmi les meilleurs terroirs de Franconie, grâce à son sol calcaire et son microclimat adapté au Riesling, au Sylvaner et au Rieslaner.

Würzburg
Les trois domaines les plus réputés de Franconie appartiennent au Bürgerspital, au Juliusspital et au Staatlicher Hofkeller de Würzburg. Les caves de Hofkeller sont situées sous la *Residenz* construite par les évêques de la famille von Schönborn. Elles furent sévèrement endommagées en 1945, mais ont été reconstruites depuis et abritent à nouveau du vin. Le domaine couvre 120 ha divisés en 14 communes, dont certaines se trouvent à la limite de la Franconie. Outre celles de Randersacker, les parcelles les plus célèbres, dont Stein, sont à Würzburg.

Parmi les trois grands domaines de Würzburg, le Juliusspital est généralement considéré aujourd'hui comme le *primus inter pares*. Ses 163 ha de vignes plantées progressivement depuis 1576 comptent d'importantes parcelles dans les meilleurs sites et 8 ha à Bürgstadt, à l'ouest de Würzburg.

MAINVIERECK
Ce *Bereich* couvre la partie ouest de la région, en descendant le fleuve.

Bürgstadt
Bürgstadt ainsi que les villes et villages qui l'entourent de ce côté du Main sont surtout connus pour leurs vins rouges. Le Domaine Rudolf Fürst se trouve dans cette partie du Mainviereck tout comme le Weingut der Stadt Klingenberg.

C'est une région de petites propriétés dont la plus étendue, Fürst Löwenstein, se trouve à Kreuzwertheim. Elle regroupe 7 400 ha de bois et de cultures, et 26 ha de vignes. Parmi ces dernières, 9 ha se trouvent sur les pentes abruptes de Homburger Kallmuth, en partie aménagés en terrasses.

SAALE-UNSTRUT ET SAXE

Avec la réunification de l'Allemagne, deux zones de production de l'ancienne Allemagne de l'Est sont venues s'ajouter aux 11 régions viticoles délimitées par la législation de l'Allemagne fédérale. Hormis quelques petits vignobles disséminés ici et là, les principales régions de production viticole sont les appellations de Saale-Unstrut (390 ha), au sud-ouest de Leipzig, et de Saxe, le long de l'Elbe, de chaque côté de Dresde (voir carte p. 311). La viticulture de ces régions reste largement méconnue.

Les vignobles de Saxe et de Saale-Unstrut se situent au nord de la vallée de l'Ahr, à une même latitude que le sud-est de l'Angleterre. Leur climat est proche de celui de la Franconie, avec, curieusement, une amplitude de variation de températures plus importante. L'hiver 1987 a ainsi vu descendre la température à moins 34 °C et, à la fin du mois d'avril 1991, il y avait encore

12 cm de neige et une température de moins 8 °C. La culture de la vigne n'est donc possible que dans quelques endroits bénéficiant de microclimats, d'autant que les précipitations sont faibles et le cycle végétatif, plus court que dans le reste du pays.

En Saxe, le sol se compose de roche volcanique et de lœss, tandis qu'il est plutôt calcaire en Saale-Unstrut : à degré d'alcool égal, ces vins semblent donc plus ronds que ceux de Moselle, où le sol regorge de schiste. Les rendements ne dépassent guère 34 hl/ha, car les vignobles sont peu entretenus : les pieds morts ne sont pas remplacés ou bien les clones utilisés sont sensibles au gel. Mais, là où les terrasses ont été reconstruites et les vignes rajeunies, on atteint des rendements de 50-60 hl/ha.

Cépages

Les vins, secs pour la plupart, s'apparentent à ceux de la Nahe. Leur degré

d'alcool n'est jamais aussi bas qu'en Moselle-Sarre-Ruwer.

La plus grande partie du vignoble est plantée de cépage Müller-Thurgau. Le reste se partage entre les cépages suivants, donnés par ordre alphabétique : Bacchus, Gutedel, Kerner, Riesling, Ruländer, Sylvaner, Traminer et Weißburgunder (Pinot Blanc), ainsi que quelques croisements entre cépages d'Europe de l'Est et *Vitis vinifera*. En Saxe, on trouve aussi des plantations de Goldriesling, un cépage moins noble que ce que son nom pourrait laisser croire, et qu'on rencontre en petite quantité en Alsace.

Producteurs et négociants

Les deux principaux producteurs de Saale-Unstrut sont le Staatsweingut Naumburg (100 ha), fondé par les cisterciens, qui appartient maintenant à l'État de Saxe-Anhalt, et la coopérative de Freyburg, appelée Winzervereinigung Freyburg/Unstrut. Tous les vins sont commercialisés sous le nom de leur cépage, sans indication de commune ni de cru. Citons également le Weingut Lützkendorf à Bad Kösen.

En Saxe, la coopérative *(Winzergenossenschaft)* de Meißen reçoit les raisins récoltés sur les 160 ha que possèdent des viticulteurs qui travaillent à temps partiel. L'État de Saxe – et non la région viticole – possède le Schloß Wackerbarth, à Radebeul, et les caves de *Sekt*, Staatsweingut Radebeul (100 ha).

Quelques domaines privés ont vu le jour à la suite de la réunification, mais les difficultés financières sont loin d'être résolues. Au début des années 1990, sevrées des largesses de l'ancien régime communiste, ces régions manquent cruellement des capitaux nécessaires aux investissements. Mais deux domaines s'en sortent bien grâce à leur qualité : Weingut Schloß Proschwitz à Meißen et Weingut Klaus Zimmerling (biodynamique) à Dresde. □

Vignobles de la région viticole de Saxe, près de Dresde.

BADE

Le vignoble de Bade est plus un regroupement de petites parcelles, découpées par le Rhin ou par d'immenses forêts, qu'une véritable région. Les vignes suivent la rive orientale du fleuve, au nord de Bâle, et s'arrêtent net lorsque les collines descendent vers les zones sujettes au gel de la plaine du Rhin. Des vergers couvrent les flancs orientés au nord et au nord-ouest depuis la Forêt-Noire, tandis que la vigne pousse sur ceux qui s'ouvrent au sud. Les propriétés sont, en général, trop vastes pour être abandonnées mais trop petites pour être rentables. Il y a donc beaucoup de coopératives et, entre autres, celle de Breisach, Badischer Winzerkeller, le plus grand producteur d'Europe avec une surface plantée de 15 346 ha.

Les cépages

Au début du XIXe siècle, la région de Bade comptait près de 200 variétés de raisins. De nos jours, il n'en reste plus que sept (dont six blancs), qui se répartissent 92 % du vignoble : un tiers en Müller-Thurgau, un quart en Pinot Noir (Spätburgunder), un tiers en Ruländer, Gutedel, Riesling, Pinot Blanc (Weißburgunder) et Sylvaner.

La culture du Chardonnay, dont les plants ont été importés de France ou d'Italie, est aujourd'hui autorisée dans certaines parties de l'Allemagne, où 26 clones, et pas moins, sont à l'essai. Mais, pour se plaire en Allemagne, le Chardonnay requiert des conditions semblables à celles du Riesling. En fait, deux vins de Chardonnay de la région ont pour origine une erreur de livraison : l'un, produit par Badischer Winzerkeller, est issu de pieds fournis dans les années 1970 par l'Alsace comme étant du Weißburgunder. L'autre, un *Sekt* issu en réalité d'Auxerrois (famille des Pinots), est produit par une coopérative de Markgräflerland. Selon le découpage régional de l'Union européenne, la région de Bade se trouve en zone « B », tandis que le reste de l'Allemagne se

Durbach, célèbre village de vignerons.

trouve en zone « A » (voir p. 132). En vertu de cette classification, la réglementation stipule que le degré, dans les conditions d'un millésime normal, ne peut pas être relevé de plus de 2,5 % vol par chaptalisation, ce qui est difficile à respecter pour certains districts comme celui du lac de Constance, par exemple. Lorsque les rendements ne sont pas trop élevés, le climat de Bade, relativement doux, permet d'obtenir des vins plus ronds et plus riches en alcool que dans les régions les plus septentrionales de l'Allemagne.

L'élevage des Pinots Blanc et Noir en fûts de chêne neuf se répand car les vins gagnent en rondeur, mais reste encore expérimental dans la plupart des caves. Certains producteurs tiennent à utiliser le bois des forêts locales, mais, en général, les fûts utilisés sont issus des chênes de l'Allier, du Limousin ou de Nevers, malgré quelques essais avec du bois des Vosges ou de Slovénie.

Les bonnes coopératives

Les coopératives de Bade ont la réputation de faire des vins de qualité. Mais pourquoi en serait-il autrement puisqu'elles sont souvent le seul producteur du village et reçoivent toute la récolte, y compris les meilleurs raisins des meilleures parcelles ? Les amateurs connaissent bien les coopératives comme Sasbachwalden et Kappelrodeck, qui commercialisent un Pinot Noir, le cépage le plus courant, à un prix raisonnable.

Dans l'ensemble, les rendements, tous cépages confondus, Riesling et Müller-Thurgau inclus, sont encore trop élevés. Seules les cuvées de prestige sont issues de parcelles dont les rendements sont faibles.

Abstraction faite des problèmes d'équilibre financier entre qualité et quantité, l'habitude allemande qui consiste à séparer méticuleusement les raisins en fonction de leur maturité semble avoir trois inconvénients. Elle entraîne d'abord inévitablement une baisse de qualité des fins de vendanges ; elle multiplie et complique la mise en bouteilles et, enfin, augmente les coûts de production. Or, ce principe ne se justifie vraiment que pour les Rieslings du Nord et beaucoup moins pour les vignobles du Sud.

La gastronomie

La région de Bade, avec ses 3 688 ha de Pinot Noir (Spätburgunder), ne compte pas moins de 34 restaurants récompensés d'une étoile par le guide Michelin alors que la Côte-d'Or, à titre de comparaison, n'en compte que 8 pour 5 802 ha du même cépage. L'intérêt des Allemands pour la haute gastronomie étant un phénomène récent, les progrès réalisés pour produire des vins (surtout des vins rouges) à la hauteur des mets sont admirables. Ce nouvel engouement mérite d'être marqué pour cette région, car, sans vouloir minimiser les efforts du Rheingau, la structure et la variété des vins de Bade leur permettent de s'associer à une vaste gamme de plats. □

VILLAGES ET PRODUCTEURS

Les vignobles de Bade s'étirent tout le long du Rhin, du lac de Constance au sud jusqu'à la Franconie au nord, entre le fleuve et la Forêt-Noire. Ils font face aux vignobles d'Alsace tout en bénéficiant d'un climat différent, plus continental avec plus de nuages et de pluies, un microclimat qui doit son originalité à la proximité de la Forêt-Noire. Les vins de Bade, blancs à 75 %, sont des vins de fort rendement qui masquent leur légèreté, leur acidité et leur dilution par des notes florales séduisantes, lorsqu'ils sont réussis. La domination des caves coopératives, qui représentent près de 90 % de la production de cette région, n'exclut pas une coexistence avec de beaux domaines chargés d'histoire.

TAUBERFRANKEN

À la pointe nord-est, l'étroit *Bereich* Tauberfranken (700 ha), autrefois connu sous le nom de Badisches Frankenland, suit le cours de la rivière Tauber, juste avant qu'elle ne se jette dans le Main. Son climat continental entraîne de graves risques de gelées printanières.

Si ce vignoble ne se trouvait pas dans l'État du Bade-Wurtemberg, il aurait sans doute été intégré à celui de son voisin bavarois, la Franconie. D'ailleurs, ses meilleures cuvées sont conditionnées dans les traditionnelles bouteilles trapues *(Bocksbeutel)* de Franconie, comme pour rappeler le lien historique entre les deux régions. La plupart des vins de Tauberfranken sont des blancs (deux tiers de Müller-Thurgau), vinifiés par des coopératives. Ils ressemblent beaucoup à ceux de Franconie, mais sont soumis à la réglementation de la zone méridionale « B » (voir page précédente).

LE NORD DU RHIN

Le *Bereich* Badische Bergstraße/Kraichgau couvre près de 2 000 ha face à la vallée du Rhin, au nord et au sud d'Heidelberg. Les vins de ce *Bereich*, provenant pour 40 % de Müller-Thurgau et pour 20 % de Riesling, sont réputés pour être les plus légers de la région.

Depuis Laudenbach, à l'extrême nord de la région, les raisins sont livrés à la coopérative de Heppenheim dans la Bergstraße de Hesse (voir pages précédentes). Plus au sud, dans la Bergstraße de Bade, des villages comme Weingarten et Weinheim attestent d'une tradition viticole établie de longue date. Trois des domaines de la région sont membres du VDP. Weingut Reichsgraf und Marquis zu Hoensbroech à Angelbachtal-Michelfeld produit presque uniquement des vins secs, à base de Pinot et de Riesling. Weingut Freiherr von Göler, Burg Ravensburg, à Sulzfeld (14,5 ha), assemble 60 % de Riesling et 20 % de Lemberger, des proportions qui ne sont pas sans rappeler celles de son voisin le Wurtemberg.

À Oestringen-Tiefenbach, le Domaine Weingut Albert Heitlinger est planté à 45 % en Riesling et produit un vin de table original, élaboré avec des raisins *Beerenauslese*, qui sont fermentés jusqu'à 20 g/l de sucres résiduels puis élevés en barriques. Heitlinger élabore des « produits » étonnants comme son eau-de-vie de topinambour. Le Weingut Seeger à Leimen est réputé pour son Spätburgunder. La plus grande coopérative locale, Winzerkeller Wiesloch, fait le lien entre Bergstraße et Kraichgau, la région de collines située entre la Forêt-Noire et l'Odenwald.

ORTENAU

Au sud de la célèbre ville thermale de Baden-Baden, le *Bereich* Ortenau jouit d'une bonne réputation qui va en s'améliorant. Les vins issus des villages voisins atteignent des prix assez élevés et sont commercialisés dans des bouteilles franconiennes. Le vignoble, planté à 30 % en Riesling, couvre 2 244 ha tandis que la remarquable *Einzellage* Neuweierer, Mauerberg près de Baden-Baden, est exclusivement composée de Riesling.

Nombre de vignobles d'Ortenau sont plantés dans le sens de la pente sur des coteaux très inclinés. Cependant, depuis 1978, la construction de terrasses a enfin permis l'utilisation de tracteurs, une mécanisation qui a réduit les coûts de main-d'œuvre et augmenté l'efficacité des interventions dans la vigne. D'autre part, ce nouveau mode de culture laisse l'air circuler entre les vignes, ce qui diminue la propagation des maladies et permet une meilleure exposition des raisins à la lumière et au soleil. Les frais de reconversion du vignoble sont partagés entre les viticulteurs et les communes, le Land (gouvernement provincial) et l'État fédéral.

Affental

L'Affental, littéralement « vallée des singes », regroupe quelques villages au sud de Baden-Baden. Ses vins rouges sont connus en Allemagne, en partie grâce au singe gravé dans le verre des bouteilles.

Durbach

Le village de Durbach est réputé pour ses Rieslings, ses restaurants et ses magnifiques vignobles sur des coteaux de granite et de gneiss dont les pentes peuvent être vertigineuses comme à Plauelrain. Les Rieslings de Durbach ressemblent à ceux du Palatinat, en moins acide.

Outre sa cave coopérative, Durbach possède un certain nombre de très bons domaines privés. Weingut Freiherr von Neveu possède 15 ha de collines au-dessus du village ; il est connu pour son Riesling ainsi que pour son vin rouge à base de Pinot Noir. Un autre domaine important, Gräflich Wolff-Metternich'sches Weingut, a été fondé à Durbach en 1180. En 1830, le marquis de Lur-Saluces lui apporta des plants de Sauvignon provenant du Château d'Yquem. Ce cépage pousse toujours sur ce domaine dont le rendement varie, selon les cépages, entre 40 et 60 hl/ha.

Markgräflich Badisches Schloß Staufenberg (domaine du margrave de Bade) se trouve juché en hauteur, au-dessus du village de Durbach : un emplacement de défense idéal entouré sur trois côtés par des vignobles vertigineux. Riesling et Traminer y furent plantés séparément dès 1776. Dans cette partie du vignoble d'Ortenau, ces cépages sont aujourd'hui respectivement connus sous les noms de Klingelberger et de Clevner.

Ortenberg

La ville d'Offenburg possède son propre domaine dans le village d'Ortenberg au sud de Durbach, le Weingut der Stadt Offenburg. Ses 30 ha de vignes sont parfois plantés sur des pentes à forte déclivité. L'encépagement varié inclut le Cabernet-Sauvignon, dont le vin vieillit en barriques neuves.

BREISGAU

Le *Bereich* de Breisgau se situe au sud d'Offenburg, où les vignes côtoient des champs de maïs. La plupart des vins ressemblent à ceux du Kaiserstuhl, en plus léger et moins acide. Ils sont produits par la cave coopérative Badischer Winzerkeller (voir encadré). Le rosé élaboré avec du Pinot Noir (Spätburgunder) est généralement bien réussi, car, au lieu d'être issu de saignées de cuves de fermentation en rouge, il fait l'objet d'une vinification en rosé. Les vignes montent jusqu'à 500 m d'altitude sur le Glottertal, en pleine Forêt-Noire. La grande ville de Fribourg-en-Brisgau possède elle aussi un vignoble. À Malterdingen, il faut signaler le Weingut Bernhard Huber.

KAISERSTUHL

Depuis le village alsacien de Riquewihr, on peut voir s'élever, à une quinzaine de kilomètres à l'est, la colline volcanique du Kaiserstuhl, dominant la vaste plaine du Rhin. Le *Bereich* Kaiserstuhl représente un tiers des vignobles de Bade

et produit ses vins les plus célèbres. La moyenne des températures relevées dans cette région est la plus élevée de toute l'Allemagne, ce qui explique que l'acidité des vins soit moins marquée que dans les régions plus septentrionales.

Un certain nombre de domaines de grande qualité sont plus particulièrement réputés. Quatre d'entre eux, membres du VDP, Weingut Bercher, Weingut Dr. Heger, Weingut B. Salwey et Weingut Rudolf Stigler, sont presque aussi connus des amateurs allemands que les plus grandes propriétés du Rheingau. Tous travaillent en respectant l'environnement et se consacrent presque exclusivement aux cépages Pinot Noir et Riesling.

Weingut Rudolf Stigler est un spécialiste du Riesling vif et frais (certains de ses clones viennent de Moselle), et, comme nombre d'autres producteurs du Kaiserstuhl, il fait de bons Pinots Noirs en rouge et en rosé *(Weißherbst)*.

Les vins du Kaiserstuhl sont produits presque exclusivement par des coopératives. Celles des villages de Achkarren, Bickensohl, Bischoffingen, Oberrotweil, Burkheim et Königschaffhausen ont une bonne réputation : chacune représente un vignoble de 200 ha en moyenne, taille qui laisse au directeur la possibilité de maîtriser son approvisionnement. À Achkarren, 40 % du vignoble (sur un total de 68 ha) est planté en Grauburgunder. Les meilleures cuvées ont un bouquet puissant marqué par le cépage et le sol volcanique. Le Grauburgunder est aussi vendu sous le nom de Ruländer lorsqu'il est vinifié à l'ancienne, ce qui donne un vin tendre et souple, parfois botrytisé. Mais c'est la coopérative de Bickensohl qui, dans les années 1980, a lancé un nouveau style de vins plus nerveux, obtenus en ramassant des raisins sains avant complète maturité.

Parmi les meilleurs producteurs, il ne faut pas manquer d'évoquer le Weingut Franz Keller (Schwarzer Adler) qui vinifie de grands vins. Ce viticulteur s'est battu pendant 40 ans pour améliorer la qualité des vins allemands.

Ihringen

Sur le versant sud du Kaiserstuhl se trouve la célèbre *Einzellage* Ihringer Winklerberg, dont la surface est passée de 40 à 140 ha en 1971, le vignoble d'origine datant de 1813 (les Romains n'étaient pas passés par là). Comme c'est fréquemment le cas, la nouvelle délimitation regroupe des terroirs aux sols et aux microclimats différents. Les meilleurs vins du vignoble d'origine proviennent du domaine Heger et de la coopérative Ihringen Kaiserstühler.

Bischoffingen et Burkheim

Bischoffingen est un autre village réputé du Kaiserstuhl, grâce à sa grande coopérative et au Weingut Karl Heinz Johner. Ce dernier est un spécialiste de l'élevage en barriques de rouges et de blancs ; il a quitté la région de Bade pour diriger le Domaine Lamberhurst en Angleterre avant de revenir chez lui pour créer son domaine, novateur. Weingut Bercher, à Burkheim, élève aussi en fûts sa meilleure cuvée de Pinot Noir et ses autres vins.

TUNIBERG

Pour le visiteur, le terroir élevé du *Bereich* Tuniberg ressemble à un petit Kaiserstuhl auquel manquerait l'arôme qu'apporte un sol volcanique. Composée d'une épaisse couche de lœss, la terre est un peu trop fertile pour la culture de la vigne. Près de la

— BADISCHER WINZERKELLER —

La « locomotive » de la viticulture badoise est la remarquable coopérative Badischer Winzerkeller, la plus vaste d'Europe. Dotée d'immenses installations à Breisach, près de la frontière française, elle produit la moitié des vins de Bade. En outre, elle a joué un rôle précurseur dans différents domaines comme celui de la vinification individuelle de centaines de lots différents afin de sauvegarder l'identité de chaque parcelle. La cave vinifie les raisins de 5 000 ha de vignes qui se déclinent en une gamme de vins de tous niveaux et de tous styles, du plus ordinaire jusqu'aux cuvées vieillies en fût. Elle possède aussi à Breisach la cave de *Sekt* appelée Gräflich von Kageneck'sche Sektkellerei.

moitié du vignoble est plantée en Pinot Noir et 43 % en Müller-Thurgau. La puissante coopérative Badischer Winzerkeller vinifie la presque totalité des récoltes et vend ses vins dans les supermarchés et les chaînes de magasins d'Allemagne.

MARKGRÄFLERLAND

Entre Fribourg-en-Brisgau et la Suisse, le *Bereich* Markgräflerland se tient à bonne distance de l'autoroute E4 qui le sépare du Rhin. Dans ce joli paysage rural, les vignes poussent sur des collines douces, dont le sommet Hochschwarzwald culmine à 1 300 m d'altitude.

La douceur du paysage se retrouve dans les vins issus de Chasselas, le cépage le plus répandu, dont on explique mal l'origine du nom allemand, *Gutedel*, puisque, pour être bon (*gut*), il n'est pourtant pas noble (*edel*). Ce Chasselas, qui couvre 50 % du vignoble de Markgräflerland, produit des vins blancs légers et plaisants. Lorsqu'on a la chance de trouver un Gutedel plus concentré, c'est une bonne surprise, vraiment rare.

Schloßgut Istein est un petit domaine réputé de 8 ha situé à Lörrach, à l'extrémité sud, tout près de la frontière suisse, qui élabore, entre autres, un bon Pinot Noir. Les coopératives d'Auggen, Müllheim et de Wolfenweiler sont tout à fait dignes de confiance : outre le Gutedel, elles se consacrent au Müller-Thurgau (quelquefois commercialisé en vin « light » sous le nom de Rivaner) et au Pinot Noir, qui donne un rouge un peu mou, moins réussi qu'en Kaiserstuhl.

LE LAC DE CONSTANCE

La région du lac de Constance (*Bodensee* en allemand) regroupe trois *Bereiche*. Les deux plus petits appartiennent aux États du Wurtemberg et de Bavière, tandis que le *Bereich* Bodensee (400 ha) fait partie du pays de Bade.

Le Pinot Noir pousse ici depuis le XIXᵉ siècle, mais la

Vignobles entourant le Domaine Schloß Staufenberg à Durbach.

LE LABEL « BADEN SELECTION »

L'association des viticulteurs de Bade, consciente que la multiplication des étiquettes de vins haut de gamme apporte une certaine confusion auprès des consommateurs, a décidé de rendre les meilleures cuvées plus accessibles et plus facilement reconnaissables en créant un label de qualité. Ils l'ont appelé *Baden Selection*. Les vins doivent être issus de cépages de la famille des Pinots (avec un rendement maximal de 40 hl/ha), de Riesling, de Gutedel ou de Müller-Thurgau (avec un rendement maximal de 60 hl/ha). Il peut paraître étonnant que le Müller-Thurgau ait été inclus dans cette liste, et non le Sylvaner, mais il faut comprendre que les vins de Müller-Thurgau obtenus avec un rendement de 60 hl/ha n'ont rien à voir avec ceux qu'on obtient avec 100 hl/ha, voire plus.

Les vins labellisés *Baden Selection* doivent provenir de vignes de plus de 15 ans. Le millésime, le cépage et la région d'origine figurent obligatoirement sur l'étiquette, mais, curieusement, il est interdit de mentionner un village ou un nom de cru. Tous les vins sont soumis à une dégustation. Les responsables considèrent que 3 % des vins devraient réussir cet examen de passage. On espère que cette nouvelle recherche de qualité séduira de plus en plus de vignerons, et l'objectif de labellisation s'élève à 10 % de la production, ce qui équivaut à 24 millions de bouteilles. De nombreux vins de coopérative d'une qualité proche de la gamme *Baden Selection* se sont déjà imposés sur la carte des vins de grands restaurants. Il faut espérer que les autres producteurs ne se montreront pas moins exigeants à l'avenir.

première trace de plantation en tant que cépage unique date de 1705, à Meersburg. Il n'est guère cultivé que pour faire le petit rosé léger très apprécié localement : le *Weißherbst*. Comme en Franconie, les gelées printanières entraînent d'importantes variations de volume d'une récolte à l'autre. La forte pluviométrie (entre 800 et 1 000 mm par an) et les brumes qui remontent du lac sont autant d'ennemies de la vigne à combattre pour éviter la pourriture. Il n'est donc pas facile d'élaborer des vins rouges véritablement colorés.

Le lac de Constance est un lieu de villégiature de luxe où les hôtels, les restaurants, tout comme les vins, coûtent cher. Regroupant 55 ha de vignes (le plus grand producteur du district de Bodensee), il domine le site de Riescher, au bord du lac, et possède, en monopole, le vignoble le plus élevé d'Allemagne, Hohentwieler Olgaberg, qui culmine à 560 m d'altitude. Le sol volcanique est planté en Müller-Thurgau, Pinot Noir, Ruländer, Traminer et Pinot Blanc. ☐

WURTEMBERG

La plus grande partie du Wurtemberg viticole s'étend de Stuttgart, au sud, jusqu'à Heilbronn, au nord, sur les deux rives du Neckar. Le vignoble, qui couvre 10 314 ha, est planté en majorité sur les coteaux pentus qui dominent le fleuve et ses affluents, parfois en terrasses, ainsi que sur les pentes orientées au sud des collines boisées. Il y a 6 *Bereiche* différents mais, dans la plupart des cas, le propriétaire est plus important que l'origine géographique des vins.

Les cépages

Les vins du Wurtemberg sont essentiellement consommés sur place et l'on apprécie beaucoup, dans les cafés et les boutiques, ces vins rouges légers qu'on qualifierait ailleurs de rosés.

Plus de la moitié du vignoble est plantée de cépages rouges et un quart de Riesling. Ce dernier occupe, avec les rouges Trollinger et Lemberger, les meilleurs terroirs. Les parcelles de Riesling sont disséminées dans toute la région, ce cépage ayant acquis une excellente réputation dans quelques villages, comme à Flein, au sud d'Heilbronn. Derrière le Riesling vient le Trollinger, qui couvre 22 % du vignoble, puis le Schwarzriesling (Müllerrebe ou Pinot Meunier) sur 15 % et enfin le Kerner, le Müller-Thurgau et le Lemberger (ou Limberger, ainsi qu'il est officiellement, mais rarement, nommé) respectivement sur 9 %, 8 % et 7 %. Le Samtrot, un hybride du Schwarzriesling, couvre 90 ha et l'on trouve aussi un peu de Frühburgunder, appelé ici Clevner.

L'escarpement des coteaux entraîne des coûts de production élevés qui nécessitent un choix entre deux modes de culture : produire de grands volumes de vin ordinaire, ou de petites quantités de vin cher. La plupart des viticulteurs ont opté pour la première solution : le Trollinger a atteint une moyenne de 222 hl/ha dans l'exceptionnel millésime 1989. Le résultat est un vin rouge clair qui n'a rien de déplaisant en consommation courante, mais ne peut en aucun cas prétendre à la race ou à la profondeur qui font les bons vins rouges. Les coopératives, qui monopolisent 88 % de la récolte, n'ont rien trouvé de mieux que de chauffer la vendange de raisins rouges à 85 °C pendant six minutes afin d'obtenir une meilleure extraction. Cette vendange est ensuite refroidie, pressurée, centrifugée, afin d'obtenir un moût qui est rafraîchi à 18 °C avant d'être additionné de levure et de fermenter. On « arrondit » le résultat final en ajoutant du jus de raisin *(Süßreserve)* afin de rendre ce liquide buvable et commercialisable auprès des cafés et des supermarchés locaux.

Malgré la beauté de ses vignobles et le charme de ses paysages, malgré ses coopératives modernes dont la technique et l'hygiène sont irréprochables, le Wurtemberg est aujourd'hui la région la plus décevante d'Allemagne de l'Ouest en matière de production viticole. Cela n'empêche pas ses habitants d'aimer leurs petits vins rouges légers sans tanin et de défendre leur vin sans vergogne. Certains changements semblent se profiler et le potentiel de la région pourrait être exploité grâce aux efforts de 14 caves résolues à jouer la carte de la qualité, prenant exemple sur leurs confrères de Bade.

Il reste que le seul cépage du Wurtemberg qui puisse donner un vin acceptable – avec une bonne couleur rouge et de bons tanins – est le Lemberger (le Blaufränkisch d'Autriche). Comme le Domfelder, il peut avoir une certaine concentration, et même supporter l'élevage en chêne neuf (souvent d'origine souabe). Quelques coopératives ont mis des vins sous bois, mais les domaines privés ont les initiatives les plus heureuses. ☐

PRODUCTEURS ET NÉGOCIANTS

Dans le Wurtemberg, la qualité du vin dépend plus de la volonté du producteur que de l'emplacement des vignes. Même si quelques terroirs individuels sont meilleurs que les autres, les prix sont à peu près identiques partout. Cela démontre que la surproduction étouffe tout effort qualitatif et toute tentative d'individualisation.

Les caves coopératives vinifient 80 % des raisins. La plus grande, la cave centrale de Möglingen, au nord de Stuttgart, possède une capacité de stockage de trois millésimes et les autres caves coopératives lui fournissent 15 % de leur récolte.

Hormis les cuvées haut de gamme des coopératives, quelques domaines produisent et mettent en bouteilles des vins de caractère. Parmi ceux-ci se trouvent les neuf membres de la récente section locale du VDP (voir p. 315).

Weingut Graf Adelmann à Burg Schaubeck est l'une des propriétés les plus connues. Plus qu'aucune autre, sans doute, elle prouve à quel point le vin du Wurtemberg peut être bon. Le rendement moyen y est de 72 hl/ha, contre 119 pour la région, et 99 % de son vin est sec. Weingut Robert Bauer à Flein fait aussi de bons vins complètement fermentés qui vieillissent en fûts. À Burg Hornberg, Freiherrlich von Gemmingen-Hornberg'sches Weingut, domaine fondé en 1612, utilise des cépages traditionnels comme le Traminer. Schloßkellerei Graf von Neipperg, un domaine familial fondé en 1200, à Schloß Schwaigern, près de Heilbronn, possède 32 ha de vignes en rouge et blanc. La plupart de ses vins sont secs. Parmi les autres bons producteurs, citons surtout le Weingut Ernst Dautel à Bönnigheim, qui produit les meilleurs vins de la région, ainsi que Weingut Wöhrwag à Untertürkheim, Weingut Aldinger à Fellbach, Weingut Fürst zu Hohenlohe-Oehringen à Oehringen et Weingut Albrecht Schwegler à Korb.

LE SEKT

Ce que la réglementation de l'Union européenne définit comme vin pétillant de qualité est connu en Allemagne sous le nom de *Sekt*, comme en Autriche. Au début du siècle, l'empereur Guillaume II prouva la confiance qu'il avait dans le *Sekt* allemand au point de le grever d'un impôt afin de financer la construction de sa flotte de guerre. Aujourd'hui, de 75 à 80 % du *Sekt* allemand sont élaborés à partir de vins importés, le vin allemand étant trop cher pour cette utilisation.

La consommation annuelle de vin mousseux en Allemagne, de 5 litres par personne, est l'une des plus élevées au monde. Le terme « vin mousseux de qualité » est la mention requise par l'Union européenne. Ses conditions d'élaboration sont si vagues que cette mention ne donne aucune information sur la qualité réelle du contenu de la bouteille. Près de 98 % des vins pétillants allemands sont classés comme *Sekt* et se vendent très bon marché. Seulement 1 % du *Sekt* est vendu à un prix élevé.

Les principaux producteurs

Le *Sekt* est produit par près de 800 entreprises. Le plus grand centre d'embouteillage du monde, celui de Peter Herres, à Trèves, sort de sa chaîne 75 000 bouteilles à l'heure, tandis que 86 % des autres embouteilleurs n'en produisent pas plus de 20 000 par an. La production totale annuelle est de 492 millions de bouteilles, dont Henkell-Söhnlein, le groupe Reh et Seagram produisent à eux seuls les deux tiers.

Le style de *Sekt* préféré en Allemagne est celui que la réglementation européenne définit comme sec, c'est-à-dire qu'il contient entre 17 et 35 g de sucre par litre (en tant que vin pétillant). Quand on s'aventure dans le domaine du *Sekt* de qualité, on préfère généralement la catégorie des

Un négociant de *Sekt*, dans le Palatinat.

bruts (0 à 15 g de sucre par litre). Ces derniers, le plus souvent millésimés, sont généralement issus d'un cépage unique d'un vignoble allemand, de préférence le Riesling, bien que le Pinot Blanc gagne du terrain. L'étiquette mentionne quelquefois un nom d'origine plus précis que la région ou bien la province.

Les méthodes de fermentation

Jusqu'au milieu des années 1980, on ne se préoccupait guère, en Allemagne, de savoir où et comment se passait la seconde fermentation. On utilisait trois méthodes : la fermentation en cuve ; la fermentation en bouteille suivie d'un dégorgement sous pression dans des cuves avant la mise en bouteilles ; et la fermentation dans la bouteille définitive (comme en Champagne). La préférence pour telle ou telle méthode dépendait des critères économiques de production. Les facteurs de qualité les plus importants étaient liés au vin de base (acidité élevée, pas ou peu de faux goût), au choix des levures, à la durée de conservation du vin sur ses lies, ainsi qu'à la volonté du vinificateur et à son savoir-faire.

Winzersekt

Nombre de producteurs de vins tranquilles commercialisent aussi un *Sekt* qu'ils élaborent eux-mêmes ou qu'ils font faire à façon. Comme il s'agit en général de petits volumes, la fermentation en bouteille est la solution la plus pratique, qui va également dans le sens de la qualité. Lorsqu'ils font un *Sekt*, les petits domaines vendent leur *Sekt* aux clients qui sont déjà ceux de leurs vins tranquilles. Contrairement aux buveurs de *Sekt* moyens, ces consommateurs s'intéressent à la qualité de la vinification et, pour eux, la « méthode champenoise », ou « méthode traditionnelle », est une garantie.

La production de *Winzersekt*, le *Sekt* de propriété, a commencé tout doucement, dans les années 1980, pour atteindre aujourd'hui 6 millions de bouteilles par an. Ces vins sont vendus beaucoup plus cher que ceux produits en grande quantité. Une association de producteurs s'est créée à Sprendlingen. Elle compte quelque 700 membres qui vendent une gamme de *Sekt* d'origine locale – sans doute la seule réussite de la viticulture du Rheinhessen dans les années 1990. Une association de même type existe dans la Sarre et dans toute l'Allemagne et des coopératives ont ajouté un *Winzersekt* à leur gamme de produits.

L'industrie du *Sekt* a connu une croissance remarquable depuis les années 1950, avec une seule interruption due à une augmentation des taxes. Il reste que le *Sekt* ne bénéficie pas d'une bonne image, tant en Allemagne que dans le reste du monde. Pour un amateur de vin attentif à l'authenticité de ses choix, il est sûr que la majeure partie des *Sekt* peut décevoir tant par la diversité des vins de base que par les options industrielles des modes d'élaboration. Malgré ces réserves, il existe de très bons producteurs de *Sekt*, comme notamment Menger Krug à Gau Odenheim. □

PAYS DU BENELUX

MALGRÉ LEUR SITUATION SEPTENTRIONALE, BELGIQUE, PAYS-BAS
ET LUXEMBOURG PRODUISENT DU VIN.
LE LUXEMBOURG PRODUIT QUELQUES VINS BLANCS DE QUALITÉ.

Le vignoble principal du Luxembourg se situe le long du cours
de la Moselle, où les vignes bénéficient de l'exposition
sud-est sur des terrasses bien drainées. Ce vignoble-ci se
trouve près de Grevenmacher, au nord de la zone viticole.

Les pays du Benelux ne sont pas des régions où la viticulture est facile, car ils sont situés au-delà de la limite nord de la culture de la vigne (50°-53° de latitude nord). Si, paradoxalement, le vignoble mosellan du Luxembourg produit de bons vins qui ont une excellente réputation, en revanche, les petits vignobles de Belgique et des Pays-Bas ne représentent que quelques dizaines d'hectares de vigne dans des pays où domine la consommation de bière. Les petits vins de ces pays sont élaborés par un groupe de passionnés qui font partager le fruit de leurs efforts à quelques amis et autres clients locaux. Mais il n'en a pas toujours été ainsi. Des vignobles poussent en Belgique, principalement sur les coteaux de la Sambre et de la Meuse ainsi que dans les environs de Louvain (Leuven), depuis la conquête romaine (54 av. J.-C.). Si, au début du XIXᵉ siècle, le vignoble liégeois fut épargné sur ordre de Bonaparte, des destructions pour ainsi dire définitives furent effectuées par les Allemands, en 1914. En fait, les autorités d'occupation profitèrent des circonstances pour supprimer la concurrence directe de la région du Rhin. Il est bien sûr regrettable que la majorité du vignoble belge ait disparu, même si la qualité des vins était très moyenne. À la lecture des rares auteurs qui ont écrit sur les vins belges, on comprend que le vin belge était acide, de peu de tenue et qu'il voyageait mal, comme c'était autrefois le cas pour beaucoup de vins. Au Luxembourg, la vigne a connu une histoire relativement paisible, à l'image de celle du pays. Elle y fut aussi introduite par les Romains, il y a presque deux mille ans. À cette époque, déjà, le principal site de plantation était la vallée de la Moselle, dont les coteaux sont bien exposés. Le vignoble qui survécut à la Révolution française et aux guerres napoléoniennes a connu au XIXᵉ siècle un essor extraordinaire, tout particulièrement après la guerre de 1870. Les producteurs locaux exportaient leurs vins. Deux variétés de cépages étaient utilisées : le Riesling rhénan et l'Elbling. Ces cépages servaient de vins de base pour l'élaboration des vins mousseux allemands. Tous les viticulteurs luxembourgeois achetaient de plus en plus de terres et connaissaient une énorme prospérité. La Première Guerre mondiale mit brutalement fin à cette richesse. Entre les deux guerres est née l'union économique avec la Belgique, qui permit aux viticulteurs d'exporter, de nouveau, une grosse partie de leur production, mais cette fois vers la Belgique.

La Belgique

Aujourd'hui, la viticulture belge regroupe une petite centaine de vignerons, sur une superficie d'environ 30 ha seulement. C'est dire que les vignerons du pays sont très discrets ; parfois même, les adresses ne se transmettent qu'entre initiés. Quelques petits vignobles se sont « fait un nom »... qui ne dépasse pas les frontières.

Les principales zones de production se situent à Torgny, en Gaume, sur les rives de la Meuse, à Huy et à Saing, à Charleroi, où les vignes poussent sur le terril de Trazenie, et dans le Hageland, seule région où existent de véritables exploitations dont la taille va jusqu'à 5 ha. À côté de ces « grandes » zones, on trouve des vignerons amateurs un peu partout. Les désignations de lieux comme Hagelander ou Torgny sont cependant mises en exergue sur les bouteilles, bien qu'aucune législation locale n'existe sur les appellations, si ce n'est celle de l'Union européenne.

Les vignes plantées sont en majorité du Pinot Noir pour les rouges et du Müller-Thurgau pour les blancs, et tous ces vins sont à boire jeunes, sur leur fruit.

Les Pays-Bas

Il existe trois vignobles aux Pays-Bas ; deux sont situés au sud du pays, non loin de Maastricht, et un autre plus au nord, dans le Brabant-Septentrional. Les principaux cépages cultivés sont le Riesling, l'Auxerrois, le Müller-Thurgau et l'Optima (un croisement entre le Müller-Thurgau et le Sylvaner). Les vins blancs produits aux Pays-Bas sont vifs et légers.

Le Luxembourg

Le Luxembourg est probablement un des plus petits, si ce n'est le plus petit des pays producteurs de vin du monde. Mais, en surface plantée en vigne (1 350 ha), il dépasse le vignoble anglais. Malgré la petite surface plantée, la production est importante, car le rendement à l'hectare est élevé (pas moins de 118 hl/ha). Les Luxembourgeois, eux, sont de grands consommateurs, puisqu'ils atteignent une consommation de 60 l de vin par an et par habitant.

Toute la production est concentrée sur les coteaux de la vallée de la Moselle, dont le sous-sol argilo-calcaire, l'exposition plein sud et les pentes régulières favorisent la vigne. La rivière joue un rôle de thermorégulateur : la réflexion de la lumière sur l'eau aide au mûrissement du raisin. Le vignoble luxembourgeois fait face à celui de la Moselle supérieure allemande (voir p. 323).

Ces vingt-cinq dernières années, la production a connu des progrès gigantesques : pas uniquement en termes de quantité, mais aussi sur le plan de la qualité. En même temps, le nombre de caves particulières a fortement décru. 70 % de la production arrive des caves coopératives, 15 % de caves particulières, le restant de caves particulières vendant entièrement au négoce.

Actuellement, les principaux cépages sont le Rivaner, ou Müller-Thurgau, qui donne des vins que l'on peut qualifier de petits vins (ce cépage couvre un tiers du vignoble), le Riesling, mais aussi le Pinot Auxerrois, le Pinot Gris, le Pinot Blanc, l'Elbling (12 % de la surface plantée). De ces cépages sont issus des vins très légers servant de base à des vins mousseux. La production luxembourgeoise comprend 99 % de vins blancs – tranquilles ou mousseux – et 1 % de vins rouges, exclusivement à base de Pinot Noir.

C'est en 1935 que la Marque Nationale fut créée sous l'égide du ministère de l'Agriculture et de la Viticulture. En 1985 l'appellation Moselle Luxembourgeoise voit le jour et, en 1991, est lancée l'appellation Crémant du Luxembourg (cave Saint-Rémy à Remich).

Il existe un classement des vins établi lors de la labellisation : 18 à 20 points confèrent le titre de premier grand cru, 16 à 17,9 points celui de premier cru, 14 à 15,9 points celui de vin classé et 12 à 13,9 points celui de vin sans mention. En dessous de 12 points, les vins ne sont que vins de table.   □

SUISSE

LES VINS SUISSES, DONT LA QUALITÉ S'ACCROÎT,
SONT SURTOUT DESTINÉS AU MARCHÉ NATIONAL,
CONSTITUÉ D'UN PEUPLE PROSPÈRE ET BON AMATEUR DE VIN.

Le village d'Aigle dans le Chablais (canton de Vaud)
a ses vignobles sur les coteaux exposés au sud-ouest
de la vallée du Rhône. Quelques-uns des meilleurs crus
suisses proviennent de ces vignes.

Voilà longtemps que l'efficacité est de rigueur dans les vignobles suisses ; elle est nécessaire car la demande de vin dépasse largement le volume pouvant être produit : chaque Suisse consomme environ 20 litres de vin du pays et 30 litres de vin importé par an. Les vignobles, accrochés à des coteaux orientés au sud, le long des fleuves et en bordure des lacs (qui refléchissent la chaleur), sont difficiles à cultiver et leur coût de production élevé rend les vins suisses notoirement onéreux. Comme le souci d'efficacité – entraînant recours excessif aux engrais et donc surproduction – a souvent abouti à des vins légers de faible acidité, le rendement des meilleurs crus est désormais limité par la loi. Certains estiment pourtant que 112 hl/ha sont encore trop si l'on veut éviter un épuisement précoce de la vigne.

La surface moyenne d'une propriété viticole – moins d'un demi-hectare – représente le tiers de la moyenne communautaire. Pour la vinification, la plupart des viticulteurs s'en remettent à de grands centres ou à des coopératives, mais un nombre croissant de petits domaines, souvent dirigés par de jeunes vignerons, pratiquent la mise en bouteilles. La plupart des vins ont longtemps été destinés à la consommation quotidienne, mais, aujourd'hui, la formation et les expériences menées ailleurs en Europe et dans le Nouveau Monde contribuent à l'apparition de vins suisses d'une qualité nouvelle. On trouve de la vigne presque partout, en rouge comme en blanc, mais les vignobles les plus importants sont situés dans les cantons francophones du Valais et de Vaud. La plupart des vins sont secs et 56 % sont blancs. Le principal cépage blanc utilisé dans les cantons francophones est le Chasselas, qui donne généralement un vin à boire dans les trois ans, mais pouvant surprendre agréablement au bout de vingt-cinq. Pour lui donner plus de vivacité, on le met en bouteilles avec un peu de son gaz carbonique naturel. D'un goût plutôt neutre, le Chasselas peut cependant tirer caractère et saveur d'un bon sol. Dans les cantons germanophones, le principal cépage blanc est le Riesling-Sylvaner – nom suisse du Müller-Thurgau. Le Pinot Noir (appelé Blauburgunder en Suisse alémanique) est le meilleur cépage rouge. On en fait l'Œil de Perdrix, un rosé à peine teinté, dans les cantons francophones. Dans le canton plus ensoleillé du Tessin, en Suisse italienne, le Merlot est roi et donne certains des meilleurs rouges du pays.

LES RÉGIONS VITICOLES DE SUISSE

En dehors des pics montagneux des Alpes, le vignoble se trouve un peu partout en Suisse le long des lacs ou des cours d'eau, qui tempèrent le climat. Les plus importantes zones de viticulture, dans les cantons francophones, produisent des blancs avec du Chasselas, des rouges avec du Pinot Noir et, dans le Valais, avec l'assemblage du Pinot Noir et du Gamay appelé la Dôle. Les cantons de la Suisse alémanique, au nord et à l'est, élaborent des vins à boire jeunes, des blancs avec du Riesling-Sylvaner (Müller-Thurgau) et des rouges de Blauburgunder (Pinot Noir). Dans le Sud, le climat plus chaud permet au Merlot de faire de beaux vins rouges fruités.

Régions viticoles

- Suisse orientale
- Neuchâtel
- Canton de Vaud
- Canton de Genève
- Canton du Valais
- Grisons
- Tessin

— Frontière

--- Limite de canton

N

0   25   50   75 km

RÉGIONS ET PRODUCTEURS

Sur les 26 cantons suisses, 6 seulement sont francophones, mais ils contiennent les trois quarts des 15 000 ha de vignes de la Confédération. Le canton italophone du Tessin en possède 1 300 ha et le reste est éparpillé dans les 17 cantons de Suisse alémanique. La superficie viticole a augmenté de 20 % depuis les années 1960, mais d'un tiers dans le Valais, canton qui produit le plus de vin.

SUISSE ROMANDE

L'ouest de la Suisse, frontière du pays avec la France, produit les vins les plus intéressants. Valais et Vaud alignent, et de loin, les plus grandes superficies viticoles, mais Genève et Neuchâtel ont aussi une production non négligeable.

Il faut signaler le développement, en Suisse romande, de cépages créés par la station œnologique de Changin : le Diolinoir (Diolly x Pinot Noir), le Gamaret et le Garanoir (Gamay x Reichensteiner), trois cépages rouges et deux cépages blancs issus du croisement de Chasselas et de Chardonnays, à savoir le Charmont et le Doral.

Valais

Les vignes valaisannes (5 250 ha) sont situées sur les bas coteaux des montagnes environnantes. Commençant à 1 000 m au-dessus du niveau de la mer dans certains des plus hauts vignobles d'Europe, à Visperterminen, la vigne suit le Rhône à ses débuts jusqu'à l'angle droit qu'il forme à Martigny. Beaucoup de par-celles sont intensivement plan-tées, parfois jusqu'à 15 000 pieds à l'hectare. Le rendement par cep peut donc être faible, mais, à l'hectare, il est proche du maximum autorisé pour un vin de qualité.

Il peut faire chaud et sec en Valais ; les vignobles entourant Sierre se contentent d'environ 400 mm de pluie par an, aux-quels s'ajoute parfois une brève irrigation. Les raisins mûrissent facilement et la richesse en sucre ne varie guère selon qu'ils sont cultivés à 400 m ou 800 m d'altitude.

Les vins valaisans les plus courants sont le Fendant (nom local du Chasselas, ici à son niveau maximal d'alcool... et de prix) en blanc et la Dôle en rouge.

La Dôle est une agréable spécialité du Valais, un vin d'assemblage fruité avec ce qu'il faut de structure, à boire dans les trois ans. Le Pinot Noir joue le rôle principal tandis qu'un rôle d'appoint est confié au Gamay, dont les raisins sont vendangés au même moment.

En l'absence de brouillard, donc avec moins de risque de pourriture, le Pinot Noir est un cépage intéressant dans le Valais, à condition d'éviter les endroits les plus ensoleillés. Des clones bourguignons ou suisses donnent des vins ayant l'aci-dité, donc la structure, néces-saire, contrairement à bien des vins produits vers le milieu des années 1980 et avant, qui souf-fraient de surproduction. Les viticulteurs bien formés n'atten-dent plus un taux de sucre très élevé, mais vendangent quand les raisins atteignent 12-13 % vol d'alcool potentiel, avec un niveau d'acidité satisfaisant, ce qui donne un vin pouvant évo-luer en bouteille pendant plu-sieurs années.

Quant à savoir s'il vaut mieux cultiver du Chardonnay et d'autres variétés d'importa-tion récente ou s'en tenir aux cépages traditionnels, c'est une question de philosophie et de marketing à laquelle les pro-ducteurs donnent des réponses variables. Dans le Valais, les

partisans des cépages autoch-tones ont le choix entre plu-sieurs variétés intéressantes. L'Humagne Rouge (il y a aussi une version en blanc) est un cépage exubérant : si la ven-dange ne dépasse pas 80 hl/ha au maximum, le vin peut être robuste et assez concentré pour supporter un élevage en fûts de bois neuf d'environ 225 l. Sa saveur tannique rappelle à cer-tains celle du Barolo. Sous ce climat presque aussi chaud que celui des Côtes du Rhône sep-tentrionales, on cultive aussi de la Syrah.

Les raisins des anciens cépages blancs du Valais, Amigne et Petite-Arvine, ainsi que ceux du Cornalin (rouge) mûrissent tardivement, en octobre. Bien soignés et avec de petits rendements, ils ont beaucoup de caractère, les deux vins blancs ayant un goût intense et fruité. Dans un genre plus doux et parfois très riche en alcool, le Valais a sa Mal-voisie (Pinot Gris), le plus cher des vins traditionnels du can-ton. Le volume de ces spéciali-tés est relativement faible.

Parmi les bons producteurs, citons Charles Bonvin, Simon Maye, le Domaine du Mont d'Or et les Vins Rouvinez.

Vaud

Quand le Rhône quitte le Valais pour le canton de Vaud, la vigne reste présente au long de la vallée, puis suit la rive sep-tentrionale du lac Léman, qui joue un rôle prépondérant dans le climat tempéré de la région.

Vaud compte 3 850 ha de vignes, répartis en cinq zones : Chablais, Lavaux, La Côte, Côtes de l'Orbe-Bonvillars et Vully, ces deux dernières étant des enclaves éloignées du lac. Les Vaudois ont toujours vendu leurs vins sous le nom des meilleurs villages de chaque zone – comme Mont-sur-Rolle, Féchy, Aigle, Epesses, Saint-Saphorin, Dézaley et Yvorne – et ceux-ci sont bien connus en Suisse.

LA LÉGISLATION VITICOLE

En Suisse, les étiquettes de vin relevaient autrefois en grande partie de la fantaisie du producteur : les vins pouvaient porter des noms de lieu, de cépage ou de marque. Depuis les années 1993, des appellations d'origine sont nées dans les cantons producteurs. Ces appellations s'inspirent du système français, chaque canton ayant inventé sa propre méthode. Elles sont nombreuses : 32 à Genève, 19 à Neuchâtel, correspondant à 18 communes.

Le vin issu de Chasselas est appelé Dorin dans le canton de Vaud, Fendant dans le Valais et Perlan à Genève. Le rouge AOC Salvagnin dans le canton de Vaud porte l'AOC Dôle en Valais (Pinot-Gamay), le rosé est baptisé Œil de Perdrix à Neuchâtel (et Perdrix Blanche pour les Blancs de Noirs). Ce que l'on nomme Spécialité désigne des vins particuliers issus de cépages rares. Ce sont des vins en général excellents et chers.

Le Chablais s'étend sur la rive droite du Rhône jusqu'à l'endroit où le fleuve rejoint le lac Léman ; ses vignobles sont situés sur des pentes orientées au sud-ouest, dans des villages comme Aigle, Bex, Ollon, Villeneuve et Yvorne. Ses vins blancs de Chasselas et ses rouges de Pinot Noir et Gamay sont solides et pleins de caractère.

À l'est de Lausanne, les vignes escarpées et soignées de Lavaux, plantées en Chasselas, figurent parmi les plus belles d'Europe. Grâce à la chaleur réfléchie par les terrasses rocheuses, on cultive aussi du Pinot Noir, qui donne un vin agréable, mais généralement dénué de complexité. Les meilleurs villages incluent Calamin, Dézaley, Epesses, Lutry et Saint-Saphorin.

À l'ouest de Lausanne, où la plupart des vins sont faits par des coopératives ou des maisons de négoce, la zone de La Côte est parsemée de jolies maisons ; les vignes qui les entourent poussent sur des ondulations ou des coteaux peu escarpés permettant une vendange mécanique. Les cépages sont encore une fois le Chasselas, pour d'élégants vins blancs, et le Pinot Noir, pour des rouges souples et plaisants. Les villages les plus connus comprennent Féchy et Mont-sur-Rolle.

Parmi les bons producteurs, on trouve l'Association Viticole Aubonne, Badoux & Chevalley, Louis Bovard, Henri Cruchon, Hammel, Obrist et J. & P. Testuz.

Genève

Le vignoble de 1 350 ha rejoint celui du canton de Vaud, au nord du lac Léman. Les vins blancs de Chasselas (appelés ici Perlan) représentent environ la moitié de la production, qui tire son caractère léger et élégant de sols argilo-calcaires riches en minéraux. On fait aussi du blanc à partir des cépages bourguignons Aligoté et Chardonnay, et des rouges légers issus de Gamay.

Neuchâtel

Dans les régions plus fraîches, comme à Neuchâtel où les vignes (600 ha) peuvent atteindre 580 m au-dessus du niveau de la mer, l'altitude entre en ligne de compte pour évaluer la maturité du raisin et fixer la date des vendanges. Le climat est tempéré par le lac de Neuchâtel et les collines calcaires situées au nord du lac peuvent, les bonnes années, produire certains des meilleurs rosés suisses issus de Pinot Noir. Le Chasselas donne des vins blancs vifs et légèrement pétillants.

LIECHTENSTEIN

La principauté du Liechtenstein est située entre l'est de la Suisse et l'Autriche.

Érigé en principauté depuis 1719, cet État constitué des seigneuries de Vaduz et de Schellenberg, a adopté en 1921 une nouvelle constitution qui le rattache à son voisin la Suisse sur le plan économique.

Les 15 ha de vignes qui serpentent entre les maisons du Liechtenstein appartiennent, pour l'essentiel, au comte Hans-Adam II. Les caves de son domaine, Hofkellerei des Fürsten von Liechtenstein, localisées à Vaduz, sont connues en Europe centrale pour leur Chardonnay issu de vignes à faible rendement et leur Pinot Noir provenant de vieilles vignes.

Les vins ressemblent, par leur style et leur structure, à ceux des cantons voisins de Suisse alémanique.

SUISSE ALÉMANIQUE

Ce terme désigne la Suisse germanophone – la plus grande partie du pays –, mais la viticulture est concentrée dans les cantons proches de la frontière allemande, une région appelée Ostschweiz (Suisse orientale). Les vins qui en sont issus sont généralement bus dans l'année ; les blancs sont surtout à base de Riesling-Sylvaner (Müller-Thurgau) et les rouges de Blauburgunder (Pinot Noir, également appelé ici Klevner ou Beerli).

Le foehn, un vent chaud qui souffle des Alpes en automne, contribue au mûrissement du Pinot Noir. Les anciens cépages blancs, l'aromatique Completer et l'élégant Räuschling, sont très peu cultivés. Éparpillés dans la région, quelques vignerons s'efforcent de produire des vins rouges de Pinot Noir et des blancs de Chardonnay ayant un peu plus de structure qu'autrefois. L'élevage en barriques n'est pas rare.

Les principaux cantons vinicoles sont Zurich et Schaffhouse, bien qu'ils achètent aussi beaucoup de vin blanc du Valais. Le gros des vendanges zurichoises est vinifié par deux caves coopératives à Wädenswil et Winterthur. Près de 200 viticulteurs livrent aussi leurs raisins aux caves cantonales officielles, les Staatskellereien des cantons de Zürich. On trouve aussi du vin produit par de très petits domaines liés à un restaurant. En dehors des coopératives, l'un des producteurs les plus réputés est Kümin.

SUISSE ITALIENNE

Le Tessin (en italien, Ticino), au sud de la Suisse, est surtout italophone. Ce canton doté de sommets élevés – et d'un fort taux de chômage – est connu pour ses vins rouges à base de Merlot, introduit ici en 1897. Les chauds étés tessinois ne favorisent pas la production de vin blanc et 3 % seulement des vignobles sont occupés par des cépages blancs (Chasselas, Sémillon, Sauvignon). Certains vignerons produisent cependant du blanc et du rosé à partir de Merlot et de Pinot Noir.

Le Merlot du Tessin est généralement un vin souple et facile à boire, mais certains sont élevés en fûts de chêne neuf pour plus de complexité. Du Cabernet-Sauvignon a été planté afin de reproduire un assemblage de type bordelais.

Le label officiel « ViTi » était autrefois une garantie de qualité, mais, à en croire la revue de vins *Alles über Wein*, certains producteurs de renom négligent désormais les dégustations ViTi : « Les beaux jours du label ViTi sont bien finis. Créé en 1949 pour protéger la qualité des vins tessinois, il est aujourd'hui synonyme de médiocrité contrôlée. »

Les vins les plus intéressants sont ceux de négociants ou de petits producteurs plutôt que de coopératives. Parmi les meilleurs, citons Agriloro, Guido Brivio, Tamborini et Vinattieri Ticinesi.

GRISON

Ce petit vignoble implanté il y a 2000 ans et s'étendant sur environ 300 ha est exploité par une cinquantaine de producteurs. Quelques vignes sont situées au sud de Coire, la plupart des autres entre Coire et le Liechtenstein.

Les cépages sont ceux que l'on trouve en Suisse romande ainsi que quelques spécialités : le Completer et le Räuschling, deux blancs, et même deux hybrides assez bons, le Seyval Blanc et le Léon Millot (R), que l'on cultive surtout en Angleterre. Ces vins grisonnais peu connus sont étonnamment bons. Parmi les producteurs, citons von Tscharner au Schloß Reichenau.

AUTRICHE

VINS BLANCS SECS AROMATIQUES, LIQUOREUX AMPLES ET RACÉS,
ROUGES CORSÉS, L'AUTRICHE OFFRE DÉSORMAIS UNE GAMME DE VINS
DONT LA QUALITÉ NE CESSE DE S'AMÉLIORER.

L'ancien et le moderne font bon ménage. Dans une école
de viticulture, rangs de vignes parfaitement alignés derrière
un pressoir traditionnel en bois. La nouvelle génération
a su revigorer la viticulture autrichienne.

La vigne poussait déjà en Autriche avant l'occupation romaine, comme l'atteste la découverte de pépins de Vitis vinifera datant de l'ère celte. Forts d'une tradition profondément enracinée dans la moitié orientale du pays, les différents vignobles offrent une multitude de cépages et de styles de vin bien distincts, ce qui explique l'immense variété des vins autrichiens. L'Autriche est avant tout un pays de vins blancs. Le Riesling arrive à une belle maturité dans la Wachau et le Kamptal-Kremstal, donnant des vins très riches sans sucres résiduels. Le cépage spécifique à l'Autriche est le Grüner Veltliner : présent un peu partout, il donne des vins légers et poivrés. Dans la Wachau et le Kamptal voisin, il peut même produire des vins aussi puissants que le Riesling. La Styrie (Steiermark), région au climat plus frais, est le fief des blancs aromatiques : Pinot Blanc, Welschriesling, Morillon (Chardonnay), Muskateller, Traminer et l'excellent Sauvignon.

Comme partout, de gros efforts ont été accomplis pour améliorer la qualité des rouges. Après un engouement passager pour l'incontournable Cabernet-Sauvignon, les vignerons se recentrent désormais sur leurs cépages autochtones : le Blaufränkisch (Lemberger en Allemagne, Kékfrankos en Hongrie), le Saint-Laurent et le Zweigelt, issu du croisement des deux précédents. Le Pinot Noir et le Blauer Portugieser sont également présents. Les meilleurs rouges viennent du Carnuntum, au sud-ouest de Vienne, et surtout du Burgenland. Ce dernier fournit par ailleurs une vaste gamme de vins botrytisés exceptionnels. C'est dans cette région qu'éclata, en 1985, un scandale qui rejaillit sur la viticulture du pays entier : on découvrit que certains vinificateurs ajoutaient des produits chimiques pour feindre la douceur de la pourriture noble. Tirant la leçon des erreurs du passé, l'Autriche s'est dotée de la législation la plus stricte d'Europe en matière de vin, sans pour autant niveler sa spécificité. Elle seule offre ainsi un rosé vivifiant comme le Schilcher ou un blanc puissant et épicé comme le Zierfandler. Une jeune génération de viticulteurs, plus ouverte au monde extérieur et pourvue d'un meilleur bagage théorique, a pris la relève, avec la détermination d'assurer à l'Autriche sa place parmi les meilleurs pays producteurs du monde.

LES RÉGIONS VITICOLES D'AUTRICHE

Le vignoble autrichien est situé à l'est du pays et comporte quatre régions principales : Niederösterreich (Basse-Autriche), Wien (Vienne), Burgenland et Steiermark (Styrie). Ces régions se décomposent en 16 appellations, en allemand *Weinbaugebiete*.

Régions viticoles

- Weinviertel
- Kamptal
- Kremstal
- Donauland
- Traisental
- Wachau
- Vienne
- Carnuntum
- Thermenregion
- Neusiedlersee
- Neusiedlersee-Hügelland
- Mittelburgenland
- Südburgenland
- Styrie du Sud-Est
- Styrie de l'Ouest
- Styrie du Sud

– – – Frontière

— — Limite de province

0   25   50 km

N

RÉGIONS
ET PRODUCTEURS

Les quatre principales régions de production et leurs vignobles sont classés approximativement par ordre d'importance décroissant. Les noms des producteurs les plus sérieux sont indiqués par ordre alphabétique à la fin de chaque appellation.

BASSE-AUTRICHE
(Niederösterreich)
Cette vaste province traversée par le Danube couvre tout le nord-est du pays. Les vins de qualité viennent des collines de la Wachau, des meilleures parties du Kamptal-Kremstal et de la Thermenregion, autour du village de Gumpoldskirchen.

Wachau
Avec 1 448 ha de vignes, la Wachau est l'un des plus petits vignobles d'Autriche, mais produit certainement les meilleurs vins blancs du pays. Le Grüner Veltliner et le Riesling dominent l'encépagement, mais on rencontre également du Neuburger, du Sauvignon et du Müller-Thurgau.. Les vignes en terrasses exposées plein sud longent les gorges du Danube sur 16 km. Grâce à de remarquables terroirs volcaniques et des microclimats particuliers, les vins allient minéralité et puissance à un fruité subtil.

La Wachau a défini son propre système de classement qualitatif, qui se traduit ainsi sur l'étiquette : le *Steinfeder* est le vin le plus léger (10,7 %vol), suivi par le *Federspiel* (environ 11,5 %vol). Le plus riche (l'équivalent d'un *Spätlese* sec allemand) s'appelle *Smaragd* et doit titrer un minimum de 12 % vol. Ces vins sont généralement issus de terroirs exceptionnels à faible rendement et de raisins vendangés tardivement. Lorsqu'ils sont réussis, ils sont superbes et vieillissent à merveille. Les noms des parcelles les plus célèbres figurent sur l'étiquette, précédés du mot *Ried*.

Les meilleurs viticulteurs sont Franz Hirzberger, Emmerich Knoll, F. X. Pichler et Prager-Bodenstein, suivis par Leo Alzinger, Nikolaihof, Josef Jamek, Rudolf Pichler et les coopératives Freie Weingärtner Wachau et Dinstlgut Loiben.

Kamptal-Kremstal
Cette zone cinq fois plus grande que la Wachau suit le cours du Danube jusqu'à la ville de Krems et s'étire au nord vers Langenlois et au sud vers le monastère de Göttweig. Le Riesling et le Grüner Veltliner poussent sur des sols volcaniques qui leur confèrent un style rappelant celui de la Wachau, en un peu moins puissant mais souvent plus élégant. À l'est de Krems, les vins issus des terrasses de lœss perdent en élégance ce qu'ils gagnent en corpulence, mais peuvent néanmoins être excellents. Et, même si les vins blancs dominent toujours, le nombre de vignerons produisant de bonnes cuvées de rouges ne cesse de croître. Parmi les meilleurs producteurs : Willi Bründlmayer (excellent Chardonnay ; Riesling et Veltliner remarquables), Jurtschitsch, Loimer, Malat, Mantlerhof, Nigl, Salomon et Schloß Gobelsburg.

Donauland-Traisental-Carnuntum
Coupée en deux par la ville de Vienne, cette étrange région qui suit le Danube de l'est de Krems jusqu'à la frontière slovaque est difficile à définir. Le sol généralement caillouteux, mêlé d'argile et de calcaire, est prometteur pour les vins rouges comme le Zweigelt, en particulier autour de Göttlesbrunn. Les bons producteurs sont Glatzer, Leth, Markowitsch, Neumayer, Pitnauer et Zimmermann.

Weinviertel
Première zone de production de raisin d'Autriche (31 %), le Weinviertel s'étend au nord et au nord-ouest de Vienne. Les vins sont généralement vinifiés pour être légers et faciles à boire.

Quelques producteurs au nord ont décidé de se consacrer à l'*Eiswein*, dont la production est tout à fait compatible avec le climat sec de cette région.

Les bons producteurs sont Malteser Ritterorden (qui fait aujourd'hui partie du groupe Lenz Moser), Erich Nebenführ, Roman Pfaffl et Helmut Taubenschuss.

Thermenregion
Le cœur de cette zone du sud de Vienne est le fameux village de Gumpoldskirchen qui, s'il ne représente que 0,5 % du vignoble autrichien, a néanmoins longtemps joui d'une popularité nationale. Les vins issus de deux cépages locaux, le Zierfandler et le Rotgipfler, gagnent à être assemblés et donnent alors un vin blanc demi-sec, mais épicé et d'une grande ampleur. Lorsqu'il est réussi, le Gumpoldskirchen est un vin de caractère qu'on n'oublie pas.

Au sud de Gumpoldskirchen, d'autres vignobles comme Tattendorf sont en train de se bâtir une réputation pour leurs excellents rouges. Le prolifique Blauer Portugieser y cède de plus en plus de terrain au Zweigelt et au Cabernet-Sauvignon, au Blaufränkisch et au Saint-Laurent. Ce dernier cépage, tout aussi délicat à cultiver et à vinifier que le Pinot Noir dont il est le cousin, peut donner des vins ronds d'une grande finesse.

On trouve parmi les meilleurs producteurs Karl Alphart, Manfred Biegler, Franz Kurz et Gottfried Schellmann ainsi que Johann Reinisch et Erich Schneider.

LIRE UNE ÉTIQUETTE

L'étiquette doit mentionner obligatoirement certaines informations.

Le cépage : généralement en évidence, sa mention indique qu'il est présent pour 85 % minimum.

La catégorie de qualité : les différentes catégories sont à peu près les mêmes qu'en Allemagne (voir p. 308) et commencent par le *Tafelwein* (vin de table) et le *Landwein* (vin de pays). Tous les *Qualitätsweine* (vins de qualité) sont soumis à une analyse chimique et à une dégustation et doivent porter un numéro d'agrément *(Prüfnummer)*. Cette mention confirme que le vin répond à certains critères légaux, tels que la teneur en sucre des moûts (alcool potentiel). Dans la catégorie *Qualitätswein*, les vins sont classés (du moins sucré au plus sucré) en *Kabinett, Spätlese, Auslese, Eiswein, Beerenauslese, Ausbruch, Trockenbeerenauslese*.

L'indication du sucre résiduel est obligatoire et se fait dans les termes suivants : *trocken* (sec) correspond à 9 g/l maximum, *halbtrocken* (demi-sec) à 12 g/l, *halbsüß* ou *lieblich* (moelleux) à 45 g/l, et *süß* (liquoreux) à plus de 45 g/l.

La région d'origine : elle est indiquée sur tout *Qualitätswein*. Il peut s'agir de l'une des 16 *Weinbaugebiete* (régions de production), du nom d'une commune ou de celui d'un vignoble particulier. Le vin doit provenir de là à 100 %.

BURGENLAND

Représentant plus du tiers du vignoble national, cette province – la plus chaude d'Autriche – produit des vins rouges (22 %), des vins blancs ainsi que de très grands liquoreux.

Neusiedlersee-Hügelland

Cette région s'étend entre Vienne et la cuvette du Neusiedlersee. Son climat est excellent et l'humidité qui s'élève du lac à l'automne encourage le développement du *botrytis*, d'où de superbes vins moelleux. La ville historique de Rust doit sa renommée au Ruster Ausbruch, un vin liquoreux qui y est produit depuis quatre siècles. Selon la loi autrichienne, un *Ausbruch* s'élabore à partir de raisins dont le taux de sucre se situe entre celui d'un *Beerenauslese* et celui d'un *Trockenbeerenauslese*. Mais, pour Rust, elle définit aussi le style du vin, moins lourd qu'un *Trockenbeerenauslese* car la fermentation est poussée plus loin. Des cépages comme le Pinot Blanc (Weißburgunder), le Welschriesling et le Pinot Gris (Ruländer) donnent de superbes vins botrytisés, ce dont le Sauvignon, le Neuburger, le Furmint et le Muskateller sont également capables. La région fournit également une gamme de vins rouges intéressants, où le Blaufränkisch et le Zweigelt côtoient le Cabernet-Sauvignon et le Merlot.

Feiler-Artinger, Kollwentz, Leberl, Prieler, Schandl, Schönberger, Franz Sommer, Rosi Schuster, Ernst Triebaumer et Wenzel figurent parmi les meilleurs producteurs.

Neusiedlersee

De l'autre côté du lac, entre sa rive opposée et la Hongrie, se trouve la région du Neusiedlersee, également connue sous le nom de Seewinkel. Le vignoble est relativement récent et s'est tellement étendu autour des villages de Gols, Illmitz et Apetlon qu'il représente aujourd'hui 20 % de la production.

On retrouve ici le même climat favorable qu'en Neusiedlersee-Hügelland, mais le sol en bordure du lac y est sablonneux, donnant des vins dotés d'une faible acidité. Cependant, vers le village de Gols, la composition du sol change et convient très bien à la culture de cépages rouges. Les années chaudes, la partie sud du vignoble produit des vins botrytisés en grande quantité. L'appellation offre maintenant une très vaste gamme de vins : Chardonnay, Pinot Noir vieilli en barriques, *Schilfweine* (raisin passerillé sur roseaux) et étonnants vins botrytisés.

Paul Achs, Kracher, Helmut Lang, H. et A. Nittnaus, Pöckl, Stiegelmar et Umathum sont des producteurs remarquables. Citons également Gsellmann, Haider, Gernot Heinrich et Velich, ainsi que le groupement de producteurs Pannobile.

Mittelburgenland

Au sud du Neusiedlersee-Hügelland, ce vignoble est planté à 95 % en cépages rouges dont, notamment, le Blaufränkisch. Souvent assemblé avec du Cabernet-Sauvignon pour l'apport tanique de ce dernier, le Blaufränkisch peut donner des rouges originaux et complexes. Cette région semble destinée à devenir une source fiable de vins rouges structurés.

Parmi les meilleurs producteurs citons : Gesellmann, Iby, Igler, Kerschbaum, Kirnbauer, Wellanschitz, Weninger et la coopérative du village de Horitschon.

Südburgenland

Bien que d'une vaste superficie, le Südburgenland représente à peine 0,8 % du vignoble autrichien et, comme le Mittelburgenland, semble adapté davantage à la production de vins rouges.

Les bons producteurs sont Paul Grosz, Hermann Krutzler et Schützenhof.

STYRIE (STEIERMARK)

Située au sud des Alpes et à la limite de la Slovénie, la Styrie est divisée, en termes de vins, en trois vignobles de taille inégale : le Sud (Süd), le Sud-Est (Süd-Ost) et l'Ouest (West).

Styrie du Sud (Südsteiermark)

C'est ici que naissent les plus grands vins de Styrie. Le plus petit des trois vignobles de la zone possède plus de vignes (1 561 ha) que les deux autres réunis. Les vins blancs sont aussi appréciés (et aussi chers) que ceux de Wachau, mais d'un style totalement différent. Plus rude, le climat est sujet aux gelées de printemps et à la grêle. Les vins sont à la fois de structure délicate et marqués par une forte acidité. Seuls ceux issus de bas rendements parviennent à une maturité satisfaisante pour paraître équilibrés. Dans ce cas, ils sont fins et vigoureux.

Les cépages cultivés sont très nombreux : Pinot Blanc, Riesling, Chardonnay (Morillon), le populaire Welschriesling, Ruländer, Traminer et Muskateller.

Le Sauvignon donne d'excellents résultats : ses vins racés, aux parfums végétaux, ne manquent pas de caractère.

Les meilleurs producteurs sont Polz, Sattler et Manfred Tement, suivis par Alois Gross et Lackner-Tinnacher.

Styrie du Sud-Est (Südoststeiermark)

Cette région, presque aussi vaste que le Weinviertel, est la plus proche de la frontière slovène et correspond à 1,7 % du vignoble autrichien. Les différents cépages sont les mêmes qu'en Styrie du Sud.

On compte Albert Neumeister, Gräflich Stürgkh'sches Weingut et Winkler-Hermaden parmi les bons producteurs.

Styrie de l'Ouest (Weststeiermark)

Située entre la ville de Graz et la frontière slovène, cette région ne compte que 280 ha de vignes et produit le Schilcher, un rosé issu d'un cépage local, le Blauer Wildbacher. La vinification de ce cépage, qui se caractérise par une acidité très élevée, pourra en faire un vin charmant et vif ou, au contraire, d'une agressivité redoutable. De toute façon, il est fait pour être bu jeune. Sa rareté et sa personnalité en font un vin très recherché. Les meilleurs exemples viennent de chez Erich Kuntner et Günter Müller.

VIENNE (WIEN)

La capitale est entourée de 700 ha de vignes et la presque totalité du vin est consommée sur place. Les villages vinicoles des portes de Vienne regorgent d'auberges, les *Heurigen*, dans lesquelles les vignerons vendent eux-mêmes leurs vins, généralement des blancs légers et fins qui se boivent dans leur première année. Ils peuvent être de très grande qualité, surtout lorsqu'ils sont issus des meilleurs terroirs, comme le Nussberg et le Bisamberg.

Le Grüner Veltliner est le cépage le plus populaire des alentours de Vienne, mais l'on produit aussi d'excellents vins de Riesling et Pinot Blanc. La plupart des vins consommés dans les *Heurigen* sont du *Gemischter Satz*, c'est-à-dire un mélange des différents cépages cultivés sur la même parcelle.

Parmi les bons vignerons, on remarquera Fuhrgassl-Huber, Johann Kattus (vins pétillants), Franz Mayer, Herbert Schilling et Fritz Wieninger.

ITALIE

—

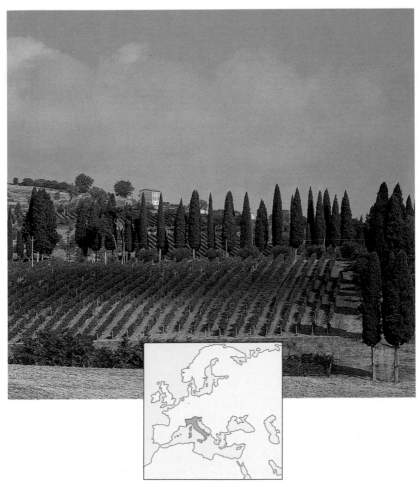

LES GRECS DE L'ANTIQUITÉ APPELAIENT L'ITALIE

ŒNOTRIA, OU « TERRE DU VIN ».

CE PAYS CONTINUE DE PRODUIRE À FOISON

DES VINS PASSIONNANTS.

—

Les bords ensoleillés de la Méditerranée ont vu naître nombre d'antiques civilisations du vin. En Italie, aujourd'hui, la vigne est toujours cultivée d'un bout à l'autre du pays et la diversité des vins y défie – et ravit – l'amateur. L'Italie occupe, avec la France, le premier rang de la production mondiale et européenne. On y trouve aussi plus de types et de noms de vin que partout ailleurs dans le monde. Cette profusion naît de l'ubiquité de la vigne. Il n'est pratiquement pas de lopin paysan ou de noble domaine où l'on ne cultive du raisin pour en faire du vin. Chacune des régions de ce pays si varié et d'une grande fidélité à ses traditions locales protège et promeut ses propres appellations. Cela donne près de 300 zones viticoles officielles et environ un million de producteurs. L'Italie propose tous les styles de vin, y compris de nombreux vins mutés et

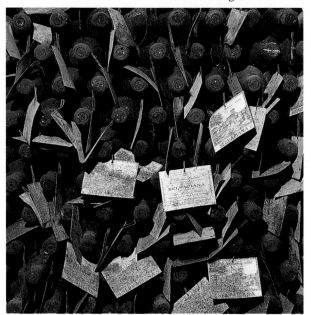

Des bouteilles de Chianti datant de 1958 dans les chais du Domaine de Selvapiana à Pontassieve. Selvapiana, réputé pour la longévité de ses vins, se trouve dans la petite zone d'appellation Chianti Rufina, au nord-est de Florence.

effervescents, et tire parti d'une myriade de microclimats et de sites pour accentuer encore cette diversité. Dans les pages suivantes, ce pays a été divisé en trois grandes zones : Nord, Centre, Sud et îles. Le Nord englobe une série de régions viticoles d'ouest en est, surtout situées sur les contreforts des Alpes et des Apennins. C'est ici que l'on trouve les grands vins du Piémont, comme le Barolo et le Barbaresco, de vastes vignobles consacrés à la production de Mousseux et de nombreuses régions productrices de vin rouge et, davantage encore, de vin blanc. L'influence étrangère, surtout allemande et française, y demeure plus sensible dans le choix des styles et des cépages qu'ailleurs dans le pays. Le Centre englobe la Toscane et ses alentours. Les vignobles toscans du Chianti sont aujourd'hui encore

au premier rang des régions italiennes pour les vins de qualité. Au bord de la mer, dans des zones autrefois considérées comme impropres à la viticulture de qualité, et sur les contreforts voisins, de nouveaux terroirs se font activement une place au soleil. Cette fièvre de qualité se fait également sentir dans les régions voisines, de l'Ombrie aux Marches et aux Abruzzes. Le sud de la péninsule ainsi que les îles de Sicile et de Sardaigne maintiennent la tradition méditerranéenne en produisant notamment des vins doux à fort degré, des rouges puissants et des spécialités comme le Marsala, tout en accomplissant depuis quelques années des progrès spectaculaires. Les vins italiens sont en pleine mutation. En matière de cépages, de techniques et de conceptions, un grand brassage a eu lieu entre les habitudes locales et les tendances internationales. Après avoir mis toute son énergie, dans les années 1980 et 1990, à réussir de grands vins de Cabernet-Sauvignon ou de Chardonnay, le monde du vin italien connaît aujourd'hui un retour de balancier en faveur des cépages autochtones. Ce phénomène résulte d'un attachement bien naturel à un héritage particulièrement remarquable, mais aussi et surtout de la prise de conscience que ce patrimoine constitue un atout majeur dans le contexte international actuel de concurrence acharnée. La législation viticole de 1963 a bien rempli son rôle pendant deux décennies, avant de se révéler dépassée. Une nouvelle loi a été adoptée en 1992 pour y remédier. Pourtant, la définition concrète, au-delà de la réglementation, de ce qu'est un vin italien en matière de style et de goût continue de dépendre dans une très large mesure du producteur.

LES RÉGIONS VITICOLES D'ITALIE

L'Italie compte actuellement près de 300 zones à *denominazione di origine controllata* (DOC) dans ses 20 régions administratives. Les couleurs de la carte montrent les diverses régions viticoles du Nord, du Centre et du Sud, dont chacune fait l'objet d'une carte plus détaillée, pages 364, 380 et 394.

Régions viticoles

- Nord
- Toscane et Centre
- Sud et Îles
- Frontière
- Limite de région

N

0   100   200 km

Tradition et évolution

La longue tradition viticole de l'Italie lui a valu d'hériter de certains vins absolument magnifiques, d'un grand nombre de vins de caractère et d'une multitude de vins très ordinaires. C'était, jusqu'aux années 1980, une situation qui pouvait convenir à un pays où les exportations de vin n'étaient pas une priorité et où l'enracinement local faisait que les gens consommaient tout naturellement le vin de leur province, voire de leur famille. Aucun vin italien, sauf peut-être le Chianti, n'était exposé à la pression du marché mondial telle qu'elle s'exerce sur les vins de Bordeaux, de Bourgogne ou de Champagne.

Les années 1980 et surtout 1990 virent cependant l'Italie gagnée par le phénomène d'internationalisation du vin, avec des consommateurs plus critiques sur le plan national et des marchés extérieurs très conscients de la qualité et de la valeur des vins provenant du Nouveau Monde et d'Europe. Les vignerons italiens commencèrent à modifier leur attitude et leurs techniques. On prit conscience des limitations de la législation existante et des traditions autochtones. À Londres, Paris, New York ou ailleurs, on commença à apprécier la qualité de certains grands vins italiens. Si l'Italie reste largement indépendante sur le plan viticole – elle cultive ses propres cépages, fort nombreux, boit son propre vin et en importe relativement peu –, l'évolution a néanmoins été considérable et se poursuit.

La législation viticole

La législation viticole italienne s'est transformée à mesure que sont devenues évidentes les limites de la loi de 1963 sur les appellations. Cette loi, plus ou moins apparentée au système français des AOC, a tenté avec un certain succès de rationaliser le statut des milliers de vins produits dans le pays. Elle a introduit le concept de zone DOC *(denominazione di origine controllata)*, secteur où l'on fait un certain style de vin, d'une manière spécifique. Le législateur a laissé une grande place à la tradition vinicole et, à l'instar de l'AOC française, la DOC italienne s'efforce de codifier la pratique traditionnelle. Ce principe fonctionne bien en Bourgogne, par exemple, où des siècles d'expérience ont permis d'isoler les meilleurs cépages et parcelles, mais, dans une bonne partie de l'Italie, la production de vin de très haute qualité était plutôt une nouveauté. Trop de DOC reflètent en réalité une façon désuète de produire un vin assez médiocre. D'autres ont détourné la tradition du chemin de la qualité: la DOC du Chianti autorisait jusqu'à 30 % de cépages blancs dans ce vin rouge et acceptait (comme beaucoup de DOC) que 10 % du vin présent dans un assemblage provienne d'une autre zone que celle du Chianti – parfois très éloignée. L'élévation du Chianti au rang de DOCG (voir encadré p. 363) en 1984 a heureusement rendu la réglementation plus stricte.

La nouvelle loi, adoptée en 1992, entre graduellement en vigueur et les mutations qu'elle entraîne sont loin d'être terminées. Baptisée loi Goria, du nom du ministre Giovanni Goria, responsable de sa promulgation, elle clarifie considérablement la situation, en redéfinissant une pyramide de qualité. Tout en bas, on trouve le simple *vino da tavola*, vin de base pouvant être étiqueté rouge *(rosso)*, blanc *(bianco)* ou rosé *(rosato)*, mais sans mention de cépage ni de localité. La catégorie suivante, analogue à celle du vin de pays français, est celle des vins à *indicazione geografica tipica* (IGT) : ce vin provient d'une zone déterminée, qui peut être vaste (à l'échelle régionale ou même interrégionale) ou très restreinte (une seule commune), et le nom du cépage peut figurer sur l'étiquette. À ce jour, 117 vins IGT ont été reconnus. Viennent enfin les appellations DOC et DOCG, comme auparavant. La loi Goria prévoit la possibilité de supprimer des DOC sous-utilisées et de promouvoir au statut de DOCG les DOC ayant le plus de succès. On retrouve ainsi les grandes lignes du système français, qui permet une surveillance constante des AOC et leur adaptation en cas de nécessité.

Un élément nouveau réside dans l'utilisation de noms de vignoble, domaine et commune dans le cadre des DOC et DOCG. Précédemment, une seule DOCG englobait tout le Chianti, région produisant autant de vin que le Médoc et les Graves réunis. À part le nom du producteur, rien n'était officiellement prévu pour indiquer qu'un vin provenait de tel vignoble ou de telle commune. La nouvelle loi autorise la mention (par ordre décroissant de taille) de sous-zones, communes, localités, micro-zones, domaines et même parcelles spécifiques. Un travail gigantesque est en cours pour définir toutes ces zones et en dresser la liste. Cela rend toute son importance à la notion de site (ou terroir) dans le système qualitatif légal.

Enfin, la loi permet une évaluation des vins au moment de la vendange : s'ils ne remplissent pas certaines conditions, ils seront déclassés – passant par exemple d'une sous-zone spécifique à l'appellation DOC générique.

Les régions viticoles

Les 20 régions administratives d'Italie ont chacune leurs vignobles. Chacune possède sa propre gamme de microclimats et de sols, et la nature montagneuse d'une grande partie du pays fait que les conditions peuvent varier considérablement à quelques kilomètres près. Les généralités sur les zones viticoles ne sont donc d'aucune aide. Pour porter la confusion à son comble, les zones DOC se chevauchent parfois et les producteurs font du vin dans plusieurs d'entre elles. On peut néanmoins établir quelques grandes distinctions d'un bout à l'autre du pays. Le nord-est de l'Italie a quelques points communs avec l'Autriche et la Suisse, pays producteurs de blancs frais et légers, mais on y trouve aussi nombre de vins structurés, aux arômes et au corps bien développés. L'extrême sud prolonge la tradition méditerranéenne des vins puissants et forts en alcool, mais constitue aussi depuis peu un fantastique terrain d'expérimentation et d'investissement pour de grands noms du continent. Le renouveau qualitatif n'a pas fini de surprendre. Entre les deux, de nombreuses régions, comme la Toscane, l'Ombrie, les Marches et les Abruzzes, offrent d'excellentes conditions pour la production de vins rouges et blancs.

Les cépages

L'Italie compte d'innombrables cépages autochtones. Avant la loi Goria, la plupart des règlements d'appellation excluaient l'emploi des cépages français si convoités dans tous les vignobles du monde, alors que ceux-ci étaient de plus en plus cultivés, vinifiés et diffusés en *vini da tavola*. L'une des raisons ayant poussé les vignerons à se détourner du système des DOC a justement été l'exclusion des cépages non traditionnels. Certaines DOC admettent néanmoins depuis toujours des variétés comme le Merlot, le Pinot Blanc et le Pinot Gris, introduites dans le nord de l'Italie au XIXᵉ siècle. Quant au Cabernet-Sauvignon, son apparition en Toscane, dans la région du Chianti, date d'il y a deux siècles.

La liste des cépages italiens s'allonge encore en raison de la profusion de clones et de sous-variétés. Dans le centre de l'Italie, on continue de débattre des vices et des vertus des différents types de Sangiovese. La question n'a rien d'ésotérique : le caractère des vins de Chianti a beaucoup changé dans les années 1950 et 1960, lorsque l'on s'est mis à replanter à grande échelle un clone de Sangiovese de qualité inférieure. La tendance inverse est heureusement en cours aujourd'hui.

Les variétés suivantes figurent parmi les principaux cépages italiens :

Barbera : originaire du Piémont et désormais très répandue, elle produit plusieurs styles de vins rouges.

Malvasia : cette famille de cépages d'origine très ancienne présente généralement des arômes marqués et peut donner des vins secs ou doux, sombres ou clairs, notamment dans le sud de la péninsule.

Montepulciano : il offre de vigoureux vins rouges en Italie centrale.

Nebbiolo : c'est le roi des cépages rouges du Piémont, auquel on doit les vins de Barolo et de Barbaresco.

Sangiovese : cépage rouge du Chianti et d'autres zones d'Italie centrale.

Trebbiano : cépage blanc dominant dans le centre et le nord de l'Italie.

Il faut encore citer le Primitivo, cépage rouge du sud de l'Italie, dont on pense qu'il est identique au Zinfandel californien. □

À Varenna, au bord du lac de Côme, on apprécie le vin de Lombardie.

LIRE UNE ÉTIQUETTE DE VIN ITALIEN

Les étiquettes italiennes reflètent la grande diversité des vins.

Zones et degrés de qualité

Les vins de qualité sont issus de zones réglementées, indiquées sur l'étiquette par la mention *denominazione di origine controllata* (DOC). Ces zones ont une appellation, comme Soave, Orvieto, etc.

Denominazione di origine controllata e garantita (DOCG) désigne un degré de qualité supérieur. « Garantita » signifie que le vin répond à des exigences plus strictes. Il existe à ce jour 289 DOC et 21 DOCG.

Vino da tavola signifie vin de table. Il s'agit le plus souvent de vin ordinaire, mais certains sont produits dans des zones DOC sans respecter les règles de l'appellation.

La mention *indicazione geografica tipica* (IGT) désigne une catégorie intermédiaire entre DOC et *vino da tavola*, créée en 1992 pour des vins d'une certaine qualité ayant une origine déterminée. Il existe 117 IGT reconnus à ce jour.

Producteurs et vignobles

Les mots les plus courants pour désigner une propriété sont *fattoria*, *podere*, *tenuta* et *azienda agricola* : leur mention sur l'étiquette implique que le vin est mis en bouteille à la propriété. Des vignobles spécifiques peuvent être identifiés par les termes *tenuta* (domaine), *podere* (ferme), *vigna* ou *vigneto*. Une *cantina sociale* est une coopérative.

Style et qualité

Riserva ou *vecchio* s'applique à un vin DOC ou DOCG ayant subi un vieillissement plus long que la moyenne, en fût et/ou en bouteille. *Superiore* signifie généralement que le vin a un peu plus d'alcool que le vin DOC standard. *Classico* se réfère à une zone restreinte, en général le cœur historique d'une DOC.

Novello désigne un vin nouveau. *Secco* veut dire sec, *abboccato* qualifie un vin légèrement doux, *amabile*, un vin un peu plus doux, et *liquoroso*, un vin muté, généralement doux.

Frizzante désigne un vin légèrement pétillant, alors que le *spumante* est un vrai Mousseux. Si ce dernier est vinifié par la méthode de la seconde fermentation en bouteille, il peut être étiqueté *metodo tradizionale*, *metodo classico* ou *talento*.

LES RÉGIONS VITICOLES DU NORD DE L'ITALIE

Cette carte présente les zones ayant le statut
de *denominazione di origine controllata e garantita* (DOCG),
ainsi que les principales DOC *(denominazione di origine
controllata)*. La loi de 1992 a entraîné un certain nombre de
changements et le nombre de DOCG est pour l'instant
passé de 5 à 11.

Régions viticoles

- Albana di Romagna DOCG
- Asti ou Asti Spumante-Moscato d'Asti DOCG
- Barbaresco DOCG
- Barolo DOCG
- Brachetto d'Acqui ou Acqui DOCG
- Franciacorta DOCG
- Gattinara DOCG
- Gavi ou Cortese di Gavi DOCG
- Ghemme DOCG
- Recioto di Soave DOCG
- Valtellina Superiore DOCG

Principales zones DOC *(Denominazione di origine controllata)*
Frontière
Limite de région
Autoroute
Route principale

0   50   100 km

PIÉMONT

De la fraîche saveur d'amande de ses vins blancs secs au charme puissant d'un grand Barolo rouge, le Piémont offre à l'amateur des délices peu communes. Cette région du nord-ouest de l'Italie est à l'origine de vins uniques et passionnants, issus pour la plupart de cépages autochtones.

Le vignoble piémontais est le sixième d'Italie par la taille, bien que la région compte environ 43 % de sa superficie en zone montagneuse, souvent trop abrupte pour la culture de la vigne. Le Pô divise le Piémont en deux parties distinctes. Au sud du fleuve et au sud-est de Turin se trouvent la ville d'Alba et les collines de Monferrato et des Langhe. Cette région enregistre l'essentiel de la production piémontaise de raisin, dans de nombreuses DOC qui se chevauchent. Les collines des Langhe aux pentes escarpées abritent plusieurs DOC, ainsi que les illustres vins rouges DOCG de Barolo et de Barbaresco. Au nord du Pô, le vignoble occupe le sol rocailleux des basses collines alpines, entre Carema, à l'ouest, et Novare, à l'est.

Le style du Barolo

Depuis des siècles, Barolo est un nom magique. Les dégustateurs découvrant les charmes de ce vin cèdent souvent au lyrisme et lui trouvent des arômes de goudron, violette, chocolat, prune, tabac, truffe ou fumée automnale. Dans les bonnes années, les vins des meilleurs producteurs peuvent réellement offrir toutes ces nuances.

Le Barolo est issu du cépage Nebbiolo. Le vin présente une robe d'un rouge grenat intense, une texture dense et veloutée, des saveurs qui emplissent la bouche et persistent longuement, tout comme son bouquet. Une solide acidité vient compléter un fruité d'une exceptionnelle concentration. Le vin compte au moins trois ans de vieillissement, dont deux en fût, avant sa commercialisation. Il réclame un vieillis-

Ceps et coquelicots poussent côte à côte dans ce vignoble proche de Barolo.

sement ultérieur en bouteille, qui peut aller jusqu'à vingt ans.

La qualité du Barolo dépend beaucoup du vinificateur, du millésime et de l'emplacement du vignoble. Le Nebbiolo donne ses meilleurs résultats sur un sol de marnes calcaires, dans un climat frais. Comme en Bourgogne, les producteurs mentionnent souvent le nom du vignoble sur l'étiquette pour en signaler la qualité (bien qu'il n'existe pas de hiérarchie officielle des crus).

Depuis la fin des années 1970, on a eu une tendance à produire des vins pouvant être bus bien plus tôt. Traditionnellement, le vin fermentait au contact des peaux pendant une période pouvant durer deux mois, pour être ensuite élevé pendant des années dans de grands foudres de chêne ou de châtaignier appelés *botti*. Les vins ainsi vinifiés bénéficient d'un fruité d'une rare concentration et sont extrêmement tanniques : ils exigent au moins dix ans de bouteille pour arriver à maturation. Certains vignerons continuent de produire ce vin majestueux, quoique leurs

méthodes aient un peu changé et que les rendements aient diminué pour favoriser la concentration aromatique. Mais la plupart des producteurs écourtent aujourd'hui la macération pelliculaire – dix-sept jours en moyenne – et laissent le vin en fût pendant la durée minimale prévue par la loi, c'est-à-dire deux ans. Certains utilisent de petits fûts (au lieu de *botti*) pour tout ou partie du vieillissement. Ces Barolo peuvent être bus dans les cinq ou six ans suivant la vendange.

Dans les deux cas, le Barolo présente toujours beaucoup de structure et de complexité. Ce n'est pas un vin à lamper hâtivement et son attrait n'est pas forcément immédiat pour les néophytes, mais il réserve de grands bonheurs à qui prend la peine de le découvrir.

Le Barbaresco

À l'est de Barolo, dans les collines des Langhe, s'étend la zone du Barbaresco DOCG. Les vignes de Nebbiolo sont plantées entre 200 et 350 m d'altitude ;

le climat est plus sec et plus chaud qu'à Barolo. La réglementation n'exige ici que deux années de vieillissement, dont une en fût. Comme toujours avec le Nebbiolo, le site joue un rôle important. De même que dans le cas du Barolo, les styles diffèrent : il y a les traditionalistes et les tenants d'une approche plus internationale. En général, le Barbaresco présente un parfum grisant évoquant la violette. Son fruité intense s'accompagne d'une belle acidité et de tanins marqués. Certains vins peuvent exiger jusqu'à dix ans de bouteille, mais la plupart sont prêts au bout de quatre ou cinq ans.

Les autres vignobles au sud du Pô

Dans le sud-est du Piémont, les principaux cépages rouges sont le Nebbiolo, la Barbera et le Dolcetto.

Autour de la ville d'Alba, entre les zones DOCG de Barolo et de Barbaresco, on produit du Nebbiolo d'Alba DOC sur des sols argilo-siliceux. Le Nebbiolo d'Alba est d'un style variable, mais généralement moins puissant que ses célèbres voisins, et il est à boire dans les trois ou quatre ans.

La Barbera est le cépage rouge le plus planté d'Italie. Il connaît un regain de prestige dans son Piémont natal et donne un délicieux vin rouge sec et vif, dont les arômes évoquent la mûre, la framboise et la réglisse. Il atteint son apogée au bout de deux à quatre ans. Le Barbera del Monferrato DOC est un vin léger, souvent *frizzante*. Le Barbera d'Alba DOC a plus de corps. C'est cependant dans la province d'Asti que ce cépage atteint son sommet. Le Barbera d'Asti DOC a une texture soyeuse et un fruité opulent relevé par une plaisante acidité.

Les vins issus du Dolcetto, appréciés pour leur côté gouleyant, sont produits dans sept DOC au sud-est du Piémont. Ils ont une robe couleur de mûre avec de vifs reflets roses, sont fermes en bouche et bien structurés, avec un bouquet et une saveur très fruités. La plupart sont faits pour être bus jeunes, dans les deux ou trois ans suivant la vendange. Parmi les autres cépages rouges autochtones, il faut encore citer le Grignolino, le Brachetto et la Freisa. Le Grignolino donne des vins clairs et légers aux arômes floraux, au goût sec et très légèrement amer. Le Brachetto d'Acqui – promu DOCG en 1996 – est un vin rouge doux, tranquille ou *spumante*, dont les arômes rappellent la violette et la fraise. Les vins de Freisa ont une nuance cerise pâle et un succulent goût de framboise. Ce vin très gouleyant existe en plusieurs versions – sec, doux, pétillant.

Vins blancs et mousseux

Le principal cépage blanc du Piémont méridional est l'aromatique Muscat blanc à petits grains, dont est issu l'Asti Spumante DOCG, l'un des mousseux les plus célèbres du monde. Ce vin est produit par une méthode régionale traditionnelle, comportant une seule fermentation en cuve close. Le moût est filtré sous pression avant la fin de la fermentation, ce qui donne un vin naturellement effervescent, doux et faible en alcool (entre 7 et 9,5 % vol). Le Muscat est aussi à l'origine de l'élégant Moscato d'Asti DOCG, tranquille et encore plus pauvre en alcool (entre 4,5 et 6,5 % vol). Ces vins devraient être bus aussi jeunes que possible, tant qu'ils conservent leur arôme de raisin frais. La zone de production traditionnelle se concentre autour de la ville de Canelli, dans la province d'Asti, et s'étend jusqu'aux provinces de Cuneo à l'ouest et Alessandria à l'est. Cette région a été promue Asti DOCG en 1993.

Les vins blancs secs issus du cépage Cortese sont vifs et délicatement fruités, avec une note citronnée. Le meilleur exemple en est le Gavi DOCG, produit dans la partie orientale des collines de Monferrato, à la lisière de la Ligurie ; les vins y présentent une certaine plénitude et une texture soyeuse. Il existe aussi en versions *frizzante* et *spumante*. Le Gavi devrait être bu dans les deux ans bien que, les bonnes années, les vins des meilleurs producteurs puissent facilement dépasser cette limite.

La zone du Roero DOC est formée par des collines assez élevées au nord de la ville d'Alba, sur la rive gauche du Tanaro. Les sols sont surtout sablonneux, riches en fossiles et sensibles à l'érosion ; ils conviennent fort bien à la production de vins blancs aromatiques au charme simple et direct. L'Arneis, un cépage blanc local, donne un vin sec et vif, souple et frais en bouche. Il vaut mieux le boire dans les deux ans. On trouve également ici du vin rouge à base de Nebbiolo.

Le nord du Piémont

Le principal cépage blanc est ici l'Erbaluce, cultivé autour du village de Caluso, dans les collines de Canavese, au nord de Turin. Quand ils sont secs, les vins de Caluso DOC sont vifs et légèrement parfumés ; ils peuvent être tranquilles ou effervescents. Lorsque les baies d'Erbaluce sont à demi passerillées avant le pressage, elles donnent un vin tenant du nectar, appelé Caluso *passito*, velouté en bouche et doté d'amples arômes de noisette grillée et de miel. Mais le volume ainsi produit est infime. On trouve aussi du Caluso *liquoroso*, c'est-à-dire muté.

Les vignobles entourant la petite ville de Carema, à la frontière entre le Piémont et le Val d'Aoste, produisent l'un des meilleurs rouges de Nebbiolo (appelé ici Picutener, Pugnet ou Spanna). Ce cépage est sensible aux variations climatiques et donne dans ces terrains glaciaires des vins d'un style plus léger que les Nebbiolo du Sud. Le Carema DOC est issu à 100 % du Nebbiolo et son élevage dure quatre ans – dont deux au moins en petits fûts de chêne ou de châtaignier. Il devrait être bu entre sa quatrième et sa sixième année.

Dans les collines de Vercelli et de Novare, le principal cépage rouge est encore le Nebbiolo, assemblé d'ordinaire avec la Vespolina locale et/ou la Bonarda. Les meilleurs vins ont de l'élégance et un séduisant arôme de violette. On peut généralement les boire quatre à cinq ans après la vendange. Le vin le plus connu est le Gattinara DOCG ; les vins DOC de Lessona, Bramaterra, Boca, Sizzano et Fara sont des raretés, tout comme le Ghemme DOCG. □

LES FACTEURS DE QUALITÉ

En Piémont, comme en Bourgogne, les notions de microclimat et de terroir jouent un grand rôle. Conscients de l'importance du sol, les vignerons sont fiers de leurs parcelles et mentionnent souvent sur l'étiquette le vignoble (par les termes de *vigneto* ou *vigna*, « cru ») et ses particularités.

Climat et millésimes

En automne, un brouillard épais recouvre souvent les vallées. L'hiver est humide, froid, et il neige même parfois. Au printemps, moment crucial pour la vigne, il peut y avoir de la pluie et de la grêle, tandis que l'été peut être très chaud. En règle générale, cinq à huit millésimes de Barbaresco et de Barolo sur dix seront réussis, allant de l'année moyenne à la grande année. Un millésime médiocre sera le plus souvent le résultat d'un été maussade ou de pluies pendant les vendanges. Ces dernières pouvant s'étaler sur un mois entier, selon les cépages, un mauvais millésime pour tel vin peut être bon pour d'autres.

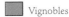 Vignobles

BARBARESCO ET LA RÉGION D'ALBA : PROFIL

Sols

Dans les collines des Langhe, domaine du Barbaresco et du Barolo, ainsi que dans d'autres zones du Sud-Est, les sols alcalins prédominent, étant avant tout calcaires avec diverses proportions de sable et d'argile. Les communes de Barolo se distinguent toutefois nettement par leur type de sol. Monforte d'Alba, Castiglione Falletto et Serralunga d'Alba ont un sol d'époque tortonienne teinté de bleu, à base de marnes calcaires riches en magnésium et en manganèse. Ici, les vins sont parfois qualifiés d'« héroïques », en raison de leur texture veloutée et de leurs arômes profonds. La Morra se trouve sur un sol d'époque helvétienne constitué de marnes calcaires de couleur beige, riches en fer. Les vins produits sont très aromatiques, de grande longévité.

Paysage du Piémont : coteaux et vignobles.

Quant à la commune de Barolo, elle réunit des éléments de ces deux zones. Dans la zone de Barbaresco, entre 200 et 350 m d'altitude, le climat est plus chaud et plus sec que dans celle de Barolo, mais les sols sont semblables, avec une acidité marquée sur les pentes plus basses.

Sites et expositions

Le Piémont est la région d'Italie qui a poussé le plus loin l'identification des différents emplacements du vignoble et des caractéristiques de celui-ci. Les étiquettes vont, par exemple, jusqu'à indiquer *sorì*, qui signifie « orienté au sud », ou *bricco* ou *bric*, « crête ». Les vignobles de Barolo et de Barbaresco sont d'ordinaire plantés sur des coteaux orientés au sud, à une altitude de 250 à 450 m. De faibles différences d'ensoleillement ou d'exposition au vent peuvent entraîner des variations dans la maturation du raisin de Nebbiolo, qui ne seront pas sans incidence sur le vin. Les vignobles situés à plus haute altitude et plus au frais sont souvent plantés en Barbera, un cépage qui supporte mieux les variations climatiques que le Nebbiolo.

PRODUCTEURS ET NÉGOCIANTS

Toujours plus nombreux, les producteurs piémontais de qualité ont de l'énergie à revendre et produisent souvent des vins dans nombre d'appellations, quand grêle et pluies les laissent tranquilles. La liste ci-dessous est donc très loin d'être exhaustive.

SUD DU PIÉMONT

Le sud du Piémont regroupe les provinces de Cuneo, Asti et Alessandria. On y trouve beaucoup d'appellations célèbres, à commencer par les DOCG de Barolo, Barbaresco et Asti (récemment rejointes par celles de Brachetto d'Acqui et Gavi), ainsi que des vins issus de Dolcetto, de Barbera et de Nebbiolo dans toute une série de DOC qui se chevauchent.

Elio Altare

Cet attachant personnage des Langhe est une référence. Il dispose de 8,5 ha à La Morra et vinifie de magnifiques Barolo, un bon Dolcetto d'Alba et deux superbes Langhe DOC rouges, le Larigi et l'Arborina.

Fratelli Bera

Propriétaire de 18 ha à La Morra, cette famille présente une gamme très réussie (Barbera d'Alba, Langhe Rosso Sassisto, Moscato Su Reimond et Asti Spumante).

Braida-Bologna

Les enfants de Giacomo Bologna continuent l'œuvre de ce vinificateur émérite et joyeux. Le Barbera d'Asti DOC reste à l'honneur avec trois crus (Ai Suma, Bricco dell'Uccellone, Bricco della Bigotta), mais il y a aussi les DOCG Brachetto d'Acqui et Moscato d'Asti, et un bon Monferrato Rosso Il Bacialé.

Fratelli Cavallotto

Bons Barolo de style traditionnel (Bricco Boschis en tête), savoureux Dolcetto et Barbera d'Alba.

Ceretto

Huit domaines totalisant 80 ha de vignes. Les Bricco Asili (Barbaresco) et Bricco Rocche (Dolcetto) ont la vedette, mais la qualité est générale.

Pio Cesare

Ce grand négociant d'Alba offre une gamme de vins denses et amples. En vedette, les Barolo Ornato et Barbaresco Il Bricco, mais aussi le Chardonnay Piodi Lei et le Barbera d'Alba Fides.

Michele Chiarlo

Une signature fiable pour l'ensemble du Piémont. Crus prestigieux à Barolo (Cerequio, Cannubi, Vigna Rionda) et Barbaresco (Asili, Rabajà). Excellents Barbera d'Asti, Gavi, Moscato d'Asti Smentiò et Barilot, un savoureux *vino da tavola*.

Quinto Chionetti & Figlio

Sur 14 ha à Dogliani, voici un pionnier du Dolcetto dont on s'arrache les deux excellents crus (Briccolero et San Luigi).

Domenico Clerico

L'un des meilleurs vignerons du Barolo nouveau style. Sur 15 ha à Monforte d'Alba (souvent épargnés par la grêle), il produit deux Barolo d'élite (Pajana, Ciabot Mentin Ginestra) et d'autres vins toujours remarquables, comme le Langhe Arte et le Langhe Dolcetto Visadì.

Poderi Aldo Conterno

Un grand nom du Barolo, dont les vins illustrent le meilleur de l'école dite traditionnelle. La famille possède 25 ha et offre une gamme où brillent notamment les Barolo Colonnello, Gran Bussia, Cicala. Très bons vins DOC Barbera d'Alba Conca Tre Pile, Dolcetto d'Alba, Langhe Bussiador (Chardonnay) et Langhe Favot (Nebbiolo).

Giacomo Conterno

Sur les 16 ha de son vignoble de Cascina Francia à Monforte d'Alba, cette branche de la famille Conterno produit de très beaux Barolo « traditionnels » de longue garde (Cascina Francia, Monfortino *riserva*), ainsi que de bons Dolcetto et Barbera d'Alba.

Conterno Fantino

Réputé pour deux grands Barolo (Sori Ginestra et Vigna del Gris) et le succulent Langhe Rosso Monprà. Savoureux Barbera, Dolcetto et Freisa.

Luigi Coppo & Figli

À l'actif de ce négociant de Canelli, de bons Mousseux, mais surtout l'IGT Chardonnay Monteriolo et les Barbera d'Asti Pomorosso et Camp du Rouss.

Matteo Correggia

Chef de file du Roero, ce domaine de 7,5 ha à Canale est dirigé par un jeune vigneron passionné. Splendides Barbera d'Alba Marun et Nebbiolo d'Alba Val dei Preti. Le tout nouveau Roero DOC Ròche d'Ampsèj fait sensation.

Tenimenti di Barolo & Fontanafredda

Réputée pour ses nombreux crus de Barolo, cette importante maison de négoce propose également de bons Mousseux (Contessa Rosa Brut, Gatinera Brut Talento) et un Diano d'Alba Vigna La Lepre très fruité.

Gaja

Angelo Gaja, figure de proue du vin italien depuis vingt ans – presque un mythe –, reste infatigable. L'avenir continue de lui inspirer de nouveaux défis. Après la célébrité mondiale apportée au Barbaresco et au cépage Nebbiolo à travers les crus Sorì San Lorenzo, Sorì Tildìn et Costa Russi, le triomphe du Cabernet-Sauvignon (Darmagi) et du Chardonnay (Gaia & Rey) sur les pentes escarpées des Langhe, la réussite de Gaja Distribuzione, société d'importation des meilleurs vins étrangers, verres Riedel, etc., la transformation du nom Gaja en synonyme d'excellence (et de prix vertigineux)… voici l'ère de l'expansion : en terre voisine de Barolo (superbes crus Sperss et Conteisa Cerequio) et en Toscane, avec l'acquisition de Pieve S. Restituta à Montalcino et Ca'Marcanda à Bolgheri (65 ha de vignes en cours de plantation).

Bruno Giacosa

Propriétaire de 15 ha à Neive et lié par contrat avec de nombreux viticulteurs, Bruno Giacosa est une autre grande figure du Piémont – vinificateur hors pair, jamais satisfait, modeste et passionné. Joyaux du style traditionnel, ses Barbaresco S. Stefano, Gallina, Asili, ses Barolo Collina Rionda et Falleto sont complétés par un excellent *spumante* Extra Brut, du Dolcetto et du Nebbiolo d'Alba.

Fratelli Giacosa

Un négociant de Neive toujours plus réputé, propriétaire de 15 ha. En haut de gamme, le superbe Barbera Maria Gioana, le Barbaresco Rio Sordo et le Barolo Vigna Mandorlo.

Elio Grasso

Avec 15 ha de vignes et un chai rénové, ce domaine familial de Monforte consolide son excellente réputation. Têtes de liste, le

Barbera d'Alba Vigna Martina et les Barolo Gavarini et Ginestra.

Tenuta Cisa Asinari dei Marchesi di Gresy

La famille de Gresy est propriétaire du superbe vignoble de Martinenga. Ses Barbaresco Martinenga, Gaiun et surtout Camp Gross ont beaucoup d'élégance. À retenir, l'excellent Langhe Rosso Virtus (Cabernet/Barbera).

La Scolca

La famille Soldati a fait connaître le vin de Gavi dans les années 1960 et les Gavi mousseux et tranquilles qu'elle produit restent parmi les meilleurs.

La Spinetta

Après avoir porté leurs Moscato d'Asti au sommet, les frères Rivetti se sont tournés vers les vins rouges. Pari gagné avec le superbe Pin et désormais étendu à Barbaresco (DOCG Vigneto Gallina et Starderi). Passé à 70 ha, le vignoble familial donne aussi un explosif Barbera d'Alba Vigneto Gallina.

Marchesi di Barolo

Offrir de (très) bons Barolo dans une large gamme de prix et de crus, c'est le premier but de cette grande maison fondée en 1861 et dotée de 40 ha de vignes. L'excellent œnologue Roberto Vezza vinifie aussi de savoureux Barbera et Dolcetto.

Bartolo Mascarello

Bartolo Mascarello ou la légende de Barolo : vigneron fervent et sans concession, il assemble à l'ancienne ses divers crus en un seul vin, beau et austère à son image.

Giuseppe Mascarellllo

Parmi les plus beaux vins de ce domaine de 15 ha à Castiglione Falletto, le superbe Barolo Monprivato et le Dolcetto d'Alba Bricco.

Monfalletto

Sur 26 ha à La Morra, les Cordero di Montezemolo produi-

sent de beaux vins charnus et denses, affinés en barriques. En vedette, le Barolo Enrico VI, le Barbera d'Alba et le rare Pinot Noir Curdè.

Angelo Negro

Un bon domaine de Roero. Sur 43 ha, la famille produit les savoureux Roero Sodisfà, Barbera d'Alba Bric Bertu et Arneis *passito* Perdaudin.

CS Produttori del Barbaresco

La coopérative de Barbaresco offre toute la gamme des crus de l'appellation et fait du très bon travail.

Prunotto

Ce grand nom du négoce d'Alba appartient désormais à la maison Antinori. Dans sa vaste gamme brillent toujours les Barolo Cannubi et Bussia di Monforte, le Barbera d'Alba Pian Romualdo et le Nebbiolo d'Alba Occhetti, mais le Barbaresco Bric Turot fait figure de vedette.

Renata Ratti-Antiche Cantine dell'Abbazia dell'Annunziata

Les héritiers de ce domaine qui a joué un grand rôle dans le renouveau de la région produisent de bons Barolo (cru Marcenasco), Dolcetto d'Alba, Nebbiolo d'Alba et Monferrato.

Albino Rocca

Les presque 10 ha de ce domaine de Barbaresco produisent de très bons vins (non filtrés), au premier rang desquels le superbe Barbaresco Brich Ronchi.

Bruno Rocca

L'un des grands protagonistes du Barbaresco, sans complexe vis-à-vis du Barolo. Son cru Rabajà est couvert de lauriers, mais le reste de la gamme vaut largement le détour (Barbera d'Alba, Langhe Chardonnay Cadet, etc.).

Rocche dei Manzoni

40 ha à Monforte, un chai modernisé et la passion du

vigneron : cela donne dix vins excellents. En tête, de superbes Barolo de crus, le Quatr Nas et d'appréciables Mousseux.

Luciano Sandrone

Sage vigneron et magicien modeste, Sandrone continue d'éblouir par ses Barolo (Cannubi Boschis, Le Vigne) somptueusement charnus, aux tanins angéliques – de purs chefs-d'œuvre. Quant à ses divers Barbera, Dolcetto, Nebbiolo d'Alba, etc., ils sont évidemment pulpeux, élégants et d'une rare précision. Seul regret des amateurs, le domaine se limite à 13,5 ha, locations comprises.

Paolo Sarraco

Ici, le vin est blanc. Non content d'offrir deux Moscato d'Asti parmi les plus beaux et l'excellent Chardonnay Bianch del Luv, ce domaine de 14 ha à Castiglione Tinella expérimente : le Langhe Bianco Graffagno est un assemblage de Riesling, Chardonnay et Sauvignon tout à fait prometteur.

Paolo Scavino

Cannubi, Bric del Fiasc, Rocche dell'Annunziata, les crus de Barolo de ce vigneron hors pair, installé à Castiglione Falletto, rivalisent d'excellence et montrent une enviable régularité. Le Barbera d'Alba « *affinata in carati* » et le Dolcetto complètent superbement la gamme.

Vietti

Ce domaine familial de Castiglione Falletto produit d'excellents vins des Langhe (Barolo, Barbaresco, Barbera d'Alba, etc.) depuis un siècle, mais ses tout nouveaux Barbera d'Asti sont aussi à la hauteur.

Roberto Voerzio

Les rendements de cet exemplaire domaine de La Morra sont parmi les plus bas d'Italie et les vins issus de ces 10 ha de vignoble soignés avec passion s'arrachent à prix d'or. C'est vrai pour les divers Barolo de cru

(superbes) comme pour le Barbera d'Alba Vigneto Pozzo, sans doute la plus glorieuse illustration de ce cépage longtemps méconnu.

Autres producteurs

Marziano & Enrico Abbona, Fratelli Barale, Nicoletta Bocca, Giacomo Brezza & Figli, Brovia, Castello di Neive, La Ca' Nova, Cascina Castlèt, Cigliuti, Giuseppe Contratto, Giovanni Corino, Deltetto, Carlo Giacosa, Icardi, Cascina La Barbatella, Molino, Il Mongetto, Fiorenzo Nada, Nuova Cappelletta, Armando Parusso, E. Pira & Figli, F. Principiano, Antica Casa Vinicola Scarpa, Scarzello, Scrimaglio, Vajra, Vigna Rionda, Villa Banfi Strevi (voir p. 386).

NORD DU PIÉMONT

Au nord du Piémont, les vins se répartissent en deux secteurs : la province de Turin (DOC Carema et Caluso) et les provinces de Vercelli et Novare (DOCG Gattinara et Ghemme). On y trouve de bons vins, mais les deux DOCG attendent encore des champions dignes de leurs ambitions.

Antichi Vigneti di Cantalupo

Les frères Arlunno possèdent 25 ha à Ghemme et en tirent deux rouges vigoureux (Collis Breclemae et Collis Carellae). Carolus (blanc) et Primigenia (rouge) sont deux bons *vini da tavola* d'assemblage.

Antoniolo

Les 15 ha de ce domaine familial produisent des Gattinara comptant parmi les meilleurs (Vigneto Castelle, Vigneto Osso S. Grato).

Travaglini

Ce vigneron possède 35 ha de vignes. Son Gattinara *riserva*, tannique et sévère, présente de beaux arômes complexes.

Autres producteurs

Luigi Dessilani, Luigi Ferrando, Luigi & Italo Nervi, Sella.

VAL D'AOSTE ET LIGURIE

Le mont Blanc, le Cervin et le Gran Paradiso sont quelques-uns des sommets alpins qui séparent le Val d'Aoste de la France et de la Suisse au nord, du Piémont au sud et à l'est. L'essentiel du vin produit dans cette province, la plus petite d'Italie, est consommé sur place, dans d'accueillants restaurants et chalets.

Le Val d'Aoste
Le relief montagneux d'Aoste rend la viticulture difficile, voire impossible. La plupart des vignes sont plantées sur des terrasses longeant la vallée escarpée de la Dora Baltea. La limite de l'aire Valle d'Aosta DOC épouse le cours de la rivière, qui partage la région en deux. Il existe sept sous-zones : Morgex et La Salle, Enfer d'Arvier, Torette, Nus, Chambave, Arnad-Montjovet et Donnas.

Dans le haut de la vallée, à Morgex et La Salle, se trouvent les vignes les plus hautes d'Europe, plantées entre 900 et 1 300 m d'altitude. Les vins, issus du Blanc de Morgex, sont des blancs secs et vifs aux arômes délicats.

Les vins rouges du centre de la vallée sont un assemblage des cépages locaux Petit Rouge et Vien de Nus. Les vins sont secs et bien colorés, avec des arômes floraux. Le village de Nus produit aussi le Nus Pinot Grigio *passito*, légèrement doux, de couleur cuivrée, issu de raisins semi-passerillés. Chambave a son Moscato *passito*, un vin doré aux arômes généreux. Tous deux existent également en vins secs.

Le Nebbiolo, ici appelé Picutener ou Picotendro, est cultivé autour de la ville de Donnas, sur des sols sablonneux, argileux et graveleux dans le bas de la vallée. Le vin, issu d'un assemblage de Nebbiolo, Freisa et Neyret, est frais et vif, de couleur rubis sombre. L'Arnad-Montjovet est un autre vin à base de Nebbiolo, qu'on trouve rarement hors de la région.

PRODUCTEURS

Dans les deux régions, les viticulteurs peinent sur leurs lopins, au flanc de coteaux escarpés ou sur d'étroites terrasses. Le Val d'Aoste offre six coopératives et une poignée de bons vignerons. Le potentiel est réel, mais trop de vins se limitent à couvrir les besoins courants de la population locale et des skieurs.
Les meilleurs vins de la petite production ligure ont une réputation nationale, voire internationale, mais, ici aussi, il reste beaucoup de vins neutres.

Val d'Aoste
Les bonnes adresses sont : Les Crêtes d'Aymaville (Chardonnay, Fumin, Petite Arvine, Syrah, Pinot Noir) ; Charrère (rouges La Sabla, Les Fourches, Prëmetta) ; Institut agricole régional (bons vins de cépage, notamment Syrah, Pinot Gris, Petit Rouge et l'assemblage rouge Vin du Prévôt) ; coopérative La Crota di Vegneron (bons Chambave et Nus, excellents Muscats) ; Grosjean (Torette et Fumin rouges, Petite Arvine) ; Ezio Voyat (Moscato *passito* Le Muraglie), Anselmet (Chardonnay).
Les meilleures coopératives sont celles de Morgex, de Donnas et d'Arnad (La Kiuva).

Ligurie
À l'ouest (Ponente) : blancs DOC de Pigato et/ou Vermentino de Bianchi (gamme Eretico), Bruna, Cascina Feipu, Cascina Terre Rosse (Pigato et rouge Solitario), Colle dei Bardellini, Tenuta Giuncheo (Vermentino Eclis, Rossese di Dolceacqua DOC), Lupi (Vermentino Vignamare, rouge Ormeasco), Terre Bianche (Arcana Bianco et Rosso, Rossese di Dolceacqua Bricco Arcagna) et Vio.
À l'est (Levante) : Colli di Luni DOC (surtout Vermentino et parfois rouges) d'Ottaviano Lambruschi, Cantine Lunae Bosoni, Il Monticello, Picedi Benettini et Il Torchio. Cinque Terre DOC de Walter de Battè (excellents) et de la coopérative de Riomaggiore.

La Ligurie
Étirée en un croissant autour du golfe de Gênes, sur la Méditerranée, la Ligurie voisine avec la Provence française à l'ouest, le sud du Piémont et les provinces d'Émilie et de Toscane au sud-est. Une série de montagnes abritent la région et lui valent un peu de douceur méditerranéenne. Parmi les vins, surtout consommés sur place, on trouve quelques rouges de garde et des blancs pour la plupart assez neutres.

La zone DOC de Riviera Ligure di Ponente couvre une bonne partie de la Ligurie occidentale, de Gênes à la frontière française. Les quatre principaux cépages sont le Rossese et l'Ormeasco pour les vins rouges, le Vermentino et le Pigato pour les blancs. Le Rossese donne des rouges secs et frais aux arômes floraux. L'Ormeasco, un clone local du Dolcetto, produit des vins secs et vifs à la robe sombre, pouvant se garder plus longtemps que leurs cousins piémontais. L'Ormeasco Sciacchetrà est un rosé sec et fruité. Le Vermentino donne des blancs fermes et délicatement aromatiques, tandis que ceux de Pigato présentent un arôme floral avec des notes de pêche.

À l'extrême ouest de la Ligurie se trouve la petite DOC de Rossese di Dolceacqua. Le vin est un rouge souple et fruité agréablement parfumé.

À l'est, la Riviera di Levante compte deux zones DOC, Colli di Luni et le fameux Cinqueterre. La première donne de bons vins rouges issus du Sangiovese et des blancs de Vermentino au parfum séduisant.

Les terrasses escarpées des vignobles de Cinqueterre bordent la mer de Ligurie, à l'ouest de La Spezia. Le vin blanc sec de cette région est un assemblage de Bosco avec de l'Albarolo ou du Vermentino. Les meilleurs sont vifs avec un bouquet délicatement fruité. Les mêmes cépages, une fois passerillés, donnent le Sciacchetrà, muté ou non, doux et ambré. □

LOMBARDIE

À l'est du Piémont, la Lombardie partage le lac Majeur avec la Suisse et le lac de Garde avec la Vénétie. Le Pô forme une bonne partie de sa frontière sud. Les contreforts des Alpes, qui s'étendent du lac Majeur au lac de Garde en passant par les lacs de Côme et d'Iseo, constituent certains des meilleurs sites viticoles de Lombardie. Les vastes plaines de la vallée du Pô conviennent moins à la vigne. On trouve cependant au sud du Pô, entre le Piémont et l'Émilie, une zone viticole importante, le petit triangle de terre de l'Oltrepò Pavese.

Oltrepò Pavese

C'est la DOC la plus productive de Lombardie et c'est dommage. Ses beaux vignobles en coteaux pourraient offrir aux Milanais bien mieux qu'une série de vins de consommation courante et de *spumanti* souvent banals, d'autant que l'université de la ville forme d'excellents spécialistes du zonage des terroirs.

Le Rosso DOC, assemblage de Barbera et de Bonarda, est un vin vif de robe foncée, au goût de cerise amère. Les mêmes cépages se retrouvent dans les rouges Buttafuoco et Sangue di Giuda, souvent légèrement pétillants.

Barbera et Bonarda sont aussi vinifiés séparément, souvent en version *frizzante*, le premier donnant un vin plus incisif, le second présentant plus de souplesse et des arômes de petits fruits. Le Pinot Noir peut être vinifié seul, en vin rouge tranquille, en rosé ou en blanc (sans macération pelliculaire), bien qu'il soit souvent assemblé dans les nombreux Mousseux *metodo classico* de l'appellation.

Des vins blancs tranquilles, légèrement pétillants, voire effervescents sont aussi issus de divers cépages (Chardonnay, Cortese, Muscat, Pinot Gris, Riesling Italico, Riesling, etc.). Le Muscat *liquoroso* est une rareté locale. À base de Muscat, ce vin muté très aromatique, de robe dorée ou ambrée, peut être légèrement doux ou très moelleux.

Vignes de Nebbiolo en Valteline.

Valteline

Près de la frontière suisse, au nord de la Lombardie, se trouve le vignoble alpin de l'appellation Valtellina DOC. Il occupe une frange de terre à l'est et à l'ouest de la ville de Sondrio. Les vignes sont cultivées sur de petites terrasses longeant des coteaux abrupts orientés au sud. Le cépage principal est le Nebbiolo, localement appelé Chiavennasca. Un vaste programme de remise en état du vignoble est en cours. Pour peu qu'il s'accompagne de quelques mises à jour œnologiques, les résultats devraient être spectaculaires, étant donné le potentiel de la région.

Le Valtellina générique devrait être bu rapidement. Quatre sous-zones – Sassella, Grumello, Inferno et Valgella – produisent du Valtellina Superiore (DOCG depuis 1998), élevé au moins un an en fût et pouvant se garder de cinq à dix ans.

Le Valtellina Sforzato (ou Sfursat) est un vin rouge sec à base de Nebbiolo semi-passerillé. Il a des arômes concentrés de fruit mûr et atteint environ 14,5 % vol d'alcool.

Sud et sud-est de la Lombardie

La rive occidentale du lac de Garde abrite la vaste DOC Garda, qui s'étend jusqu'en Vénétie. On y produit notamment un vin rouge sec et rafraîchissant couleur cerise et un savoureux rosé ou *chiaretto*, tous deux issus d'un assemblage à base de Groppello, un cépage local. Cette appellation recouvre partiellement celle de Lugana DOC, qui donne d'élégants vins blancs corsés (en général tranquilles) à partir d'un clone local de Trebbiano. Le Tocai Friulano cultivé dans la même zone est utilisé pour le San Martino della Battaglia DOC, blanc léger et sec ou *liquoroso*. Au sud du lac de Garde, la province de Mantoue produit des Garda Colli Mantovani DOC, vins rouges, blancs et rosés assez simples. La plaine du Pô fournit le Lambrusco Mantovano DOC, vin rouge *frizzante* sec ou doux, semblable au Lambrusco de l'Émilie (voir p. 373).

Au nord-est de Bergame, la zone de Valcalepio DOC offre un rouge moyennement corsé – un assemblage de Cabernet-Sauvignon et de Merlot à l'arôme de cassis –, un blanc sec et frais à base de Pinot Gris et de Pinot Blanc et un Moscato *passito*.

Entre le lac d'Iseo et la ville de Brescia se trouve la zone prestigieuse de Franciacorta. On y produit les Franciacorta DOCG, Mousseux *metodo classico* très réputés, issus de Chardonnay et/ou Pinot Blanc et/ou Pinot Noir. La DOC Terre di Franciacorta désigne des vins tranquilles rouges (assemblage Cabernets/Barbera/Nebbiolo/Merlot) et blancs (Chardonnay et/ou Pinot Blanc et/ou Pinot Noir).

Les collines entourant Brescia abritent trois petites DOC fournissant des vins de consommation locale issus d'assemblages variés : Cellatico et Botticino sont des vins rouges légers (comportant un peu de Schiava). Capriano del Colle produit un rouge à base de Sangiovese, Marzemino et Barbera, et un blanc de Trebbiano.   □

PRODUCTEURS ET NÉGOCIANTS

La production est principalement assurée par des coopératives dans l'Oltrepò Pavese, par des maisons de négoce dans la Valteline, par des domaines individuels et de prestigieuses exploitations vinicoles en Franciacorta.

OLTREPÒ
Cette belle et riche région progresse, mais la qualité n'est pas encore générale (Oltrepò Pavese DOC, ci-dessous O.P.).

Fratelli Agnes
Ce domaine de Rovescala aligne une superbe gamme de rouges issus de Bonarda (ou Croatina) DOC ou non : Campo del Monte, Cresta del Ghiffi, Millenium, Poculum, Loghetto, etc.

Ca' di Frara
Très bon domaine de 28 ha de vignes (plus un tiers de négoce) à Mornico Losana. Parmi ses classiques, les O.P. Malvasia et le Pinot Noir Il Raro, le rouge d'assemblage Il Frater et des vins de vendanges tardives (O.P. Pinot Grigio, Riesling Apogeo).

Frecciarossa
Ce domaine de 16 ha à Casteggio est l'un des meilleurs de la région : magnifiques O.P. Rosso Villa Odero *riserva* et Riesling.

Le Fracce
Les rouges de ce domaine « biointégré » de 42 ha à Casteggio sont réputés (O.P. Bonarda et Rosso Cirgà) ; les blancs les talonnent (O.P. Pinot Grigio et Riesling).

Tenuta Mazzolino
Le Noir et le Blanc (l'un O.P. Pinot Nero, l'autre O.P. Chardonnay) sont les vedettes de ce beau domaine de 14 ha à Corvino S. Quirico.

Ruiz de Cardenas
Un domaine de 5 ha à Casteggio, axé sur Pinot Noir (O.P. Brumano et Baloss) et Chardonnay, assemblés dans les Mousseux O.P. Brut Réserve et Extra Brut.

Autres producteurs
Riccardo Albani, Barbacarlo, Il Bosco, Casa Ré, Doria, Fratelli Giorgi, Isimbarda, Castello di Luzzano, Martilde, Monsupello, Montelio, Monterucco, Il Pendio, Bruno Verdi. Coopératives Casteggio et S. Maria della Versa.

VALTELINE
La réputation en hausse de la région repose sur les efforts de quelques-uns et le charme du Sfursat semi-passerillé.

Nino Negri
Cette maison de négoce (Gruppo Italiano Vini) est le chef de file de la région. Casimiro Maule vinifie le splendide Sfursat 5 Stelle et les Valtellina Superiore DOCG (Inferno Mazer, Sassella Le Tense, Grumello Sassoroso) dont beaucoup devraient s'inspirer. Il opère aussi à l'Enologica Valtellinese.

Aldo Rainoldi
Ce négociant est en net progrès depuis la rénovation de son chai. Ses deux Sfursat (dont le superbe Ca' Rizzieri) et sa gamme de DOCG (Crespino Inferno *riserva* et Sassella *riserva*) sont réputés.

Conti Sertoli Salis
À Tirano, Claudio Introini vinifie un Sfursat d'anthologie (Canua) et d'autres beaux vins pour cette grande maison de négoce (Saloncello, Torre della Sirena, Corte della Meridiana).

Triacca
Fervent partisan de la sélection clonale, ce négociant de Tirano produit de très bons Valtellina (Prestigio, Sforzato) et un remarquable Sauvignon Del Frate.

Autres producteurs
Enologica Valtellinese, Fay, Mamete Prevostini.

FRANCIACORTA
Cette zone très dynamique est surtout connue pour la qualité de ses spumanti DOCG, mais les Terre di Franciacorta (T.d.F.) tranquilles (rouges et blancs) ne sont pas moins intéressants.

Bellavista
Les vins de ce domaine de 117 ha à Erbusco sont justement réputés, qu'il s'agisse des Mousseux (excellent Gran Cuvée Brut, Franciacorta Brut, Gran Cuvée Pas Operé, etc.) ou des vins tranquilles blancs (T.d.F. Convento dell'Annunciata et Uccellanda, issus de Chardonnay) et rouges (T.d.F. Solesine, un Cabernet-Sauvignon/Merlot).

Guido Berlucchi
L'un des principaux producteurs de Mousseux d'Italie. Pionnier du genre, Franco Ziliani a des vignes en Franciacorta (45 ha), dans l'Oltrepò Pavese et le Haut-Adige. En haut de gamme, l'ample Cellarius Brut et deux Franciacorta signés Antica Cantina Fratta.

Ca' del Bosco
Pionnier de la bulle et du Cabernet, Maurizio Zanella a sorti la Franciacorta de l'ombre en imposant son style inimitable – exubérant, mais intraitable sur la qualité. Vingt ans plus tard, les vins du domaine familial d'Erbusco (96 ha) restent en haut du palmarès. En vedette, les Mousseux Franciacorta Satèn Millesimato, Brut Millesimato, Cuvée Annamaria Clementi, les IGT rouges M. Zanella et Pinero, le T.d.F. Chardonnay.

Cavalleri
Ce domaine de 34 ha à Erbusco est réputé pour la régularité de ses nombreux Mousseux et vins tranquilles. En haut de gamme, les Franciacorta Collezione Brut et Blanc de Blancs, les T.d.F. Bianco Seradina et Rampaneto, le T.d.F. Rosso Vigna Tajardino et l'IGT rouge Corniole (Merlot).

Autres producteurs
Fratelli Berlucchi, Tenuta Castellino, Contadi Castaldi, Ferghettina, Enrico Gatti, Guarischi, Lantieri de Paratico, Lo Sparviere, Monte Rossa, Monzio Compagnoni, Mosnel, Barone Pizzini Piomarta, Principe Banfi, Ricci Curbastro, San Cristoforo, Uberti, Vercesi del Castellazzo, Villa.

AUTRES VINS
Ca' dei Frati
À Sirmione. Excellents Lugana I Frati et Il Brolettino, IGT blanc Pratto et *vino da tavola* blanc Tre Filer.

Cascina La Pertica
15 ha de vignes près du lac de Garde. Bons Garda DOC Le Sincette et Gropello, et *vino da tavola* rouge Le Zalte.

La Prendina
30 ha au sud du lac de Garde. En tête, les Garda DOC Il Falcone et Vigneto La Prendina. La famille Piona possède aussi La Cavalchina, en Vénétie (bons Bardolino et Bianco di Custoza).

Autres producteurs
Cantrina, Carlozadra, Casella Braga, Tenuta Castello di Grumello, Costaripa, Joaninus de Pedrinis, La Brugherata, Marangona, Provenza, Redaelli de Zinis, Stefano Spezia, Spia d'Italia, Zenato. Coopératives della Valtenesi e della Lugana, Val San Martino.

ÉMILIE-ROMAGNE

Bien qu'elles diffèrent sur bien des points – notamment les vins qu'elles produisent –, l'Émilie et la Romagne forment une même région administrative. Bologne, la capitale, se trouve au beau milieu, avec l'Émilie à l'ouest et la Romagne à l'est. La région est limitée au nord par le Pô, à l'ouest par les Apennins. Les montagnes placent cette zone sous l'influence climatique de l'Adriatique : les étés sont chauds et la sécheresse n'est pas rare, tandis que les hivers sont humides avec des brouillards qui envahissent souvent les plaines.

Les trésors culinaires – parmesan et jambon de Parme – de l'Émilie-Romagne ont éclipsé ses vins. Le seul qui bénéficie d'une réputation internationale est le Lambrusco effervescent d'Émilie.

Émilie

Plusieurs sous-variétés du cépage rouge local Lambrusco sont cultivées dans les grandes plaines d'Émilie, autour de Modène, et utilisées dans quatre appellations DOC distinctes. Le Lambrusco di Sorbara est connu pour son côté sec, sa vive acidité et son séduisant arôme de raisin. La zone adjacente du Lambrusco Salamino di Santa Croce produit un vin similaire. Au sud se trouve celle du Lambrusco Grasparossa di Castelvetro, aux vins plus tanniques et plus amples. Quant au Lambrusco Reggiano, à l'ouest, c'est celui qui est le plus produit – et exporté.

Le Lambrusco est le plus souvent légèrement pétillant (*frizzante*), doux et gouleyant. Il est généralement rouge, bien qu'on puisse le vinifier en blanc ou en rosé. On en fait parfois un vin sec et, à l'occasion, un véritable Mousseux. Quel que soit son style, il est fait pour être bu rapidement.

Le nord-ouest de l'Émilie, à la limite de la Lombardie, comprend la zone des Colli Piacentini DOC, qui comporte de nombreuses subdivisions.

Son vin rouge le plus connu est un assemblage de Barbera et de Bonarda appelé Gutturnio, généralement tranquille et sec, bien qu'il existe en versions moelleuse et *frizzante*. Le plus souvent sec, le vin de cépage Barbera possède une robe rubis. Celui de Bonarda est frais et fruité, de couleur sombre et peut être sec ou assez doux. Une bonne partie du Pinot Noir cultivé dans cette région donne des Mousseux blancs ou rosés.

Les vins blancs de cépage des Colli Piacentini sont à base de Malvoisie, d'Ortrugo, de Pinot Gris ou de Sauvignon. Il en existe toute une gamme, secs ou doux, tranquilles ou *frizzante*, voire *spumante*.

Plus à l'est, on trouve les Colli di Parma DOC, qui peuvent offrir un bon vin blanc aromatique de Malvoisie, aussi bien sec que légèrement doux ou mousseux, et un rouge semblable au Gutturnio. Les vins *frizzante* et mousseux de l'appellation voisine Bianco di Scandiano DOC, à base de Sauvignon, sont surtout exportés.

PRODUCTEURS

Les coopératives représentent 70 % de la production. Certaines, comme la Riunite, sont d'énormes groupements.

Émilie

On trouve du bon Lambrusco chez Barbolini, Cavicchioli, Chiarli, Graziano, Ermete Medici & Figli, Moro Rinaldo Rinaldini. Monte delle Vigne et Isidoro Lamoretti font de bons Colli di Parma DOC.

En Colli Piacentini DOC, citons La Tosa, Conte Barattieri, Il Poggiarello, Luretta et surtout La Stoppa, qui y ajoute d'excellents *vini da tavola*. Quant aux Colli Bolognesi DOC, ils sont à l'avant-garde de la région.

Romagne

Outre Zerbina et Tre Monti, il y a La Palazza, Castelluccio, Cesari, Leone Conti, Ferrucci, Pandolfa, Fattoria Paradiso, Terre del Cedro et Uccellina.

C'est dans les Colli Bolognesi DOC que l'on trouve actuellement les vins les plus intéressants et les producteurs les plus dynamiques. Cette vaste appellation comporte sept sous-zones, dont Monte San Pietro, Colline Marconiane, Zola Predosa. Cabernet-Sauvignon, Merlot, Chardonnay et Sauvignon sont admis. Les chefs de file sont la Tenuta Bonzara, très réputée pour son Bonzarone Cabernet-Sauvignon et son Merlot Rocca di Bonacciara, les excellents domaines Vallona et Terre Rosse. Le Pignoletto est un cépage blanc local, qui donne d'agréables blancs secs ou demi-secs, tranquilles ou *frizzante*.

Romagne

Les principaux vignobles de cette région s'étendent entre le sud-est de Bologne et la mer. Trois cépages sont majoritaires : Albana, Sangiovese et Trebbiano. L'Albana, variété autochtone promue au rang de DOCG et longtemps jugée inférieure à son statut, commence à donner des vins réellement intéressants, notamment en *passito* (comme le Scacco Matto de la Fattoria Zerbina, domaine vedette de la région).

Le Sangiovese di Romagna DOC continue de fournir des rouges légers et plaisants. Mais c'est aussi devenu un point fort chez les bons producteurs. Le Terre di Ceparano de Zerbina ; le Pruno de La Palazza ; le Thea de Tre Monti ; la série des Ronco de Castelluccio ; le Bottale et le Domus Caia de Ferrucci sont autant de réussites.

Le long de l'Adriatique, entre l'embouchure du Pô et Ravenne, se trouve la zone Bosco Eliceo DOC. On y produit du Sauvignon et un Bianco dont l'assemblage est dominé par le Trebbiano, vins blancs tranquilles ou mousseux le plus souvent secs. Le cépage local Fortana donne un rouge tannique, qui peut être tranquille ou pétillant, sec ou doux. □

VÉNÉTIE

Les Alpes couvrent près d'un tiers de la Vénétie et leurs contreforts descendent jusqu'aux rizières de la plaine centrale et aux rives du lac de Garde, à l'ouest. Sur le plan géographique, la Vénétie est la plus variée des régions viticoles italiennes et offre de nombreux styles de vin.

Ses zones DOC sont réparties en trois grands secteurs : les bords du lac de Garde et les alentours de Vérone ; les collines de Vénétie centrale ; la Vénétie orientale, aux abords de Venise et de Trévise.

Dans le premier secteur, les vins sont généralement issus de cépages autochtones. Plus à l'est (avec quelques exceptions), les vins sont à base de cépages plus internationaux. À moins d'une demi-heure de voiture, à l'est de Vérone, se trouvent les vignobles de Soave DOC (blanc). Au nord-ouest de la ville s'étendent le Valpolicella DOC et, un peu plus à l'ouest, au bord du lac de Garde, le Bardolino DOC, tous deux rouges. Avec, à ses portes, trois des appellations italiennes les plus connues dans le monde, on comprend mieux pourquoi la province de Vérone joue un rôle de leader en Vénétie.

Soave
Les meilleurs Soave DOC viennent toujours de la zone Classico, au centre de l'appellation, formée par quelques collines autour des communes de Monteforte d'Alpone et Soave. Les vignobles se trouvent à 250 m d'altitude environ, sur des coteaux peu pentus au riche sol rouge d'origine volcanique. Des rendements assez faibles et un microclimat favorable donnent au vin des arômes concentrés de fruits mûrs. Le principal cépage de Vénétie est la Garganega (blanc). Sec et savoureux, le Soave Classico présente une robe paille brillante, une plaisante acidité et de délicats arômes fruités, avec une note d'amande grillée. Le bouquet évoque les fleurs de cerisier et de

Le château de Soave, à l'est de Vérone.

sureau. Le Soave générique produit dans les plaines est nettement inférieur. Quelques producteurs vinifient du Recioto di Soave DOCG, un vin doux issu de raisins à demi passerillés, au goût et à la texture plus denses, plus alcoolisé aussi.

Valpolicella et Bardolino
Le Valpolicella DOC regroupe plusieurs styles de vins rouges : Valpolicella générique, Valpolicella Classico, Valpolicella *ripasso*, Recioto della Valpolicella et Valpolicella Amarone.

Le Valpolicella de base est un vin léger et savoureux de couleur rubis, au séduisant arôme de raisin frais, à boire jeune. Chez les meilleurs producteurs, les vins ont davantage de concentration aromatique.

Beaucoup de producteurs de Valpolicella recourent désormais à la méthode du *ripasso*, qui consiste à soutirer le vin après fermentation pour le déposer sur les lies de *recioto* (voir ci-après) de l'année précédente. Les vins de *ripasso* sont charnus et concentrés, avec une robe cerise foncé, un bouquet

intense, un goût de cerise âpre, une certaine longévité. Le terme *ripasso* n'est pas reconnu par le système officiel d'étiquetage et il faut connaître les méthodes du producteur pour pouvoir identifier de tels vins.

Le Recioto della Valpolicella et l'Amarone sont issus de raisins sélectionnés, séchés à l'air dans des greniers entre la vendange et le mois de janvier. Doté d'arômes concentrés et d'une texture veloutée, fort en alcool, le sombre et doux Recioto della Valpolicella est souvent comparé au Porto et servi dans les mêmes circonstances. L'Amarone est, lui, un vin sec et généreux, magnifiquement opulent.

Les vignobles de Bardolino DOC s'étendent des basses collines du nord-est de la ville du même nom jusqu'aux rives du lac de Garde. Issu du même assemblage de cépages que le Valpolicella – les variétés autochtones Corvina, Rondinella, Molinara et d'autres –, le Bardolino est d'un style plus léger. De robe cerise ou rubis, ce vin a une bonne acidité et des arômes de cerise. Le Bardolino Chiaretto est un rosé bien structuré. Ces vins sont en général destinés à être bus sans attendre.

Autres vignobles de Vérone
Des vins blancs tranquilles et mousseux sont produits dans l'appellation Lessini Durello DOC, au nord de Soave, dans les collines de Lessini. Le cépage Durella a une forte acidité et une bonne structure convenant bien à des Mousseux de qualité, mais les vins tranquilles peuvent sembler acerbes à certains.

Les vignobles du Bianco di Custoza DOC entourent la pointe sud du lac de Garde. Ce vin blanc de plus en plus apprécié est généralement de bon niveau. Tranquille ou mousseux, c'est un apéritif agréable dont le fruité est souvent comparé à celui de la pêche et de la reine-claude. Mieux vaut le boire sans attendre.

Vénétie centrale

Les contreforts des Alpes s'allongent jusqu'au centre de la Vénétie, où les cépages bordelais – Cabernet-Sauvignon, Cabernet Franc et Merlot – prédominent ; ils présentent généralement d'agréables arômes variétaux.

L'appellation Breganze DOC, dans la haute plaine au nord de Vicence, regroupe des vins de cépage rouges et blancs. Les rouges sont le plus souvent issus de Cabernet ou de Pinot Noir et les blancs secs, de Pinot Gris ou Blanc. Le Vespaiolo, cépage local, donne un vin sec et vif au goût un peu citronné. Il existe aussi un Vespaiolo *passito* (vin doux de raisins à demi passerillés).

Outre le Cabernet et le Merlot, les Colli Berici DOC comportent un vin rouge à base de Tocai Rosso, de couleur framboise, à la saveur fraîche et fruitée. Les principaux vins blancs secs de l'appellation sont le Garganega, le Pinot Blanc, le Sauvignon et le Tocai Italico. Ces vins ont un fruité discret et doivent être bus sans attendre.

Les Colli Euganei DOC produisent un blanc et rouge, ainsi que des vins de cépage. Le Bianco dei Colli Euganei est un blanc sec et souple issu des variétés locales Garganega et Serprina. On trouve aussi un blanc doux de Muscat au bouquet floral intense. Le Rosso dei Colli Euganei est un assemblage de Cabernet et de Merlot avec des cépages locaux.

Parmi les vins issus de variétés autochtones, le Gambellara DOC est un agréable blanc sec et velouté, issu du même assemblage que le Soave. On trouve aussi du Recioto di Gambellara, ainsi que l'un des rares *vin santo* (voir p. 381) produits hors d'Italie centrale.

Venise et Trévise

Dans les collines peu escarpées situées au nord de Trévise, la zone du Prosecco di Conegliano-Valdobbiabene DOC est dotée d'un blanc mousseux au léger goût d'amande, pauvre en alcool et d'une vive acidité. Les vignobles du secteur de Cartizze ont droit à leur propre sous-zone, généralement jugée supérieure, bien que cela dépende beaucoup du producteur.

La zone de Montello e Colli Asolani DOC fournit également du Prosecco, ainsi que des vins rouges de cépage à base de Cabernet ou de Merlot.

Dans les plaines au nord de Venise, les DOC du Piave et de Lison-Pramaggiore produisent d'agréables vins de cépage de consommation courante. La longue liste de cépages autorisés inclut Cabernet et Merlot en rouge, Pinot Blanc et Pinot Gris en blanc. Il faut cependant signaler deux variétés autochtones : Verduzzo et Raboso. Les vins blancs issus du Verduzzo ont une agréable acidité et un caractère bien fruité, avec une note d'amande commune à bon nombre de cépages italiens. Ces vins conservent souvent un léger pétillement en bouteille. Quant au Raboso, il donne un vin d'un rouge violacé au goût un peu terreux, tannique et supportant la garde. □

PRODUCTEURS ET NÉGOCIANTS

En Vénétie, les petits domaines de qualité – souvent familiaux, et où l'on vinifie les différentes parcelles séparément – sont à l'avant-garde de la production.

Allegrini

Réputé de longue date, ce domaine de Fumane reste la référence absolue du Valpolicella. Ses vins DOC monocrus (Valpolicella Classico La Grola, Palazzo della Torre), son Amarone et son Recioto Giovanni Allegrini sont tous magnifiques. Quant au *vino da tavola* sec La Poja (100 % Corvina), il est mémorable.

Anselmi

À Monteforte d'Alpone, Roberto Anselmi est un maître du Soave. Il exploite 70 ha d'excellents vignobles en zone Soave Classico. Ses crus Capitel Croce et Capitel Foscarino sont particulièrement réputés, tout comme son Recioto di Soave DOCG I Capitelli, exemplaire vin de dessert élevé en barriques, et son IGT San Vincenzo. À citer aussi, l'IGT Realda.

Bolla

Ce négociant de Vérone produit 18 millions de bouteilles (Vénétie, Trentin-Haut-Adige, Piémont et Latium). En tête, Amarone et Recioto della Valpolicella, Valpolicella Classico Superiore Le Poiane-Jago, Soave Classico Le Tufaie.

Maculan

Fausto Maculan produit en Breganze DOC des vins de classe mondiale (Torcolato et Acininobili, Cabernet-Sauvignon Fratta et Ferrata, Merlot Marchesante, etc.) Superbe IGT de Muscat Dindarello.

Masi

La famille Boscaini produit 2 millions de bouteilles de Valpolicella et Bardolino. En tête, la série des Amarone della Valpolicella, les Recioto, les IGT de cépages locaux Osar, Toar et Brolo di Campofiorin. Excellents Soave Classico Colbaraca et Bardolino La Vegrona.

Pieropan

Leonildo Pieropan a, le premier, vinifié un Soave DOC monocru, le Calvarino. Toute la gamme est admirable (Soave Classico, Recioto Le Colombare, etc.)

Quintarelli

Presque un mythe. Les Valpolicella amples et complexes de Quintarelli (Classico, Amarone, Recioto) fermentent longuement en fût et ne sont pas filtrés. Fabuleux Amarone et *vino da tavola* Alzero (Cabernets passerillés).

Venegazzù-Conte Loredan Gasparini

Fameux assemblage de cépages bordelais, l'IGT Venegazzù della Casa reste l'un des grands rouges de Vénétie. Son jumeau Capo di Stato est encore plus beau.

Autres producteurs

En Soave et en Valpolicella, citons Accordini, Bertani, Brunelli, Bussola, Campagnola, Ca' Rugate, Cantina del Castello, Coffele, Corte Sant'Alda, Dal Forno, Fratelli Degani, Gini, Giuliari, Guerrieri Rizzardi, Inama, La Cappuccina, Le Ragose, Le Salette, Portinari, Prà, Raimondi Villa Monteleone, Tenuta S. Antonio, Fratelli Speri, Fratelli Tedeschi, Zenato, Zeni et Zonin.

Dans les autres zones : Adami, Bepin de Eto, Case Bianche, Collalto, Col Vetoraz, La Biancara, Le Colture, Le Vigne di S. Pietro, Masottina, Molon Traverso, Ottella, Ruggeri, Serafini & Vidotto, Vignalta, Desiderio Bisol & Figli, Fratelli Bortolin Spumanti.

TRENTIN-HAUT-ADIGE

Dans cette région montagneuse du nord-est de l'Italie, 15 % seulement du sol est cultivable. Les vignobles dessinent un Y le long des vallées de l'Adige (Etsch en allemand, l'autre langue de la région) et de son affluent l'Isarco (Eisack) jusqu'à leur confluent au sud de Bolzano, puis suivent vers le sud le cours de l'Adige.

Le Trentin et le Haut-Adige sont deux régions distinctes réunies par un tiret administratif. La partie nord, le Haut-Adige (aussi appelé Südtirol ou Tyrol du Sud), correspond à la province de Bolzano. Elle jouxte la Lombardie à l'ouest et l'Autriche au nord. La plupart des habitants sont germanophones ; les panneaux géographiques sont en allemand et en italien, et les cépages allemands comme le Sylvaner et le Müller-Thurgau prospèrent. Le climat subalpin implique des hivers froids, des étés chauds et des nuits fraîches toute l'année. Les pentes montagneuses de la vallée sont escarpées et la vigne est souvent cultivée en terrasses.

À mesure que l'Adige se dirige vers le Trentin, la vallée s'élargit. Les vignobles du Trentin sont en général plantés à plus faible altitude, sur des coteaux à pente plus douce et en plaine. Le climat est plus chaud et l'influence culturelle italienne devient très sensible.

Haut-Adige

En progrès constant, les vins de cette région ont acquis une réputation internationale. Les cépages blancs – Sylvaner, Müller-Thurgau, Riesling, Riesling Italico (Welschriesling), Chardonnay, Sauvignon et Pinot Blanc (Weißburgunder) – supportent bien l'altitude dans ces vallées ensoleillées et donnent des vins secs et vifs. Le Pinot Gris (Ruländer), un blanc savoureux, prend ici une note fumée. L'arôme de litchi du Gewürztraminer (Traminer Aromatico) est affiné par une vendange précoce et une macération pelliculaire écourtée.

Vignes cultivées sur la pergola tridentine.

Les rouges gouleyants de la région sont destinés à la consommation locale. Quatre zones DOC sont consacrées à des vins surtout issus du cépage Schiava (Vernatsch en allemand). Celui-ci, surtout dans le Lago di Caldaro DOC (Kalterersee), donne un vin rouge clair doté d'un discret arôme de cerise et d'un arrière-goût d'amande, mais peut parfois prendre plus de couleur et de corps, comme dans les vins de Santa Maddalena DOC (St Magdalener).

Le Haut-Adige produit en outre des Mousseux issus d'un assemblage de Chardonnay et de Pinot Noir (les cépages du Champagne). On trouve aussi ces deux variétés vinifiées séparément en vins tranquilles. Le cépage rouge local Lagrein donne un vin robuste aux arômes de petits fruits appelé Scuro (Dunkel) et un rosé aromatique (Kretzer). Le Moscato Giallo (Goldenmuskateller) doré et le Moscato Rosa (Rosenmuskateller) rubis pâle sont deux vins doux de Muscat aux arômes floraux.

Les vignobles du Terlano DOC s'étendent sur des coteaux bordant les deux rives de l'Adige, à l'ouest de Bolzano, et sont réputés pour leurs bons vins blancs de cépage. On fait aussi ici un Mousseux sec, surtout à base de Pinot Blanc.

Les hautes pentes de la DOC la plus septentrionale d'Italie, Valle d'Isarco, le long de la rivière Isarco proche de Bolzano, fournissent d'élégants vins blancs de cépage, connus pour leur pureté aromatique.

Trentin

Cultivés à une altitude inférieure sous un climat plus chaud, les raisins du Trentin tendent à donner des vins plus tendres aux arômes plus développés. La plupart sont faits pour être bus sans attendre.

L'appellation Trentino DOC comprend bon nombre de vins de cépage identiques à ceux du Haut-Adige, ainsi que des Mousseux *metodo classico*, surtout à base de Pinot Blanc et de Pinot Noir. On trouve aussi trois remarquables cépages autochtones.

Le Marzemino (rouge très fruité) et la Nosiola (blanc) donnent des vins secs tranquilles. La Nosiola est aussi l'élément principal du *vin santo*, un vin de dessert ambré ou cuivré issu de raisins passerillés. Enfin, le Teroldego possède sa propre DOC sur les sols graveleux de Campo Rotaliano. Il donne des vins rouges secs, le plus souvent légers et fruités, et de rafraîchissants rosés. Mais il peut aussi offrir de grands vins de garde au caractère affirmé chez les meilleurs producteurs, dans les vignobles près de Mezzolombardo.

D'autres zones du Trentin produisent des vins courants destinés à une consommation rapide : le Bianco (à base de Nosiola) et le Rosso (à base de Schiava) de Sorni DOC, ainsi que les rouges de Casteller DOC, à base de Schiava.

Les vins les plus ordinaires portent l'appellation Valdadige (Etschtaler) DOC, qui recouvre le Haut-Adige, le Trentin et une partie de la Vénétie. □

PRODUCTEURS ET NÉGOCIANTS

Dans le Haut-Adige et le Trentin, les coopératives représentent l'essentiel de la production. Les meilleurs vins du Trentin viennent de domaines privés, mais les coopératives du Haut-Adige peuvent offrir des vins splendides (Alto Adige DOC, ci-dessous AA).

HAUT-ADIGE

Viticoltori di Caldaro/Kaltern

Cette coopérative est réputée pour son magnifique AA Cabernet-Sauvignon Campaner, et son Moscato Giallo *passito* (Serenade).

Produttori Colterenzio/Schreckbichl

Les vins magnifiques de cette coopérative de Cornaiano font l'unanimité : AA Cabernet-Sauvignon Lafoa, Chardonnay et Lagrein Cornell ; AA Merlot Praedium ; AA Rosso Cornelius et IGT Cornelius Bianco Mitterberg.

Tenuta Falkenstein

Ce domaine de la Valle Venosta produit de superbes vins à partir de coteaux très escarpés. En tête des AA DOC, un grandiose Riesling, un Pinot Bianco d'anthologie et un étonnant Gewürztraminer.

Vigneti Hofstätter

Sur 45 ha de vignes à Termeno, Paolo et Martin Foradori produisent des vins réputés, à commencer par le *vino da tavola* Yngram Rosso et le Pinot Nero S. Urbano, premier d'une longue gamme d'AA de haute qualité.

Alois Lageder

L'un des négociants-vignerons les plus connus du Haut-Adige (1 million de bouteilles). Son Cor Römigberg est un très beau rouge d'assemblage bordelais, rivalisant avec l'AA Cabernet Löwengang. Mais les blancs sont plus réputés encore (Chardonnay Löwengang, Pinot Blanc, Riesling, Traminer).

Tenuta Manincor

Le domaine du comte Enzenberg (35 ha) est l'un des plus beaux de la zone de Caldaro ; ses vins figurent désormais parmi les plus attendus. En tête, le majestueux AA Cabernet-Sauvignon Cassiano, le Pinot Nero Mason et le Lago di Caldaro Scelta.

San Michele Appiano

Cette coopérative d'Appiano a fait du chemin : c'est probablement aujourd'hui la meilleure d'Italie, rivalisant avec l'élite des vignerons de la région. Fantastique gamme d'AA Sankt Valentin blancs) et un rapport qualité/prix imbattable.

Produttori Santa Maddalena

La coopérative de Bolzano s'affirme comme un grand producteur de la région. Parmi ses vins vedettes, l'AA Cabernet Mumelterhof, deux AA Lagrein et le savoureux rouge AA Santa Maddalena Classico.

Castel Sallegg-Graf Kuenburg

Ce domaine de Caldaro produit de beaux vins rouges et blancs, mais les plus recherchés sont le rare AA Moscato Rosa, vin doux de vendanges tardives, et le *vino da tavola* Conte Kuenburg).

Castello Schwanburg

Ce château de Nalles (27 ha) témoigne d'une rare qualité d'ensemble. En tête, l'élégant AA Cabernet et l'étonnant rouge de Lagrein ; les blancs suivent de près (AA Pinot Grigio, Riesling, Sauvignon, AA Terlano DOC, etc.).

Produttori di Termeno

Une coopérative qui progresse au galop. Ses AA Pinot Nero et Lagrein Urbanhof, son AA Cabernet Renommée sont des rouges de grande classe, tout comme les blancs de Gewürztraminer (AA Nussbaumerhof et *passito* Terminum).

Autres producteurs

Köfererhof, Kössler-Praeclarus, Gojer Glögglhof, Franz Haas, Haderburg, Kränzl-Graf Pfeil, Kuenhof-Peter Plieger, Josephus Mayr, Josef Niedermayr, Ignaz Niedrist, Abbazia di Novacella, Plattner-Waldgries, Popphof-Andreas Menz, Georg Ramoser, Castel Ringberg e Kastelaz Elena Walch, Hans Rottensteiner, Tiefenbrunner-Castello Turmhof, Tenuta Unterortl, Vivaldi, Baron Widmann. Coopératives Cornaiano/Girlan, Cortaccia, Gries, Merano/Meraner, Prima & Nuova/Erste & Neue.

TRENTIN

Concilio

Cette maison de Volano peut compter sur 500 ha de vignes et offre une gamme de bons Trentino DOC. En tête, Chardonnay, Pinot Grigio, Merlot Novaline et assemblage bordelais Mori Vecio.

Cesconi

Les quatre frères Cesconi et leur petit domaine de Lavis s'affirment comme l'étoile montante de la région. En vedette, les blancs : Pinot Grigio, Chardonnay, Nosiola, Sauvignon, Traminer Aromatico et le superbe assemblage Olivar. Glorieux.

Marco Donati

Au cœur du Teroldego Rotaliani, ce domaine existant depuis 1863 est surtout réputé pour son splendide Teroldego Sangue di Drago, mais le reste de la gamme est à la hauteur.

Fratelli Dorigati

Bon négociant de Mezzocorona, spécialisé dans le Teroldego (*riserva* Diedri et Rebo) et auteur du bon *spumante* Methius.

Ferrari

Important négociant de bons Mousseux *metodo classico*, à Trente. En vedette, le Giulio Ferrari *riserva* del Fondatore.

Foradori

Ce domaine familial de 15 ha est un sanctuaire du Teroldego. Les superbes vins d'Elisabetta Foradori reflètent sa passion et sa patience. En vedette, une série de Teroldego, bien sûr (Granato, Vigneto Sgarzon, Vigneto Morei et générique), mais aussi les IGT rouges Ailampa et Karanar, et blanc Myrto.

La Vis

La meilleure coopérative de la région. Regroupant 800 ha, elle offre une gamme vaste et totalement fiable. À citer, tous les Trentino DOC Ritratti, la série Maso, le doux Mandolaia V.T.

Pojer & Sandri

Installés à Faedo, Mario Pojer et Fiorentino Sandri continuent de produire leurs superbes Trentino DOC de cépages. Leurs IGT Essenzia (botrytisé) et Faye (le blanc et surtout le rouge) font courir les amateurs.

Tenuta San Leonardo

Sous l'impulsion du marquis Carlo Guerrieri Gonzaga, passionné de grands Bordeaux, ce magnifique domaine familial a acquis une réputation mondiale. Raffinés, merveilleusement charnus et complexes, l'IGT San Leonardo et le Trentino DOC Merlot sont des vins enthousiasmants.

Autres producteurs

Balter, Maso Cantanghel, Barone de Cles, Endrizzi, Graziano Fontana, Maso Furli, Gaierhof, Istituto Agrario Provinciale, La Cadalora, Letrari, Longariva, Mauro Lunelli, Conti Martini, Castel Noarna, Baroni a Prato, Pravis, Enrico Spagnolli, Armando Simoncelli, de Tarczal, Zeni. Coopératives Avio, Cavit, Isera, Nomi, Rotaliana, Vallis Agri.

FRIOUL-VÉNÉTIE JULIENNE

L e Frioul se trouve à l'extrémité nord-est de l'Italie. La montagne recouvre une bonne partie de la région et la vigne est reléguée sur les basses collines (zones Collio DOC et Colli Orientali DOC) et dans les plaines (Grave del Friuli DOC) du Sud.

Une taille rigoureuse des ceps – les rendements du Frioul sont parmi les plus bas d'Italie – et une grande maîtrise technique ont valu à cette région une réputation international pour ses blancs secs, vifs et nets, et ses rouges frais et aromatiques. Ces vins privilégient généralement les caractéristiques du cépage, sans fermentation malolactique ni élevage en bois.

Collio et Colli Orientali del Friuli
Les DOC adjacentes de Collio Goriziano (ou Collio) et Colli Orientali del Friuli occupent les contreforts alpins voisins de la Slovénie, ce pays issu de l'ex-Yougoslavie. Calcium et dépôts fossiles enrichissent souvent le sol de ces vignobles en terrasse. Les deux zones produisent surtout des vins blancs de cépage, dont la plupart sont destinés à être bus sans attendre.

Le Tocai Friulano est le cépage blanc le plus planté. Pourtant, après des années de controverse, l'Union européenne a décidé, pour éviter toute confusion avec le Tokay hongrois – issu d'un assemblage de cépages hongrois – que le Tocai italien devrait être rebaptisé. Le nouveau nom n'a pas encore été choisi (on parle de Friulano ou Furlan). Ce cépage produit un vin de robe paille à reflets verts, aux arômes d'amande. La Ribolla Gialla donne généralement des blancs secs et citronnés ; le Verduzzo tend à présenter un arôme de noisette. Le vin de Pinot Gris local est vif, sec et relativement ample. Sa robe est paille clair, mais la macération pelliculaire peut lui valoir de jolies nuances cuivrées. Le Sauvignon donne un bon vin sec, vif et très aromatique, tandis que la

La place Mateoti à Udine, au centre de la région viticole du Frioul-Vénétie Julienne.

Malvasia Istriana apporte des arômes plus secs. Pinot Blanc et Chardonnay réussissent aussi très bien, qu'ils soient vinifiés dans un style jeune et frais, ou plus ample, grâce à une fermentation ou à un élevage dans le bois. Picolit et Ramandolo (issu de Verduzzo) sont des vins de dessert.

Parmi les vins rouges, le Cabernet (Cabernet Franc et/ou Cabernet-Sauvignon) est sec, bien coloré et frais, avec des arômes de cassis et de poivron. Certains de ces vins rouges gagnent à vieillir. Le Merlot a une robe rubis et une texture veloutée, alors que le Refosco est légèrement tannique, avec des saveurs de framboise et de mûre, un bouquet intense. Le Refosco mérite lui aussi quelques années de garde, tout comme le Schiopettino, un rouge sec aux arômes de baies sauvages.

L'un des vins les plus connus du Collio, le Vintage Tunina de Jermann (voir ci-contre), ne relève pas d'une DOC.

Grave del Friuli
Cette large plaine graveleuse qui s'étend à l'est de Venise jusqu'à l'Isonzo produit plus de la moitié des vins DOC du Frioul et environ deux tiers de la récolte totale. Les vins rouges plus ou moins corsés – à base de Merlot, de Cabernet-Sauvignon ou Franc, de Pinot Noir et de Refosco local – dominent. Tocai, Pinot Gris, Pinot Blanc et Chardonnay donnent des blancs frais et fruités à boire jeunes. On trouve aussi un rosé de Merlot.

Autres vins du Frioul
Au sud-est de la région, la zone Isonzo DOC produit d'excellents rouges aromatiques et des blancs délicats. Le Carso DOC offre de solides rouges de Terrano, un clone du Refosco, et des blancs secs et vifs de Malvoisie.

Enfin, les plaines longeant l'Adriatique abritent l'Aquileia DOC, l'Annia DOC et le Latisana DOC, petites appellations de vins rouges (surtout à base de Merlot) et blancs faciles à boire. □

PRODUCTEURS ET NÉGOCIANTS

La plupart des vins du Frioul sont l'œuvre de vignerons. Les parcelles sont très petites et dispersées, mais le domaine le plus modeste offre toute une série de vins et la mise en bouteilles à la propriété est fréquente. Les rendements plus bas et les vinifications mieux soignées ont amélioré la qualité des vins, surtout des blancs.

COLLIO ET COLLI ORIENTALI

Borgo del Tiglio
Une grande référence de la zone de Cormons, tant pour ses superbes Collio (Chardonnay Ca' delle Vallade, Malvasia, Tocai Ronco della Chiesa) que pour ses IGT Studio di Bianco et Rosso della Centa.

Girolamo Dorigo
Le Pignolo, cépage rouge local, doit sa survie à ce grand producteur de Buttrio. Excellents Colli Orientali DOC (Chardonnay, Picolit, etc.) et Montsclapade, un rouge d'assemblage.

Livio Felluga
Figure historique de l'œnologie frioulane, Livio Felluga produit d'admirables Collio Orientali DOC à Brazzano di Cormons. Toute la gamme est à retenir, mais le blanc Terre Alte (Sauvignon/Pinot Blanc/Tocai) occupe la vedette. Prestigieux Picolit blanc et doux, superbes Merlot Sosso et Refosco, nouvel IGT Vertigo.

Gravner
Josko Gravner, grand vigneron d'Oslavia, en province de Gorizia, produit d'excellents Collio DOC (dont la Ribolla Gialla) et d'intéressants *vini da tavola*.

Vinaioli Jermann
Silvio Jermann, de Farra d'Isonzo, est un vigneron mondialement connu. Il ne produit que des *vini da tavola*, de cépage ou d'assemblage, blancs pour la plupart. Le plus connu est l'opulent Vintage Tunina, un blanc sec très aromatique, mais il y a aussi le récent Capo Martino (Tocai et Pinot), le fameux Chardonnay Where Dreams et le nouvel IGT Pignacoluse, issu de Pignolo. Etc.

Le Vigne de Zamo
Le vignoble de l'abbaye de Rosazzo, en province d'Udine, produit des Colli Orientali DOC et les superbes *vini da tavola* Ronco delle Acacie blanc et Ronco dei Roseti rouge ainsi que le Pignolo, vin de garde très tannique.

Miani
Enzo Pontoni vit, paraît-il, dans ses vignes de Buttrio. Ses vins reflètent en tout cas le soin qu'il en prend. Fabuleux Colli Orientali DOC, du Tocai Friulano au Refosco Vigna Calvari, sans oublier le Sauvignon et les deux *vini da tavola*.

Ronco del Gelso
Sur 15 ha à Cormons, Giorgio Badin produit d'extraordinaires Isonzo DOC (Tocai Friulano, Sauvignon, Bianco Làtimis, Merlot, etc.). Le travail au chai (hyperoxygénation) est aussi soignée que ses vignes.

Ronco del Gnemiz
Ce domaine de la province d'Udine est réputé pour son Collio Orientali Chardonnay, mais toute la gamme est à la hauteur.

Russiz Superiore
Cette propriété de Captriva (50 ha de vignes) appartient à Marco Felluga (également propriétaire d'un grand domaine à Gradisca) et à son fils. Elle donne une série de très élégants vins de cépage Collio DOC, dont un superbe Sauvignon. Intéressant IGT Verduzzo.

Mario Schiopetto
Les trois enfants de Mario Schiopetto, vigneron de génie et célèbre perfectionniste, travaillent désormais avec lui ; ils lui ont construit le chai dont il a longtemps rêvé. Le domaine compte 22 ha en Collio et 9 ha en Colli Orientali, et les vins sont toujours parmi les plus beaux de la région. En tête, le fabuleux Pinot Bianco Amrità, le Tarsia (Sauvignon passé en fûts français), le Tocai Pardes, tous DOC, et l'IGT Blanc des Rosis. Bon IGT rouge Rivarossa et délectable gamme Podere dei Blumeri.

Villa Russiz
Ce domaine de Captriva produit une série de remarquables Collio DOC blancs (Tocai, Sauvignon, Malvasia Istriana, Pinot Bianco, etc.), sans compter les superbes Sauvignon et Merlot Graf de la Tour.

Volpe Pasini
Après une période de transition, la qualité est de retour. En haut de gamme, la série des Zuc di Volpe, et l'assemblage Bianco Le Roverelle.

Autres producteurs de Collio et Colli Orientali
Ascevi-Luwa, Conte Attems, Conte d'Attimis, Bastiani, Borgo Conventi, Butussi, Paolo Caccese, Colmello di Grotta, Comelli, Dal Fari, Mauro Drius, Formentini, Giovanni, Edi Keber, Renato Keber, La Castellada, La Rajade, Le Duc Terre, Le Viarte, Fratelli Livon, Ronchi di Manzano, Meroi, Perusini, Isidoro Polencic, Primosic, Alessandro Princic, Puiatti, Dario Raccaro, Rocca Bernarda, Scubla, Catello di Spessa, Oscar Sturm, Ronco dei Tassi, Franco Toros, Venica & Venica, Vigna del Lauro, Tenuta Villanova, Andrea Visintini.

GRAVE DEL FRIULI

Pighin
La famille Pighin est propriétaire du plus grand domaine privé du Frioul : 140 ha en Grave del Friuli DOC et 30 ha en Collio DOC. Leur chai de Risano, dans la province d'Udine, produit des vins des deux appellations et des *vini da tavola* : le rouge Baredo, issu de Cabernet-Sauvignon, Merlot et Refosco, et le blanc Soreli, à base de Tocai, Pinot Blanc et Sauvignon.

Vigneti le Monde
À Prata di Pordenone, presque en Vénétie, Piergiovanni Pistoni produit de bons rouges de garde (Cabernet Franc, Cabernet-Sauvignon, Refosco, etc.).

Autres producteurs de Grave del Friuli
Borgo San Daniele, Cabert, Di Lenardo, Le Fredis, Edi Luisa, Lis Neris-Pecorari, Masut da Rive, Vigneti Pittaro, Plozner, Vistorta. Coopérative La Delizia.

AUTRES VINS

Ca' Bolani
Cette propriété de la famille Zonin, important négociant de Vénétie, totalise 550 ha de vignes (à 5 000 pieds/ha) à Cervignano del Friuli, en province d'Udine. Elle produit des Friuli Aquileia DOC réputés (Pinot Grigio, Sauvignon, Refosco, etc.) ainsi que les excellents assemblages Opimio (Chardonnay/Tocai) et Conte Bolani (Merlot/Cabernet-Sauvignon).

Vie di Romans
Ce domaine de 28 ha à Mariano del Friuli produit d'admirables Isonzo DOC, qui figurent parmi les blancs les plus élégants d'Italie. En vedette, les Sauvignon Piere et Vieris, les deux Chardonnay et le superbe Pinot Grigio Dessimis.

Autres producteurs
Tenuta Beltrame, Castelvecchio, Stellio Gallo, Edy Kante, Pierpaolo Pecorari.

LES RÉGIONS VITICOLES DE TOSCANE ET DE L'ITALIE CENTRALE

Avec ses 37 zones classées DOC et DOCG – il s'agit d'un chiffre provisoire – et ses célèbres *vini da tavola* de luxe « super toscans », la Toscane reste (avec le Piémont) la zone viticole la plus renommée d'Italie sur le plan de la qualité et, à coup sûr, l'une des plus dynamiques.

Dans l'Ombrie voisine, un nombre croissant de producteurs entreprennent un patient travail de rénovation de leurs appellations (11 DOC et 2 DOCG). De l'autre côté des Apennins, dans les Marches, les Abruzzes et le Molise, la situation évolue également de manière positive.

Régions viticoles

- Carmignano DOCG
- Chianti DOCG
- Chianti Classico DOCG
- Vino Nobile di Montepulciano DOCG
- Brunello di Montalcino DOCG
- Torgiano Rosso Riserva DOCG
- Vernaccia di San Gimignano DOCG
- Montefalco Sagrantino DOCG

≡≡≡ Principales zones DOC (*Denominazione di origine controllata*)

--- Limite de région

═══ Autoroute

══ Route principale

N

0   50   100 km

TOSCANE

La Toscane ne cesse d'innover et de se renouveler, alors qu'elle est très certainement la région d'Italie, et peut-être d'Europe, où les traditions viticoles ont connu la plus longue continuité. Au XIVᵉ siècle, à l'aube de la renaissance des arts, des sciences et de la culture, certaines grandes familles du vin – comme les Antinori et les Frescobaldi – établissaient leur renommée à Florence. Elles sont aujourd'hui à la pointe du renouveau.

La Toscane est célèbre dans le monde entier pour les vins rouges de Chianti qui, dans les années 1960, étaient pourtant réputés pour leur maigreur et leur insignifiance. Dans les années 1980, la région est devenue le fer de lance de l'innovation viticole en Italie. L'impulsion a été donnée par la principale zone d'appellation du Chianti, le Chianti Classico, et par la petite appellation de Chianti Rufina, plus au nord, où de spectaculaires progrès techniques ont été réalisés.

Le changement est également venu de régions côtières où le vin n'occupait auparavant qu'une place modeste, comme la zone de Bolgheri, dont sont issus deux des plus grands vins d'Italie – le Sassicaia et l'Ornellaia. Le Sassicaia est un vin rouge de Cabernet-Sauvignon et de Cabernet Franc dont la réussite a été acclamée dans le monde entier (voir p. 386). Stimulés par son succès, certains producteurs toscans doués d'imagination ont alors fait appel à des cépages importés pour créer toutes sortes d'assemblages. D'autres ont choisi de miser sur les cépages locaux, mais pas forcément de la manière prévue par les diverses DOC.

Tout cela a engendré un nouveau style de *vino da tavola* baptisé « super toscan ». Le contraste n'aurait pu être plus grand qu'entre un vin de table italien ordinaire et l'un de ces « vins design », à la présentation et au prix somptueux. Aujourd'hui, on constate un certain retour à l'équilibre. Le San-

Vignobles de colline près de Greve, dans le Chianti Classico.

giovese est choyé à l'égal du Cabernet. Bolgheri et Bolgheri Sassicaia sont devenus DOC grâce à la loi Goria. La région voisine de Maremme est

LE VIN SANTO

La tradition du *vin santo* (« vin saint ») est chère à de nombreux producteurs toscans, même les plus avant-gardistes. C'est un vin *passito*, c'est-à-dire issu de raisins passerillés. En Toscane, les raisins (en général blancs – Malvasia del Chianti, Trebbiano ou Grechetto) sèchent traditionnellement sur des claies au grenier, bien que certains chais modernes recourent à l'air chaud. Ces raisins sont ensuite pressés et le vin est scellé dans de petits fûts, les *caratelli*, puis laissé tel quel de quatre à six ans. Il peut être doux ou sec, bien que son nom à connotation religieuse semble indiquer qu'il était doux à l'origine. Dans les deux cas, ce peut être un nectar digne des dieux, surtout quand on trempe dans son verre les biscuits aux amandes appelés *cantucci*.

gagnée par la fièvre et de remarquables vins DOC y surgissent. La leçon des « super toscans » a toutefois été retenue. On recherche la qualité, on emploie de meilleurs clones et des techniques modernes pour compléter les méthodes traditionnelles.

Révolu aussi le temps où les vins blancs de Toscane étaient vieux avant l'âge et oxydés, ou fortement soufrés. Grâce aux nouvelles technologies, les bons producteurs réussissent des blancs nets et frais, comme le Galestro. D'autres se sont voués à l'élevage de vins de Chardonnay en barrique.

Les cépages

En Toscane, le grand cépage rouge est le Sangiovese. S'il lui arrive de donner des résultats médiocres – quand le clone est mal choisi et le rendement, élevé –, il peut aussi produire des vins capables de rivaliser avec n'importe quel Nebbiolo du Piémont. Les vins DOCG de Toscane – Chianti Classico, au goût de cerise amère ; Brunello di Montalcino, charnu et puissant; et le plus austère Vino Nobile di Montepulciano – en sont les illustrations classiques. Dans les collines au sud-est de Grosseto, près de la ville de Scansano, le Sangiovese est appelé Morellino et possède sa propre zone Morellino di Scansano DOC, pour un rouge savoureux.

Le Mammolo, à l'arôme de violette, peut se trouver dans l'assemblage du Vino Nobile de Montepulciano et dans certains Chianti. Le Canaiolo Nero est encore très répandu, bien que son rôle dans le Chianti décline.

Le Trebbiano Toscano (Ugni Blanc) est le cépage blanc le plus répandu dans le centre de l'Italie. Son caractère neutre et sa productivité l'empêchent de donner de grands vins, mais il peut en produire d'acceptables s'il est bridé et bien vinifié. Assemblé à des cépages locaux comme la Malvasia del Chianti, ou étrangers comme le Chardonnay, il peut être à la base de vins intéressants, autrefois inimaginables.

Le classement des vignobles

En 1716, le grand-duc de Toscane créa plusieurs des toutes premières zones d'appellation contrôlée en Europe, notamment Chianti, Carmignano et Pomino. En 1966, les premières DOC attribuées en Toscane furent Brunello di Montalcino, Vino Nobile di Montepulciano et Vernaccia di S. Gimignano, vite rejointes par celles de Chianti et Chianti Classico, puis Carmignano et Pomino. Toutes (sauf Pomino) sont aujourd'hui des DOCG. Jusqu'à l'irruption du Sassicaia et au « sacre » du terroir de Bolgheri qui s'ensuivit, ces six zones pouvaient revendiquer les meilleurs vins toscans. Une trentaine d'autres portent le label DOC et la « nouvelle » région de Maremme semble promise à un bel avenir.

Chianti et Chianti Classico

Six provinces toscanes comportent des vignobles ayant aujourd'hui droit à la vaste appellation Chianti DOCG, qui désigne un vin rouge comportant 75 à 100 % de Sangiovese, assemblé ou non avec un peu de Canaiolo, ainsi qu'une infime proportion des cépages blancs

Trebbiano et Malvasia del Chianti. Cabernet-Sauvignon, Merlot et d'autres cépages rouges sont autorisés jusqu'à concurrence de 10 %. Huit zones ont le droit d'ajouter leur nom à l'appellation de base. La plus étendue, Classico, et la plus petite, Rufina, ont le plus contribué à améliorer l'image du Chianti. Dans les autres – Colli Senesi, Colli Fiorentini, Montalbano, Colli Aretini, Colline Pisani, Chianti Montespertoli –, le changement est moins sensible.

Le passage du Chianti Classico du statut de DOC à celui de DOCG en 1984 apparaît aujourd'hui comme un grand succès. Grâce à un contrôle accru de la production, mais aussi du rendement, le volume a baissé de 380 000 hl en 1983 à 280 000 hl en 1998; la présence de raisins blancs dans l'assemblage (habitude inaugurée au XIXe siècle par le baron Ricasoli pour arrondir les tanins rêches du Sangiovese d'alors) est facultative.

Beaucoup de Chianti sont encore destinés à une consommation plutôt rapide, mais pas le Chianti Classico: avec ses notes de framboise et de cerise noire, son côté très sec et sa forte acidité, il est difficile de le boire jeune ou en dehors des repas. Quant au Chianti Rufina, son acidité est encore plus marquée, mais il a sans doute davantage de fruit et de longévité.

Brunello di Montalcino

Les rouges puissants de cette appellation DOCG (depuis 1980) viennent des collines de Montalcino, dans la province de Sienne. Les vignobles, un mélange d'argile et de sol plus rocailleux appelé *galestro*, bénéficient d'un climat tempéré. Le seul cépage autorisé est le Brunello (un clone de Sangiovese) et les vins ne peuvent être commercialisés que cinq ans, dont deux passés en fût, après la vendange (six pour le *riserva*). Ils ont une saveur intense et beaucoup de corps et peuvent vieillir en bouteille presque indéfiniment. Le Rosso di Montalcino DOC désigne des vins issus des mêmes vignobles et pouvant être vendus après un an d'élevage.

Vino Nobile di Montepulciano

Montepulciano, joli bourg de colline, est réputé pour ses vins rouges depuis des siècles. L'adjectif *nobile* leur a été attribué au XVIIIe siècle. La plupart des vignobles ont un sol argilo-sableux. Le cépage principal est le Prugnolo (encore un clone local de Sangiovese), qui forme au moins 70 % de l'assemblage, adouci par un apport de Canaiolo Nero, accompagné par l'aromatique et facultatif Mammolo. Le vin est parfois un peu maigre, mais les meilleurs présentent de belles notes d'épices et de santal. Le Vino Nobile DOCG doit passer deux ans en fût; les vins plus jeunes peuvent être vendus comme Rosso di Montepulciano DOC.

Carmignano

Ce petit vignoble à l'ouest de Florence est réputé pour le sérieux des contrôles effectués avant toute attribution du label DOCG. Comme dans le Chianti DOCG, l'assemblage à base de Sangiovese peut comporter jusqu'à 10 % de Cabernet (Cabernet-Sauvignon et/ou Cabernet Franc), présent dans ce vignoble sous le nom d'*uva francesca* dès le XVIIIe siècle.

Bolgheri et Pomino

Ces deux petites zones font une large place aux cépages français. La première est une DOC récente au sud de Livourne. Proche de la mer, elle accueille notamment la catégorie Sassicaia (voir p. 381) qui exige 80 % minimum de Cabernet-Sauvignon. La seconde, surtout constituée par la Tenuta di Pomino de la famille Frescobaldi, occupe de hautes collines (jusqu'à 700 m) à l'est de Florence. La DOC de 1983 autorise jusqu'à 25 % de Cabernet et 20 % de Merlot dans le vin rouge, et jusqu'à 80 % de Pinot Blanc et/ou Chardonnay dans le vin blanc.

Vernaccia di San Gimignano

La Vernaccia, cultivée depuis le XIIIe siècle au pied des célèbres tours de la ville de San Gimignano, produit un vin blanc DOCG, doté d'une pointe d'acidité.

LES FACTEURS DE QUALITÉ

De toutes les régions d'Italie, la Toscane est l'une des plus adaptées à la vigne (à l'olivier aussi), avec ses nombreux coteaux descendant des Apennins, épine dorsale de la péninsule. Même des régions moins accidentées comme en particulier la zone de Bolgheri, au sud-ouest, se sont révélées propices à la productions de grands vins.

Chianti Classico
Tout le centre de la Toscane – des collines près d'Arezzo, à l'est, au pied des Apennins, jusqu'au bord de la mer, où le climat est plus chaud – produit du Chianti. La plupart des meilleurs vins viennent de la zone du Chianti Classico, entre Gaiole et Castellina, où les vignobles poussent souvent à 500 m d'altitude.

Organisation
Dans le contexte parfois assez chaotique du monde du vin italien, l'organisation peut être un élément important. Les producteurs de Chianti Classico et de Chianti Rufina sont – depuis longtemps – mieux organisés que d'autres, ce qui, dans un plus grand souci de qualité, a facilité les efforts nécessaires aux progrès.

TOSCANE : PROFIL ET ZONES VITICOLES

Zones viticoles

| | Chianti Classico |
| | Chianti |

Sélection clonale
Principal cépage rouge du centre de l'Italie, le Sangiovese a donné naissance à 14 ou 15 clones ; le choix entre ceux-ci joue un rôle décisif dans la qualité des meilleurs vins. Il existe deux grandes familles de Sangiovese : Piccolo et Grosso. Le Piccolo donne des raisins plus petits à peau plus fine. Facile à cultiver et productif, il a été beaucoup planté après la Seconde Guerre mondiale, quand les paysans gagnaient leur vie en vendant autant de raisin que possible. Le Sangiovese Grosso, ou Sangioveto, donne un vin meilleur. Un de ses clones, le Brunello, est utilisé à Montalcino depuis la fin du XIXᵉ siècle. Le Prugnolo,

Certains grands vins de Toscane sont élevés en barriques.

autre clone de Sangiovese Grosso, est à la base du Vino Nobile di Montepulciano. Si, pour le Chianti, les vieux vignobles de Piccolo sont encore très présents, la qualité du vin s'améliore nettement, à mesure que les vignobles sont replantés avec de meilleurs clones.

Altitude
Certaines zones bénéficient d'une altitude supérieure à la moyenne de la région, ce qui garantit plus de fraîcheur aux raisins l'été. Trois des plus grandes zones viticoles de la Toscane sont Chianti Classico, Montalcino et Montepulciano, où les vignobles poussent jusqu'à 550 m au-dessus du niveau de la mer. Les zones de Chianti Classico et de Rufina, plus au nord, sont plus fraîches que le reste de l'appellation. Le Chianti Classicoprofite aussi de sols mieux drainés (un mélange d'*albarese,* riche en chaux, et de *galestro,* plus rocailleux). Plus que dans d'autres régions, cette altitude élevée entraîne des variations selon les millésimes, souvent à la suite de pluies estivales.

PRODUCTEURS ET NÉGOCIANTS DE CHIANTI

Les grands noms du Chianti se trouvent dans la zone du Chianti Classico entre Florence et Sienne, autour des villes de Greve, Castellina, Radda, Gaiole et Castelnuovo Berardenga, et dans la petite zone de Chianti Rufina, au nord-est de Florence. Beaucoup sont aussi réputés pour leurs *vini da tavola* novateurs.

Castello di Ama

Ce domaine de 80 ha à Gaiole in Chianti est particulièrement réputé pour ses Chianti Classico de crus Bellavista et La Casuccia, ainsi que pour ses splendides IGT Vigna l'Apparita, Il Chiuso et Vigna al Poggio.

Antinori

Voir encadré p. 385.

Badia a Coltibuono

Haut lieu du raffinement toscan, cette abbaye du XIe siècle appartient à la famille Stucchi depuis 1841. Le joyau produit par ses 59 ha est à coup sûr le Sangioveto, glorieux *vino da tavola* 100 % de Sangiovese, mais le Chianti Classico Selezione RS le suit de près.

Castello di Cacchiano

Ce beau domaine de Gaiole (33 ha) a décidé de recentrer sa production sur le Chianti Classico *riserva* Millennio : promu grand vin du château, il bénéficie désormais des superbes raisins de Sangiovese autrefois réservés au RF Cacchiano (supprimé). Savoureux Rosso di Toscana et magnifique *vin santo*.

Castellare di Castellina

Ce domaine de 25 ha continue de progresser et vient de s'offrir un nouveau chai. Les vins de Paolo Panerai sont toujours vinifiés par Maurizio Castelli. Le *vino da tavola* I Sodi di San Niccolo (Sangiovese/Malvasia Nera) garde la vedette, mais les Chianti Classico (dont le Vigna al Pog-

giale) et l'IGT Canonico (Chardonnay) sont excellents.

Castell'in Villa

Ce domaine de 55 ha à Castelnuovo Berardenga bénéficie des conseils de Giacomo Tachis et produit un Chianti Classico *riserva* et un *vino da tavola* de Sangiovese baptisé Santacroce qui sont dignes de tous les éloges.

Cennatoio

Sur 13 ha à Panzano in Chianti, zone réputée pour son microclimat, Leandro Alessi produit de très bons Chianti Classico et les IGT Etrusco (Sangiovese) et Rosso Fiorentino (Cabernet-Sauvignon).

Fattoria di Felsina

Ce domaine de 52 ha à Castelnuovo Berardenga a été baptisé le Margaux du Chianti, en hommage à l'opulence de ses vins, produits sous la direction de Giuseppe Mazzocolin et de son œnologue-conseil Franco Bernabei. En vedette, le splendide IGT Fontalloro (100 % Sangiovese) et les deux Chianti Classico *riserva* Rancia et Berardenga, mais aussi le Chardonnay I Sistri et le Cabernet-Sauvignon Maestro Raro.

Castello di Fonterutoli

Propriété de la famille Mazzei depuis 1435, ce domaine de 62 ha est à l'avant-garde de la qualité dans le Chianti. Les Mazzei produisent une série de superbes vins rouges : un Chianti Classico et un *riserva*,

ainsi que les IGT Siepi et Concerto et un savoureux Morellino di Scansano Belguardo. Le Siepi est certainement l'un des plus beaux vins toscans actuels.

Tenuta Fontodi

Ce domaine de Panzano (61 ha) appartient à la famille Manetti et produit, sous la direction de Franco Bernabei, l'un des plus beaux IGT toscans de Sangiovese, le Flacianello della Pieve. Le reste de la gamme est à l'avenant : Chianti Classico (dont le *riserva* Vigna del Sorbo), beaux Pinot Noir et Syrah, l'IGT blanc Meriggio.

Marchesi de' Frescobaldi

Les marquis de Frescobaldi ont des vignobles depuis le XIIIe siècle, mais n'ont commencé à mettre leur vin en bouteilles que dans les années 1960. L'essentiel de leur importante production (6 millions de bouteilles) provient aujourd'hui de 780 ha très bien situés dans les zones de Chianti, Chianti Rufina, Pomino et Montalcino. En haut de gamme, le magnifique Chianti Rufina Montesodi et le *riserva* Castello di Nipozzano, mais aussi le Pomino Bianco Il Benefizio (où domine le Chardonnay). Ce dernier est issu de la splendide Tenuta di Pomino, située plus haut dans les Apennins. Remarquable Brunello di Montalcino Castelgiocondo.

Isole e Olena

Sur 40 ha à Barberino Val d'Elsa, Paolo De Marchi, Piémontais formé en Californie, produit des vins portés aux nues par l'ensemble de la critique. Signe distinctif : la qualité de ses vignes de Sangiovese, mais aussi son travail acharné sur la Syrah (dont il a été l'un des pionniers dans la région) et le Cabernet-Sauvignon. Quant au chai, il est en cours de modernisation. Il faudrait citer toute la gamme : le magnifique Chianti Classico, les *vini da tavola* (splendides Cabernet Collezione De Marchi et

Syrah l'Eremo, délectable Sangiovese Cepparello)... et ne surtout pas oublier le *vin santo*.

La Massa

Ce domaine de 22 ha à Panzano produit deux superbes Chianti Classico vinifiés par Carlo Ferrini. Le Giorgio Primo est considéré comme une référence absolue.

La Sala

Ce domaine de 15 ha à S. Casciano doit sa réputation grandissante à la passion de deux femmes, Laura Baronti, la propriétaire, et Gabriella Tani, responsable des vignes. Les vins sont étonnamment charnus, denses et nets. En tête, le Chianti Classico *riserva* et l'IGT Campo all'Albero.

Antica Fattoria Machiavelli

Ce domaine de 26 ha à S. Casciano Val di Pesa est l'un des joyaux du Gruppo Italiano Vini. L'écrivain et homme politique Machiavel y fut exilé et son nom figure sur l'un des meilleurs vins de la maison, le *vino da tavola* Ser Niccolò Solatio del Tani, issu de Cabernet-Sauvignon. Les deux autres vedettes sont le superbe Chianti Classico *riserva* Vigna Fontalle et l'IGT Il Principe, l'un des grands Pinot Noir italiens.

Melini

Les vins de cet important négociant du Chianti sont en net progrès. En haut de gamme, le Chianti Classico *riserva* La Selvanella et le Vernaccia di S. Gimignano Le Grillaie.

Fattoria Monsanto

Sur 55 ha à Barberino Val d'Elsa, Fabrizio Bianchi produit l'excellent Chianti Classico *riserva* Il Poggio et a donné son nom à une gamme de bons *vini da tavola*, dont un Sangiovese et un Chardonnay réputés.

Castello della Paneretta

Les IGT Quattrocentenario (Sangiovese) et Terrine (Sangiovese/Canaiolo) de ce domaine de Barberino Val d'Elsa (16 ha) font sensation.

Podere Poggio Scalette
Propriété de l'œnologue Vittorio Fiore, ce domaine rocailleux (12 ha en altitude à Greve) produit le somptueux IGT Il Carbonaione, issu de Sangiovese di Lamole, un clone rare et réputé.

Castello di Querceto
Ces 55 ha de vignes à Greve donnent d'élégants Chianti Classico (dont le *riserva* Il Picchio) et IGT rouges (dont les superbes Cignale et La Corte).

Agricola Querciabella
Ce domaine de Greve (29 ha) produit notamment deux *vini da tavola* exceptionnels, Batàr (Chardonnay) et Camartina (Sangiovese Cabernet), où l'on sent la « patte » de Giacomo Tachis. Bons Chianti Classico.

Castello dei Rampolla
À Panzano, la famille Di Napoli produit, sous la houlette de Giacomo Tachis, deux magnifiques *vini da tavola* dominés par le Cabernet-Sauvignon (Vigna di Alceo et Sammarco), ainsi que d'excellents Chianti Classico.

Barone Ricasoli
Francesco Ricasoli, héritier du « baron de fer » (inventeur du style du Chianti au XIXe siècle), a récemment restructuré la production du magnifique Castello di Brolio (227 ha de vignes d'un seul tenant). Superbe trio de Chianti Classico, du Castello di Brolio, le grand vin du domaine, issu d'une sélection de Sangiovese, au Brolio et au *riserva* Rocca Guicciarda. Autre vedette, le splendide IGT Casalferro (Sangiovese/Merlot). Le Chardonnay Torricella, l'agréable Formulae rouge et le *vin santo* complètent dignement la gamme.

Tenuta di Riseccoli
Sur ce petit domaine de 15 ha à Greve, la famille Romanelli produit notamment un Chianti

Classico *riserva* succulent, un *vin santo* d'anthologie et le Saeculum, un IGT réputé.

Ruffino
Ce géant du Chianti (plus de 600 ha), propriété de la famille Folonari, a accompli des progrès spectaculaires. Des vastes chais de Pontassieve sortent notamment trois *vini da tavola* exceptionnels : Cabreo Il Borgo, Cabreo La Pietra et surtout Romitorio di Santedame, envoûtant concentré de Toscane profonde. Les Chianti Classico sont de bonne qualité. Enfin, la Fattoria di Nozzole, à Greve in Chianti (97 ha), produit le magnifique IGT Il Pareto et l'excellent Chianti Classico *riserva* La Forra.

San Felice
Ce domaine de 120 ha près de Castelnuovo Berardenga produit d'appréciables Chianti Classico, dont l'excellent *riserva* Poggio Rosso, ainsi que l'IGT Vigorello, classique assemblage Sangiovese/Cabernet. À signaler aussi, deux bons Brunello di Montalcino.

San Giusto a Rentennano
À Gaiole, ces 28 ha de vignes produisent de très beaux Chianti Classico, deux *vini da tavola* réputés, Percarlo et La Ricolma ainsi qu'un magistral *vin santo*.

Castello San Polo in Rosso
Ce domaine de 22 ha à Gaiole produit notamment le bel IGT de Sangiovese Cetinaia.

Selvapiana
Propriété du marquis Giuntini, ce domaine de 45 ha en Chianti Rufina est réputé pour la qualité et la longévité de ses vins, parfois austères dans leur jeunesse. Élégants Chianti Classico, dont les *riserva* Fornace et Bucerchiale, remarquable *vin santo* et, depuis 1993, un bon Pomino Rosso.

Fattoria Terrabianca
Ce domaine de 47 ha à Radda in Chianti est suivi par l'œnologue Vittorio Fiore. Dans cette

gamme d'une grande régularité, la prime va aux deux IGT Campaccio et au Chianti Classico Vigna della Croce.

Vecchie
Terre di Montefili
Encore un domaine de Panzano, réputé pour l'excellence de sa gamme. En vedette, le Chianti Classico et les IGT Anfiteatro et Bruno di Rocca.

Castello di Volpaia
Le hameau de Volpaia, aux abords de Radda in Chianti, possède l'un des vignobles les plus élevés du Chianti Classico, situé entre 430 et 600 m d'altitude. Cette particularité confère aux vins de ce domaine de 41 ha, vinifiés par Maurizio Castelli, une remarquable longévité, mais peut aussi les rendre austères certaines années. En haut de la gamme, les IGT Coltassala (San-

giovese/Mammolo) et Balifico (Sangiovese/Cabernets).

Autres producteurs
Agricoltori del Chianti Geografico, Casa Emma, Castello d'Albola, Fattoria di Basciano, Borgo Salcetino, Tenuta Bossi, Carobbio, Fattoria Casaloste, Fattorie Chigi Saracini, Colombaio di Cencio, Corti Corsini, Fattoria Corzano e Paterno, Castello di Farnetella, Fossi, La Brancaia, La Madonnina-Triacca, Le Filigare, Meleta, Monte Bernardi, Fattoria Nittardi, Fattoria di Petroio, Fattoria Petrolo, Poggerino, Poggio al Sole, Riecine, Rietine, Rocca delle Macie, Rocca di Castagnoli, San Fabiano Calcinaia, San Vincenti, Fattoria Sonnino, Fattoria Valtellina, Castello di Verrazzano, Castello di Vicchiomaggio, Fattoria di Vignamaggio, Villa Cafaggio, Villa Pillo, Viticcio.

ANTINORI

Depuis son palais de Florence, le marquis Piero Antinori – avec ses filles Albiera, Allegra et Alessia – dirige un empire viticole : plus de 2 000 ha de vignes et environ 15 millions de bouteilles par an. La maison, active dans le vin depuis 1385, a beaucoup investi récemment, en Toscane et en Ombrie, ses bases traditionnelles, comme ailleurs : Pouilles, Piémont, Franciacorta, Hongrie, États-Unis. En vedette, le Tignanello (80 % Sangiovese), symbole du renouveau italien, créé dans les années 1970 par le grand œnologue Giacomo Tachis, et le Solaia (80 % Cabernets) ; s'y ajoutent désormais le Brunello di Montalcino Pian delle Vigne et le Bolgheri Guado al Tasso. Citons aussi les nombreux Chianti Classico : Pèppoli, Badia a Passignano, Villa Antinori, et les IGT Santa Cristina et Galestro, le rarissime Vinsanto Rosso... sans oublier la superbe gamme du Castello della Sala à Orvieto (voir p. 390).

AUTRES RÉGIONS ET PRODUCTEURS

Les zones d'appellation DOCG Brunello di Montalcino, Vino Nobile di Montepulciano et Carmignano, ainsi que les DOC Vernaccia di San Gimignano et Pomino, se trouvent pour l'essentiel dans les limites de la vaste appellation Chianti DOCG. Les producteurs ont donc le choix : faire du Chianti standard – ou un « super *vino da tavola* » toscan – ou encore des vins DOC ou DOCG.

BRUNELLO DI MONTALCINO

Altesino

Créé en 1970, ce domaine de 28 ha produit plusieurs bons Brunello. La version générique et le cru Montosoli (issu d'un vignoble rocailleux en altitude) sont très appréciés, tout comme les IGT Alte d'Altesi et Palazzo Altesi.

Tenuta di Argiano

Sur les 37 ha de vignes de ce domaine appartenant à la famille Marone Cinzano, une bonne vingtaine sont d'un seul tenant – chose rare à Montalcino. Suivis par Giacomo Tachis, le Brunello et le Rosso di Montalcino sont parmi les plus réputés, mais la vedette de la gamme reste le Solengo, un *vino da tavola* issu à égalité d'un assemblage Cabernet/Merlot/Syrah.

Banfi

Avec son antique château de Poggio alle Mura (rebaptisé Castello Banfi), son gigantesque chai, ses coteaux redessinés et son lac artificiel, cet énorme domaine de 3 000 ha (dont 800 ha de vignes) est l'attraction de Montalcino. Il a été fondé en 1978 par les frères Mariani – propriétaires de Banfi Vintners aux États-Unis et à l'origine du succès du Lambrusco dans ce pays – qui désiraient investir en Toscane pour produire du Moscadello doux. Le projet a été réorienté depuis en faveur des vins rouges et la vaste gamme actuelle comporte des vins très réputés. En vedette, le Brunello *riserva* Poggio all'Oro et le savoureux Rosso di Montalcino, mais aussi toute la gamme Sant'Antimo DOC – Colvecchio, Summus, Fontanelle, etc. – et l'IGT Excelsus.

Fattoria dei Barbi

Véritable mémoire de l'appellation, ce domaine fondé en 1790 appartient à la famille Colombini – qui a récemment investi dans la nouvelle DOC de Morellino di Scansano avec de bons résultats. En haut de gamme, le Brunello *riserva* Vigna del Fiore. Agréable IGT Brusco dei Barbi et beaux produits de ferme à savourer au restaurant du domaine. Par ailleurs, Donatella Cinelli Colombini produit sous son propre nom les bons Brunello Prime Donne et Leone Rosso.

Biondi-Santi

Le plus célèbre domaine de l'appellation, à l'origine du Brunello actuel. Vers 1880, Ferruccio Biondi-Santi se mit à produire un vin à partir d'un clone particulier de Sangiovese, qu'il baptisa Brunello. Ce vin massif et tannique était réputé pour sa longévité. Après une certaine période de désaffection – les vins ne semblaient plus à la hauteur (vertigineuse) de leur prix –, la maison a repris vigueur. Les Brunello commercialisés par Jacopo Biondi Santi viennent du domaine Il Greppo, cœur de la propriété, mais aussi du bon petit domaine Poggio Salvi. En vedette, les Brunello, l'IGT Sassoalloro et le Moscadello DOC Aurico.

Tenuta Caparzo

Récemment réorganisé, ce domaine (47 ha) redevient l'un des plus importants de Montalcino. Toujours vinifiée par Vittorio Fiore, la gamme garde en vedette les Brunello Vigna La Casa et *riserva*, l'IGT Ca' del Pazzo, et les bons Moscadello V. T. agrémenté de Sémillon et Rosso di Montalcino La Caduta.

Casanova di Neri

Ce domaine de 20 ha de vignes devient une référence très intéressante de l'appellation. En tête, les Brunello *riserva* Cerretalto et Tenuta Nuova.

Tenuta di Castelgiocondo et Luce

Les deux domaines appartiennent à Frescobaldi (voir p. 384).

Cerbaiona

Un domaine très réputé pour son remarquable Brunello et son *vino da tavola* Cerbaiona, à base de Sangiovese.

Tenuta Col d'Orcia

L'un des deux grands domaines de Montalcino appartenant à la famille Marone Cinzano. Il a été rénové à grands frais et d'autres investissements sont en cours (le nouveau vignoble de Banditella bénéficiera de recherches clonales poussées sur le Sangiovese). Le vignoble actuel (108 ha) produit notamment le superbe Brunello *riserva* Poggio al Vento et l'Olmaia, un IGT de Cabernet-Sauvignon considéré comme l'un des meilleurs d'Italie. Excellents Rosso di Montalcino, Rosso degli Spezieri et Moscadello VT Pascena.

Podere Il Galampio

Des Brunello denses et élégamment boisés sont produits sur ce domaine de 12,5 ha.

La Fiorita

Le Brunello issu de ces 5 ha (bientôt plus) est réputé pour son

On laisse sécher les raisins avant d'en faire du *vin santo*.

fruité mûr, mais il y a surtout d'étonnants *vini da tavola* dans la gamme (bien) nommée Quadratura del Cerchio (quadrature du cercle). À découvrir, le « Terzo Viaggio », fascinant assemblage de Sangiovese toscan et Primitivo des Pouilles (alias Zinfandel).

La Palazzetta

Flavio Fanti plante (serré) et ses 5 ha vont bientôt doubler. En attendant, ses vins amples, charnus et complexes collectionnent déjà les lauriers, le Brunello comme le Rosso di Montalcino.

La Poderina

Ces 20 ha, propriété d'une société d'assurances, produisent un très beau Brunello *riserva* et un remarquable Moscadello.

Lisini

La famille Lisini est installée sur 11,5 ha à Sant'Angelo del Colle, dans un paysage superbe et sauvage. Ses deux Brunello vinifiés par Franco Bernabei, le générique et l'Ugolaia, sont justement réputés pour leur élégance et leur concentration.

Mastrojanni

Tout le style du grand œnologue-conseil Maurizio Castelli est dans ces beaux Brunello denses et veloutés, Schiena d'Asino et *riserva* en tête. Le chai a été rénové (contrôle des températures, futaille), ce qui est toujours bon signe.

Siro Pacenti

Déjà réputé pour l'excellence de ses Brunello, le jeune Giancarlo Pacenti participe avec passion au programme de recherches établi entre Montalcino et la faculté d'œnologie de Bordeaux. Nouveaux vins prometteurs en gestation.

Pieve Santa Restituta

16 ha entrés dans l'orbite d'Angelo Gaja depuis 1994 (voir p. 368). Superbes Brunello Sugarille et Rennina, élégant *vino da tavola* Promis.

Salvioni – La Cerbaiola

Le Brunello de ce minuscule domaine fait courir les amateurs.

Val di Suga

Ces 38 ha appartiennent à un groupe pharmaceutique et produisent de superbes Brunello, dont le Vigna Spuntali et le Vigna del Lago.

Autres producteurs

Castello di Camigliano, Canalicchio di Sopra, Canalicchio di Sotto, Capanna, Andrea Costanti, Due Portine-Gorelli, Fuligni, Il Poggiolino, Il Poggiolo, Il Poggione, La Campana, La Fornace, La Fortuna, La Gerla, Mocali, Agostina Pieri, Poggio Antico, Scopetone.

VINO NOBILE DI MONTEPULCIANO

Avignonesi

Le domaine des frères Falvo comporte 200 ha de vignes et un palais du XVIᵉ siècle au cœur de Montepulciano. Sa superbe gamme de vins suscite l'enthousiasme. En tête de liste, les deux Vino Nobile *riserva* (parmi les meilleurs de l'appellation), le Rosso di Montepulciano DOC et toute une série d'IGT, des plus « simples » (savoureux Avignonesi Bianco et Rosso) aux plus ambitieux (Chardonnay Il Marzocco, Grifi Cabernet, etc). Sans oublier un admirable *vin santo*, flanqué d'un rare Occhio di Pernice.

Bindella-Tenuta Vallocaia

Ce domaine appartient à un importateur suisse de grands vins, vigneron dans l'âme et passionné de qualité. Le vignoble comptera bientôt 30 ha (dont 12 actuellement replantés à 7 000 pieds/ha), ce qui devrait calmer un peu la pression de la demande. Deux vins seulement (mais quels vins !) : le Vino Nobile DOCG et l'IGT Vallocaia.

Boscarelli

Sur 12 ha, avec l'aide de Maurizio Castelli, Paola De Ferrari et ses deux fils produisent régulièrement de superbes vins : généreusement charnus, élégants et jamais dominés par le bois. Leurs deux Vino Nobile – dont le cru Vigna del Nocio – font le bonheur des amateurs. Sans oublier le « super toscan » maison, baptisé Boscarelli. Une signature exemplaire.

Fattoria del Cerro

Propriété du même groupe d'assurances que La Poderino à Montalcino, ce domaine compte 156 ha et figure parmi les meilleurs de l'appellation. Dans cette gamme très complète, la vedette va aux magnifiques Vino Nobile (dont le cru Antica Chiusina), aux IGT Manero (Sangiovese élevé en barriques) et Poggio Golo. Remarquables Chianti dei Colli Senesi et *novello* Brescello.

Fattoria La Braccesca

Ces 140 ha (dont 30 en zone DOCG) appartiennent à Antinori (voir encadré p. 385); ils bénéficient d'importants investissements et du talent des œnologues Renzo Cotarella et Maurizio Angeletti. En haut de gamme, le Vino Nobile, le Rosso di Montepulciano Sabazio, mais aussi et surtout le somptueux Merlot IGT.

Poliziano

Un magnifique domaine de 90 ha, mené de main de maître par Federico Carletti et l'œnologue Carlo Ferrini. Il doit son nom au poète de la Renaissance Ange Politien, né à Montepulciano (mais vient d'être doté d'un nouveau chai). Les Vino Nobile sont exemplaires, le cru Vigna dell'Asinone en tête, et les *vini da tavola* Elegia et Le Stanze réputés à juste titre. Excellent Morellino di Scansano Lohsa.

Valdipiatta

Ce domaine de 24,5 ha est une référence fiable. Vinifiés par Paolo Vagaggini, œnologue de talent, les vins sont exemplaires, Vino Nobile *riserva* en tête. Le nouvel IGT Trincerone – Canaiolo et Merlot – fait sensation.

Autres producteurs

Canneto, Contucci, Dei, Fassati-Fazi Battaglia, Vittorio Innocenti, Lodola Nuova, La Calonica, La Casella, La Ciarliana, Le Casalte, Lombardo, Nottola, Romeo, Tenuta Santavenere-Triacca, Trerose.

AUTRES VINS

Cette catégorie regroupe notamment l'élite des DOCG Carmignano et Vernaccia di San Gimignano, ainsi que des producteurs de grands *vini da tavola*. Par ailleurs, le paysage viticole toscan est en pleine restructuration. Depuis que la zone maritime de Bolgheri a donné naissance au célèbre Sassicaia, cette région a attiré l'attention (et des investissements considérables). Ce phénomène s'étend aujourd'hui bien au-delà de la Maremme proprement dite, suscitant les vocations et, à terme, la création de nouvelles appellations. Outre Bolgheri, les DOC Morellino di Scansano, Montescudaio, Montereggio, Montecucco, entre autres, semblent particulièrement prometteuses.

Banti

Erik Banti, producteur exigeant et inventif, a misé sur la zone de Scansano bien avant les autres. Il dispose aujourd'hui de 30 ha et son Morellino DOC Ciabatta reste l'un des meilleurs. À citer aussi, l'IGT Anno Primo, qui comporte un brin de Merlot.

Capannelle

Ce petit domaine de Gaiole s'est illustré dans les *vini da tavola*. Il a récemment changé de propriétaire et a réalisé un très bon Chianti Classico, mais ses vins les plus réputés sont l'IGT Capannelle Rosso Barrique et le 50&50, succulent assemblage Sangiovese/Merlot.

Tenuta di Capezzana

La famille Contini Bonacossi habite la sublime villa médicéenne de ce domaine de 90 ha de vignes. Les vins d'Ugo Contini Bonacossi ont fait la réputation de la petite appellation de Carmignano, englobée dans l'aire du Chianti Montalbano jusqu'en 1975 et promue DOCG en 1990. Signe particulier, le Cabernet-Sauvignon y est implanté depuis le XVIIIᵉ siècle. Le domaine produit d'excellents rouges DOCG, dont le *riserva*, mais son vin le plus connu est le Ghiaie della Furba. Le très beau Carmignano Vin Santo est un classique du genre.

Tenuta di Ghizzano
Sur 16 ha au sud de Pise, le comte Venerosi Pesciolini produit deux IGT de très grande classe : le succulent Veneroso, un pionnier du mariage Sangiovese/Cabernet, et le magnifique Merlot Nambrot. Bon Chianti et très beau *vin santo* San Germano.

Grattamacco
Piermario Meletti Cavallari poursuit ses recherches sur le terroir de Bolgheri. La version actuelle de son Grattamacco rouge Bolgheri Superiore comporte une moitié de Cabernet-Sauvignon pour un quart de Merlot et de Sangiovese. Très bon.

Guicciardini Strozzi
La Fattoria di Cusano appartient par mariage aux descendants de deux très anciennes familles florentines et il y a plus de mille ans qu'on y produit du vin. Girolamo Strozzi possède un parchemin de 994 qui en fait foi. Mais le plus important, c'est qu'on sent toujours ici l'énergie et la ferveur nécessaires aux grandes réussites. Le domaine produit toute une gamme de vins, dont plusieurs Vernaccia di San Gimignano (excellent *riserva* San Biagio), un savoureux Chianti Colli Senesi Titolato, mais les vedettes sont trois superbes IGT rouges : le Sodole, le Selvascura et surtout le Millani 994, créé pour fêter le millénaire des lieux.

Fattoria La Pierotta
Ce domaine de Scarlino (10 ha) est l'un des plus prometteurs de

la nouvelle DOC Montereggio. Le délicieux Selvaneta, concentré, net et élégant, en est le meilleur exemple.

Le Macchiole
Le Paleo Rosso de ce domaine est un grand Bolgheri Superiore, issu de 85 % de Cabernet-Sauvignon, mais les IGT Scrio et Messorio retiennent aussi l'attention.

Fattoria Le Pupille
Les propriétaires de ce domaine de 35 ha figurent parmi les pionniers du Morellino di Scansano DOC (savoureux générique et *riserva*, magnifique cru Poggio Valente), mais leurs IGT Solalto et surtout Saffredi sont plus réputés encore.

Tenuta di Montecucco
Le Montecucco Le Coste de ce domaine est une superbe réussite : beau fruité sauvage, tanins mûrs, bon boisé maîtrisé.

Morris Farms
Cet important domaine (76 ha) en province de Grosseto est très réputé pour ses Morellino di Scansano et son splendide IGT Avvoltore.

Tenuta dell'Ornellaia
Ce magnifique domaine de 70 ha est l'œuvre du marquis Lodovico Antinori (frère de Piero Antinori). Le vignoble a été créé de toutes pièces dans la propriété familiale de Bolgheri, non loin des vignes de Sassicaia et la première mise sur le marché remonte à 1988. Les vins produits ici sont tous des *vini da tavola* mondialement réputés : en vedette, les rouges Masseto et Ornellaia, le blanc Poggio alle Gazze.

Panizzi
Ce domaine de 10 ha est, à ce jour, le meilleur producteur de Vernaccia di San Gimignano, parce que le propriétaire croit en ce cépage, malgré toutes les difficultés de ce vin – souvent galvaudé – sur le marché. Bon Chianti Colli Senesi et un intéressant IGT Bianco di Gianni.

Parmoleto
Le vin délicieux de ce petit vigneron de Montecucco DOC prouve le grand avenir de cette nouvelle DOC.

Tenuta San Guido
Ici commence la légende du Sassicaia, vin-héros de l'Italie moderne, fierté des marquis Incisa della Rocchetta. Sa première mise sur le marché remonte à 1968 (sous l'égide à l'époque de la maison Antinori) mais les fameuses boutures de Cabernet-Sauvignon provenant de Lafite-Rothschild à Bordeaux, témoignage de l'amitié régnant entre les deux familles, avaient été installées dès 1944. Le potentiel de vieillissement de ce « vin familial » retint l'attention et le grand œnologue des Antinori, Giacomo Tachis, fut chargé de concevoir un vin de prestige mondial. Issu de Cabernet-Sauvignon (80 %) et de Cabernet Franc (20 %), le Sassicaia est élevé en barriques (un tiers de bois neuf). Année après année, ses caractéristiques lui valent tous les honneurs : finesse et élégance d'abord, bouquet raffiné, tanins mûrs sculptant un fruité succulent, longue plénitude aromatique en bouche. Un vrai grand.

Fattoria Sonnino
Ce domaine de 40 ha à Montespertoli produit notamment le savoureux IGT Sanleone, particulièrement élégant.

Castello del Terriccio
Ce superbe domaine de 1 700 ha à Castellina Marittima, non loin de Bolgheri, comptera bientôt 40 ha de vignes. Les cépages français ont la vedette. Bon choix : le Lupicaia Rosso, grand *vino da tavola* Cabernet-Sauvignon/Merlot, en est la preuve.

Teruzzi & Puthod
Depuis 1974, Enrico Teruzzi et sa femme, Carmen Puthod, installés à la Fattoria Ponte a Rondolino, se sont consacrés à la Vernaccia di San Gimignano.

Le domaine compte aujourd'hui 84 ha, les deux Vernaccia (dont le cru Vigna a Rondolino) font référence. Deux IGT blancs, Terre di Tufi et Carmen, sont encore plus réputés.

Val delle Rose
Un vignoble de 33 ha en production, bientôt le double. Acquis en 1996 par la famille Cecchi dans la zone du Morellino di Scansano, ce domaine est la locomotive de l'appellation. Le *riserva* est un beau vin « international » de grande élégance.

Villa Cilnia
Ce domaine de 25 ha fait référence dans la province d'Arezzo. Les vins sont vinifiés par Franco Bernabei. Le plus réputé est actuellement l'IGT Vocato, issu de Sangiovese et de Cabernet-Sauvignon.

Autres producteurs
Ambrosini (Riflesso Antico, Subertum), Artimino (Villa Medicea), Tenuta di Bagnolo (Pinot Nero), Baroncini (Aia della Macina, Dometaia), Fattoria del Buonamico (Il Fortino, Cercatoja), Cesani (Luenzo), Cima (Vigneto Candia, Montervo, Romalbo), Podere Il Carnasciale (Il Caberlot), La Chiusa, Fattoria La Gigliola (Camporsoli), La Parrina, La Piaggia, Le Calle (Poggio d'Oro), Mantellassi (Le Sentinelle), Meleta (Rosso della Rocca), Merlini (Guadi Piani), Fattoria di Montechiari, Montesalario, Mormoraia (Vernaccia, Neitea, Ostrea), Sorelle Palazzi (Vin Santo), Perazzetta, Fattoria Poggio a Poppiano (Flocco), Poggio Gagliardo (Rovo et Bianco Vigna Lontana), Rascioni & Cecconello (Poggio Ciliegio), Podere San Michele (Allodio), Podere Scurtarola (Vermentino Nero), Serraiola (Vigna Montecristo), Fattoria Sorbaiano (Rosso delle Miniere, Bianco Lucestraia), Fattoria Uccelliera (Castellaccio), Varramistà, Wandanna (Terre dei Cascinieri, Virente).

ITALIE CENTRALE

Cyprès, oliviers et ceps de vigne, petits bourgs médiévaux et châteaux solitaires juchés sur les collines : le centre de l'Italie résume pour beaucoup l'image du pays tout entier. Ombrie, Marches, Abruzzes et Molise sont reliés par la chaîne des Apennins, dont les contreforts ensoleillés offrent un site idéal pour la vigne. Les cépages principaux – Sangiovese (voir p. 381) pour les vins rouges et Trebbiano (voir p. 382) pour les blancs – sont un trait d'union entre les vignobles, malgré la forte personnalité et l'essor des variétés locales.

Ombrie

L'Ombrie, région sans accès à la mer, cœur verdoyant de l'Italie, a beaucoup en commun avec la Toscane voisine : des coteaux relativement frais et, surtout, une nouvelle génération de producteurs qui ont commencé par défier avec succès les décrets d'appellation pour créer des « super *vini da tavola* », avant de se mettre (aussi) au service des appellations historiques de la région. Célèbre pour ses vins blancs d'Orvieto (voir encadré p. 390), l'Ombrie se révèle aujourd'hui, avec éclat, terre de rouges. Elle totalise onze DOC et deux DOCG (Torgiano Rosso *riserva* et Montefalco Sagrantino).

Le Tibre serpente à travers la région et longe la plupart des principaux vignobles. Les zones DOC des Colli Altotiberini, Colli del Trasimeno, Colli Perugini, Colli Martani et Colli Amerini donnent des vins rouges, rosés et blancs à base de Sangiovese et de Trebbiano.

Les cépages présentent un intéressant mélange de variétés toscanes, autochtones et étrangères, avec notamment de très belles réussites en Merlot et Pinot Noir. Fierté locale, le Sagrantino peut donner de grands vins rouges. Les Montefalco Sagrantino DOCG, vigoureux et bien colorés, peuvent être secs ou doux, ces derniers étant vinifiés à partir de raisins partiellement ou

Équipements neufs au Castello della Sala.

complètement passerillés *(passito)*. L'appellation Rosso di Montefalco DOC désigne un agréable vin rouge, surtout à base de Sangiovese (60-70 %) et Sagrantino (10-15 %).

L'appellation Torgiano DOC a acquis une réputation mondiale grâce aux efforts de la famille Lungarotti (voir p. 390). Le Torgiano rouge *riserva*, qui compte trois ans de vieillissement, a droit à la prestigieuse appellation DOCG depuis 1990.

Marches

Autrefois voués à apaiser la soif des touristes et à orner les *trattorias* du monde entier de leur bouteille en forme d'amphore, les vins des Marches retiennent désormais l'attention des amateurs. Leur bon rapport qualité/prix est un atout supplémentaire.

Le principal cépage blanc est le Verdicchio, qui donnait jusqu'ici des vins légers et citronnés (parfois effervescents), classique accompagnement des fruits de mer de l'Adriatique. Mais les efforts des meilleurs producteurs de

Verdicchio dei Castelli di Jesi DOC – le plus connu – ont abouti à de délicieux vins de caractère, fins et aromatiques. La petite aire de Verdicchio di Matelica DOC produit, elle aussi, de bons vins, légèrement plus acides.

Les rouges ont le vent en poupe, mais restent minoritaires. Le Rosso Cònero DOC, un vin aux progrès fulgurants, est issu de Montepulciano d'Abruzzo (avec parfois un peu de Sangiovese) cultivé sur les collines d'Ancône, capitale régionale. Ce cépage – à ne pas confondre avec la ville toscane du même nom, où l'on cultive un clone de Sangiovese – donne chez les bons producteurs des vins charnus et savoureux, dotés d'une belle mâche. L'appellation Rosso Piceno DOC (Sangiovese et Montepulciano) est beaucoup plus vaste. La région compte sept autres DOC, moins connues, dont le rouge mousseux Vernaccia di Serrapetrona.

Abruzzes et Molise

Dans ces deux régions, le paysage se fait plus sauvage, les villes plus discrètes. Longtemps caractérisées par le plus haut rendement viticole d'Italie, les Abruzzes regardent de toute évidence vers le Sud. Le Molise est encore relativement inexploré, par les touristes comme par les amateurs de vin.

Les viticulteurs des Abruzzes ont commencé à prendre conscience du potentiel de leur terroir montagneux et de leur cépage vedette, le noir et tannique Montepulciano d'Abruzzo. Les vins gagnent en netteté et en élégance. Les pionniers de la qualité (Valentini et Illuminati) ont fait des émules et tous démontrent que leur Montepulciano peut rivaliser de qualité avec celui des Marches, plus au nord, en fournissant des rouges charnus et veloutés – par exemple dans les collines de Teramo. Quant au Trebbiano d'Abruzzo, principal cépage blanc, il donne le plus souvent un vin sec plutôt ordinaire, mais non déplaisant. □

PRODUCTEURS ET NÉGOCIANTS D'OMBRIE

La suprématie des blancs d'Orvieto a été remise en question par de nombreux *vini da tavola* comportant des cépages étrangers, en blanc comme en rouge. Aujourd'hui, les appellations renouent avec la qualité, Orvieto en tête, tandis que les vins rouges ne cessent de progresser, révélant un nouveau visage de l'Ombrie.

Fratelli Adanti
L'un des bons domaines de Montefalco. Robustes Sagrantino di Montefalco DOCG, Montefalco Rosso et surtout Bianco DOC (Grechetto, Trebbiano et Chardonnay). Agréable Arquato Rosso IGT.

Antonelli
Des Sagrantino di Montefalco DOCG aux arômes puissants et complexes. Très bon blanc Vigna Tonda, un IGT 100 % Grechetto, fermenté en barriques.

Barberani-Vallesanta
Domaine réputé pour sa gamme d'Orvieto Classico DOC (superbe Calcaia botrytisé, Castagnolo sec et Pulicchio demi-sec). À signaler, les rouges IGT Foresco et Polago, le Lago di Corbara DOC, vin léger à boire jeune, et un blanc IGT, le Pomaio.

Bigi
Cette grande maison de négoce d'Orvieto (Gruppo Italiano Vini) a retrouvé son prestige grâce à ses vins de cru, notamment l'Orvieto Classico DOC Torricella (sec) et le Marrano, un blanc de Grechetto élevé en barriques. Excellent rapport qualité/prix. La production annuelle avoisine les 3 millions de bouteilles – plus du double si l'on inclut les vins produits par Bigi dans le Latium.

Arnoldo Caprai-Val di Maggio
En quelques années, l'énergique Marco Caprai a rendu célèbre un obscur domaine familial de Montefalco, acquis en 1971. Le vignoble de 60 ha produit un Sagrantino DOCG vedette, le « Selezione 25 Anni », soyeux et mûr (fermentation 100 % bois neuf). On peut préférer la version « simple », ou l'élégant Montefalco Rosso *riserva*, dans lequel 20 % de Merlot s'allient magistralement au Sangiovese et au Sagrantino. Agréables blancs DOC Grecante et Vigna Belvedere.

Castello della Sala
Ce splendide château et ses 142 ha de vignoble appartiennent à la maison Antinori de Florence. Ses vins blancs servent encore de modèle, de l'exemplaire Orvieto Classico DOC (sec) aux prestigieux IGT Cervaro della Sala et Muffato della Sala botrytisé, sans oublier Chardonnay et Sauvignon della Sala. Bon rapport qualité/prix pour les Orvieto Classico Campogrande (sec) et Casasole (*abboccato*). Un magistral Pinot Noir IGT confirme la vocation « rouge » de la région.

Còlpetrone
Propriété d'une société d'assurances, ce domaine proche de Montefalco est passé de 5 à 18 ha. Son Sagrantino DOCG et son Rosso di Montefalco DOC, nets, concentrés et très fruités, sont au premier rang de l'appellation.

Decugnano dei Barbi
Près du lac de Corbara, des vins d'un bon rapport qualité/prix, comptant parmi les valeurs sûres de l'Ombrie. En vedette, les Orvieto Classico et, dans la gamme IL, un excellent rouge. À noter aussi, deux Lago di Corbara DOC et un Mousseux à base de Chardonnay.

La Fiorita-Lamborghini
Après les voitures de luxe, le vin. L'IGT Campoleone 97 a décroché chez Parker un 97 qui fait jaser. Ce vignoble de 32 ha produit aussi le Trescone, un Colli del Trasimeno Rosso DOC fruité et très soigné.

Cantine Lungarotti
Disparu en 1999, Giorgio Lungarotti s'est battu avec acharnement pour démontrer que les vins italiens pouvaient être de la plus haute qualité. Il a créé presque à lui seul une appellation (classée DOC en 1968) à Torgiano, près de Pérouse, et introduit Cabernet-Sauvignon et Chardonnay dans ses *vini da tavola* de l'époque héroïque, le San Giorgio et le Vessillo, aujourd'hui IGT, et le Chardonnay I Palazzi (devenu DOC). Les cépages italiens sont à l'honneur dans les Torgiano DOC, le Rubesco rouge (Sangiovese) et le Torre di Giano blanc. Le Torgiano Roso *riserva* DOCG est issu des 12 ha de vieilles vignes de Vigna Monticchio. Un bon Brut *spumante* et le Giubilante, un rouge de plaisir immédiat, complètent la gamme. Les filles Lungarotti sont bien décidées à perpétuer le renom de la maison, qu'illustre également un splendide musée du vin.

La Palazzola
Ce domaine de 18 ha est voué aux cépages internationaux. En vedette, un somptueux Merlot et le Rubino, bel assemblage rouge fruité et réglissé. Bons Pinot Noir, Riesling *spumante* brut, Muscat demi-sec et *passito*.

Palazzone
Pureté du fruit, finesse, élégance, c'est la philosophie de Giovanni Dubini, appliquée sur 25 ha près d'Orvieto. Les blancs (95 % de la production) sont exemplaires, en Orvieto Classico (Campo del Gardiano, Terre Vineate) et IGT (Grechetto, Viognier et un Sauvignon botrytisé). Remarquables rouges (IGT Armaleo et Rubbio).

Pieve del Vescovo
Iolanda Tinarelli et l'œnologue Riccardo Cotarella recherchent la qualité d'abord. Ce vignoble de 22 ha en province de Pérouse produit d'excellents Colli del Trasimeno DOC, rouges et blancs. En vedette, le Lucciaio.

Sportoletti
Ce domaine à Spello, près d'Assise, bénéficie du même œnologue et des mêmes effets que Pieve del Vescovo. Savoureuse gamme de vins très soignés, les Assisi DOC comme les IGT Villa Fidelia.

Autres producteurs
Colle del Sole, Goretti, La Carraia, Le Poggette, Le Velette, Monrubio, Rocca di Fabbri, Tili. Coopératives Cardeto, Colli Amerini, Duca della Corgna, Spoletoducale.

ORVIETO

Une poignée de producteurs – dont Antinori et Bigi rejoints par un nombre croissant de domaines privés – ont entrepris de mettre fin à la déchéance de ce délicieux vin blanc.

Le cépage principal est le Procanico, nom local du Trebbiano (40-60 %), amélioré par une proportion variable de Grechetto, Verdello, Drupeggio et Malvasia. L'accent a été mis sur la production de vins secs et frais, mais la réputation d'Orvieto vient surtout de ses vins doux, non plus le tendre *abboccato* d'antan, mais des vins atteints de *muffa nobile* (botrytis). La zone Classico entourant Orvieto est considérée comme la meilleure.

À signaler, une nouvelle DOC baptisée Rosso Orvietano, à base de Sangiovese (avec apports variables de Montepulciano, Merlot, Pinot Noir, etc.).

PRODUCTEURS ET NÉGOCIANTS DES MARCHES

Le vin le plus connu est le blanc Verdicchio dei Castelli di Jesi DOC, mais la réputation des rouges s'accroît : les savoureux Rosso Cònero DOC et Lacrima di Morro d'Alba DOC, produits près d'Ancône, et le Rosso Piceno DOC. La Vernaccia di Serrapetrona est un délicat rouge mousseux sec ou doux, issu de Vernaccia Noire cultivée dans une toute petite zone de la province de Macerata.

Boccadigabbia
Ce petit domaine très réputé pour ses *vini da tavola* (les rouges Akronte et Saltapicchio, le Chardonnay Aldonis) a récemment acquis l'Azienda Villamagna (15 ha), connue, elle, pour son excellent Rosso Piceno DOC et son Monsanulus blanc.

Fratelli Bucci
Ampelio Bucci produit des Verdicchio dei Castelli di Jesi Classico concentrés et élégants – le meilleur s'appelle Villa Bucci – et l'agréable Rosso Piceno Pongelli.

Fazi-Battaglia
Créée en 1949, cette maison de négoce a « inventé la tradition » du Verdicchio dei Castelli di Jesi dans sa bouteille-amphore et a longtemps dominé le marché. L'arrivée d'autres producteurs l'a obligée à se moderniser et à faire preuve d'une rigueur accrue, avec d'excellents résultats. Fazi-Battaglia est propriétaire de 365 ha dans la zone de Jesi, et possède aussi 80 ha en Toscane depuis 1969 (maison Fassati à Montepulciano). Très bonne gamme de Verdicchio (Castelli di Jesi Classico, sélections Le Moie et San Sisto, ce dernier fermenté en barriques), savoureux Rosso Cònero et IGT Rutilus (issu de Sangiovese).

Gioacchino Garofoli
Une maison de négoce fondée en 1901 et connue depuis toujours pour sa politique de qualité. Remarquables Rosso Cònero surtout issus de vignobles de propriété (Vigna Piancarda et Riserva Grosso Agontano) et exemplaires Verdicchio dei Castelli di Jesi issus de raisins achetés (cru Macrina, Serra Fiorese élevé en barriques) ou de propriété (Podium).

Fattoria La Monacesca
Ce domaine familial (18 ha de vignes à 400 m d'altitude, chai rénové) est réputé pour l'excellence de son Verdicchio di Matelica DOC, mais aussi pour son Ecclesia Chardonnay et le remarquable Mirum (Verdicchio, Chardonnay et Sauvignon).

Fattoria Le Terrazze
Sur les hauteurs d'Ancône, ce vaste domaine appartient à la famille Terni progresse à pas de géant. Magistral Rosso Cònero Sassi Neri (sélection de raisins), renversant Chaos, un tout nouveau *vino da tavola* IGT parti pour la gloire, sans oublier Le Cave, un Chardonnay IGT.

Moroder
Avec 18 ha de vignes situées au cœur du parc naturel du Cònero et les conseils de l'œnologue Franco Bernabei, les Moroder se sont vite fait connaître : leur Rosso Cònero Dorico est un vin racé et aromatique à souhait.

Alberto Quacquarini
La Vernaccia di Serrapetrona est à son sommet : ce producteur

Vignes de Verdicchio près de Montecarotto.

propose deux versions très bien vinifiées, *secco* et *dolce* (*riserva* Capsula Nera).

Sartarelli
Un domaine de 38 ha entièrement voué à la qualité et au Verdicchio dei Castelli di Jesi : toute la gamme – du Classico de base au Tralivio de vieilles vignes et au splendide cru Balciana de vendange tardive (lauréat de l'International Wine Challenge 1999 à Londres) – témoigne avec éclat de l'élégance de ce cépage trop longtemps maltraité.

Umani Ronchi
Deux chais distincts pour le Verdicchio et le Rosso Cònero, près de 200 ha de vignes (dont 150 ha en propriété), une recherche clonale menée avec l'université d'Ancône, des essais de fermentation en barriques : la famille Bianchi Bernetti veille à ce que cette maison conserve son rôle de premier plan dans les Marches. Vaste gamme de très belle qualité, des vins génériques au crus (Verdicchio Casal di Serra, Villa Bianchi et Riserva Plenio ; Rosso Cònero Serrano, San Lorenzo et Cùmaro) et aux *vini da tavola* vedettes : Pelago (enthousiasmant Cabernet-Merlot-Montepulciano), Le Busche (Verdicchio-Chardonnay) et Maximo (Sauvignon botrytisé).

Villa Pigna
L'industriel-vigneron Costantino Rozzi n'est plus, mais sa fille poursuit son œuvre : 180 ha de vignes vouées à la qualité. Outre de bons blancs, signalons le Rosso Piceno DOC et les *vini da tavola* Cabernasco et Rozzano.

Autres producteurs
Bisci, De Angelis, Casalfarneto, Conte Leopardi, Fiorini, Lanari, Mancinelli, Marconi, Oasi degli Angeli, Saladini Pilastri, Santa Barbara, Massimo Serboni, Terre Cortesi, Vallerosa Bonci. Coopératives Belisario et Valdinevola.

PRODUCTEURS ET NÉGOCIANTS DES ABRUZZES ET DU MOLISE

Aux appellations génériques Montepulciano d'Abruzzo, pour les rouges, et Trebbiano d'Abruzzo, pour les blancs, se sont récemment ajoutées deux DOC: Controguerra et Montepulciano d'Abruzzo Colline Teramane.
Dans le Molise, l'appellation Biferno DOC peut désigner des vins rouges, rosés et blancs. Les cépages principaux sont les mêmes que dans les Abruzzes.

Barone Cornacchia
Au Montepulciano d'Abruzzo rouge de ce domaine réputé s'est joint un Trebbiano d'Abruzzo d'une qualité équivalente.

Dino Illuminati
Ce domaine de 70 ha est l'un des meilleurs des Abruzzes. Vins DOC concentrés et pleins de caractère, en blanc (Ciafrè, Costalupo) comme en rouge (Riparosso). En vedette, le voluptueux Zanna, noir d'encre, et le Lumen, où le Montepulciano se marie harmonieusement au Cabernet-Sauvignon. Le rouge Nicò, issu de Montepulciano passerillé, est une curiosité.

Masseria Di Majo Norante
Dans le quasi-désert viticole du Molise, Luigi et Alessio Di Majo, conseillés par le grand œnologue Riccardo Cotarella, poursuivent leur quête de qualité. La plaine torride et sablonneuse longeant la mer semble peu propice, mais la vinification est très soignée. À signaler, la gamme Biferno DOC Ramitello (rouge issu de Montepulciano et Aglianico), l'Apiana (Muscat doux) et le *vino da tavola* blanc Biblos (Falanghina et Greco).

Gianni Masciarelli
Ce remarquable producteur des environs de Chieti s'est rapidement fait connaître par des vins de caractère, en rouge (Montepulciano d'Abruzzo Villa Gemma et Marina Cvetic) comme en blanc (Trebbiano d'Abruzzo et Chardonnay Marina Cvetic). Un nouveau chai et des vignobles replantés à 8 000 pieds/ha en disent long sur ses intentions.

Emidio Pepe
Culture biologique (irréprochable) et méthodes artisanales (discutables) font de ce domaine un cas à part. La passion d'Emidio Pepe n'a d'égale que celle de sa fille Stefania, ralliée à des méthodes plus modernes. Délicieux Trebbiano d'Abruzzo de vieilles vignes, millésimes anciens.

Tenuta Strappelli
7 ha de vignes à Torano Nuovo, en culture biologique depuis peu, et le résultat ne s'est pas fait attendre : un Montepulciano d'Abruzzo de garde, noir et concentré à souhait, aux arômes de chocolat, pruneau et café.

Cantina Tollo
La meilleure coopérative des Abruzzes. La gamme Colle Secco offre un excellent rapport qualité/prix (notamment le Montepulciano Rubino). En haut de gamme, le noir et velouté Montepulciano Cagiòlo.

Edoardo Valentini
C'est « le » domaine de référence dans les Abruzzes, le premier à avoir démontré à quels sommets pouvaient parvenir les cépages Trebbiano et Montepulciano d'Abruzzo, au prix d'une sélection sévère. Valentini possède 65 ha de vignoble, ne garde qu'un quart de sa vendange pour ses vins et vend le reste. Le succès de ses vins entraîne des prix toujours plus élevés, mais ils restent difficiles à trouver.

Ciccio Zaccagnini
Ce petit domaine dans la province de Pescara poursuit sur sa lancée. Bon Montepulciano d'Abruzzo et un *vino da tavola* rouge de Cabernet Franc baptisé Capsico.

Autres producteurs
Fratelli Barba, Bosco, Cataldi Madonna, Di Giovanpietro, Lepore, Marramiero, Montori, Nicodemi, Orlandi Contucci Ponno, Franco Paseti, Sarchese Dora. Coopératives Casal Bordino et Miglianico.

Vignobles en collines près de Chieti dans les Abruzzes.

ITALIE DU SUD

Le sud de l'Italie se métamorphose à vive allure, rattrapé – enfin ! – par le mouvement de résurrection qualitative parti de Toscane et du Piémont. Les vins médiocres restent nombreux, mais de très bons – voire très grands – vins surgissent de partout, enfantés par des vignerons bien décidés à mettre en valeur un superbe patrimoine de cépages originaux, notamment rouges. Leur succès suscite l'émulation, tandis que les beaux noms du Nord accourent avec leurs capitaux et leur savoir-faire.

La tradition viticole du Sud remonte à la Grèce antique. Pour les Grecs, comme pour les Romains, ces côtes fertiles portaient le nom d'Œnotria, le pays des vignes. Les amateurs de l'Antiquité seraient horrifiés de voir leurs vignobles de prédilection aujourd'hui ensevelis sous les immeubles et les usines surgis tout autour de Naples.

À la fin des années 1970, rien ou presque n'avait changé dans toutes ces régions depuis des siècles. Puis apparurent d'énormes coopératives, apparemment incapables de tirer parti de leurs coûteux équipements, sinon pour en extraire des subventions à la distillation toujours renouvelées. Dans cette ambiance déprimante, une poignée de producteurs s'obstinaient, au prix de mille difficultés. Ils ont eu raison… Leurs vins passionnants, misant sur les cépages autochtones, souvent d'un excellent rapport qualité/prix, ont prouvé que le Sud pouvait, lui aussi, réussir sa mutation.

Latium
Les 40 000 hectares de vignes du Latium restent majoritairement voués aux cépages blancs, la Malvoisie (Malvasia) se taillant la part du lion, suivie du Trebbiano. Les cépages rouges sont pourtant en expansion, certains purement locaux comme le Nero Buono di Cori et l'intéressant Cesanese, d'autres plus répandus (Sangiovese, Merlot, Montepulciano). Un important travail vient de commencer pour améliorer la sélection clonale et préserver certains cépages typiques de la zone.

La région compte 25 DOC, dont deux des appellations les plus connues d'Italie, Frascati et Est !Est !!Est !!! D'autres sont de création récente et une DOC réservée aux cépages rouges français a même vu le jour en 1999 (Atina DOC). Les vignobles sont regroupés en quatre zones principales. Au nord de Rome, près du lac de Bolsena, on produit le blanc Est !Est !!Est !!! et le rare Aleatico di Gradoli, un rouge de dessert.

Campanie
La Campanie retrouve une réputation bien oubliée depuis les temps glorieux du Falerne, vin de prédilection de la Rome antique. En quelques années, une véritable explosion a eu lieu, centrée sur un incomparable patrimoine de cépages autochtones : Falanghina, Fiano et Greco di Tufo en blanc, Aglianico et Piedirosso en rouge. L'Aglianico, apte à donner de grands vins de garde, est à la base du Taurasi, l'unique DOCG méridionale d'Italie. À l'origine de tout cela, l'exemple de producteurs comme Mastroberardino et D'Ambra, les progrès considérables accomplis en matière de sélection clonale, enfin l'arrivée de grands œnologues-conseils, venus épauler des vignerons passionnés toujours plus nombreux.

D'un bout à l'autre de la Campanie surgissent continuellement de « nouveaux » grands vins rouges et blancs : dans l'aire historique du Falerne, au nord de Naples (Falerno del Massico DOC) ; dans les collines de l'Irpinia, fief du Taurasi DOCG et des DOC Greco di Tufo et Fiano di Avellino ; à Ischia, sur la Côte Amalfitaine et jusque dans le Cilento, aux abords de Salerne.

Basilicate
Le Basilicate, petite zone montagneuse et pauvre aux hivers rigoureux, peut revendiquer l'un des plus grands vins rouges du Sud italien, issu des pentes volcaniques du mont Vulture, mais l'Aglianico del Vulture DOC n'atteint réellement ce niveau que dans un nombre limité de propriétés. Leur réussite a cependant stimulé plusieurs coopératives, en net progrès, et éveille des vocations dans le reste de la région. On trouve aussi ici d'agréables vins blancs doux de Muscat.

Calabre
Malgré les efforts méritoires d'une poignée de producteurs et la présence de 12 DOC, cette région reste à la traîne. Les classiques problèmes de l'Italie méridionale semblent ici aggravés par l'inertie de populations, locale et touristique, apparemment peu exigeantes. Le vin le plus connu est le Cirò DOC rouge (surtout issu de Gaglioppo), mais sa réputation est hélas rarement justifiée.

Pouilles
L'esprit de renouveau est très présent. Vouée jusqu'aux années 1980 à la production d'une marée de vins de coupage, puis abandonnée aux effets pervers de la distillation subventionnée des surplus, la région a su redresser la barre, à l'exemple d'une poignée de maisons irréductibles. Les îlots de qualité se sont multipliés au rythme de la baisse des rendements. L'an 2000 a marqué un nouveau tournant avec l'arrivée d'investisseurs de calibre mondial : la maison Antinori a acquis deux domaines totalisant 600 hectares de vignes et d'autres s'apprêtent à faire de même.

Ici encore, un riche patrimoine en cépages attise l'intérêt : Bombino Bianco et Bombino Nero ; Negroamaro, raisin « noir et amer » de Salento (souvent assemblé à la Malvasia Nera pour donner des vins rouges corsés comme le succulent Salice Salentino DOC) ; Uva di Troia et Primitivo, dont l'identité avec le Zinfandel de Californie se confirme.

Les plus connues des 22 DOC actuelles sont Castel del Monte (rouge, blanc et rosé) ; plus au sud, Locorotondo (le meilleur blanc) ; enfin et surtout Salice Salentino, près de Lecce. □

LES RÉGIONS VITICOLES D'ITALIE DU SUD, DE SICILE ET DE SARDAIGNE

Sur la carte figurent les DOCG et DOC les plus importantes, mais leur nombre continue d'augmenter. Ces régions autrefois vouées à la surproduction sont en pleine mutation qualitative.

Régions viticoles

- Taurasi DOCG
- Vermentino di Gallura DOCG
- Principales zones DOC *(Denominazione de origine controllata)*
- Limite de région
- Autoroute
- Route principale

0   50   100   150 km

N

Mer Adriatique

Mer Tyrrhénienne

Mer Ionienne

Golfe de Tarente

Mer Méditerranée

Lac de Bolsena
EST! EST!! EST!!!
CERVETERI
Rome
FRASCATI
CESANESE DEL PIGLIO
LATIUM
A 2
Volturno
FALERNO DEL MASSICO
GRECO DI TUFO
Caserte
Naples
VESUVIO
PIANO DI AVELLINO
Ischia
Ravello
Capri
Salerne
CAMPANIE
Foggia
Cerignola
Barletta
Bari
AGLIANICO DEL VULTURE
CASTEL DEL MONTE
Ofanto
POUILLES
LOCOROTONDO
Brindisi
BRINDISI
Potenza
BASILICATE
Agri
Tarente
SALICE SALENTINO
SQUINZANO
COPERTINO
LEVERANO
Cosenza
CIRÒ
SAVUTO
Catanzaro
CALABRE
A 3
MALVASIA DELLE LIPARI
Îles Lipari
Messine
GRECI DI BIANCO
Reggio de Calabre
Palerme
ALCAMO
Îles Égates
MARSALA
Marsala
Bélice
A 19
A 20
SICILE
A 18
Salso
Catane
Syracuse
CIRASUOLO DI VITTORIA
Raguse
MOSCATO DI PANTELLERIA
Pantelleria

VERMENTINO DI GALLURA
Sassari
Coghinas
SARDAIGNE
Tirso
VERNACCIA DI ORISTANO
Oristano
Mannu
CAGLIARI
Cagliari

ITALIE
Rome

PRODUCTEURS ET NÉGOCIANTS

Comme dans d'autres régions d'Italie, on trouve dans le Sud d'innombrables appellations officielles recouvrant des réalités très variables. Les noms des producteurs les plus intéressants sont cités par ordre alphabétique pour chaque région.

LATIUM

Casale del Giglio

Joyau de la plaine d'Aprilia, ces 100 ha de vignes sont dédiés à une impeccable gamme d'IGT et de *vini da tavola*. Superbes rouges (Cabernet-Sauvignon, Madreselva et Mater Matuta) ; blancs de bonne tenue (Satrico).

Castel De Paolis

Du Frascati DOC de haut vol, c'est possible. On trouve aussi de beaux IGT, comme le Selve Vecchie, le Quattro Mori ou le stupéfiant Campo Vecchio (Syrah/Merlot/Montepulciano/Cesanese/Sangiovese).

Colacicchi

En tête des *vini da tavola* de ce prestigieux domaine de 5 ha près d'Anagni, le majestueux Torre Ercolana et l'aromatique Romagnano Bianco.

Colle Picchioni

Un domaine pionnier du Latium. Sur 9 ha dans les Colli Albani, Paola Di Mauro produit le blanc Marino DOC Selezione Oro et surtout l'IGT Vigna del Vassallo (cépages bordelais).

Colli di Catone

Vigneron et négociant, bon producteur de Frascati, Antonio Pulcini se passionne pour la Malvasia del Lazio et en tire plusieurs *vini da tavola*. Frascati Superiore DOC Colli di Catone, Villa Catone et Villa Porziana.

Falesco

Tous les vins sont remarquables, de l'Est !Est !!Est !!! Poggio dei Gelsi au Grechetto et à deux rouges réputés, l'élégant Merlot Montiano et le Vitiano.

Fontana Candida

Comme Bigi à Orvieto (p. 390), cette maison appartient au Gruppo Italiano Vini. On y produit 7,5 millions de bouteilles, essentiellement du Frascati DOC. Du Superiore générique à la sélection Santa Teresa, en passant par la ligne Terre dei Grifi, la gamme est impeccable.

Gotto d'Oro

La meilleure coopérative de Frascati : 1 800 ha de vignes et 11 millions de bouteilles d'un excellent rapport qualité/prix.

Mazziotti

Le seul Est Est Est (sans points d'exclamation) uniquement issu de vignes familiales (22 ha près du lac de Bolsena). Délicat générique et Sélection Canuleio. En prime, un délectable IGT rouge, le Volgente (Merlot/Sangiovese/Montepulciano).

Sergio Mottura

Entre Ombrie et Latium, 45 ha de vignes « bio » et de brillantes intuitions matérialisées en vins IGT, le Magone (80 % Pinot Noir, 20 % Montepulciano) en tête. À découvrir, le Muffo botrytisé, le délicat Poggio della Costa, le Latour à Civitella et le Chardonnay *spumante*.

Giovanni Palombo

Belle illustration de la nouvelle DOC Atina. En vedette, les rouges Duca Cantelmi (Cabernet/Syrah) et Colle della Torre (90 % Merlot).

Pietra Pinta-Colle San Lorenzo

Ce domaine de Cori regroupe désormais 50 ha de vignes et vise haut. Excellent Colle Amato, un IGT mariant Cabernet et Syrah.

Villa Simone

Bons Frascati Superiore. En vedette, l'aromatique Vigneto Filonardi et le rare *cannellino* botrytisé. Remarquable *vino da tavola* La Torraccia (Cesanese/Sangiovese).

Conte Zandotti

Savoureux Frascati Superiore, mais les vedettes ont nom : Rumon (Malvasia del Lazio), Frascati *cannellino* et La Petrosa, un intéressant Cabernet/Sangiovese.

Autres producteurs

Alessia, Casale Marchese, Casale Mattia, Dini Limiti, L'Olivella, Pallavicini, Silvestri, Trappolini, et la coopérative Cerveteri.

CAMPANIE

D'Ambra

Si l'antique vignoble (riche en cépages locaux) de l'île d'Ischia a survécu, c'est grâce à Mario D'Ambra, aujourd'hui disparu. Son neveu Andrea a pris la relève. En tête, les IGT blanc Tenuta Frassitelli (Biancolella) et rouge Tenuta Montecorvo (Piedirossa).

Caggiano

Un passionné qui produit, sur 15 ha au cœur de l'Irpinia, d'excellents rouges d'Aglianico – Taurasi DOCG Vigna Macchia dei Goti, IGT Salae Domini, *vino da tavola* Tauri – et un délicieux blanc doux appelé Mel (Fiano/Greco).

De Conciliis

Ce domaine familial proche de Salerne produit notamment deux superbes IGT rouges issus d'Aglianico (Zero et Naima) et un Fiano de vendanges tardives appelé Vigna Perella.

Feudi di San Gregorio

Prestigieux domaine de 45 ha de vignes en province d'Avellino. Incroyables blancs (Idem bianco, Privilegio et deux Fiano de vendanges tardives, le Campanaro et le Pietracalda) et somptueux rouges d'Aglianico (Idem rosso, Serpico et deux Taurasi DOCG).

Galardi

Des cousins passionnés de vin, 4 ha près de Capoue et les conseils de Riccardo Cotarella. Résultat : ce Terra di Lavoro, splendide *vino da tavola* d'Aglianico et Piedirosso élevé en barriques.

Gran Furor Divina Costiera

6 ha en Costa d'Amalfi DOC, voués aux grands cépages locaux cultivés entre 300 et 500 m d'altitude. Une gamme où brillent le Furore Bianco Fior d'Uva et le Furore Rosso *riserva*.

Maffini

Des vins fascinants, déjà parmi les plus beaux de Campanie : les rouges Cenito et Kléos, le blanc Kràtos. À suivre.

Mastroberardino

Cette importante maison (3 millions de bouteilles) a toujours misé sur la qualité. Les appellations Taurasi DOCG, Fiani di Avellino DOC et Greco di Tufo DOC lui doivent d'exister. Quant au Vesuvio Rosso DOC, il sauve l'honneur du Lacryma Christi.

Montevetrano

Ce superbe vin a servi d'exemple à bien des rouges de Campanie, même si ses 90 % de Cabernet-Sauvignon et Merlot n'ont pas fini de faire jaser.

Villa Matilde

Les Avallone ont voué leur vie aux cépages du Sud. Après des années de patience et d'efforts, les résultats sont éclatants. En tête, le splendide Vigna Camarato (100 % Aglianico), les Falerno del Massico DOC rouge et blanc, et un délicieux *passito* de Falanghina (Eleusi).

Autres producteurs

Antica Masseria Venditti, D'Antiche Terre, Caputo, Cicala, De Lucia, Di Meo, Episcopio, Grotta del Sole, I Capitani, La Caprense, Marianna, Michele Moio, Molettieri, Mustilli, Ocone, Pietratorcia, Orazio Rillo, Nicola Romano, Terredora, Vadiaperti et les coopératives Lavoro e Salute/Telaro, Solopaca et del Taburno.

BASILICATE

D'Angelo

Sans Donato D'Angelo, la redécouverte de ce vin splendide qu'est l'Aglianico del Vulture n'aurait pas eu lieu. La gamme reste exemplaire. En tête, l'IGT Canneto élevé en barriques et le DOC *riserva* Vigna Caselle.

Basilium

Cette importante coopérative aligne trois réjouissants Aglianico DOC concentrés et charnus ainsi qu'un beau blanc de Greco (I Portali).

Basilisco

Ce domaine de 5 ha propose un Aglianico superbement fruité d'une impeccable fraîcheur.

Paternoster

Un classique de la région, alliant négoce et 6,5 ha de vignoble. En vedette, trois splendides Aglianico DOC et le Moscato IGT Clivus, discrètement pétillant.

Autres producteurs

Di Palma, Fratelli Dragone, Armando Martino, Pisani, Progetto di Vino et la coopérative Viticoltori Associati del Vulture.

CALABRE

Librandi

Cette importante maison (2 millions de bouteilles) reste l'une des meilleures références en Cirò DOC (rouges Classico et Riserva Duca San Felice). En vedette, les IGT Critone, Gravello et *passito* Le Passule.

Odoardi

Les 56 ha de ce beau domaine de Cosenza sont depuis longtemps réputés. Les appréciables Savuto DOC (dont le Vigna Mortilla) sont un peu éclipsés par les IGT de la gamme Scavigna, notamment le rouge Vigna Garrone et le Muscat Valeo.

Fattoria San Francesco

La récente progression de ce domaine familial (59 ha) est spectaculaire. Exemplaires Cirò DOC rouges (Ronco dei Quattro Venti et Donna Madda) ; le Cirò Rosato devient l'un des meilleurs rosés d'Italie.

Statti

Ce domaine familial de 500 ha a fait le pari du vin de qualité (sur 35 ha). Réussite immédiate, en blanc (Lamezia Greco DOC et IGT Ligeia) comme en rouge (deux IGT Gaglioppo/Cabernet, le superbe Cauro et le frais Arvina).

Autres producteurs

Caparra & Siciliani, Lento, Ippolito, Lidia Matera, Serracavallo, Vintripodi, Vivacqua et la coopérative Enotria.

POUILLES

Accademia dei Racemi

Sous l'égide de Gregorio Perrucci, l'Accademia regroupe de petits domaines sauvés de l'abandon qui ont fait le pari de la qualité. La Pervini en est le chef de file et produit une série de vins de grande qualité (Primitivo di Manduria DOC Archidamo, Primo Amore et I Monili ; IGT Bizantino Rosso). L'Accademia commercialise aussi les vins de Casale Bevagna (Salice Salentino DOC Te Deum) ; Sinfarosa (10 ha de vieilles vignes de Primitivo en gobelet qui donnent un splendide Primitivo di Manduria DOC baptisé... Zinfandel) et Masseria Pepe d'Alberto Pagano (deux Primitivo di Manduria de toute beauté, le Portile et surtout le Dunico, issu d'un vignoble longeant la mer). Il y a enfin Felline, un domaine proche de Taranto (33 ha de vignes, dont la majorité en gobelet). Les trois frères Perrucci et leur œnologue Roberto Cipresso produisent trois vins rouges – Vigna del Feudo, Primitivo di Manduria et Alberello – qui illustrent magnifiquement le potentiel du Sud.

Francisco Candido

Valeur sûre des environs de Brindisi, cet important producteur est réputé pour ses Salice Salentino DOC rouge, rosé et blanc, son Aleatico di Puglia DOC (doux) et plus encore pour ses *vini da tavola* rouges Duca d'Aragona et Cappello di Prete.

Castel di Salve

Deux amis, l'un du Salento, l'autre Anglais, produisent sur 37 ha de vignes trois remarquables vins rouges : le Priante (assemblage élevé en barriques), le Negro Amaro del Salento Armecolo et le Volo di Alessandro.

Leone de Castris

Ce domaine historique comportant 450 ha de vignes dans le Salento reste fidèle à sa politique de qualité et le Donna Lisa *riserva* figure toujours parmi les plus beaux Salice Salentino DOC. Le reste de la gamme (25 vins) est à la hauteur : excellent rosé Fives Roses, doux Aleatico DOC Negrino, diverses variations basées sur le Negro Amaro et de nouveaux vins issus de Primitivo, Santera (DOC) et La Rena (IGT).

Pervini

Voir Accademia dei Racemi.

Rivera

Cette grande maison de négoce (propriétaire de 66 ha et liée à la maison Gancia) ne reste pas inactive. Ses Castel del Monte DOC sont impeccables (en vedette, Il Falcone *riserva* et Chardonnay Preludio), son Moscato di Trani DOC Piani di Tufara séduit, et de nouveaux vins sont en préparation.

Rosa del Golfo

Damiano Calò continue l'œuvre de son père. Le Salento Rosato (Negro Amaro avec 10 % de Malvasia Nera) est toujours l'un des meilleurs rosés d'Italie et le Portulano (même assemblage), un des très bons rouges de la région.

Taurino

Sans les vins splendides de Cosimo Taurino portés aux nues par Parker – Patriglione et Notarpanaro en tête –, qui aurait parié sur l'avenir des Pouilles et du Negro Amaro ? Disparu en août 1999, cet indomptable précurseur reste une référence pour le Sud tout entier. La famille Taurino a devant elle une lourde tâche.

Vallone

Sur 140 ha, les sœurs Vallone produisent des vins d'appellation Brindisi et Salice Salentino réputés, ainsi qu'un très beau *passito* rouge appelé Graticciaia.

Vigneti del Sud

Cette marque désigne les nouvelles propriétés de la maison Antinori (600 ha en tout). Sitôt racheté à la maison Gancia, le domaine Tormaresca (100 ha près de Bari) présente déjà deux IGT au spectaculaire rapport qualité/prix, les Tormaresca Bianco et Rosso, mais d'autres vins plus ambitieux sont en préparation.

Conti Zecca

L'émulation ambiante stimule ce grand domaine (320 ha de vignes) réputé de longue date. Excellente gamme DOC en Leverano (Malvasia Vigna del Saraceno et Rosso *riserva*) et Salice Salentino (Rosso Cantalupi), mais la vedette va au Nero, un *vino da tavola* mariant cépages locaux et Cabernet.

Autres producteurs

Michele Calò, Coppi, D'Alfonso Del Sordo, Fatalone, Libra, Masseria Monaci, Pichierri, Santa Lucia, Torrevento et les coopératives Botromagno, di Copertino, Due Palme, del Locorotondo, Santa Barbara, di Sava et Vecchia Torre.

SICILE ET SARDAIGNE

La qualité progresse dans ces deux îles très différentes, confrontées à un même problème : une forte production de vins médiocres, dominée par les coopératives et difficile à commercialiser.

Sicile

L'histoire de la Sicile – depuis l'arrivée des Grecs au Vᵉ siècle av. J.-C. – a laissé en héritage une culture éclectique et riche de contradictions. Le vin ne fait pas exception. Longtemps, une poignée de producteurs se sont battus dans l'indifférence générale. Leur exemple a pourtant suscité l'émergence d'une nouvelle génération ardemment convaincue du potentiel de son île. La Sicile redevient une terre de grands vins, notamment rouges, même s'il reste beaucoup de vins médiocres, souvent rendus impersonnels par la surproduction des vignes et une vinification de type industriel.

Ici aussi, de grands groupes italiens ont récemment acquis des centaines d'hectares, des œnologues de renom interviennent, et l'on s'attache à revaloriser les meilleurs cépages autochtones, Nero d'Avola (rouge) et Inzolia (blanc).

Les cépages blancs restent largement majoritaires, à commencer par le Catarratto (45 %), suivi du Trebbiano toscan. Autres cépages intéressants, le Grillo (à Marsala) et le Grecanico en blanc, le Nerello Mascalese, le Perricone et le Frappato di Vittoria en rouge.

La Sicile compte 17 DOC, représentant une infime partie de la production. À l'ouest, la province de Trapani enregistre la plus grande superficie viticole d'Italie et produit des flots de vin blanc sec (notamment en Alcamo DOC) ainsi que le Marsala (voir encadré). À l'est, on trouve des appellations historiques aux vins quasi introuvables, comme le rouge Faro de Messine, les Moscato di Noto ou di Siracusa. Le Cerasuolo di Vittoria (rouge) et les vins de l'Etna ont, eux, repris vigueur. Enfin, deux petites îles volcaniques perpétuent les vins doux de l'Antiquité, Moscato di Pan-

La Sicile a toujours produit du vin.

telleria (entre Sicile et Tunisie) et Malvasia delle Lipari (à Salina).

Sardaigne

La Sardaigne a de nombreux atouts – son climat, la préservation d'une bonne part de son héritage en matière de cépage et de types de vin, et la présence de producteurs de talent, y compris dans certaines coopératives. Les ombres au tableau sont une œnologie souvent approximative, un flot de vin blanc neutre loin d'être tari, une mise en valeur des cépages autochtones et des terroirs encore timide.

Les bonnes nouvelles viennent surtout des vins rouges, avec de belles réussites issues de cépages comme le Carignano (Carignano del Sulcis DOC), le Cannonau (Grenache), le Nieddera, assemblés ou non avec Sangiovese, Cabernet, etc. En blanc, l'une des variétés les plus intéressantes est le Vermentino (le Vermentino di Gallura est l'unique DOCG de l'île). Les DOC Vernaccia di Oristano, Malvasia di Bosa et Nasco di Cagliari peuvent offrir de superbes vins de dessert.   □

MARSALA

Le Marsala est l'un des grands vins mutés du monde. Passé de la gloire à la décadence en quelques générations, il tente de reprendre le chemin de la qualité : la réglementation DOC révisée en 1984 a notamment interdit le nom de Marsala aux produits aromatisés qui en dérivent. De par son histoire et son potentiel, le Marsala est un concurrent du Porto et du Madère, popularisé comme eux par les Anglais au XVIIIᵉ siècle. Il est produit aux alentours de la ville portuaire de Marsala, à l'ouest de la Sicile, à partir de vins blancs issus des cépages Catarratto, Grillo, Damaschino et Inzolia (sauf la catégorie Rubino, ouverte aux cépages rouges). Les raisins fermentent de la façon habituelle, à l'exception d'une petite proportion transformée en agent édulcorant avant d'être ajoutée au vin. Le meilleur agent édulcorant est le *sifone* ou *mistella*, un mélange de raisins passerillés et d'alcool de vin, l'autre étant le *cotto*, un sirop de raisins caramélisé produit en chaudière. Le Marsala est en outre obligatoirement muté à l'eau-de-vie de vin.

CATÉGORIES

Au nombre de cinq, elles sont par ailleurs subdivisées selon leur teinte (*oro, ambra, rubino*) et leur richesse en sucre (*secco, semisecco, dolce*).
Fine : le Marsala de base. Un an de vieillissement, dont 8 mois dans le bois. Le *cotto* est exigé dans la sous-catégorie *ambra* (1 % au minimum) et interdit dans les autres.
Superiore et **superiore riserva :** plus alcoolisés que le *fine* (18 % vol au lieu de 17 % vol), 2 ans de bois (4 pour le *riserva*). Même usage du *cotto*.
Vergine et **vergine stravecchio :** le vin est toujours sec, sans *mistella* ni *cotto*. Le *vergine* est élevé 5 ans en bois, le *stravecchio* 10 ans. Le terme *soleras* peut aussi être utilisé.
Producteurs et négociants
Les producteurs les plus connus sont : De Bartoli (voir p. 398) ; Florio (Terre Arse, Baglio Florio, Targa Riserva 1840) ; Carlo Pellegrino (Ruby Fine, Vergine Soleras) ; Alvis-Rallo.

PRODUCTEURS ET NÉGOCIANTS

La Sicile et la Sardaigne progressent, la première à un rythme accéléré et d'un bout à l'autre de l'île ; la seconde, de manière plus limitée. Dans les deux cas, les vins rouges ont souvent la vedette.

SICILE

Abbazia di Sant'Anastasia
Quand Giacomo Tachis, illustre « retraité » de l'œnologie italienne, s'en mêle, la qualité grimpe en flèche. Litra, Bacchante et Cinquegrani en tête.

Avide
D'excellents rouges : deux Cerasuolo di Vittoria DOC (Barocco et Etichetta Nera), et l'IGT Sigillo.

Benanti
Savoureux Etna DOC Rosso Rovittello (Nerello Mascalese/Nerello Cappuccio) et enthousiasmant IGT Lamorèmio (Nero d'Avola/Nerello Mascalese/Cabernet-Sauvignon).

COS
À l'origine du renouveau du Cerasuolo di Vittoria DOC, il y a un fougueux trio d'amis qui a gagné son pari. Avec la maturité, leurs vins sont encore meilleurs. En tête, le très beau Sciri (100 % Nero d'Avola), deux Cerasuolo DOC pulpeux à souhait et deux IGT blancs, Vigne di Cos et Ramingallo.

De Bartoli
Rebelle et têtu, Marco De Bartoli a sauvé le Marsala de la déchéance culinaire. Ses Vecchio Samperi *riserva* 20 Anni et 30 Anni (non mutés, donc hors DOC) lui ont valu une réputation mondiale, tout comme son Bukkuram – qui a révélé le Muscat de Pantelleria aux amateurs. Quant à ses Marsala DOC mutés (Vigna La Miccia et Il Marsala Superiore 20 Anni), ils restent exemplaires.

Donnafugata
Importante maison familiale à l'origine de l'appellation Contessa Entellina DOC. Le blanc DOC Chiarandà del Merlo, les rouges DOC Milleunanotte et Tancredi. Excellent Ben Ryè, un Moscato Passito de Pantelleria.

Duca di Salaparuta
La gamme de base Corvo représente l'essentiel de la production (9 millions de bouteilles par an) et offre un bon rapport qualité/prix. En haut de gamme, le Duca Enrico (Nero d'Avola) et le Bianca di Valguarnera (Inzolia), élevés en barriques. À mi-chemin, deux savoureux assemblages de cépages autochtones, le Terre d'Agala et le Portale d'Aspra Rosso.

Firriato
Un Sicilien et un Australien produisent ensemble 3,5 millions de bouteilles séduisantes mariant cépages autochtones et français (Sant'Agostino, Altavilla, etc.).

Barone La Lumia
Mettre l'histoire en bouteille, c'est le vœu de cet original discret, fou amoureux de sa terre. Son Signorio Rosso, son Limpiados et son Nikao – non filtrés – sont trois illustrations envoûtantes du Nero d'Avola.

Salvatore Murana
Du soleil changé en vin, voilà ce que sont le Martingana et le Khamma, les Moscato di Pantelleria DOC de cet îlien pur jus.

Murgo
Ce vignoble de 25 ha sur les pentes de l'Etna participe au renouveau de l'appellation Etna DOC. À retenir aussi, le Tenuta San Michele, un bon Cabernet-Sauvignon.

Palari
Le Faro DOC de Messine survit grâce à Salvatore Geraci.

Planeta
Un vignoble de 250 ha et une gamme de très bon niveau. En vedette un exubérant Chardonnay et l'élégant IGT rouge Santa Cecilia.

Regaleali
Sur 300 ha de vignes à 500 m d'altitude, les Tasca d'Almerita produisent 3 millions de bouteilles. Excellents Rosso del Conte et Nozze d'Oro, un bon *spumante* brut et un Chardonnay réputé. Trois nouveautés très réussies : le blanc Leone d'Oro, les rouges Novantasei et Cygnus. La gamme de base Regaleali est très fiable.

Settesoli
Cette énorme coopérative (9 000 ha) de la province d'Agrigente a accompli d'incroyables progrès. En haut de gamme, les rouges de Nero d'Avola et le blanc Feudo dei Fiori.

Autres producteurs
Caravaglio, D'Ancona, Firriato, Hauner, Miceli, Milazzo, Pellegrino, Rapitalà, Spadafora, Terre di Ginestra et les coopératives Nuova Agricoltura, CS di Trapani et Valle dell'Acate.

SARDAIGNE

Argiolas
La famille Argiolas exploite 220 ha de vignes de Cagliari. Vedette de l'île, charnu et aromatique, le *vino da tavola* rouge Turriga est élevé en barriques neuves. À noter aussi, le très bel IGT *passito* Angiolas (Nasco/Malvasia) et de bons Vermentino di Sardegna DOC et Cannonau di Sardegna DOC.

Tenute di Capichera
Propriétaire de 42 ha de vignes, la famille Ragnedda produit trois Vermentino di Gallura DOC exemplaires, dont un splendide Vendemmia tardiva. Mais elle produit également l'Assajè Rosso, un *vino da tavola* prometteur.

Gabbas
Giuseppe Gabbas produit deux remarquables vins rouges : le Lillové, Cannonau di Sardegna DOC fruité et dense, et l'opulent Dune.

Cantina Sociale Gallura
Cette coopérative située à Tempio Pausania est l'une des meilleures. Citons le Karana, un rouge de Nebbiolo, et de très beaux Vermentino (version DOCG Canayli et Piras, *vino da tavola* Balajana).

Gian Vittorio Naitana
Une splendide illustration de la Malvasia sarde. Incomparable IGT Planargia Murapiscados, doux et vif, aux arômes d'abricot et d'amande amère.

Sella & Mosca
Stimulée par le renouveau en cours, la grande maison de négoce d'Alghero aligne toute une série d'excellents vins. En vedette, les rouges Alghero DOC Marchese di Villamarina et Tanca Farrà, le tout nouveau Raim et le réputé Anghelu Ruju doux. En blanc, le classique Alghero DOC Torbato Terre Bianche, le nouveau Vermentino di Gallura DOCG Monteoro et le Nasco *passito* Monteluce.

Cantina Sociale Santadi
Cette coopérative de la province de Cagliari est l'une des plus prometteuses. En vedette, les rouges Shardana, Terre Brune, Rocca Rubia et le Latinia, un vin de dessert issu de Nasco.

Autres producteurs
Arcadu, Cherchi, Contini, Gostolai, Loi, Mancini, Meloni, Pedra Majore, Picciau, Soletta, Villa di Quartu et les coopératives Dolianova, Dorgali, Giogantinu, Jerzu, Oliena, Trexenta et del Vermentino.

ESPAGNE

—

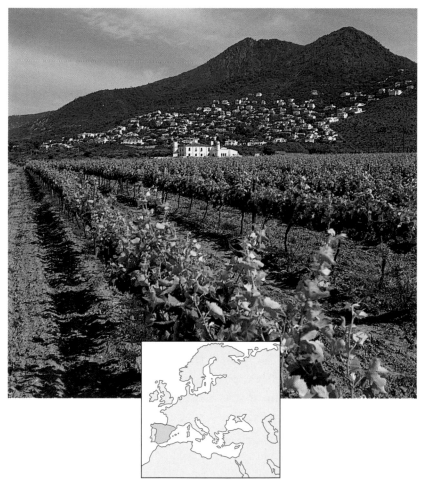

DU PETIT VIGNERON QUI VEND SON VIN EN VRAC AU GRAND

NÉGOCIANT QUI EXPORTE DES MILLIONS DE BOUTEILLES, LE MONDE

DU VIN ESPAGNOL CONNAIT UNE VÉRITABLE RÉVOLUTION QUI

RÉSERVE DE BONNES SURPRISES.

—

L'Espagne, premier vignoble au monde par sa superficie (plus d'un million d'hectares), n'est cependant que le troisième producteur de vin de l'Union européenne, derrière l'Italie et la France, devant l'Allemagne. Réputée pour ses vins mutés, comme le fameux Xérès (voir p. 424), elle produit aussi des vins rouges, des vins rosés, des vins blancs et des vins effervescents qui vont du plus modeste au plus raffiné. Ces vins héritent d'une personnalité marquée par la géographie du pays. En effet, l'Espagne se compose d'un vaste plateau central (Meseta) situé à 650 m au-dessus du niveau de la mer et limité de toutes parts par des massifs montagneux.

Les meilleurs vins sont issus de cépages qui se plaisent en altitude (jusqu'à 500 m en Rioja Alta et Rioja Alavesa ; entre 700 et 800 m en Alt-Penedès et Ribera del Duero). Ces vignobles bénéficient d'une bonne exposition au soleil sans souffrir de la canicule ni de nuits trop fraîches. La plupart des grands vins d'Espagne proviennent du nord de Madrid, c'est-à-dire, d'ouest en est, de Galice, des vallées du Douro et de l'Èbre et de Catalogne. Les meilleurs sites se trouvent le plus souvent dans ces vallées montagneuses aux sols relativement pauvres et aux sous-sols d'argile. En revanche, les vallées de l'Èbre et du Douro sont riches en terres alluviales. Le climat espagnol bénéficie d'une même diversité : l'Ouest subit l'influence de l'Atlantique, qui apporte fraîcheur et humidité ; les zones centrale et septentrionale connaissent un climat de type continental avec des étés chauds et des hivers froids ; la côte catalane jouit d'un climat méditerranéen.

La *bodega* de Marqués del Real Tesoro, à Jerez de la Frontera. Jusqu'à la seconde moitié du XXᵉ siècle, les vins mutés comme le Xérès et d'autres vins comme le Rioja étaient les vins espagnols les plus connus.

L'histoire du vignoble est riche et ancienne. Dans l'*Ode maritime* de l'historien romain Rufus Festus Avienus, on peut ainsi lire que les Phéniciens avaient planté *Vitis vinifera* à Cadix il y a 3 100 ans, à l'époque où ils fondèrent, selon le Livre II de la *Géographie* de Strabon, cette ville. Un siècle plus tard, les vins les plus prisés des Phéniciens venaient de Xera, une ville située à l'extrémité sud de l'Espagne. (Rebaptisée Jerez de la Frontera, elle produit aujourd'hui des vins mutés, les Xérès.) Plusieurs études sérieuses datent l'arrivée des amphores étrusques et grecques dans le nord-est de la péninsule Ibérique vers les années 550 à 525 av. J.-C. C'est donc au plus tard à cette époque que le vin est arrivé en Catalogne. À leur arrivée en Espagne, vers la fin du IIIᵉ siècle av. J.-C., les Romains apportèrent leur propre méthode de vinification, qui consistait à fouler les raisins dans des cuves de pierre et à les laisser fermenter naturellement. Cette méthode, appelée *método rural*, est encore en usage dans quelques régions. La culture de la vigne se poursuivit ensuite sous la domination des Maures, mais essentiellement pour le raisin de table. À partir de son unification, en 1492, l'Espagne ne cessa de prospérer et, parallèlement, de produire et de consommer de plus en plus de vin.

Dans des régions comme celle de Jerez ou de la Rioja, dont les vins connurent un âge d'or au XIXᵉ siècle, la législation vinicole devint plus rigoureuse tandis que de nouvelles réglementations furent imposées aux vignobles plus récents comme ceux de Toro et de Rueda, dans la Castille-León.

Lorsque le phylloxéra s'abattit sur les vignobles français, dans les années 1860, les négociants n'hésitèrent pas à traverser les Pyrénées pour aller acheter du vin en Espagne. Ils eurent la bonne surprise de découvrir des vins à leur convenance et les exportations espagnoles reprirent de plus belle. Puis, le phylloxéra finit par s'en prendre également au vignoble espagnol. Fort heureusement, à cette époque, on avait déjà trouvé une parade aux ravages de l'insecte : le greffage des variétés européennes sur des porte-greffes américains résistants. Aidés par les organismes officiels, les vignerons s'employèrent à replanter. Les *bodegas* les plus réputées d'aujourd'hui datent pour la plupart de cette époque.

Au cours de la seconde moitié du xxᵉ siècle, l'Espagne passa un cap important. Jadis productrice de vins anonymes vendus en vrac, elle se hissa, en trente ans, au niveau des vins de qualité. Dans les années 1970, les vins de la Rioja commencèrent à bien s'exporter, bientôt suivis par ceux de domaines comme Vega Sicilia, puis par ceux de Valdepeñas et de Catalogne. À la fin des années 1980, l'Espagne avait atteint une production de près de 4 milliards de bouteilles par an. Aujourd'hui, sa viticulture fait l'objet des meilleurs soins et les anciens cépages, trop productifs, sont remplacés par de nouvelles variétés de meilleure qualité.

Régions viticoles et styles de vin

Au lendemain de la Constitution de 1978, les 50 provinces d'Espagne furent remplacées par 17 régions autonomes (*autonomías*) qui regroupent chacune une ou plusieurs des anciennes provinces délimitées par l'héritage gastronomique, climatique et culturel commun qui déterminait par le passé leurs styles de vin.

La Galice et le Pays basque possèdent quelques-uns des vignobles les plus septentrionaux du pays. Dans ces régions, l'océan Atlantique influence le climat, l'économie (fondée principalement sur la pêche) et les vins, le plus souvent des blancs légers et secs se

mariant bien avec le poisson. Toujours au nord, dans la haute vallée de l'Èbre, la Navarre, la Rioja – le vignoble espagnol le plus connu avant l'éclosion des Ribera del Duero – et l'Aragon ont toujours entretenu, de par leur proximité, des liens étroits avec la France. Leurs vins sont le plus souvent des rouges puissants après vieillissement et des blancs robustes qui accompagnent agréablement les poissons d'eau douce.

Située à l'embouchure de l'Èbre, la Catalogne possède une culture bien spécifique. L'importance de sa pêche et son climat méditerranéen l'avaient conduite tout naturellement vers les vins blancs. Elle est également le berceau des Mousseux espagnols, les *cavas*.

La Castille-León est le vignoble traditionnel de la vallée du Douro. Son climat, de type continental, est tempéré à proximité du fleuve. Ses vins rouges sont charnus et puissants, quoique certains « nouveaux » vins jouent sur les nuances, et ses blancs secs ont du corps. L'influence française se fait beaucoup moins sentir dans le style des vins de Castille que dans la haute vallée de l'Èbre.

Les meilleurs vins espagnols sont issus des régions déjà citées ci-dessus, mais la vigne est également présente dans le centre et dans le sud du pays. Les vastes plaines de Castille-La Manche et les Vinos de Madrid se trouvent sur le plateau de la Meseta. Cette région d'élevage ovin autrefois complètement isolée, soumise à un climat continental, produisait des vins rouges et blancs marqués par une certaine lourdeur qui finirent par trouver leur voie lorsque Madrid devint capitale en 1561.

Le Levante se compose des *autonomías* de Valence et de Murcie, deux régions fortement orientées vers l'exportation : le port de Valence est le premier centre d'Espagne pour le commerce des vins. La tradition de la pêche et le climat méditerranéen ont marqué de leur sceau les vins blancs traditionnels de Valence.

L'Andalousie, à l'extrême sud de l'Espagne, constitue une seule et vaste *autonomía*. Les vins de Xérès, légen-

daires, sont désormais bus différemment – et regardés avec d'autres yeux. Il s'agit certes de vins mutés, mais longuement élaborés lors d'un élevage sous voile. Le sol prend le pas sur la mutation alcoolique à l'heure où l'on définit les vins. Et l'on peut parler de la région vinicole du monde qui fournit la plus haute qualité globale et offre des vins de garde pour des prix qui sont parmi les plus bas au regard de la production.

Enfin, il existe une petite production de vin dans les îles espagnoles. Les Baléares ont une géologie proche de celle de la Catalogne et la viticulture s'y est développée dans le même environnement climatique. Les rouges sont frais et gouleyants ; les blancs, frais et fruités, sont consommés sur place par les touristes et sont à boire jeunes (*jovenes*). Le sol des Canaries, complètement noir par endroits, est très différent et repose sur un sous-sol volcanique. Il donne principalement des vins rouges légers faciles à boire, dans l'année qui suit la récolte.

Les cépages

Les vins blancs proviennent essentiellement d'une variété médiocre, le cépage Airén, le plus répandu dans toute la partie centrale de l'Espagne. On trouve aussi beaucoup de Grenache Blanc, en particulier en Catalogne, un cépage qui donne des blancs corpulents d'une forte teneur en alcool. Les autres cépages blancs courants sont les excellents Albariño de Galice et Verdejo, ce dernier étant considéré comme l'un des meilleurs blancs de Castille-León. Le Maccabeo (ou Viura), le Parellada (un cépage de très haute qualité et de rendement élevé) et le Xarel.lo servent à l'élaboration des vins pétillants de *cava*. Ils sont largement plantés en Catalogne et dans la haute vallée de l'Èbre.

Par sa finesse et son caractère aromatique, le Tempranillo (alias Ull de Llebre, Cencibel, Tinto Fino, Tinto de País et Tinta de Toro) est le préféré des cépages rouges d'Espagne. Principal cépage de Castille-La Manche, de Castille-León, de la vallée de l'Èbre et de certaines parties de la vallée du Douro et du Levante, il a peut-être une origine commune avec le Pinot Noir français.

Le Grenache Noir (Garnacha Tinta) est le cépage le plus répandu d'Espagne, en particulier dans le centre du pays, dans la vallée de l'Èbre et en Catalogne. Il s'assemble bien avec le Carignan (Cariñena), qui donne des vins robustes et bien équilibrés. On le cultive beaucoup en Catalogne et dans la Rioja (où il porte le nom de Mazuelo), mais il est rarement utilisé dans les vins d'appellation de Cariñena, sa région d'origine. Le Graciano est un cépage peu productif apprécié pour le vieillissement en *crianza* – d'où son usage dans la Rioja. Peu répandu, il est le plus souvent mélangé avec d'autres raisins. Plusieurs régions d'Espagne cultivent par ailleurs des cépages classiques internationaux, dont les vins sont mentionnés dans les chapitres consacrés aux différentes régions.

L'industrie viticole d'Espagne

Depuis un siècle, la viticulture espagnole doit sa survie au système coopératif. Les coopératives ont en effet permis aux petits cultivateurs, qui n'avaient pas les moyens de s'équiper en matériel de vinification, de ne plus vendre leurs raisins à des prix dérisoires au *señor* local. Jusqu'à une époque récente, les viticulteurs étaient payés au kilo de raisin livré et les coopératives fonctionnaient bien. Mais, lorsque la demande de vin de table ordinaire a chuté, la qualité est devenue un facteur important et les coopératives qui n'ont pas su s'adapter aux nouvelles exigences du marché n'ont pas survécu.

Depuis le début des années 1980, une nouvelle génération d'hommes d'affaires a repris les coopératives en difficulté ou les a prises sous contrat en exigeant d'elles une qualité irréprochable. Dans le même temps, le coût des installations modernes de vinification baissait au point que des entreprises de taille réduite pouvaient s'équiper.

L'entreprise vinicole espagnole porte généralement le nom de *bodega*. Littéralement, une *bodega* est un chai, un bâtiment de stockage construit au niveau du sol. Elle se distingue de la *cava*, terme supposant que l'entrepôt se situe dans une cave en sous-sol. Cela explique pourquoi les vins pétillants espagnols ont emprunté le nom générique de *cava*: la prise de mousse en bouteille et la garde des vins sur lattes suppose un long élevage dans la fraîcheur des caves souterraines. À l'opposé, les vins tranquilles espagnols, généralement gardés en fûts, se bonifient mieux dans des chais au sol soumis l'hiver et l'été à des changements de température, les *bodegas*.

L'évolution récente

Depuis 1985, le vin espagnol vit une révolution qualitative qui semble sans précédents historiques. En témoigne notamment la présence de plus en plus importante d'étiquettes espagnoles à l'étranger, y compris celles des secteurs les plus élitistes qui, à l'exception de celle de Vega Sicilia, n'avaient pas jusqu'alors trouvé de débouchés sur le marché international.

Le paysage vinicole a donc changé dans un pays composé de dix-sept régions autonomes *(autonomías)* qui ne constituent pas seulement un État décentralisé et presque fédéral, mais qui produisent aussi chacune des vins bien distincts sur les plans de la viticulture, de la réglementation légale et du cadre financier. Et de la même façon qu'il n'y a jamais eu une seule cuisine espagnole mais des cuisines – la célèbre paella est un plat confiné historiquement à la côte méditerranéenne –, les vins approfondissent aujourd'hui les différences que la vente en vrac et l'hégémonie péninsulaire de la Rioja avaient essayé de gommer.

Dans ce contexte, il ne faut pas non plus oublier les arcanes propres aux appellations d'origine contrôlée espagnoles, système emprunté aux Français. Ces lois contraignantes fixent ainsi pour l'élaboration des vins des moyennes de cépages qui ne correspondent pas exactement à celles que les œnologues préfèrent. Il en est de même pour le temps que les *crianzas* et les *reservas* doivent passer en fût et en bouteille. Dans le cas des *grandes reservas*, par exemple, la réglementation exige qu'elles restent 24 mois en fût et 36 mois en bouteilles. Ces dernières années, les vins de la Rioja, commercialisés souvent directement sur le marché de New York pour contourner cette législation contraignante, ont obscurci leurs teintes et allégé la légendaire *crianza*.

L'art de la matière

La nouvelle œnologie a également fait des émules en Espagne. Et l'empire de la matière, le fruité, la concentration, est une même vérité de chaque côté des Pyrénées.

La Catalogne, où l'on produit depuis un siècle le Mousseux le plus vendu du monde, le *cava*, a ainsi redécouvert le Grenache, cépage dont le vignoble espagnol est le plus riche au monde.

Dans la DO Priorato, un jeune vigneron originaire de la Rioja, Alvaro Palacios, a eu, il y a quelques années, l'audace d'élaborer un vin devenu l'un des plus chers de l'Espagne avec des raisins qui, jusque-là, étaient parmi les plus méprisés : l'Ermita 93 est issu de 80 % de Grenache, de 10 % de Carignan et de 10 % de Cabernet-Sauvignon et a passé 19 mois en fût et le reste en bouteille. René Barbier, le pionnier du renouveau de cette appellation, a quant à lui introduit un vin issu de 25 % de Syrah, avec un accord 30/30 de Grenache et de Cabernet-Sauvignon. Et, dans cette région, on parle déjà d'un Poboleda que peu d'Espagnols ont goûté puisqu'on le trouve plus facilement à New York.

Après avoir envahi la DO Priorato et colonisé la Ribera del Duero, les investisseurs en œnologie se ruent dès lors sur la DO Toro… et les marchés suivent.

Une autre vedette de la nouvelle œnologie espagnole est Peter Sisseck, le propriétaire danois du domaine Dominio Pingus, qui a travaillé pendant des années à Bordeaux et à Ribera del Duero, où il a conseillé, entre autres, Hacienda Monasterio. Dans le Libournais, Peter Sisseck s'était lié d'amitié avec Jean-Luc Thunevin, auteur d'un cru inexistant en 1990, le Saint-Émilion grand cru Château de Valandraud, en train de devenir le vin le plus cher du Bordelais. Sous l'impulsion de Thunevin, Sisseck s'est attaché, lui aussi, aux détails d'élaboration : récolte manuelle, grain par grain, double passage par le bois neuf, non pour augmenter les arômes, mais pour chercher une oxydation et des barriques sur mesure, très peu de SO_2… Véritable trouvaille, le Dominio Pingus, qui a vu le jour seulement il y a quelques années, est aujourd'hui le vin le plus cher d'Espagne : une bouteille de Dominio Pingus 1995 peut en effet se vendre à plus de 3 500 francs !

Ce prix provoquera sans doute l'étonnement d'un Français, mais ne surprendra guère un Américain : à New York, on achète le Dominio Pingus par correspondance – si toutefois on en trouve –, pour le garder fiévreusement dans sa cave, bien sûr à côté du Clos Erasmus, issu à 100 % de la Treixadura, un cépage galicien, de Viña Costeira.

Le réveil a également sonné du côté de l'appellation de Montilla-Moriles, jadis cousin pauvre de Jerez, qui produit désormais des vins recherchés par les connaisseurs, comme le Don P.X. (issu à 100 % du cépage Pedro Ximénez) et surtout le Fino Eléctrico, dont certaines bouteilles se réfèrent à des vendanges d'avant 1959. Enfin, à Jerez même, les producteurs dénichent des vieilles bouteilles de derrière les fagots qui font, elles aussi, grimper les prix – seule donne vinicole commune aux dix-sept *autonomías* espagnoles.

Confrontés à des bouteilles appelées Carchelo, Abadía Retuerta 96 cuvée El Campanario – un vin dont Pascal Delbeck est l'auteur et qui, pour Parker, vaut 94+ –, Organistrum, Borsao, Vega Sinda Chardonnay, Clos Erasmus…, les connaisseurs s'enthousiasment. Et ceux qui commencent à peine à éclaircir les énigmes du cépage Tempranillo trouveront que, dans la plupart des nouveaux vins, il y a plus de place pour le Grenache, le Monastrell (Mourvèdre) le Mencía (vins d'el Bierzo, au León, et de la Galice voisine) et surtout le délicat Graciano, dont les meilleurs Rioja de jadis trouvaient les tanins, la couleur et le parfum.   □

LA LÉGISLATION ESPAGNOLE

Depuis 1986, l'Espagne est soumise à la législation de l'Union européenne, qui définit deux catégories de vins : les *Vinos de mesa* (vins de table) et les VCPRD *(Vinos de Calidad Producidos en Regiones Determinadas)* qui sont, en fait, des VQPRD (Vins de Qualité Produits dans des Régions Déterminées).

Les niveaux de qualité

Outre les classifications officielles, l'Espagne conserve ses différentes appellations, inspirées du système français, mais aussi ses désignations, dans un souci d'information des consommateurs.

Vino de mesa est la catégorie de base. Les vins peuvent provenir de n'importe où en Espagne et ne porter ni mention d'origine géographique ni millésime. Le terme *vino de mesa* peut être suivi par le nom d'une région. Il s'agit dans ce cas d'une catégorie intermédiaire entre le *vino de mesa* et le *vino de la tierra*. 28 régions *(comarcas)* ont le droit d'utiliser leur nom pour décrire un vin, par exemple Vino de Mesa de Betanzos. Cette catégorie de vin s'appelle couramment *vino comarcal* (vin local). Ce type d'identification est aussi utilisé pour les vins qui ne rentrent pas dans le système d'appellations (voir plus bas). Par exemple, Yllera en Castille-León, qui prend ainsi le nom de sa province *(autonomía)*: Vino de Mesa de Castilla-León. Ces vins peuvent être millésimés.

Vino de la tierra est l'équivalent du vin de pays français. Il provient d'une des 28 zones délimitées reconnues pour leur caractère spécifique et aspirant à un futur statut DO.

Denominación de origen (DO) est une appellation donnée aux vins qui répondent à un certain encépagement, un mode de culture et une origine géographique. Elle est comparable à l'AOC française ou à la DOC italienne. En juin 2000, on compte 51 DO. L'INDO, l'équivalent de l'INAO français, a été créé en 1970.

Denominación de origen calificada (DOC) est une sorte de « super-DO » réservée aux vins répondant à des critères très précis de qualité et de régularité correspondant à la DOCG italienne. Jusqu'à présent, seul le Rioja a eu droit à cette appellation à compter du millésime 1991.

Les désignations de vins

La législation espagnole a été harmonisée afin que les termes qualifiant les vins soient toujours utilisés dans le même sens.

Vino joven (vin jeune) : mis en bouteille aussitôt après sa clarification, on l'appelle aussi *vino del año* (vin de l'année). L'Instituto Nacional de Denominaciones de Origen (INDO) encourage le remplacement du terme *sin crianza* par *joven* pour qualifier un vin qui n'a pas été élevé sous bois.

Vino de crianza (vin d'élevage) : il peut être commercialisé après avoir vieilli deux années entières, dont un minimum de 6 mois en *barricas* (barriques de chêne). Dans certaines régions, comme la Rioja, les 6 mois sont généralement dépassés. Les *crianzas* blancs ou rosés *(rosados)* doivent vieillir un an à la *bodega*, dont au moins 6 mois en *barricas*.

Reserva : le vin rouge doit vieillir 3 ans à la *bodega*, dont au moins deux en *barricas*, et être commercialisé dans sa quatrième année. Pour le rosé et le blanc, le délai est de 2 ans, dont 6 mois en *barricas*, et ils peuvent être commercialisés dans leur troisième année.

Gran reserva : cette catégorie n'existe que pour les millésimes particulièrement réussis. (Les millésimes ne sont contrôlés que depuis 1979. Avant cette date, il y avait parfois des millésimes fantaisistes.) Les rouges doivent vieillir 2 ans en barrique, 3 en bouteille, et être vendus dans leur sixième année. Les *gran reservas* blancs et rosés sont très rares. Ils doivent être élevés pendant 4 ans, dont 6 mois au minimum en barrique, et ne sont commercialisés que dans leur cinquième année.

Lire une étiquette

L'étiquette principale du vin indique son niveau dans la hiérarchie. Mais c'est généralement sur une contre-étiquette apposée au dos de la bouteille ou sur un sceau de papier collé à cheval sur le bouchon qu'on trouvera les informations les plus utiles. La contre-étiquette porte le sigle officiel du Consejo Regulador (l'organisme de tutelle des DO), un numéro d'ordre qui permet d'identifier l'origine de la bouteille, et, souvent, une carte du vignoble dont il est issu. L'information la plus importante reste la catégorie de vin par rapport à son mode d'élevage : *crianza, reserva* ou *gran reserva*. Si aucune de ces désignations n'est mentionnée, il s'agit sans doute d'un *vino joven*.

LES RÉGIONS VITICOLES D'ESPAGNE

Les zones de vignobles sont dispersées dans tout le pays et délimitées par le relief : un vaste plateau central entouré par des chaînes de montagnes creusées régulièrement par de larges vallées fluviales. La principale caractéristique du vignoble espagnol est sa diversité : des vignobles jusqu'à 1 000 m d'altitude, des températures qui tombent de 20 °C le soir et passent de – 10 °C à 40 °C de l'hiver à l'été, sans oublier le grand nombre de cépages locaux auxquels se sont ajoutés des cépages étrangers. En témoignent également le vignoble des Canaries, de la même latitude que le Sahara, et celui de Jerez, à « deux brassées » des côtes africaines. De façon schématique, on pourrait dire que le nord de l'Espagne produit des vins non mutés de qualité, le centre des vins courants et le sud des vins d'apéritif de type Xérès ou des vins de dessert. Cette carte fait apparaître 39 des 51 DO du pays.

Régions viticoles

- *denominación de origen* (DO)
- *denominación de origen calificada* (DOC)
- ▬▬ Frontière
- – – – Limite de communauté autonome

LA RIOJA

Vaste vignoble de cépage Tempranillo sur des sols argileux de la Rioja Alavesa.

Il y a 2000 ans, lorsque les Romains arrivèrent dans la région de Rioja, dans la haute vallée de l'Èbre, ils découvrirent que les habitants, qu'ils appelèrent Celtiberi, cultivaient déjà la vigne et faisaient déjà du vin. Selon l'éternelle vocation des conquérants à faire connaître leur savoir-faire et à satisfaire leur propre consommation, les légions romaines enseignèrent aux indigènes leurs techniques de vinification et imposèrent leur « pax vinicola ».

Au début du deuxième millénaire, la production de vin dans la Rioja était des plus florissantes. La vinification et le contrôle de la qualité étaient sanctionnés par des ordonnances municipales à Logroño et dans l'ensemble de la région.

L'histoire de la Rioja moderne commença dans les années 1860, lorsque Camilo Hurtado de Amézaga, marquis de Riscal de Alegre, revint au pays après un séjour à Bordeaux, armé de nouvelles idées, de nouvelles vignes et, le plus important de tout, de barriques de chêne neuves. L'un de ses pairs, le marquis de Murrieta, partageait ses convictions. Tous deux se mirent donc à planter du Cabernet-Sauvignon et du Merlot et se préparèrent à vinifier et élever leurs vins en s'inspirant du modèle bordelais. Le marquis de Riscal a notamment impulsé l'engagement par le Conseil d'Alava de l'œnologue bordelais Jean Pineau, afin d'améliorer les vins des différents producteurs de la région. Les vins des deux marquis ne tardèrent pas à atteindre des prix qu'on n'aurait jamais imaginés dans la région de la Rioja. Les marquis viticulteurs initièrent certains vignerons qui n'avaient pas les mêmes facilités pour se procurer les cépages importés. À leur grande surprise, ces vignerons découvrirent que les cépages locaux qu'ils travaillaient depuis toujours, en particulier le Tempranillo, donnaient d'excellents résultats avec les nouvelles méthodes, avec ou sans Cabernet-Sauvignon.

Pendant ce temps, par-delà les Pyrénées, les premières attaques d'oïdium puis de phylloxéra ravageaient le vignoble français. Les négociants d'Aquitaine, et même de plus loin, affluèrent pour acheter des vins qu'ils ne trouvaient plus chez eux. Les vins de Rioja connurent alors un essor considérable.

Au cours du XXe siècle, la Rioja se bâtit la réputation de plus beau vignoble d'Espagne. En 1991, le Rioja accéda au rang de DOC (*denominación de origen calificada*), catégorie supérieure à la DO. Il est désormais soumis à une réglementation plus stricte. Comme le Bordelais et bien d'autres vignobles, la Rioja produit toute une gamme de vins, du vin jeune (non vieilli) jusqu'au *gran reserva* vieilli en fût de chêne pendant des années.

Régions, climats et sols

Les vins de la Rioja proviennent de l'*autonomía* La Rioja et des *autonomías* voisines, le Pays basque et la Navarre. On trouve également des vignes – mais pas de *bodegas* – dans la province de Burgos. C'est toutefois à Logroño, capitale de La Rioja, que se trouve le siège de la Denominación de origen calificada Rioja. Les principales subdivisions du vignoble correspondent à celles de la région : Rioja Alavesa, Rioja Alta et Rioja Baja.

La **Rioja Alavesa** est située au nord de l'Èbre dans la province d'Álava (Pays basque).

La **Rioja Alta,** au sud d'Álava, comprend l'enclave de Burgos.

Ces deux zones se trouvent dans la partie haute de la Rioja, à une altitude comprise entre 400 et 500 m, dont les températures légèrement plus fraîches donnent des vins de la meilleure qualité. Le climat est tempéré par l'influence de l'Atlantique et abrité des vents du nord par les monts Cantabriques. Le printemps est précoce et ensoleillé, l'été chaud et long, l'automne doux et rafraîchi par des brises nocturnes. L'hiver peut être très froid et amener le gel et la neige dans certains endroits.

La **Rioja Baja,** qui comprend également les secteurs viticoles de Navarre, occupe la partie sud-est de la région et descend jusqu'à environ 300 m d'altitude. Le climat est plus méditerranéen, plus chaud et plus sec, voire semi-aride par endroits. La durée d'ensoleillement est plus longue et les raisins sont mûrs plus tôt. Les vins de cette région sont souples, s'épanouissent plus rapidement et leur teneur en alcool est généralement plus élevée que dans les deux autres régions de la Rioja.

Le sol argileux de la Rioja est sillonné de dépôts de calcaire et de fer vers le nord-ouest, tandis que la Rioja Baja possède des sols sableux et alluviaux.

Les cépages

Le principal cépage rouge est le Tempranillo. Dans la plus grande partie de l'Espagne septentrionale, en particulier dans la Rioja Alta et la Rioja Alavesa, c'est le premier cépage rouge de qualité. Il possède une peau épaisse d'un noir brillant et doit son nom à sa maturation précoce (*temprano* signifie « tôt »), environ deux semaines avant le Grenache. Utilisé seul, il ne vieillirait pas aussi bien et aussi longtemps et le Rioja n'aurait jamais atteint sa réputation actuelle. C'est pourquoi il est presque toujours utilisé en assemblage avec d'autres cépages. Le Grenache Noir (Garnacha Tinta ou Garnacha Riojana) est le principal cépage de

la Rioja Baja et entre dans presque tous les assemblages de vins de la Rioja. Il lui faut cependant un automne chaud et prolongé pour arriver à maturité complète. Le Graciano produit lui aussi des vins de grande qualité et apporte une réelle finesse à mesure que le vin vieillit.

Parmi les autres cépages rouges, il faut noter le Mazuelo (connu dans le reste de l'Espagne sous le nom de Cariñena), qui apporte aux Riojas des tanins et de l'acidité. Le Cabernet-Sauvignon est toujours considéré comme un cépage « expérimental », bien qu'il n'ait jamais cessé d'être cultivé au Domaine Marqués de Riscal. Un assemblage classique de vin rouge de la Rioja pourrait se composer ainsi : 70 % de Tempranillo, 15 % de Grenache, 10 % de Mazuelo et 5 % de Graciano.

Le Rioja blanc a considérablement changé depuis que l'on a abandonné l'élevage en fûts de chêne au profit de vins plus aromatiques issus de Viura et vinifiés à basse température dans le style *joven*. La Malvoisie (Malvasía Riojana) accompagne souvent le Viura dans les Riojas blancs. Elle joue même un rôle fondamental dans les blancs vieillis en fûts, car elle ajoute une dimension supplémentaire aux vins de Viura, naturellement neutres, et se marie admirablement avec le chêne. Le Grenache Blanc (Garnacha Blanca) produit quantité de vins de qualité raisonnable, qui manquent toutefois de fraîcheur.

Vinification et élevage

La tradition voulait que les vins de la Rioja soient vinifiés dans des cuves de pierre. Les raisins étaient foulés au pied et la fermentation était laissée aux caprices de la nature. Depuis 1856, les méthodes de vinification sont plus scientifiques. Aujourd'hui, la plupart des *bodegas* font fermenter leurs vins dans des cuves d'acier inoxydable ou de résine. Lorsque la fermentation est terminée, les vins restent un moment en cuve avant d'être transvasés dans des barriques de chêne de 225 litres *(barricas)*. Le minimum de vieillissement est fixé par la loi avec précision, mais les *bodegas* sont libres de choisir la durée d'élevage de leurs vins en fonction de leurs ambitions,

à condition qu'elle soit supérieure au minimum obligatoire. De nombreuses expériences d'élevage dans différents types de chêne sont en cours : avec 600 000 barriques en stock, on peut en effet imaginer que toutes les combinaisons ont été étudiées ou sont en cours d'étude dans la Rioja.

Les vins blancs fermentent presque toujours dans des cuves d'acier inoxydable dotées de systèmes de refroidissement. Seules quelques maisons continuent à effectuer des vinifications traditionnelles en laissant fermenter les moûts sans contrôle de température avant de loger les vins en fût.

C'est le système de vieillissement qui rend les vins de la Rioja uniques. La loi espagnole a défini des critères précis pour tous les types de vin, *crianza, reserva*, etc., mais ces règles sont encore plus strictes pour l'appellation Rioja. Le Rioja *joven* (ancien *sin crianza*) qualifie des vins qui ne sont pas passés en fût ou qui y sont restés un temps inférieur au minimum légal pour un *crianza*. Quelques *bodegas* font des essais d'élevage de deux ou trois mois en fûts, mais ces vins restent dans la catégorie *joven* et peuvent être diffusés aussitôt après leur mise en bouteilles.

Les Riojas de *crianza* sont des vins commercialisés dans leur troisième année après avoir été élevés au moins 12 mois en barriques. Dans la pratique, ils sont généralement mis sur le marché après une année supplémentaire de vieillissement en bouteille. Les Riojas rouges de *reserva* ne peuvent être mis sur le marché que dans leur quatrième année, après avoir passé au moins 12 mois en barriques et 12 mois en bouteilles. Les vins blancs et rosés de ce type doivent passer 6 mois en fûts avant d'être diffusés à partir de leur troisième année.

La désignation de *gran reserva* est réservée aux vins rouges produits dans des millésimes particulièrement réussis. Ils ne peuvent pas être commercialisés avant leur sixième année et doivent auparavant avoir été élevés au moins 12 mois en fût et 12 mois en bouteilles. Les *gran reservas* blancs ou rosés, extrêmement rares, ont passé 6 mois en fût et peuvent être vendus à partir de leur cinquième année. □

PRODUCTEURS ET NÉGOCIANTS

Presque tous les Riojas commercialisés sont élaborés dans des *bodegas*. Celles-ci possèdent souvent un vignoble, mais achètent aussi des raisins ou du vin auprès de vignerons indépendants. Les vignerons qui exploitent quelques petites parcelles ont rarement des équipements de vinification et vendent souvent leurs raisins à des coopératives qui fournissent les moûts ou les vins aux négociants (*bodegas*).

Bodegas AGE

Née de la fusion de trois vieilles entreprises, la *bodega* AGE (50 ha) appartient aujourd'hui à Bodegas y Bebidas. Elle achète une grande partie du raisin. Marques principales : Romeral et Siglo (blanc, rouge, rosé), Marqués del Romeral (rouge), Siglo Saco (rouge) et Azpilicueta (*crianza* et *reserva*).

Bodegas Berberana

Fondée en 1877, cette maison a pris de l'ampleur : 5 600 ha, 30 000 fûts de chêne et une production avoisinant 17 millions de bouteilles. Principales marques : Carta de Oro, Carta de Plata et Preferido (les trois couleurs), Lagunilla *crianza* et Berberana (rouge).

MARQUÉS DE MURRIETA

L'un des pionniers dans l'histoire de la production de Rioja, cette *bodega* fut fondée en 1852 et reste fièrement respectueuse des traditions. Tous les raisins qui lui servent à élaborer ses vins proviennent de ses 300 ha de vignes à Ygay, non loin de Logroño. Les vinifications sont délibérément conduites à l'ancienne et les vins sont élevés dans 14 000 fûts (pendant plus de deux ans, beaucoup plus longtemps que dans d'autres *bodegas*). La *bodega* élabore une petite gamme de vins qui incluent Marqués de Murrieta (blanc et rouge) le fameux Castillo Ygay (blanc et rouge), un *reserva* haut de gamme, rare et cher, et, depuis peu, 41 329 bouteilles du Dalmau (rouge).

Bodegas Bilbaínas

Cette *bodega* établie depuis 1901 possède 255 ha de vignes et produit près de 1 million de bouteilles par an. Principales marques : Cepa de Oro (blanc), Viña Paceta (blanc), Ederra (rouge), Gran Zaco (rouge), Imperator (rouge), Viña Pomal (rouge), Viña Zaco et Vicalanda.

Bretón y Cia

Fondée en 1985, cette *bodega* (106 ha) est l'une des références des Rioja modernes. Les vedettes sont Alba de Bretón (100 % Tempranillo vieilles vignes, non filtré) et Dominio de Conte (90 % Tempranillo et 10 % Graciano).

Bodegas Martínez Bujanda

Cette *bodega* jouit d'une bonne réputation et travaille avec soin les raisins exclusivement issus de son vignoble de 383 ha. Ce producteur, l'un des meilleurs de Rioja, est connu pour ses marques Valdemar (blanc, rouge, rosé) et Conde de Valdemar (rouge).

Bodegas Marqués de Cáceres

Cette *bodega* a été fondée en 1970 par Enrique Forner, l'un des pionniers de la nouvelle technologie en Rioja, tant pour les blancs que pour les rosés. Elle se fournit en raisins auprès d'un groupe de viticulteurs, l'Unión Vitivinícola, pour produire environ 6,7 millions de bouteilles par an. Ce sont des vins de haute qualité et de style classique (rouge, blanc, rosé).

Bodegas Campo Viejo

Fondée en 1963, Campo Viejo (Bodegas y Bebidas) est la plus grande entreprise de Rioja. Son vignoble de 510 ha fournit la majeure partie du raisin. L'importante gamme de vins comprend notamment les Albor (rouge, blanc), Campo Viejo, San Asensio et Selección José Bezares (les trois couleurs), Marqués de Villamagna et Viña Alcorta (rouges).

CVNE (Compañía Vinícola del Norte de España)

Fondée en 1878, cette *bodega* jouit d'une bonne réputation bâtie sur le sérieux de sa production. Près de la moitié du raisin vient de son vignoble de 500 ha. En 1990, elle s'est dotée d'installations de vinification ultramodernes. Sa gamme de vins est fiable et généreuse : Corona semi-seco (blanc demi-sec), Cune (blanc, rouge, rosé), Monopole (blanc), Imperial (rouge), Viña Real (rouge).

Cosecheros Alaveses SA

Artadi Pagos Viejos, Viñas de Gain *crianza* et Viña El Pisón placent cette maison fondée en 1985 (70 ha de vignoble et 800 barriques) en tête du Rioja moderne.

Bodegas Domecq

Cette antenne de la fameuse maison de Xérès (voir p. 425) existe depuis 1973. L'un des plus grands propriétaires de l'appellation Rioja Alavesa (500 ha), elle produit environ 6 millions de bouteilles. Principales marques : Marqués de Arienzo (blanc, rosé, rouge) et Viña Eguia (rouge).

Bodegas Franco-Españolas

Établie depuis 1890, cette *bodega* qui ne possède pas de vignes commercialise chaque année 4,7 millions de bouteilles et appartient au même groupe que Federico Paternina. Marques principales : Diamante semi-seco (blanc demi-sec), Viña Soledad (blanc), Rioja Bordón (rouge).

Finca Allende

Fondée en 1995, cette *bodega* de 22 ha vend chaque année 150 000 l, dont 70 % à l'étranger. Autant son Aurus (85 % Tempranillo et 15 % Graciano) que son Allende, un pur Tempranillo, triomphent chez les dégustateurs.

Granja Nuestra Señora de Remelluri

Les Remelluri *crianza* et *reserva* de cette *bodega* fondée en 1967 (100 ha, 360 000 litres par an) plaisent aux Espagnols qui achètent 70 % de la production.

Bodegas Martínez Lacuesta

Cette maison datant de 1895 est fière d'être encore une *bodega* « ancien style ». La fermentation se fait toujours en cuves de chêne. Marques principales : Campeador et Martínez Lacuesta (rouges).

Bodegas Lan

Le nom de cette maison fondée en 1974 correspond aux initiales des trois provinces de Rioja qui produisaient du Rioja à l'époque : Logroño, Álava et Navarre. La bodega possède un vignoble de 80 ha et achète 90 % des raisins dont elle a besoin. Elle produit 1,9 million de bouteilles de bonne qualité. Les caves comptent 25 000 fûts de chêne. Principales marques : Lan (blanc, rosé, rouge) et Viña Lanciano.

Bodegas Barón de Ley

Cette bodega (1985) occupe un ancien pavillon de chasse ducal nommé Coto de Imaz, qu'entoure un vignoble de 100 ha. Les 4 000 fûts de chêne sont pour la plupart d'origine française. Barón de Ley est un blanc 100 % Viura et Barón de Ley gran reserva un rouge 100 % Tempranillo.

Bodegas Faustino Martínez

Cette bodega existait déjà en 1860, époque où le Rioja était fait selon le método rural. Elle est aujourd'hui à la tête d'un important vignoble de 500 ha et d'une cave de 25 000 fûts de chêne. Marques principales : Faustino V (blanc, rosé, rouge) et Faustino I (rouge).

Bodegas Montecillo

Fondée en 1874, cette bodega vend 3 millions de bouteilles par an, qu'elle élève dans ses 25 000 fûts de chêne, d'origine française pour la plupart. Principales marques : Viña Cumbrero (blanc, rouge), Montecillo (rosé, rouge) et Viña Monty (rouge).

Bodegas Muga

Cette entreprise familiale établie en 1932 utilise encore des cuves de bois pour la fermentation et des blancs d'œufs pour le collage. Muga possède 60 ha de vignes et produit 600 000 bouteilles par an. Marques principales : Muga (blanc, rouge), Torre Muga et Prado Enea (rouges).

Cuves de fermentation des Bodegas Muga à Itaro.

Bodegas Marqués de Murrieta

Voir encadré p. 407.

Bodegas Palacio

Cette maison (10 ha) créée en 1894 achète la majeure partie de son raisin pour produire ses 2,7 millions de bouteilles par an. Principales marques : Glorioso (blanc, rosé, rouge) et Cosme Palacio y Hermanos (blanc, rouge).

Bodegas Federico Paternina

L'un des plus grands producteurs de Rioja (40 000 fûts de chêne, 20 millions de litres), cette bodega appartient au même groupe que les Bodegas Franco-Españolas. Marques principales : Banda Dorada et Federico Paternina (blancs), Banda Rosa (rosé), Banda Azul, Conde de los Andes et Viña Vial (rouges).

Bodegas La Rioja Alta

Née en 1890, cette bodega produit près de 1,9 million de bouteilles par an. Le raisin provient de ses vignobles (300 ha) et de viticulteurs locaux. Une partie de la fermentation se fait en cuves de bois, la méthode d'élevage est traditionnelle (30 000 fûts dont certains ont 20 ans), ce qui fait d'elle l'une des meilleures bodegas de Rioja. Principales marques : Viña Ardanza (blanc, rouge), Reserva 904, Reserva 890, Viña Alberdi et Viña Arana (rouges).

Bodegas Riojanas

Fondée en 1890, cette entreprise familiale possède un vignoble de 200 ha et achète environ les deux tiers de ses besoins en raisin et en vin. Sa production avoisine 3,4 millions de bouteilles par an et sa cave renferme quelque 20 000 fûts de chêne. Principales marques : Canchales, Monte Real et Puerta Vieja (blanc, rosé, rouge), Viña Albina (blanc, rouge) et Viña Albina Centenario (rouge).

Roda SA

Créée en 1986, cette maison (60 ha de vignoble et 1 200 bar-riques) exporte 70 % des 60 000 bouteilles de son Roda I Reserva (100 % Tempranillo).

Señorío de San Vicente

Née en 1974, cette bodega (18 ha et 400 barriques) exporte la moitié des 50 000 bouteilles de son San Vicente (100 % Tempranillo peludo).

Bodegas R. López de Heredia Viña Tondonia

Fondée en 1877, cette bodega continue à travailler de façon très traditionnelle : la moitié du raisin provient de son vignoble (170 ha), tous les vins sont fermentés en cuves de chêne, transférés manuellement dans des fûts de chêne (14 000) et encore collés au blanc d'œuf. Principales marques : Viña Gravonia (blanc, rouge), Viña Tondonia (blanc, rosé, rouge), Viña Bosconia et Viña Cubillo (rouges).

Viñedos del Contino

Cette bodega (60 ha et 2 000 barriques) fondée en 1974 produit l'une des étoiles de la Rioja moderne, le Contino, ainsi qu'une curiosité, le Contino Graciano (100 % Graciano).

Vinos de los Herederos del Marqués de Riscal

Fondée en 1860, cette bodega fut à l'origine du renouveau de la Rioja à la fin du XIXᵉ siècle et appartient toujours aux descendants des fondateurs, qui en assurent la direction. Première à introduire des cépages français en 1868, mais sur seulement 9 des 39 ha du vignoble, Riscal inventa le célèbre filet en fer pour empêcher les contrefaçons. Le vignoble (200 ha) couvre environ 40 % des besoins en raisin. Le Cabernet-Sauvignon d'origine y est toujours cultivé, mais il sert peu aux rouges classiques, car il entre à 85 % dans la composition de la cuvée Barón de Chirel. Les 21 000 fûts de chêne sont remplacés par rotation. Principales marques : Marqués de Riscal et le Cabernet-Sauvignon Barón de Chirel (rouges).

NAVARRE ET ARAGON

La Navarre produisait déjà du vin avant l'époque romaine et, à la fin du XVIIIᵉ siècle, celui-ci était l'un des principaux produits d'exportation de la haute vallée de l'Èbre. Les liens entre la France et cette région de polyculture prospère s'avérèrent fructueux, surtout au milieu du XIXᵉ siècle, lorsque, les vignes françaises étant sinistrées, les négociants français durent s'approvisionner en Navarre et en Aragon pour compenser la pénurie de vin.

La Navarre

La DO de Navarre se trouve à l'est de la Rioja et au nord-ouest de l'Aragon. Elle est divisée en cinq sous-régions : Tierra Estella, Valdizarbe et Baja Montaña couvrent la partie plus humide et fraîche du nord, qui s'élève jusqu'à 560 m d'altitude ; Ribera Baja, au sud, est plus chaude et sèche et culmine à 250 m ; Ribera Alta, entre les deux, est la plus grande zone et jouit d'une altitude et d'une température intermédiaires. Le sol des zones du nord et du centre est étonnamment similaire : la surface profonde et fertile recouvre du gravier et le sous-sol est calcaire. Dans la Ribera Baja, le sol devient plus léger et sablonneux et, de ce fait, moins adapté à la vigne.

Le principal cépage, le Grenache, occupait 73 % du vignoble, mais le Consejo Regulador a encouragé la plantation de Tempranillo, visant à un encépagement de 34 % de Grenache, 31 % de Tempranillo et 11 % de Maccabeo (Viura) pour les vins blancs.

Le gouvernement de l'*autonomía* de Navarre a créé un institut de recherche appelé EVENA (Estación Viticultura y Enología de Navarra), qui cultive tous les cépages, sur tous les types de porte-greffe, dans tous les types de sols de la région, afin de déterminer les meilleures techniques culturales. Ses résultats sont impressionnants et confirment le potentiel de la région.

La Navarre est connue en Espagne pour ses délicieux *rosados* puissants et

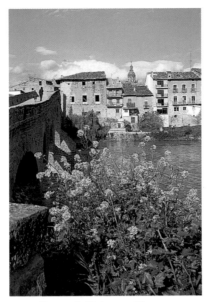

Puente la Reina, en Navarre.

généreux, qui comptent parmi les meilleurs rosés du monde. À l'aveugle, ils pourraient presque passer pour des rouges légers. La recherche de la qualité a porté ses fruits : en 1998, la part des vins de *crianza* a augmenté de 58,8 % en Espagne et de 27,11 % à l'étranger, celle des rouges de réserve exportés a même frôlé les 219 %.

L'Aragon

Avant les années 1980, les vins d'Aragon se contentaient de satisfaire un marché local naissant ; depuis, ils commencent à faire parler d'eux à l'étranger. La région compte quatre DO : Cariñena, Calatayud, Campo de Borja et Somontano.

Cariñena, la plus solidement établie des DO d'Aragon, a même donné son nom à un cépage qui, curieusement, n'occupe que 1,5 % de l'appellation. La plus grande partie du vignoble est plantée en Grenache (60 %) et en Viura (21 %). Les vignes poussent entre 400 et 800 m d'altitude, sur des sols très divers, et le climat est continental. Cette appellation est surtout connue pour ses rouges jeunes ou de *crianza*, mais elle

produit aussi des vins blancs et des rosés jeunes et frais. Elle est également autorisée à élaborer des vins pétillants de Cava (voir encadré p. 418).

Calatayud est la plus récente DO d'Aragon (1990), mais la deuxième en superficie. Les vignobles sont plantés assez haut (500-900 m), le climat est continental et les faibles précipitations limitent les rendements. Le principal cépage rouge est le Grenache, suivi du Tempranillo, du Juan Ibáñez et du Monastrell. Les rosés sont issus de Grenache et les blancs, en majeure partie, de Viura, avec un peu de Grenache Blanc. Tous les vins sont faits dans le style *joven*.

Les vignobles de Campo de Borja sont situés à des altitudes légèrement inférieures. Ici encore, le cépage de base est le Grenache, qui couvre plus de 80 % de la superficie. La plupart des vins sont donc rouges et rosés, mais la DO produit aussi un *mistela* doux (non DO) à base de Muscat, qui est un mélange de jus de raisin et d'alcool.

À mi-chemin vers les Pyrénées, le vignoble de Somontano a peu de points communs avec les autres appellations d'Aragon – ou avec le reste de l'Espagne, – mais promet d'être l'une des plus intéressantes nouvelles appellations du pays. Avant 1900, il n'exportait que vers la France. Or, depuis qu'il a reçu la DO, en 1985, ses vignerons ont commencé à se rendre compte du potentiel de leur terroir. Les styles de vin produits ici sont assez originaux ; les rouges ont une forte personnalité, les blancs et les rosés sont légers et fruités. Les vignes sont plantées entre 350 et 700 m d'altitude dans des sols riches, souvent disposés en terrasses à flanc de coteau, dans les vallées.

Le principal cépage rouge est le Moristel (qui est introuvable ailleurs qu'à Somontano et qu'il ne faut pas confondre avec le Monastrell). Il couvre 25 % du vignoble, suivi par le Tempranillo. Pour les blancs, c'est le Viura qui domine, suivi de près par l'Alcañón, une autre spécialité locale.   □

PRODUCTEURS ET NÉGOCIANTS

En Navarre comme en Aragon, la tradition coopérative est bien établie. Les viticulteurs sous contrat sont encouragés à tenter des expériences sur de nouveaux cépages. Ils améliorent et modernisent leurs installations de vinification.

NAVARRE
Dans la DO de Navarre, 90 % des raisins sont livrés aux caves coopératives par les vignerons.

Bodegas Julián Chivite
Fondée en 1647, cette *bodega* est une entreprise familiale très respectée. Elle utilise les raisins de son propre vignoble de 350 ha et s'approvisionne en raisin et en vin pour couvrir le reste de ses besoins. Sa cave contient 15 000 fûts de chêne. Chivite est le plus grand exportateur de vins de Navarre. La cuvée de rouge que l'entreprise a élaborée pour célébrer son 125e anniversaire est entrée dans la légende. Les marques principales sont Gran Feudo (blanc, rosé, rouge), 125 Anniversario (rouge), Gran Feudo de Moscatel (moelleux) et Viña Marcos (rouge).

Guelbenzu SL
Les Guelbenzu Evo et Lautus de cette *bodega* de tradition, fondée en 1851, avec un vignoble de 38 ha, figurent en tête des dégustations des dernières années.

Luis Gurpegui Muga
Le Monte Ory de cette *bodega* fondée en 1921 est également coté en rosé et en rouge.

Bodegas Irache
Fondée en 1891, cette entreprise familiale s'est agrandie à l'approche de son 100e anniversaire. Elle est maintenant à la tête d'installations parmi les plus modernes de Navarre. Les vignobles de la *bodega* comptent 50 ha. Avec les raisins qui sont achetés, la production atteint plus de 15 millions de bouteilles par an. Les caves de *crianza* ont une capacité de 4 445 fûts de chêne. Principales marques : Castillo Irache (rosé, rouge), Gran Irache et Real Irache (rouge).

Vinícola Navarra
L'une des plus anciennes *bodegas* de Navarre (1864), cette maison n'en est pas moins dotée d'installations fort modernes et appartient au gigantesque groupe Bodegas y Bebidas. Elle possède un vignoble de 12 ha, mais se procure surtout son raisin auprès de viticulteurs sous contrat. Les caves abritent quelques vieux foudres de chêne de 20 hl à usage décoratif. En revanche, les 2 000 fûts de chêne utilisés pour les *crianzas* sont de plus récente facture. Les principales marques sont Bandeo (blanc, rosé, rouge), Las Campanas (blanc, rosé, rouge), Viña Alaiz (blanc, rosé, rouge), Castillo de Javier (rosé) et Castillo de Tiebas (rouge).

Bodegas Ochoa
Cette petite *bodega* qui ne produit guère plus de 1 million de bouteilles par an est dirigée par Javier Ochoa, qui travaille également pour l'EVENA. Son vignoble de 17 ha couvre une partie de ses besoins et ses caves abritent environ 300 fûts de chêne. Son Ochoa Moscatel est un must.

Nuestra Señora Del Romero
Cette coopérative créée en 1951 pour un vignoble de 1 100 ha dispose de 2 200 barriques et produit chaque année 4 millions de bouteilles. Son Malon de Echaide est l'un des rosés les mieux considérés d'Espagne.

Señorío de Sarriá
Le mot *señorío* désigne un vaste domaine privé. Celui-ci compte 1 500 ha, dont 200 sont réservés au Chardonnay et au Cabernet-Sauvignon. Les caves possèdent tous les équipements les plus modernes ainsi que 10 000 fûts de chêne pour l'élevage. Les principales marques sont Señorío de Sarriá (blanc), Viña del Portillo (rosé), Viña Ecoyen (rouge), Gran Vino del Señorío de Sarriá (rouge) et Viña del Perdón (rouge).

ARAGON
Les vins d'Aragon sont à 90 % le produit des coopératives. Voici la liste des producteurs et négociants par ordre alphabétique dans chaque DO.

CARIÑENA
Bodega
Cooperativa San Valero
C'est la plus grande coopérative de la région, le plus grand exportateur de vins d'Aragon et l'une des *bodegas* les plus novatrices. Elle encourage la plantation de cépages de qualité et de cépages expérimentaux. Ses vins, qui vont des plus simples aux *gran reservas*, sont régulièrement récompensés dans les concours. Elle produit plus de 20 millions de bouteilles par an à partir des 5 500 ha de vignes de ses adhérents. Les principales marques sont Don Mendo (blanc, rosé, rouge) et Monte Ducay (blanc, rosé, rouge).

Grandes Vinos y Viñedos SA
Constituée en 1997, cette *bodega* de 5 500 ha a réussi à imposer un Cabernet-Sauvignon, le Monasterio de las Viñas, et un pur Tempranillo, Corona de Aragón.

CALATAYUD
Castillo de Maluenda
Riche en vignobles (3 500 ha), cette *bodega* créée en 1945 produit un rouge 100 % Grenache très équilibré, le Castillo de Maluenda Garnacha Selección.

CAMPO DE BORJA
Bodegas Bordeje
Les caves de cette toute petite *bodega*, qui existe depuis 1770, sont creusées dans les flancs des collines à l'extérieur du village. Elle vinifie exclusivement les raisins de son vignoble de 80 ha (sur une propriété de 250 ha). Ses vins très traditionnels sont élevés pour la plupart dans d'immenses foudres de bois. Ses marques principales sont Rosado de Garnacha (rosé) Abuelo Nicolas (rouge) et Don Pablo (rouge).

Sociedad Cooperativa Agrícola de Borja
Cette coopérative de 1 450 ha est considérée comme une des meilleures. Ses principaux vins sont le Borsao (rouge) et le Gran Campellas (rouge).

SOMONTANO
Pirineos SA
Fondée en 1993, cette *bodega* joue la carte des cépages indigènes avec des rouges 100 % Parraleta ou Moristel ainsi qu'un superbe Montesierra *crianza* Moristel et Tempranillo.

Viñedos y Crianzas del Alto Aragón SA
Avec 300 ha de vignoble et 2 500 barriques, cette *bodega* fondée en 1991 est la deuxième de la DO, grâce en particulier à ses Enate (Chardonnay, Gewürztraminer, Cabernet-Sauvignon et un Tempranillo à 70 %).

CASTILLE-LEÓN

La Castille-León est le noyau historique de l'Espagne : les capitales des huit provinces constituant l'*autonomía* de Castilla y León sont toutes liées à la reconquête de l'Espagne. Avant de s'unir sous le règne d'Alphonse VI, au XIᵉ siècle, la Castille et le León étaient des royaumes indépendants. Puis, en 1469, Isabelle de Castille-León, épousa l'héritier du trône d'Aragon, Ferdinand : le processus d'unification de l'Espagne était engagé.

Traversant sept des huit provinces, le Douro influence à la fois les microclimats et la géologie de quatre des cinq DO locales (Ribera del Duero, Rueda, Cigales et Toro). Avant la très récente explosion des Ribera del Duero, puis des Toro, destinés aujourd'hui à l'exportation, ces vins étaient réservés à trois communautés locales : la noblesse castillane, les dignitaires ecclésiastiques des villes épiscopales et les intellectuels de l'université de Salamanque. Ces gens sont fortunés et savent apprécier la qualité. Les vins rouges et rosés sont robustes, puissants, riches en alcool, exactement au goût du *marqués* local pour accompagner son rôti de sanglier. La cinquième et plus récente DO, Bierzo, est séparée des quatre autres et son style tient davantage de la Galice voisine. On y cultive différents cépages et les vins sont plus légers et plus frais.

Ribera del Duero

C'est la plus importante DO de la vallée du Douro et de Castille-León. Au milieu du XIXᵉ siècle, tandis que le marquis de Riscal et le marquis de Murrieta importaient dans la Rioja (voir p. 406) des plants de vigne et des techniques venant de Bordeaux, une démarche similaire eut lieu près du village de Valbuena, dans la province de Valladolid. En 1864 vit en effet le jour une nouvelle entreprise, Bodega de Lecanda, qui utilisait les techniques bordelaises. En 1890, elle changea à la fois de propriétaire et de nom et devint Vega Sicilia. Mais les premières bouteilles de Vega Sicilia remontent à l'année 1915 ou 1917. Pendant les 118 premières années de son existence, le Vega Sicilia resta classé en *vino de mesa*, alors qu'il était l'un des vins les plus rares et les plus chers du monde.

Maisons du XVIᵉ siècle autour des arènes de Peñafiel, la capitale viticole de Ribera del Duero.

Ce n'est qu'en 1982, grâce à l'appui acharné d'autres viticulteurs de la région, qu'il accéda au statut de DO: Vega Sicilia avait réussi à prouver que le cépage rouge local, le Tinto Fino, ou Tinto de País (en fait, du Tempranillo), dans des conditions de culture adéquates, pouvait produire un vin de très grande classe. Aujourd'hui, le domaine utilise surtout le Tinto Fino les années sèches et le Cabernet-Sauvignon les années humides.

Le vignoble de Ribera del Duero suit le cours du Douro de Soria jusqu'à Valladolid, à une altitude généralement située entre 700 et 800 m. Un sol profond, léger et sablonneux recouvre une couche d'argile avec, ici et là, des affleurements de calcaire. Le vignoble se trouve à la limite des possibilités climatiques de culture de la vigne, ce qui explique son rendement moyen de 24 hl/ha seulement. Le climat est véritablement continental.

Les raisins ont une bonne acidité, les vins sont excellents et chers. Le Tinto Fino occupe 60 % de la surface cultivée. Alors que, dans la Rioja, il faut lui adjoindre d'autres cépages pour obtenir un parfait assemblage, ici il se suffit à lui-même et atteint complexité et équilibre grâce à l'altitude et à la fraîcheur du climat. La région ne fait que des vins rouges et rosés et du Grenache a été planté à titre expérimental. Valbuena, le pays de Vega Sicilia, et quelques autres villages sont autorisés à replanter en cépages bordelais. On trouve ici quelques vins rouges de style *joven*, mais la plupart sont élevés en *crianza*. Les meilleurs *reservas* et *gran reservas* sont à la hauteur des meilleurs Riojas.

Rueda

L'histoire des vins de Rueda est longue et respectable. À l'époque où Valladolid était encore la capitale de l'Espagne, les vins de Rueda étaient très prisés par la noblesse locale. Mais après l'attaque du phylloxéra, à la fin du XIX siècle, le vignoble fut largement replanté en Palomino, cépage à fort rendement, pour la simple raison que les vignerons étaient payés au litre, quelle que fût la qualité. L'autre cépage local, le Verdejo, était peu productif et son vin n'était pas très stable. Au début du XX siècle, quelques viticulteurs essayèrent de tirer le meilleur parti du Palomino. Leur vin muté, de type Xérès en version plus légère, donna une certaine réputation à Rueda, mais trouva peu d'écho sur les marchés d'exportation.

Le véritable retour de Rueda, dans les années 1970, est l'œuvre de Marqués de Riscal (voir p. 406), l'une des grandes maisons novatrices d'Espagne. Décidée depuis des années à ne pas faire de Rioja blanc, la *bodega* Riscal cherchait un endroit pour produire un vin blanc portant son nom. Ses vinificateurs furent attirés à Rueda par un élément auquel personne sur place ne prêtait attention : le cépage Verdejo. Ils découvrirent l'immense potentiel de ce cépage à produire un vin de qualité, à condition de ne pas laisser les vendanges s'oxyder avant le pressurage. Riscal possédait les moyens techniques pour récolter les raisins, les protéger, les transporter jusqu'à l'unité de vinification, les pressurer et les traiter sous gaz inerte, le tout suffisamment rapidement pour conserver au vin toute sa fraîcheur. Riscal alla plus loin en plantant plusieurs autres cépages à titre expérimental et en produisant un Rueda à base de Sauvignon Blanc.

D'autres *bodegas* suivirent la voie ouverte par Riscal, de sorte que le terme Rueda Superior est aujourd'hui réservé aux vins issus de Verdejo à 85 % au minimum. La région fit par ailleurs quelques expériences satisfaisantes de vieillissement en fûts de chêne ; lorsque Marqués de Riscal lança un *reserva* « Limousin » élevé six mois en chêne français, le débat s'ouvrit de nouveau.

Nombre de *bodegas* continuèrent néanmoins à faire leurs vins de type Xérès (appelés aujourd'hui Rueda Pálido pour les secs élevés sous la *flor* et Rueda Dorado pour les types *oloroso*) dans l'espoir de gagner tôt ou tard la faveur du marché.

Les vignobles de Rueda prospèrent dans un paysage vallonné dont l'altitude varie entre 600 et 780 m. Leurs meilleures parties se trouvent le plus souvent près du Douro, dans des sols riches en fer reposant sur une couche de calcaire. Le climat est nettement continental, puisque Rueda se situe sur la Meseta, le plateau du centre de la péninsule Ibérique. Les rares années où les précipitations sont réparties de façon égale, les vins peuvent être exceptionnels.

Le Verdejo, principal cépage, couvre 47 % du vignoble et doit atteindre 85 % au moins dans les assemblages pour la DO Rueda Superior et la nouvelle DO Rueda Espumoso (pétillant). Cette dernière appellation est la parade trouvée par le Rueda à l'interdiction qui lui a été faite en 1989 de produire des Cavas. Le deuxième cépage est le Palomino (25 % du vignoble), qui, tout comme le Rueda Pálido, vin dont il est issu, est en déclin. Le Viura représente 21 % de la surface plantée et s'associe bien avec le Verdejo, tant pour les vins tranquilles que pour les pétillants. Le Sauvignon Blanc, nouveau venu dans la région (7 %), vient de passer du stade de « toléré » à celui d'« autorisé », après avoir été introduit dans le pays par les Bodegas de Riscal.

Parmi les cépages « expérimentaux », on trouve le Tempranillo, le Chardonnay et même un peu de Cabernet-Sauvignon, bien qu'aucun vin rouge ou rosé ne soit encore autorisé dans l'appellation (ce projet est actuellement en cours).

Cigales

La région de Cigales n'a reçu son statut de DO qu'en 1991 alors qu'elle fait du vin dont, notamment, d'excellents rosés depuis des siècles. Située au nord et à l'ouest de Ribera del Duero (célèbre pour ses rouges) et de Rueda (parmi les meilleurs blancs du pays), elle tient de ces deux régions et produit d'excellents rouges à l'avenir prometteur.

Les vignes sont plantées au nord de la ville de Valladolid, à une altitude de 800 m. Le sol caillouteux de ce pays plat repose sur une base de calcaire.

Le climat, qui est surtout continental, s'accompagne d'une bonne pluviométrie et convient assez bien à la culture de la vigne.

Le principal cépage est le Tempranillo (Tinta del País : 50 %), suivi du

Garnacha Tinta (30 %) et du Garnacha Gris. Les vins blancs sont surtout issus de Verdejo et de Viura, mais également de Palomino et d'Albillo, qui couvrent plus de 20 % du vignoble mais tendent à diminuer. Les vins de Cigales sont très intéressants, notamment les essais de *crianza rosado* (rosé), qui suppose un élevage de six à huit mois en chêne. Le Cabernet-Sauvignon est cultivé à titre expérimental et ne peut servir pour les vins d'appellation. Les rouges de Tempranillo sont assez prometteurs, mais ce cépage est encore utilisé à 80 % pour les rosés, le plus souvent dans le style *joven*, dans lesquels il est pressé avec des raisins blancs.

Toro

Entêtant, puissant, sans aucun doute castillan, le Toro est servi à la table des professeurs de l'université de Salamanque depuis 1215. Le cépage local reste le Tempranillo, mais on l'appelle ici Tinta de Toro. Il peut facilement atteindre 14 % vol, et davantage, raison pour laquelle il est apprécié depuis 800 ans.

Il faut cependant reconnaître que, dans cette région, la vinification était plutôt primitive jusque fort récemment. Depuis l'attribution de la DO en 1987, les exploitations plus modernes ont su tirer parti du regain d'intérêt pour les Toros et de nouvelles *bodegas* équipées de cuves en inox et des nouvelles techniques de contrôle des températures commencent à faire parler d'elles. Mariano García, pendant vingt ans œnologue de Vega Sicilia, tout comme les frères Lurton, Antonio Sanz et même Vega Sicilia, Pesquera et San Vicente se sont entichés de cette DO.

La ville de Toro, sur les bords du Douro, est ceinturée de vignobles, mais les meilleures parties se trouvent surtout au nord-est de la zone. Depuis des temps immémoriaux, ce pays est connu sous le nom de Tierra del Vino (pays du vin) par opposition aux vastes plaines céréalières de Castille que l'on appelle Tierra del Pan (pays du pain). Le vignoble s'étage entre 600 et 750 m d'altitude, sur un sol très calcaire au

Medina del Campo, au centre du vignoble de Rueda.

nord, mais plus alluvial à mesure que l'on se rapproche du Douro et du Guareña. Le climat est totalement continental mais, comme la Rueda, le Toro peut souvent recevoir des pluies inattendues apportées par les vents d'ouest.

Le seul cépage « préféré » du Toro est le Tinta de Toro (Tempranillo), qui occupe 58 % des terres viticoles. Les vins rouges doivent être issus d'un minimum de 75 % de Tinta de Toro et entre un quart et un tiers de tous les vins rouges servent à la production du *crianza*, selon la réglementation des DO. Les cépages minoritaires, Grenache, Malvoisie (Malvasía) et Verdejo, sont utilisés pour faire les quelques rosés et blancs de la région.

Bierzo

La région est connue sous le nom de El Bierzo, mais l'appellation attribuée à la fin de 1989 est simplement Bierzo. Son centre est la ville minière de Ponferrada, dans la province de León.

Le Bierzo se trouve dans une vallée protégée qui touche la DO Valdeorras, sur l'autre rive du Sil, en Galice. Les vignes sont généralement plantées entre 500 et 650 m d'altitude. Les sous-sols sont constitués soit d'alluvions dans les parties basses de la vallée, soit d'ardoise dans les parties hautes, et

sont recouverts d'une couche arable relativement fertile et profonde. Le climat est tempéré et très ensoleillé.

Le principal cépage rouge, le Mencía, planté uniquement dans le Bierzo (62 % du vignoble) et le Valdeorras, est censé avoir un ancêtre commun avec le Cabernet Franc. Les recherches actuelles semblent indiquer qu'il a un potentiel considérable. L'autre cépage rouge est le Garnacha Tintorera et les cépages blancs de qualité, le Godello et le Doña Blanca, restent dans l'ombre du Palomino.

Les techniques de vinification sont en pleine mutation dans cette région : les cuves en ciment sont remplacées par des cuves en inox et les pressoirs continus laissent la place aux pressoirs pneumatiques. Les vins rouges du Bierzo se déclinent dans tous les styles, du *joven* jusqu'au *gran reserva*. Mais les vins de qualité, étiquetés Vino de Mesa, sont plutôt issus de cépages non autorisés. On peut dire que les vins sont bons et prometteurs. Les blancs issus de Godello et de Doña Blanca sont frais et plaisants, même si nombre de *bodegas* les mélangent encore avec le prolifique Palomino, pour la simple raison qu'il faut bien en faire quelque chose. Des replantations avec d'autres cépages sont cependant en cours.   □

PRODUCTEURS ET NÉGOCIANTS

Ici aussi, les viticulteurs ont dû rénover leurs installations et mettre à jour leurs méthodes de vinification. Nombre de vignerons, tout en conservant la propriété de leurs petites parcelles, se sont regroupés en coopératives. D'énormes investissements ont été réalisés.

RIBERA DEL DUERO

Bodegas y Viñedos Alión SA
Créée en 1990 par Vega Sicilia, cette *bodega* est déjà une référence.

Félix Callejo SA
Succès d'estime pour cette maison née en 1989 et son Gran Callejo *gran reserva*.

Alejandro Fernández-Tinto Pesquera SL
Le Pesquera (100 % Tempranillo) de cette *bodega* née en 1972 mais bien établie s'est imposé partout. Alejandro Fernández est l'une des locomotives de la DO.

Condado de Haza SL
Cette jeune maison (1993) ajoute aux exploits de son Condado de Haza un explosif Alenza *crianza*.

Bodegas Peñalba López
Fondée en 1903, cette *bodega* (200 ha) recourt à une technolo-gie ultramoderne et élève sa récolte dans 4 500 fûts de chêne.

Matarromera SA
Cette maison née en 1988 a ébranlé le marché avec deux vins superbes 100 % Tinta Fina : Matarromera *gran reserva* et Magnum Matarromera *reserva*.

Mauro SA
Gräce aux conseils avisés de Mariano García (ex-Vega Sicilia), cette maison fondée en 1980 a hissé au plus haut niveau ses Ter-reus, San Román et autres Mauro *crianza*, qui ne portent cependant pas l'étiquette de la DO.

Monasterio SL
Fondée en 1991, cette maison est née bien équipée : 68 ha et 1 500 barriques. Un singulier Hacienda Monasterio *reserva* (Tinta del País, Cabernet-Sauvi-gnon, Merlot).

Montebaco
Le Montebaco *crianza* de cette maison créée en 1989 (50 ha et 400 barriques) est très applaudi.

Hermanos Pérez Pascuas SL
Le Viña Pedrosa (*crianza* et *reserva*) est issu d'un vignoble de 100 ha, planté presque entière-ment de Tinta del País.

Dominio de Pingus SL
Ce domaine produit un « vin de garage » : Pingus (100 % Tinto Fino). Les prix s'envolent…

Bodegas Ribera-Duero
Cave coopérative depuis 1927. Principales marques : Peñafiel et Protos.

Bodegas Vega Sicilia
Voir encadré ci-contre.

Abadía Retuerta SA
Depuis 1990, l'œnologue bor-delais Pascal Delbeck a replanté les 204 ha du vignoble. Avec quatre millésimes, cette maison a inscrit ses vins parmi les grands d'Espagne : El Palomar, El Campanario, Valdebellón, et Negralada.

RUEDA

Alvarez y Diez SA
Le Mantel Blanco Rueda Supe-rior et un blanc 100 % Sauvi-gnon. Maison fondée en 1941.

Belondrade y Lurton
Cette maison créée en 1994 par Brigitte Lurton, de la dynastie des Lurton, produit en moyenne 25 000 bouteilles par an.

Angel Lorenzo Cachazo
Dès 1988, cette maison aimposé son Martivili Rueda Superior qui est une preuve éclatante des ver-tus du Verdejo.

Grandes Vinos SL
Mirador Rueda Superior est le « vin de garage » le plus réussi de la DO.

Vinos Blancos de Castilla
Fondée en 1972, cette *bodega* est une ambassade du marquis de Riscal. Elle produit chaque année 2,7 millions de bouteilles.

CIGALES

Cooperativa de Cigales
Cette coopérative créée en 1957 élabore plus de 1,5 millions de bouteilles.

TORO

Cooperative vino de Toro
Principal producteur de la région.

Fariña SL
Fondée en 1940, cette *bodega* est une référence. Le Colegiata et le Gran Colegiata sont des exemples de ce que le Tinta de Toro peut donner de mieux.

Mauro-Toro SA
Œuvre de Mariano Rodríguez, le San Román est un vin qui gagne des concours.

BIERZO

Une seule grande et moderne cave coopérative domine la DO.

Prada a Tope
Créée en 1984, cette *bodega* vini-fie la production de ses 15 ha de vignes ainsi que des raisins achetés.

— VEGA SICILIA —

Établie depuis 1864, cette *bodega* se trouve véritablement à l'origine de la viticulture dans la vallée du Douro. Les cépages français (Cabernet-Sauvignon, Cabernet Franc, Merlot et Malbec) qui avaient été apportés de Bordeaux perdurent, mais le Tinto Fino prend une importance croissante. Les raisins proviennent exclusivement des vignes de la propriété (250 ha), dont les rendements sont bas, et la production ne dépasse pas les 324 000 bouteilles par an. La demande est bien supérieure à la production. La vinification est traditionnelle et les vins sont élevés dans 6 000 fûts de chêne. Les vins de Vega Sicilia ont beaucoup de caractère : ils sont très puissants, riches en alcool et en fruit, vieillis en *barricas* pendant trois à cinq ans et vendus sous le nom de Valbuena (rouge). Le *reserva* Vega Sicilia Unico (rouge) est vieilli dix ans. Le Valbuena, considéré comme un second vin, est en réalité un vin différent, qui est parfois extraordinaire.

GALICE ET PAYS BASQUE

Si le nord-ouest de l'Espagne diffère complètement du reste du pays, c'est sans aucun doute à cause de son climat fortement influencé par la proximité de l'océan Atlantique et du golfe de Gascogne. Mais c'est aussi parce qu'il est relativement coupé du reste du pays par la cordillère Cantabrique. Jadis lié à la culture celte, via l'Empire romain, il a aujourd'hui beaucoup en commun avec son voisin le Portugal. Cette région a été surnommée l'« Espagne verte » en raison de sa luxuriante végétation due à l'association d'un climat tempéré, d'abondantes précipitations et de sols riches. Trois vins sont classés en DO dans l'*autonomía* de Galice (Galicia) : Rías Baixas, Ribeiro et Valdeorras, et un dans le nord du Pays basque (País Vasco) : Txakoli.

Rías Baixas

C'est la DO la plus récente et, aux dires de certains, la meilleure de Galice. En effet, les deux autres sont restées presque inconnues jusqu'à l'arrivée de cette nouvelle appellation sur la scène internationale en 1988. Le cépage principal est l'Albariño, un cépage d'une telle qualité que pratiquement toute la province de Pontevedra s'appuie sur lui. Toute la zone d'appellation déborde d'activité : les vieilles *bodegas* s'équipent des dernières technologies tandis que de nouvelles se construisent. Rías Baixas est en conséquence un des « nouveaux » vins les plus intéressants d'Espagne.

La DO Rías Baixas se divise en trois zones : Valle del Salnés (Val do Salnes en galego, la langue locale) sur la côte ouest, près de Cambados, El Rosal (O Rosal) à la frontière portugaise et Condado del Tea (Condado do Tea). La base du sol est granitique et le climat, maritime en raison de la proximité de l'Atlantique : les hivers sont froids et les pluies, abondantes. Les vins sont peut-être les meilleurs blancs d'Espagne. Miguel Torres, fondateur de l'industrie viticole catalane moderne, est persuadé

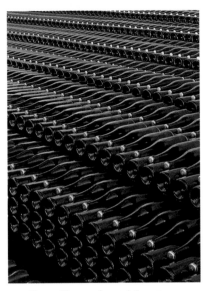

Bouteilles sur lattes à Lapatena.

que l'Albariño est le Riesling d'Allemagne et qu'il aurait été apporté par des moines allemands en pèlerinage à Saint-Jacques-de-Compostelle.

Ribeiro

Si les vins de Ribeiro étaient extrêmement populaires en Europe du Nord il y a trois ou quatre cents ans, leur passé récent est moins glorieux. Bien que classé DO en 1957, le Ribeiro n'a regagné la faveur des amateurs qu'en profitant de la campagne publicitaire menée autour de Rías Baixas. Ces vins ont cependant un grand potentiel.

Les vignobles de Ribeiro, dans la province d'Orense, occupent trois vallées fluviales et jouissent d'un exceptionnel sol d'alluvions sur une base de granite. Le climat, tempéré, se caractérise par une plus grande amplitude thermique et moins de précipitations que près des côtes. Les principaux cépages sont le Treixadura (blanc) et le Caiño (rouge).

Le Ribeiro produit des vins légers et frais, blancs et rouges, de style *joven*. Il donne aussi de l'*enverado*, un vin titrant de 8 à 9 % vol, fait avec des raisins cueillis avant maturité complète – gardant fraîcheur et acidité maximales. On y fait aussi un peu de vin de *crianza*, mais la plupart des vins sont faits pour être bus dans leur première jeunesse.

Valdeorras

La plus orientale des appellations de Galice, Valdeorras, est limitrophe de Bierzo en Castille-León. Ses vins sont d'ailleurs dans le même esprit, légers, frais, de style *joven*. Encore fortement influencé par l'Atlantique, le climat est malgré tout plus continental, ce qui se traduit, par exemple, par une amplitude thermique plus grande que dans le reste de la région.

La plupart des vignes se trouvent dans la vallée du Sil, où elles poussent sur des sols fertiles assez calcaires. Le principal cépage rouge est le Grenache (35 %), mais le Mencía (8 %) est « recommandé ». Pour les blancs, le Palomino (25 %) domine, et c'est au tour du Godello d'être « recommandé ». On plante de plus en plus de Doña Blanca et de Lado, un nouveau venu, deux cépages qui commencent à donner de très bons résultats, mais l'avenir semblerait résider dans l'excellent Godello.

Txakoli

Le vin le plus septentrional d'Espagne est fait dans l'*autonomía* du Pays basque, composée de trois provinces : Vizcaya et Guipúzcoa au nord et Álava au sud. Álava fait partie de la DOC Rioja, mais les provinces du Nord ont leur propre vin de DO, Txakoli (ou Chacolí), la plus petite appellation d'Espagne. Sur le golfe de Gascogne, le climat est maritime et les vignes sont plantées au pied des collines dans des sols alluviaux. On fait un blanc sec frais et fruité (90 % de la production) et un vin rouge léger avec les cépages locaux Hondarribi Zuri (blanc) et Hondarribi Beltza (rouge), tous deux dans le style *joven*. Le vin blanc est bu comme apéritif et pour accompagner les fruits de mer. □

PRODUCTEURS ET NÉGOCIANTS

Le vignoble du nord-ouest de l'Espagne est très morcelé : après des siècles de successions et de découpages, nombre de viticulteurs possèdent moins de 1 ha de terre. Les caves coopératives comptent souvent des centaines de membres, voire plus. Des capitaux considérables ont été investis pour moderniser les équipements de vinification et tout est fait pour encourager le réencépagement avec des variétés de haute qualité.

RÍAS BAIXAS
Granxa Fillaboa
Une entreprise familiale qui cultive depuis 1968 un joli domaine de 30 ha d'Albariño. Le vin vendu sous la marque Fillaboa est l'un des meilleurs de l'appellation.

Bodegas Morgadío-Agromiño
Une *bodega* moderne, créée en 1988 et qui produit des vins de qualité. Elle possède un vignoble récent de quelque 30 ha d'Albariño.

Bodegas Salnesur
Cette exploitation créée en 1988 possède 140 ha de vignes. Les vins sont vendus sous l'étiquette Condes de Albarei.

Bodegas de Vilariño-Cambados
Créée en 1986, cette cave coopérative compte 140 membres qui travaillent un vignoble de 100 ha d'Albariño. La marque est Martín Codax.

Bodegas Marqués de Vizhoja
Cette entreprise créée en 1966 possède 18 ha de vignes. Ses marques principales sont Torre la Moreira (blanc) et Marqués de Vizhoja.

Santiago Ruiz
Fondée en 1892, cette *bodega* de 40 ha porte le même nom que le regretté patriarche de la zone d'appellation et la rue dans laquelle elle se trouve. L'étiquette est aussi originale que le vin issu de 70 % d'Albariño, de 20 % de Loureiro et de 10 % de Treixadura.

Terras Gauda SA
Depuis 1990, le Terras Gauda – Albariño, Loureiro, Caiño Blanco – est classé parmi les premiers vins de la région.

RIBEIRO
Cooperativa vitivinícola del Ribeiro
Fondée en 1967, cette coopérative, qui dispose de 670 ha de vignes, a réussi à produire des vins blancs de qualité : Amadeus et Pazos de Ulloa.

Portela SAT
Cette *bodega* avec un vignoble de 8 ha, fondée en 1987, est à l'origine du Sol da Portela, un vin blanc issu de 100 % de Palomino, et du Señorío de Beade, un rouge issu de 40 % de Caiño, de 30 % de Ferrón et de 30 % de Souson, qui représentent tous les deux le Ribeiro moderne.

Emilio Rojo
Issu de cinq cépages (Lado, Treixadura, Loureiro, Torrontés et Albariño), le blanc emblématique de ce producteur porte sur son étiquette le nom d'une des personnalités de la DO.

VALDEORRAS
Bodegas A Tapada
Fondée en 1993, cette *bodega* de 10 ha produit deux vins blancs 100 % Godello (Guitian), l'un élevé en barriques, l'autre non. À vous de choisir.

GETARIAKO TXACOLINA
Eizaguirre
Cette petite *bodega* créée en 1930 appartient à la famille Eizaguirre, qui travaille son vignoble et achète du raisin à d'autres producteurs. Ses principales marques sont Berezia (blanc), Eizaguirre (blanc), Hilbera (blanc), Monte Garate (blanc).

Txomin Etxaniz
Le propriétaire de ce vignoble de 21 ha, situé dans la Cantabrique, est un personnage de l'agriculture et de la politique basques. Il produit un excellent blanc, 85 % Hondarribi Zuri et 15 % Hondarribi Beltza, cépage rouge vinifié en blanc.

Les vignes à l'automne près de Carballino, en Galice.

CATALOGNE

Comme d'autres *autonomías* du nord de l'Espagne, la Catalogne (Cataluña en castillan ou Catalunya en catalan) a derrière elle une longue histoire de pays indépendant : avant l'unification de l'Espagne, en 1492, sa capitale, Barcelone, était le siège du gouvernement. L'importance du port de Barcelone explique le rôle-clef qu'il a joué à partir du XIIIᵉ siècle dans l'exportation du vin, même si les vins de Catalogne n'étaient pas d'une qualité exceptionnelle.

Jusqu'au milieu du XIXᵉ siècle, cette région faisait des vins blancs oxydés à partir de toute une gamme de cépages mal adaptés. Ses vins vieillissaient pendant des années dans des fûts à demi enterrés dans le sable, jusqu'à ce qu'ils deviennent presque comme des Xérès,

avec des robes sombres, des nez de noix et des goûts de *rancio*. Le grand changement se fit en 1872, lorsque la première bouteille de Cava – vin pétillant obtenu selon la méthode traditionnelle (voir encadré p. 417) – fut produite par la famille Raventós. Josep Raventós, ayant constaté la popularité croissante du Champagne, avait en effet décidé que la Catalogne pouvait rivaliser avec celui-ci. On planta des cépages de bonne qualité et nombre de producteurs ne tardèrent pas à comprendre que les raisins en excédent pouvaient faire un agréable vin blanc sec, surtout dans les vignobles les plus en altitude. On fit également des expériences sur les vins rouges et, dans les années 1950-1960, il devint évident que la Catalogne avait un réel potentiel.

Cette région possède aujourd'hui dix DO : Catalunya et Plá de Bages, les deux plus récentes, se sont ajoutées à Penedès, Conca de Barberà, Costers del Segre, Alella, Empordán Costa-Brava, Priorato, Tarragone et Terra Alta. L'*autonomía* de Catalogne produit également plus de 90 % des vins de DO Cava.

Catalogne

L'appellation Catalunya couvre quelque 60 000 ha et jouxte les terroirs de plusieurs autres DO. Elle a été à l'origine d'un véritable raz de marée : entre janvier et juin 2000, l'étiquette flambant neuve de la DO a été collée sur quelque 10 millions de bouteilles. Selon Carles Andreu, premier secrétaire du Consejo Regulador de la DO, celle-ci a en effet

Les vignobles catalans se trouvent souvent dans de riches vallées fluviales, comme à Priorato, cœur historique de la viticulture.

été créée grâce à un consensus entre viti-culteurs et producteurs pour permettre aux vins des petites appellations de la région, comme la DO Conca de Barberà, de trouver un débouché sur le marché sous cette étiquette. En outre, cette appel-lation pourra absorber à terme les vins mis en bouteilles dans une DO, mais dont les raisins proviennent d'une autre.

Plá de Bages

La plus récente des AOC catalanes regroupe des petites unités territoriales qui, jusqu'à présent, ont vécu comme des satellites de l'univers du Cava. Le secrétaire général de l'appellation, Valentí Roqueta, assure que, d'après un manus-crit médiéval (*Miracula Sancti Benedict*), le nom Bages vient de celui de Bacchus, dieu du Vin. Maccabeo, Chardonnay et Picapoll en blanc, Ull de Llebre, Caber-net-Sauvignon et Merlot en noir sont les cépages prédominants, avec un peu de Sauvignon, Grenache, Pinot Noir, Malbec et, à titre expérimental, de la Syrah, du Gamay et du Gewürztraminer.

Penedès

Depuis janvier 2000 une nouvelle régle-mentation délimite les meilleurs sols et impose la contre-étiquette « pédago-gique » dans une DO qui a œuvré plus que toute autre pour faire entrer l'indus-trie vinicole catalane dans le monde moderne. Il y a quarante ans, seuls trois ou quatre viticulteurs concentraient leurs efforts pour produire et vendre des vins d'une qualité suffisante pour être expor-tés. Mais la plupart des vignerons ne produisaient encore que des vins démo-dés, lourds, oxydés et plus ou moins mutés. En 1960, le maire de Barcelone eut l'idée de faire du Penedès une bonne source de vins rouges simples pour la ville et encouragea financièrement les vignerons dans ce sens.

Les *bodegas* les plus à l'avant-garde (comme Torres ou Jean León) n'ont pas attendu pour se lancer dans des expéri-mentations : c'est dans cette zone qu'ont été installés les premiers systèmes de contrôle des températures d'Espagne, les premières cuves de fermentation en acier inoxydable et tout l'attirail de l'œnologie moderne. Les plus hardies

firent même des essais avec des cépages « étrangers » comme le Cabernet-Sau-vignon et le Chardonnay et furent rapi-dement imitées par d'autres.

Le Penedès se trouve juste au sud de la ville de Barcelone, dans les provinces de Barcelone et de Tarragone, et le centre régional des vins tranquilles est Vilafranca del Penedès. Le vignoble s'étage sur trois niveaux : la bande côtière de Bajo-Pene-dès, qui culmine à 250 m d'altitude et jouit d'un climat chaud, donne des vins assez ordinaires ; le Medio-Penedès, qui monte jusqu'à 500 m et dont le climat plus frais donne des raisins de meilleure qualité (la plupart des vignes de Cava se trouvent à ce niveau) ; l'Alt-Penedès, enfin, qui s'élève jusqu'à 800 m sur les contreforts des montagnes entourant le plateau central de la Meseta. C'est ici que poussent les meilleurs raisins, sur-tout pour les cépages rouges.

La législation DO est généreuse dans le Penedès. Elle n'autorise pas moins de

121 cépages, même si, dans les faits, la plupart des viticulteurs se cantonnent à un bien plus petit nombre. Les rouges sont, par ordre de popularité : Ull de Llebre (Tempranillo), Garnatxa (Gre-nache), Monastrell, Cariñena (Carignan), Cabernet-Sauvignon et Samsó. Le Caber-net Franc, le Merlot et le Pinot Noir sont aussi autorisés. Les principaux cépages blancs sont le Parellada, le Xarel.lo, le Maccabeo et le Subirat-Parent (Malvasía Riojana), le Chardonnay et le Sauvignon Blanc étant par ailleurs autorisés.

Conca de Barberà

Cette petite zone d'appellation entre Tarragone au sud et Costers del Segre au centre de la région a dû attendre long-temps avant d'être délimitée, en 1989. Autrefois, elle vivait grâce aux Cava, et la majeure partie de ses raisins partait en vins effervescents. La DO Penedès souhaiterait vivement que Conca de Barberà lui soit annexée, mais Conca

LES VINS EFFERVESCENTS DE CAVA

Contrairement à la plupart des producteurs de vins effervescents du monde, Josep Raventós (voir ci-contre) s'est concentré sur les cépages catalans avant d'opter pour le Maccabeo (connu ailleurs sous le nom de Viura), le Parellada et le Xarel.lo. Ces différents cépages sont utilisés dans des proportions diverses et certaines maisons modernes emploient même du Chardonnay. À l'extérieur de la Catalogne, les vins de Cava ne peuvent être issus que de Viura.

Les vignobles de Cava se trouvent dans le Medio-Penedès, dans des terroirs assez élevés pour que les vins aient une bonne acidité, mais assez bas pour que les rendements soient rentables.

On produit également des Cavas dans les provinces catalanes de Gérone (Girona), Tarragone et Lérida (Lleida). La DO couvre même des zones délimitées de l'Aragon (Saragosse), de Navarre, de la Rioja, du Pays basque (Álava) et quelques autres vers Valence, en Castille-León et en Estrémadure.

Tout en suivant la méthode traditionnelle de la seconde fermentation en bouteille (voir p. 110), les caves élaborant les Cavas d'aujourd'hui sont parmi les plus modernes du monde.

Les vins doivent passer un minimum de neuf mois en bouteille avant d'être commercialisés, mais la plupart des bouteilles restent en fait de un à trois ans dans les caves.

Producteurs et négociants

Les deux plus importants se trouvent à San Sadurní de Noya, dans la province de Barcelone.

Codorníu

Codorníu, créée en 1551 par la famille Raventós, fut la première maison à produire des Cavas en 1872 et reste la plus grande. Un élégant jardin paysager dissimule des installations qui peuvent accueillir en période de vendanges jusqu'à 1 000 tonnes de raisin. Les principales marques sont Anna de Codorníu, Extra Codorníu, Gran Codorníu, Non Plus Ultra, Jaume de Codorníu.

Freixenet

Second producteur de Cava, Freixenet occupe le premier rang mondial de la production de vins effervescents avec ses filiales disséminées partout dans le monde. Ses principales marques sont : Freixenet Brut Nature, Brut Barroco, Carta Nevada, Cordon Negro, Reserva Real, Cuvée DS, Segura Viudas, Aria, Castellblanch, Conde de Caralt.

possède une identité propre et, depuis qu'elle a reçu une DO provisoire en 1972, l'intérêt pour ses vins tranquilles pleins de fraîcheur, de charme et de fruit n'a cessé de croître.

Le bassin (*conca* en catalan, *cuenca* en castillan) des rivières Francolí et Ganguera est protégé par des massifs montagneux. À une altitude moyenne de 500 m, il offre le genre de climat frais qui convient à la vigne de qualité. Son sol est à base de calcaire.

Les principaux cépages sont le Maccabeo et le Parellada pour les blancs (environ 70 % du vignoble), le Trepat, le Grenache et l'Ull de Llebre (Tempranillo) pour les rouges, avec des parcelles expérimentales de Cabernet-Sauvignon. 80 % de la production sont des vins blancs de type *joven*.

Costers del Segre

Cette DO doit son nom au Sègre, dont le cours descend des Pyrénées pour rejoindre l'Èbre. Elle est divisée en quatre sous-régions : Valls de Riu Corb et Les Garrigues à l'est, Artesa au nord et Raimat à l'ouest.

Raimat est un vaste domaine qui s'est fait connaître en adoptant les techniques californiennes pour vinifier les cépages Cabernet-Sauvignon, Chardonnay, Tempranillo et quelques autres. Partout ailleurs dans la DO, une bonne partie des raisins est vendue en vrac ou aux producteurs de Cava.

Le vignoble s'étage entre 200 m d'altitude au nord et 400 m au sud, mais le sol est étonnamment uniforme d'un bout à l'autre : du calcaire recouvert de sable. Les principaux cépages sont le Maccabeo, le Parellada, le Xarel.lo, le Chardonnay et le Grenache Blanc pour les vins blancs ; le Grenache, l'Ull de Llebre (Tempranillo), le Cabernet-Sauvignon, le Merlot, le Monastrell, le Trepat et le Mazuelo (Cariñena, Carignan) pour les rouges.

Alella

À une certaine époque, Barcelone fut sur le point d'absorber dans ses banlieues Alella et ses vignobles. Mais l'octroi d'autorisations de plantation, en 1989, pour de nouvelles zones de plateaux (soit quatre nouveaux districts connus sous le nom collectif de Vallés), a permis à Alella de rester le centre d'une zone viticole à la réputation croissante.

Les vignobles s'étendent de la côte jusqu'aux contreforts de la cordillère catalane, à une altitude atteignant 90 m près de la côte, 90-160 m au centre et 160-260 m dans les Vallés. Le sous-sol est granitique dans les terroirs d'altitude et le sol devient de plus en plus sablonneux à mesure que l'on se rapproche de la côte. Le climat est méditerranéen, mais plus frais dans les hauts vignobles de l'Ouest. Les principaux cépages sont le Pansá Blanca (Xarel.lo) et le Grenache Blanc pour les vins blancs, l'Ull de Llebre (Tempranillo) et le Grenache pour les rouges et les rosés.

Empordán-Costa Brava

Dans la province de Gérone (Girona), près de la frontière française, l'appellation la plus septentrionale de la Catalogne jouxte les appellations Banyuls et Côtes-du-Roussillon. La Catalogne des Catalans, ne l'oublions pas, ne tient pas compte des frontières et s'étend de part et d'autre des Pyrénées. Les vignes poussent sur les contreforts du massif pyrénéen, culminent à 200 m puis descendent jusqu'au niveau de la mer dans de bons sols assez riches en calcaire. Le climat méditerranéen, chaud et humide, est rafraîchi par la tramontane qui souffle du nord.

Les principaux cépages sont le Grenache et le Carignan pour les rouges et les rosés, le Maccabeo et le Grenache Blanc pour les vins blancs. Quoi qu'il en soit, le traditionnel vin de dessert *rancio*, appelé Garnatxa, n'a pas disparu : issu de Grenache, il est vinifié selon la technique du vin de paille, c'est-à-dire que les raisins sont séchés sur des claies de paille avant d'être pressés.

Priorato

C'est le véritable cœur de la viticulture traditionnelle catalane… et, aujourd'hui, des nouvelles pratiques viticoles et du négoce. Les vignes s'échelonnent entre 100 et 700 m d'altitude et sont généralement plantées en terrasses sur les flancs des montagnes. Le sol de *llicorella* est unique dans toute l'Espagne. Le principal cépage est le Grenache Noir ou Blanc, et la gamme de vins va des blancs légers et fruités, de style *joven*, aux rouges dorénavant nuancés.

Tarragone

Tarragone faisait jadis un vin rouge doux, muté, souvent appelé « le Porto du pauvre ». Il existe toujours, sous la DO Tarragona Clásico, mais a depuis longtemps été supplanté, en termes de quantité, par des vins plus légers, dans les trois couleurs. La plupart sont de style *joven*, mais certains rouges rappellent par leur puissance les vins du Priorato. Le cépage principal est le Carignan pour les rouges et le Maccabeo pour les blancs. Notons que subsiste une tradition de Moscatel et que des rouges issus de Tempranillo font leur apparition.

La région est divisée en trois zones entourant la ville de Falset : autour de la ville de Tarragone, jusqu'à 200 m d'altitude, Tarragona Campo couvre 70 % de l'aire d'appellation ; Falset-Comarca, à une altitude de 360 m, se situe dans une vallée de montagne ; enfin, Falset-Ribera del Ebro, sur le delta de l'Èbre, est à 100 m d'altitude. Les sols sont de type alluvial et le climat est chaud et méditerranéen.

Terra Alta

Terra Alta, la plus élevée et la plus méridionale des DO de Catalogne, borde l'*autonomía* d'Aragon. Les vignes sont plantées en moyenne à 400 m d'altitude, dans des vallées inaccessibles cachées entre les montagnes, mais le sol calcaire et le bon drainage leur réussissent bien. Le climat est continental, l'ensoleillement, excellent, et l'altitude empêche les grosses chaleurs.

Le principal cépage est le Grenache Blanc (77 % du vignoble) et le style de vin traditionnel est le *rancio* doux ou vieilli en chêne. Grâce aux techniques modernes de vinification, on commence à voir apparaître des vins plus légers et plus frais. Par ailleurs, des expériences sont tentées actuellement avec des cépages français. □

PRODUCTEURS ET NÉGOCIANTS

Le vignoble catalan est en pleine mutation : nouveaux propriétaires, renaissance des variétés indigènes et expérimentation avec des cépages étrangers, ainsi que la généralisation de la mise en bouteilles, l'apparition du concept de château (*masía*) et de nouvelles appellations.

PENEDÈS
Albet i Noya
Fondée en 1978, cette maison pionnière de la viticulture bio-dynamique produit un bon Syrah 100 %, le Col.lectió.

René Barbier
Les 300 ha de vignoble de cette *bodega* (groupe de Freixenet) assurent en partie son approvisionnement. Le Mediterraneam blanc, issu des trois cépages locaux, et le René Barbier Selección blanc sont excellents.

Can Rafols dels Caus SL
Depuis 1980, cette *bodega* de 50 ha et 150 barriques a su imposer plusieurs Gran Caus et un Caus Lubis 100 % Merlot.

Cellers Puig Roca SA
Fort de ses 30 ans d'expérience viticole, Josep Puig crée dans sa *bodega* de 10 ha et 130 barriques des Augustus (Chardonnay, Cabernet-Sauvignon, Merlot, Cabernet Franc) primés partout ainsi que des vinaigres Forum vieillis en barriques.

Chandon SA
Depuis 1987, cette antenne de Moët & Chandon élabore dans un *masía* signé de l'architecte Oscar Tusquets un bon Cava et un Éclipse Chardonnay, dont on souligne le bel équilibre.

Juvé & Camps SA
Fondée en 1921, cette maison de Cava (430 ha) a créé son créneau sur le marché avec son Ermita d'Espiells (Maccabeo, Xarel.lo et Parellada) et son Casa Vella rouge (Cabernet-Sauvignon).

Josep Maria Raventós i Blanc
Avec un 100 % Xarel.lo et son El Preludi, cette maison du Cava a su imposer son nom parmi les blancs tranquilles.

Miguel Torres SA
Depuis 1870 cette *bodega* a réuni 800 ha de vignoble qui ne lui suffisent cependant pas. Plus important encore : grâce au regretté Miguel Torres, la maison a transformé le commerce vinicole espagnol, en misant constamment sur la qualité. L'œnologue Miguel A. Torres, qui dirige aujourd'hui une entreprise présente dans une centaine de pays, a résolu avec brio l'équation entre la quantité et la qualité. Récemment, il a même racheté Jean León, un autre pionnier de l'appellation.

COSTERS DEL SEGRE
Cellers Castell de Remei
Ce domaine familial, qui a bénéficié récemment de gros investissements, possède un vignoble de 100 ha. Ses principales marques sont Castell del Remei (rouge) et Gotim Bru (rouge).

Raimat
Établie en 1918, la *bodega* la plus avant-gardiste de la région possède des chais ultramodernes, un vignoble de 1 250 ha, planté en clones sélectionnés de cépages principalement français, et produit en moyenne 9,2 millions de bouteilles chaque année. Propriété de la famille Raventós, Raimat produit également du Cava dans la région (sous l'étiquette Raimat). Ses vins tranquilles sont le Chardonnay (blanc), le Cabernet-Sauvignon (rouge), le Tempranillo (rouge) ainsi que quelques assemblages.

ALELLA
Alta Alella
En 1987, cette entreprise a fusionné avec Parxet, le producteur de Cava. Avec ses 40 ha, elle est le plus grand propriétaire d'Alella. Principale marque : Marqués de Alella (blanc).

EMPORDÁN-COSTA BRAVA
Cavas del Castillo de Perelada
Ce château accueille depuis quelques années l'un des plus prestigieux festivals d'été – opéras et théâtre –, mais abrite également un casino et deux restaurants. Tout cela n'a pas empêché l'élaboration d'assez bons blancs et d'un excellent rouge, le Castillo Perelada Gran Claustro, dans une *bodega* de 100 ha et 1 200 barriques, créée en 1923.

PRIORATO
Alvaro Palacios SL
Expatrié de sa Rioja natale, formé à Bordeaux, Alvaro Palacios s'est établi ici en 1989, guidé par son ami René Barbier. Avec l'Ermita 80 % Garnatxa), à l'époque le vin le plus cher d'Espagne, il a fait monter les enchères. Depuis, d'autres vins ont suivi, mais aussi des doutes sur les possibilités de garde des Grenaches. Mais tous les œnologues respectent cet empêcheur de vinifier en rond..

Cellers Fuentes Hernández
Avec 80 % de Garnatxa vieilles vignes, l'œnologue Josep M. Fuentes a composé un singulier Gran Clos 1995 presque noir.

Clos Mogador
Avec son vignoble de 20 ha, René Barbier a déclenché une révolution vinicole dans cette appellation. Son Clos Mogador et son Clos Erasmus, qui n'ont rien à voir avec ses vins du Penedès, sont des merveilles.

Costers del Siurana
Le Dolç de l'Obac récupère l'aptitude au sucré grâce à l'influence du Catalan Arnaud de Villeneuve, alors que le Clos de l'Obac préfère la puissance abrupte.

Mas Martinet Viticultors
Avec son Clos Martinet, cette *bodega* s'est alignée sur les plus grands noms de l'appellation.

Vall-Llach Mas Martinet
Dans cette *bodega*, le chanteur folk catalan Lluís Llach tâte du métier de viticulteur avec son Cims de Porrera Classic (Cariñena, Garnatxa et Cabernet-Sauvignon).

TARRAGONE
Josep Anguera Beyme
Le Joan d'Anguera (Syrah, Garnatxa, Cabernet-Sauvignon) de cette *bodega* fondée en 1830 réussit à établir un très bon rapport qualité/prix.

Celler de Capçanes
Créée en 1933 sur 240 ha de vignoble, cette *bodega* s'est mise au goût du jour avec son Val del Calás Crianza et produit même un blanc et un rouge kasher... et bons.

Cellers Scala-Dei
Les caves d'origine de cette maison datent du XVIᵉ siècle. Elle vinifie aujourd'hui les raisins de son domaine de 110 ha pour une production annuelle de 60 000 bouteilles. Son meilleur vin, le Cartoixa, est un rouge magnifique et puissant.

TERRA ALTA
De Muller
Fondée en 1851, cette *bodega* présente également dans les appellations Tarragona et Priorato, produit un vin de messe traditionnel, De Muller vino de Misa.

LE CENTRE ET LE SUD DE L'ESPAGNE

La région qui s'étend au sud de Madrid et au nord de l'Andalousie est le royaume des vins de consommation courante, quoique, là aussi, on aspire à des vins de qualité. Dans ce pays où le climat est chaud et où les vignes sont robustes, la technique mène la danse et le consommateur est roi.

Cette vaste zone peut se diviser en quatre : le Levante à l'est, la Castille-La Manche autour et au sud de Madrid, l'Andalousie à l'extrême sud et, enfin, les différentes îles espagnoles.

Le Levante

Cette région s'étire le long de la côte est et inclut l'*autonomía* de Murcie (Murcia) et celle de Valence (Valencia), deuxième d'Espagne par la superficie de son vignoble.

Valencia est à la fois le nom d'une DO et de l'*autonomía* qui englobe deux autres DO, Alicante et Utiel-Requeña. Les viticulteurs de Valence aimeraient obtenir une appellation générique pour l'ensemble de l'*autonomía* et de ses subdivisions. Ils l'ont presque obtenue, puisqu'ils ont le droit d'assembler des vins des trois DO pour les appeler « Valencia ».

Les vignobles partent du niveau de la mer à Valence et montent jusqu'à 300-400 m d'altitude à Alicante et au-dessus de 800 m à Utiel-Requeña. Raisins et vins sont donc très variés. Sur la côte, le climat est méditerranéen et le sol alluvial, et, à mesure que l'on s'élève, le climat devient continental et le sol calcaire. Les principaux cépages sont le Monastrell, le Grenache, le Bobal et le Tempranillo (rouges) et le Merseguera et le Maccabeo (blancs). La plupart des vins que l'on trouve ici sont issus de raisins provenant indifféremment d'une ou de plusieurs des trois DO locales.

Les *bodegas* de Valence produisent un petit vin de coupage bon marché étiqueté à la demande du client jusqu'à d'honnêtes rouges de *crianza* ou de *reserva* et des blancs doux.

Les *tinajas* sont utilisées pour la fermentation et la conservation des vins.

Une nouvelle appellation, Bullas, est venue s'ajouter à Jumilla et Yecla, les deux DO de Murcie situées à l'ouest d'Alicante, dans un pays semi-aride, et qui ont toujours suivi à peu près la même évolution que Valence. Lorsque le phylloxéra atteignit Jumilla dans les années 1880, les vignerons furent contraints de replanter en sélectionnant leur nouvel encépagement en connaissance de cause. Les vignes sont plantées jusqu'à 700 m dans un bon sol reposant sur un sous-sol calcaire. À cette latitude, l'altitude ne compense guère l'ardeur du soleil et seules des techniques viticoles sûres permettent aux raisins de conserver un minimum d'acidité jusqu'aux vendanges. Le Monastrell et le Cencibel (Tempranillo) sont les cépages préférés pour les rouges, le Merseguera et l'Airén pour les blancs. La mode actuelle va vers les vins de style *joven*, mais l'on trouve aussi des *crianzas* élevés dans des fûts de chêne américain.

Castille-La Manche

L'*autonomía* de Castille-La Manche est une vaste zone qui couvre toute la moitié sud de la Meseta. Bien que produisant à elle seule la moitié des vins espagnols avec un vignoble de près de 8 millions d'hectares, elle ne compte que cinq DO : Almansa, La Mancha, Méntrida, Mondéjar et Valdepeñas.

À l'extrémité est, Almansa tient bien plus du Levante que des autres DO de la Manche. Les vignes poussent dans les parties les plus basses, sur des terrains plats aux sols corrects, et le climat continental est à la limite du semi-aride. L'Almansa est un pays de vins rouges issus de Monastrell, de Cencibel (Tempranillo) et de Grenache et au moins une *bodega* atteint le niveau des *reservas*. Le peu de Merseguera, cépage blanc, est généralement assemblé avec des cépages rouges pour faire des vins rosés.

La DO La Mancha, accordée en 1966, est la plus vaste appellation d'Espagne.

Son nom fut longtemps associé à des vins de qualité médiocre vendus en vrac, mais d'importants investissements sont en train de changer le cours des choses. Malgré l'adaptation naturelle de la région à la culture des raisins noirs, certains viticulteurs eurent la perfidie de planter surtout des cépages blancs. Déterminés à faire quelque chose de l'omniprésent Airén, les nouveaux investisseurs arrivèrent à leurs fins au milieu des années 1980 : grâce aux nouvelles méthodes de vinification soignée, l'Airén finit par produire des vins agréables et bon marché.

Les vignes sont plantées en altitude, entre 500 et 650 m. La sécheresse et la chaleur sont extrêmes l'été, tandis que l'hiver est glacial. Les sols sont toutefois relativement bons, l'altitude et les températures extrêmes permettant aux pieds de vigne d'échapper aux insectes et à la pourriture. Presque tous les vins sont de type *joven*, quelle que soit leur couleur.

Méntrida, à l'est de Madrid, est une autre zone de très grande production. Les modifications apportées ces dernières années à la législation des DO en matière de puissance alcoolique pourraient bien réserver quelques bonnes surprises. Les cépages, principalement le Grenache et le Cencibel, ont un bon potentiel.

Juste à côté de la DO Méntrida, dans la province de Tolède, on trouve un bon exemple des capacités de cette région. Carlos Falcó (marquis de Griñón), œnologue diplômé de l'université de Californie (Davis), a importé le savoir-faire bordelais dans son vignoble de Malpica de Tajo : il a planté du Cabernet-Sauvignon et du Merlot et installé un système d'irrigation californien (le goutte-à-goutte, interdit en Espagne, sauf pour les vignobles « expérimentaux »). Aujourd'hui, son vin est l'un des meilleurs d'Espagne, même s'il n'a droit qu'au nom de Vino de Mesa de Toledo (vin de table de Tolède).

Avec leurs quelque 750 ha, répartis sur vingt communes, les cinq *bodetgas* de la nouvelle DO Mondéjar produisent 7 000 hl de vin rouge vendu jeune.

Valdepeñas, enfin, est la seule région de Castille-La Manche qui peut s'enorgueillir d'une longue et régulière tradition de vins de bonne qualité. Sur le plan géographique, elle constitue une sorte d'enclave à l'intérieur de la Manche : bien placée sur les pentes orientées au sud, à une altitude de 700 m, elle est protégée des vents dominants par les montagnes. Son sol est à base de calcaire, son climat tend vers le semi-aride, mais son sous-sol calcaire profond retient l'eau.

Les cépages utilisés en Valdepeñas sont les mêmes que dans la Manche, avec un peu plus de Cencibel et de vins rouges. Les blancs sont élevés dans le style *joven* et les meilleurs rouges (100 % de Cencibel) atteignent facilement le niveau *gran reserva*.

Les vignobles de la DO Vinos de Madrid fournissaient autrefois de bons vins de tous les jours aux habitants de la capitale. Aujourd'hui, la plupart sont faits dans le style *joven*, mais quelques producteurs sont convaincus que l'avenir des vins de Madrid réside dans les rouges de *crianza* à base de Tempranillo.

LES ÎLES ESPAGNOLES

Les Baléares. La première appellation non continentale, Binissalem, à Majorque, fut attribuée en 1991. Elle se trouve au nord-est de Palma, au centre de la plus grande des îles Baléares, à une altitude comprise entre 250 et 300 m. Le cépage principal est une variété locale, le Manto Negro (rouge). La DO autorise les trois couleurs, mais les vins blancs (issus principalement du cépage local Moll, avec du Parellada) et les rosés sont faits uniquement dans le style *joven*, et en bien plus petites quantités que les rouges. Issu de 1 000 ha de vignobles situés dans les vallées du centre et de l'est de l'île, le vin de pays (vino de la tierra) Plá i Levant attend incessamment sa DO.

Les Canaries. Sept DO en quelques années et deux « contrées viticoles », alors que la première DO, Tacoronte-Acentejo à Tenerife, n'a été créée qu'en 1992. Les autres DO sont Abona, El Hierro, La Palma, Lanzarote, Valle de Güímar, Valle de la Orotava et Ycoden-Daute-Isora. Un vignoble de près de 800 000 ha produit dans un climat subtropical 185 000 hl de vin (1997). Il existe deux cépages locaux, le Listán Negro et le Negramoll, sans oublier le Malvoisie.

PRODUCTEURS ET NÉGOCIANTS
Franja Roja, Binissalem (Majorque)
La *bodega* de José Ferrer, fondée en 1931, est aujourd'hui la plus importante, la plus active et la plus moderne de l'île. Elle possède 78 ha de vignes. La production annuelle est vendue essentiellement sous l'étiquette José L. Ferrer (blanc, rosé, rouge).
Carballo SL (DO La Palma)
Carballo a produit un très curieux Carballo Malvasía Blanco 1997 et le Negramoll 1998, rouge, ainsi que, dans la DO Lanzarote, le Mozaga Malvasía Dulce 1998.
Bodegas Monje (DO Tacoronte-Acentejo)
Cette *bodega* a réussi un excellent rouge, le Monje de Autor.

L'Andalousie

Le sud de l'Espagne ne comprend qu'une immense *autonomía*, l'Andalousie (Andalucía). C'est dans ce pays, à Jerez de la Frontera, qu'est née l'industrie vinicole espagnole et, depuis, toute la viticulture s'est développée dans le moule du Xérès. Mais outre les appellations Xérès (Jerez) et Málaga (voir p. 424 et 430), l'Andalousie abrite deux autres DO : Condado de Huelva, près de la frontière portugaise, et Montilla-Moriles, dans la province de Cordoue (Córdoba).

Lorsque le marché du Xérès commença à rétrécir, l'appellation Condado de Huelva se diversifia en vinifiant le cépage Zalema en *joven afrutado*, un nouveau style de vin léger fermenté à basse température. Mais la région n'a pas pour autant interrompu sa production de vins mutés traditionnels, appelés Condado Pálido et Condado Viejo, équivalents des Olorosos.

Quant à l'appellation Montilla-Moriles, elle a réussi à se faire un nom tout en suivant la mode des *jovenes afrutados*. Elle fait aujourd'hui des vins de style *joven*, des *vinos crianzas* (non mutés) ainsi que les traditionnels *vinos generosos* (mutés et vieillis en *soleras*, comme les Xérès). Le principal cépage blanc est le Pedro Ximénez. Les vignes poussent entre 700 et 300 m d'altitude, là où la Meseta descend vers la côte sud : le climat va de semi-aride à continental. Les meilleurs sols sont des *albarizas* calcaires, comme à Jerez, et l'ensemble de ces vignobles de meilleure qualité est appelé collectivement la région Superior.

PRODUCTEURS ET NÉGOCIANTS

Dans ces zones traditionnellement réservées à la production de vins ordinaires, mais avec des trésors comme les Fondillón, coopératives et *bodegas* investissent dans une technologie afin de diversifier leur production.

LEVANTE

ALICANTE

Bodegas Gutiérrez de la Vega

Née en 1973, cette *bodega* (10 ha de vignoble, 60 000 bouteilles par an) a révolutionné le marché des nouveaux Muscats avec Casta Diva, Cosecha Dorada et Cosecha Miel.

Salvador Poveda

Cette *bodega* est une référence depuis 1918. Elle produit un surprenant Fondillón, un liquoreux 100 % Monastrell, ainsi qu'un Muscat et même un rouge Viña Vermeta 100 % Monastrell.

Primitivo Quiles, NCR

Le Fondillón de cette *bodega* est l'un des vins moelleux les plus célèbres de la Méditerranée : l'austère roi Philippe II fit cadeau d'une bouteille à l'empereur du Japon et les mousquetaires de Dumas en font l'éloge. Le Fondillón Rancio Primitivo Quiles est l'un des premiers de la classe.

UTIEL-REQUEÑA ET VALENCIA

Vicente Gandía Plá

Établie depuis 1885 à Valence, cette *bodega,* dont la production est vendue dans 60 pays, élabore le Castillo de Liria, le plus populaire des rouges et des rosés, mais aussi un bon rouge, le Hoya de Cadenas (Tempranillo-Grenache).

JUMILLA

Agapito Rico

Cette *bodega* de 100 ha, née en 1989, a produit le Carchelo 1997 (80 % Monastrell et 20 % Merlot non boisé), l'un des vins espagnols dont tout le monde parle.

BSI San Isidro

Créée en 1935 sur 20 000 ha de vignoble, BSI a su prendre le virage avec un blanc pur Airén (Sabatacha), le Gémina 1998, rouge, et le moelleux Lacrima Viña Cristina (100 % Monastrell).

Encarnación Olivares Guardiola

Sans l'étiquette de la DO, mais avec un succès d'estime et des ventes : Olivares Dulce (moelleux) est un Monastrell 100 % à la puissance insolite, nuancé par des notes grillées et de fruits confits.

YECLA

Castaño

Fondée en 1950, cette maison (320 ha, 1 300 barriques) exporte 60 % de sa production. Son vin blanc, Maccabeo Castaño, et ses rouges, Castaño (90 % Monastrell), Hécula et Dominio Espinal, sont des modèles de la DO.

CASTILLE-LA MANCHE

ALMANSA

Bodegas Piqueras

Cette *bodega* est une institution depuis 1915. Son Castillo de Almansa dans les trois couleurs (Airén ; Monastrell-Cencibel) est vendu à un prix très modeste.

LA MANCHE

Ayuso SL

Créée en 1947, mais un changement de propriété récent qui incite à la prudence, cette *bodega* a imposé son Estola (100 % Cencibel), parfois trop boisé.

Centro Españolas SA

Depuis 1991, cette maison (220 et 3 000 ha) convainc avec un Allozo Crianza et un Reserva 100 % Tempranillo.

Cooperativa Jesús del Perdón

Fondée en 1954, cette coopérative de 3 500 ha a bien placé la marque Yuntero, dont le *crianza* est un heureux coupage de Cencibel (75 %) et de Cabernet-Sauvignon.

Vinícola de Castilla SA

250 ha de vignes, 4 600 barriques et 12 millions de bouteille : ce géant fait dans la nuance avec son Balada Cencibel Ecológico, un rouge biodynamique.

VALDEPEÑAS

Miguel Calatayud SA

Dans cette *bodega* de 50 ha, fondée en 1960, le Vegaval Plata Cencibel fait concurrence à un Cabernet-Sauvignon.

Casa de la Viña

Dans cette propriété de 200 ha, qui appartient au puissant groupe Bodegas y Bebidas, le Cencibel s'exprime dans un Casa de la Viña *crianza* d'un bon rapport qualité/prix.

Cosecheros Abastecedores

Fondée en 1875, cette *bodega* (300 ha, 18 000 barriques) produit un vin classique dont se détachent les Cencibel 100 % Pata Negra et Señorío de los Llanos.

Félix Solís

Né en 1952, ce domaine (400 ha, 25 000 barriques) est le plus gros producteur de bouteilles de 75cl sur le marché espagnol. Un vin populaire, Los Molinos, et le plus recherché Viña Albalí exaltent le Cencibel.

Videva SA

Fondée en 1967 par six viticulteurs, cette maison (550 ha et 800 barriques) a élaboré un nouveau vin élaboré 18 mois en barrique, le Pago Lucones, avec du Cencibel de vignes de plus de 30 ans d'un *pago* (l'équivalent du clos bourguignon) et 10 % de Cabernet-Sauvignon.

Viñedos y Bodegas Visan SL

En février 2000 encore, une bouteille de l'excellent Castillo de Mudela Reserva 1987 (100 % Cencibel) coûtait moins de 100 francs.

ANDALOUSIE

CONDADO DE HUELVA

Vinícola del Condado Soc. Cooperativa

Cette coopérative (2 500 ha et 2 200 barriques), fondée en 1956, produit le Privilegio del Condado, avec le cépage prédominant de la DO, le Zalema (blanc), et le splendide Mioro Pálido, issu d'un coupage de Palomino, Listán et Garrido Fino.

MONTILLA-MORILES

Alvear

Établie depuis 1729, la doyenne de la DO (300 ha) est toujours gérée par un membre de la famille Alvear. Son Fino C.B. et son Pedro Ximénez 1927 sont excellents, le Pedro Ximénez 1830 est époustouflant.

Gracia Hermanos SA

Le María del Valle (100 % Pedro Ximénez) donne le « la » de cette *bodega* créée en 1962

Navisa (Ind. Vinícola Española SA)

Depuis 1950, ce domaine de 200 ha produit des Finos comme le Cobos ou le Pompeyo et un succulent Tres Pasas moelleux.

Pérez Barquero

Un siècle de vie, 125 ha et une marque, Gran Barquero, dont toutes les bouteilles n'ont rien à envier aux plus grands du genre.

Bodegas Toro Albalá SA

Pour la personnalité, inutile de chercher plus loin : depuis 1922, cette *bodega* érigée sur une ancienne centrale électrique a imposé son Eléctrico Fino del Lagar et le singulier Don PX (pour Pedro Ximénez), un vin doux naturel « sans ajouts et non filtré ». Dernier must : Marqués de Poley, issu du cépage Pedro Ximénez des vendanges 1945.

XÉRÈS

Situé dans la province de Cadix, à l'extrême sud-ouest de l'Andalousie, au sud de l'Espagne, face à l'Atlantique, le vignoble du Xérès occupe le centre d'un triangle formé par trois villes, au nord de la ville de Cadix : Jerez de la Frontera, dans les terres, Sanlúcar de Barrameda, sur l'estuaire du Guadalquivir, et Puerto de Santa María, à la pointe de la baie de Cadix.

Le climat, généralement chaud, peut devenir très chaud et très sec pendant l'été, même s'il reste tempéré par l'océan. Deux vents dominent : le Levant, sec, qui vient de l'est, et le Ponant, qui apporte l'humidité de l'Atlantique. Le sol calcaire porte le nom d'*albariza*. L'association de ce sol idéal pour les vins blancs et du climat chaud, relativement humide, donne d'excellentes conditions de culture.

La région de Xérès tend à devenir la région d'un seul cépage blanc, le Palomino (Palomino Fino), qui couvre 90% du vignoble et supplante peu à peu les autres cépages, comme le Pedro Ximenez – dont le vin doux sert toujours à faire des Xérès doux – et le Moscatel Fino, devenu très rare.

Du raisin à la *flor*

Au cours des premières semaines de septembre, les raisins sont récoltés et apportés au pressoir. Autrefois, les hommes portaient des chaussures cloutées pour les fouler au pied, mais aujourd'hui on utilise des pressoirs continus horizontaux ou des pressoirs hydrauliques modernes. Après fermentation complète du jus, on obtient un vin blanc sec qui atteint naturellement 13,5 % vol au minimum. C'est à ce stade que les vins blancs de Xérès changent de nature, comme par magie. Même s'ils se déclinent plus tard en une gamme très diverse (voir encadré p. 427), on distinguera d'abord deux qualités, le Fino et l'Amontillado.

Les vignes de Sandeman plantées sur l'*albariza,* sol calcaire favori du Xérès.

Lorsque la fermentation est terminée, on transvase le vin dans des tonneaux de 500 l qu'on ne remplit pas complètement. Tandis que les vins vieillissent dans la fraîcheur des vastes chais de la *bodega*, une fleur de moisissure *(Sacharomyces beticus)* appelée *flor*, apportée par le Ponant, apparaît à la surface du vin. Elle protège le vin de l'oxydation au contact de l'air, inéluctable dans ces fûts, et lui donne son caractère unique. En effet, la *flor* ne se développe naturellement que dans une seule autre région du monde, le Jura, pour le vin jaune, et son effet n'est jamais exactement le même d'un fût à l'autre. C'est pour cette raison qu'on peut classer les vins de Xérès en différentes catégories dès le début de leur évolution. Les fûts qui présentent une *flor* abondante sont classés en *palmas* et mis à part ; ils donneront naissance

LE SYSTÈME DE LA SOLERA

Le principe d'élaboration du Xérès réside dans l'assemblage de vins issus de fûts divers et d'âges différents.

Le principe de la *solera,* utilisé pour tous les types de Xérès, consiste en une succession d'assemblages : on commence d'abord par prélever une certaine quantité du vin le plus jeune et on le transvase dans des fûts de l'année précédente pour qu'il prenne le caractère du vin plus âgé. Pour faire de la place dans ces tonneaux, il faut auparavant les vider d'un tiers, que l'on reverse dans des tonneaux contenant le vin de trois ans, eux-mêmes vidés d'un tiers, que l'on a ajouté au vin de quatre ans.

Chaque étape de ce procédé s'appelle *criadera*, mot espagnol qui signifie « pépinière ». Après cette opération renouvelée en moyenne 5 fois, il ne reste plus qu'un tiers du vin le plus vieux (qui porte le nom de *solera*, parce que, à l'origine, il sortait du fût posé sur le sol – *suelo* – à la base de la pyramide de fûts), que l'on met en bouteilles. Il arrive qu'on soutire un vin plus jeune, selon la qualité souhaitée, mais la loi oblige à 3 assemblages au moins avant la mise en bouteilles.

Le Xérès provient donc de multiples assemblages, car chaque bouteille contiendra des vins d'âges différents assemblés à l'intérieur d'une même *solera* et de différentes *soleras* entre elles.

au Fino (avec la possibilité de classement en Amontillado lorsque la *flor* a terminé son travail). Ils sont légèrement mutés à l'eau-de-vie pour atteindre 15,5% vol au maximum. Les fûts où la *flor* ne se développe pas sont classés comme *raya* et serviront à faire l'Oloroso : ils sont immédiatement mutés à 18% vol (la *flor* ne vit plus au-delà de 17,5% vol) et élevés séparément.

L'histoire du Xérès

On estime que la culture de la vigne dans la région de Jerez a commencé voilà 3 000 ans. La ville de Jerez aurait été fondée par les Phéniciens sous le nom de Xera en 1100 av. J.-C. Cependant, l'invention du Xérès tel que nous le connaissons ne peut être antérieure au VIIe siècle. Il est en tout cas certain qu'à la fin du Moyen Âge on avait compris l'utilité d'ajouter de l'eau-de-vie aux vins qui partaient en bateau pour l'Angleterre, premier marché étranger des vins de Jerez ; c'est bien le « sherris sack » que recommandait Falstaff, le héros de Shakespeare, et qu'on appréciait à l'époque élisabéthaine. Dans les siècles qui suivirent, le Xérès resta un produit de base en Angleterre, malgré les guerres avec l'Espagne, et nombre de négociants britanniques s'installèrent dans la région de Jerez pour y travailler avec les Espagnols et les Français (comme Pedro Domecq).

Au XIXe siècle, le Xérès connut son âge d'or en Angleterre. Mais, la demande excédant l'offre, la qualité déclina. Les négociants se groupèrent pour un meilleur contrôle de la production, inaugurant une nouvelle période florissante, après la Première Guerre mondiale. Les ventes continuèrent à augmenter après 1945, en particulier grâce à l'expansion du marché hollandais. Mais la série de fusions qui donna naissance à l'énorme groupe Rumasa, dans les années 1980, provoqua une grave surproduction et ruina la réputation du Xérès. Après la faillite du groupe, on mit en place un programme destiné à améliorer l'image du Xérès aux yeux d'un public amateur de blancs légers en apéritif.

Tout cela explique que le Xérès, Denominación de Origen Jerez-Xérès-Sherry y Manzanilla-Sanlúcar de Barrameda, soit aujourd'hui l'appellation la plus réglementée d'Espagne. Plantations, rendements, prix des raisins et prix du vin, tout est contrôlé par un organisme directeur, le Consejo Regulador. Les vins doivent vieillir au moins trois ans et, afin d'encourager un élevage le plus long possible, les *bodegas* ne peuvent vendre que 29% de leur stock chaque année. De plus, le Consejo Regulador exerce un contrôle particulier sur les maisons autorisées à faire de l'exportation. Les autres producteurs (appelés *almacenistas*) sont obligés de céder leurs vins à une maison de négoce autorisée.

En 2000, 2 440 viticulteurs cultivaient un vignoble de 10 350 ha et étaient en affaires avec 57 *bodegas* pour une production de plus de 100 000 tonnes. Avec 67 millions litres de Xérès exportés, la DO a définitivement remédié aux erreurs commises dans les années 1990. En Espagne, le Xérès reste cependant un grand vin méconnu, car à peine 15 % de la production y sont commercialisés.

Mais la nouvelle la plus importante du XXe siècle était arrivée quatre années auparavant : le 1er janvier 1996, après dix ans de combat et au prix de l'arrachement de 6 900 ha de vignes pour endiguer la surproduction, le Xérès a gagné le droit à l'exclusivité du nom. C'est-à-dire que les *ersatz*, produits en Grande-Bretagne et en Irlande, n'ont plus droit de cité. D'après ceux qui savent que plusieurs maux proviennent du mauvais usage des mots, il faudrait aller encore plus loin : si l'on dit Champagne et Cognac pour nommer le vin et l'eau-de-vie élaborés dans ces régions, pourquoi ne pas imposer le nom Jerez, celui de la ville berceau, à la place de Xérès ? □

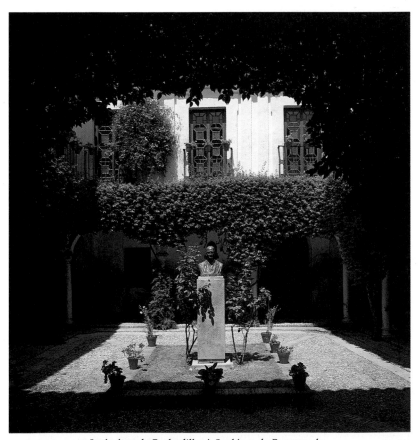

La *bodega* de Barbadillo, à Sanlúcar de Barrameda.

PRODUCTEURS ET NÉGOCIANTS

Les maisons de Xérès siègent dans les villes de Jerez de la Frontera – pour la frontière entre chrétiens et musulmans –, Sanlúcar de Barrameda et Puerto de Santa María. Toutes disposent d'amples locaux de vinification et d'embouteillage ainsi que d'aussi vastes chais en surface, les *bodegas*, où s'empilent, sur jusqu'à cinq rangs, des milliers de fûts, afin d'effectuer les assemblages, la *solera*. Depuis 1999, les Sacristías ou Reliquias, vins qui avaient somnolé dans des barriques marquées d'un « non » parce que réservés à la famille, sont arrivés sur le marché et font grimper les prix.

Manuel de Argüeso

Fondée en 1822 par Don Leon de Argüeso, cette *bodega* de Sanlúcar est réputée pour ses *almacenistas*, les meilleures cuvées des meilleurs millésimes qui ne font l'objet d'aucun assemblage. Elle appartient aujourd'hui à Valdespino.

Hormis le Pedro Ximénez El Candado, la cuvée la plus célèbre de cette maison est le Manzanilla Señorita, élevé à Sanlúcar, tandis que le Fine Amontillado et le Cream of Cream sont élaborés à Jerez. Son Fino, Colombo, et son Amontillado sec, Coliseo, sont renommés dans la région, de même que ses deux eaux-de-vie, Tres Unios et Genesis.

Herederos de Argüeso SA

Le Manzanilla Las Medallas de Argüeso et surtout le San León de cette maison ne sont pas moins exquis que l'Oloroso Argüeso.

Antonio Barbadillo

Créée en 1821, cette *bodega* est toujours dirigée par la famille Barbadillo. Elle possède 500 ha de vignoble, des caves pour 65 000 bouteilles et la moitié des barriques de Manzanilla de l'appellation de Xérès.

La vieille *bodega* du centre-ville dispose d'installations modernes à la périphérie. Ses vignes, en copropriété avec Harvey (voir p. 428), sont situées dans le Jerez Superior. Eva, Solear, Muy Fina, La Pastora et Mil Pesetas sont de bons Manzanilla mais l'Amontillado Príncipe est pareillement coté. Barbadillo a été l'un des premiers à élaborer un blanc sec non muté issu de 100 % Palomino, le Castillo San Diego.

En 2000, Barbadillo a présenté Reliquias, un Palo Cortado en quatre versions, chacune d'à peine 600 bouteilles. Chaque bouteille était vendue au prix de 150 euros..

Hijos de Rainera Pérez Marín

Cette *bodega*, qui possède un vignoble de 300 ha et dispose de 16 000 *botas*, les caractéristiques barriques, a été fondée en 1865. Avec son Manzanilla La Guita, elle est devenue très populaire, surtout depuis que la jeunesse espagnole, et principalement celle de Madrid, s'est entichée de ce vin.

Sánchez Romate

C'est en 1781 que Juan Sánchez de la Torre a créé cette *bodega* familiale à Jerez de la Frontera, où elle possède 80 ha de vignoble et 5 600 barriques.

Environ deux tiers de sa production annuelle de plus de 3 millions de litres sont destinés à l'exportation. Dans les 30 000 m² de chais, situés en plein centre-ville, les vins – Fino Marismeño et Macharnudo, Amontillado N.P.U. et La Sacristía de Romate, Dulce Cardenal Cisneros et La Sacristía de Romate PX,... – vieillissent à côté des eaux-de-vie les plus prestigieuses qui s'appellent Cardenal Mendoza et Cardenal Cisneros.

Hijos de Agustin Blázquez

Une des plus anciennes maisons, fondée en 1795. Bien qu'elle appartienne aujourd'hui au groupe Domecq (voir plus loin), son nom reste sur l'étiquette des Xérès et des eaux-de-vie.

Bobadilla

Cette *bodega* est sans doute mieux connue pour son eau-de-vie – Bobadilla 103 – que pour son Xérès. En Espagne, les deux produits se côtoient fréquemment dans les bars. Les Xérès de Bobadilla, généralement assez secs, sont bien représentés par le Fino Victoria.

Luis Caballero

Cette *bodega* de Puerto de Santa María connaît une expansion rapide sous l'autorité de Luis Caballero Florido. Outre ses propres marques et celles de John William Burdon, Caballero contrôle maintenant la maison Emilio Lustau (voir p. 428), dont il utilise la marque pour l'exportation. Ses *bodegas* occupent de pittoresques bâtiments,

qui sont situés au centre de Puerto de Santa María. Luis Caballero possède aussi le château de la ville, une vieille forteresse mauresque.

Croft

Sur le boulevard extérieur de Jerez, les installations imposantes de Rancho Croft cachent leur modernisme derrière une façade de *bodega* classique. À l'intérieur règne la plus haute technologie, comme il sied à l'un des derniers arrivés à Jerez. La nouveauté ne vient pas de son Xérès (la maison date de 1678), mais de l'activité de production que Croft a ajoutée à celle du négoce en 1970.

Croft fut à l'origine d'une véritable révolution en créant le Croft Original Pale Cream, un Xérès de couleur pâle, qui paraît sec mais se fait doux en bouche, grâce à l'apport de *dulce apagado* (vin sucré). Croft représente 18% du marché des Xérès, essentiellement grâce à ses ventes de Croft Original au Royaume-Uni.

Delgado Zuleta

Propriété familiale de taille moyenne, cette *bodega* de Sanlúcar fut fondée en 1744. D'abord connue sous le nom de son fondateur, Don Francisco Gil de Ledesma, elle prit celui de José Delgado Zuleta à la fin du XIXe siècle. Son Manzanilla La Goya, qui constitue son haut de gamme, porte le nom d'une célèbre danseuse de flamenco et son étiquette – noir, blanc et or – est familière en Espagne. L'Amontillado est fait de vins vieux – très bon Quo Vadis ? – et l'on sert souvent le Cream Puerto Lucero, au dessert, dans les restaurants de Sanlúcar.

Pedro Domecq

Pedro Domecq est sans aucun doute un des noms de Xérès les plus connus, tant pour son célèbre Fino diffusé sous la marque La Ina que pour ses eaux-de-vie Fundador et Carlos. Cette entreprise domine le marché. Créée, curieusement, par un Irlandais du nom de Patrick Murphy en 1730, elle change de nom au XIXᵉ siècle avec l'arrivée du Français Pedro de Domecq. Aujourd'hui, Domecq possède des *bodegas* impressionnantes à Jerez, une vaste installation de mise en bouteilles et un superbe palais pour ses réceptions, au centre de la ville. La maison appartient désormais au groupe Allied Lyons.

Bien que la réputation de la maison Domecq ait été fondée sur son Fino La Ina, celle-ci mérite d'être connue tout autant pour ses Oloroso sec Rio Viejo et Sibarita, son Palo Cortado Capuchino et, enfin, son Dulce.

Duff Gordon

Un nom connu, qui appartient aujourd'hui au groupe Osborne (voir encadré p. 428). Fondée en 1768 par sir James Duff, consul britannique à Cadix, la maison fut dirigée par des Duff et des Gordon jusqu'à son rachat par Thomas Osborne.

Garvey

Le Fino San Patricio est le vin le plus connu de cette *bodega* du centre de Jerez. Il doit son nom au saint patron irlandais et aux liens étroits que cette maison (fondée en 1780 par William Garvey) a gardés avec l'Irlande. Elle possède un important domaine en Jerez Superior, qui ne compte pas moins de 600 ha. Outre le célèbre San Patricio, elle produit également le Palo Cortado Jauna et le Pedro Ximénez Gran Orden.

Miguel M. Gomez

Créée à Cadix en 1816, cette *bodega,* qui est restée une entreprise familiale, s'est établie à Puerto de Santa María en 1969. C'est un bâtiment récent, néanmoins construit à l'ancienne, avec un toit en

LES DIFFÉRENTS STYLES DE XÉRÈS

Le Xérès est un vin blanc muté, sec à l'origine, qui offre toute une palette de styles, du plus sec au plus sucré. Il se boit seul, à l'apéritif, ou accompagne des plats ; on peut le servir au début du repas, ou à la fin. Pour cette raison, il est parfois qualifié de vin muté le plus universel. Lorsqu'il est sec, il ressemble davantage à un vin de table classique qu'à un vin muté.

Les vins de Xérès se divisent en deux familles, les Finos, secs et légers, et les Olorosos, plus colorés et plus puissants, dont sont issus tous les autres. Les Finos sont tributaires de la *flor* (voir p. 424-425) alors que les Olorosos ne le sont pas. Le Fino doit se boire très jeune et ne vieillit pas en bouteille, tandis que les autres Xérès peuvent se conserver plusieurs années.

LES FINOS
Manzanilla

Le Manzanilla est un style de Fino très sec qui est produit dans les *bodegas* du bord de mer, à Sanlúcar de Barrameda, à l'embouchure du Guadalquivir. C'est le plus sec et le plus léger de tous ; on s'accorde à lui reconnaître un goût particulier, légèrement salé, qu'on attribue à la proximité de la mer. Il est muté à 15,5% vol avant son expédition.

Le Manzanilla remporte un grand succès en Espagne, et plus particulièrement parmi les jeunes.

Manzanilla Pasada

Le Manzanilla Pasada est un Fino de Manzanilla dans lequel la *flor* a disparu et qui a commencé à vieillir. On l'appelle Fino Amontillado à Jerez et Manzanilla Pasada à Sanlúcar.

Fino

Le Fino appartient à la catégorie des vins les plus secs, produits à Jerez et à Puerto de Santa María. Le Fino de Jerez est plus concentré, celui de Puerto est plus tendre et plus léger. Le Fino est élevé sous une couche de moisissure (la *flor*) qui le protège de l'oxydation et lui conserve toute sa fraîcheur. Issu de Palomino à 100%, il est généralement muté pour atteindre 15,5 à 17% vol. Celui qui est consommé dans la ville de Jerez n'est pas muté.

Fino Amontillado

Ce style de Xérès désigne un Fino dans lequel la *flor* a disparu, mais qui n'est pas encore arrivé au stade de l'Amontillado.

Amontillado

L'Amontillado est un vin qui a dépassé le stade du Fino Amontillado pour évoluer vers une teinte ambrée, presque dorée, et vers des arômes de noix. Le vin ne pouvant atteindre ce niveau avant d'être passé dans le système de *solera* pendant au moins huit ans, les Amontillados bon marché sont fabriqués en tuant la *flor* pour accélérer l'évolution du vin. L'Amontillado est naturellement sec.

Medium

Le Medium est un Amontillado légèrement doux. Cette caractéristique s'obtient grâce à l'adjonction de Pedro Ximénez (un cépage donnant un vin très noir et sucré car ses raisins sont séchés au soleil avant d'être pressés) ou, plus couramment, de vins très sucrés issus de Palomino, vinifié pour répondre au goût des consommateurs du nord de l'Europe.

Palo Cortado

Le Palo Cortado est un vin qui a commencé comme un Fino, évolué en Amontillado puis a été élevé comme un Oloroso. Il sera classé comme *dos, tres,* ou *cuatro*

cortados selon son âge. C'est un vin rare et cher.

LES OLOROSOS
Oloroso

L'Oloroso (littéralement « parfumé ») désigne une catégorie de vin sur laquelle la *flor* ne s'est jamais développée ; muté jusqu'à 18% vol au début de son élevage, il peut ensuite atteindre 24% vol. Comme l'authentique Amontillado, le véritable Oloroso est toujours sec, riche et concentré.

Cream

C'est un Oloroso sucré à la robe sombre, élaboré pour les mêmes marchés d'exportation que le Medium. Sa couleur s'obtient par adjonction de *vino dulce* et sa douceur, par addition de moûts de raisin.

Pale Cream

Le Pale Cream est issu d'un assemblage de Fino et d'Oloroso léger, adouci par adjonction de *dulce apagado* (vin doux obtenu par un apport d'eau-de-vie qui arrête la fermentation). Il a l'aspect d'un Fino et le goût d'un Oloroso.

Brown Sherry

Ce vin riche de couleur foncée est obtenu par un assemblage d'Olorosos et de *rayas* (Olorosos de qualité inférieure).

AUTRES STYLES
East India (ou Amoroso)
Par ce terme on désignait autrefois un Xérès dont on accélérait la maturation en lui faisant faire un aller et retour jusqu'en Inde.

Almacenista
C'est un Xérès élevé par des petits grossistes qui n'ont pas le droit de vendre au public ni d'exporter. Beaucoup de ces vins sont assemblés, mais il arrive qu'ils soient mis en bouteilles et vendus tels quels.

forme de cathédrale. Ses meilleurs vins sont le Fino Alameda et un Oloroso, le Mentidero.

Gonzalez Byass
L'achat par la famille Gonzalez des parts de la famille Byass a mis fin à une liaison durable entre l'Espagne et l'Angleterre. Redevenue entièrement espagnole, cette société se consacre aujourd'hui à l'amélioration de ses vins qui sont d'ores et déjà d'une qualité excellente. Elle possède de magnifiques *bodegas* près du château de Jerez. Celle de La Concha fut construite par Eiffel en forme de coquille.

Sa grande marque de Fino, Tio Pepe, et son Amontillado La Concha sont issus de *soleras* qui datent du XIXᵉ siècle. Ses très vieux vins, l'Amontillado del Duque, l'Oloroso sec Apostoles et l'Oloroso doux Matusalem ainsi que le Noé (Dulce) sont considérés, à juste titre, parmi les meilleurs.

John Harvey
Cette maison est le plus important négociant de Xérès, qui, cependant, n'a disposé d'aucun lieu de production à Jerez jusqu'en 1970, date à laquelle elle a acheté la petite *bodega* Mackenzie : elle se contentait d'acheter des vins en vrac à d'autres entreprises. L'acquisition de plusieurs autres *bodegas*, dont celles de Palomino y Vergara et Fernando A. de Terry (voir p. 429), ainsi que de Marqués de Misa (aujourd'hui disparue), lui a permis de se faire une place à Santa María et à Jerez.

La maison Harvey commercialise un Dulce, Bristol Cream, qui est le numéro un du marché mondial.

Emilio Hidalgo
Cette petite entreprise de négoce est connue plus particulièrement pour son Fino Pañesa, son Oloroso Gobernador et son eau-de-vie Privilegio.

Vinícola Hidalgo
La Manzanilla La Gitana est le plus célèbre vin de cette *bodega* établie dans des locaux anciens, au centre de Sanlúcar. Tous les vins de cette marque, même les Amontillados et les Olorosos, se distinguent par cette finesse particulière des vins de Sanlúcar. Le nouveau venu est un blanc sec, le Pagollano.

Bodegas de los Infantes Orleans-Borbón
Cette maison fut fondée par des descendants du duc de Montpensier, parent de la famille royale espagnole. À l'origine, le vignoble de Sanlúcar servait à produire les vins pour leur consommation personnelle ; le reste était vendu au négoce.

Le premier Xérès qui sortit sous l'étiquette de la famille, en 1943, était fabriqué par Barbadillo (voir p. 426), qui possède maintenant la moitié des parts de la société. On ne s'étonnera pas que le meilleur produit de cette maison, établie à Sanlúcar, soit le Manzanilla Torre Breva. La plupart des vins de cette maison sont exportés vers l'Autriche et les Pays-Bas.

Emilio Lustau
Cette société a été la première à lancer les Xérès *almacenista* sur le marché mondial (et à déposer la marque), puis les Xérès *Landed Age*, mis et élevés en bouteilles dans le pays d'exportation avant d'être vendus. Les experts plébiscitent les Pedro Ximénez, San Emilio, Moscatel Emilín, Oloroso Emperatriz Eugenia, Lustau Almacenista 1/50 Vides...

Osborne
Voir encadré ci-contre.

Herederos del Marqués del Real Tesoro
Le titre de marquis du Trésor royal fut créé par le roi Charles X en 1760 pour Joaquin Manuel de Villeña, seigneur de la marine espagnole qui, à bout de munitions lors d'un combat naval contre des pirates, avait fondu toute son argenterie pour alimenter ses canons.

La *bodega* fut créée par le petit-fils de ce seigneur, en 1879, et ses héritiers, qui la dirigent encore aujourd'hui, produisent deux gammes : la meilleure comprend le Fino Ideal, l'Oloroso Almirante et de vieux Amontillados ; l'autre, plus commerciale, est vendue sous l'étiquette Real Tesoro, principalement aux Pays-Bas. Mais depuis peu, la maison a acquis un vrai symbole, le Fino Tio Mateo, un classique de la DO, et a imposé sur le marché son Manzanilla La Bailaora.

Pedro Romero SA
Bodega de Sanlúcar, dont la principale étiquette est Viña el Alamo, mais on la connaît davantage pour son Manzanilla qui porte l'étiquette Aurora. Parmi les eaux-de-vie, il ne faut pas manquer d'évoquer l'« Indiscutible », dont le nom est suffisamment éloquent.

Sandeman-Coprimar SA
La célèbre et familière silhouette noire du « Don », avec

OSBORNE

Au cœur même de Puerto de Santa María, les vastes installations d'Osborne trônent sur 30 ha. Elles comprennent un dédale de cours ombragées, de jardins et pas moins de 40 *bodegas* disséminées autour de la vieille maison familiale des Duff Gordon, achetée par Osborne en 1872. Toujours propriété de famille, Osborne est à l'avant-garde des nouvelles technologies. La qualité des produits ne semble pas souffrir de l'immensité ni du modernisme de l'entreprise. Elle élabore des modèles de Xérès de Puerto, souples, élégants et légers, sans le mordant des Manzanillas de Sanlúcar ni la puissance des Finos de Jerez. On connaît surtout le Fino Quinta, l'Amontillado sec Coquenero et l'Oloroso sec Bailen. L'Osborne 10 RF (Reserva Familiale) est un Oloroso généreux et légèrement doux.

son *sombrero* et sa *copita*, fut créée dans les années 1920. Aujourd'hui, Sandeman appartient au groupe Seagram et cette maison figure parmi les plus importants producteurs de Porto.

Cependant, la famille Sandeman dirige toujours l'entreprise fondée à Londres, en 1790, par George Sandeman, avec un capital initial de 300 livres sterling. Les lourds investissements de ces dernières années ont permis à cette maison d'améliorer considérablement la qualité de ses marques parmi lesquelles on compte le Don Fino, le vieil Amontillado Royal Ambrosante ainsi que le vieil Oloroso Imperial Corregidor, issus de très anciennes *soleras*.

José de Soto

Cette entreprise familiale fut fondée à la fin du XVIIIe siècle. En Espagne, elle est notamment connue pour le Ponche Soto, une liqueur à base d'eau-de-vie, de Xérès et d'herbes aromatiques.

Mais le Fino Don José María, l'Amontillado José de Soto et l'Oloroso sec Soto ont aussi leurs amateurs. C'est un membre de la famille qui inventa, au XIXe siècle, une nouvelle technique de greffage, après l'attaque du phylloxéra.

Bodegas Fernando A. de Terry

L'immense cour à arcades de la vieille *bodega* de Terry, aux limites de Puerto de Santa María, servit longtemps à présenter les chevaux « *Cartujanos* » et la collection d'attelages de cette entreprise familiale. Mais la volonté d'expansion et la construction d'une immense *bodega* sur la grande route qui relie les villes de Puerto et de Jerez conduisirent la famille à la ruine. Elle fut obligée de vendre, d'abord à Rumasa, puis au groupe Harvey (voir p. 428) et enfin au groupe Allied Lyons.

Dégustation de Manzanilla de la *solera* centenaire de Barbadillo, à Sanlúcar.

Aujourd'hui, on associe le nom de De Terry plutôt aux eaux-de-vie, bien que la production de Xérès reste toujours importante. Le nom de cette maison se cache souvent derrière les étiquettes personnalisées des revendeurs.

Valdespino

Ni le plus connu, ni le plus grand des producteurs de Xérès, mais certainement le plus ancien : la famille Valdespino s'est établie dans la région de Jerez en 1264. Pour nombre d'*aficionados*, sa petite gamme de Xérès constitue ce qu'on fait de mieux. La maison, dirigée par Don Miguel Valdespino, est l'image même de la grande tradition. Ici, on fermente encore en barriques – même si l'Inox a droit de cité depuis ces dernières années – et on ne compte pas son temps : les vins continuent d'être classés fût par fût. On hésite même à augmenter la production pour répondre à la demande, par crainte d'une baisse de qualité.

Le plus beau Xérès de la maison, le Fino Inocente, est un vin concentré et élégant qui provient d'un vignoble ancien situé aux portes de la ville. Valdespino est aussi connu pour son Amontillado sec aux arômes de noix, le Tio Diego, son Oloroso Don Gonzalo, le Pedro Ximénez (Dulce) et son bon vinaigre de Xérès.

Williams & Humbert

Longtemps indépendante, cette maison fut même cotée en Bourse, à Londres, jusqu'à ce que Rumasa y prenne une participation majoritaire dans les années 1970. Elle appartient maintenant au groupe Medina. Les bâtiments de la *bodega*, peut-être les plus beaux de la ville, trônent dans de superbes jardins au centre de Jerez. Ils attirent autant de touristes que le champ de courses et l'ancien bureau du consul britannique.

Le haut de gamme de cette maison, commercialisé sous le nom de Dry Sack, est un très bon assemblage commercial d'Amontillado, d'Oloroso et de Pedro Ximénez. La bouteille, présentée dans un sac taillé dans la même grosse toile que celle qui, jadis, couvrait les tonneaux à bord des bateaux, eut un énorme succès dans les années 1970. Le Dulce Pedro Ximénez Don Zoilo est d'une belle intensité.

Wisdom & Warter

Fondée en 1854, cette maison était fort connue au XIXe siècle. Indépendante jusqu'à son acquisition par Gonzalez Byass, elle en a adopté les méthodes et les exigences en matière de qualité. Le Manzanilla La Canoa, le Fino Los Búhos et le Very Rare Solera (Amontillado) atteignent tous un niveau de qualité honorable.

MÁLAGA

Ce qui reste aujourd'hui du vignoble de la DO Málaga se limite à moins de 10 000 ha de vignes. Il y a quelques années encore, la viticulture locale semblait vouée à la disparition, menacée par l'immobilier de loisir et une forte demande du marché pour le raisin sec. En outre, les vins très sucrés avaient perdu la faveur des consommateurs et ne l'ont retrouvée que vers le milieu des années 1990. Dans cette conjoncture, aucun producteur ne paraissait enclin à reprendre le flambeau d'un Scholtz, légendaire, à une époque où le Madère, le Tokay, le Porto ou le Málaga étaient synonymes de vin de dessert.

Cependant, le déclin du Málaga a commencé dès la fin du XIXe siècle. Le phylloxéra entrant en Espagne précisément par Málaga, le vignoble de l'Axarquía, dans l'arrière-pays, fut dévasté le premier. Certains viticulteurs comme les frères López s'installèrent alors comme négociants à Málaga. La demande reprit, mais la Grande Guerre fit disparaître le premier marché du Málaga, l'Europe centrale, puis la guerre civile espagnole (1936-1939) vida les chais à coup de réquisitions. Dès 1937, l'un des patrons de la maison López, Rafael de Burgos Carrillo, pour aider les émigrants, socialistes comme lui, réussit à mettre en place un réseau de représentants en Amérique et à créer un important marché pour les vins mais aussi le Brandy de Málaga. Aujourd'hui cette *bodega* vend 90 % des vins commercialisés sous l'étiquette Málaga, tout en continuant à les élaborer selon les règles traditionnelles.

Les cépages et les sols

Le cépage prédominant (plus de 50 %) est le Pedro Ximénez, appelé Pedro Ximén dans la région de Málaga, suivi de l'Airén (Lairén), du Moscatel et du Doradilla. Les sols évoluent depuis ceux, rouges, aux composants calcaires, au bord de la mer, jusqu'à ceux aux ardoises en décomposition et en déclivité prononcée de l'Axarquía. Le climat est méditerranéen sur la côte (400 mm de pluie par an) mais continental, avec de fortes gelées, à l'intérieur (plus de 550 mm de pluie).

Vinification et élevage

Le Málaga est muté à l'eau-de-vie de vin, ajoutée après fermentation. Il doit son caractère complexe et sa douceur à l'adjonction de vins doux, de sirops et de moûts concentrés. C'est l'adjonction d'*arrope* (jus de raisin chauffé et réduit), une technologie romaine, qui donne sa personnalité au vin en le caramélisant et en lui apportant sa couleur foncée, sa douceur et son épaisseur. Dans la région, on connaît quatre autres dérivés de vin pour muter les Málaga : le *mistela* (mistelle ou jus de raisin muté avant fermentation), le *vino de color* (*arrope* très concentré), le *vino maestro* (jus de raisin muté à 7 % vol avant d'être fermenté jusqu'à 16 % vol) et le *vino tierno*, un vin très sucré obtenu à partir de raisins séchés au soleil, puis fermentés et mutés. Ces différents éléments sont assemblés au vin en fonction du degré de douceur et du type de vin que l'on souhaite obtenir. Le futur Málaga est ensuite élevé en *conos* (fûts de châtaignier) selon un système de *solera* comparable à celui du Xérès. Le Málaga est un vin dont la qualité dépend d'un long vieillissement en fût. Les meilleurs peuvent se garder en bouteille pendant des décennies, voire des siècles. On peut distinguer entre le Málaga, vin moelleux élaboré à partir du premier moût, et le Pedro Ximénez et le Moscatel, issus de monocépages. Depuis 1995, il est possible d'élaborer dans la région des blancs secs (le Málaga Blanco Seco) et des blancs doux naturels, c'est-à-dire sans augmentation artificielle du degré alcoolique. □

LES STYLES DE MÁLAGA – PRODUCTEURS ET NÉGOCIANTS

Jusqu'en 1997, on a classé les styles de vin en fonction de l'élevage, du degré de douceur et du cépage : *dulce* (doux, sucré) ; *lágrima* (à l'origine, le jus des raisins en train de sécher, puis le jus de goutte, avant le premier pressurage) ; *Málaga dulce color* (niveau de *vino de color* élevé) ; *Málaga Moscatel* (issu à 100% de Moscatel) ; *Málaga Pedro Ximén* (issu à 100% de Pedro Ximénez) ; *pajarete* (demi-sec) ; *seco* (sec) ; *soleras* (vins portant la date à laquelle a été commencée la *solera*, généralement considérés comme les meilleurs Málagas).

La nouvelle réglementation classe les vins de Málaga selon leur vieillissement :
Málaga : sans ou 6 mois de vieillissement
Málaga Criadera : 6 mois à 2 ans
Málaga Noble : 2 à 3 ans
Málaga Añejo : 3 à 5 ans
Málaga Trasañejo : 5 ans ou plus

PRODUCTEURS ET NÉGOCIANTS
Gomara SL
Les 200 barriques de la marque Gomara donnent un Fino, un Málaga Cream, un Moscatel et, pour les connaisseurs, un Gomara Málaga Trasañejo.

Larios SA
Plus connu pour son gin, Larios possède cependant 2 000 barriques et produit en moyenne 500 000 l de vin par an. La maison appartient aujourd'hui au groupe Pernod-Ricard, mais les amateurs restent fidèles à l'exquis Oloroso Seco Benefique et au Málaga Larios Dulce.

López Hermanos
Après un passé viticole dont il lui reste 250 ha de vignoble, cette maison de référence, fondée en 1885, a joué pendant un siècle le rôle de bouclier pour toute la DO. Son vin phare est le Málaga Vírgen, dont l'étiquette, connue dans le monde entier, a changé en 1997 lorsque la mention Pedro Ximen s'est substituée au mot *sweet*. Don Juan Pedro Ximénez, Don Salvador Moscatel et Seco Trasañejo Pedro Ximénez sont tous des grands noms.

Tierras de Mollina
Le vignoble de 775 ha de cette maison créée en 1977 donne le Montespejo, un blanc sec, et les Carpe Diem – un Añejo et un Dulce Natural – destinés à l'exportation.

PORTUGAL
ET PAYS MÉDITERRANÉENS

—

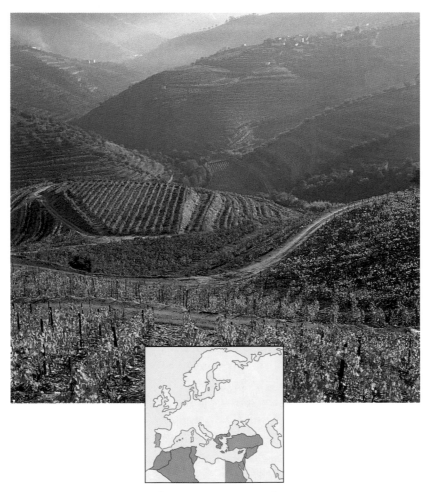

DU PORTUGAL, À TRAVERS LA GRÈCE, LA CHYPRE

ET LA TURQUIE JUSQU'AU LIBAN ET ISRAËL, ET SUR LES RIVAGES

DE L'AFRIQUE DU NORD, LA VIGNE ET L'OLIVIER

FONT PARTIE DU PAYSAGE.

—

PORTUGAL

GRÂCE À DES TRADITIONS BIEN ANCRÉES, UN LARGE CHOIX DE CÉPAGES ET UN CLIMAT TOUT EN DIVERSITÉ, LE PORTUGAL PRODUIT, OUTRE LES CÉLÈBRES PORTOS ET MADÈRES, TOUTE UNE GAMME DE VINS.

Caves d'Azeitão dans la péninsule de Setúbal. Les vins du sud du Portugal sont de bien meilleure qualité, grâce à une nouvelle génération de vinificateurs qui apportent leur savoir-faire et les nouvelles technologies.

Le Portugal est terre de contrastes. Sur la carte, ce pays long et étroit, qui n'occupe qu'un septième de la péninsule Ibérique, paraît complètement écrasé par l'Espagne, sa voisine. Pourtant, rares sont les pays de si petite taille qui peuvent se prévaloir d'une telle diversité de vins. Comparez un verre de Porto et un verre de *Vinho Verde*. Le premier est un vin sombre, capiteux, concentré, tandis que l'autre est pâle, léger et presque pétillant. On ne saurait faire plus différent et, cependant, ils proviennent de régions adjacentes. Au Portugal, le rôle de la topographie est primordial. Sur la côte, les vins sont façonnés par l'Atlantique alors qu'à l'intérieur des terres, au-delà des montagnes, l'effet régulateur de l'océan s'amoindrit. La pluviosité peut varier de 1 500 millimètres par an sur la côte à moins de 500 millimètres à l'intérieur des terres. Les vignes sont omniprésentes du nord au sud du pays, exception faite des plus hautes montagnes, au climat trop ingrat pour la viticulture. Entre le fleuve Minho, qui forme au nord la frontière avec l'Espagne, et la côte de l'Algarve, 560 kilomètres plus au sud, on compte quelque 260 000 hectares de vignes. On distingue trois régions viticoles différentes, délimitées par deux fleuves. Le Douro, au nord, grignote les montagnes granitiques qui s'élèvent à 2 000 mètres d'altitude. C'est de cette région, le nord du Portugal, que proviennent de nombreux vins, dont le Porto. Vient ensuite le Portugal central, entre Douro et Tage *(Tejo)*, vaste zone de production au climat tempéré, connue sous le nom de Ribatejo, comprenant les célèbres vignobles de Dão et de Bairrada. Au sud du Tage se trouvent les plaines immenses et chaudes de l'Alentejo et la région touristique de l'Algarve. On retrouve souvent, lors de la dégustation des vins, les contrastes que l'on observe entre les paysages. Des exploitations ultramodernes voisinent avec de minuscules caves dont la production, souvent destinée à la consommation locale, n'a pas changé depuis des siècles. L'adhésion du Portugal à la C.E.E. (en 1986) encourage cependant les vignerons à faire des efforts et des investissements pour améliorer la qualité de leurs vins, dans l'espoir de conquérir de nouveaux marchés. Pour autant, les traditions séculaires ne disparaîtront pas comme par enchantement, malgré l'intérêt de nombreux groupes financiers internationaux pour le vignoble portugais.

LES RÉGIONS VITICOLES DU PORTUGAL

Les vignobles du Portugal s'étirent tout au long du pays. Les quarante régions en DOC *(Denominação de Origem Controlada)* démarquées en couleur sont les meilleures. Les plus célèbres sont celles de Porto (1761), Douro (1982), Dão (1908), Madère (1908), Moscatel de Setúbal (1907), Vinho Verde (1908-1929) et Bairrada (1979). Les zones IPR *(Indicação de Proveniencia Regulamentada)* et *Vinho Regional* constituent les autres niveaux de désignation.

Océan

Atlantique

**Zones
d'appellation
contrôlée**

1 Vinho verde	21 Bucelas
2 Chaves	22 Carcavelos
3 Valpaços	23 Colares
4 Planalto-Mirandês	24 Tomar
5 Porto e Douro	25 Santarém
6 Varosa	26 Cartaxo
7 Encostas da Nave	27 Almeirim
8 Lafões	28 Coruche
9 Bairrada	29 Chamusca
10 Dão	30 Setúbal
11 Castelo Rodrigo	31 Palmela
12 Pinhel	32 Alentejo
13 Cova da Beira	33 Lagos
14 Encostas de Aire	34 Portimão
15 Alcobaça	35 Lagoa
16 Lourinhã	36 Tavira
17 Òbidos	37 Madeira
18 Alenquer	38 Biscoitos
19 Arruda	39 Pico
20 Torres Vedras	40 Graciosa

▬▬▬ Limite de pays

- - - Limite de district

0   50   100 km

Graciosa

40

AÇORES

Terceira

Pico

38

39

MADEIRA

37

Funchal

NORD DU PORTUGAL

Le Portugal est une nation indépendante depuis le XIIe siècle et, dès cette époque, la côte atlantique de la Péninsule fait commerce du vin. Les marchands étrangers, venus s'installer autour du port de Viana do Castelo, ne se contentent pas toujours des vins souvent médiocres de cette région côtière humide et ils s'enfoncent à l'intérieur des terres, à la recherche de vins rouges au caractère plus robuste. Ils les trouvent sur les flancs arides de la vallée du Douro, plantés en terrasses. Ainsi naît le commerce des vins rouges du Douro.

Vinho verde

C'est la plus grande région délimitée du Portugal ; elle couvre tout le nord-ouest du pays. Les vents, qui amènent la pluie, permettent une culture intensive de cette terre, qui s'étend du Minho au Douro, une des zones rurales les plus peuplées de la Péninsule. Elle compte plus de 80 000 viticulteurs pour un terroir de 25 000 ha. Les vignes poussent sur des treilles d'un type particulier, en culture haute, ce qui laisse le terrain disponible à d'autres cultures au-dessous et présente aussi l'avantage de réduire les risques de maladie par temps chaud.

Son nom, *Vinho verde* (vin vert), prête généralement à confusion. En effet, il ne s'agit pas d'une allusion à la couleur du vin - qui peut être aussi bien rouge que blanc - ni à des vendanges pratiquées avant la maturité complète des raisins, lorsque ceux-ci sont encore verts, bien que ce vin soit peu alcoolisé et riche en acidité. Son nom lui vient du fait qu'il doit être bu jeune, légèrement pétillant.

Douro

Le vin rouge et sec des montagnes de la vallée du Douro a été découvert vers la fin du XVIIe siècle par les Anglais, qui l'ont transformé progressivement en ce célèbre vin muté qu'est le Porto (voir. p. 440). Cependant, encore de nos jours, environ la moitié du vin du Douro, classé en zone d'appellation d'origine contrôlée depuis 1982, est vinifié sans mutage.

Pendant longtemps, le vin de table du Douro, traité comme un parent pauvre du Porto, fut réservé à la consommation locale. Ces dix dernières années ont cependant vu une prolifération de bouteilles de vins fins produits dans les propriétés de toute la région. Plusieurs grandes sociétés, équipées d'installations ultramodernes, achètent également du raisin aux petits producteurs.

Les principaux cépages dont sont issus les vins non mutés rouges du Douro sont ceux que l'on utilise pour le Porto. Pour les vins blancs, les cépages prédominants sont la Malvasia Fina, le Viosinho et le Gouveio. □

La vallée du Douro, non loin de la frontière espagnole, avec ses vignobles en terrasse.

PRODUCTEURS ET NÉGOCIANTS

Les vignobles du Nord comprennent les deux régions DOC Vinho verde et Douro. Les meilleurs *Vinhos verdes* sont élaborés et mis en bouteilles à la propriété, dans les *quintas*. Les producteurs de Porto utilisent aujourd'hui de nouvelles techniques de vinification afin d'obtenir des vins du Douro rouges assez souples, à partir de raisins normalement destinés aux Portos. Ils produisent également des vins blancs secs équilibrés, issus de raisins blancs cultivés en altitude, où il fait moins chaud.

Adega Cooperativa de Ponte da Lima

Les caves coopératives situées au nord du Portugal n'ont pas toujours une réputation de qualité, mais celle de Ponte da Lima produit de très bons *Vinhos verdes* rouges et un excellent blanc issu du cépage Loureiro.

Aveleda

Cette entreprise familiale riche d'une histoire de plus de trois siècles s'est toujours attachée à produire des vins de qualité. Située à Penafiel, à environ 30 km de Porto, au cœur du Minho, elle a depuis longtemps conquis une réputation au Portugal et à l'étranger, grâce à ses *Vinhos verdes*, mais aussi à son eau-de-vie Adega Velha considérée par beaucoup comme le meilleur spiritueux portugais. Plus récemment, Aveleda s'est également consacrée aux vins du Douro et a connu un grand succès avec sa marque Charamba.

Aveleda est le plus grand producteur de *Vinho verde*, avec une production moyenne annuelle de 12 millions de bouteilles, dont 60 % sont exportées vers 39 pays.

Borges

Au fil des ans, les locaux de cette société de Vila Nova de Gaia, fondée en 1884 par les frères António et Francisco Borges, sont devenus le centre d'une grande entreprise qui s'est fait un nom grâce à une vaste gamme de vins provenant de nombreuses appellations portugaises (Vin de Porto, Douro, Vinho verde, Bairrada, Dão, Rosé de Trás-os-Montes) ainsi que de Mousseux. Borges exporte ses vins dans près de 50 pays sur les cinq continents.

Solar das Bouças

Domaine de 25 ha sur les rives du Cavado, propriété de la famille Van Zeller, produisant un *Vinho verde* sec, léger et parfumé, dominé par le cépage Loureiro.

Palácio de Brejoeira

Remarquable domaine considéré comme un « premier cru » parmi les *quintas* de Vinho verde. À l'origine, ce vignoble de 17 ha fut planté par Maria Herminia Pães autour de son palais du XVIIIe siècle, situé près de Monção, 4 km au sud de la frontière espagnole. Son vin blanc est élaboré exclusivement à partir d'un seul cépage (l'Alvarinho blanc), ce qui explique sa rondeur et sa corpulence.

Quinta do Côtto

Propriété de Miguel Champalimaud, la *quinta* produit un vin rouge épicé très concentré sous l'étiquette Grande Escolha, une cuvée très spéciale qui n'existe que dans les meilleures années. Ce vin, tout comme le propriétaire, a rapidement acquis une solide réputation dans la région.

Quinta de Covela

La *quinta* de Covela est installée depuis le XVIe siècle dans la vallée du Douro, sur la rive droite du fleuve, à la frontière de l'appellation de Vinho verde et de celle du Douro. Elle est enchâssée dans un paysage d'une rare beauté, surplombant le fleuve et entourée de 14 ha de vignes, de vergers et de maquis (16 ha). Son respect de l'environnement est visible dans la rigueur avec laquelle ont été reconstruits les bâtiments.

Ferreira

Le Barca Velha est le plus grand vin du Portugal, créé par le maître vinificateur de Ferreira, Fernando Nicolau de Almeida. Lors d'une visite à Bordeaux en 1950, celui-ci apprend que les vins français doivent leur qualité à des fermentations longues à basse température. De retour dans la lointaine Quinta do Vale do Meão, tout près de la frontière espagnole, il met en application les méthodes bordelaises. Le vin, baptisé Barca Velha, du nom des anciennes barques qui transportaient les fûts de Porto en aval du Douro, fut lancé en 1952. Il est élaboré avec des raisins de Porto de qualité, et, à l'instar des Portos Vintages millésimés, il n'existe que dans les années exceptionnelles. Le reste est déclassé en *Reserva Especial*.

Luís Pato

Le terroir de Bairrada est sa passion. Son vignoble de 60 ha produit des vins de caractère, rouges, blancs et pétillants. À partir de la récolte de 1995, Luís Pato a commencé à produire un vin rouge issu du cépage Baga, planté sur un sol sablonneux à la Quinta do Ribeirinho avec des pieds de vigne en franc pied, dont le rendement dépasse les 9 hl/ha. La même année a également débuté, sur un sol argilo-calcaire, la production de vins issus d'une même vigne, et qui de ce fait peuvent arborer sur leurs étiquettes le nom de leurs vignes d'origine : Vinha Pan et Vinho Barrosa.

Quinta de Covela

Real Companhia Vinícola do Norte do Portugal

La maison de Porto Royal Oporto est l'un des plus grands producteurs de vins du Portugal. Rouges et blancs sont vendus sous l'étiquette Evel.

Sogrape

La plus grande maison de vin du Portugal, dont les origines remontent à 1942. La marque Mateus, support initial de l'activité de l'entreprise, est actuellement commercialisée dans 130 pays. Grâce à une politique de marketing innovatrice et à la constitution de structures de production et de conditions de vinification de la plus haute technologie, Sogrape diffuse aujourd'hui une importante gamme de vins, bien équilibrés, souvent primés, provenant des principales régions d'appellation portugaises. Depuis 1987, Sogrape est aussi propriétaire de la maison A. A. Ferreira et Offley.

Conde de Santar

Un des rares vins de Dão issus d'un domaine unique. Ses vins rouges et blancs se sont améliorés depuis les années 1970.

Domingos Alves Sousa Quinta da Gaivosa

Domingos Alves de Sousa a été ces dix dernières années l'une des grandes révélations du Douro en matière de vins, non seulement en raison de sa qualité mais aussi d'une offre variée de marques. Avec ses cinq *quintas* dans le Douro, dont la Quinta da Gaivosa, la Quinta do Vale da Raposa et la Quinta da Estação, il possède près de 100 ha de vignoble. Tout en approvisionnant des exportateurs de vins de Porto, la société produit 150 000 bouteilles par an de vins d'appellation d'origine Douro. Les marques portent le nom des *quintas* dont ils sont issus, auxquelles est venue se joindre en 1996 la Quinta das Caldas. Les vins Domingos Alves de Sousa ont été ces dernières années parmi les plus distingués par la presse spécialisée portugaise et étrangère.

CENTRE DU PORTUGAL

La région viticole qui s'étend entre le Douro et le Tage est l'une des plus généreuses du Portugal. De nombreuses cultures s'épanouissent dans la douceur du climat océanique : maïs et haricots dans les sols profonds de la côte, tomates et agrumes au fond des vallées fertiles de l'intérieur ainsi que de nombreux vignobles qui produisent toute une palette de vins très différents les uns des autres.

Les régions d'appellation DOC de Dão et de Bairrada sont réputées pour leurs vins rouges fermes et savoureux. Plus au sud, la zone côtière d'Oeste (« ouest ») est la région viticole la plus productive, mais, hormis quelques *quintas*, ses vins sont des vins de table ordinaires. Autre région viticole, le Ribatejo, situé sur les rives du Tage, produit l'un des meilleurs vins *garrafeira* du Portugal. Ce sont des vins rouges issus d'une sélection rigoureuse, mis en bouteilles après vieillissement en fûts, mais qui ne bénéficient pas de l'appellation d'origine contrôlée.

La ville de Lisbonne a envahi la quasi-totalité des trois DOC de l'estuaire du Tage. Carcavelos ne possède plus qu'un vignoble (Quinta dos Pesos), qui produit un vin doux muté. Colares, qui fut célèbre pour ses vins rouges colorés issus du cépage Ramisco, est en voie de disparition. Il ne reste guère que Bucelas, qui produit des vins blancs secs à partir de cépages acides (Arinto et Esgana Cão) et montre une volonté de renaissance.

Dão
Le Dão, un des vins les plus célèbres du Portugal, porte le nom de la petite rivière qui se fraie un chemin entre les montagnes au sud du Douro. Dotée d'un sol granitique idéal pour la culture de la vigne, la région du Dão souffre d'un extrême morcellement des parcelles, une situation très fréquente dans le nord et le centre du Portugal ; c'est pourquoi la plupart des vignerons livrent leurs raisins aux dix coopératives locales. Le travail

Ville fortifiée d'Obidos, capitale de la zone viticole d'Obidos, au nord de Lisbonne.

de sélection des négociants n'est donc pas facile. Heureusement, une poignée d'entreprises indépendantes entend bien briser le quasi-monopole des coopératives, et les premiers vins en provenance de centres de vinification modernes portent les espoirs de l'appellation.

Plus des deux tiers des vins de Dão sont rouges. Neuf cépages sont autorisés et autant pour les blancs. Les Dãos rouges sont traditionnellement des vins fermes, mais les macérations longues de raisins non égrappés les rendent souvent durs et austères. Autre handicap : ils perdent souvent leur note fruitée et le charme de leur jeunesse lorsqu'ils sont mis en bouteilles trop tard.

Bairrada
Le vignoble de Bairrada doit sa toute nouvelle renommée à son récent statut d'appellation (1979). Il se situe au sud de Porto, sur un sol argilo-calcaire et sablonneux, entre les montagnes et l'Atlantique. Plus de 80 % des vins de Bairrada sont rouges puissants et fruités, issus du cépage Baga. Les cuvées élaborées de façon traditionnelle ont besoin de vieillir en bouteilles pour s'assouplir, mais certains producteurs utilisent des techniques modernes avec des macérations longues des raisins bien mûrs du cépage dominant (Baga), ce qui donne des vins corsés aux tanins développés, qui peuvent vieillir pendant plus de quinze ans.

La plupart des raisins blancs sont vinifiés en vins pétillants destinés au marché national. Quelques vins blancs tranquilles sont élaborés à partir d'un assemblage de *Maria Gomes* et de *Bical*, autre cépage local. Lorsqu'ils sont réussis, ces vins blancs sont délicieusement nerveux et aromatiques. □

PRODUCTEURS ET NÉGOCIANTS

La production viticole du centre du Portugal fut longtemps dominée par les grandes coopératives et les grands domaines privés. Mais, depuis la libéralisation du commerce des vins qui a résulté de la chute du monopole des exportateurs, de nombreux petits domaines se montrent plus ambitieux, avec une volonté nouvelle d'élaborer des vins de qualité. Ces changements touchent aussi l'encépagement : certains cépages nobles de réputation mondiale, récemment importés, côtoient désormais les cépages indigènes traditionnels.

Adega Cooperativa de Cantanhede

La ville de Cantanhede abrite la plus grande cave coopérative de la région historique de Bairrada. Fondée en 1954 par 100 associés, cette cave est l'un des bons exemples du système coopératif national et constitue l'une des meilleures unités du pays. Située dans une région riche en traditions, elle a su se moderniser et accompagner les évolutions du secteur.

───── LE PALACE HOTEL, DE BUÇACO ─────

La petite ville de Buçaco, perchée sur une colline entre Bairrada et Dão, n'appartient à aucune appellation. Son Palace Hotel possède un vignoble de 9 ha. Outre sa propre production, cette entreprise assemble les vins des meilleurs viticulteurs de la région du Dão et de Bairrada. Ses rouges sont généralement puissants, généreux, avec une robe sombre. Les blancs, secs mais riches et concentrés, ont des arômes de miel. Tous sont vendus sous la simple étiquette Buçaco exclusivement dans les hôtels du groupe, à Buçaco, Curia, Coimbra et Lisbonne. Ancien pavillon de chasse royal du début du siècle, le Palace Hotel garde dans ses caves exceptionnelles presque tous les millésimes depuis 1945.

Fiuza & Bright, LDA

L'œnologue australien Peter Bright, gérant et fondateur de cette société, a travaillé chez J. P. Vinhos jusqu'en 1992. Bright Brothers Vinhos (Portugal) a été fondée en 1993 et produit des vins dans différentes régions : Douro, Bairrada/Beiras, Estremadura, Ribatejo, Cartaxo et Palmela/Terras do Sado.

Fiuza & Bright est une joint-venture formée en 1994 entre Joaquim Fiuza et Peter Bright. Les 60 ha de vignes sont plantés avec des cépages français.

Caves Acácio-Caves Moura Basto

Ces caves ont été fondées en 1954 par Acácio Moreira da Rocha, à Arcozelo – Vila Nova de Gaia. Grâce à l'expansion de ses ventes et à la suite d'investissements successifs, les installations actuelles occupent une surface de 30 000 m² et leur capacité de stockage est de 5 millions de litres. En 1987, l'entreprise se porte acquéreur de la totalité du capital des Caves Moura Basto situées à Amarante, qui produisaient et vendaient du Vinho verde depuis 1940. Les Caves Acácio commercialisent des vins courants, des vins DOC (Verde, Dão, Douro et Bairrada) et des eaux-de-vie.

Caves Aliança

Installée au cœur de la région Bairrada, cette société, qui est l'une des principales sociétés de vins portugais, a été fondée en 1927 dans le but de produire des vins mousseux et des eaux-de-vie. Depuis lors, la maison a su maintenir la production de ce type de boissons tout en ayant élargi au fil des années sa gamme à d'autres régions. Ces dix dernières années, Aliança a fortement parié sur sa propre production et possède plusieurs centaines d'hectares de vigne et des centres de vinification dans certaines des meilleures régions viticoles portugaises.

Outre les vins de Bairrada, les Caves Aliança produisent et commercialisent des vins Douro, Dão, des Vinhos verdes, Palmela, Alentejo et Regional Beiras.

Caves Messias

Fondée en 1926 par Messias Baptista, cette société se situe à Mealhada, dans la région de Bairrada, où elle possède, outre ses vastes installations, 160 ha de vignes réparties sur diverses quintas, en particulier la Quinta do Valdoeiro, de 70 ha. Dans la vallée du Douro, en plein Cachão da Valeira, célèbre passage du fleuve Douro, la société dispose de deux quintas, la Quinta do Cachão et la Quinta do Rei, avec une superficie totale de 200 ha, dont 110 ha plantés de vignes qui sont destinées à la production de vin de Porto et de vin du Douro dans la Quinta do Cachão.

Caves São João

Petite entreprise de Barraida, propriété de deux frères exigeants. Leurs vins rouges, de longue garde, comptent parmi les meilleurs de la région. Les reservas Frei João s'améliorent pendant vingt ans et plus. Également de bons Dãos rouges, robustes et traditionnels, vendus sous l'étiquette Porta dos Cavaleiros.

Quinta de Pancas

Domaine du XVIᵉ siècle, près de la tranquille ville d'Alenquer dans l'Oeste. Le propriétaire, Joaquim Guimaraes, a ajouté le Chardonnay et le Cabernet-Sauvignon aux cépages traditionnels pour internationaliser le caractère de ses vins.

Quinta da Lagoalva de Cima

Cette propriété, qui est l'une des plus grandes du Ribatejo, est située à 2 km environ de la petite ville d'Alpiarça et s'étend sur près de 5 500 ha. La vigne occupe une superficie de 60 ha et a récemment fait l'objet d'une restructuration et d'un transfert des terrains d'alluvions vers les terrains sablonneux plus pauvres, mais qui améliorent la qualité de la matière première.

SUD DU PORTUGAL

Le Tage partage le Portugal en deux : d'un côté la multitude des petites exploitations agricoles pauvres du Nord et du Centre et, de l'autre, les vastes propriétés riches *(latifundios)* du Sud, là où les collines laissent place aux grands espaces et aux immenses plaines.

À l'exception de la péninsule de Setúbal, le sud du Portugal n'est pas naturellement une terre à vigne. Le sud et l'est de Lisbonne offrent un paysage de plus en plus aride et le climat se durcit. Verte après les pluies d'hiver, la campagne roussit puis brunit à mesure que le thermomètre se rapproche des 40 °C. Rares sont les rivières capables d'irriguer, et la sécheresse pose de véritables problèmes. Seuls les chênes-lièges parviennent à supporter la canicule des étés. Au XIXᵉ siècle, les habitants de Lisbonne et ceux du nord du Portugal avaient coutume de se moquer de leurs compatriotes du Sud à cause de la pauvreté de cette grande région quasi désertique et ils la surnommaient *terra de mau pão e mau vinho*, « le pays du mauvais pain et du mauvais vin ». La région sombra encore un peu plus dans la misère et l'anarchie à la suite de la révolution de 1974, car la plupart des grands propriétaires se virent dépossédés de leurs biens par les ouvriers agricoles. Quant à la région de l'Algarve, il semble qu'elle soit plus préoccupée par la promotion du tourisme que par la qualité de ses quatre appellations.

Péninsule de Setúbal

Le port de Setúbal a donné son nom au pays qui s'étend entre le Tage et le Sado. Setúbal est aussi la région de production délimitée d'un vin muté sucré élaboré principalement à base du cépage Muscat qui pousse sur les pentes calcaires de la Serra da Arrábida. On distingue deux styles de vins différents : le premier, aromatique et épicé, est commercialisé après une période de cinq années de vieillissement. Le second, vieilli pendant une vingtaine d'années, est de couleur foncée et extrêmement doux.

En dépit de l'expansion urbaine de la banlieue de Lisbonne, la viticulture se développe de façon paradoxale au nord de la ville depuis une vingtaine d'années et constitue aujourd'hui une des régions les plus intéressantes en matière vinicole. Cette situation est due à trois sociétés entreprenantes qui, multipliant les expériences sur différents cépages, indigènes ou importés, produisent des vins originaux en rouge comme en blanc.

Alentejo

Les plaines de l'Alentejo s'étendent depuis la côte atlantique jusqu'à la frontière espagnole et occupent un tiers du Portugal. Sept vignobles enclavés dans ce pays ont été récemment promus au titre d'appellation DOC, dont Borba, Redondo et Reguengos. Dans ces trois appellations, les coopératives jouent un rôle prépondérant. Les meilleurs vins rouges sont corsés et résultent d'un assemblage de cépages Aragonez (le Tinta Roriz du Douro), Castelão Francês, Moreto et Trincadeira, tandis que les vins blancs sont plus décevants, généralement gras et lourds. □

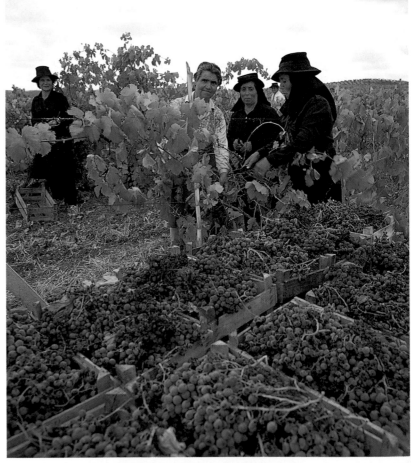

Vendanges à Ferreira, dans l'Alentejo.

PRODUCTEURS ET NÉGOCIANTS

S'il existe aujourd'hui quatre régions DOC en Algarve, la plus grande partie des vins est élaborée dans les coopératives locales et consommée par les touristes en visite dans la région. Les vins les plus intéressants proviennent de quelques vinificateurs passionnés, dotés d'installations modernes dans l'Alentejo et la péninsule de Setúbal.

Adega Cooperativa de Borba

Une des coopératives les plus modernes du Portugal. Technique de pointe et sens du détail lui permettent de produire des vins rouges équilibrés malgré la chaleur du climat de l'Alentejo.

Quinta do Carmo

Domaine privé traditionnel où l'on foule encore les raisins au pied dans des *lagares*, cuves ouvertes taillées dans le marbre du pays. Avec ses 70 ha de vignes dans l'Alentejo, près de Borba, Carmo produit un des meilleurs vins rouges du Portugal méridional. La famille Rothschild a récemment pris une participation dans cette propriété.

Fundação Eugénio de Andrade

Cette fondation caritative s'est installée dans un ancien monastère du XVIᵉ siècle, situé à l'extérieur de la ville d'Évora, dans l'Alentejo. Elle dispose d'un vignoble de 7 000 ha et d'un équipement moderne de vinification et produit des vins plus connus sous le nom de Herdade de Cartuxa. Les vins blancs sont riches d'arômes exotiques, tandis que les rouges ont une bonne structure avec des notes de menthe.

Herdade do Esporão-Finagra

Finagra est née d'un projet ambitieux dans les années 1970, qui s'est révélé par la suite un pari sûr. Située à 2 km de Reguengos de Monsaraz, au centre de la sous-région de l'Alentejo qui porte le même nom, cette société possède 600 ha de vignes plantés avec les cépages traditionnels de l'Alentejo et un petit pourcentage de cépages internationaux. Les installations destinées aux chais, au stockage et à l'élevage des vins sont impressionnantes. On y élabore tous les ans les vins les plus consistants de tout l'Alentejo, dont beaucoup ont déjà été récompensés au Portugal et à l'étranger. Finagra a récemment inauguré un excellent complexe de tourisme œnologique, intégré dans la Route des Vins de l'Alentejo.

José Maria da Fonseca

Depuis plus d'un siècle et demi les marques de cette entreprise d'Azeitão constituent de véritables références. Aujourd'hui, la société est le deuxième producteur de vin portugais, avec un volume de ventes supérieur à 5 millions de francs en 1998, les marchés extérieurs absorbant 75 % de ce volume. Ces dernières années, grâce à l'acquisition de terrains situés dans les meilleures zones de production, JMF est devenue propriétaire de plus de 650 ha de vignes, principalement dans les régions de Setúbal et d'Alentejo, où la société possède des centres de vinification.

J. P. Vinhos

Cette entreprise, fondée en 1922 sous la dénomination commerciale de João Pires & Filhos, Lda., produisait jadis son vin avec du raisin acheté aux producteurs de la région, pour le vendre ensuite en vrac. À la fin des années 1970, António Avillez, devenu le plus grand actionnaire de la société, a pris son destin en main : avec un dynamisme remarquable, il a fait planter 200 ha de vignes, réaménagé et modernisé les caves, créé des marques de vin en bouteille. Celles-ci constituent de véritables références en matière de qualité et d'innovation dans le panorama du marché portugais des vins. La capacité de production est de l'ordre de 12 millions de litres.

José da Sousa Rosado Fernandes

Créée en 1878, à Reguengos de Monsaraz dans l'Alentejo, cette maison a été reprise en 1986 par José Maria da Fonseca (voir plus haut), mais la vinification se fait toujours dans d'immenses pots de terre (les *talhas*) dans la fraîcheur des caves souterraines. Elle ne produit que des vins rouges qui sont de bonne tenue, corpulents et épicés.

Le sud du Portugal est réputé pour sa production de bouchons issus de l'écorce de chêne-liège.

PORTO

Le Porto semble avoir fait naître plus de mythes que n'importe quel autre grand vin du monde. Cela tient peut-être à la nature de la terre dont il provient – la vallée dure, aride et inhospitalière du Douro, au nord du Portugal, qui reste l'une des contrées les plus reculées de l'Europe de l'Ouest. Mais c'est peut-être aussi le résultat du poids des traditions anglaises auxquelles l'histoire du Porto semble liée, ne serait-ce que par cette coutume ancestrale qui consiste à consommer un bon nombre de bouteilles de Porto à la fin d'un repas, les convives se passant la carafe de Vintage à table, dans le sens des aiguilles d'une montre, après avoir congédié poliment leurs compagnes. Debout, portant un toast à la reine, un verre de Porto millésimé à la main, on s'amuse à deviner le millésime et on ne quitte la table qu'après avoir vidé le décanteur et les verres.

Le vignoble qui donne naissance au Porto se situe dans la province de Trás-os-Montes et du Beira Alta, sur les flancs d'un massif montagneux, tout contre la frontière qui sépare le Portugal de l'Espagne. Pendant longtemps, on ne put accéder à ces hautes vallées qu'à dos de mule, en longeant un fleuve (le Douro) qui a modelé une succession de gorges profondes, puis fut construite une voie de chemin de fer, où un petit train pittoresque continue de suivre sagement les berges du fleuve. Aujourd'hui, de nouvelles routes permettent un accès plus facile, tandis que de nombreux barrages sont venus dompter le cours du Douro. Mais, en dépit de ces aménagements récents, la nature reste souveraine, sauvage et les flancs abrupts des montagnes, couverts de vignes en terrasses, provoquent toujours un sentiment de magnificence et d'émotion intense, en toute saison.

La zone d'appellation couvre quelque 260 000 hectares sur les flancs des coteaux modelés par le fleuve Douro et ses affluents, de la petite ville

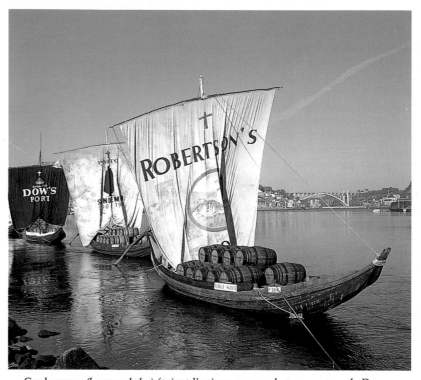

Ces barques *(barcos rabelos)* étaient l'unique moyen de transport sur le Douro.

de Peso da Régua à l'ouest jusqu'à la frontière espagnole à l'est, mais la surface en culture ne couvre que 10 à 12 % de la surface autorisée. Seuls les sols schisteux (du cambrien et du précambrien) ont le droit de produire du Porto, tandis que les sols granitiques ne peuvent produire que des vins non mutés.

Le vignoble du Douro doit affronter toute l'année des conditions climatiques extrêmes. Les hivers sont rudes avec une froidure toute montagnarde et une sécheresse plus marquée en altitude, à l'est, qu'en aval de la vallée, à l'ouest. L'été, c'est la fournaise caractéristique des vallées encaissées, sans un souffle d'air, où les jours à plus de 40 °C à l'ombre ne se comptent plus. Traditionnellement, les vignes sont plantées en terrasses ancrées solidement avec des murets de pierres sèches édifiés à la main, ou bien elles s'accrochent tant bien que mal sur des che-

mins de terre ouverts à flanc de coteau *(patamares)*. Un nouveau mode de plantation, consistant à planter les rangs de vigne dans le sens de la pente, semble faire de plus en plus d'adeptes, car il permet la mécanisation.

Curieusement, le vignoble de Porto était autrefois complanté d'un grand nombre de cépages, tant pour la production des vins rouges que pour celle des vins blancs. Ces vignes comptaient plus de 48 variétés différentes, souvent mélangées dans une même parcelle. Très récemment (à la suite de la révolution de 1974), cinq cépages ont été recommandés pour la production du Porto rouge : Touriga Nacional, Tinto Cão, Tinta Roriz, Tinta Barroca et Touriga Francesa.

Le vignoble est composé d'une multitude de parcelles. Pas moins de 25 000 vignerons produisent des raisins pour l'élaboration du Porto. Ils livrent leur raisin ou leurs vins aux maisons de négoce (les *shippers*) ou bien aux coopératives, qui ont reçu tout récemment (en 1986) le droit de mettre en bouteilles et d'exporter les Portos qu'elles élaborent.

L'élaboration du Porto

Les vendanges dans le Douro sont effectuées entre la mi-septembre et la mi-octobre.

La vinification, en rouge comme en blanc, est effectuée selon le même principe de mutage : on ajoute de l'eau-de-vie en cours de fermentation afin de stopper l'action des levures et de sauvegarder une partie des sucres fermentescibles naturels du raisin. L'adjonction de l'alcool de vin *(aguardente)* dans un rapport de 100 l (à 76-78 % vol) pour 450 l de vin en fermentation se fait de façon progressive pour donner naissance au Porto.

Si quelques vignerons assurent maintenant l'élevage et le vieillissement de leur production dans leur propriété, la majorité des Portos du Douro est transportée dès le printemps vers Vila Nova de Gaia (en face de la ville de Porto), à l'embouchure de la rivière, jusque dans les immenses chais des maisons de négoce, les *lodges*. Une tradition qui repose sur deux observations : d'abord l'atmosphère humide de Gaia est plus propice au vieillissement en fûts que la sécheresse du Douro ; ensuite, c'est à Porto que les vins sont assemblés et, de là, ils sont expédiés.

La durée de vieillissement du Porto en fût varie en fonction du style de produit que l'on souhaite élaborer (v. encadré). Ces fûts que l'on appelle *pipas* (ou « pipes ») ont une contenance d'environ 630 l. Les Portos embouteillés au Portugal portent un sceau de papier fixé sur le bouchon ou autour de la capsule de chaque bouteille.

L'histoire du Porto

L'histoire commence, comme pour le Xérès, avec le commerce des vins naturels à destination du marché britannique : au XVIIᵉ siècle, les commerçants anglais viennent créer des comptoirs au Portugal. Les premiers vins expédiés sont des vins non mutés, mais, à partir du XVIIIᵉ siècle, on découvre par hasard que l'adjonction d'eau-de-vie dans les vins portugais favorise leur tenue au cours du transport en mer. Jusqu'à la fin du XIXᵉ siècle, une querelle oppose les partisans et les détracteurs de cette pratique de vinage. L'histoire a donné raison aux premiers. C'est beaucoup plus tard que la France découvre les vertus du Porto Tawny ou Ruby comme apéritif, et devient le premier marché d'exportation, suivie par le Benelux, l'Allemagne et les États-Unis.

La réglementation

Le Porto est le premier vin du monde à connaître une réglementation, car les premières mesures datent du marquis de Pombal, Premier ministre portugais, qui, en 1756, délimita le vignoble de la vallée du Douro, et créa ainsi la première appellation d'origine contrôlée. En échange d'un contrôle des rendements et de la qualité des vins au sein d'une zone délimitée de production autorisée, la Compagnie Royale des Vins du Haut-Douro, fondée par édit royal, offrit une garantie de prix minimal aux vignerons. Cette première réglementation, qui visait à mettre un terme aux abus des acheteurs anglais sans scrupules, fut la clef de la réussite du Porto dont le vignoble reste, aujourd'hui encore, le plus réglementé du monde. Il fait l'objet d'une classification parcellaire qui varie de « A » pour les meilleures parcelles à « E » pour les moins bonnes, en fonction du terroir, de l'exposition, du climat, des cépages, de l'âge moyen des vignes, du nombre de pieds, du rendement et de l'état général du vignoble. À cette classification correspond une échelle de prix de vente du raisin et un pourcentage de vin qui pourra être commercialisé en Porto (le solde étant déclassé en vin de table ordinaire). Le négoce est tout autant réglementé puisqu'il est interdit de vendre plus d'un tiers de son stock par an, ce qui garantit un minimum de trois ans de vieillissement. Enfin, chaque échantillon doit être labellisé par des dégustateurs professionnels de l'Institut des vins de Porto avant d'être expédié. □

LES CATÉGORIES DE PORTO

Le vin de Porto correspond pour l'essentiel à une désignation géographique. La vallée du Douro ne produit pas un seul, mais différents types de vin, dont les règles de production et d'élevage sont codifiées par la loi. L'Institut du Vin de Porto, organisme dépendant de l'État, est ainsi chargé de fixer chaque année la quantité maximale de moût, qui peut être vinifié en Porto, et effectue un contrôle de qualité : agrément, analyses, dégustations…

Porto blanc : issu uniquement de raisins blancs et vieilli en bois, il peut être sec, demi-sec ou doux.

Porto Ruby : issu de divers assemblages et vieilli en bois, sa vive couleur rouge clair évoque la pierre précieuse du même nom.

Porto Tawny : de l'anglais *tawny* (« roussâtre »). Au cours du vieillissement en fût, la couleur rouge de ce Porto se pare de reflets orangés, en raison de l'oxydation du vin au travers du bois. Le caractère moelleux et la finesse s'accentuent avec l'âge. C'est le Porto le plus connu en France, où il est en général vendu après 3 à 5 ans de vieillissement.

Porto Tawny avec mention d'âge : issus d'un assemblage de vins de plusieurs récoltes. La moyenne d'âge (« 10 ans », « 20 ans », « 30 ans », « plus de 40 ans ») est indiquée sur l'étiquette.

Porto Tawny « Colheita » (ou « Reserva ») : issu d'une seule récolte et vieilli en fût jusqu'à sa mise en bouteille. La date de cette dernière et le millésime figurent obligatoirement sur l'étiquette.

Late Bottled Vintage, ou LBV : Porto millésimé qui a été vieilli en fût pendant une période allant de 4 à 6 ans. Le passage sous bois le rend plus léger qu'un vrai Vintage.

Vintage : Porto millésimé d'une année exceptionnelle. Un Vintage est déclaré deux ans après la récolte, lorsque le Porto se bonifie bien et qu'il présente toutes les qualités requises pour une très longue vie. Mis en bouteilles, il continuera de vieillir. Il ne doit pas être bu avant 8 à 10 ans de garde, voire avant 15 à 20 ans, dans certaines grandes années.

PRODUCTEURS ET NÉGOCIANTS

Le commerce du Porto est, de façon traditionnelle, entre les mains de grandes maisons de négoce *(shippers)* de Vila Nova de Gaia qui élèvent les jeunes Portos acheminés de la région du Douro, les assemblent et les mettent en bouteilles avant de les expédier. Un grand nombre de ces maisons possède une ou plusieurs propriétés *(quintas)* dans le Douro, mais une grande partie de leurs vins est achetée à des vignerons.

Andresen

Petite maison qui appartient à un groupe portugais et commercialise des Portos sous les marques Mackenzie, Pinto Pereira et Vinhos do Alto Corgo. Mackenzie, fondé par un Anglais (Kenneth Mackenzie) au XIXᵉ siècle, est une marque connue pour ses Vintages.

Barros & Almeida

Barros & Almeida a été fondée en 1913 par Manuel de Almeida, qui s'associa ensuite à son beau-frère Manoel de Barros, qui insuffla un grand dynamisme à l'entreprise et la conduisit à travers les époques troublées de la première et de la deuxième République, de l'État nouveau fasciste et des deux guerres mondiales. Aujourd'hui, le groupe Barros est constitué de plusieurs entreprises, acquises ou créées au fil des ans. Parmi celles-ci, citons Kopke, Hutcheson, Feuerheerd & Associados et H. & C. J. Feist – Vinhos S.A. Le groupe détient actuellement une part de marché de 5 % des ventes totales du produit. Barros & Almeida est l'une des entreprises les plus réputées dans le secteur du vin de Porto, principalement renommée pour ses Tawnies avec indication d'âge et ses Vintages.

Elle produit en outre tous les autres types de Porto et du vin du Douro et commercialise également des vins de Bairrada, du Dão et des Mousseux naturels. Elle est présente sur pratiquement tous les marchés importateurs de vin de Porto.

Sociedade dos Vinhos Borges

voir p. 435.

J. W. Burmester

Fondée au XVIIIᵉ siècle par une famille d'origine allemande, la maison Burmester jouit d'un excellent renom pour ses vieux Tawnies et ses Colheitas. Cette maison discrète, qui reste familiale, se fournit auprès d'une sélection de vignobles du haut Douro. Dans les années 1980, ses Vintages étaient superbes.

A. A. Cálem

Une des plus importantes maisons familiales portugaises, Cálem s'est taillé une réputation inégalée dans le monde entier pour ses Vintages, ses Late Bottled Vintages et ses Colheitas. Propriétaire de nombreux domaines dans la région de Pinhão, son porte-drapeau reste la Quinta da Foz, où la vinification est toujours effectuée dans les fameux *lagares* (cuves ouvertes en pierre permettant le foulage au pied). Sa dernière acquisition est la Quinta de Ferradosa (qui appartenait à Borges e Irmão). Cálem dispose d'un centre de vinification non loin de Vila Real, où sont élaborés des Tawnies, commercialisés sous la marque Tres Velhotes.

Churchill Graham

Churchill Graham, dont la famille avait vendu sa propre maison de Porto à la famille Symington en 1970, a fondé sa société en 1981 et commercia-lise deux propriétés de John Borges, la Quinta da Agua Alta et la Quinta de Fojo. Sous l'étiquette Churchills est diffusée une gamme de Portos incluant des vieux Tawnies et un Late Bottled Vintage.

Cintra

Voir Taylor p. 445.

Cockburn Smithes

Cockburn est l'un des plus grands noms du monde du Porto. Fondée en 1815 par Robert Cockburn, la société devient Cockburn Smithes en 1848, lorsque Cockburn s'associe à Henry et John Smithes. En 1961, Cockburn acquiert la firme Martinez Gassiot, pour se faire reprendre un an plus tard, en 1962, par Harveys de Bristol (qui appartient aujourd'hui au groupe Allied Lyons). La maison Cockburn dispose de nombreux vignobles dans le Douro, aux environs de Tua et de Pinhão (Quinta do Tua et Quinta da Eira Velha, qui sont commercialisées en Vintages) et dans la vallée de Vilariça du haut Douro. Leur qualité Special Reserve ainsi que leur Fine Ruby sont des classiques. Plus récemment, Cockburn a lancé une gamme de vieux Tawnies remarquables. Les déclarations de Vintages sont moins fréquentes que pour les autres maisons et leur style reflète une finesse et un velouté (en particulier pour leur 1983 et leur 1985) qui ne semblent pas nuire pour autant à leur longévité.

Croft

L'une des plus anciennes maisons de Porto, fondée en 1678, bien que le premier Croft, John, ne soit pas arrivé au Portugal avant 1736. Affaire familiale jusqu'en 1911, cédée à W & A Gilbey, qui furent à leur tour absorbés par International Distillers & Vintners (IDV), la maison Croft appartient aujourd'hui au groupe Grand Metropolitan ; elle possède une affaire à Porto et une affaire à Jerez ainsi que deux marques de Porto : Delaforce et Morgan Brothers. Croft offre toute une gamme de Portos dont la plupart, comme leur Distinction Finest Reserve, sont de bonne tenue. Leurs vieux Tawnies et leurs Vintages (dont leur Quinta da Roeda) sont parmi les meilleurs du genre.

Delaforce

Fondée en 1868 par une famille de huguenots, Delaforce entre dans le groupe IDV à partir de 1968. Certains descendants de la famille travaillent encore dans l'affaire et les vins sont toujours élaborés dans une *lodge* séparée à partir de vignobles bien spécifiques. Ils diffusent un Ruby Paramount en Allemagne et en Hollande, un Ruby et un Tawny courants en France. Un vieux Tawny, His Eminence's Choice, est très apprécié dans les pays anglo-saxons. Leurs Vintages, qui ont moins de corps et plus de finesse que ceux de leurs concurrents, proviennent essentiellement de la Quinta da Corte, dans la vallée du Torto.

Dow

Voir encadré p. 444.

H. & C. J. Feist

Fondée par deux cousins allemands à Londres en 1836, cette marque de Porto réputée pour ses Rubies et ses Tawnies a été reprise par Barros dans les années 1950.

Ferreira

Voir encadré p. 443.

Feuerheerd

L'une des plus anciennes maisons de Porto, créée en 1815

par un Allemand, Dietrich Feuerheerd, aujourd'hui dans le giron de la famille Barros. Leur Quinta de la Rosa est néanmoins restée propriété de la famille Feuerheerd au moment de la reprise. En France, elle diffuse des Portos Commendador, Royal Banquet et Marqués de Soveral.

Fonseca
Guimaraens

Fondée en 1822 par Manuel Pedro Guimaraens, d'une famille de Braga, Fonseca Guimaraens est une des maisons de Porto les plus réputées pour la qualité de ses Vintages, d'un style puissant mais velouté et assez doux. Reprise par Taylor en 1948, cette maison a gardé le caractère très marqué de ses Vintages, très différents de ceux

de Taylor. Cette originalité provient des vignobles de Pinhão dont sont issus leurs vins, et plus particulièrement de leur Quinta do Cruzeiro et de leur Quinta do Santo Antonio, qui représentent 80 % de leur approvisionnement. Dans les années difficiles, il n'est pas rare que Fonseca Guimaraens déclare un Vintage. Les meilleurs millésimes d'une autre propriété de cette maison, la Quinta do Panascal, sont souvent commercialisés en tant que Vintages. Fonseca Guimaraens commercialise toute une gamme de Portos, dont le fameux Bin 27, un Vintage Character, ainsi que de vieux Tawnies. Bruce Guimaraens, un des descendants du fondateur, est maître-vinificateur des deux maisons (Taylor et Fonseca).

Forrester

Un des plus grands noms de l'histoire du Porto grâce à son fondateur, le baron Joseph James Forrester, qui eut une fin tragique, se noyant dans le Douro en 1861. Il fut en effet le premier à créer une carte des vignobles du haut Douro et à préconiser un traitement contre l'oïdium qui ravageait la vigne dans les années 1850. Son oncle avait rejoint l'affaire de la famille Offley en 1803 et, pendant des années, la maison de négoce s'est appelée Offley Forrester. Aujourd'hui reprise par le groupe Martini, la société commercialise sous le nom de Forrester, mais les vins portent le nom d'Offley sur leurs étiquettes. Leur vignoble principal, Quinta da Boa Vista, prête son nom à leur Vintage... et à un Late-Bottled Vintage, source de confusion pour un consommateur. Parmi les autres Portos commercialisés, citons la Quinta do Cachucha, quelques vieux Tawnies et un Ruby, le Duke of Oporto.

Gould Campbell
Voir encadré p. 444.

W. & J. Graham
Voir encadré p. 444.

Gran Cruz

Premier exportateur mondial de Porto, Gran Cruz a succédé à la maison Assunção & Fos en 1887. Gran Cruz dispose de ses propres chais de vieillissement au Portugal ainsi que de deux quintas de 200 ha de vignes au cœur de la vallée du Douro : la Quinta da Granja et la Quinta do Castelo.

Créée en 1955 par Jean Cayard, fondateur de la société La Martiniquaise, Porto Cruz est la première marque de Porto en France. Celle-ci est réputée et appréciée pour la qualité et la diversité de ses Portos : Tawny, Blanc, Special Reserve, Tawnies âgés (10, 20 et 30 ans), Colheita, LBV et Vintages.

Quinta do Infantado

Le nom de cette *quinta* est dérivé du mot *Infante* (en français, « dauphin »), car le domaine appartenait à l'origine au prince Dom Pedro, fils du roi du Portugal, Dom João VI, avant d'être acheté par João Lopes Roseira. Jusqu'en 1978, la propriété vendait ses *vinhos finos* – nom que l'on donnait au Porto avant l'installation de l'entreprise à Vila Nova de Gaia – aux exportateurs de cette ville, réservant des quantités variables pour les vieillir à la *quinta*.

En 1979, Quinta do Infantado vendit les premiers Vins de Porto mis en bouteille au domaine, renouvelant une tradition qui s'était perdue une cinquantaine d'années plus tôt. Depuis le changement de la loi, intervenu en 1986, ces vins autrefois commercialisés exclusivement au Portugal sont également exportés. Tous les Portos

de Quinta do Infantado sont mis en bouteille au domaine et chaque bouteille est datée et numérotée.

C. N. Kopke

L'une des maisons de négoce de la famille Barros, la plus ancienne de toutes, créée en 1638 par Cristiano Kopke, consul des villes hanséatiques à Lisbonne. Aujourd'hui, c'est le joyau du groupe avec ses excellents Colheitas et ses agréables Tawnies vieillis.

Martinez Gassiot

Bien qu'appartenant à Cockburn, Martinez Gassiot a son propre entrepôt à Régua. Ses vins sont donc plus riches et possèdent ce goût de noix et de brûlé caractéristique du Douro. Cela convient particulièrement aux Tawnies vieillis, qui conservent ainsi un fruité impressionnant, même à 20 ans. En

FERREIRA

Ferreira fut l'une des maisons les plus dynamiques dans le développement du vignoble du haut Douro jusqu'à la frontière espagnole, à l'initiative de la grande dame du Porto au XIXᵉ siècle, Dona Antonia Ferreira. L'affaire est reprise en 1989 par la famille Guedes (Sogrape, Mateus Rosé). Elle continue à élaborer de grands vins, surtout dans la catégorie des vieux Tawnies comme leur Duque de Bragança de 20 ans d'âge, ou leur Quinta do Porto de 10 ans d'âge, très fruité. Jusqu'en 1991, leurs Vintages n'étaient jamais commercialisés avant d'être prêts à boire. Plutôt doux, ils appartiennent à la plus pure tradition portugaise. Ferreira contrôle deux autres marques de Porto : Hunt Roope et Constantino.

revanche, les Vintages et les Late-Bottled-Vintages souffrent des conditions d'entrepôt et tendent à perdre leur couleur. Les vins de Martinez proviennent aussi de *quintas* n'appartenant pas à Cockburn. Il s'agit de Quinta do Bartol (haut Douro), Quinta da Adega (Tua) et Quinta da Marcela (Pinhao).

Messias
Marque très connue au Portugal et dans les anciennes colonies portugaises. Messias est une affaire familiale fondée en 1926, sans doute plus connue pour ses vins du Dão, de Bairrada et ses vins non mutés du Douro. Ses propriétés dans la vallée du Douro sont Quinta do Cachão et Quinta do Rei.

Morgan Brothers
Maison fondée en 1715, qui est aujourd'hui entre les mains de Croft. Les amateurs de littérature anglaise retrouveront mention de son étiquette Double Diamond, dans un célèbre roman de Charles Dickens : *Nicholas Nickleby*.

Aujourd'hui, ses Portos sont surtout vendus sous les marques des détaillants. Ses Vintages proviennent de vignobles du Rio Torto et de la vallée du Ronção.

Niepoort
Petite maison familiale fondée en 1842, aujourd'hui dirigée par Rolf et Dirck Van der Niepoort, réputée pour ses Colheitas et ses vieux Tawnies. Niepoort s'approvisionne en raisin auprès de *quintas* de la vallée de Pinhão. Leurs Vintages, moins connus, sont excellents.

Offley Forrester
Voir Forrester.

Osborne
Filiale de la maison de Xérès du même nom créée en 1967. Cette maison dispose de ses propres entrepôts, mais ne possède pas de vignoble. Elle diffuse une gamme complète de Portos.

Manoel D. Poças Junior
Cette entreprise familiale, créée en 1918, est surtout connue au Portugal, en France et en Belgique. Elle possède trois *quintas* (Quartas, Santa Bárbara et Vale de Cavalos) et commercialise de bons Vintages, des Colheitas et d'excellents vieux Tawnies.

Quarles Harris
Voir encadré ci-contre.

Quinta de São Pedro das Aguias
« Saint Pierre des Aigles », en français, est le nom de la plus ancienne *quinta* du Douro. Elle a été créée par des moines au XIe siècle. Sans doute charmés par un environnement propice à la prière et au recueillement, ils construisirent un monastère et plantèrent de la vigne. Les moines ne quittèrent leur abbaye cistercienne qu'en 1834, à la suite de la guerre civile. En 1986, la Quinta de São Pedro fut achetée par Paul Vranken, un des plus récents négociants de Champagne. La propriété était à l'abandon, elle renaît aujourd'hui. L'abbaye est restaurée, les vignes, replantées, et la première nouvelle récolte porte le millésime 1988. La Quinta São Pedro commercialise une gamme de Tawnies

(sous les marques São Pedro et San Marta), et un Porto blanc.

Quinta do Noval
Les terrasses escarpées de la Quinta do Noval dans la vallée de Pinhão sont si pittoresques qu'elles font partie de l'imagerie de la vallée du Douro. Cette superbe propriété de 67 hectares, qui date de 1715, produit deux Vintages, le Quinta do Noval et le Nacional, ce dernier étant élaboré à partir d'une petite parcelle de 5 000 pieds de vignes non greffées qui n'a jamais connu le phylloxéra. Cette propriété superbe est, en fait, le fleuron d'une affaire de négoce fondée en 1813 par Adriano Da Silva. En 1970, l'affaire de négoce Da Silva change de nom pour s'appeler « Quinta do Noval ».

Aujourd'hui, sous la marque Noval, l'affaire de négoce diffuse une gamme de Portos, Ruby, LB Reserve, Late-Bottled Vintage ainsi que des Tawnies de 10 ans et 20 ans. La société fondée en 1813 par Antonio Jose Da Silva est restée familiale jusqu'en 1993, elle appartient aujourd'hui au groupe d'assurances Axa.

Adriano Ramos-Pinto
Une des plus belles maisons de Porto qui a toujours été en avance sur son temps, en matière de viticulture et de vinification aussi bien qu'en matière commerciale. Le Porto lui doit (entre autres) la sélection de cépages de qualité, la mécanisation de la culture de la vigne en plantation dans le sens de la pente, et, plus récemment, le développement de vins non mutés de qualité.

José Antonio Ramos-Pinto Rosas, assisté de son neveu João, dirige la production de cette grande maison. Les quarante-deux descendants du fondateur, Adriano Ramos-Pinto, personnage de fort tempérament, amoureux du Brésil, des arts et de la vie, ont cédé la majorité de leurs parts à la mai-

---

LE GROUPE SYMINGTON

Graham, Dow, Warre, Quarles Harris, Gould Campbell, Smith Woodhouse sont autant de grandes marques de Porto qui appartiennent toutes au même groupe. Un membre de la famille Symington qui travaillait pour la maison Graham il y a plus d'un siècle prit des parts dans la maison Warre en 1892 et sa famille acheta Dow en 1912. En 1970, les Symington ont repris Graham. Warre, créée en 1670, est la plus vieille maison de Porto anglaise. Dow date de 1798 et Graham de 1822. Dow, installée à la Quinta do Bomfim, est réputée pour son style sec ; Graham, à la Quinta de Malvedos, produit un Porto riche et doux. Warre, avec sa Quinta da Cavadinda et la moitié de la Quinta de Bom-Retiro, élabore des vins d'une grande puissance. La famille Symington est aussi propriétaire de la superbe Quinta do Vesuvio.

son de Champagne Louis Roederer en 1990.

Outre la superbe Quinta do Bom-Retiro, Ramos-Pinto possède Quinta da Urtiga, Quinta dos Bons-Ares et, dans le haut Douro, Quinta da Ervamoira. Deux de ces Quintas (Bom Retiro et Ervamoira) sont commercialisées en vieux Tawnies, respectivement en 20 ans et 10 ans d'âge. Ramos-Pinto dispose d'une telle surface de vignes en production qu'il lui est possible de ne commercialiser que les vins de ses propriétés. Les Vintages signés Ramos-Pinto sont particulièrement élégants.

Robertson Brothers

Bien que cette affaire de Porto appartienne à la maison Sandeman, elle garde néanmoins son indépendance en diffusant sa marque Rebello Valente, acquise en 1881. Robertson Brothers sont surtout, et depuis longtemps, réputés pour leurs excellents Vintages dont ils produisent de faibles quantités. Leur LBV entre dans la catégorie des Portos Crusted qui doivent être décantés et qui expriment une grande concentration d'arômes.

Real Companhia Vinícola do Norte do Portugal

Créée en 1756 par décret royal, à l'initiative du marquis de Pombal (alias Royal Oporto Wine Company), la Companhia Geral da Agricultura das Vinhas do Alto Douro détient le monopole de la commercialisation de l'ensemble de la production de Porto, afin d'éviter la fraude et de réglementer le commerce. La « Real Vinícola » a perdu ce monopole d'élaboration et de vente aux maisons de négoce en 1858 et est devenue une société privée qui possède aujourd'hui le plus grand vignoble du Douro.

Rozes

Marque commerciale de la société Moët-Hennessy, créée

en 1855 à Bordeaux pour la distribution de Portos importés. Très réputée en France pour ses Rubies et ses Tawnies, Rozes diffuse aussi des Vintages provenant de vins des vignobles de Pinhão.

Sandeman

Fondée en 1790 par un Écossais du nom de George Sandeman, Sandeman est aujourd'hui contrôlée par le groupe Seagram. Cette grande maison de Porto, comme sa filiale de même nom à Xérès, garde néanmoins son caractère familial et une certaine indépendance. Sandeman est la plus grosse affaire de négoce de Porto, avec un important volume de vente dans des qualités courantes de Rubies et de Tawnies en France et en Europe. En outre, Sandeman sait faire et commercialiser des grands vins, de vieux Tawnies (leur Royal de 10 ans est superbement fruité) comme des Vintages veloutés et fins de maturité précoce. Sandeman ne possédait pas de vignoble, mais, depuis 1974, la société a progressivement repris des vignes dans les régions de Tua et de Régua. Elle est aussi devenue propriétaire de Quinta de Confradeiro et de Quinta de Celeiros à Pinhão, ainsi que de Quinta das Laranjeiras dans la région de Poçinho.

C. da Silva

Petite maison de négoce espagnole, installée au Portugal, qui commercialise toute une gamme de Portos sous des étiquettes multiples (Presidential, Dalva, da Silva, etc.), ainsi que quelques excellents vieux Colheitas, embouteillés et étiquetés sur commande.

Smith Woodhouse

Voir encadré ci-contre.

Taylor, Fladgate & Yeatman

Créée en 1692, Taylor s'est forgé un nom, à partir du XIXe siècle, au cénacle des

Portos Vintage. Cette société familiale contrôle aussi Fonseca Guimaraens (voir p. 442) ainsi que la marque de Porto Cintra. Taylor fut la première maison anglaise à posséder un vignoble dans la vallée du Douro, la Casa dos Alembiques (aujourd'hui transformée en centre de vinification), à Régua, ainsi que la superbe Quinta de Vargellas, achetée en 1893. Elle fut la première à commercialiser un Late Bottled Vintage et, plus récemment, la première à lancer sur le marché un nouveau style de Porto sans année, First Estate. Cette vocation de pionnier peut paraître paradoxale quand on constate l'importance des traditions respectées par Taylor. Juste à côté des batteries de cuves en acier inoxydable flambant neuf, où sont vinifiés les vins de moindre qualité, on perpétue, à chaque vendange, le foulage au pied dans les *lagares,* pour l'élaboration des futurs Vintages de la Quinta de Vargellas.

Outre ses merveilleux Vintages, Taylor commercialise sa Quinta de Vargellas en *quinta* unique, des vieux Tawnies (dont le 20 ans d'âge est sans doute le meilleur), des Rubies ainsi qu'un Vintage Character. Autant de produits dignes de la réputation de cette grande marque.

Vieira de Souza

Appartenant à la famille Barros, cette marque de Porto, créée en 1925 par Alcino Vieira de Souza, commercialise des Rubies et des Tawnies bon marché.

Warre

Voir encadré p. 444.

Wiese & Krohn

Fondée par deux Norvégiens en 1865, reprise par la famille Cameiro en 1922, cette petite maison s'est spécialisée dans les Colheitas et autres excellents Tawnies. Leurs Vintages, puissants et doux, produits de

façon traditionnelle, dans des *lagares,* en petites quantités, ne déméritent pas non plus. Les raisins sont achetés aux vignerons de la vallée du Rio Torto ou proviennent de sa Quinta do Retiro Novo.

AUTRES PRODUCTEURS

Depuis 1986, une nouvelle réglementation autorise l'expédition de Porto au départ de la vallée du Douro, permettant aux viticulteurs, et aux coopératives, de mettre en bouteilles et de vendre depuis la propriété.

Parmi ces nouveaux venus dans le commerce du Porto, citons : Adega Cooperativa de Alijó ; Adega Cooperativa de Mesao Frio ; Adega Cooperativa de Santa Marta de Penguião ; Aida Coimbra, Aires de Matos e Filhos ; Albertino da Costa Barros ; Cooperativa Vitivinicola do Peso de Régua ; Henriqué José de Carvalho ; Jaime Machado Aires Lopes ; Manuel Carlos Agrellos ; María Fernanda Taveira ; Montez Champalimaud ; Quinta do Cotto ; Serafim dos Santos Parente ; Sociedade Agricular Quinta do Casto ; Sociedade Agricola Romaneira ; Quinta de Val de Figueira.

MADÈRE

L'île de Madère, située à 600 km à l'ouest de Casablanca, dans l'océan Atlantique, a donné son nom au seul vin au monde qui sorte d'un four. L'archipel fait partie du Portugal depuis sa découverte, dans les années 1418-1419, par un certain Zarco, gentilhomme de la maison d'Henri le Navigateur et capitaine au long cours de la marine portugaise.

Ce nom de Madère provient d'un mot portugais qui signifie « bois ». En effet, cet archipel montagneux, aux falaises abruptes, était recouvert d'une forêt luxuriante au moment de sa découverte. Tout le massif forestier fut brûlé par les Portugais et fit place à des terres arables composées d'un sol volcanique fertile, riche en potasse, idéal pour la culture de la vigne : les premiers ceps furent importés de Crète en 1453.

Madère était une escale pour l'approvisionnement en eau de la flotte marchande : les Anglais y installèrent bientôt des comptoirs et s'intéressèrent au commerce des vins locaux. Le vin de Madère devint l'une des denrées habituelles du chargement des navires marchands, qui partaient souvent pour le tour du monde. Or, lorsque le hasard voulut que certains fûts invendus soient retournés, les viticulteurs découvrirent un phénomène étrange : au cours des voyages, les fortes températures tropicales apportaient une amélioration notable à ces vins. Dès lors, on commença des expériences de chauffe du vin dans des fours ou d'immersion de conduites à haute température dans les cuves. Cette pratique porte le nom d'*estufagem*, dérivé du mot portugais *estufa* qui signifie « étuve ». Cette cuisson confère des arômes de brûlé et de grillé à un vin naturellement très acide et permet sa conservation pour l'éternité. Une bouteille de Madère ouverte reste longtemps inaltérée.

Les 200 ha de ce vignoble insulaire sont divisés en petites parcelles perdues au milieu des bananeraies. Les vignobles

Vignes le long des falaises volcaniques.

principaux sont ceux de Câmara de Lôbos, à l'ouest de Funchal, la capitale de l'île, ainsi qu'à Santa Anna sur la côte nord. L'un des problèmes majeurs de la viticulture concerne l'encépagement, car les quatre cépages nobles qui complantaient l'île avant l'invasion du phylloxéra (voir encadré) n'ont pas été remplacés dans les mêmes proportions. D'autant que la plus grande partie du Madère exporté (80 %) est un Madère de cuisine, peu cher et peu glorieux, qui se contente d'une catégorie de cépage rouge moins noble : le Tinta Negra Mole, réputé pour ses forts rendements. De nouvelles réglementations, qui datent de l'entrée du Portugal dans l'Union européenne, stipulent qu'un vin commercialisé avec le nom d'un cépage noble sur son étiquette doit contenir au moins 85 % de ce cépage. Ce récent changement explique qu'une majorité de jeunes Madères de 3 à 5 ans d'âge ne sont plus étiquetés avec mention du cépage, faute de vignes.

L'élaboration du Madère

Le Madère est essentiellement un vin d'assemblage de récoltes de diverses années. Le mutage peut se produire en cours de fermentation alcoolique, par adjonction d'eau-de-vie, ou après fermentation, par addition d'eau-de-vie et de jus de raisin sucré. Le Madère est vieilli en fût fermé d'un bouchon enrobé d'une feuille de banane. Il sera embouteillé après assemblage. □

CÉPAGES NOBLES ET STYLES DE MADÈRE

Il existe quatre cépages nobles sur l'île de Madère, tous blancs, qui déterminent chacun une qualité spécifique de Madère.

Sercial : produit les vins les plus secs, astringents dans leur jeune âge, avec une longévité extraordinaire.
Verdelho : cépage qui est à l'origine de vins demi-secs de couleur dorée.
Bual : cépage donnant des vins riches et concentrés semi-doux.
Malmsey : cépage Malvoisie très exubérant, produisant des vins doux, qui ont tendance à devenir plus secs avec l'âge.

LES STYLES
Les vieux Vintages de Madère sont très rares et la plus grande partie des vins sont commercialisés sous le nom du cépage dont ils sont issus, avec une désignation d'âge correspondant au vin le plus jeune de l'assemblage.
3 ans d'âge : assemblage de moindre qualité, élaboré pour les usages en cuisine, à partir du cépage Tinta Negra Mole. L'étiquette mentionne son caractère plus ou moins sucré : *dry* pour le plus sec, *medium dry* pour le moelleux et *sweet* pour le liquoreux.
5 ans d'âge reserve : première catégorie où l'on trouve des cépages nobles.
10 ans d'âge reserva velha : ou *special reserve*.
15 ans d'âge : ou *exceptional reserve*.
Fresqueira vintage 20 ans d'âge : vin d'une seule année (un seul millésime) constitué de 100 % de cépages nobles, vieilli en fût pendant 20 ans.

PRODUCTEURS ET NÉGOCIANTS

Outre quelques maisons familiales, un grand nombre de marques de Madère sont regroupées au sein de la Madeira Wine Company (MWC), une ancienne association de négociants anglais aujourd'hui reprise par les familles Blandy et Symington (voir p. 444), qui expédie 25 % de l'ensemble de la production et 52 % du Madère en bouteilles. La qualité des vins de l'île est contrôlée et certifiée par l'Institut du Vin de Madère.

Barbeito

La plus jeune maison de Madère, fondée en 1946, dirigée par la fille du fondateur, ne possède pas de vignes et achète des raisins à des viticulteurs. Dans des locaux juchés sur une colline de l'île, elle élabore des vins caractérisés par leur légèreté et leur douceur : Island Rich et Island Dry sont ses marques de 3 ans d'âge, tandis que son Madère de 5 ans est diffusé sous la marque Crown. La maison Barbeito détient des stocks de très vieux vins acquis au moment de sa création.

Blandy Brothers

Cette grande maison de Madère, l'une des plus réputées, fut fondée par John Blandy, un ancien militaire détaché à Madère pour contrer l'éventuel débarquement des armées de Napoléon en 1807. La famille Blandy reste actionnaire majoritaire de la Madeira Wine Company ainsi que du fameux hôtel Reid's, le plus prestigieux de l'île. Sa gamme de vins comprend quatre marques de la catégorie des vins de 5 ans d'âge, déclinant les cépages sur les duchés de Sa Majesté britannique, Duke of Sussex Sercial, Duke of Cambridge Verdelho, Duke of Cumberland Boal, Duke of Clarence Malmsey, tandis que les vins de 10 ans d'âge Special Reserve sont des modèles du genre. Ses chais de São Francisco, situés dans le centre de Funchal, sont une des curiosités à ne pas manquer.

H M Borges

Petite maison familiale réputée pour sa gamme de vins de 5 ans d'âge plutôt secs et de bonne tenue.

Cossart Gordon

Une des grandes marques de la Madeira Wine Company, issue de l'une des plus anciennes maisons de négoce de l'île : elle fut fondée en 1745 par Francis Newton et William Gordon, tandis que William Cossart n'arriva qu'en 1808. Pendant le XIXe siècle, Cossart Gordon élabora une cuvée spéciale pour les armées des Indes de l'Empire britannique, ajoutant de la quinine à ses vins. Le style des vins de la maison Cossart Gordon est léger et élégant. Sous l'étiquette Good Company, elle diffuse un vin de 5 ans d'âge Reserve, tandis que ses Madères de 15 ans d'âge Exceptional Reserve portent le nom de Duo Centenary.

Henriques & Henriques

Cette société renommée a été créée en 1850 par João Joaquim Henriques. Les vins étaient fournis à des entreprises d'exportation jusqu'à 1913. À partir de cette date, la société commença à commercialiser ses propres vins et se lança dans l'exportation dès 1925. En 1968, à la mort du dernier membre de la famille Henriques, les associés Alberto Jardim, Peter Cossart et Carlos Pereira héritent de la société. Actuellement, la société est gérée par John Cossart et Humberto Jardim. Depuis 1994, de nouvelles installations modernes lui ont donné la plus grande capacité de vinification et de vieillissement de toute l'île.

Justino's Madeira

Pendant près d'un siècle, les vins de cette société fondée en 1870 ont été appréciés en Europe et, depuis une décennie, les États-Unis et le Canada les ont adoptés ; plus récemment, ses vins de qualité supérieure sont arrivés au Japon.

Une cave équipée des technologies les plus récentes a été construite en 1993, dans le strict respect des méthodes de fabrication traditionnelles de ce vin si particulier. Grâce à une qualité accrue de ses vins, la demande a augmenté significativement et la compagnie Vinhos Justino Henriques a décidé de s'allier à l'un des plus grands groupes de distribution en France, devenant ainsi l'un des leaders du marché de l'exportation.

Leacock

Autre marque de la Madeira Wine Company, héritière d'une affaire de négoce fondée en 1741, à la même époque que Cossart Gordon. Un des membres de la famille Leacock, Thomas Slapp Leacock, qui vivait au siècle dernier, aurait été l'un des instigateurs de la replantation du vignoble après la crise du phylloxéra. Leacock diffuse deux gammes principales : Saint John pour ses qualités ordinaires ; Special Reserve pour ses vins de 10 ans d'âge. Ceux-ci ont tendance à être secs, ce qui en fait d'excellents Madères à boire en apéritif.

Lomelino

Créée par des Portugais sous le nom de T Tarquinio de Câmara Lomelino, cette maison est aujourd'hui sous le giron de la Madeira Wine Company. Sa Reserve en 5 ans d'âge et son Imperial Reserve en 10 ans d'âge offrent au dégustateur un goût de brûlé prononcé pour les vins secs et de riches arômes pour les vins sucrés.

Madeira Wine Company

Les maisons de négoce qui ont constitué, à l'origine, la Madeira Wine Company sont les suivantes : Aguiar Freitas, A Nobrega, Barros Almeida, Bianchi, Blandy, C V Vasconcelos, Cossart Gordon, F F Ferraz, F Martins Caldeira, Funchal Wine Co, JB Spinola, Krohn Brothers, Leacock and Co, Luiz Gomes, Madeira Victoria, Miles Madeiras, Power Drury, Royal Madeira, Rutherford & Miles, Socieda Agricola da Madeira, Madeira Meneres, Lomelino, Vinhos Adudarham, Vinhos Donaldson, Shortridge Lawton, Welsh Brothers.

Pereira d'Oliveira Vinhos

Petite affaire familiale créée en 1820, qui dispose d'un chai à Funchal, de vignobles et d'un centre de vinification à San Martinho ainsi qu'à Câmara de Lôbos. Elle diffuse une palette de vins assez légers, secs et frais. Comme un certain nombre de maisons, elle dispose d'un stock de vieux Madères millésimés qu'elle vend à l'unité dans ses chais de Funchal.

Veiga França

Marque commerciale de Madère qui diffuse des Buals, des Malmseys très sucrés et des Madères de cuisine.

PAYS MÉDITERRANÉENS

LES VIGNOBLES DU BASSIN MÉDITERRANÉEN ORIENTAL ET
DE L'AFRIQUE DU NORD ONT UN PASSÉ GLORIEUX, DONT IL RESTE
AUJOURD'HUI PEU DE TRACES.

Au nord-est, la Méditerranée s'appelle la mer Égée
et s'étend au pied des vignobles du Domaine Carras,
dans les Côtes de Meliton, une des appellations
de Sithonia au nord de la Grèce.

Les rives de la Méditerranée ont été le berceau de la viticulture. L'histoire des vins de Grèce date de 3000 ans, et celle des vins de la Turquie, du Liban et de la Syrie, remonte encore plus dans le temps. Les Romains ont planté de la vigne sur toutes les rives de leur mer intérieure jusqu'en Afrique du Nord et en Espagne. Aujourd'hui, la viticulture d'une partie de ces pays est confrontée aux influences religieuses de l'intégrisme musulman et à la perte du marché des vins de consommation courante en France. En dépit de ces handicaps, la production viticole de ces pays se maintient et certains vins traditionnels sont les témoins d'un passé glorieux, tandis que d'autres, de plus en plus nombreux, qui répondent à une nouvelle demande de vins fruités en Europe, sont l'aboutissement de récents investissements. Il reste néanmoins une forte production de vins sans grâce.

Les pays de Méditerranée étaient réputés pour une certaine catégorie de vins très concentrés, souvent très sucrés, et quelquefois même aromatisés. Le Retsina, ce vin blanc grec auquel on ajoute de la résine de pin d'Alep est sans doute l'un des vestiges de ces vins d'antan. À l'époque romaine, nombreux étaient les vins fumés pour une meilleure garde ou aromatisés d'aseptisants. Ces vins riches et très denses sont généralement issus de raisins dessiqués afin de condenser leurs arômes et leurs sucres. Et ces vins existent toujours à Chypre et en Grèce tout comme en Italie et en Espagne. Afin d'obtenir un jus concentré, les grappes de raisin mûr sont laissées sur les vignes, étalées sur des clayettes au soleil ou pendues dans l'obscurité des greniers. Un élevage en petits fûts et les effets de l'oxydation accentuent le caractère prononcé de ces superbes vestiges de l'Antiquité. Le meilleur exemple est le Mavrodaphne grec (*mavro* signifie noir) et le Commandaria de Chypre, comparables au Vino Santo italien et au Malaga espagnol, autres versions d'un même héritage vinicole.

Les élaborateurs de vins fruités doivent combattre des conditions climatiques où la générosité du soleil permet difficilement l'obtention d'une bonne acidité des raisins. Heureusement, en Méditerranée comme partout ailleurs, la latitude trop au sud du vignoble peut se corriger grâce à l'altitude où les nuits sont plus fraîches. À flanc de montagne, à flanc de coteau, existent de superbes vignobles en Grèce, au Liban, en Israël ou au Maroc qui ont produit de très bons vins bien construits et qui représentent l'avenir des vins de qualité des pays de la Méditerranée.

LES RÉGIONS VITICOLES DE LA MÉDITERRANÉE

Les rives orientales et méridionales de la Méditerranée ont un passé viticole de plusieurs millénaires.

N

0   250   500 km

Régions viticoles

Maroc
- Boulaouane
- Sidi Larbi
- Dar Bel Amri

Algérie
- Tlemcen
- Sidi-Bel-Abbes
- Mascara
- Zaccar
- Médéa
- Ain-Bessem

Tunisie
- Annaba
- Carthage
- Grombalia

Régions viticoles

Syrie
- Alep
- Homs
- Damas

Liban
- Alep

Israël

Égypte

Grèce
- Thrace
- Naoussa
- Meliton
- Amynteon
- Goumenissa
- Épire
- Céphalonie
- Kantza
- Némée
- Mantinia

Turquie
- Thrace/Marmara
- Côte Égéenne
- Ankara
- Anatolie centrale
- Côte méridionale
- Anatolie orientale
- Côte de la mer Noire

GRÈCE

Dans l'Antiquité, les vins grecs jouissaient d'une excellente réputation et étaient largement exportés. Or, pendant les nombreux siècles de domination ottomane, vigne et vin tombèrent au rang de simples produits agricoles locaux. Après une longue lutte pour se libérer du joug des Turcs, les Grecs récupérèrent avec leur souveraineté une nation certes moderne, mais exsangue.

Bien des entreprises productrices d'alcools ou de vins parmi les plus importantes ont été créées au XIXᵉ siècle, mais le vin était pour elles une activité secondaire, loin derrière le Brandy et l'Ouzo. Leurs vins étaient d'ailleurs vendus en vrac à la barrique et l'idée de le vendre en bouteilles ne commença à se répandre que dans les années 1960. En outre, la plupart des vins correspondaient au goût des Grecs de l'époque : riches en alcool, peu acides et fréquemment oxydés.

L'évolution récente

Les grands changements se produisirent entre les années 1960 et 1980. L'Institut de la vigne et du vin d'Athènes, créé en 1937 pour aider et conseiller les vignerons, jeta à partir de 1952 les bases d'un système de classification qualitatif qui se transforma en loi en 1969. Mais les modifications les plus considérables datent des années 1980, avec l'arrivée des techniques de contrôle de température et d'une nouvelle génération d'œnologues, formés pour la plupart en France, en Italie ou en Allemagne. La même époque vit les goûts évoluer, les consommateurs recherchant des vins plus frais, plus francs et plus fruités.

Aujourd'hui, le marché du vin grec a pris une nouvelle allure : les grandes entreprises, propriétaires de vignes ou non, achètent la majorité de leurs raisins à de petits vignerons et possèdent souvent des unités de vinification dans différents endroits de Grèce. Les coopératives vendent les vins soit directement sous leur propre étiquette, soit à des négociants, soit des deux façons. Un

Les roches des Météores, en Thessalie.

troisième type d'entreprise se dégage : souvent familiale, elle possède des vignes, vinifie ses raisins et achète parfois ceux de vignerons voisins, avec lesquels elle travaille en proche collaboration. Sa production, toujours restreinte, est plutôt réservée au marché national, qui en est friand, mais ces vins sont maintenant de plus en plus exportés.

LE RETSINA

Le Retsina (vin résiné) est un type de vin propre à la Grèce. Au sens strict du terme, c'est un vin aromatisé, dont l'origine remonte à l'Antiquité, lorsque le vin était transporté dans des amphores de terre cuite scellées. Les sceaux, composés d'un mélange de plâtre et de résine, empêchaient l'air d'entrer et permettaient de garder les vins plus longtemps. Comme ils leur donnaient un léger goût, on en vint à croire que les vins vieillissaient grâce à la résine : c'est ainsi que naquit la tradition d'ajouter de la résine.

De nos jours, le Retsina est vinifié comme n'importe quel autre vin blanc sec, hormis le fait que l'on ajoute au moût des petits morceaux de résine de pin d'Alep.

Une vingtaine d'entreprises ont une politique d'exportation très active ; les plus connues sont Boutari, Kourtaki, Tsantali et Achaia-Clauss. Mais on trouve désormais à l'étranger aussi les vins d'autres entreprises, tels que les domaines Hadjimichali, Lazaridi, Gerovassiliou, Carras, Kokotos, Strofilia, Tselepos et Gaia, ainsi que les Muscats des coopératives de Samos, Lemnos et Patras.

Les sols et les climats

Le vignoble grec est situé entre 33 et 40° de latitude nord, mais la chaleur relative de cette zone du globe est généralement tempérée par l'influence de la mer et, parfois, de l'altitude, qui peut dépasser 650 m. Assez régulières, les conditions climatiques n'empêchent cependant pas de légères variations d'un millésime à l'autre. Aucun type de sol ne prédomine, mais presque tous sont pauvres : rocailleux, ils contiennent du calcaire, du schiste, du terreau, de l'argile, du sable et possèdent, dans certaines îles comme Santorin, un sous-sol volcanique de pierre ponce.

Les cépages

La Grèce compte environ 300 cépages autochtones, dont bon nombre sont très localisés et dotés d'un caractère prononcé. La moitié du vignoble (150 000 ha) est destinée à la production de vin, l'autre aux raisins de table et aux raisins secs.

Plusieurs cépages blancs dominent en Grèce. L'Assyrtico est très aromatique quand il est vinifié à température contrôlée et d'une bonne acidité. Sans doute le meilleur cépage du pays, il commence à s'étendre au-delà de sa région d'origine, l'île de Santorin. Le Roditis est une variété à peau rose qui vient du Péloponnèse, mais que l'on rencontre aussi en Macédoine et dans la région de Thèbes. Le Savatiano est originaire de la région de Mesogea, en Attique, où il est célèbre comme cépage de base pour les meilleurs résinés du pays. Cependant, on s'est rendu compte qu'il pouvait également donner de bons vins blancs secs s'il est planté sur des terroirs adéquats. Les autres cépages blancs sont le Moscho-filero, à la peau rose, délicat et aromatique, qui vient de Mantinia, le Robola de Céphalonie et le Vilana de Crète.

Pour les raisins noirs, on trouve l'Agiorgitiko, ou Saint-Georges, qui produit les vins de Némée. Le Limnio, variété ancienne originaire de Lemnos, pousse bien aujourd'hui à Halkidiki, dans le nord du pays, où il fait des vins souples et gouleyants. Le Xinomavro est le cépage roi du nord de la Grèce, où il prédomine dans toutes les appellations. Le Mandilaria est largement planté sur les îles, où il donne des vins extrêmement colorés et tanniques. Le Mavrodaphne est principalement cultivé autour de Patras, où l'on en fait un vin rouge muté plein de caractère.

Les dix dernières années, plusieurs cépages internationaux ont été plantés dans toute la Grèce, mais en petites quantités (moins de 5 % de la superficie totale). On trouve notamment le Cabernet-Sauvignon, le Merlot, la Syrah (qui donne d'excellents résultats), la Grenache, le Chardonnay, le Sauvignon, le Gewürztraminer, l'Ugni Blanc et un peu de Viognier dans le sud du pays.

Les styles de vin

La gamme des vins élaborés en Grèce est vaste : blancs secs, rouges, Muscats doux, rouges mutés (Mavrodaphne) et même pétillants. La production annuelle est d'environ 3,5 millions d'hectolitres, dont 65 à 70 % de vins blancs, Retsina inclus. La plupart des vins, les blancs notamment, sont faits pour être bus jeunes, à part certains, dans des régions comme Naoussa et Némée, qui sont capables de vieillir. En outre, quelques petits domaines récents font des vins de longue garde, le plus souvent à base de Cabernet-Sauvignon.

La législation

La loi grecque définit deux catégories de vins, les VQPRD (vins de qualité produits dans une région déterminée) et les vins de table, chacune se subdivisant en deux. Le terme d'Appellation d'Origine Contrôlée s'applique uniquement aux vins doux de Muscat et de Mavrodaphne, qui se distinguent par un sceau bleu placé sous la capsule. Les vins secs ont droit à l'Appellation d'Origine de Qualité Supérieure et leur sceau est imprimé en rouge sur fond rose. Il existe 27 zones délimitées pour une cinquantaine de vins différents. L'étiquette peut également porter la mention Réserve ou Grande Réserve, qui désigne les vins de qualité supérieure ayant subi un élevage plus long avant la mise en bouteilles. Le mot *cava* désigne, quant à lui, des vins de table produits en plus petites quantités et qui font l'objet d'un long vieillissement.

Le terme générique « vin de table » englobe aussi les Vins de Pays. La Grèce en est riche et certains ne manquent pas d'intérêt. Les cépages internationaux y sont généralement autorisés et bien des Vins de Pays sont des assemblages de cépages locaux et importés. Les principales zones de production sont la Crète, l'Attique, le Péloponnèse et la Macédoine.   □

PRINCIPALES RÉGIONS VITICOLES ET APPELLATIONS

Le Nord

Le nord de la Grèce, qui regroupe la Macédoine et la Thrace, est un pays de vin rouge. Le cépage Xinomavro domine dans les zones de Naoussa, Amynteon et Goumenissa. Amynteon produit aussi un vin rosé mousseux.

L'autre zone d'appellation, les Côtes-de-Meliton, se trouve à Sithonia. On y cultive les cépages Roditis, Assyrtico, Athiri et le rare et aromatique Malagouzia, assemblés parfois au Sauvignon, pour les blancs. Les vins rouges sont issus de Limnio et de Cabernet-Sauvignon.

Le Centre

Le centre de la Grèce, l'Épire et la Thessalie, possède trois appellations. Au nord-ouest de Ioannina, Zitsa produit un vin blanc légèrement pétillant, demi-sec ou sec. Rapsani, situé au pied de l'Olympe, est un pays de vins rouges (toujours dominés par le Xinomavro), tandis qu'Anchialos, près de Volos, est celui des vins blancs secs, à base de Roditis et de Savatiano.

Le Péloponnèse

Le sud de la péninsule grecque compte de nombreuses appellations. Sur un haut plateau près de Tripoli, le cépage Moschofilero donne le vin blanc aromatique de Mantinia. Le Némée (Nemea), près de Corinthe, est un rouge issu de l'Agiorgitiko, un cépage grec très coloré. Il est considéré comme ayant le plus grand potentiel qualitatif, car il donne des vins fruités, aux tanins fins et soyeux, qui peuvent s'améliorer considérablement avec un vieillissement en fûts de chêne neufs.

L'appellation Patras est donnée aux vins blancs secs issus du cépage Roditis, planté sur les collines autour de la ville éponyme.

Le Muscat de Patras (ou Rion de Patras) est un vin de liqueur, tandis que le Mavrodaphne de Patras est un vin rouge muté à environ 15 % vol. Issu du cépage auquel il doit son nom, il est longuement vieilli en fûts de chêne.

Les Îles

Céphalonie est la seule des îles Ioniennes à posséder des appellations, la principale étant Robola, un blanc sec et puissant.

Dans la mer Égée, les îles Lemnos et Samos produisent de très bons vins à partir du cépage Muscat. Le Muscat de Limnos est un vin de liqueur. Il existe aussi en vin nature, sec, mais ce type quitte rarement l'île. À Samos, le vin est élaboré soit en mistelle (vin de liqueur, Samos doux), soit en vin doux naturel (en arrêtant la fermentation), soit encore en Samos nectar (à partir de raisins séchés au soleil).

Les principales appellations des Cyclades se trouvent à Paros et Santorin. Sur la première île, il s'agit d'un vin rouge sec issu d'un assemblage de Mandilaria, un raisin rouge fortement coloré, et d'un raisin blanc, le Monemvassia. La seconde fait un blanc sec et puissant issu d'Assyrtico et un blanc doux appelé Vino Santo.

Rhodes est la patrie d'un vin blanc sec issu d'Athiri et d'un rouge issu de Mandilaria. Mais cette île fait aussi des vins de table mousseux, obtenus selon différentes méthodes.

La Crète possède trois appellations de vins rouges secs ou doux : Archanes, Daphnes et Sitia. Les vins de Peza sont rouges ou blancs. Les cépages Kotsifali, Liatico (rouges) et Vilana (blanc) sont des variétés locales qui donnent dans l'ensemble des vins puissants et généreux.

TURQUIE

Dans l'histoire du vin, la Turquie a sans doute une tradition plus ancienne que tout autre pays mais, en raison d'une population en majorité musulmane, il lui est difficile d'en tirer parti. Kemal Atatürk s'efforça dans les années 1920 de faire renaître l'industrie viticole mais, aujourd'hui encore, bien que la Turquie soit le cinquième producteur mondial de raisins et dispose de près de 600 000 ha plantés, 1,5 % seulement du raisin est vinifié, pour une production totale d'environ 250 000 hl.

Il ne s'agit pas d'une répulsion pour l'alcool. La population ne boit qu'un litre de vin par an et par habitant en moyenne, mais consomme tout de même 1,5 l de raki (eau-de-vie à 40% vol parfumée à l'anis) et 4 l de bière dans le même temps. Le raki est entré dans les habitudes, tandis que le vin est consommé par une élite. Cette tendance est renforcée par la réglementation turque, qui exige de 11 à 13% vol d'alcool dans le vin, mais freinée par des taxes augmentant le prix du vin d'environ 35% ; de plus, il n'y a pas de vins importés.

Tout cela pourrait évoquer une activité viticole sur la défensive, utilisant des techniques de vinification du passé pour produire des vins répondant au goût d'une minorité locale, à l'écart du monde extérieur. En fait, le tableau n'est pas si sombre. La superficie des vignobles a diminué, mais les rendements ont augmenté, surtout près de la mer Égée et en Thrace, de sorte que l'ensemble de la production n'a pas baissé dans les mêmes proportions. En outre, si le gouvernement n'encourage pas activement l'industrie du vin, le plus gros producteur du pays est tout de même l'entreprise publique Tekel.

La production de l'État turc représente presque 90% du total, mais ni le secteur public ni le secteur privé ne travaillent à plein rendement. Les raisins sont cultivés par des viticulteurs qui les vendent à 22 entreprises d'État et 124 sociétés privées, et sont fréquemment transportés sur de longues distances en camion pour être vinifiés. Afin d'éviter une détérioration des raisins au cours du transport, certains vignerons, comme Diren, vendangent et transportent les raisins dans la fraîcheur de la nuit, pour les protéger.

Il existe officiellement 1 250 cépages, dont 50 à 60 seulement ont une importance commerciale. Les variétés européennes sont plutôt concentrées à l'ouest du pays. La production est partagée, presque à égalité, entre vins blancs et vins rouges, avec très peu de rosé. Vinification et vieillissement sont souvent effectués en cuves de ciment ou en vieux foudres, mais les plus grosses sociétés ont un équipement permettant une production adaptée au goût occidental.

Ces vins offrent une comparaison passionnante avec ceux d'autres pays de la mer Noire (voir p. 470), émergeant, pour la plupart, des structures collectives des ex-pays communistes. On retrouve le même fruité robuste, les mêmes rouges démodés – un qualificatif à ne pas interpréter dans son sens péjoratif – et pleins de caractère. □

RÉGIONS ET PRODUCTEURS

Voici les sept grandes régions viticoles et les principaux producteurs.

Tekel
Entreprise d'État qui produit notamment le Hosbağ, un Gamay de Thrace (Trakya), et le Buzbağ, un rouge puissant à base de Boğazkarasi d'Anatolie.

MER ÉGÉE
Cette région englobe les secteurs de Smyrne, Manisa et Denizli et fournit environ 20 % de la production turque. Cépages rouges : Çalkarasi, Grenache, Carignan. Cépage blanc : Sémillon.

MER NOIRE
Région côtière comprenant Çorum et la vallée de Tokat. Cépages rouges : Dimrit, Sergikarasi, Boğazkere, Öküzgözü. Cépages blancs : Narince, Kabarcik.
Diren : entreprise familiale située dans la vallée de Tokat et produisant environ 6 millions de bouteilles par an. Son meilleur vin est le Karmen Reserve à base des cépages Boğazkere et Öküzgözü.

ANATOLIE ORIENTALE
La production de vin est concentrée à Elaziğ. Cépages rouges : Öküzgözü, Boğazkarasi. Cépages blancs : Narince.

RÉGION MÉDITERRANÉENNE
Production concentrée à Burdur. Cépage rouge : Dimrit.

ANATOLIE CENTRALE
La production de vin concerne les villes et régions d'Ankara, Kirikkale, Neuşehir, Kirşehir et Niğde. L'Anatolie connaît des hivers très froids et des étés chauds. Cépages rouges : Kalecik Karasi, Papazkarasi, Dimrit, Irikara, Çalkarasi. Cépages blancs : Emir, Hasandede.
Kavaklidere : vieux centre de vinification privée proche d'Ankara, appartenant au groupe Doluca. On y produit un des meilleurs rouges du pays, l'Ozel Special Reserve, à partir du cépage autochtone Ozel Beyaz.

ANATOLIE DU SUD-EST
Secteurs de Gaziantep, Mardin, Urfa et Diyarbakir. Cépages rouges : Horozkarasi. Cépages blancs : Dökülgen, Kabarcik.

THRACE ET MARMARA
Le cœur de la production vinicole turque (40 % du total) est concentré autour de Tekirdağ, Çanakkale, Edirne, Kirklareli et Bilecik. Cépages rouges : Papazkarasi, Adakarasi, Karaseker, Gamay, Pinot Noir. Cépages blancs : Yapincak, Beylerce, Sémillon, Clairette, Riesling.
Doluca : fondée en 1926, cette entreprise privée, près d'Istanbul et proche de la mer de Marmara, produit 7,5 millions de bouteilles par an. Le Villa Doluca (Gamay, Cabernet-Sauvignon et Papazkarasi) est le vin le plus populaire en Turquie. Le Moscado Demi-Sec est tout aussi réussi.

MOYEN-ORIENT

Si l'on y inclut la Turquie (voir ci-contre), la Méditerranée orientale est une région à laquelle tout amateur de vin devrait régulièrement porter un toast. Chaque fois qu'on décante une bouteille de Porto Vintage ou qu'on sort le Champagne du seau à glace, il faudrait remercier les pays du Moyen-Orient, car c'est là, dans ce paysage aride de figuiers et d'oliviers, que tout a commencé.

Des milliers d'années avant le Christ, on produisait déjà du vin dans la région : c'était une denrée de base, comme le pain ou les fruits. C'est toujours le cas, mais l'attention du monde s'est déplacée. Ce fut le berceau de la vigne, mais voilà longtemps que le vin est devenu adulte et a quitté sa terre natale.

Des efforts ont été faits pour moderniser le secteur viticole dans cette partie du monde, parfois avec succès. Le climat est chaud et sec, les vignes sont généralement résistantes, mais pas forcément de grande qualité et la vinification ne répond dans l'ensemble qu'aux exigences du marché local. Certaines régions de Californie et d'Australie produisent des vins honorables dans des conditions tout aussi difficiles. Dans chacun de ces pays, l'industrie vinicole ne rencontre aucun problème qui ne puisse être résolu par la recherche et les investissements, mais il faudrait des années de la première et d'énormes quantités des seconds.

La preuve que la qualité est possible est fournie au Liban par Château Ksara et Château Kefraya qui, depuis l'introduction de nouveaux cépages, produisent les meilleurs vins non seulement du pays mais de toute la région. À un niveau un peu inférieur, on trouve les vins israéliens des hauteurs du Golan. Le fait qu'ils soient kasher souligne un autre facteur essentiel en matière de vin dans cette région : la religion.

Taille des vignes à Chypre.

Trois des grandes religions mondiales, le christianisme, le judaïsme et l'islam, sont largement pratiquées ici. Le judaïsme exige des vins kasher et a conditionné toute l'industrie du vin en Israël. L'interdit islamique frappant l'alcool semble parfois conduire à la transgression plus qu'à l'abstinence, mais, là où les musulmans sont majoritaires, les activités vinicoles ont peu de chances d'être prospères.

ISRAËL

En Israël, l'industrie vinicole actuelle a été fondée par le baron Edmond de Rothschild, qui a créé des vignobles dans les années 1880 avec des cépages français. En 1906, l'entreprise est devenue la coopérative de vignerons Carmel, qui exporte des vins kasher dans le monde entier pour la communauté juive. Israël compte aujourd'hui 3 033 ha de vignes produisant du raisin pour Carmel et 13 autres sociétés.

Les vins kasher sont en général doux et rouges. Pour des motifs religieux, ils répondent à de stricts critères de pureté, mais soit le moût soit le vin est pasteurisé, au détriment de la qualité. Le goût des Israéliens a récemment évolué vers des vins plus secs, mais, pour un juif pratiquant, le vin doit avant tout être kasher et son goût est secondaire. Néanmoins, quand le nouveau centre de vinification des hauteurs du Golan a commencé à attirer l'attention au début des années 1980 avec des vins kasher de Sauvignon, Chardonnay et Cabernet-Sauvignon produits dans un climat plus frais, il a galvanisé le monde du vin israélien. Les vignobles du Golan, comme celui de Musar au Liban, sont plantés en altitude (jusqu'à 1 100 m) et situés – c'est une coïncidence – dans une zone contestée. La coopérative de Carmel, qui souffrait de manque d'équipement, a acquis pour 8 millions de dollars de matériel neuf. Le temps d'un marché captif et complaisant est révolu.

LIBAN

Les deux principaux producteurs du Liban sont Château Ksara et Château Kefraya, qui vinifient chacun entre 1 600 et 2 000 tonnes de raisins pour une production de 12 000 à 15 000 hl par an ; le raisin de moindre qualité est réservé à la distillation de l'arak, une boisson anisée locale. Ces deux propriétés exploitent directement leur vignoble, soit environ 300 ha. La plantation de nouveaux cépages nobles dans les années 1990 leur a permis de produire d'excellents vins, dont certains ont acquis une réputation internationale. Le domaine le plus connu est sans doute Château Musar, créé dans les années 1930. La famille Hochar possède une cave où l'on peut découvrir des millions de bouteilles de 1953 à nos jours. Elle achète les raisins sur pied dans la plaine de Bekaa pour les vinifier à Jounieh, sur la côte.

CHYPRE

Une amélioration semble imminente depuis des années, car le vin muté, surtout le Commandaria, pourrait être de grande qualité, mais on attend toujours. Les raisins sont cultivés jusqu'à 900 m d'altitude sur les monts Tróodhos, mais restent trop longtemps au soleil après la vendange en attendant d'être vinifiés pour donner des vins frais et fruités. Il existe cependant un plan d'arrachage aux dépens des vignobles côtiers les plus médiocres. Et, bien que le cépage rouge Mavron, fort en alcool, tannique et peu fruité, soit aujourd'hui interdit à la plantation, il représente néanmoins 70% de l'encépagement, suivi de très loin par le Xynisteri Blanc, avec 13%. Autres variétés cultivées : Cabernet-Sauvignon, Grenache, Lefkas, Malaga, Palomino, Syrah, Chardonnay et Riesling.

Le Commandaria, célèbre vin de dessert chypriote, était autrefois particulièrement apprécié par les chevaliers de l'ordre des Templiers. En effet, à l'époque des croisades, au XIIᵉ siècle, ces vaillants combattants avaient euxmêmes planté autour de Limassol les vignes dont il est issu. Les raisins blancs de Xynisteri et noirs de Mavro Kypriako sèchent au soleil sur des nattes pendant une dizaine de jours avant la fermentation. La zone d'appellation comprend 14 villages, les meilleurs étant Yerasa, Zoopiyi et Kalo Chorio, mais le Commandaria actuel est essentiellement un vin commercial. Le Xérès de Chypre, un vin muté de médiocre qualité, n'a plus droit à cette appellation.

AUTRES PAYS DU MOYEN-ORIENT

L'Égypte, État laïc, compte un producteur de vin, Gianaclis, mais la plupart des vignobles sont consacrés aux raisins de table, aux raisins secs ou au jus de raisin. Il existe aussi des vignes dans des pays comme la Syrie, la Jordanie et l'Iraq, mais elles ne produisent que très peu de vin. □

RÉGIONS ET PRODUCTEURS

Les principaux producteurs de vin se trouvent en Israël et à Chypre. L'Égypte a une seule entreprise importante. Syrie, Jordanie et Iraq ont une très faible production qui satisfait une faible consommation locale.

ISRAËL

Les régions viticoles d'Israël comprennent plusieurs zones :

Shomron, secteur de Saron, en Samarie.
Néguev, autour de Beersheba.
Shimshon, à Samson, secteurs de Dan, Adulam et Latroun.
Galil en Galilée, secteurs de Canaan, Nazareth, Thabor et Cana.
Harei Yehuda dans les monts de Judée, secteurs de Jérusalem et Betin.

Centre de vinification des Hauteurs du Golan : Hatzor, en Galilée, est plus connu hors d'Israël sous le nom de Centre de vinification des Hauteurs du Golan. Propriété collective de huit colonies de la région, il a actuellement environ 500 ha en production. Les vignobles donnent des vins rouges et blancs de bonne qualité, issus de cépages français. Le climat est frais : la vigne pousse au pied des neiges du mont Hermon. La gamme de base est baptisée Gamla, le haut de gamme Yardon et la gamme intermédiaire Golan. Tous les vins sont kasher, mais, comme on se trouve en dehors des limites bibliques d'Israël, les producteurs ne sont pas obligés de laisser le vignoble en jachère une année sur sept. Le sol est volcanique et la technique de vinification, californienne.

Carmel : la plus grande entreprise vinicole d'Israël (70% du marché), à production entièrement kasher, est une coopérative de vignerons. Elle a longtemps refusé de se moderniser et produisait des vins médiocres, conformes cependant aux critères kasher de pureté. Aujourd'hui, la coopérative élabore de meilleurs vins, plus flatteurs, dont le haut de gamme porte l'étiquette Rothschild.

LIBAN

Château Kefraya : avec un sous-sol composé de 55% d'argile et des portegreffes adéquats, le vignoble n'a pas besoin d'être irrigué. La Grande Cuvée 1996 – 60% Cabernet-Sauvignon, 20% Syrah et 20% Mourvèdre – a été notée 91 par Parker.

Château Ksara : une révolution qualitative avec l'arrivée de Charles Ghostin qui n'a pas hésité à parcourir l'Europe à la recherche des meilleurs cépages. Délicieux Chardonnay, vinifié en barriques neuves et bâtonné sur lies, et bons rouges.
Château Musar : longtemps la vedette du Liban, ce domaine a réussi quelques superbes millésimes, en particulier le 1977.
Autres producteurs : Château Nakad, Château Massaya, Nathalie Touma, Abou Nader et El Adem.

CHYPRE

Chaque entreprise produit généralement une gamme de vins : rouges, blancs et Commandaria, un vin muté. Les vignobles s'étendent sur 20 000 ha concentrés dans une grande région, au nord et au sud des monts Tróodhos. On peut parfois trouver du Commandaria de petits producteurs : la recherche en vaut la peine.

Etko : la coopérative de Chypre produit sous la marque Nefeli un blanc assez frais de Xynisteri. Autres vins : Olympus, Grenache et Carignan Cornaro, Rose Lady, Semili, White Lady, Grand Commandaria.
Keo : l'un des quatre plus importants producteurs de Chypre. Les marques les plus connues sont Othello, Aphrodite, Bellapais, Thisbe et Commandaria Saint John. Cette entreprise fait actuellement des recherches sur de vieux cépages locaux.
Centre pilote Laona « Arsos » : un centre de production géré par l'État et voué à l'expérimentation des grands cépages.
Loel : l'un des quatre producteurs importants contrôlant à eux seuls 75% du marché. Parmi ses marques, Palomino, Amathus, Orpheo Negro et Commandaria Alasia.
Sodap : produit les marques Afames, Arsinoe, Danae, Kolossi, Kokkinelli, Santa Marina et Commandaria Saint Barnabas.

ÉGYPTE

Gianaclis : la seule entreprise vinicole du pays (environ 800 000 bouteilles par an de Cabernet-Sauvignon, Colombard, Grenache, Muscat, Palomino et Ruby Cabernet) est basée à Abu Hummus, au nord-ouest du delta du Nil. Elle produit des marques comme Omar Khayyam (à ne pas confondre avec le mousseux indien du même nom) et Reine Cléopâtre.

AFRIQUE DU NORD

La France a colonisé l'Afrique du Nord par étapes et l'a quittée de la même façon. La première étape a été l'Algérie, où les Français sont arrivés dès 1830 ; puis la Tunisie, mais seulement en 1881, et enfin le Maroc en 1912. Dans chacun de ces pays, la France a créé un important vignoble. Un demi-siècle plus tard, ce fut le retrait : de Tunisie en 1955, du Maroc en 1956 et d'Algérie en 1962. La plupart des meilleurs producteurs sont alors partis s'installer en Corse et dans le Midi pour repartir à zéro ; ils ont laissé en héritage aux populations locales des cépages, des goûts, et une législation viticole française.

Aujourd'hui, il ne reste plus grand-chose de cet héritage. La religion musulmane conduit à se désintéresser du vin, surtout en Algérie, mais ce n'est pas le seul danger. La France avait d'abord considéré l'Algérie comme un marché pour le vin français, mais, à la fin du XIXᵉ siècle, c'est l'Algérie qui devint son fournisseur. Les trois pays colonisés finirent par exporter vers la métropole des vins en vrac couramment utilisés pour renforcer des vins moins concentrés, moins alcoolisés et moins colorés – le plus célèbre étant le Bourgogne.

Au départ des Français, ce commerce a pris fin. La demande intérieure étant limitée, chaque pays s'est mis à arracher ses vignes tout en vendant le plus possible aux Soviétiques. Mais ce marché, lui aussi, s'est effondré vers la fin des années 1980. Et le déclin économique intérieur n'a rien arrangé. Dans ces trois pays, la superficie des vignobles a diminué de plus de moitié depuis l'indépendance et le rendement a baissé, les vignes étant négligées. Quelques initiatives récentes de partenariat avec des entreprises françaises semblent être la seule solution de survie du vignoble maghrébin.

Les régions viticoles
Les vignobles d'Afrique du Nord longent presque tous la côte, les meilleurs

Charrue tirée par un cheval dans un vignoble d'Enfidaville, Tunisie.

vins provenant des collines un peu en retrait. Le Maroc est le seul pays ouvert sur l'Atlantique et en retire une fraîcheur bénéfique pour le vin. Pourtant, comme dans les pays voisins, de grandes étendues de vignobles côtiers ont été arrachées. Sur les collines, la vigne peut pousser jusqu'à 1 200 m d'altitude et, là encore, la fraîcheur joue un rôle crucial dans la qualité des vins.

Les cépages et les styles de vin
Les vins d'Afrique du Nord conservent un certain attrait en France, en accompagnement des plats maghrébins, mais on voit mal qui d'autre pourrait s'y intéresser. Ils s'apparentent surtout aux vins du Midi, mais il émane aujourd'hui tant de fruit et de fraîcheur du sud de la France que les consommateurs sont de moins en moins disposés à accepter la médiocrité. On oublie trop facilement que le Carignan, laissé à lui-même sous un climat chaud, peut donner un vin spectaculairement âpre et dépourvu de fruit, tout comme Cinsaut, Aramon et Alicante Bouschet, cépages rouges très présents en Afrique du Nord. On trouve

aussi des variétés non françaises comme Farhana, Hasseroum, Rafsai, Zerkhoun, ainsi que d'excellents cépages français, du Cabernet-Sauvignon à la Syrah et au Mourvèdre. Il y a, en outre, du Grenache et du Pinot Noir : le premier tend à l'excès d'alcool et à la mollesse, le second réclame des climats bien plus frais. Le Carignan est omniprésent. Les vins blancs sont souvent issus de Clairette et d'Ugni Blanc, mais les meilleurs sont les Muscats de Tunisie, doux ou secs, qui ont leurs propres appellations.

Les meilleurs rouges viennent du Maroc, dont les installations de vinification sont sans doute les plus modernes d'Afrique du Nord. La production comporte 85 % de vin rouge, le reste étant surtout du rosé obtenu par saignée, vin très pâle parfois baptisé vin gris. Les rouges peuvent avoir de la mâche et du corps, mais les blancs sont peu réussis.

L'Algérie est organisée selon un système qualitatif développé à l'ère coloniale, avec 12 régions de VDQS. Les meilleurs vins sont les rouges provenant des vignobles de montagne. ☐

PRODUCTEURS ET NÉGOCIANTS

L'Algérie, le Maroc et la Tunisie ont tous une législation viticole fondée sur le système français des appellations d'origine. Cet héritage se reflète souvent dans les noms des vignobles. Ceux des vins varient : de gros volumes sont exportés en vrac et les noms figurant sur les étiquettes peuvent être laissés à la fantaisie de l'embouteilleur.

ALGÉRIE

Les zones viticoles de qualité se trouvent dans les provinces d'Oran et d'Alger. Elles sont héritées de la période coloniale. Il est important de savoir que sept régions ont droit à une appellation d'origine garantie (AOG).

ORAN

Oran a toujours été la plus grande province viticole et produit les meilleurs vins.

Coteaux de Mascara

Zone AOG qui produit les meilleurs vins d'Algérie, des rouges généreux et rustiques. Clos Faranah et Sidi-Brahim sont parmi les plus connus. On trouve aussi du vin blanc.

Coteaux de Tlemcen

Autre zone AOG sur des collines de grès produisant des vins rouges, blancs et rosés de bonne qualité, à la fois puissants et souples.

Autres zones de l'Oranais

Ain-Temouchent, Ain-el-Turk, Sidi-Bel-Abbes, Messarghin, La Sanca, Arzen. Monts du Tessala est une AOG.

ALGER

Seconde province viticole par la taille, avec de bons vignobles de montagne.

Miliana

Vignoble « de montagne » des plus appréciés qui produit de solides vins rouges.

Médéa

Zone AOG avec des vignobles situés en altitude qui produisent une gamme de vins qu'il faut remarquer car ils ont une certaine finesse.

Dahra

Vignobles d'altitude proches de la mer situés entre les provinces d'Alger et d'Oran. Ils produisent à la fois des vins rouges et des vins blancs de l'AOG Haut Dahra.

Mostaganem-Dahra

Région divisée en quatre secteurs : Picard-Darha a des vignes en coteaux à faible rendement ; Dahra-Mostaganem et Mostaganem produisent des vins rouges, blancs et rosés assez puissants ; Rivoli-Mazagran a de petits rendements et donne des rouges solides, de robustes rosés et des blancs.

Autres zones de l'Algérois

Ain-Bessem et Coteaux du Zaccar sont des zones AOG, la première donnant généralement de meilleurs vins. Les oueds Issers et Sebdou produisent surtout du vin ordinaire.

MAROC

Le pays compte 12 régions qui produisent des vins d'appellation d'origine garantie :

Berkane et Angad

Petite région à l'est du pays produisant de robustes vins rouges.

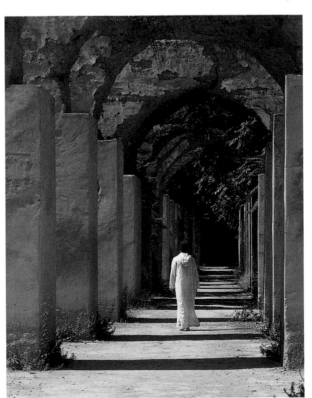

Les écuries royales à Meknès au Maroc.

Meknès/Fès

La principale région viticole ; produit de bons rouges dans des vignobles d'altitude au pied de l'Atlas. Les appellations comprennent Guerrouane, Beni m'tir, Sais, Beni Sadden et Zerhoune.

Gharb

Comprend les appellations de Gharb et Zemmour. Ici et plus au sud, on produit le Gris de Boulaouane, un rosé populaire et léger.

Rabat

Sur la côte atlantique se trouvent les appellations de Chellah et Zaer, produisant des vins rouges légers.

Casablanca

Vignobles côtiers comprenant l'appellation Zenata.

TUNISIE

Les vignobles sont au nord-est du pays, à l'est et à l'ouest de Tunis. Le pays produit des vins rouges, rosés et blancs ainsi que quelques vins bénéficiant d'une appellation d'origine.

Aujourd'hui, c'est le Muscat qui réussit le mieux. Les vignobles entourant Bizerte, dans le Nord, s'en sont fait une spécialité, tout comme ceux de Hammam-Lif près de Tunis, Grombalia et Bou-Arkoub à l'Est.

Danube
et Mer Noire

—

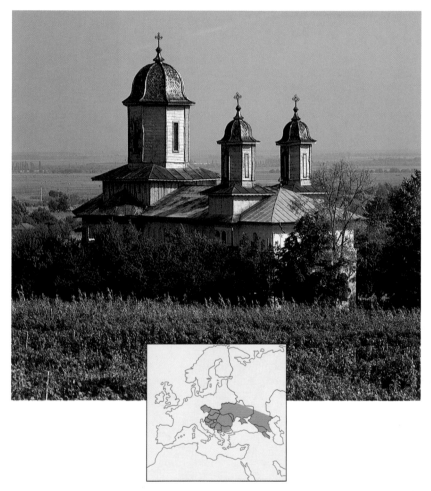

DANS CETTE VASTE RÉGION, SEULS QUELQUES PAYS,

COMME LA HONGRIE, SONT CONNUS POUR LEURS VINS. D'AUTRES,

COMME LA MOLDAVIE, SORTENT À PEINE DE L'OBSCURITÉ OÙ ILS

ÉTAIENT PLONGÉS DEPUIS DES DÉCENNIES.

—

LES RÉGIONS VITICOLES DU DANUBE ET DE LA MER NOIRE

Le bassin du Danube dispose de vignobles aussi vastes que ceux de la France. Ceux-ci se prolongent par une zone qui s'étend sur la côte de la mer Noire, depuis la Moldavie jusqu'à la Géorgie.

DANUBE

LA RÉGION QUI S'ÉTEND DE L'EST DE L'AUTRICHE À LA MER NOIRE, AVEC
SES PAYSAGES DE COTEAUX ET DE PLAINES COUVERTS DE VIGNOBLES,
PROPOSE UN ÉVENTAIL INTÉRESSANT DE VINS ANCIENS OU RÉCENTS.

Les pays de l'Europe du Sud-Est ont une forte identité vinicole
mais ils sont soumis à des impératifs commerciaux : la région de
Tîrnave, en Roumanie, élabore des vins de cépages indigènes
traditionnels ainsi que des vins de cépages classiques importés.

Les pays du bassin du Danube ont en commun une véritable tradition vinicole, avec des cépages et des styles de vin qui se ressemblent et sont soumis aux mêmes influences. La frontière de l'Empire romain puis, plus tard, de l'Empire byzantin suit naturellement le cours du Danube. Les légions romaines introduisirent les premiers ceps et les premiers pressoirs, relayées plus tard par les moines et les colons germaniques. L'histoire du vignoble traverse alors diverses vicissitudes au cours de la longue occupation turque, qui connaît son apogée au XVIᵉ siècle. Après la Seconde Guerre mondiale, les frontières dessinées par l'histoire seront gommées par quatre décennies de régime communiste qui vont influencer profondément les structures de la viticulture en remplaçant les petits propriétaires par de grandes coopératives et des fermes collectives. Aujourd'hui, on observe deux tendances : un retour à la situation d'avant le communisme, avec la restitution des terres à leurs anciens propriétaires, et l'adoption de nouvelles habitudes viticoles, comme l'importation de cépages classiques et l'introduction des nouvelles technologies de vinification. Les pays du Danube ont un bel avenir devant eux, avec une

production de bons vins de consommation courante, ainsi que la renaissance des perles rares comme le fameux Tokay de Hongrie. Les conseils et les technologies de l'Ouest sont recherchés, car cette industrie vinicole en pleine expansion cherche à obtenir des débouchés commerciaux. Tout récemment, un certain nombre d'excellents vins de la région du Danube se sont exportés sous des étiquettes de cépages très connus comme le Cabernet-Sauvignon ou le Merlot. Malgré ces grands changements, chaque pays producteur a sa propre identité, avec des vins dont le caractère mérite d'être affirmé. La partie occidentale de la région – la République tchèque, la Slovaquie, la Slovénie et, dans une certaine mesure, la Hongrie – suit l'exemple de l'Allemagne et de l'Autriche en privilégiant les vins blancs. La Roumanie, la Bulgarie et la Serbie ont ajouté à leurs cépages traditionnels certains cépages réputés comme le Chardonnay, le Cabernet-Sauvignon et produisent des vins blancs comme des vins rouges classiques. L'avenir de ces régions est rempli d'espoir, avec une volonté farouche de satisfaire pleinement la curiosité des nouveaux consommateurs de l'ouest de l'Europe.

HONGRIE

La Hongrie se distingue par une originalité due à son identité nationale – des Magyars isolés au milieu de Germains et de Slaves – et à l'héritage fastueux de l'histoire de l'Empire austro-hongrois. Fiers de ces particularismes que la tentative de nivellement des régimes communistes n'a pas réussi à gommer, les Hongrois font les choses à leur façon. Leur langue, l'une des plus complexes d'Europe, est à l'image de l'encépagement de leurs vignobles : des cépages qu'on ne trouve nulle part ailleurs. Notons que nous leur devons le Tokay, un vin qui n'a pas d'égal dans le monde entier. Les vins de Tokay furent commercialisés en Europe dès le XVIIᵉ siècle et étendirent leur réputation sous la domination autrichienne.

L'effondrement du régime communiste a laissé l'industrie vinicole hongroise dans un état de délabrement. Mais la Hongrie a su répliquer à cette situation en fournissant à l'Ouest un Sauvignon Blanc et un Chardonnay frais, de bonne facture et de qualité. Ces vins, fabriqués en Hongrie avec le savoir-faire occidental (souvent australien), sont destinés aux marchés riches en devises fortes et gourmands de vins blancs.

Ces dernières années ont vu la création de nombreuses exploitations familiales dont certaines font des vins d'une qualité remarquable. En particulier les propriétés de la région de Villány, dans le sud du pays, connaissent un grand succès. Dans la région de Tokay notamment, il existe en outre de nombreuses sociétés de taille moyenne (50 à 150 ha), correspondant souvent aux domaines historiques, et qui ont bénéficié d'investissements étrangers. Enfin, on rencontre de grandes structures, qui achètent en général les raisins aux petits producteurs : coopératives, fermes d'État (peu nombreuses), anciennes fermes d'État privatisées et sociétés nouvellement créées avec des capitaux hongrois ou étrangers.

Plantations expérimentales à Hajós.

LES NIVEAUX DE QUALITÉ

Les lois en vigueur dans le domaine du vin définissent quatre niveaux de qualité.

Asztali bor (vins de table) : conditionnés en général en bouteilles de 1 litre, avec un degré d'alcool minimal de 8 %vol et une richesse de moût minimale de 9 %.

Tájbor (vins de pays) : d'une origine régionale déterminée, leur richesse de moût minimale doit être de 9 %.

Minöségi bor (vins de qualité produits dans une région déterminée) : conditionnés en bouteilles de 75 cl, ils doivent avoir un degré d'alcool minimal de 10 % vol. L'étiquette doit mentionner le lieu d'origine, le cépage et le millésime. Le rendement maximal permis est de 100 hl/ha.

Különleges minöségü bor (vins de qualité supérieure) : mêmes critères que la catégorie précédente, mais leur richesse minimale de moût est de 12 % et le rendement maximal est limité à 75 hl/ha. La catégorie comprend tous les vins liquoreux (Vendanges tardives, Szamorodni et Aszú).

Les cépages et les styles de vin

La Hongrie est principalement un producteur de vin blanc. Le vin rouge, qui ne constitue que 30 % de sa production, provient en grande majorité du Sud, autour de Villány et de la Grande Plaine. La plupart des vins rouges ont un caractère assez léger, et même le Egri Bikavér (« sang de taureau ») n'est pas aussi concentré que son nom pourrait le laisser supposer. Les vins blancs, lorsqu'ils sont conformes au goût local, sont épicés et plutôt doux. La Hongrie fait appel à des cépages nobles, blancs et rouges (Pinot Noir et Merlot, entre autres), mais il serait vraiment dommage qu'elle abandonne ses cépages traditionnels à leur profit. Il faudra du temps pour inventorier les qualités de ses cépages indigènes, mais on sait déjà que, dans les rouges, le Kadarka (difficile à cultiver, sensible aux gelées hivernales mais très prometteur) pourrait être intéressant. On parle aussi du Kékfrankos, bien qu'il donne rarement un vin passionnant, et du Zweigelt, qui existe également en Autriche, où les viticulteurs l'apprécient pour son rendement.

Le cépage le mieux implanté et le plus répandu est un blanc, l'Olaszrizling (également appelé Laski Rizling ou encore Welschriesling). Le Leányka, plutôt neutre, est assez courant, ainsi que le Furmint, le Hárslevelü, le Tramini (ou Traminer), le Muscat Ottonel, le Juhfark, le Rhein Riesling (Rajnai Rizling), le Müller-Thurgau (Rizlingszilváni) et le Szürkebarát.

Le Centre et le Sud

La Hongrie compte environ 140 000 ha de vignes, implantées dans tout le pays à l'exception de l'extrême sud-est. Plus de la moitié pousse dans la Grande Plaine. Située au sud de Budapest et à l'est du Danube, la Grande Plaine connaît des conditions climatiques extrêmes, avec des étés torrides et des hivers très froids : le vent souffle si fort que le sol sablonneux a tendance à s'envoler et à s'éroder... sauf s'il est planté de vignes.

Les vins sont mûrs, peu acides, assez légers ; la plupart du temps, ce sont des vins blancs, issus de Olaszrizling, un cépage neutre. Il s'agit donc de vins de consommation courante, sans le potentiel de qualité que peuvent atteindre les vins d'autres vignobles hongrois plantés à flanc de coteau. La région de la Grande Plaine se divise en trois districts.

Kiskunság : il produit surtout du vin blanc de cépage Olaszrizling.

Hajós-Vaskuti : il produit surtout du vin rouge à partir des cépages Kadarka, Cabernet et autres.

Csongrád : il produit surtout du vin rouge à partir du cépage Kadarka.

Le Sud-Ouest

À l'ouest de la Grande Plaine, sur l'autre rive du Danube, se trouvent les vignes de la région transdanubienne du Sud.

Villány-Siklós : il s'agit de la zone viticole la plus méridionale. Villány produit des rouges (issus du Merlot et du Cabernet-Sauvignon), au goût de prune, destinés à l'exportation. Mais la spécialité locale est l'Oportó rouge, dont la saveur ronde et la faible acidité correspondent davantage au goût hongrois. Siklós est réputé pour ses blancs. Les bons producteurs sont Tiffán, Gere Attila, Gere Tamás, Bock, Malatinszky, Kúria et Vylyan.

Mecsek : un peu plus au nord, autour de Pécs, cette région produit surtout des vins blancs. Les vignes sont plantées à flanc de coteau avec les cépages Olaszrizling, Furmint, Chardonnay et Cirfandli (le Zierfandler autrichien). Les sols sont du sable volcanique ou du schiste et les vins, plutôt doux.

Szekszárd : encore plus au nord, le vin rouge domine de nouveau. Le Kadarka est très présent, mais on trouve également du Cabernet, du Merlot et du Kékfrankos. Parmi les bons producteurs citons Dúzsi Tamás, Vesztergombi, Vida Péter et Möcsényi Kastélybor.

Dél-Balaton : le Dél-Balaton, ou Sud-Balaton, produit des vins blancs secs ou mousseux, à base d'Olaszrizling, de Sauvignon blanc et de Chardonnay, ainsi que des rouges (Cabernet-Sauvignon). Tous, y compris le Cabernet, sont plutôt doux. La grande ferme viticole de Bala-

Les vignes descendent jusqu'aux rives du lac Balaton.

tonboglár se trouve sur la rive sud du lac Balaton. Les vignes sont plus récentes que sur la rive nord et comprennent plus de cépages importés. Les meilleurs producteurs sont Légli Ottó, Szt Donatus Pincészet et Öregbaglas.

Le lac Balaton

Les principales vignes de Balaton se situent, avec plusieurs autres districts, dans la région transdanubienne du Nord. Le rôle de l'énorme lac Balaton pour la viticulture régionale peut difficilement être exagéré : il l tempère le climat en raison de l'importance de son étendue. Les sols sont sablonneux et volcaniques.

L'Olaszrizling est le cépage principal au nord du lac, mais les meilleurs restent les cépages indigènes (Furmint, Kéknyelü et Szürkebarát). Une amélioration des techniques d'élevage des vins dans cette région pourrait, dans l'avenir, donner des vins aromatiques de grand caractère.

La région du lac Balaton se divise en plusieurs districts.

Badacsony : cette zone centrée sur un volcan éteint, sur la rive ouest du lac, produit des vins blancs (Kéknyelü, SzürKebarát, Olaszrizling, Sauvignon blanc, Rajnai Rizling, Zöldszilváni, Muskotály, Rizlingszilváni et Tramini). Szt Orbán Pincészet (Szeremley) est un bon producteur.

Balatonfüred-Csopak : plus à l'est sur la même rive du lac, ce district élabore des vins blancs, principalement à partir de l'Olaszrizling. Figula produit de bons vins.

Balatonmellék : ce district produit surtout des vins blancs, à proximité du lac. Kál-Vin et Dörgicse Bor sont de bons producteurs.

Somló : c'est la plus petite zone viticole de Hongrie, avec 500 ha situés sur un autre volcan éteint, en s'éloignant du lac vers le nord-ouest. Elle produit des vins blancs issus des cépages Furmint, Juhfark, Muscat Ottonel et Tramini. Parmi les meilleurs producteurs citons Györgykovács, Inhauser et Fekete.

Mór et Sopron : s'éloignant encore du lac, mais toujours dans la région transdanubienne septentrionale, ces districts donnent des vins un peu plus acides, blancs pour Mór et rouges pour Sopron.

Située sur les premiers contreforts des Alpes à l'ouest du pays, Sopron bénéficie d'un climat plus tempéré que le reste de la Hongrie. La ville est en bordure d'un autre lac, le Fertö Tó (appelé Neusiedlersee en Autriche). Les hivers sont plus doux et les étés plus frais et plus humides. On y produit du rouge, issu des cépages Kékfrankos, Pinot Noir et Cabernet, et du blanc, issu des cépages Zöldveltelini, Tramini et Leányka. Malgré le grand intérêt que présente le Cabernet, presque toute la production de rouge est à base de Kékfrankos. La région de Mór se trouve entre Budapest à l'est et Sopron à l'ouest, assez près de la frontière slovaque. Sa spécialité est un blanc assez neutre, issu de cépage Ezerjó, mais le sol à base de lœss et de silice lui donne une agréable acidité. Hilltop Neszmély et Weninger sont deux bons producteurs.

Le Nord

C'est là que sont produits la plupart des vins qui ont fait la réputation de la Hongrie à l'étranger. Le Nord est la région de production de l'Egri Bikavér et du fameux Tokay. C'est également là que se trouve le domaine Gyöngyös, qui est d'influence australienne.

Eger : la vieille cité d'Eger est la capitale d'une région dont le vin le plus connu reste l'Egri Bikavér, ou « sang de taureau » d'Eger. Essentiellement composé de cépage Kékfrankos mélangé à un peu de Cabernet-Sauvignon, de Cabernet Franc, de Merlot et d'Oportó, il est élaboré sur le Domaine Egervin, qui cultive des vignes sur 6 500 ha dans la région de Mátraalja-Egri. Une légende raconte qu'au XVIIe siècle les Magyars auraient réussi à libérer Eger assiégée par les Turcs en buvant beaucoup de vin ; sa couleur aurait conduit les Ottomans à penser que leurs adversaires s'abreuvaient du sang des taureaux. Aujourd'hui, le vin d'assemblage qui porte le même nom est rarement à la hauteur de sa légende. Parmi les bons producteurs citons Gál Tibor, Thummerer, Pók Tamás, Tóth István et Vincze Béla.

Bükkalja : cette région importante, proche d'Eger, au pied des monts Bükk, est spécialisée dans les blancs.

Contrôle de la sédimentation du vin dans les caves de Tokay à Tolcáva.

Mátraalja : cette région vaste et variée, sur les versants sud des monts Mátra, à l'ouest d'Eger, produit surtout des vins blancs de tous les styles, issus des cépages Olaszrizling, Rizlingszilváni, Tramini, Szürkebarát, Zöldveltelini, Leányka et Muscat Ottonel. C'est à Mátraalja que se trouve le vignoble Gyöngyös, où un certain Hugh Ryman, d'origine australienne, produit un Sauvignon Blanc et un Chardonnay, deux vins francs et nets. Ryman, l'un des premiers viticulteurs étrangers à investir en Hongrie, a révolutionné la viticulture sur la propriété. Son but n'est pas de faire de grands vins, mais des vins séduisants, capables de rivaliser en prix et en qualité avec des vins australiens moyens. Parmi les autres producteurs, citons Szölöskert (Mátra Hill) et Szöke Mátyás. Nagyréde, village de cette région, a acquis sa réputation grâce à des vins frais et fruités, notamment un bon rosé. La région de Tokay est décrite à la page 463.

L'avenir de l'industrie vinicole

Avant la chute du communisme, les normes d'élaboration du vin étaient tombées au-dessous de ce que le monde imaginait. Pourtant l'équipement ne laisse pas à désirer, avec des pressoirs modernes et un matériel de vinification adéquat, des vignes en bonne santé, dotées de bons clones et bénéficiant de rendements raisonnables. Mais une exploitation moderne et des cépages de bonne qualité ne suffisent pas quand la vinification est négligée – ce qui a malheureusement été trop souvent le cas. Comme ailleurs en Europe de l'Est, l'industrie vinicole visait davantage la quantité que la qualité. Il reste donc à souhaiter que la tendance s'inverse. Une loi sur le vin, en cours d'élaboration, vise à aligner les normes sur celles de l'Union européenne. Toutefois, le vin hongrois ne pourra renaître et exprimer sa richesse que grâce à d'importants investissements. Déjà, les cépages classiques les plus populaires ont pris le chemin des coteaux hongrois. Ces nouvelles plantations, ainsi que le potentiel de certains cépages locaux, devraient permettre l'élaboration de cuvées de grande qualité, avec l'espoir de figurer parmi les meilleurs vins du monde.

TOKAY

Pour Louis XIV, le Tokay était le roi des vins. À l'époque, c'était le vin le plus prisé en Europe, apprécié pour ses propriétés médicinales autant que pour son arôme riche et son caractère rafraîchissant. Aujourd'hui encore, il reste remarquable, ne serait-ce que par l'originalité de son élaboration. Et son potentiel de garde est étonnant : les meilleurs millésimes peuvent vieillir pendant deux siècles. Les 7 000 ha de vignes de Tokay sont plantés sur un sol de nature volcanique, en Hongrie et dans l'est de la Slovaquie, non loin de la frontière russe. Ils dominent la vallée de la Bodrog, dont les brumes automnales provoquent la pourriture noble, ou *Botrytis cinerea* (voir Sauternes, p. 163), sur les deux cépages principaux, le Furmint et le Hárslevelü. Le troisième cépage, le Muscat Jaune, est quelquefois commercialisé séparément.

L'élaboration du Tokay

Décrite pour la première fois par l'abbé Szepsi Laczkó Máté en 1631, la méthode de vinification du Tokay est tout à fait originale. Les raisins botrytisés et passerillés (grains *aszú*) sont récoltés grain par grain lors de passages successifs dans les vignes dès la fin octobre. Les grains *aszú* tout d'abord stockés à part sont ensuite incorporés sous forme de pâte (ou entiers) à du vin ou du moût (vin de base ou moût de base), puis pressés après une macération de un à trois jours. La fermentation dure souvent de nombreux mois. Le nombre de hottes (*puttonyos*, sing. *putton*) de grains *aszú* ajoutées à chaque fût de 136 litres (fût de Gönci) détermine la concentration et la qualité du vin : 3, 4, 5, 6 *puttonyos*. Le vin le plus riche est l'Aszú Eszencia. Les vins *aszú* sont élevés en fûts de chêne pendant plusieurs années dans des caves séculaires pouvant atteindre plusieurs kilomètres de longueur, véritables labyrinthes souterrains où règnent une température et une humidité constantes. Les parois de ces caves sont tapissées d'une moisissure unique, le *Cladosporium caellare*, qui contribue aux bonnes conditions climatiques de la cave.

Aujourd'hui, on préfère cependant une oxydation ménagée (en barriques pleines). La durée d'élevage en barriques a été diminuée par la loi, avec un minimum de 2 ans pour les vins *aszú*, l'usage actuel étant entre 2 et 4 ans en fonction des propriétés. Le vieillissement des vins *aszú* en bouteilles a une grande importance.

Le Tokay n'est pas toujours du vin *aszú*. Les années où la pourriture noble n'affecte pas toutes les grappes et où la botrytisation est contrariée par des conditions climatiques défavorables, les grappes saines et celles qui sont atteintes de pourriture noble sont vinifiées ensemble normalement. Le vin résultant de ces moins bonnes années s'appelle le Szamorodni, qui peut être sec ou moelleux. À l'autre extrémité de l'éventail de qualité, on trouve l'Eszencia, du nom du jus coulant naturellement par exsudation des raisins *aszú*. Il est tellement riche en sucres qu'il peut mettre des années à fermenter pour ne titrer finalement que 3 % vol. Ce nectar est trop sirupeux, trop concentré pour être bu seul : on le réserve généralement aux assemblages, mais quiconque goûte ce vin (incroyablement cher) en garde un souvenir inoubliable.

Cette fabrication traditionnelle s'est trouvée malheureusement faussée par les pratiques douteuses de la ferme d'État centrale qui, pendant longtemps, a remplacé les traditions séculaires de l'élaboration du Tokay par une approche industrielle, sans le moindre *putton* dans les chais. Seules quelques petites fermes effectuaient réellement le mélange grappes botrytisées/vin décrit ci-dessus. Il reste que les fonctionnaires de la ferme d'État respectaient les proportions du mélange, assurant une certaine authenticité aux Tokays des quarante derniers millésimes.

Les évolutions récentes

Depuis 1991, plusieurs domaines historiques ont été reconstitués dont l'ancien domaine impérial Hetszölö. Le processus de vieillissement, très long, permet d'affirmer qu'il faudra attendre une décennie avant que les domaines devenus indépendants atteignent leur but : revenir aux vins *aszú* spécifiques à chaque vignoble qui ont fait la gloire de la région. La ferme d'État a néanmoins réussi à élaborer des vins remarquablement bons, compte tenu des quantités produites, ce qui laisse à penser que l'explosion de ce grand vignoble en petites parcelles devrait aboutir à une augmentation sensible de la qualité.

Les plus grands investissements dans le Tokay ont été faits dans le Domaine de Disznókö (AXA-Millésimes, France), Hétszölö (GMF, France-Japon), Oremus (Vega Sicilia, Espagne), Degenfeld (Lindner, Allemagne), Château Pajzos et Megyer (Laborde, France) et Royal Tokaj Wine Company (groupe britannique auquel participe Hugh Johnson). Les premiers résultats de ces domaines sont très prometteurs et les vins *aszú* complexes, fruités et à la fois fins et puissants. Les meilleurs millésimes récents sont 1993, 1997 (en quantité très limitée) et 1999.

Les meilleurs producteurs sont Disznókö, Szepsy, Hétszölö, Oremus, Gergely Vince, Pajzos, Royal Tokaj Wine Co. et Degenfeld.   □

LES STYLES DE TOKAY

VINS	Teneur en sucre	Extrait sec	Années de vieillissement en fût
Szamorodni sec	0–10	25+	2
Szamorodni doux	10–50	25+	2
Aszú 3 *puttonyos*	60–90	30+	5
Aszú 4 *puttonyos*	90–120	35+	6
Aszú 5 *puttonyos*	120–150	40+	7
Aszú 6 *puttonyos*	150–180	45+	8
Aszú Eszencia	180–240	50+	10–20

(La teneur en sucre et l'extrait sec sont exprimés en grammes par litre)

BULGARIE

De tous les pays de l'Europe de l'Est, c'est la Bulgarie qui a le plus séduit les consommateurs de vin occidentaux. Depuis 1975 environ, le Cabernet-Sauvignon bulgare, bien mûr et bien fait, s'est affirmé en rival des petits Bordeaux sur les tables allemandes, britanniques et scandinaves. Mais, depuis la chute du régime communiste, il n'est plus seul à s'imposer sur les cartes des restaurants à l'étranger, car la géographie viticole s'est diversifiée avec la multiplication des domaines, des cépages et des styles de vins. En outre, les vins blancs, traditionnellement moins intéressants et moins peaufinés que les rouges, s'améliorent très rapidement.

La Bulgarie, enserrée entre la mer Noire à l'est et les républiques de l'ex-Yougoslavie à l'ouest, semble avoir été bénie des dieux pour la culture de la vigne. Elle bénéficie d'un climat largement continental, aux étés chauds et aux hivers froids, avec des températures variant de 40°C à –25°C. La mer Noire tempère ces écarts de température à l'est, tandis que l'Ouest reste marqué par le climat continental.

L'histoire de la vigne
Volonté de l'homme ou de la nature, peu importe, toujours est-il que la vigne poussait déjà en Thrace, ancienne Bulgarie, il y a 3000 ans, comme en témoigne l'*Iliade* d'Homère. Le vin bulgare a donc une longue histoire, mais une existence hachée par la domination de l'Empire ottoman (musulman) qui a limité l'exploitation viticole à une échelle locale de 1396 à 1878. Il a fallu attendre 1918 pour que la production de vin commence à prendre son véritable essor. Comme ailleurs, le régime communiste a entraîné la collectivisation des vignobles et du reste de l'agriculture, et ce n'est qu'au cours de la décennie 1970-1980 que les vins ont commencé à prendre leur forme moderne.

La nécessité d'exporter a forgé l'industrie vinicole actuelle de la Bulgarie. Son premier client fut l'ex-U.R.S.S., dont la soif de mousseux et de vins de table doucereux semblait insatiable. Mais les vins bulgares firent aussi une incursion à l'Ouest grâce à l'entreprise américaine Pepsico, qui voulait écouler ses boissons gazeuses en Bulgarie et refusait d'être payée en monnaie locale ou en pièces détachées de tracteur ! Pour disposer de vin négociable à l'Ouest, le groupe américain mit les Bulgares en contact avec des personnalités de l'industrie viticole californienne, comme le professeur Maynard Amerine, de l'université de Californie. Certains domaines viticoles, enflammés par l'enthousiasme californien, commencèrent à s'investir dans cette modernisation.

Le paysage doucement ondulé, de part et d'autre des Balkans qui divisent le pays dans sa longueur, se trouva recouvert de longs alignements de Cabernet-Sauvignon et autres cépages classiques. Avant la collectivisation, les vignes étaient déjà cultivées non seulement sur ces terres plates mais aussi sur les coteaux aux versants plus abrupts, pratique qui fut abandonnée sous le régime communiste par manque de rentabilité. Quand ces coteaux seront replantés, il se pourrait qu'ils produisent les vins bulgares les plus fins.

La structure de l'industrie vinicole bulgare repose donc sur la production, en grosses quantités, de vins bien vinifiés, conçus pour le goût étranger (mais pas forcément occidental). Les progrès n'ont pas été uniformes, loin s'en faut. Un grand pas en avant avait été fait avec la mise en pratique des réglementations *Controliran*, qui établissent les origines géographiques des meilleurs vins afin d'y ajouter – soi-disant – un caractère régional. Certains domaines ont saisi les occasions d'exporter qui leur étaient proposées, tandis que d'autres n'ont pas été à la hauteur. C'est l'administration plutôt que la nature des sols ou le climat qui a classé les vignobles en différentes zones. L'individualité, dans l'élaboration du vin, connut des limites : un système de coupe à 1 mètre fut décidé pour l'ensemble des vignes, alors que certaines, comme le Mavrud indigène, auraient mérité une approche différente. Comme dans d'autres pays communistes, la commercialisation était assurée par un monopole, Vinimpex, tandis qu'une autorité de tutelle, Vinprom, contrôlait la production.

Les vins bulgares aujourd'hui
De 1975 à 1985 environ, l'industrie viticole bulgare a mangé son pain blanc. Les temps durs sont venus en 1984, lorsque le président Gorbatchev a décidé de restreindre la consommation d'alcool des Soviétiques. Visant surtout la vodka, cette mesure a cependant affecté tous les pays du Comecon exportateurs de vin. Les exportations bulgares sont tombées de 300 à 170 millions de bouteilles en une seule année, puis à 100 millions l'année suivante. Conséquence immédiate, un vaste programme d'arrachage des vignes et de mesures de restriction, comme le gel du prix du raisin, fut mis en place. Près de la moitié des vignobles furent détruits, et d'autres furent laissés à l'abandon. On a replanté depuis (en Chardonnay notamment) mais, en 1990, la production·de vin n'a pas dépassé 240 millions de bouteilles (contre 600 en 1985).

En 1989, le régime communiste tombait. En 1990, l'industrie viticole était libéralisée (en 36 heures !), et, en 1991, la loi sur la restitution rendait la terre à ses propriétaires d'avant 1947. La plupart des vignes se sont donc retrouvées rapidement entre les mains de personnes obligées de maintenir la viticulture pendant cinq ans, mais pas toujours aptes à un entretien correct des vignes (il arrive que les nouveaux propriétaires vivent en ville et ne peuvent s'occuper convenablement de leur bien ou ne soient tout simplement pas intéressés par la viticulture). Heureusement, la privatisation des grands centres de vinification s'est faite plus progressivement.

Les vignes et les vignobles

Quels que soient les changements de l'après-communisme, les éléments de base restent les mêmes. La production se répartit à peu près également entre vins blancs et vins rouges, qui sont élaborés dans plus de 130 « complexes agro-industriels » pratiquant la polyculture.

Les vignobles – environ 110 000 ha – occupent 4 % de la terre cultivée et les trois quarts accueillent des cépages non indigènes. En ce qui concerne le vin rouge, il est issu à 75 % de Cabernet-Sauvignon ou de Merlot. Viennent ensuite le Pamid, puis le Gamza, le Mavrud, le Melnik, le Pinot Noir et le Gamay. Pour les vins blancs, le cépage le plus courant est le Rkatsiteli.

Chaque domaine emploie une large gamme de cépages et, même si l'on observe certaines préférences régionales (pour le rouge au sud, pour le blanc à l'est), on ne trouve nulle part la spécialisation qui existe dans les pays d'Europe occidentale, avec des cépages adaptés aux conditions locales. Et, pourtant, la qualité y gagnerait ! Il faudrait que cette spécialisation se fasse à l'instigation des domaines viticoles eux-mêmes, qui constituent la force de l'industrie dans l'ère postcommuniste.

Il serait toutefois dommage que les lois du marché poussent les domaines à privilégier le Cabernet-Sauvignon et le Chardonnay au détriment des cépages nationaux. Le Mavrud, par exemple, devrait produire d'excellents vins. Ce cépage est cultivé au sud du pays, sur 100 ha autour d'Asenovgrad, sa région de prédilection. Donnant, en petites quantités, de petites baies, il est difficile à cultiver. Mais, lorsqu'il arrive à maturité (tard dans la saison),

Le cépage Melnik, cultivé sous les falaises de grès, près des monts Pirin.

il produit un vin dense, riche en tanins, qui fait penser au Mourvèdre du sud de la France.

Le Melnik est une autre variété de cépage rouge indigène. Provenant de la ville du même nom, dans le Sud-Ouest, près de la frontière avec la Grèce, il n'est pas utilisé à sa juste valeur et l'entretien de la vigne ainsi que la vinification pourraient s'améliorer.

Le Gamza est largement cultivé, peut-être parce qu'il donne beaucoup de grosses baies lorsqu'il est abondamment arrosé. Il offre un vin pâle et léger qui s'oxyde rapidement. Un rendement plus faible permettrait de donner un vin meilleur, plus profond, capable de vieillir.

Quant aux cépages blancs indigènes, ni le Dimiat ni le Misket (croisement de Dimiat et de Riesling) n'offrent de bons résultats, bien qu'une vinification soignée rende leurs vins assez séduisants. Le Rkatsiteli n'est pas un cépage exclusif à la Bulgarie, puisqu'on le trouve dans d'autres pays jouxtant la mer Noire

et qu'il a sans doute été importé de Géorgie : plutôt neutre, il pourrait révéler certaines qualités si ses raisins étaient vinifiés correctement.

Les entreprises bulgares ne sont pas toutes équipées pour tirer le meilleur parti de leurs cépages, quels qu'ils soient. Dans le meilleur des cas, elles disposent de rangées interminables de fûts de fermentation en acier inoxydable et, parfois, de barriques destinées au vieillissement de quelques vins rouges ou des meilleurs vins blancs de cépage Chardonnay. Mais certaines n'ont même pas l'équipement de base permettant de contrôler les températures de fermentation ; dans ce cas, les rouges sont généralement de meilleure qualité que les blancs. Il est donc essentiel que les consommateurs fassent la différence entre un domaine et un autre, comme dans n'importe quelle région viticole sérieuse : il faut lire les étiquettes avec plus d'attention, puisqu'il ne suffit plus de demander du « Cabernet bulgare » (voir liste des meilleurs domaines, page suivante). □

RÉGIONS VITICOLES

La Bulgarie comporte cinq régions viticoles qui couvrent tout le pays, à l'exception des environs de Sofia. Le Balkan (Stara Planina) constitue une barrière climatique et physique séparant le Sud, plus chaud, aux vins riches et concentrés, du Nord, plus frais, aux vins plus raffinés et voués à l'exportation pour lesquels dominent des cépages classiques. Les cépages indigènes sont surtout présents dans le Sud. Les étiquettes des bouteilles sont claires : elles indiquent le nom du domaine (souvent celui de la région), du cépage, ainsi que la catégorie à laquelle chaque vin appartient (voir encadré).

La ville de Melnik dans la région sud-ouest.

Région sud-ouest

La région sud-ouest, proche de la frontière grecque, est de loin la plus chaude. Sa spécialité est le Melnik rouge, cultivé autour de la ville du même nom. Les Domaines de Petrich et Harsovo, en net progrès, ne font cependant pas justice au potentiel du Melnik. Le Cabernet-Sauvignon est mûr et très velouté.

Région sud

La région sud, très chaude, produit principalement du vin rouge, au moins en termes de qualité. On trouve en majorité du Mavrud (surtout à Asenovgrad) et du Pamid, ainsi que du Cabernet-Sauvignon, du Pinot Noir et du Merlot (particulièrement bon dans les régions de Haskovo, Stambolovo et Sakar).

Le Mavrud d'Asenovgrad est un vin *Controliran*: de couleur sombre et de goût épicé, il est capable de vieillir. Il provient des contreforts des monts Rhodope, qui forment la frontière avec la Grèce.

Région est

La région est, qui s'étend sur toute la côte, bénéficie des effets rafraîchissants de la mer Noire et produit les meilleurs blancs du pays, notamment ceux de Preslav et Shumen. La qualité s'est notablement améliorée ces dernières années, mais reste aléatoire. Les bons producteurs sont Trimontium et le Domaine Boyar à Shumen et Yambol, qui produit des vins standard mais aussi des vins de qualité, vieillis en barriques.

Le Domaine de Preslav est le nec plus ultra en matière de vins blancs. Sélectionné dans les années 1970 pour l'exportation vers l'Ouest, il produit toujours le meilleur vin blanc bulgare. Il contrôle les entreprises de Khan Krum et de Novi Pazar, mais Shumen est sorti de sa tutelle. Dans l'avenir, il est probable que Khan Krum dépassera le maître en qualité. Les deux domaines produisent un bon Chardonnay, dont les vins de réserve vieillissent dans du chêne neuf.

Le domaine de la ville d'eaux de Burgas, au bord de la mer Noire, montre une préférence typiquement orientale pour les vins blancs, qui constituent environ 65 % de sa production. Les vins de pays peuvent être assez séduisants, surtout l'Aligoté.

Région Balkan du Sud

La région Balkan du Sud, en dehors des roses, cultive beaucoup de cépages blancs ainsi que du Cabernet-Sauvignon et du Misket rouge, dans la région de Sungulare.

Région nord

Les meilleurs vins rouges proviennent des montagnes du Nord. C'est là que se trouve le Domaine de Suhindol, qui s'est fait un nom en construisant la renommée internationale du Cabernet-Sauvignon bulgare, mais ne détient plus forcément le titre de meilleur producteur.

Suhindol fut le premier domaine exportateur de Bulgarie à être privatisé. Il contrôle également le Domaine de Vinenka, l'un des plus anciens du pays, qui produit un très bon Cabernet-Sauvignon ainsi qu'un bon Merlot. Le centre de vinification Russe est l'un des meilleurs de Bulgarie. Le cépage cultivé le plus intensément est le Cabernet-Sauvignon, qui donne un vin élaboré selon de hautes exigences dans un établissement doté des meilleurs équipements.

LES NIVEAUX DE QUALITÉ

La loi de 1978 distingue quatre niveaux de qualité.

Vins de pays :
jeunes, destinés à être bus rapidement. Souvent issus de deux cépages.

Vins de cépage :
vins d'origine géographique contrôlée. Les rouges ont souvent un certain âge, contrairement aux blancs. Certains, comme le Mavrud, sont vendus comme des vins de qualité supérieure.

Vins de réserve spéciale :
provenant de sites sélectionnés, à partir de grappes soigneusement choisies. Ils sont élaborés en petite quantité.

Vins Controliran :
fabriqués à partir de cépages contrôlés dans des sites précis. Ils obtiennent le statut de *Controliran* après soumission de trois récoltes successives au contrôle de l'État. Les années suivantes, le vin peut être déclassé s'il ne correspond plus aux normes de cette catégorie. Il existe environ 27 vins *Controliran*, qui proviennent souvent des domaines de pointe. Le mot *Controliran* figure très clairement sur les étiquettes.

Vins de réserve : de toutes les catégories, pourvu qu'ils aient deux ans d'âge (pour les blancs) ou trois (pour les rouges). Dans la pratique, la plupart des vins de réserve sont les meilleurs vins de cépage.

ROUMANIE

La Roumanie a une longue histoire vinicole derrière elle : les vignes du bord de la mer Noire ont été plantées il y a 3 000 ans par les Grecs ; les Saxons introduisirent ensuite des cépages germaniques en Transylvanie. Il fallut qu'une épidémie de phylloxéra décime la plupart des plants à la fin du XIXe siècle pour qu'ils soient remplacés en grande partie par des cépages français (Pinot Noir, Cabernet-Sauvignon, Merlot et Sauvignon Blanc). Quelques variétés indigènes ont toutefois été conservées : Tămaîîoasă Romanească, Fetească Albă, Fetească Regală (blanc) et Fetească Neagră (rouge).

Avec environ 260 000 ha de vignoble, la Roumanie figure en bonne place parmi les pays producteurs de vin – largement devant ses voisins des Balkans – et la vigne constitue une part importante de l'économie rurale. La plupart des vins roumains sont consommés sur place.

Les vignobles sont répartis en 8 régions, elles-mêmes subdivisées en 50 appellations. Ce système d'appellations est inspiré du modèle français, tandis que le principe des classifications s'inspire du modèle allemand, les vins étant classés en fonction de leur degré d'alcool potentiel et de la date des vendanges. La classification la plus basse correspond à du vin de table sans origine spécifique, qui titre entre 8,5 % vol et 10,5 % vol. On trouve ensuite les vins de pays, toujours sans origine précise, qui titrent entre 10,5 % vol et 11,5 % vol. En haut de l'échelle se trouvent les vins d'appellation, avec un degré d'alcool de 11,6 % vol au minimum. On ne pratique pas la chaptalisation, non qu'elle soit interdite, mais parce que toute demande d'autorisation se perd dans les couloirs de la bureaucratie. Pour les mêmes raisons, la plupart des vignobles roumains n'ont jamais vu l'ombre d'un produit chimique.

Comme toute activité en Roumanie, l'industrie vinicole se trouve dans une phase de transition. La terre est restituée à ses anciens propriétaires au fur et à mesure que l'on démantèle les fermes d'État et que l'on abandonne le système coopératif. Toutefois, il existe toujours des domaines viticoles d'État ainsi que des coopératives, seuls capables de vinifier les raisins et de mettre le vin en bouteilles correctement. Les équipements des chais peuvent varier du plus rudimentaire à la toute dernière technologie, car certains ont bénéficié d'investissements. En dépit de tous ces problèmes, il existe un réel potentiel pour produire des vins roumains de qualité. Des investisseurs danois et britanniques s'intéressent à certaines caves et la GTZ, un organisme de coopération technique allemand, conseille les producteurs. La Carl Reh Winery a planté 200 ha de vignes.

Les meilleurs vins, voués à être bientôt découverts, proviennent de quatre régions principales, celles de Tîmăve, Cotnari, Dealul Mare et Murfatlar. En tant que pays septentrional des Balkans, la Roumanie a le climat le plus froid et privilégie donc les vins blancs. En effet, dans toutes les régions, excepté celles de l'extrême sud, les raisins noirs mûrissent difficilement, sauf les années particulièrement chaudes.

Les régions et les styles de vin

Au nord des Carpates, la région de Tîmăve, en Transylvanie, cultive des vignes sur un plateau entre deux rivières, la Tîmăve Mare et la Tîmăve Mică. Le sol est pauvre mais le microclimat est doux. Les vignes – plantées des cépages Fetească Albă, Fetească Regală, Riesling Italico, Muscat Ottonel, Sauvignon Blanc et Pinot Gris – produisent des vins blancs dotés de bons arômes et d'une bonne teneur en acidité.

Sur les contreforts sud des Carpates se trouvent les vignes de Dealul Mare, près de la ville industrielle de Ploieşti, au nord de Bucarest. Elles sont plantées dans un champ pétrolifère, ce qui donne un paysage surréaliste de derricks sur fond de vignes. Le climat, plus chaud, permet de cultiver quelques cépages rouges, surtout du Pinot Noir, ainsi que du Cabernet-Sauvignon, du Merlot et du Fetească Neagră. Le Tămaîîoasă est également un bon cépage. Une station de recherches, moderne, permet de suivre les progrès du vignoble.

La région la plus chaude et la plus sèche, Murfatlar, se trouve près du port de Constanţa. C'est là que le Cabernet-Sauvignon s'exprime le mieux, grâce à l'influence chaude de la mer Noire qui permet au vin de gagner en maturité.

Il existe d'autres appellations : dans la plaine du Banat à l'ouest ; Segarcea, Stefaneşti et Drăgăşani au sud, Odobeşti et Nicoreşti à l'est. □

COTNARI

Au siècle dernier, les vins de Cotnari, pâles, au goût de miel, ont acquis une certaine réputation qui n'est pas sans rappeler celle du Tokay hongrois. Dans cette région située au nord-est de la Roumanie, près de la ville de Iaşi, les automnes, généralement secs et ensoleillés, permettent de laisser les raisins sur la vigne tard dans la saison jusqu'à ce que les grains commencent à se déshydrater et à sécher, produisant un jus riche et concentré.

Le Cotnari est issu des cépages Grasă, Fetească Albă, Tămaîîoasă romanească et Francusa (qui existent tous sous forme de vins de cépage). Le Grasă est une variété très riche sujette à la pourriture noble. Le Fetească Albă apporte de la finesse, le Tămaîîoasă romanească, un parfum d'encens, et le Francusa, une note acide à un vin qui risquerait d'être doux jusqu'à l'écœurement.

Chaque cépage est vinifié séparément, puis mélangé, à raison de 30 % de Grasă, 30 % de Fetească Albă, 20 % de Tămaîîoasă et 20 % de Francusa. De grands fûts de chêne sont utilisés pour la fermentation et la maturation du vin pendant quelques années avant la mise en bouteilles. Le Cotnari vieillit bien, surtout dans les meilleurs millésimes.

SLOVÉNIE

La Slovénie est un pays tout jeune puisqu'il n'existe que depuis 1991, date de sa scission avec l'ex-Yougoslavie. Pour une population de deux millions d'habitants, on compte aujourd'hui 21 400 ha de vignobles.

À l'époque où la Slovénie faisait encore partie de la Yougoslavie, elle ne produisait que 6 % de la production vinicole annuelle yougoslave, mais était la région la plus prospère du pays. Avec la Serbie et le Kosovo, la Slovénie était un grand exportateur de vin. Ses chais sont aujourd'hui relativement bien équipés : des cuves en acier inoxydable côtoient de vieux fûts de chêne et des cuves en ciment. Bien que la plupart des vignes aient été rapidement privatisées, chaque région dispose de sa propre entreprise viticole centrale, qui vinifie à elle seule 97,5 % de la production annuelle du pays (8 millions de bouteilles, avec une même proportion de blanc et de rouge). Le reste est élaboré par un nombre croissant de producteurs privés, dont environ 150 mettent déjà eux-mêmes leur vin en bouteilles. Qu'importe la taille de leur cave (une ou deux cuves, une rangée de fûts de chêne noir), ils en sont fiers.

Le régime communiste permettait à chacun de posséder 10 ha de terre. En fait, la propriété moyenne est plus petite et, comme la polyculture est traditionnelle, beaucoup de propriétaires possèdent moins d'un hectare de vignes. La plupart choisissent de cultiver un mélange de cépages, variable selon la région.

Les meilleurs producteurs sont le Domaine Movia qui, depuis des années, joue un rôle avant-gardiste, le Domaine Bjana dans le Sud-Ouest, le Domaine Kupljen, la cave Vipava (1 700 ha), qui existe depuis 1894, dans la région de Primorska, et le Domaine Valdhuber.

Sur les huit autres républiques de l'ex-Yougoslavie, la Croatie était le plus grand producteur de vin (46 %, dont deux tiers de blanc), suivie de la Serbie (17 %, dont 70 % de rouge). Aux lendemains d'une

Vendanges dans la région de Podravski.

paix douloureuse, c'est la Serbie qui devrait avoir le plus grand potentiel de qualité. Avec 54 000 ha de vignobles, la Croatie, qui fait un bon rouge de qualité courante, a pris une bonne direction.

L'Amselfelder, une des marques de vin rouge les plus vendues en Europe, venait du Kosovo. Il s'agit d'un Pinot Noir destiné, à l'origine, au marché allemand. La guerre a poussé les propriétaires de la marque à déplacer la production en Italie, où son style commercial plutôt doux est reproduit sans problème.

Les catégories de qualité

En attendant que toutes les républiques conçoivent chacune leur loi sur le vin, celle de 1974 reste en vigueur en Slovénie. Elle définit plusieurs catégories de vins : les vins de haute qualité, les vins de qualité, les vins de table d'origine contrôlée et les vins de table ordinaires. Les vins sont classés par un jury après une dégustation confirmée par une analyse chimique : un vin peut donc, en principe, changer de catégorie d'une année sur l'autre. La chaptalisation est interdite pour tous les vins de haute qualité. □

LES RÉGIONS VITICOLES

Il existe trois grandes régions viticoles en Slovénie : la région du littoral (Primorski), sur la côte adriatique près de l'Italie ; celle de la vallée de la Drave (Podravski), au nord-est, près de l'Autriche, et celle de la vallée de la Save (Posavski), au sud-est. Elles ont toutes le même relief vallonné; la plaine centrale de Slovénie ne comporte pas de vignes. Les régions suivantes ont bénéficié d'importants investissements.

Primorski : une partie de cette région est le prolongement du Collio italien, dans la région du Frioul-Vénétie-Julienne ; les vins ont d'ailleurs un style très italien. Parmi les vins rouges, on remarque un bon Merlot, quelquefois élevé en barrique, et un Cabernet-Sauvignon. Parmi les vins blancs, souvent excellents, on trouve des Pinot Gris et blancs mûrs, secs et aromatisés, un vin de Chardonnay, léger et bien structuré, ainsi qu'un vin de Malvasia, subtil, au goût d'abricot. La spécialité locale est le Refošk rouge, sombre, acide.

Podravski : les meilleurs vins du pays, et sûrement les meilleurs blancs, proviennent de cette région du Nord-Est, qui comprend la zone de Ljutomer. On y trouve des cépages et des vins blancs savoureux qui rappellent les meilleurs vins allemands ou autrichiens : Rulandec (ou Pinot Gris), Rhein Riesling, Traminéc (ou Traminer), un très bon Sauvignon Blanc et des vins de dessert issus de raisins botrytisés. Même le Laski Rizling, bu sur place de préférence, peut être frais et séduisant.

La zone de Ljutomer-Ormoz possède les meilleurs vignobles du pays ainsi que deux caves énormes, Ljutomer et Ormoz. Cette dernière, la plus grande, se démarque en termes de qualité, mais le vin portant l'étiquette Ljutomer provient des deux domaines, confusion qui fait du tort aux deux. Il existe un certain nombre de bons villages dans la région, dont l'un, Jeruzalem, aurait été fondé par des croisés qui auraient trop apprécié les vignes pour pouvoir repartir.

Posavski : les vins du sud-est de la Slovénie sont généralement sains, mais sans grand attrait.

RÉPUBLIQUE TCHÈQUE ET SLOVAQUIE

Les vins de l'ex-Tchécoslovaquie étaient, jusqu'à l'effondrement du communisme, parmi les moins connus d'Europe. La plupart des pays du bloc soviétique exportaient leurs vins à l'intérieur du Comecon, sauf la Tchécoslovaquie qui, à l'exception de quelques bouteilles commercialisées en Pologne, gardait toute sa production pour sa propre consommation, et importait, en plus, de la bière.

Lorsque cette industrie autarcique se mit à chercher des conseils, elle se tourna vers son grand frère russe. Le résultat fut à la mesure de la réputation communiste : deux ministères, un pour la gestion des domaines viticoles, un autre pour la culture des vignobles, et de lourdes subventions de l'État pour le raisin. Le vin, après une élaboration aléatoire, se retrouvait dans des bouteilles recyclées, contenant encore des traces de détergent ou autres substances indésirables. Il est à noter que, malgré tout, un certain nombre de vins ont retenu l'attention des investisseurs occidentaux, ce qui permet de penser qu'ils devraient mériter toute notre attention dans un futur proche.

Les régions et les cépages

La qualité et le potentiel de qualité sont à peu près identiques dans l'État de Slovaquie et dans la Bohême et la Moravie (16 000 ha de vignobles), les deux grandes régions de la République tchèque. La Bohême étant la région la plus froide, elle possède le plus petit vignoble, environ 400 ha au nord de Prague, suivie par la Moravie, à l'est. La Slovaquie, quant à elle, dispose d'un vignoble d'environ 23 000 ha.

Les cépages sont sans surprise pour un pays limitrophe de l'Allemagne, de l'Autriche et de la Hongrie : essentiellement du Frankovka (le Limberger allemand), et du Saint-Laurent, plus un peu de Pinot Noir, pour les rouges, et du Pinot Blanc, du Traminer, du Roter et Grüner Veltliner (du raisin blanc dans les deux cas, malgré le nom), du Müller-Thurgau, du Sylvaner, du Rhein Riesling, du Laski Rizling, de l'Irsay Oliver indigène, très parfumé, un peu de Sauvignon Blanc et du Pinot Gris pour les blancs. Les vins blancs représentent entre 60 et 85 % de la production totale.

Les vignes sont cultivées par des fermes collectives de plusieurs milliers d'hectares, pratiquant la polyculture. Elles semblent néanmoins occuper les sites les plus appropriés.

La privatisation – ou la restitution – a été rapide dans ces deux États de l'ex-Tchécoslovaquie, malgré les complications liées au changement de culture des terres. La privatisation des domaines viticoles a été une tâche plus simple, chaque entreprise centrale (avec une chaîne d'embouteillage) et ses satellites (celles qui n'avaient que les équipements de vinification et de stockage) devenant une société indépendante à part entière.

Les styles de vin

On peut comparer ces vins à ceux d'Autriche et de Hongrie : les meilleurs sont secs, bien mûrs et bien vinifiés, souvent assez légers, avec d'excellents arômes de cépage. Le vin issu de Pinot Noir, lorsqu'il est réussi, est très bon. Le climat est continental, chaud et sec avec des hivers froids, et, comme les vendanges se font en octobre ou en novembre, les risques de dépassement de température dans les cuves de fermentation sont minimes, même sans aucun système de refroidissement.

Si la plupart des vins ont un style septentrional, les exceptions proviennent des vins de Tokay. Ces vignobles, que l'on croit exclusivement hongrois, empiètent un peu sur la frontière slovaque. Sous le régime communiste, le gouvernement les avait loués à la Hongrie en échange de livraisons de bière, mais ils sont revenus sous contrôle tchèque depuis le début des années 1990, tout comme le droit à l'appellation Tokay. □

PRODUCTEURS ET NÉGOCIANTS

Les centres de vinification qui ne sont plus sous le contrôle de l'État ont désormais la volonté d'affirmer leur individualité.

Nitra

L'un des plus grands domaines de Slovaquie, avec des vignes au sud-est de la province plantées sur des coteaux orientés au sud-ouest. Fruit du hasard plus que de la volonté, c'est ici que sont élaborés les vins des cépages plus forts et plus aromatiques, comme l'Irsay Oliver, avec le concours et les conseils d'experts occidentaux.

Pezinok

Domaine slovaque au sud-est de la province, diffusant toute une gamme de vins avec l'aide des Occidentaux.

Saldorf

Domaine relativement petit qui cultive, entre autres, du Ruländer, du Rhein Riesling, du Sauvignon Blanc, du Müller-Thurgau et du Grüner Veltliner, dont les vins sont exportés à l'Ouest sous l'étiquette Archioni. Certains vieillissent bien (sauf le Grüner Veltliner).

Valtice

Château médiéval ayant appartenu autrefois à la famille Liechtenstein qui compte 1 100 ha de vignes en Moravie. Conseillés par des Occidentaux, les viticulteurs de ce domaine produisent des vins blancs de type Rhein Riesling, Grüner Veltliner, Welschriesling et le rare Grüner Sylvaner, ainsi que des rouges de Frankovka et de Saint-Laurent.

Znovin-Satov

Grand centre de vinification morave produisant des vins robustes dont une partie est exportée sous l'étiquette Moravenka. Ils ont un style plus traditionnel que celui des vins produits pour la consommation des buveurs de l'Ouest à Nitra.

Mer Noire

ON PEUT COMPTER SUR LES PAYS DES BORDS DE LA MER NOIRE ET DE L'EX-U.R.S.S. POUR AJOUTER DES STYLES ET DES SAVEURS DIGNES D'INTÉRÊT À LA CARTE MONDIALE DES VINS.

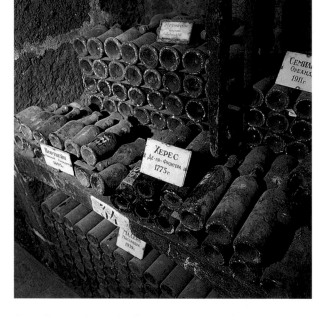

Cave des tsars à Massandra en Crimée avec des bouteilles qui reposent depuis près d'un siècle. La grandeur de ces vieux millésimes a suscité l'intérêt du monde extérieur pour le potentiel des grands vins de la mer Noire.

Dans le monde du vin, l'U.R.S.S. passait pour l'énigme numéro un. On savait que la vigne poussait tout autour de la mer Noire et plusieurs sources désignaient l'empire soviétique comme le troisième ou le quatrième producteur mondial. Les visiteurs en revenaient avec des histoires de « champanski » sucré et de bouteilles qui, malgré des étiquettes identiques, contenaient des vins manifestement différents, sans doute issus de régions et de cépages variés. Les rares exemplaires qui atteignaient les pays occidentaux entraient généralement dans la catégorie des « vins imbuvables ». Puis, en avril 1990 à Londres, Sotheby's vendit plus de 13 000 bouteilles aux enchères, en tout 124 vins différents, millésimés de 1830 à 1945 et prélevés dans la Cave impériale russe de Massandra en Crimée. Beaucoup de ces vins étaient bons, certains excellents, apportant soudain la preuve que la Russie avait su faire du vin autrefois. À la fin des années 1980 apparurent les premiers signes d'aptitude plus récente. De superbes et solides rouges de Moldavie, dans des millésimes des années 1960, 1970 et 1980, attirèrent l'attention et, à mesure que l'U.R.S.S. se désintégrait, on put commencer à évaluer chacune des républiques viticoles. D'ouest en est, on trouve la Moldavie, l'Ukraine (Crimée comprise), la Russie, la Géorgie, l'Arménie et l'Azerbaïdjan. Leurs vins pouvaient autrefois être expédiés en vrac puis mis en bouteilles n'importe où en U.R.S.S. Cela explique en bonne partie l'absence de corrélation entre vins et étiquettes, ainsi qu'une qualité souvent consternante : le vin était d'abord pasteurisé, c'est-à-dire chauffé pour écarter tout risque de refermentation ou d'infection bactérienne. Il reste alors stable, mais n'a plus de vie. De plus, avant même d'arriver sur son lieu d'embouteillage, il avait déjà beaucoup voyagé. La structure de l'ancienne industrie vinicole soviétique est toujours en place. Elle repose sur des centres de vinification de « 1er stade », où l'on fermente les moûts avant de les envoyer dans des centres de « 2e stade », chargés du vieillissement et parfois de la mise en bouteilles. Les vignobles sont le plus souvent exploités à part. L'accélération de l'évolution politique et technique rend leur avenir imprévisible. La Moldavie montre déjà les signes de sa capacité à fournir des vins rouges intéressants. Les autres États de la mer Noire ne sont pas loin derrière.

La modernisation

Les pays de la mer Noire sont confrontés à de graves problèmes de modernisation. Le principal obstacle pour chacun d'eux est l'absence d'un élément fondamental : des chaînes d'embouteillage performantes. Puisque tout ou presque se faisait à l'extérieur, beaucoup de centres de vinification n'ont aucune installation de ce type, les autres étant généralement équipés de systèmes inadaptés à la production de vins de qualité.

D'autres éléments fondamentaux manquent : les bouteilles de 75 cl, essentielles pour exporter dans l'Union européenne, sont rares, tout comme étiquettes, bouchons et capsules. Un importateur britannique a résolu ce dernier problème en cachetant à la cire les bouteilles bouchées, comme certains Portos Vintages.

Autrefois, les problèmes de pénurie étaient atténués par la coopération entre centres de vinification. Mais la rupture avec Moscou a accru l'autonomie de chacun, et les centres qui collaboraient auparavant se font désormais concurrence.

La privatisation a été plus lente qu'en Europe de l'Est. Le vin est une industrie vitale dans ces pays, surtout en Moldavie, où il occupe la première place, et aucun gouvernement n'est pressé de renoncer à son contrôle. Pourtant, plus les centres de vinification prendront en charge leur propre commercialisation, plus le nombre de vins qui traverseront les frontières sera grand.

Le passage régulier de quelques vinificateurs occidentaux, qui viennent évaluer les possibilités de réaliser des produits spécifiquement adaptés au goût occidental, devrait inciter les producteurs à faire des vins plus frais, plus fruités et plus commerciaux.

MOLDAVIE

Plus on va vers l'est et moins les vins sont familiers aux palais occidentaux. À cet égard, la Moldavie est la plus européenne de ces régions : on trouve plus de cépages européens dans ses 160 000 à 200 000 ha de vignobles que dans toute autre république. Les immenses fermes viticoles peuvent compter jusqu'à 18 000 ha à la fois de Chardonnay, Cabernet-Sauvignon, Sauvignon, Aligoté et Pinots divers. Le Saperavi est un excellent cépage rouge indigène, riche, épicé et tannique. Le Rkatsiteli blanc indigène semble assez insipide, mais certains observateurs croient en son avenir s'il est bien vinifié. Le pays est petit, à peine 350 km du nord au sud, et la vigne est partout, sauf dans l'extrême nord. Les meilleures se trouvent cependant au centre et aux alentours du Dniestr, mais, si les terroirs de premier plan existent – et ils existent –, ils restent cependant à identifier. Les rendements sont remarquablement faibles – 20-40 hl/ha.

En matière d'équipement et de technique, la Moldavie a pris de l'avance sur ses voisines, mais reste en retard par rapport à des pays comme la Hongrie. Le potentiel y est cependant énorme, surtout en ce qui concerne les vins rouges. Le vieillissement est souvent lent et soigné, en vieux fûts de chêne, et certains vins des années 1960 conservent une surprenante fraîcheur. La Moldavie produit de 530 à 600 millions de bouteilles par an, autant que le Bordelais. Ses vins obéissent à un système de « millésimes », un millésime étant une année où les raisins atteignent 10 degrés Baumé, ou plus, de sucre naturel. Dans les vignobles du Nord, cela se produit une fois sur trois alors que dans le Sud – d'où viennent les meilleurs rouges – chaque année est un millésime.

UKRAINE

Les vignobles d'Ukraine sont plus plats que ceux de Moldavie, sa voisine au bord de la mer Noire, mais ont, eux aussi, la même latitude que Bordeaux. La ressemblance s'arrête là. L'Ukraine est spécialisée dans la production de vin blanc et, surtout en Crimée, dans l'élaboration de Mousseux. Elle produit notamment du Sauvignon, mais le style de ses vins tranquilles n'a rien de bordelais.

Les cépages sont moins variés qu'en Moldavie. Les principales variétés ukrainiennes sont le Rkatsiteli et l'Aligoté. On y trouve du Riesling, mais dans un style fort peu rhénan. Outre les Mousseux, la Crimée produit des vins mutés et des vins de

LES CÉPAGES

Les pays de la mer Noire rassemblent de très nombreuses variétés – plus de 1 000 rien qu'en Géorgie, dit-on. L'ex-U.R.S.S. a multiplié les recherches sur ce sujet, mais l'accès à ses archives (en russe et à Moscou) permettrait certainement d'établir combien de noms sont en réalité des synonymes pour un même cépage. Les principales variétés cultivées dans ces régions sont les suivantes.

BLANC
Aligoté : très répandu.
Chardonnay : Moldavie, Ukraine.
Fetjeaska : Moldavie, Ukraine.
Furmint : Moldavie.
Krakhuna : Géorgie.
Mtsvane : Géorgie ; souvent associé au Rkatsiteli.

Muscat : très répandu, de grande qualité.
Pinot Blanc, Pinot Gris : Moldavie, Ukraine.
Riesling : très répandu.
Riesling Italico : Moldavie.
Semillon : synonyme de Sémillon.
Tsitska : Géorgie.
Tsolikouri : Géorgie.

ROUGE
Aleatico : Crimée.
Bastardo : Crimée.
Cabernet-Sauvignon : très répandu.
Malbec : Moldavie, Ukraine.
Matrassa : Ukraine, Azerbaïdjan.
Merlot : Moldavie.
Muscat : très répandu, de grande qualité.
Plechistik : Russie.
Saperavi : très répandu, de grande qualité.

dessert issus de raisins cultivés dans d'étroits vignobles côtiers. Le terrain est en pente, mais les vignes sont plutôt en bas de côte ; malgré l'irrigation, le rendement reste faible. Le climat est agréable, avec des hivers doux et des étés pas trop chauds. Les vins mousseux viennent du Nord et sont produits soit selon la méthode traditionnelle de seconde fermentation en bouteille, soit selon celle de la cuve close, ou enfin selon le système russe dit « en continu » : on pompe les vins de base et la levure à travers une série de cuves et un flot constant de vin effervescent est mis en bouteille en bout de chaîne.

Vignes en hiver près de Kichinev, en Moldavie centrale.

RUSSIE

La plupart des pays de l'ex-U.R.S.S. produisent des vins mousseux, mais le potentiel de la République de Russie réside surtout dans les vins rouges tranquilles de Cabernet-Sauvignon.

Les vins rouges sont produits au sud et à l'est du pays, les blancs et les Mousseux au nord et à l'ouest. Parmi les cépages, on trouve le Muscatel (pour les vins sucrés), le Sylvaner, le Riesling, le Cabernet, l'Aligoté, les Pinots Gris et Noir, le Pletchistik, le Pukhjakovsky, le Tsimlyanski et l'inévitable Rkatsiteli.

GÉORGIE

Les vignes et la vinification de ce pays apportent un dépaysement total. On y trouve peu de cépages européens à part le Muscat.

On pratique trois grandes méthodes de vinification. La méthode « européenne » implique la fermentation des moûts sans les peaux. La méthode d'Imérétie consiste en une fermentation partielle du moût en présence des peaux dans de grandes jarres souterraines qui ressemblent un peu aux traditionnelles *tinajas* d'Espagne. Enfin, dans la méthode locale de Kakhétie, les peaux des raisins sont laissées en contact avec le vin pendant trois à cinq mois. Les vins blancs ainsi produits (plutôt jaunes foncés et tanniques)

heurtent le goût des Occidentaux, en revanche les Géorgiens en raffolent.

Ajoutons que l'ancienne loi soviétique exigeait que tous les vins, rouges, blancs ou mutés, de toutes les Républiques, vieillissent trois ans sous bois avant la mise en bouteilles. On comprend pourquoi les habitants n'ont pas l'habitude de rechercher le fruité ou la fraîcheur dans leurs vins blancs.

Le goût géorgien se porte aussi sur un haut niveau de sucres résiduels, dans les rouges comme dans les blancs. Sur le marché intérieur, les vins sont toujours identifiés par un nom et un numéro, une habitude très soviétique. Le nom peut être celui du cépage ou du lieu de production – ou tout autre chose : le Saamo n° 30 est un Rkatsiteli sucré provenant du village de Kardanakhi en Kakhétie et *saamo* signifie « agréable ».

ARMÉNIE, AZERBAIDJAN, KAZAKHSTAN

L'Arménie et l'Azerbaïdjan sont spécialisés dans les vins sucrés, la première produisant en outre quelques vins rouges à fort degré et le second des rouges et des blancs secs.

La seule autre région viticole de l'ex-U.R.S.S. se trouve au Kazakhstan, où l'on produit des vins blancs et des vins sucrés issus de raisins poussant sur les bords de la mer Caspienne. □

PRODUCTEURS

Les centres de vinification issus d'une longue tradition se réveillent. Les plus récents émergent grâce à la modernisation. Parmi ceux qui témoignent du potentiel de ces vastes régions de l'ex-U.R.S.S., en voici trois.

MOLDAVIE
Krikova
Centre moldave équipé d'une toute nouvelle chaîne d'embouteillage italienne. Produit de bons Kodru, Krasny et Cabernet-Sauvignon, étoffés et mûrs.
Purkar
Centre moldave fondé en 1827 au bord du Dniestr. Les caves sont creusées dans le calcaire, offrant ainsi des conditions idéales et une température constante. Le Negru de Purkar est un assemblage de Cabernet-Sauvignon et de Saperavi, ample et de grande longévité.

UKRAINE
Massandra
Le centre de Massandra en Crimée (Ukraine) ne produit plus de vin. On y élève, en bouteilles et en fûts, ceux qui viennent des vignobles côtiers de Crimée et sont vinifiés dans d'autres établissements. À l'origine, Massandra approvisionnait la résidence d'été des tsars à Livadia. Il s'agissait surtout de vins sucrés et mutés, sur le modèle qui vient d'Europe occidentale : « Portos », « Malagas », « Madères », « Tokays », « Marsalas », « Cahors » et, bien entendu, « Champagnes ». Beaucoup étaient de très grande qualité.

AMÉRIQUE DU NORD

—

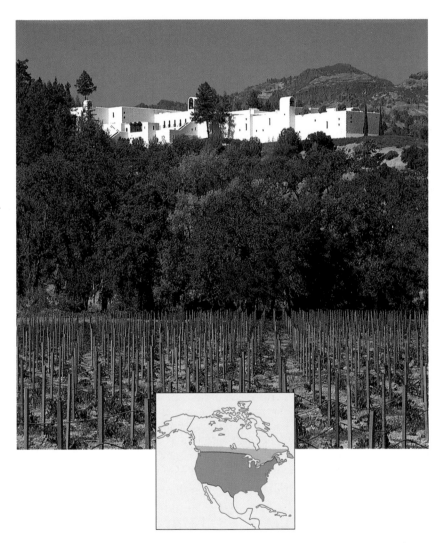

LES VINS DE CÉPAGE CALIFORNIENS ONT UN IMPACT CONSIDÉRABLE SUR LE MONDE VITICOLE DEPUIS LES ANNÉES 1970. LA PRODUCTION CALIFORNIENNE A INSPIRÉ BIEN D'AUTRES ÉTATS AMÉRICAINS AINSI QUE QUATRE PROVINCES CANADIENNES.

—

Pour raconter l'histoire du vin sur ce continent, on débute généralement par la saga de l'explorateur viking Leif Ericsson, qui débarqua à Terre-Neuve vers l'an mil. Ayant observé qu'une vigne sauvage y poussait en abondance, il nomma cette terre inconnue *Vinland*. Dès le début de la colonisation, les pionniers entreprirent de vinifier le raisin indigène, mais ils ne purent jamais obtenir un vin de qualité. Ce n'est que dans la seconde partie du XIX⁰ siècle que la production vinicole prit une certaine importance. La prohibition, instaurée en 1920 sur tout le territoire des États-Unis, la réduisit presque à néant et elle ne reprit que lentement après son abolition en 1933. Il fallut attendre ces vingt-cinq dernières années pour que le reste du monde s'aperçoive qu'il existait réellement une industrie vinicole américaine : la qualité des vins californiens provoqua l'étonnement général et on dut commencer à compter avec le Nouveau Monde. Les vins californiens n'ont cessé de séduire les connaisseurs depuis lors, mais les vins d'Amérique du Nord ne proviennent pas de la seule Californie. On élabore maintenant du vin dans presque tous les autres États – ceux de Washington, d'Oregon et de New York sont les producteurs les plus notables – et au Canada, mais les producteurs, comme les consommateurs, sont répartis de façon très inégale à travers ce vaste continent.

La fantastique diversité de ses paysages, de ses sols et de ses climats a permis que s'y développe une incroyable variété de vins, de l'exotique Léon Millot et du Seyval Blanc de l'est des Rocheuses au Cabernet-Sauvignon et au Chardonnay qui ont valu à la Californie sa renommée internationale. Le concept des vins de cépage – issus d'une seule variété – fait autant partie de l'univers vinicole d'Amérique du Nord que de celui de l'Australie ou de la Nouvelle-Zélande. L'Amérique du Nord possède ses cépages indigènes qui, bien que de plus en plus souvent remplacés par divers hybrides (en général un croisement de *Vitis vinifera* française et de *Vitis labrusca* américaine) et par des cépages européens classiques, ont marqué à jamais l'histoire du vin grâce à leur résistance au phylloxéra. D'innombrables vignes du monde entier sont aujourd'hui greffées sur des souches de *labrusca*. Un esprit d'adaptation et un enthousiasme sans bornes caractérisent les vignerons du Nouveau Monde. Leur ardeur et leur volonté de réussite furent évidentes dans les années 1970 et 1980, lorsque, s'attaquant aux problèmes à la source, ils parvinrent à faire abolir les coûteuses réglementations locales ainsi que les mesures fiscales imposées après la prohibition.

L'histoire moderne des vins américains commença avec la création de petites sociétés vinicoles familiales fondées par des gens souvent venus d'autres professions – un autre trait caractéristique à la fois des Américains et des producteurs de vin des antipodes. Libres de toute contrainte imposée par la tradition, les vignerons américains n'ont ainsi pas hésité à recourir à la technologie : l'irrigation permet de faire pousser des vignes dans le désert, tandis que la fermentation, le vieillissement en fûts et la mise en bouteilles sont souvent gérés par ordinateur dans un environnement aseptique. L'élaboration du vin est même devenue une attraction touristique : la vallée de la Napa, en Californie, par exemple, reçoit chaque année à peine moins de touristes que Disneyland, et les entreprises canadiennes situées le long de la péninsule du Niagara incitent vivement les visiteurs à venir goûter leurs vins.

Jusqu'au milieu des années 1980, les vins produits aux États-Unis, même ceux des plus grandes entreprises, n'étaient pas destinés à l'exportation, situation qui est en train de changer rapidement. En 1984, le total du vin exporté dépassait à peine 36 millions de bouteilles ; il n'est pas loin d'atteindre aujourd'hui 250 millions. À part le Canada, les deux principaux marchés du vin américain sont le Royaume-Uni et le Japon, mais de nouveaux débouchés s'ouvrent en permanence. Comparée à l'Europe, l'industrie vinicole d'Amérique du Nord n'en est qu'aux balbutiements. De nombreuses régions n'ont encore atteint qu'un développement embryonnaire – 95 % de tout le vin du pays proviennent de quatre États. Mais, dans les années à venir, il se peut que les États-Unis concurrencent le Vieux Continent sur le marché mondial.

LES RÉGIONS VITICOLES D'AMÉRIQUE DU NORD

Aux États-Unis, on cultive la vigne d'un océan à l'autre et, au Canada, dans quatre provinces. En dehors des quatre régions principales (Californie, Washington, New York, Oregon), la production de vin est relativement minime, mais connaît une croissance rapide dans des terroirs et des climats très différents de ceux du reste du monde.

■ **Régions viticoles**
● Vignobles
▬ Frontière
--- Limite d'État

N

0   500   1000 km

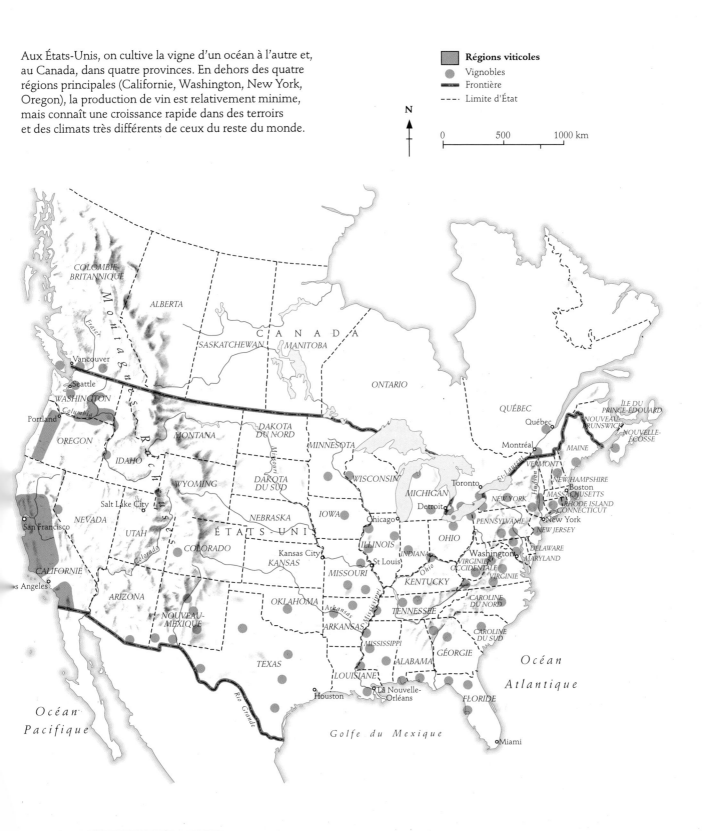

L'histoire du vin en Amérique du Nord

Il est certain qu'au XVIIᵉ siècle, sinon plus tôt, des vignes sauvages poussaient sur la côte est de l'Amérique du Nord, de la Géorgie au Canada. Les premiers vins furent des vins de messe : vers le milieu du XVIIᵉ siècle, les missions jésuites produisaient du vin au Québec, tout comme les missions franciscaines au Nouveau-Mexique, le long du Rio Grande. (Il est du reste possible que les vignes soient arrivées au Nouveau-Mexique dès 1580, par le sud.)

Ces vignes, qui poussaient à l'état sauvage de la côte nord-est au centre de la côte atlantique, étaient de l'espèce *Vitis labrusca*. Le cépage le plus connu est le Concord, un raisin noir développé par Ephraim Bull, un habitant de Concord, dans le Massachusetts. Cette vigne robuste, à fort rendement et résistante aux maladies, fut peu à peu plantée dans toute la Nouvelle-Angleterre, le Middle West et sur la côte atlantique centrale. Dans le Grand Sud, une autre espèce indigène, *Vitis rotundifolia*, poussait à l'état sauvage et fut plus tard cultivée. Le cépage blanc le plus apprécié de cette espèce, le Scuppernong, fut planté des Carolines à la Floride, puis plus à l'ouest, vers le Mississippi et les États voisins.

On trouve les premières références à une industrie vinicole en Pennsylvanie, dans les États de la Nouvelle-Angleterre, dans le Kentucky et les Carolines, où l'on élaborait du vin à partir des cépages locaux. De nombreux producteurs essayèrent de trouver du raisin pouvant donner du vin de style européen, car les espèces indigènes, notamment *Vitis labrusca*, donnent un vin qui exhale des odeurs « foxées » déplaisantes de fourrure humide. Ils firent donc venir des boutures de cépages européens de l'espèce *Vitis vinifera*, mais tous leurs efforts furent vains : elles ne résistaient pas aux attaques de maladies et de parasites qui ne furent identifiés que deux siècles plus tard.

À l'ouest des Rocheuses, où ne poussait aucun cépage indigène, les premiers vins furent élaborés à partir de raisin venu du Mexique, le Criolla. Dans les années 1850, des centaines de boutures de cépages de *vinifera* européens furent apportées en Californie, où elles s'adaptèrent aux conditions proches de celles des régions méditerranéennes.

Ce n'est pas avant la seconde partie du XIXᵉ siècle que la production vinicole prit de l'importance, d'abord en Californie (plus d'un million d'hectolitres à la fin du siècle), puis dans l'Ohio, le Missouri et sur la côte est, jusqu'à l'État de New York.

La prohibition

La prohibition fit beaucoup de tort à l'industrie vinicole qui, aux États-Unis comme au Canada, jouissait jusque-là d'un certain succès grâce à l'énergie et à l'expertise d'immigrants européens. Au XIXᵉ siècle, elle prospérait dans l'Ohio, l'Indiana et la Virginie, aussi bien que dans le Missouri, au Nouveau-Mexique et en Californie. Mais ce succès fut de courte durée, car le phylloxéra fit son apparition en Californie dans les années 1880, tandis que d'autres maladies se propageaient dans le Middle West. Les vignes qui survécurent à la prohibition furent essentiellement les cépages américains destinés au jus de raisin, aux confitures et aux gelées. Outre le Concord, les cépages appréciés étaient le Catawba, le Norton et l'Isabella (rouges) ainsi que le Delaware, le Niagara et le Dutchess (blancs). Ils étaient à l'époque suffisamment bons pour produire des vins doux et des vins mutés de type Porto et Xérès, qui avaient beaucoup de succès.

Au moment de l'entrée en vigueur de la prohibition, en 1920, les États-Unis produisaient quelque 2 millions d'hec-

---

LIRE UNE ÉTIQUETTE DE VIN AMÉRICAIN

Les noms des vins sont simples : le nom du producteur ou de l'exploitation est suivi de celui du cépage – par exemple, Pinot Noir – auquel on ajoute parfois une mention de type « Special Reserve ». Les noms de marques, jadis réservés aux vins ordinaires, sont aujourd'hui utilisés pour désigner des assemblages de cépages de qualité supérieure.

Le style de vin. Le plus courant est le vin de cépage, nommé d'après le raisin dominant qui, selon la loi fédérale américaine, doit constituer au moins 75 % du contenu de la bouteille ou 90 % en Oregon (à l'exception du Cabernet-Sauvignon, afin de permettre quelques assemblages de type bordelais).

Les gros producteurs ont souvent recours à des noms génériques (tels que Bourgogne, Chablis, Chianti, Porto, Xérès, blanc sec, *blush*), mais l'utilisation d'un nom européen ne signifie pas qu'il s'agit de cépages européens : tous les cépages et assemblages sont autorisés. L'Oregon fait, une fois de plus, exception : les noms de lieux européens ne peuvent figurer sur l'étiquette.

La région d'origine. L'appellation régionale la plus générale est celle de l'État (Californie, New York, Texas, etc.); les vins étiquetés Californie doivent être issus à 100 % de cépages cultivés dans cet État. Vient ensuite le nom du comté : au moins 75 % des raisins doivent provenir du comté nommé – sauf dans l'Oregon, qui en exige 100 % pour autoriser cette mention.

Les comtés sont toutefois des entités politiques et non vinicoles ; or, la loi américaine a institué en 1980 des AVA, partiellement calquées sur les appellations européennes et pouvant dépasser les limites du comté. Délimitées en fonction des frontières climatiques naturelles, des régions topographiques ou des types de sols spécifiques, elles donnent une meilleure idée du style de vin. Les vins qui portent le nom d'une AVA doivent contenir au moins 85 % de raisin poussant dans la région mentionnée (encore une fois, la législation plus stricte de l'Oregon en exige 100 %).

La plus petite subdivision régionale est celle du vignoble ; si son nom est mentionné, 95 % des raisins doivent en provenir.

Le millésime. Il n'est pas obligatoire, mais, si le vin en porte un, il doit contenir au moins 95 % de l'année mentionnée.

Autres informations. Le degré d'alcool et les mises en garde contre l'abus d'alcool figurent sur toutes les bouteilles destinées au marché américain (ces indications ne figurent pas sur les bouteilles destinées à l'Europe).

Au Canada, bien que les lois et les zones officielles diffèrent (voir p. 517), les étiquettes portent des mentions très similaires.

tolitres et les vins de Californie étaient réputés jusqu'en Europe. Cinq ans plus tard, la production avait diminué de près de 95 % et à la fin de la prohibition, en 1933, on avait perdu en Europe jusqu'au souvenir du vin américain. Bien des États mirent des dizaines d'années pour reprendre leurs activités vinicoles et, jusqu'au début des années 1960, toutes les régions, Californie incluse, élaborèrent essentiellement des vins mutés, des vins de table doux et des vins de consommation courante.

La situation actuelle

La plupart des producteurs d'Amérique du Nord n'existaient pas avant 1966. Au moins 70 % des entreprises vinicoles de Californie furent fondées après cette date et, dans l'État de New York, au moins 80 % après 1976. Dans l'Ontario (Canada), la première licence depuis 1929 fut accordée en 1975.

En 1991, les États-Unis devinrent le quatrième producteur mondial de vin derrière l'Italie, la France et l'Espagne, devant l'Argentine. Mais, en comparaison des pays européens, la consommation est faible : 8 litres par habitant contre 67 en France et 62 en Italie. Les Américains n'ont pas la même conception du vin : c'est une boisson réservée aux grandes occasions et nombreux sont ceux qui n'en boivent jamais. Six États – Californie, New York, Floride, Texas, Illinois et New Jersey – consomment la moitié du vin vendu dans le pays.

Les cépages américains

Les cépages indigènes donnent des vins au goût « foxé » prononcé. Les hybrides entièrement américains conservent les caractéristiques de l'espèce *labrusca*, alors que les hybrides américano-européens donnent des vins d'un goût beaucoup plus acceptable, mais les meilleurs vins sont issus de souches de *vinifera*.

On trouve aujourd'hui une large gamme de cépages *vinifera* dans toute l'Amérique. Et chaque cépage peut donner des vins très différents suivant l'endroit où il pousse. Un Chardonnay ou un Sauvignon de Californie, par exemple, auront un goût tout autre que ceux de l'État de Washington.

Les régions viticoles

L'Amérique du Nord possède cinq grandes régions ou États produisant du vin.

La Californie domine complètement la production et cette situation ne risque guère de changer, car elle bénéficie d'un climat particulièrement doux, de cépages *vinifera* bien implantés et de producteurs dont la réputation n'est plus à faire.

Le Nord-Ouest recouvre, en termes de vin, principalement les États de Washington et de l'Oregon. C'est une région en plein développement dont la réputation de produire des vins de grande qualité va croissant.

Le Nord-Est, c'est surtout l'État de New York, second plus gros producteur, malgré ses 3 % de la production totale du pays. Il est l'exemple parfait des États viticoles de l'Est qui adoptent aujourd'hui les cépages *vinifera* dans l'espoir de produire des vins plus traditionnels.

Les autres États du Nord-Est qui produisent du vin sont la Nouvelle-Angleterre, le New Jersey, la Pennsylvanie et le Maryland, qui furent parmi les premiers producteurs du continent.

Le Sud et le Middle West ont des producteurs petits, mais capables de faire de bons vins, que l'on découvre parfois dans des endroits insoupçonnés.

Le Canada est peut-être un producteur inattendu, étant donné la rigueur de son climat, mais il faut savoir que ses habitants y vendangeaient bien avant les Américains et qu'une industrie vinicole de qualité est en train d'y naître. □

CÉPAGES ET HYBRIDES LOCAUX

Les cépages locaux sont encore très cultivés, bien que les hybrides gagnent du terrain et que la proportion de cépages *vinifera* (voir chaque région) augmente.

Aurora. Hybride franco-américain, utilisé pour les vins doux et mousseux, généralement sans intérêt.

Baco Noir. Hybride français, qui donne des vins rouge foncé et capables de vieillir.

Catawba. Hybride rouge américain, très utilisé pour les Mousseux et les *blushes*.

Cayuga White. Hybride franco-américain, qui donne un blanc sec ferme, de qualité raisonnable.

Chambourcin. Hybride français apprécié, produisant des rouges pleins de corps et d'arôme, également utilisé dans les assemblages.

Chancellor. Hybride français donnant des rouges fruités, mais sans grand intérêt.

Chelois. Hybride français utilisé pour les rouges de type Bourgogne, les assemblages et les *blushes*.

Concord. Raisin rouge américain, qui donne des rouges foncés et plutôt ternes, avec un goût « foxé » caractéristique.

Cynthiana. Voir Norton.

De Chaunac. Hybride franco-américain populaire, donnant des rouges ordinaires fruités, à boire jeunes.

Delaware. Raisin américain rose, utilisé pour les vins tranquilles et mousseux, légèrement « foxé » quand il n'est pas trop sec.

Dutchess. Cépage américain, semblable au Delaware, donnant des vins blancs ordinaires.

Elvira. Vieux cépage blanc américain en voie de disparition.

Isabella. Vieux cépage rouge américain, de type très « foxé », en voie de disparition.

Léon Millot. Hybride français, similaire au Maréchal Foch, donnant des rouges de bonne qualité, corsés, capables de vieillir.

Maréchal Foch. Hybride franco-américain très cultivé – on le dit voisin du Gamay – donnant des rouges fruités bien équilibrés.

Melody. Hybride récent provenant du Pinot Blanc et produisant des vins blancs fruités et légèrement doux.

Niagara. Hybride américain voisin du Concord et cépage le plus « foxé ». On l'utilise souvent pour les blancs doux.

Norton. Vieux cépage rouge américain donnant des vins lourds et « foxés ».

Ravat. Le Ravat blanc, également nommé Vignoles, est un hybride franco-américain dérivé du Chardonnay et presque toujours utilisé pour des blancs doux de qualité.

Seyval Blanc. Hybride franco-américain dérivé du Chardonnay, donnant des vins de cépage blancs et fruités.

Vidal Blanc. Hybride dérivé de l'Ugni Blanc et utilisé pour une gamme de blancs de bonne qualité, y compris des vins de glace.

Vignoles. Voir Ravat.

Villard. Hybride franco-américain donnant des rouges et des blancs ternes.

CALIFORNIE, WASHINGTON ET OREGON

Ces trois États de la côte ouest produisent la grande majorité des vins américains. Les zones côtières, les plus fraîches de Californie, donnent les vins les plus élégants. Central Valley fournit 85 % des vins de consommation courante. Plus frais et humide, l'Oregon ressemble en bien des points à certaines zones d'Europe du Nord. Les étés chauds de l'État de Washington et, surtout, ses nuits froides assurent aux raisins une bonne teneur en acidité.

Californie: autres régions côtières

Zones viticoles

— Frontière

— Limite d'État

- - - Limite de comté

Autoroute principale

Route principale

CALIFORNIE

UNE VASTE VARIÉTÉ DE SITES ET DE CÉPAGES ET UNE MULTITUDE DE
PRODUCTEURS PASSIONNÉS ONT FAIT DE CETTE RÉGION VITICOLE
L'UNE DES PLUS DYNAMIQUES ET PUISSANTES DU MONDE.

La vallée de Napa est la région viticole la plus importante de
Californie. Vichon Winery, près d'Oakville, située au cœur de
la vallée, appartient à Robert Mondavi, l'un des vinificateurs
les plus réputés des États-Unis.

Favorisée par son climat très hospitalier, la Californie produit des vins depuis près de deux cents ans. Mais ce n'est que dans les années 1960 que les consommateurs exigeants de San Francisco, de Los Angeles et d'autres villes californiennes commencèrent à rechercher une source locale de vins fins. Les producteurs déterminés et financièrement solides ne tardèrent pas à relever le défi.

C'est d'Espagne, via le Mexique, que le raisin arriva en Californie, par l'intermédiaire des pères franciscains qui établirent des missions tout au long d'El Camino Real (la Route du roi, aujourd'hui US 101) : ils avaient pour mission de convertir les indigènes à la religion chrétienne et avaient besoin de vin pour la célébration de la messe. Avec la ruée vers l'or, en 1849, la viticulture se répandit à travers l'État : des hordes de jeunes gens venus pour retourner le sol à la recherche du métal jaune finirent par adopter des moyens de subsistance plus stables. La passion du vin fut donc l'une des conséquences du brassage de colons européens d'horizons divers. La diversité des régions du « Golden State », ensoleillé toute l'année, fournissait une gamme de terroirs sous microclimats allant des fraîches zones océaniques des bords du Pacifique,

berceau des vins fins, jusqu'aux terres fertiles de San Joaquin Valley, à la chaleur torride, et aux petits domaines produisant des vins distingués sur les contreforts enneigés de la sierra Nevada. Après avoir survécu aux attaques du phylloxéra (d'abord dans les années 1880 puis au début des années 1990) et aux privations imposées par la prohibition entre 1920 et 1933, sans oublier la grande dépression des années 1930, l'industrie viticole californienne reste solide et prospère. L'État produit chaque année plus de 2 milliards de bouteilles, soit environ 90 % de la production des États-Unis.

La Californie offre aujourd'hui autant de diversité que n'importe quelle autre région viticole du monde. Si la plupart de ses domaines viticoles produisent des vins blancs secs (principalement de Chardonnay) et des rouges (surtout de Cabernet-Sauvignon et de Zinfandel, cépage proprement californien), ils élaborent aussi suffisamment de vins rosés de couleur pâle (ou *blush*), de vins d'assemblage rouges (et quelques blancs), de vins de cépages, de blancs liquoreux issus de Riesling ou de Gewürztraminer botrytisés, de vins mutés ou pétillants, et une très longue liste d'autres vins pour satisfaire l'insatiable curiosité des œnophiles locaux.

Le vignoble californien

Un peu plus de la moitié des 350 000 ha de vignes de la Californie est consacrée au vin, la majeure partie du reste étant vendue en raisins secs et 10 % en raisin de table. À titre de comparaison, la Californie consacre au vin une superficie supérieure d'environ 50 % à celle du Bordelais et produit trois fois plus de vin, les rendements pouvant varier entre 95 et 190 hl/ha dans la vallée intérieure. En revanche, Napa et Sonoma produisent environ 50 hl/ha, un rendement plus proche de ceux des vignobles français.

Les régions viticoles

La diversité des vins de Californie reflète l'éventail presque illimité de ses sites viticoles : la vigne pousse dans 47 des 58 comtés de l'État. On peut diviser l'État en trois zones climatiques principales :
■ les sites subissant l'influence du Pacifique (entre le comté de Mendocino, au nord, et San Diego, à l'extrême sud) ;
■ la vallée centrale (Central Valley), immense zone au climat très chaud ;
■ les contreforts frais de la sierra Nevada, à l'est.

Les zones côtières sont de loin les plus importantes pour la production de vins de qualité. Les régions proches du Pacifique (vallée de Napa, comté de Sonoma, comté de Lake, vallée d'Anderson dans le comté de Mendocino, vallée de Livermore et montagnes de Santa Cruz, autour de la baie de San Francisco, comté de Monterey, comté de San Luis Obispo et Santa Maria dans le comté de Santa Barbara) bénéficient des brumes venant de l'océan, de la baie ou des fleuves, qui tempèrent les températures diurnes. Les raisins gardent ainsi leur acidité naturelle, ce qui favorise la production de vins de qualité fruités et vifs. Napa et Sonoma sont les régions les plus plantées en vignes.

La vallée centrale fournit les vins de table de qualité standard qui constituent l'assise économique des vins de qualité. 85 % des vins californiens proviennent des terres fertiles s'étendant entre Bakersfield et le nord de Sacramento. Cette vaste vallée fournit aussi de superbes vins moelleux.

Les exploitations individuelles tendent de plus en plus à tirer parti de l'étendue et de la diversité des sites viticoles de Californie. À partir de son siège, dans le comté de Lake, Kendall-Jackson a bâti sa réputation sur des Chardonnays provenant de tout l'État. Beringer, Franciscan, Mondavi et quelques autres sont propriétaires de vignobles dans plusieurs régions viticoles importantes. C'est dans la vallée centrale que l'on trouve d'importantes exploitations vinicoles comme la maison Gallo (la plus importante au monde en termes de volume), mais aussi d'innombrables petits producteurs qui pratiquent la viticulture et la vinification comme hobby et sont souvent installés en périphérie des villes. Grandes ou petites, la plupart des exploitations achètent des raisins ou sont propriétaires de parcelles dans plusieurs vignobles : le vinificateur révèle son talent dans les assemblages. Les raisins des vignobles situés dans des zones plus fraîches apportent de l'acidité et ceux des microclimats plus chauds donnent des vins plus charnus. Ainsi, les deux indications les plus importantes, celles qui livrent les clefs du style du vin, sont les noms du producteur et du cépage principal et figurent généralement en évidence sur l'étiquette.

LES CÉPAGES SUR L'ÉTIQUETTE

En Californie, l'étiquette des vins de qualité porte généralement le nom du cépage. Les cépages les plus importants sont les suivants.

VINS ROUGES

Zinfandel. Ce cépage que l'on trouve rarement hors de Californie permet d'élaborer une large palette de styles de vin rouge, mais également des vins à la robe plus pâle. Étiquetés *White Zinfandel* et/ou *blush*, ils possèdent le plus souvent des arômes de fraise et sont légèrement doux ou demi-secs.

Cabernet-Sauvignon. Ce grand cépage rouge de Bordeaux obtient depuis longtemps de bons résultats dans les régions côtières.

Grenache. Cépage des zones méditerranéennes (vallée du Rhône, sud de la France et Espagne), il est ici utilisé dans des proportions importantes pour les vins de consommation courante de la vallée centrale.

Pinot Noir. Le raisin rouge de Bourgogne prospère dans les zones plus fraîches – Carneros, la vallée de Russian River (comté de Sonoma) – et dans d'autres régions côtières du Nord. Le Pinot Noir entre dans les assemblages de vins effervescents et s'utilise de plus en plus fréquemment en monocépage.

Merlot et Cabernet Franc. Autrefois destinés aux assemblages avec le Cabernet-Sauvignon, ils sont aujourd'hui de plus en plus diffusés en vins de cépage.

Petite Sirah. N'ayant rien à voir avec la Syrah de la vallée du Rhône, la Petite Sirah a sa place dans des assemblages génériques.

Carignan. Le Carignan occupe des superficies importantes. Il est surtout utilisé en assemblage.

Barbera. Ce raisin entre surtout dans des assemblages de vins rouges génériques.

Gamay. Il donne des vins qui rappellent le Beaujolais, à Napa et Sonoma.

Syrah. Ce cépage se trouve sur de petites superficies ; les raisins s'utilisent surtout dans des assemblages.

Nebbiolo et Sangiovese. Un ou deux producteurs emploient ces cépages italiens pour les diffuser en vins de cépage.

VINS BLANCS

Chardonnay. Le grand cépage blanc de Bourgogne et de Champagne donne des vins blancs secs de styles variés.

Colombard. Planté sur des superficies importantes dans la vallée centrale, il est utilisé pour les vins ordinaires.

Chenin Blanc. Il donne des vins de consommation courante ainsi que, de temps en temps, des vins secs ou liquoreux.

Sauvignon Blanc. Planté dans les comtés qui longent la côte, il est élaboré en vin de cépage sec ou utilisé dans des assemblages.

Muscat Blanc. Connu parfois sous le nom de Muscat Canelli, il est généralement utilisé pour des vins liquoreux.

Riesling. Ce grand raisin allemand (souvent connu sous les noms de Johannisberg Riesling ou White Riesling) donne des vins aromatiques, secs ou demi-secs.

Gewürztraminer. Il sert à l'élaboration de vins secs et, à l'occasion, demi-secs.

Sémillon. Il entre dans des assemblages de vins blancs de style bordelais, bien qu'il soit quelquefois diffusé en vin de cépage.

Les noms des vins

La majorité des vins californiens, et avant tout ceux de qualité, sont des vins de cépage : ils portent le nom de leur cépage principal (voir encadré p. 485). Ils peuvent ne pas être élaborés exclusivement avec le cépage indiqué, mais celui-ci doit représenter au moins 75 % de l'assemblage.

Les producteurs californiens savent depuis longtemps qu'un vin issu d'un seul cépage n'est pas forcément meilleur (un bon assemblage l'améliore souvent). Ainsi est née la désignation de « Meritage » qui donne une plus grande latitude au vinificateur pour faire des assemblages de style bordelais, à condition qu'il utilise les cépages Cabernet-Sauvignon, Merlot, Cabernet Franc, Petit Verdot et Malbec pour le rouge ; Sauvignon, Sémillon et Muscadelle pour le « Meritage » blanc. S'ils ne peuvent être étiquetés vins de cépage, ces vins sont toutefois supérieurs aux vins ordinaires. Un certain nombre de producteurs recourent à la désignation « Meritage », mais d'autres ont créé leurs propres marques.

La mention d'une région réputée, comme Napa ou Sonoma, aide à la vente, mais ne peut figurer sur l'étiquette que si un pourcentage important des raisins provient de la région désignée (voir encadré p. 476).

Les vins effervescents élaborés selon la méthode traditionnelle mise au point en Champagne sont de plus en plus connus et identifiés sur les étiquettes sous le terme « méthode traditionnelle » (au lieu de « méthode champenoise », terme désormais interdit), mais la Californie persiste à utiliser certains noms européens (*Chablis*, *Burgundy*, *Port* et *Sherry*) pour décrire des vins génériques qui ressemblent fort peu à leurs illustres homonymes.

Les millésimes et l'élevage

La douceur du climat californien explique que les variations entre les millésimes soient plus faibles que dans les régions viticoles prestigieuses de la Vieille Europe. Si certains microclimats peuvent pâtir de pluies, de froid ou de chaleurs hors saison, les petits millé-

Les centres de vinification de Californie utilisent de plus en plus des fûts de chêne pour la vinification ou l'élevage des vins.

simes sont très rares en Californie. En raison des modes de vinification, la plupart des vins californiens peuvent être consommés dans leur jeunesse : un an ou deux après les vendanges pour les vins blancs, trois à cinq ans pour les vins rouges de qualité standard. Seuls les vins blancs de qualité supérieure (Chardonnay et Sauvignon de Sonoma et de Napa) peuvent se bonifier sept ou huit ans. Quelques rares vins rouges, surtout ceux de Cabernet-Sauvignon et de Zinfandel des meilleures zones côtières, peuvent se bonifier longuement – 20 ans ou plus –, mais ils sont agréables à boire bien avant les Crus Classés de Bordeaux et les Grands Crus de Bourgogne, qu'ils tentent d'égaler. La Californie, qui regorge de producteurs originaux, n'en offre pas moins l'une des meilleures formations du monde en matière de viticulture et d'œnologie (l'université de Davis). La fermentation et l'élevage du vin en barriques sont l'objet de constantes expériences. À partir des mêmes cépages, bien des producteurs proposent deux versions de vins blancs et rouges, l'une fruitée et d'évolution rapide, l'autre plus riche et élevée en barriques. □

LES FACTEURS DE QUALITÉ

En Californie, la quête du terroir idéal est à l'inverse de celle de l'Europe du Nord. Si les vignerons européens recherchent surtout les sites ensoleillés, le climat étant souvent trop froid et rude pour le raisin, les viticulteurs californiens, eux, disposent d'un climat trop doux à tendance chaude : ils recherchent des endroits plus frais, où le raisin doit lutter pour atteindre sa pleine maturité plutôt qu'une maturité trop facile due à la chaleur. Leurs critères et priorités en matière de sols, de sites et d'exposition diffèrent aussi de ceux des Européens. Les innombrables sites exploitables, potentiels ou réels, commencent seulement à être explorés.

Climat

Tandis que les Européens se dirigent vers les climats plus frais du Nord pour le Pinot Noir, le Riesling et les raisins acides nécessaires aux vins effervescents, les Californiens se tournent vers l'ouest et cherchent à se rapprocher de la côte. Dans le comté de Santa Barbara, par exemple, si l'on remonte le fleuve Santa Ynez sur un ou deux kilomètres, la température diurne moyenne augmente de un degré. Près du Pacifique, le Pinot Noir est le cépage favori des viticulteurs ; un peu plus vers l'intérieur, le Chardonnay réussit mieux ; en montant vers le lac Cachuma, les températures plus élevées permettent de mener à maturité le Sauvignon, et même le Cabernet-Sauvignon les années de grande chaleur. Et Santa Ynez est située bien au sud de la vallée de Napa, où le Cabernet se trouve encore plus à l'aise.

Sites et expositions

Les coteaux sont très prisés pour le Cabernet-Sauvignon et le Zinfandel. Un peu partout, l'exposition au sud est jugée trop chaude : on lui préfère une exposition à l'est, voire au nord, qui offre davantage de fraîcheur et se révèle plus apte à donner un raisin de grande qualité.

Techniques

La Californie est sans doute le lieu où toutes les techniques possibles de vinification sont expérimentées, certaines avec grand succès. Parmi les clés des progrès accomplis, citons les fûts en chêne français et les cuves en acier inoxydable permettant de contrôler les températures de fermentation.

☐ Vignobles

NAPA VALLEY ET SOUS-RÉGIONS : PROFIL

Sols

Depuis les années 1970, les viticulteurs californiens n'ignorent plus que chaque parcelle possède sa propre identité et sa propre expression. Ils ont aussi appris très vite que, planté sur un sol graveleux bien drainé, le Cabernet-Sauvignon peut produire un vin classique, alors que, sur des sols lourds et argileux, il a du mal à exprimer son fruit et donne des vins très herbacés, aux arômes végétaux.

Sauf pour les viticulteurs qui affirment qu'un sol calcaire est indispensable au Pinot Noir (Calera à San Benito, Chalone à Monterey), l'importance des sols se limite à leur texture, à leur pente et à leur exposition. Le bon drainage des sols est essentiel : la vigne n'aime pas « avoir les pieds dans l'eau ». Les sols des coteaux sont moins fertiles que ceux des vallées, mais cette pauvreté confère au fruit des arômes plus intenses.

Le brouillard de la côte rafraîchit les vignobles de Sonoma.

Dans chaque vignoble, le climat est plus déterminant que la composition du sol pour choisir le cépage qui donnera les meilleurs résultats. Dans les régions côtières de l'est et du nord de San Francisco, en particulier dans les comtés de Napa et de Sonoma, un autre facteur entre en jeu : des brèches ouvertes dans la chaîne montagneuse parallèle à la côte permettent aux brises marines et au brouillard frais et humide de tempérer la chaleur des vallées. Carneros, au sud de Napa, est ainsi plus frais que des régions plus au nord.

LES RÉGIONS VITICOLES DE NAPA ET DE SONOMA

Les comtés de Napa et de Sonoma, au nord de la baie de San Francisco, constituent le cœur de l'industrie californienne des vins de qualité. La vallée de Napa possède plusieurs districts définis avec précision en fonction du sol et du microclimat (voir encadré p. 485). Les zones les plus chaudes se trouvent au nord ; la plus fraîche, Carneros, se prolonge dans le comté de Sonoma, où les régions viticoles (voir encadré p. 491) sont plus disséminées.

Zones viticoles

Comté de Sonoma
- Alexander Valley
- Dry Creek Valley
- Knights Valley
- Russian River Valley
- Chalk Hill
- Green Valley
- Sonoma Coast
- Sonoma Valley
- Sonoma Mountain

Comté de Napa
- Napa Valley
- Howell Mountain
- Diamond Mountain
- Spring Mountain
- Rutherford
- Oakville
- Atlas Peak
- Mount Veeder
- Stags Leap District
- Los Carneros

Limite de comté
Autoroute principale
Route principale
Autre route

0   10   20 km

NAPA VALLEY

Napa Valley, avec sa forme de croissant de lune, est la plus connue des régions viticoles américaines. Totalement vouée à la vigne, elle consacre plus de 30 000 ha (soit plus que le Médoc et Saint-Émilion réunis) à cette seule et unique activité. Le comté de Napa est deux fois moins grand que celui de Sonoma, mais compte deux fois plus d'exploitations viticoles ; sa superficie plantée en raisin représente un dixième seulement de la surface viticole de la Californie, mais ses quelque 250 domaines viticoles correspondent au tiers du total des exploitations de l'État.

La Highway 29 (autoroute 29), surnommée à juste titre « la Route du vin », parallèle au fleuve Napa, longe une succession presque ininterrompue de vignobles, de chais et de lieux de dégustation : de Trefethen (Oak Knoll Avenue), juste au nord de Napa, jusqu'aux coteaux de Zinfandel de Storybook Mountain (à la limite du comté de Sonoma), 48 km plus haut.

L'histoire de Napa

Napa, à l'évidence, était prédestinée à la vigne : ses cent cinquante ans d'histoire viticole et la clémence de ses zones climatiques (voir encadré p. 485) en attestent. Ses caves en pierre, fondations solides bâties pour durer, sont des monuments qui ont vieilli en beauté.

Le magnifique Greystone, à la limite nord de St. Helena (aujourd'hui siège de l'Institut culinaire d'Amérique pour l'ouest du pays) ; le domaine Far Niente à Oakville, superbement restauré ; la façade en pierre du Château Montelena à Calistoga ; les murs couverts de lierre d'Inglenook ; la petite structure en pierre qui forme aujourd'hui le cœur de Beaulieu : sans eux, l'extraordinaire expansion de Napa pendant les années 1970 aurait tourné au cataclysme.

Le premier vin de la vallée fut produit vers 1840 par George Yount, un natif du Missouri, qui, après s'être battu contre les Indiens, s'installa en 1836 à l'endroit

Centre de vinification près d'Oakville.

appelé aujourd'hui Yountville. Il y planta un verger et des vignes en 1838 et, dès 1840, obtenait 20 000 l de vin par an.

Mais, jusqu'à la guerre de Sécession (1861-1865), le vin n'était à Napa Valley qu'une activité accessoire de l'agriculture : un verger par-ci, un potager par-là, et quelques rangs de vignes à l'endroit le plus ensoleillé. Le véritable pionnier de l'industrie vinicole de Napa fut Charles Krug, Prussien d'origine, qui commença à produire du vin au début des années 1860. Il utilisa le premier pressoir mécanique et fonda à St. Helena la première exploitation vinicole de Napa Valley. Ce fut lui qui forma également les premiers vignerons célèbres de Californie : Clarence Wetmore (fondateur de Cresta Blanca), Jacob Beringer et Carl Wente.

En 1870, sous l'impulsion d'hommes comme Jacob Schram et Hamilton Walker Crabb, qui transformèrent ce passe-temps en affaire commerciale, le vin était déjà en voie de devenir une industrie. Après avoir visité le domaine Calistoga de Jacob Schram, l'écrivain écossais Robert Louis Stevenson décrivit son vin comme étant « de la poésie en bouteille ».

À cette époque, Crabb était en train de planter To Kalon Vineyard (il disait que cela signifiait « le vignoble du patron » en grec) à l'ouest d'Oakville, où il essaya plus de 400 cépages. Aujourd'hui, To Kalong est toujours un domaine expérimental : une partie du vignoble de Crabb est devenue le centre d'essais viticoles de l'université de Davis en Californie ; l'autre, Block P, appartient à Mondavi, qui y produit son Cabernet-Sauvignon Reserve.

En 1889, Napa Valley comptait au moins 142 caves, malgré les dégâts importants causés par le phylloxéra au cours des années 1880 et 1890.

Les treize années de prohibition brisèrent l'essor des exploitations viticoles, mais n'empêchèrent pas l'extension de la viticulture. Encouragée par les vinificateurs clandestins, la consommation de vin fit plus que doubler entre le début et la fin de la prohibition. Dans la période mouvementée qui suivit, les grandes coopératives régnèrent en maîtres sur l'industrie vinicole.

Dans les années 1940, des petits producteurs installés sur les hauteurs – Stony Hill, Souverain (aujourd'hui Burgess), Mayacamas – amorcèrent une conversion qui visait à passer des vins de dessert ainsi que des vins génériques aux vins de cépage Chardonnay et Cabernet-Sauvignon.

En 1943, le père de Robert Mondavi sauva l'exploitation de Charles Krug du délabrement. En fondant sa propre affaire à Oakville, en 1966, Robert Mondavi construisit la première exploitation d'importance à Napa Valley depuis la fin de la prohibition. Plus de 95 % des entreprises vinicoles existant aujourd'hui à Napa Valley sont nées après celle de style « mission espagnole » de Mondavi.

Napa Valley, comme les autres zones de Californie, connut son véritable essor entre le milieu des années 1970 et les années 1980, époque à laquelle les Américains commencèrent à s'intéresser aux livres traitant du vin, à visiter les exploitations viticoles et à tout déguster, du Chenin Blanc au Chardonnay, du Pinot Blanc au Pinot Noir. Onze nouvelles exploitations furent créées dans la seule année 1972 à Napa Valley, dont Stag's Leap Wine Cellars et Clos du Val. Huit autres suivirent en 1973 et, à partir de là, rien ne put arrêter le développement de la région.

Aujourd'hui, Napa Valley est bien équipée pour accueillir les 250 000 visiteurs annuels qui empruntent la Highway 29 et le Silverado Trail, la route qui lui est parallèle, plus à l'est. Restaurants et salles de dégustation abondent et, les matins sans brouillard, le ciel est constellé de montgolfières multicolores offrant une vue panoramique sur la vallée tapissée de vignes.

Les cépages et les styles de vin

La plupart des principaux cépages de Californie (voir p. 481) sont présents à Napa Valley et la majorité des vins portent le nom de leur cépage principal. Le Cabernet-Sauvignon domine pour les rouges et le Chardonnay pour les blancs ; ces deux cépages occupent plus de la moitié de la surface viticole de Napa (environ 30 000 ha). Les autres cépages importants sont le Pinot Noir et le Merlot pour les rouges. On utilise également le Zinfandel, non seulement pour les vins rouges, mais aussi pour les *blushes* (rosés), secs ou légèrement doux ; le Sauvignon pour des blancs secs ; et le Chenin Blanc pour des vins secs ou liquoreux dans le style de ceux du Val de Loire, et pour des vins qui usurpent sans vergogne le nom de Vouvray.

Depuis quelque temps, la tendance est aux cépages utilisés dans les assemblages de style bordelais, dits « Meritage » (voir p. 481) : Cabernet Franc, Malbec et Petit Verdot pour les rouges, Sémillon pour les blancs. Ces vins diffèrent des premiers vins de cépage californiens, aux arômes de chêne trop marqués, à l'extraction maximale et au fort taux d'alcool ; les producteurs tendent aujourd'hui vers des nectars plus complexes et subtils. À mesure que les consommateurs deviennent plus exigeants, les prix montent.   □

LES ZONES VINICOLES DE NAPA

Napa dispose d'une aire viticole (AVA) principale, qui recouvre l'ensemble du comté et plusieurs districts. Treize aires sont officiellement reconnues. Les raisins de Napa Valley étant très coûteux, leur nom occupe une place de choix sur les étiquettes de vin. La plupart des domaines possèdent des vignes dans plusieurs districts. Quoi qu'il en soit, l'aire viticole ne peut figurer sur l'étiquette que si le vin en provient à 85 % au moins.

Napa Valley. AVA principale, elle englobe toutes les vignes du comté de Napa.

Mount Veeder. L'aire viticole longe les monts Mayacamas, au nord et à l'ouest de la ville de Napa, en direction de Bald Mountain. Les vignobles sont cultivés en coteau entre 120 et 800 m au-dessus du niveau de la mer. Les sols volcaniques bien drainés favorisent de faibles rendements (jamais plus de 40 hl/ha) et l'élaboration de Cabernet-Sauvignons et de Chardonnays intenses et bien structurés.

Spring Mountain. Cette aire viticole remonte le long des collines situées à l'ouest de St. Helena. Les vieilles vignes fournissent des raisins aux arômes très concentrés. Les exploitations de premier plan sont Cain Cellars, Smith-Madrone et Robert Keenan.

Diamond Mountain. Situé au sud de Calistoga, ce vignoble est l'un des plus escarpés. Certaines terrasses du vignoble Diamond Mountain de Sterling sont à hauteur d'homme et les rendements bas autorisent la production de Chardonnays fins et de Cabernets-Sauvignons fermes et nets.

Howell Mountain. Cette aire viticole borde la route Deer Park qui serpente sur la colline et s'étend de St. Helena au côté Vaca de la vallée, en passant par Angwin. Reconnue AVA depuis janvier 1984, elle est entièrement située au-dessus de 425 m, presque toujours au-dessus de la ceinture de brouillard matinal. Le Zinfandel est le cépage classique de Howell Mountain, mais de nouvelles plantations fournissent le Cabernet-Sauvignon de Dunn, compact et ferme, en un vin jeune, qui s'épanouit après quelques années de bouteille.

Atlas Peak. Cette AVA de 4 500 ha, située au nord de Napa, est le fief de Atlas Peak Vineyard, appartenant au groupe Allied-Hiram Walker et bénéficiant de l'assistance technique du Champagne Bollinger et du célèbre producteur de Chianti Piero Antinori. On y cultive plus du quart du Sangiovese de Californie.

Stags Leap District. Située à l'est de Yountville, cette AVA est connue pour les Cabernets-Sauvignons des domaines Clos du Val, Stags Leap Wine Cellars, Stags Leap Vineyard, Shafer, Pine Ridge et Silverado. Elle rivalise avec Rutherford comme producteur des meilleurs rouges de style bordelais

Rutherford et Oakville. Situées au milieu de la vallée, elles ont chacune droit à leur propre AVA, mais sont parfois regroupées sous la désignation Rutherford-Oakville Bench. Le *bench* (banc) est une terrasse large, plate et basse, courant le long de la vallée et façonnée par le fleuve Napa : aussi les sols sont-ils riches en alluvions et en graves bien drainées. Rutherford est particulièrement célèbre pour ses Cabernets-Sauvignons de caractère, solides et tanniques, aux arômes légèrement herbacés. Oakville, plus au sud, se distingue par des sols plus variés.

Los Carneros. C'est la plus méridionale des AVA du comté. Elle se caractérise par une fine couche de terre arable, un climat rafraîchi par la proximité de la baie, et se prolonge dans Sonoma Valley. Le Chardonnay domine, tandis que le Pinot Noir, qui donne ici des vins succulents aux arômes de fraise, représente un tiers des surfaces cultivées. Le Merlot est de plus en plus planté.

Chiles Valley. Située au nord-est du comté, cette AVA bénéficie d'un climat particulier en raison de son orientation (du nord-ouest au sud-est).

St Helena. Reconnue en 1995, cette AVA jouxte celle de Rutherford au nord-ouest.

Yountville. Cette AVA récente (1999) s'étend entre Mount Veeder et Stags Leap District.

Wild Horse Valley. Cette AVA (2001) compte un seul vignoble.

PRODUCTEURS ET NÉGOCIANTS

Malgré l'intérêt croissant pour les aires viticoles, le critère de qualité le plus sûr, à Napa comme dans le reste des États-Unis, est la réputation du producteur. Le talent du viticulteur réside dans l'assemblage de vins aux caractéristiques différentes. Les domaines viticoles énumérés ci-après ont leur siège à Napa Valley, mais peuvent utiliser des raisins provenant d'ailleurs. La plupart des vins sont nommés d'après leur cépage : voir p. 480.

Beaulieu

La réputation de cette vénérable maison repose sur le Cabernet-Sauvignon Georges de Latour Private Reserve, qui porte le nom du Français établi à Rutherford en 1892, et que le vinificateur russe André Tchelistcheff ne cessa ensuite d'améliorer durant près de 40 ans. L'un des rouges californiens issus exclusivement de Cabernet-Sauvignon et élevés en barriques de chêne américain, ce vin peut se bonifier pendant des dizaines d'années en bouteille.

Beringer

Les frères Frederick et Jacob Beringer fondèrent en 1876, juste au nord de St. Helena, cette exploitation viticole. Cette réplique de leur *Rhine House* (maison du Rhin) familiale de Mayence, aussi exquise qu'originale (aujourd'hui salle de dégustation), est située à côté de caves creusées par des ouvriers chinois. Les vins vedettes sont le Cabernet-Sauvignon Private Reserve, massif mais équilibré, et un Chardonnay, aux arômes provenant des barriques. L'étiquette « Napa Ridge » est réservée aux vins plus souples.

Caymus

La famille Wagner débuta son activité agricole à Napa Valley en 1906, y planta du raisin en 1941 et commença à produire elle-même du vin, à Rutherford, en 1972. Les Wagner prouvèrent rapidement que les bâtisses baroques n'étaient pas indispensables à la production de grands vins comme le sensationnel Special Selection Cabernet-Sauvignon. Aujourd'hui, ils travaillent dans un superbe chai à façade de pierre. Conundrum est un vin blanc sec, assemblage de Muscat, Sauvignon, Chardonnay et Sémillon, fermenté en barriques.

Clos du Val

Né en France, Bernard Portet, dont le père était régisseur au Château Lafite-Rothschild, apporte une touche bien française à cette exploitation viticole du district de Stag's Leap : ses Zinfandels et ses Sémillons sont des plus intéressants. Clos du Val (sur Silverado Trail, juste au nord de la ville de Napa) est également propriétaire du Domaine St Andrew, où l'on s'efforce de produire un Chardonnay, et de Taltarni Vineyard en Australie (dirigé par Dominique, frère de Bernard).

Clos Pegase

À sa création, en 1984, Clos Pégase a déchaîné une polémique architecturale ; aujourd'hui, ses lignes singulières et sa teinte rose-rouge sont parfaitement intégrées au paysage du sud de Calistoga. Les vins produits sont un Chardonnay, un Merlot, un Cabernet-Sauvignon et un Meritage rouge, assemblage de Cabernet-Sauvignon, Cabernet Franc et Merlot.

Cuvaison

Fondée en 1970, suisse depuis 1979, cette exploitation de Calistoga utilise surtout des raisins provenant de ses vignobles de Carneros. Grâce au vinificateur, John Thacher, les vins plutôt denses sont devenus élégants et savoureux : Chardonnay, Merlot, Carneros Pinot Noir et Cabernet-Sauvignon.

Diamond Creek

Les quatre minuscules vignobles totalisant à peine 8,5 ha, sur le mont Diamond, possèdent chacun son propre terroir et sa propre exposition et produisent quatre Cabernets-Sauvignons bien différents les uns des autres.

La salle de dégustation, très germanique, de Beringer, à St. Helena.

Volcanic Hill, au sol équilibré couleur de cendres, produit des vins austères ; Red Rock Terrace, d'une couleur rouge ferrugineux, produit des vins pleins de fruit ; Gravelly Meadow est frais et ses vins sont iodés avec des arômes de cerise ; Lake est tout petit et ses vins, intenses et chers, ne sont produits que les grandes années.

Domaine Carneros
Eilene Crane a d'abord travaillé au Domaine Chandon (voir ci-après) avant de vinifier des vins blancs effervescents pour Gloria Ferrer (Sonoma). Aujourd'hui, elle exerce son noble art de la vinification au Domaine Carneros, au sud-ouest de Napa.

Les chais, qui ressemblent à ceux d'un château français, sont le fruit d'une collaboration entre la maison de Champagne Taittinger et le distributeur américain Kobrand.

Domaine Chandon
En 1973, Moët-Hennessy débarqua à Napa Valley et acheta des terres à vignes à Carneros, Yountville et en haut de Mount Veeder. Les blancs effervescents du domaine sont mis en valeur dans son élégant salon de Yountville et son charmant restaurant français, dont la carte propose des vins tranquilles et mousseux de Napa Valley. Fine et bien vive, Étoile est la tête de cuvée des vins effervescents. Le Panache, autre création du domaine, est un apéritif à base de moûts mutés.

Far Niente
Construite par le capitaine John Benson à Oakville en 1885, cette cave de pierre fut restaurée un siècle plus tard par Gil Nickel, un pépiniériste d'Okla-

homa. Les Chardonnays sont riches et les Cabernets-Sauvignons regorgent d'arômes. Dolce, un blanc liquoreux, est un assemblage de Sémillon et de Sauvignon botrytisés.

Franciscan
Après bien des hauts et des bas et de multiples changements de propriétaires, Franciscan, près de Rutherford, connaît enfin des jours plus calmes entre les mains de la famille allemande Eckes. Le Cabernet-Sauvignon provient de raisins d'Oakville, le Merlot de raisins d'Alexander Valley (Sonoma) et le Chardonnay de raisins du comté de Monterey, au sud de la baie de San Francisco. La société possède également Mount Veeder Winery et des propriétés au Chili.

Freemark Abbey
Ces caves en pierre situées au nord de St Helena datent de 1886, mais la propriété n'a jamais été une abbaye. Premier domaine de Napa à produire un blanc liquoreux de Riesling botrytisé (appelé Edelwein, en 1973), Freemark Abbey se spécialise actuellement dans les vins de Chardonnay et de Cabernet-Sauvignon. Les Cabernets-Sauvignons des bonnes années vieillissent remarquablement bien.

Grgich Hills
Originaire de Croatie, Miljenko (« Mike ») Grgich est connu pour ses Chardonnays généreux et équilibrés, de maturation lente. Après une période d'apprentissage chez Robert Mondavi, il fut engagé au Château Montelena, où son Chardonnay 1973 devint mondialement célèbre. En 1977, il créa cette exploitation de Rutherford avec son associé Austin Hills. On y vinifie aussi les cépages Cabernet-Sauvignon, Zinfandel, Sauvignon et Johannisberg Riesling.

Heitz Cellars
Le domaine de Joe Heitz, au sud-est de St Helena, est célèbre pour son Martha's Vineyard Caber-

net-Sauvignon, l'un des rouges les plus renommés de Californie pour sa structure classique et ses arômes très caractéristiques d'eucalyptus. David Heitz, le fils de Joe, est aujourd'hui responsable de la vinification.

Inglenook
Cette imposante bâtisse recouverte de lierre, située à l'ouest de Rutherford, est l'une de celles construites il y a plus d'un siècle par Hamden W. McIntyre (avec Beaulieu, Greystone, Far Niente, Château Montelena). La réputation d'Inglenook est bâtie sur des

Cabernets-Sauvignons très caractéristiques de Rutherford avec leurs arômes de cèdre, d'eucalyptus et de tabac. Gravion est un blanc sec Sauvignon/Sémillon de style bordelais.

Charles Krug
Les chais datent de 1861, année où Charles Krug planta des vignes au nord de St. Helena et devint une sorte de « gourou » pour les pionniers du vin de Napa Valley. Krug appartient aujourd'hui à Peter Mondavi et à ses fils. Le domaine est connu pour son Cabernet-Sauvignon Vintage Selection, aux nuances poivrées, et un Chenin Blanc soyeux, aux arômes d'herbes et de foin.

Louis M. Martini
Michael et Carolyn, petit-fils et petite-fille de Louis M. Martini, dirigent de nos jours cette exploitation connue pour ses Cabernets-Sauvignons d'une grande

ROBERT MONDAVI

Robert Mondavi est la locomotive de l'industrie américaine du vin. Après avoir quitté Charles Krug, il fonda son exploitation à Oakville en 1966 et créa le Fumé Blanc, un Sauvignon complexe vieilli en barrique, qui tira le cépage vers des sommets de qualité. Il produit également des Cabernets-Sauvignons structurés, au bouquet complexe, des Chardonnays riches en fruit et des Pinots Noirs souples. Mondavi fait aussi à Woodbridge, dans Central Valley, des vins de cépage à prix très abordables. Son Opus One (en association avec Mouton-Rothschild) est un Cabernet-Sauvignon comparable à certains crus classés de Bordeaux.
Il possède aussi Vichon (connu pour son Chevrignon, un assemblage de Sauvignon et de Sémillon) et Byron (issu de Pinots Noirs provenant du comté de Santa Barbara).

finesse et d'une très bonne aptitude au vieillissement. Ceux des années 40 à 60 atteignent des prix élevés dans les ventes aux enchères. Le Muscato Amabile, un blanc doux de style Asti Spumante du Piémont, est un régal.

Robert Mondavi
Voir encadré p. 487.

Château Montelena
Ce vieux château situé au nord de Calistoga est un symbole d'excellence en matière de vinification : Chardonnays, Cabernets-Sauvignons fermes, Zinfandels au nez vif et Johannisberg Rieslings, avec une pointe seulement de sucre résiduel, évoquant l'abricot. Une authentique jonque chinoise trône sur le lac de 2 ha de la propriété.

Mumm Napa Valley
Cette société en participation (entre la maison de Champagne Mumm et Seagram, le magnat canadien des spiritueux), située à l'ouest de Rutherford, est connue pour ses vins effervescents de méthode classique, commercialisés à des prix raisonnables. Le Blanc de Noirs est délicat, avec une note de cerise. La cuvée Winery Lake s'arrondit avec grâce en vieillissant.

Joseph Phelps
Le portail de Phelps, exploitation construite en 1973 à St. Helena, est fait de traverses de chemin de fer centenaires. Walter Schug, vinificateur d'origine allemande, a fait la célébrité du domaine avec des Rieslings secs et liquoreux et des Cabernets-Sauvignons denses et massifs (Insigna), avant de créer son propre domaine. Le vinificateur actuel, Craig Williams, a imprimé sa marque avec un Syrah, un Grenache rouge et un blanc vif à base de Viognier.

Rutherford Hill
Le Merlot, cépage des rouges légendaires (et chers) de Pomerol, intéresse de plus en plus les consommateurs et les critiques.

Rutherford Hill (nord-est de Rutherford) et Freemark Abbey ont une majorité d'actionnaires communs. Rutherford élève son Chardonnay en barriques de chêne du Limousin et, dans ses assemblages avec le Cabernet-Sauvignon, utilise plus de Merlot que Freemark.

St. Clement
Cette ravissante maison victorienne située au nord de St. Helena date de 1878. L'exploitation viticole située dans son sous-sol débuta son activité dans les années 1960 sous le nom de Spring Mountain, fut rebaptisée St. Clement en 1975 et fut vendue au brasseur japonais Sapporo en 1987. Le Sauvignon Blanc, élancé, au nez de citron vert, évoque les vins de Graves ; les Chardonnays sont riches, mais ni trop boisés ni trop gras.

St. Supéry
Cette exploitation est un véritable bonheur pour les œnophiles de passage à Rutherford : ils peuvent visiter son vignoble mais aussi son musée vivant de l'histoire du vin de Napa Valley (Atkinson House), où l'on explique aux visiteurs les différences entre les vins et les cépages dont ils sont issus. Propriété de la famille française Skalli (qui possède la marque Fortant de France dans le midi de la France, voir p. 282), St. Supéry est dirigé par Michaela Rodeno. Son Sauvignon, élégant et complexe, possède des arômes évoquant l'herbe fraîchement coupée.

Saintsbury
Au cœur du district de Carneros, au sud-ouest de Napa, Dick Ward et David Graves sont spécialisés dans le Pinot Noir et le Chardonnay. Leur Pinot Noir Garnet, léger et plus fruité, regorge d'arômes de cerise.

Schramsberg
Jack Davies, ancien conseiller en gestion, et sa femme Jamie furent à l'origine des vins effervescents élaborés selon la méthode de la

seconde fermentation en bouteilles. Ils fondèrent Schramsberg en 1965, à l'emplacement d'un vieux domaine de Calistoga datant de 1862. Blanc de Blancs et Blanc de Noirs vieillissent tous les deux très bien.

Silver Oak
Ce domaine d'Oakville ne produit que des Cabernets-Sauvignons : un Cabernet Napa Valley, un Cabernet Alexander Valley (Sonoma) et un Cabernet Bonny's Vineyard (provenant d'un petit vignoble appartenant à Bonny, la femme de Justin Meyer). Tous pleins d'arômes de violette, ils sont des expressions puissantes du Cabernet-Sauvignon.

Silverado
Ce domaine élégant à la façade de pierre, niché sur une butte en contrebas de Silverado Trail, produit des vins élégants. Le Sauvignon regorge d'arômes de pierre à fusil avec des notes herbacées ; le Chardonnay est gras et riche en arômes de réglisse et citron ; le Merlot se distingue par ses arômes de cassis et de mûre ; le Cabernet-Sauvignon exhale des notes subtiles de cèdre et de tabac avec un soupçon d'iode.

Stags Leap Wine Cellars
Dans son chais sur le Silverado Trail à l'est de Yountville, Warren Winiarski, ancien professeur de sciences politiques à l'université de Chicago, fait des Chardonnays ni trop boisés ni trop gras, avec un fruit extrêmement mûr, et des Cabernets-Sauvignons qui exhalent des arômes de petits poivrons et possèdent, sous leur cape soyeuse, une structure tannique ferme. Le Cask 23 Special Cuvée rouge provient de Cabernet-Sauvignon et d'autres cépages bordelais. Les vins de Winiarski sont réputés mondialement.

Sterling
Ce domaine, qui appartenait autrefois à Coca-Cola, se trouve aujourd'hui dans le giron du groupe Seagram. Perché sur le

sommet d'une colline de Calistoga, il fait penser à un monastère grec avec ses murs blancs. Le Merlot est toujours exquis, les Cabernets-Sauvignons Diamond Mountain Ranch et les Chardonnays sont denses et bien construits. Le Winery Lake Pinot Noir se montre souple et opulent.

Sutter Home
Le plus vieux bâtiment viticole en bois de Napa Valley (1874) sert de salle de dégustation à Sutter Home, situé juste au sud de St. Helena. L'expansion des années 80 l'a fait passer de 600 000 à presque 60 millions de bouteilles, avec un Zinfandel blanc, le plus populaire des États-Unis (couleur cerise, très légèrement doux), un rouge léger et fruité (assemblage de Zinfandel, Barbera, Gamay et Pinot Noir) baptisé Soleo et une gamme nouvelle de vins sans alcool. Sutter Home est également propriétaire de Monteviña Winery dans Amador County, sur les contreforts de la Sierra.

Trefethen
Juste au nord de Napa, l'Eshcol à la couleur citrouille est le deuxième plus vieux bâtiment vinicole en bois de la vallée. Il a été restauré par Gene Trefethen et sa famille. Pruniers et noyers furent remplacés par un vignoble de 243 ha, qui produit à l'heure actuelle un Chardonnay élégant et ferme, un White Riesling aux notes d'abricot et un Cabernet-Sauvignon mûr avec des arômes de cacao. Les assemblages Eshcol Red et Eshcol White, vendus à des prix compétitifs, sont très appréciés.

SONOMA

Le comté de Sonoma, de par sa taille et sa géographie, donne aux vins des possibilités d'expression infiniment variées. Il représente deux fois et demie la superficie du comté de Napa pour une surface plantée en vignes équivalente et, si Napa pratique la monoculture, Sonoma brille par sa variété horticole. Enfin, Napa garde l'empreinte patricienne du Bordelais alors que Sonoma, pays de jardiniers, avec ses champs de fleurs, ses pommiers, ses pruniers et ses pâturages à vaches laitières et à chèvres, est davantage bourguignon.

L'histoire de Sonoma

Après s'être bien implantés au Mexique, les prêtres espagnols entreprirent d'établir des missions en Californie : ils commencèrent par San Diego, en 1767, et terminèrent par la petite ville de Sonoma, en 1823. Les pères apportèrent avec eux la vigne nécessaire à l'élaboration du vin de messe et de « l'eau de feu » (une eau-de-vie, l'*aguardiente*), qui les aidait à dormir. Les Russes vinrent ensuite s'établir à Fort Ross et donnèrent le nom de leur princesse au Mount St Helena. Plus tard encore, des émigrants italiens étendirent la culture de la vigne : les Rossi, Sbarboro, Pastori, Nervo, Mazzoni et Seghesio furent les premières familles de colons.

Aujourd'hui, les noms ont une consonance bien plus internationale à Sonoma : des entreprises françaises, anglaises, japonaises, espagnoles et allemandes y possèdent d'importants domaines et de vastes étendues de vignobles appartenant à des exploitations situées de l'autre côté du Mayacamas Range (dans le comté de Napa).

Sonoma fut aussi la patrie d'adoption de Agoston Haraszthy, un sympathique arnaqueur hongrois qui se faisait appeler « comte » (et parfois « colonel ») et qui échangeait avec le général Mariano Vellejo, le gouverneur mexicain de la ville, de longues conversations sur la viticulture. Deux de ses fils épousèrent les filles jumelles de Vallejo et, en 1857, Haraszthy fonda le domaine Buena Vista, planta plus de 100 000 ceps de vignes européens, dont, paraît-il, du Zinfandel (1861), mais il dut finalement partir en 1866 en raison d'indélicatesses financières.

La tradition de la vente en vrac des vins de Sonoma aux domaines d'autres régions prit fin avec l'essor du vin dans les années 70. À mesure que de nouveaux domaines surgissaient un peu partout dans le comté, les vins de Sonoma commencèrent à se faire connaître pour leur diversité et leur fort caractère.

L'industrie vinicole de Sonoma

Avec 160 exploitations et 15 000 ha de vignes, le comté de Sonoma connaît de

Les impressionnantes caves souterraines de Ferrari-Carano, au nord de Healdsburg.

nos jours une période de stabilité : il y a vingt ans, on ne comptait que 30 domaines viticoles et à peine 4 450 ha sous vigne. Dire que le monde a porté aux vins de Sonoma un intérêt croissant est donc un euphémisme.

Par le passé, les viticulteurs de Sonoma se refusaient à toute promotion et évitaient de faire parler d'eux ; aujourd'hui, plusieurs organismes sont chargés de faire connaître au reste du monde la qualité de leurs vins. Signe positif des temps, viticulteurs et vinificateurs, jadis adversaires acharnés, travaillent même souvent la main dans la main.

Le meilleur de ces organismes est le Carneros Quality Alliance qui, non content de faire partager aux viticulteurs et aux négociants le même souci de qualité, a par ailleurs financé une étude scientifique très sérieuse sur l'identité du Pinot Noir dans la région. Malgré une proposition de label de qualité présentée par un groupe de Sonoma Valley, il reste prudent de se fier à la réputation de chaque producteur pour s'assurer de la qualité.

Le comté de Sonoma est, bien plus que d'autres régions de la côte ouest, d'une hospitalité irréprochable et offre bien des activités aux visiteurs s'intéressant à la gastronomie.

Le climat et les sols

L'intérêt porté aux vins de Sonoma est lié à la qualité, et la clef de la qualité réside dans les cultures (pommes, houblon, pruneaux) qui dominaient jadis dans le comté. Toutes, mais surtout les pommes, exigent des conditions climatiques plus fraîches que celles qui règnent habituellement en Californie. Pour la vigne, cela induit un cycle végétatif plus long et plus lent, tempéré par le brouillard qui remonte la Russian River à partir de Jenner (où elle se jette dans l'océan Pacifique) ou qui, à l'intérieur des terres, part de la baie de San Francisco, remonte Sonoma Valley et traverse la région de Carneros. En ce qui concerne le raisin, les goûts et les arômes sont dus à une longue période de maturation plutôt qu'à l'action desséchante du soleil. Les arômes de ces raisins se retrouvent dans les vins dès leur

Le Zinfandel est une variété typique de Californie, rare hors des États-Unis.

jeunesse et se prolongent jusqu'à un âge vénérable tout en élégance.

L'individualité des vins de Sonoma reflète la grande variété de texture des sols et d'exposition au soleil, mais aussi les pluies et l'influence océanique (voir p. 482). Dans la partie haute d'Alexander Valley, à l'intérieur des terres, le climat est moins frais et les sols graveleux restituent, la nuit, la chaleur accumulée le jour : le Cabernet-Sauvignon et le Sauvignon s'épanouissent. À quelques kilomètres de là, dans Green Valley, les sols plus froids de certains méandres de la Russian River, la proximité du Pacifique et les brouillards matinaux créent des conditions parfaites pour les Pinots Noirs et les Chardonnays (parfois tranquilles, souvent effervescents).

Même si l'on comprend mieux le comté de Sonoma à travers ses zones (aires viticoles ou AVA, voir encadré p. 491), il importe de savoir que le nom du producteur demeure une meilleure garantie de qualité que celui de la région inscrite sur l'étiquette. Cela s'explique en partie par le fait qu'une aire viticole ne vaut pas davantage que le plus mauvais producteur ayant droit à la dénomination. Il arrive qu'un vin portant le

nom d'une petite AVA ou d'un vignoble individuel soit le meilleur d'un producteur donné. Il se peut aussi que d'autres – que leurs producteurs ont pris autant de soin à assembler – n'aient pas droit à l'AVA, parce que moins de 85 % des raisins proviennent de la région. Par ailleurs, les limites des aires viticoles se chevauchent souvent.

Les cépages et les styles de vin

Alors que la plupart des régions vinicoles du monde visent à produire des vins d'un certain style, les aires viticoles variées de Sonoma permettent de faire des vins de styles très divers à partir de la gamme complète des cépages californiens (voir encadré p. 480). Les blancs secs de Chardonnay et les rouges de Cabernet-Sauvignon arrivent en tête de liste, mais les récoltes de Zinfandel (vins rouges et rosés), Pinot Noir et Merlot (vins rouges), Sauvignon, Chenin Blanc, Colombard et Gewürztraminer (vins blancs) et Cabernet Franc (rouges légers) ne sont pas négligeables.

La plupart des vins tirent leur nom de leur cépage principal. Les noms du cépage ou du domaine sont les clefs du style et de la qualité du vin. □

LES ZONES VITICOLES DE SONOMA

Les dix grandes aires viticoles (AVA) du comté de Sonoma sont présentées ci-après dans leurs grandes lignes, du sud vers le nord. Si tout vin produit dans la région peut être vendu sous le nom du comté (ou sous celui de Northern Sonoma, pour la partie nord), certaines aires viticoles – Sonoma Valley, Russian River Valley, Alexander Valley –, bien plus vastes que celles de Napa, se sont forgé leur propre réputation. Elles apparaissent de plus en plus souvent sur les étiquettes, à condition que 85 % des raisins en proviennent.

Los Carneros. L'aire viticole la plus méridionale de Sonoma se prolonge à l'est dans Napa Valley, sa partie ouest correspondant à la partie sud de l'aire viticole Sonoma Valley. Carneros (« béliers » en espagnol) tire son nom des moutons qui paissaient autrefois sur ces sols de basse altitude, peu profonds et composés d'argiles compactes et d'alluvions. C'est une zone rafraîchie par la baie de San Pablo (l'extrémité nord de la baie de San Francisco) et par les vents réguliers de l'après-midi qui viennent du Pacifique et s'engouffrent par le Petaluma Gap. Ainsi, la plupart des vignobles sont complantés en Pinot Noir et en Chardonnay.

Sonoma Valley. Aire viticole en forme de croissant qui s'étire vers le nord-ouest de la baie jusqu'à Santa Rosa Plain, parallèlement à Napa Valley, à l'est, également en forme de croissant. Sonoma Valley forme un cercle autour de la place historique de la ville de Sonoma. Elle se consacre au Cabernet-Sauvignon, au Merlot et au Sauvignon, cépages qui s'épanouissent dans le fond et sur les bancs (larges terrasses naturelles) de la vallée. La partie supérieure des pentes est plantée en Zinfandel.

Sonoma Mountain. Cette aire viticole située à l'extrémité nord-ouest de la vallée est incluse dans l'AVA Sonoma Valley. Les vignobles grimpent jusqu'à 440 m au-dessus du niveau de la mer et, par conséquent, au-dessus des brouillards matinaux. On y privilégie donc les cépages aimant la chaleur : Cabernet-Sauvignon, Zinfandel et Sauvignon. On y cultive aussi le Chardonnay.

Russian River Valley. Cette aire viticole remontant au XIXᵉ siècle est l'extension méridionale, plus fraîche, d'Alexander Valley : elles se rencontrent à l'endroit où la Russian River fait un coude vers l'ouest pour aller rejoindre l'océan. La rivière se jetait autrefois dans la baie de San Francisco, mais une éruption ancienne du Mount St. Helena la dérouta vers la mer. Pinot Noir, Chardonnay, Riesling et Gewürztraminer mûrissent lentement le long des méandres sinueux de la rivière. La majeure partie de la récolte est consacrée à la production de vins effervescents au fruit délicat et d'une bonne vivacité.

Green Valley. C'est l'un des deux districts de l'AVA Russian River. Situé du côté océanique de l'aire viticole, à 10 km à peine du Pacifique, il est plus frais. La plupart des vignobles sont consacrés au Chardonnay et au Pinot Noir.

Chalk Hill. Cette zone s'étend dans la partie la plus orientale et donc la plus chaude de Russian River, à la limite sud d'Alexander Valley. Ses sols brun foncé de cendres volcaniques, à l'ombre de la montagne qui les créa, sont plantés principalement en cépages blancs, Sauvignon et Chardonnay.

Sonoma Coast. Dans les parties les plus favorisées de cette AVA, le brouillard permet d'obtenir des vins intenses issus de raisins mûrs et regorgeant d'arômes de fruit. C'est toutefois une zone créée artificiellement, puisque ses différentes parties n'ont en commun que leur façade sur la côte.

Knights Valley. Bien que faisant partie du comté de Sonoma du point de vue administratif, cette aire viticole serait plutôt l'extension nord de Napa Valley ou l'extension sud d'Alexander Valley. Initialement cultivée par William Knight, qui s'y installa en 1845, isolée de l'océan et de la baie, sa chaleur et le faible pH de ses sols sont tout indiqués pour les cépages Cabernet-Sauvignon, Merlot et Sauvignon. Beringer, basé à Napa, possède la majeure partie des vignobles.

Alexander Valley. Colonisée en 1833 par Cyrus Alexander, un pionnier typique cumulant les fonctions de marchand, trappeur, mineur et chasseur, cette AVA s'étend des rives de Russian River aux contreforts des monts Macayamas et chevauche la partie nord de Russian River Valley. Les sols d'alluvions, riches et profonds, de la rivière donnent d'excellentes Vendanges tardives (de raisins botrytisés) issus de Riesling et de Gewürztraminer, ainsi qu'un Chardonnay ample ; les sols à la fine couche arable des terrasses surplombant la rivière produisent des Cabernets-Sauvignons et des Sauvignons.

Dry Creek Valley. Quoique plus petite et plus proche du Pacifique, cette AVA est plus chaude et plus humide que les régions voisines. Ses terrasses volcaniques et ses graves en terrain plat accueillent tous les cépages bordelais, rouges et blancs. On y trouve plusieurs sites de vignes centenaires de Zinfandel, qui produisent des rouges.

Le climat frais de Carneros convient bien au Pinot Noir.

PRODUCTEURS ET NÉGOCIANTS

La diversité des vins de Sonoma ne peut être attribuée uniquement à la large palette des cépages utilisés (voir p. 480), dont les vins portent généralement les noms. Elle est également due aux différences entre les aires viticoles du comté (voir p. 491), chacune ayant son microclimat et son sol propre. La plupart des producteurs font plusieurs vins : rouges et blancs, tranquilles et mousseux.

Arrowood

La renommée de Richard Arrowood date des années 1970, époque à laquelle il fonda Château Saint Jean (voir plus loin) où il vinifia plusieurs Chardonnays et d'opulents Rieslings botrytisés. Avec sa parfaite maîtrise technique, il élabore aujourd'hui dans un bâtiment viticole blanc et bleu-gris des Chardonnays, des Cabernets-Sauvignons et des Merlots élégants de plusieurs vignobles ainsi qu'un Viognier et un Pinot Blanc.

Buena Vista

Agoston Haraszthy fonda le domaine en 1857 et Frank Bar-

tholomew, patron d'United Press International, ressuscita le vignoble et la réputation du cru dans les années 40. Appartenant aujourd'hui à des Allemands, Buena Vista centre ses efforts sur son vignoble de Carneros et fait autant la promotion de la région que de son domaine. La vinificatrice Jill Davis réussit bien les cépages classiques (Chardonnay et Pinot Noir), mais offre aussi des Merlots souples et soyeux et des Cabernets-Sauvignons aux arômes de cassis.

Clos du Bois

Voir encadré ci-contre.

Dry Creek

Depuis 1972, le propriétaire David Stare a fait de son Fumé Blanc (Sauvignon), aux notes de fougère, d'herbes et de figue, sa carte de visite. Le fait que ses premiers Fumés, à la texture grasse et élégante, se dégustent encore bien, atteste non seulement de la qualité du cépage mais également de la façon dont il est traité à Dry Creek. Le domaine se trouve au centre de l'aire viticole Dry Creek Valley, au nord de Healdsburg. On y trouve aussi un Zinfandel aux arômes de framboise et un rouge Meritage aux notes abondantes de cèdre et de framboise, tous deux typiques de la région.

Gary Farrell

Travaillant à Davis Bynum Winery, sur Westside Road à Healdsburg, Gary Farrell extrait de belles notes fruitées du Pinot Noir de Russian River. Il est de ces vinificateurs talentueux qui élaborent des vins sous leur propre étiquette en bénéficiant des installations d'un collègue. Farrell vinifie également les vins de David Bynum.

Ferrari-Carano

Don et Rhonda Carano sont propriétaires de cette exploitation de Healdsburg qui possède un chai souterrain de quelque 230 000 bouteilles. Un Fumé Blanc (Sauvignon) aux notes de figue et de melon et un Chardonnay aux arômes de fruits exotiques sont les vins principaux. Ils cultivent également le Sangiovese, un cépage rouge italien, qu'ils étudient de près.

Gloria Ferrer

José et Gloria Ferrer possèdent Freixenet, le géant du Mousseux espagnol (Cava) établi près de Barcelone. En 1982, José réalisa son rêve : étendre son activité à la Californie. Son vin effervescent Brut, de méthode traditionnelle, à la fois élégant et ample, comporte 90 % de Pinot Noir. La cuvée Carneros, plus intense, aux arômes de pain grillé, passe trois années sur lies ; les cépages Pinot Noir et Chardonnay comptent chacun pour moitié. On produit également des vins tranquilles dans ce domaine situé au sud de Sonoma.

Foppiano

Louis Foppiano Jr. perpétue la riche histoire du domaine – tout près de l'endroit où la Russian River passe sous la Highway 101, au sud de Healdsburg – construit en 1896 par son grand-père. Ses Cabernets-Sauvignons et ses Chardonnays haut de gamme sont vendus sous l'étiquette Fox Mountain, ses vins les moins chers portant l'étiquette Riverside Farm. Entre les deux, tout simplement nommés Foppiano Vineyards, les vins de cépage Petite Sirah, Zinfandel et Cabernet-Sauvignon pour les rouges, Chardonnay et Sauvignon pour les blancs sont faciles à boire et vendus à des prix raisonnables.

CLOS DU BOIS

Imaginez ce que représente la vinification en fûts de l'équivalent de 2 millions de bouteilles de Chardonnay, un beau vin, gras, avec des arômes de citron. Le Clos du Bois produit plus de 4 millions de bouteilles, dont un Merlot (autre spécialité) suave, soyeux et long en bouche avec des notes de cassis et de mûre, qui égale le Chardonnay en popularité. La vinificatrice Margaret Davenport fait aussi des Chardonnays d'un seul vignoble (ceux de Flintwood sont droits et austères, ceux de Calcaire plus ronds et charnus) et des Cabernets-Sauvignons (Briarcrest et Marlstone). Le Clos du Bois appartient au groupe Allied-Hiram Walker, qui dirige également Callaway dans le sud de l'État et deux domaines de Napa, Atlas Peak et William Hill Winery.

Gallo-Sonoma

En 1993, E. et J. Gallo lancèrent leur premier Sonoma Estate Chardonnay, charnu et élégant. Leur domaine de plus de 800 ha, au nord de Healdsburg, produisit ensuite un Cabernet-Sauvignon onéreux.

Geyser Peak

Après avoir appartenu au brasseur Schlitz puis, en partie, à la société australienne Penfolds, Geyser Peak, près de Geyserville, est aujourd'hui de nouveau dans le giron de la famille Trione. Le vinificateur australien Daryl Groom réussit un Sémillon/Chardonnay ravissant, sec et plein d'esprit. Groom vinifiait autrefois le Grange Hermitage pour le compte de Penfolds. Reserve Alexandre est un Meritage rouge complexe.

Glen Ellen

Le clan Benziger a fait beaucoup de bruit avec son Chardonnay et son Cabernet-Sauvignon Proprietor's Reserve, aux prix abordables, ainsi qu'avec ses vins haut de gamme, surtout un Sauvignon, gras et agréable, et la gamme Imagery, élaborée avec de nouvelles méthodes de vinification de cépages rouges peu courants, Aleatico, Trousseau, Syrah et Cabernet Franc. Glen Ellen a été cédé à Heublein.

Gundlach Bundschu

Jim appartient à la quatrième génération de Bundschu exploitant Rhinefarm Vineyard à Sonoma, planté en 1858 par Charles Bundschu et Jacob Gundlach. Les 120 ha actuels comprennent le vignoble Kleinberger, qui produit un vin blanc sec dans le style des Rieslings et un Merlot intense aux arômes de cassis.

Hanzell

Ce bijou de 13 ha, juste au nord de Sonoma, est doté d'un bâtiment viticole inspiré de la façade nord du Clos Vougeot en Bourgogne. Le fondateur, J. D. Zellerbach, grand amateur de vins de Bourgogne, planta d'abord du Chardonnay en 1953, puis du Pinot Noir. Il fut parmi les premiers à importer des barriques françaises et à vinifier en cuves d'acier inoxydable. Le Chardonnay issu d'une parcelle en coteau exposée au sud-ouest est particulièrement réussi.

Iron Horse

La fraîcheur du climat de Green Valley convient parfaitement aux cépages Pinot Noir et Chardonnay, élaborés en vins effervescents (Brut Rosé et Wedding Cuvée, très fruités, sont remarquables ; Laurent-Perrier travaille avec Iron Horse) et en vins tranquilles. Le Cabernet-Sauvignon provient d'un vignoble appartenant au vinificateur Forrest Tancer, à plus de 48 km du domaine de Sebastopol, dans Alexander Valley.

Jordan

Tom Jordan a construit son Domaine d'Healdsburg à l'image d'un château bordelais, mais son vin blanc est un Chardonnay, cépage bourguignon. Le Cabernet-Sauvignon est suave et son fruit, évoquant le cassis, se prolonge en finale ; le Chardonnay est gras et possède des arômes de réglisse et d'anis. Jordan produit également une petite quantité de vin blanc liquoreux (Sémillon/Sauvignon) de raisins botrytisés, ainsi qu'un Mousseux aux arômes de pomme et de pain grillé, élaboré selon la méthode traditionnelle, et appelé « J ».

Kenwood

Kenwood produit tranquillement chaque année près de 2 500 000 bouteilles de bons vins qui deviennent plus intéressants à chaque millésime : un Zinfandel aux notes poivrées, un Cabernet-Sauvignon Artist Series élégant, un Sauvignon aux arômes d'herbes et de citron, un Pinot Noir souple, un Chenin Blanc net et franc aux notes de melon et un Chardonnay charnu. La famille Lee a fait l'acquisition en 1970 de l'ancien Domaine Pagani Brothers, près de la ville de Kenwood.

Kistler

Steven Kistler a fait trois millésimes à Ridge (baie de San Francisco) afin d'apprendre ce qu'il appelle la vinification « non interventionniste ». Le succès de son Chardonnay, franc à l'attaque puis suave et plus charnu en finale, lui a permis de créer à Glen Ellen une petite exploitation de 300 000 bouteilles équipée de sept chais à barriques dont la température et l'humidité sont contrôlées individuellement. On y produit aussi du Cabernet-Sauvignon et du Pinot Noir.

Korbel

À Guerneville, non loin du Pacifique, sur les rives graveleuses des méandres de Russian River, Korbel ravit les visiteurs avec son jardin de roses anciennes et ses vieux bâtiments en brique couverts de vignes. Fondé il y a un siècle par trois frères tchèques (Francis, Joseph et Anton Korbel) et appartenant depuis 1954 à la famille Heck, Korbel produit chaque année plus de 12 millions de bouteilles de Mousseux très abordables et environ 4 millions de bouteilles d'eau-de-vie.

Laurel Glen

À partir d'une parcelle située sur les coteaux de Sonoma Mountain, hors de la zone de brouillards, à l'ouest de Glen Ellen, Patrick Campbell obtient l'un des meilleurs Cabernets-Sauvignons du pays. Regorgeant d'arômes de violette, de mûre et de cerise noire, ils ont toute la charpente nécessaire pour vieillir avec bonheur grâce à leur structure tannique et à une bonne teneur en acidité.

Matanzas Creek

Une exploitation qui affiche la devise « l'extrémisme dans la recherche de la qualité n'est pas un vice » est obligatoirement une force avec laquelle il faut compter. Les propriétaires Sandra et Bill MacIver emploient deux vinificateurs pour expérimenter et rechercher tous les paramètres de qualité imagi-

nables. Cible de leur quête de qualité, le Chardonnay se révèle riche en arômes de caramel et de vanille, rehaussé par des notes de clou de girofle, de pomme et de réglisse. Un Merlot élancé se prolonge en bouche ou vieillit bien en bouteille ; un Sauvignon lui correspond en blanc.

Pedroncelli

Cette exploitation de Geyserville fut fondée en 1927 avec, à l'époque, les cépages Carignan, Burger et Petite Sirah. La direction est aujourd'hui entre les mains des enfants et petits-enfants de John Pedroncelli et l'encépagement comprend Chardonnay, Sauvignon, Chenin Blanc, Cabernet-Sauvignon et Zinfandel (vinifié en rosé pâle, rosé et rouge).

Piper-Sonoma/Rodney Strong

Autrefois filiales de la même société, Piper et Strong sont toujours côte à côte près de Healdsburg. Le premier domaine appartient à Piper Heidsieck, produit des vins effervescents superbes, mais a diminué sa production en raison de la baisse de consommation. Le deuxième tire son nom de celui de son fondateur, Rod Strong, un vinificateur qui produit un remarquable Cabernet-Sauvignon, Alexander's Crown.

Saint Francis

On cultivait autrefois des noyers et des pruniers sur cette parcelle de 40 ha, et c'est maintenant le Merlot qui règne sur Kenwood, l'exploitation de Joe Martin. Le vinificateur Tom Mackey, qui officiait autrefois dans le district de Finger Lakes (État de New York), élabore aussi un Muscat Canelli blanc aromatique avec quelques grammes de sucre résiduel, ainsi que du Cabernet-Sauvignon, du Cabernet Franc et du Zinfandel.

Château Saint Jean

Depuis sa création près de Kenwood, en 1973, Saint Jean a pour porte-drapeau le Chardonnay, qui compte pour près de 70 % dans sa production de 2 700 000 bouteilles. Celui du vignoble Robert Young, extrêmement charnu, exhale de forts arômes de pain grillé et celui du vignoble Belle Terre s'exprime dans le même registre en ajoutant des arômes de poire ; on y produit également un Sonoma County Chardonnay.

Les rouges reviennent en force (un Pinot Noir terreux et aux arômes foxés ne manque pas d'intriguer), le Riesling botrytisé aux notes miellées et le Gewürztraminer brillent de tous leurs feux. On vinifie un vin mousseux dans une autre installation.

Sebastiani

Créé en 1904 par l'immigré toscan Samuele Sebastiani, le géant du centre-ville de Sonoma a plusieurs fois changé de visage. Auguste Sebastiani introduisit des cépages courants. Son fils, Sam, a fortement réduit l'exploitation pour se consacrer à la production de vins de grande qualité, dont un blanc sec d'assemblage, aux arômes à la fois de fleur et de pierre à fusil, appelé Green Hungarian.

Simi

Giuseppe Simi et son frère Pietro achetèrent en 1881 leur exploitation de Healdsburg et construisirent en 1890 une cave en pierre, cœur de l'exploitation actuelle. Ayant survécu à la prohibition, l'exploitation fut d'abord remise à neuf par Russ Green, puis par Moët-Hennessy. Les Chardonnays mettent en vedette des arômes de clou de girofle, de pomme et d'anis, les Cabernets-Sauvignons aux arômes de violette sont ronds et souples et un assemblage nouveau de Sémillon et de Sauvignon (Sendal) se révèle puissant, avec des notes de figue mûre et de melon.

Sonoma-Cutrer

Dans cette superbe *winery,* le Chardonnay règne en maître incontesté. Un tunnel de refroidissement permet au raisin fraîchement cueilli d'arriver au pressoir à bonne température après passage sur une table de tri. Les vins de Sonoma-Cutrer sont commercialisés sous les étiquettes des vignobles dont ils proviennent : Les Pierres, Cutrer, Russian River Ranches.

Château Souverain

Souverain fait aujourd'hui partie du groupe Nestlé (ainsi que Beringer) et fournit un excellent exemple de vins de Sonoma méconnus et, par conséquent, sous-estimés : un Zinfandel épicé, un Pinot Noir souple et un Chardonnay.

Viansa

Quand Sam Sebastiani quitta l'exploitation créée par son grand-père, il démarra près de l'aéroport de Schellville, au sud de Sonoma (Carneros), une petite exploitation aux allures italo-californiennes avec des oliviers (pour l'huile), des cépages typiquement italiens (Sangiovese, par exemple) et une salle de dégustation qui ressemble à une place de marché. Son meilleur vin est un Cabernet-Sauvignon bien équilibré, aux arômes de cassis.

Williams Selyem

Burt Williams et Ed Selyem font ce que l'on peut appeler sans hésiter le meilleur Pinot Noir de Healdsburg, à partir de raisins de Russian River qu'ils vinifient dans d'anciennes cuves à lait en acier inoxydable. Ces Pinots Noirs sont épicés, succulents et longs en bouche. Leur Zinfandel chargé en arômes de mûre et de café mérite d'être dégusté.

Le Château Saint Jean, près de Kenwood, dans la vallée de Sonoma.

AUTRES RÉGIONS CÔTIÈRES

Les très nombreuses exploitations situées en dehors de Napa et de Sonoma reflètent bien la fascinante diversité de la Californie. Hormis quelques producteurs qui s'identifient, comme en Europe, à un terroir défini et à un vin spécifique, il s'agit le plus souvent de toute une panoplie de vins dispersés, qui offrent un large éventail de styles et de qualités : ils peuvent en effet provenir de tous les principaux cépages californiens (voir encadré p. 480), auxquels se rajoutent quelques autres. Il est courant qu'une même exploitation produise du rouge, du blanc et du rosé (*blush*), un vin mousseux, voire aussi un ou plusieurs vins de dessert.

Lake et Mendocino

Au nord de ce que l'on surnomme en plaisantant « Sonapanoma » s'étendent les comtés de Lake et de Mendocino. Bien qu'ils soient moins connus du reste du monde que Napa et Sonoma et que les producteurs y soient moins nombreux, ces comtés appartiennent à ce que les Californiens nomment la côte nord. Situés au nord de San Francisco, ils bénéficient, comme leurs voisins, des nombreux avantages du climat frais, ce qui est particulièrement vrai pour la vallée d'Anderson (à Mendocino), dont les vins jouissent d'une excellente réputation.

À l'intérieur des terres, autour de Clear Lake, le climat chaud du comté de Lake convient bien au Sauvignon (vins blancs) et au Cabernet-Sauvignon (vins rouges), ces deux cépages couvrant plus de la moitié du vignoble. Les sols y sont généralement volcaniques, souvenir des anciennes éruptions de Mount Saint Helena et de Mount Konocti. Les viticulteurs se considèrent comme de véritables pionniers, tant ils sont éloignés des circuits commerciaux habituels : à ce jour, pas une seule ligne de chemin de fer ne pénètre dans le comté de Lake pour desservir sa demi-douzaine d'exploitations. De nombreux vignobles appartiennent à des sociétés

Brumes sur la côte californienne.

vinicoles dont le siège se trouve dans la vallée de Napa : Sutter Home, Louis Martini et Beringer (maintenant à Nestlé), entre autres.

Le comté de Mendocino se divise en deux zones principales : la chaude vallée intérieure d'Ukiah et la fraîche vallée d'Anderson, orientée à l'ouest, vers l'océan Pacifique. Une trentaine d'exploitations se répartissent les quelque 5 000 ha de vignes. Le Chardonnay (pour les blancs) couvre un quart de la superficie, le reste étant planté en Zinfandel, au goût de poivre et de framboise (essentiellement sur de hautes crêtes en bordure des forêts de séquoias), de Cabernet-Sauvignon et de Carignan rouge ordinaire. Le Pinot Noir gagne du terrain, mais sert le plus souvent à la fabrication de vins mousseux (Roederer, Scharffenberger). L'unique vignoble de la région viticole de Cole Ranch produit un excellent Cabernet-Sauvignon.

La zone de la baie

Une grande variété de sites viticoles entoure la baie de San Francisco, des basses plaines graveleuses de la vallée de Livermore aux versants de la forêt humide des montagnes de Santa Cruz (AVA), avec des exploitations établies dans d'historiques caves de pierre aux hangars en tôle ondulée abritant aussi bien des citernes en inox que des fûts de chêne français.

Dans cette zone, certains centres de vinification (comme Audubon et Rosenblum) se trouvent en plein centre-ville et s'approvisionnent en raisin dans diverses régions, alors que d'autres, plus petits, se concentrent sur un terroir précis (Ahlgren, Cronin, Fogarty, Hallcrest, Roudon-Smith, Santa Cruz Mountain Vineyard, Woodside).

Avec ses cépages Cabernet-Sauvignon pour les rouges, Sauvignon et Sémillon pour les blancs, la vallée de Livermore ressemble quelque peu aux Graves du Bordelais. Les montagnes fraîches qui dominent les comtés de Santa Cruz et de Santa Clara sont, elles, essentiellement plantées en Chardonnay et en Riesling pour les vins blancs, en Zinfandel et en Pinot Noir pour les rouges.

Monterey et San Benito

Plus au sud, les comtés de Monterey (sur la côte) et de San Benito (à l'intérieur des terres) offrent une variété encore plus grande de sites viticoles.

Monterey, région au cycle végétatif long et ensoleillé, doit sa conquête à l'irrigation : la pluviométrie de la région ne dépasse en effet jamais 250 mm par an, soit la moitié des besoins du vignoble. Au cours des années 1960, Paul Masson, Mirassou et Wente introduisirent donc dans la vallée de Salinas des systèmes d'arrosage à jet et de goutte-à-goutte. Grâce à l'irrigation, au sol meuble et sablonneux, peu propice au phylloxéra, le vignoble couvrait déjà plus de 16 000 ha au milieu des années 1970 – essentiellement du Cabernet-Sauvignon qui, trop arrosé, monta en graine.

Aujourd'hui, le vignoble de la vallée de Salinas (qui englobe les régions viticoles de Santa Lucia Highlands, Arroyo Seco, San Lucas et Chalone) ne couvre plus que 12 100 ha, dont près d'un tiers est planté en Chardonnay (pour les blancs). Viennent ensuite, par ordre décroissant d'importance : Cabernet-Sauvignon (mieux compris aujourd'hui, car on cesse de l'arroser après le mois de juin), Chenin Blanc et Riesling pour les blancs, Zinfandel et Pinot Noir (qui fait des merveilles près de la baie de Monterey) pour les rouges, Sauvignon et Pinot Blanc (surtout pour les vins effervescents). Delicato, une maison située dans la vallée centrale, possède le vignoble San Bernabe près de King City qui, avec ses 3 450 ha, est l'un des plus grands vignobles d'un seul tenant au monde.

Le cépage rouge Merlot se comporte très bien dans les hautes terres de Santa Lucia (Smith & Hook est excellent), les Pinots Noirs concentrés viennent de sites plus frais (Pinnacles, Morgan), les Chardonnays ont des notes de fruits exotiques caractéristiques (Estancia, Lockwood), et J. Lohr produit un Gamay rouge au goût de cerise poivrée.

L'aire viticole de la vallée de Carmel, qui constitue une poche chaude à l'ouest de la rivière Salinas, est de son côté célèbre pour ses généreux Cabernets-Sauvignons aux arômes de cacao.

San Benito faisait jadis partie du comté de Monterey et devait sa célébrité au grand vignoble de la vallée de la Cienega planté par Almaden : à la suite d'un tremblement de terre, il fut coupé en deux par la faille de San Andreas. Ce sont les Pinots Noirs de Calera qui font aujourd'hui la réputation de ce comté.

San Luis Obispo

Paso Robles est la plus grande aire viticole du comté de San Luis Obispo (40 exploitations cultivent près de 4 000 ha de vignes), mais l'importance des vignobles de la vallée de l'Edna (au sud de la ville de San Luis Obispo) et d'Arroyo Grande va croissant.

Paso Robles, surtout dans sa partie plus chaude, à l'ouest de la Highway 101, est célèbre pour ses Cabernets-

Sauvignons fruités, souples et accessibles (Castoro, Eberle, Meridian).

En 1913, le pianiste polonais Ignace Paderewski acheta 800 ha à l'ouest de Paso pour y planter des amandiers et du Zinfandel. Aujourd'hui, la ville de Templeton, juste au sud de Paso, est très appréciée des connaisseurs pour ses Zinfandels rouges fruités et poivrés (Ridge, Mastantuono). Chaque année, au mois de mai, Paso Robles est le siège d'un grand festival du vin. L'aire viticole de York Mountains, qui couvre seulement 12 ha sur un plateau à l'ouest de Templeton, est le domaine exclusif de la York Mountain Winery, fondée en 1882.

La vallée de l'Edna est surtout connue pour ses Chardonnays pleins de caractère (Edna Valley Vineyard, Corbett Canyon), tandis qu'Arroyo Grande se spécialise dans les vins effervescents vifs (Maison Deutz).

La région la plus méridionale du comté recouvre une petite partie de l'AVA vallée de Santa Maria, dont la majeure partie s'étend jusque sur le comté de Santa Barbara.

Santa Barbara et le sud de la Californie

Contrairement au reste de la Californie, exposé à l'ouest, Santa Barbara possède, entre Point Concepcion et Rincon, 80 km de côtes orientées au sud et ressemble ainsi à la côte méditerranéenne de la France et de l'Espagne.

Ce furent les missions qui, en s'étendant vers le nord, introduisirent le raisin dans ce comté: Santa Barbara (en 1786), La Purisima Concepcion (Lompoc, en 1787) et Santa Ines (Solvang, en 1804). Comme dans beaucoup d'autres régions de Californie, le vignoble y prospéra durant la seconde moitié du XIXᵉ siècle, mais fut ruiné par la prohibition au début du XXᵉ siècle. La Bodega d'Albert Packard, construite en 1865, était une structure en adobe de trois étages aux murs de 1 m d'épaisseur. Le chemin qui passait entre les vignes est aujourd'hui la rue De La Vina.

La résurrection de Santa Barbara débuta en 1962, lorsque le Canadien Pierre Lafond fonda Santa Barbara Winery. Connue à l'époque pour ses

vins fruités, elle l'est aujourd'hui pour son Pinot Noir au goût de cerise, son généreux Johannisberg Riesling et son Zinfandel rouge plein de vitalité. Mais c'est surtout grâce à la promotion désintéressée et à la renommée de l'ancien marchand de pneus Brooks Firestone que Santa Barbara figure aujourd'hui sur les cartes viticoles.

À Santa Barbara, les propriétés de personnalités célèbres et les ranches avoisinent près de 4 000 ha de vignes. Plus de la moitié sont plantés de Chardonnay, qui donne de riches vins blancs amples avec des notes de fruits exotiques, mais le Pinot Noir devrait avoir droit à une mention spéciale pour les rouges des fabuleux vignobles de Bien Nacido, Sierra Madre et Sanford. Les meilleures aires viticoles sont la vallée de Santa Maria, les plaines du nord-ouest du comté et la vallée de Santa Ynez, qui suit les méandres de la rivière du même nom du lac Cachuma jusqu'au Pacifique. Plus d'une vingtaine de centres de vinification y transforment le raisin en vin.

De nombreux vignobles s'étendent au sud du comté de Santa Barbara. La premier centre de vinification fut fondé en 1824 à Los Angeles par Joseph Chapman. Ce dernier fut suivi par Jean-Louis Vignes, un Français né à Cadillac, dont le El Aliso Ranch devint une affaire très prospère. Après la ruée vers l'or – lorsque le vignoble se déplaça vers Napa, Sonoma et les contreforts de la Sierra – le commerce du vin perdit de son importance à Los Angeles, en raison de la maladie des vignes (maladie de Pierce) et de l'urbanisation.

Aujourd'hui, une infime partie des 8 000 ha de vignes du comté de Riverside approvisionne la petite douzaine de vinificateurs installés près de Los Angeles, le reste étant vendu en raisin de table. Quant aux sols sablonneux de l'aire viticole de Temecula, à l'extrémité sud-ouest du comté (au nord de San Diego, au sud-est de Los Angeles), ils sont connus pour leur Chardonnay, à la fois tranquille (Callaway) et effervescent (Thornton, anciennement Culbertson). L'aire viticole plus modeste de la vallée de San Pasqual possède à peine 40 ha de vignes. □

PRODUCTEURS ET NÉGOCIANTS

Les vinificateurs californiens possèdent souvent des vignes dans plusieurs AVA différentes, voire dans plusieurs comtés, et peuvent en outre acheter du raisin à d'autres exploitations. Ils sont classés ci-dessous suivant la localisation de leur chai de vinification. Comme dans le reste de la Californie, la plupart des vins de qualité portent le nom du cépage dont ils sont issus (voir p. 480).

LAKE ET MENDOCINO

Fetzer

Fondé par Barney Fetzer à Hopland (Mendocino) en 1969, Fetzer est devenu un gros producteur, mais ses vins restent superbes (l'entreprise appartient au groupe Brown-Forman, producteur du whiskey Jack Daniels). Un grand jardin botanique reproduit le cycle de la vigne et une école de cuisine enseigne l'art d'assortir les vins et les mets. Le Chardonnay Sundial, frais, au goût de poire et de pomme, est d'un rapport qualité/prix particulièrement intéressant.

Guenoc

Son vignoble près de Middletown, ancien ranch de la chanteuse britannique Lillie Langtry, est situé à la fois sur les comtés de Lake et de Napa. Son rouge Langtry est un Meritage souple au goût de mûre ; le blanc Langtry possède un riche arôme d'olive et de réglisse. Son Chardonnay Reserve est également plein de personnalité, avec un délicat mais très net bouquet de citron et de crème.

Kendall-Jackson

L'empire de l'avocat Jess Jackson, qui a débuté à Lakeport, en 1983, par la construction du minuscule Château du Lac, produit aujourd'hui près de 12 millions de bouteilles par an grâce à l'acquisition des maisons J. Stonestreet (Sonoma), Cam-bria (Santa Maria Chardonnay) et Edmeades (vallée d'Anderson). Kendall-Jackson a fait de Chardonnay un terme générique désignant son blanc populaire, légèrement doux, au goût d'ananas. Le Cardinale est un coûteux assemblage de Meritage rouge avec un bouquet de cassis, d'iode et de tabac.

Navarro

Ted Bennett et son épouse Deborah Cahn possèdent 20 ha à Philo, dans la douce fraîcheur de la lointaine vallée d'Anderson, mais achètent aussi du raisin. Leurs Chardonnays secs et fermes et leurs souples Pinots Noirs sont aussi appréciés que leur Riesling et leur Gewürztraminer botrytisés, délicieusement doux. Ce dernier cépage sert également à élaborer du jus de raisin offert aux enfants des visiteurs.

Parducci

Fondée par le père de John Parducci en 1932, cette exploitation de 140 ha, comme celles de ses compatriotes italiens, vaque tranquillement à ses occupations. Elle produit des vins fiables et abordables, comme sa Petite Sirah au goût épicé de prunes et de baies rouges. Les visiteurs se rendent par milliers à Ukiah pour découvrir l'exploitation, la boutique de souvenirs, la galerie d'art, le restaurant et la salle de dégustation.

Roederer

Créée par Jean-Claude Rouzaud en 1985, la filiale californienne de la maison de Champagne de Reims commença par élaborer du Mousseux de style outre-Atlantique avant d'assembler les vins de la vallée d'Anderson selon la fameuse méthode classique. Pour ce faire, elle acheta des terres situées à des altitudes différentes et plus ou moins près de la côte : les vignes les plus proches de l'océan sont à 18 km des plus éloignées. L'affaire est conçue pour produire 1 200 000 bouteilles à partir de ses 162 ha de vignes. Leur Roederer Estate Brut, vieilli en fûts de chêne, est élégant, avec des notes d'agrumes et de levain.

Scharffenberger

Les Champagnes Pommery et Lanson (du groupe français LVMH) sont les associés de John Scharffenberger à Philo (Mendocino). Les Mousseux blancs tendent à être très secs et austères, mais le Brut Rosé possède un riche arôme de pain grillé, de prune et de fraise.

ZONE DE LA BAIE

Bonny Doon

Randall Grahm élabore des vins très personnalisés, dont certains proviennent de son exploitation des montagnes de Santa Cruz. Son rouge savoureux dans le style des vins du Rhône, Le Cigare Volant, plein d'arômes d'airelle et de cerise, possède une étiquette originale représentant un ovni. Il produit aussi une eau-de-vie de poire, un Muscat Canelli très doux, dans le style des *Eisweine* allemands, et quelques autres imitations diverses et variées.

Concannon

La longue histoire de Concannon remonte à sa fondation en 1883 par le libraire irlandais James Concannon. Ses caves demeurèrent en production durant la prohibition, grâce aux liens entretenus avec le clergé catholique de San Francisco (et ses commandes légales de vin de messe). Concannon est l'un des derniers producteurs de Petite Sirah, un rouge un peu rustique au goût prononcé de prune, qui se complaît dans les sols graveleux de la vallée de Livermore. L'entreprise a été reprise par Wente.

Mirassou

Aux dires de sa cinquième et de sa sixième génération, la famille a acheté ses vignes de la vallée de Santa Clara dès 1854. Depuis les années 1960, la maison porte ses efforts sur ses 300 ha du comté de Monterey, où elle produit un Pinot Noir souple, un Cabernet-Sauvignon généreux au goût de poivron et plusieurs vins blancs effervescents (Au Natural est fruité et mordant) qui bénéficient du climat frais de Monterey. Les chais se trouvent à San José.

Ridge

Fondée par un groupe de scientifiques, vignerons du week-end, cette entreprise basée à Cupertino appartient aujourd'hui à des Japonais.

Mais Paul Draper, vinificateur chevronné, continue d'y produire les Zinfandels les plus élégants dans des vignobles aussi différents et éloignés que Lytton Springs (Sonoma), Fiddletown (Amador) et Dusi (Paso Robles). Son Petite Sirah York Creek (Napa), dense et presque noir, fait fureur auprès des amateurs.

Wente

Comme leurs voisins, les Concannon de Livermore, les Wente commencèrent à cultiver la vigne dès 1883. L'affaire appartient toujours à la famille, qui a racheté les vignobles de Concannon et transformé les anciens chais de Cresta Blanca en restaurant et en centre de vinification de vins mousseux. Wente possède un élevage de bétail à côté de ses vignes de Livermore et de nombreuses parcelles de vignes dans le comté de Monterey. Son Sémillon se distingue par un délicieux bouquet de melon et de figue.

MONTEREY ET SAN BENITO
Calera
La passion de Josh Jensen pour la Bourgogne le poussa à chercher un terrain assez calcaire. Il trouva un ancien four à chaux (*calera* en espagnol) dans les collines surplombant Hollister, dans le comté de San Benito. Les chais s'étagent sur sept niveaux le long du coteau. Chaque vignoble (Jensen, Reeds, Selleck et Mills) donne un Pinot Noir différent, mais ce sont tous des vins concentrés aux arômes de cannelle et de cerise. L'entreprise produit également du Viognier, dans le style sobre des blancs du Rhône.

Chalone
Situé à l'est de la ville de Soledad et du même côté des formations rocheuses basaltiques de Pinnacles que Monterey, Chalone vinifie aussi selon la tradition bourguignonne, afin de donner un maximum de caractère à ses Pinots Noirs et à ses Chardonnays. Associée avec Château Lafite-Rothschild, la société possède aussi Edna Valley (San Luis Obispo), Acacia (Napa), Carmenet (Sonoma) et Woodward Canyon (État de Washington).

Jekel
Située à Greenfield, cette exploitation est l'exception à la règle selon laquelle « le Riesling ne donne rien de bon en

Californie ». La brume de la baie de Monterey permet au raisin de garder son acidité, si bien que même le Riesling sec conserve sa profondeur et sa vivacité, tandis que le vin de dessert botrytisé est richement fruité.

Son Chardonnay a lui aussi du succès et, à maturité, son Cabernet-Sauvignon déploie des nuances de cacao.

The Monterey Vineyard
Fondée en 1974 près de la petite ville de Gonzales, l'exploitation appartient aujourd'hui au groupe Seagram. Son point fort est sa gamme Classic, aux vins abordables et faciles, notamment le Classic Pinot Noir et le Classic Red.

SAN LUIS OBISPO
Eberle
L'ancien joueur de football Gary Eberle planta ses premières vignes à l'est de Paso Robles en 1972 pour Estrella River Winery (aujourd'hui Meridian), puis lança sa propre étiquette en 1980. Un clone de Cabernet-Sauvignon à faible rendement, franc de pied, donne des vins tendres bien équilibrés avec de belles notes de fruits rouges. L'exploitation produit aussi du Chardonnay et d'infimes quantités de Barbera, Syrah, Zinfandel, Viognier, ainsi qu'un Muscat Canelli très floral.

Martin Brothers
En s'installant à Paso Robles, le vinificateur Nick Martin et le commercial Tom Martin apportèrent à ce lieu un souffle de culture italienne. Ils rendirent le Nebbiolo populaire, avec son goût marqué de violette et de

grenade (sur l'étiquette figurent des reproductions de la Renaissance italienne). Leur Chenin Blanc, souple et sec, est caractéristique. Leur Vin Santo (voir p. 383) est issu de la Malvoisie. Les frères Martin distillent une *grappa* à partir de Nebbiolo.

Meridian
Estrella River Winery, l'exploitation d'origine, fondée à Paso Robles, fut rapidement rachetée par Beringer (qui appartient à Nestlé/Wine World) à la suite de désaccords familiaux. Le maître vigneron Chuck Ortman supervise une production de 3 600 000 bouteilles, dont deux tiers de Chardonnay Santa Barbara aux notes de vanille et de melon. Home Vineyard produit du Cabernet-Sauvignon, de la Syrah et du Zinfandel.

Wild Horse
Les chais de Templeton sont situés sur un plateau à l'est de la rivière Salinas, à 23 km seulement du Pacifique. Son Chardonnay a des arômes de pomme ; son Pinot Noir est impressionnant, avec des arômes de rose, de champignon et de cerise ; son Merlot a un goût de terroir, avec une pointe de camphre, d'eucalyptus et de tabac.

SANTA BARBARA ET LE SUD DE LA CALIFORNIE
Byron
En 1984, Byron Kent (« Ken ») Brown fonda Byron au-dessus des vignobles situés à l'ouest de la vallée de Santa Maria. Le rapide succès de son Chardonnay et de son Pinot Noir incita Robert Mondavi à racheter l'affaire en 1990. On y produit aussi un Cabernet-Sauvignon aux notes de tabac et de groseille et un excellent Pinot Blanc.

Callaway
Ely Callaway, magnat du textile à la retraite, fonda cette

exploitation dans les terres sauvages de Temecula (à 90 km au nord de San Diego, dans le comté de Riverside) en 1969. Il la céda au groupe Hiram Walker en 1981. Sa spécialité est l'élaboration d'un Chardonnay élevé sur lies, appelé Calla-Lees. Le Fumé Blanc (un Sauvignon vieilli en fût) et un Sauvignon fruité (vinifié en cuves inox) ont également du succès.

Firestone
En 1972, Brooks Firestone constata que la vallée de Santa Ynez, dans le comté de Santa Barbara, convenait parfaitement à la culture de la vigne. À Los Olivos, il se spécialise dans des Rieslings (secs et doux) au goût d'abricot, un Pinot Noir et un Merlot très long en bouche. Sa femme Kate dirige Carey Cellars, l'exploitation voisine.

Sanford
Rich Sanford commença à planter des vignes sur la rive sud de la rivière Santa Inez à Buellton en 1971. Sa connaissance de la région lui a permis d'élaborer un Chardonnay au goût de beurre et de pamplemousse, des Pinots Noirs au riche bouquet de cerise, des Sauvignons vifs et un vin gris issu de Pinot Noir.

Santa Barbara
Cette entreprise est la plus ancienne du comté de Santa Barbara puisque sa création remonte aux années 1960. Elle produit d'excellents vins de style bourguignon, Pinot Noir et Chardonnay, ainsi que du Sauvignon Blanc et du Zinfandel.

RÉGIONS INTÉRIEURES

Les deux régions viticoles de l'intérieur ne bénéficient pas de l'influence de l'océan Pacifique, mais offrent malgré tout quelques vins intéressants, de tous les styles imaginables. Outre les cépages californiens (voir p. 480), des cépages portugais sont cultivés dans la vallée centrale pour faire des vins du type du Porto.

La vallée centrale

La vallée centrale de Californie s'étend sur 640 km, des contreforts des monts Shasta au nord à Bakersfield au sud, à une centaine de kilomètres de Los Angeles. Sa partie viticole compte, du nord au sud, six AVA : (1) North Yuba (1985), au nord-est de Sacramento, sur la rive droite de la Yuba, jouit du climat le plus tempéré ; (2) Dunnigan Hills (la plus récente, 1993), dans le comté de Yolo, au nord-ouest de Sacramento, compte déjà plus de 500 ha de vignes ; (3) Clarksburg (1984), au sud de Sacramento, qui bénéficie de la brume marine remontant de la baie de San Francisco, est surtout réputée pour ses Chenins Blancs très vifs ; (4) Lodi (1983), qui s'étend sur le sud du comté de Sacramento et le nord de celui de San Joaquin, compte des vignobles en plaine et en terrasses et est réputée pour ses Zinfandels framboisés ; (5) Merritt Island, dans le comté de San Joaquin, est aussi tempérée par les brises marines ; (6) Madera, sur les comtés de Madera et de Fresno, qui ne compte pas moins de 15 000 ha de raisin de cuve, produit aussi une grande quantité de raisin de table et de raisin sec.

La vallée de San Joaquin, qui occupe la moitié méridionale de la vallée centrale, est une des régions agricoles les plus riches d'Amérique, où la vigne voisine avec les champs de blé et de coton. Si les chaudes températures diurnes tuent l'acidité et ne permettent pas l'élaboration de grands vins, l'équilibre demeure suffisant pour la production de vins de consomma-

Le comté El Dorado, contreforts de la Sierra.

tion courante. Le Thompson Seedless fournit du vin blanc ordinaire, une base pour le Brandy, ainsi que du raisin de table et des raisins secs.

Le Colombard, le Chenin Blanc, le Zinfandel, le Grenache, le Barbera et la Petite Sirah donnent d'énormes quantités de vins ordinaires, rouges et blancs, qui portent ombrage aux vins blancs de Chardonnay, aux rouges de Cabernet-Sauvignon et aux Mousseux.

L'éventail des productions ne s'arrête pas là. Dans les années 1930 et 1940, la plupart des vins californiens étaient des vins doux et mutés. On les a presque oubliés aujourd'hui mais, non loin de la plus grande exploitation du monde (Gallo produit plus de 12 millions de bouteilles par semaine), de minuscules producteurs (Quady et Ficklin) font d'excellents vins de dessert. Et, tout près, des géants anonymes (Sierra, Vie-Del, Noble) font des vins élaborés à façon pour des filiales de firmes prestigieuses (Heublein, Mondavi, Sebastiani) ou pour des producteurs de Brandy et de

vins ordinaires (Delicato, Franzia, Bronco, Giumarra, Guild).

Deux des plus grandes écoles vinicoles sont situées dans la vallée centrale : l'université de Californie à Davis et California State à Fresno.

Les contreforts de la Sierra

Le long de la bordure orientale de la vallée centrale se trouvent les contreforts de la sierra Nevada, qui font la transition entre les plaines chaudes et sèches et les stations de sports d'hiver. La majestueuse sierra offre sans doute des paysages bien différents de ceux de la vallée, mais ses vins extrêmement fruités – des rouges de Zinfandel et de Cabernet-Sauvignon, des blancs de Chardonnay et de Sauvignon – sont tout aussi séduisants.

Les comtés des contreforts sont, par ordre décroissant de superficie : Amador (800 ha), El Dorado (200 ha), Calaveras (80 ha), Tehama (60 ha) et enfin Nevada (50 ha).

Bien avant que quiconque ait pensé à associer Napa ou Sonoma au vin, des chercheurs d'or avaient planté des vignes là où les chênes des plaines laissaient la place aux pins d'altitude. Les ruisseaux de montagne et les mines abandonnées abritaient plus d'une centaine de centres de vinification, jusqu'à ce que le phylloxéra et la prohibition, alliés aux difficultés de transports, ne mettent fin à ces activités pendant un demi-siècle.

La renaissance vinicole débuta dans les années 1970, lorsque arrivèrent sur le marché les Zinfandels du comté d'Amador élaborés par Sutter Home et Ridge. Et, rapidement, des noms comme Boeger, Karly, Stevenot, Madrona et Monteviña propagèrent la renommée de la région. L'explication en est simple : les vignes de coteaux, situées entre 460 et 910 m, ont des rendements faibles, mais produisent des vins de caractère ; l'absence de brume réduit tout risque de pourriture ; les prix très bas des terrains réduisent les coûts de production et, par conséquent, le prix des vins. □

PRODUCTEURS ET NÉGOCIANTS

La vallée centrale produit plus de 80 % de l'ensemble des vins californiens, mais il s'agit en majorité de vins ordinaires, destinés à être assemblés entre eux. Cette même région produit des vins mutés et des vins de dessert. Les hautes altitudes des contreforts de la sierra Nevada donnent aux vins d'intenses arômes, bien que l'on y fasse pousser les cépages californiens habituels (voir p. 480).

LA VALLÉE CENTRALE

J. F. J. Bronco

C'est la sixième exploitation des États-Unis, avec une capacité de stockage atteignant près de 250 millions de bouteilles. Elle produit essentiellement du vin de table de qualité courante et des Mousseux vendus sous les étiquettes J. F. J. Cellars et C. C. Vineyard. C'est au début des années 1990 que Bronco commença à acheter des étiquettes prestigieuses : Grand Cru, Hacienda, Laurier, Black Mountain et les Portos J. W. Morris.

Ficklin

La famille Ficklin planta des vignes à Madera dès 1912, mais ne commença à faire du vin qu'en 1948. Elle élabore du Porto à partir des cépages portugais Tinta Madeira, Tinta Cão, Touriga et Souzão. La vieille cave en adobe est couverte de lierre ; les vins, d'un prix raisonnable, sont délicieux et dotés d'un goût de cerise et de groseille.

Gallo

L'exploitation vinicole de Modesto est devenue la plus grande du monde (près de 800 millions de bouteilles par an) après que Ernest Gallo se fut vanté, à la mort de son frère Julio, d'être capable de vendre plus de vin que lui. La plupart des vins (vins de table, vins doux et vins effervescents) sont bon marché mais bien faits. C'est le Hearty Red Burgundy, un rouge légèrement sucré, qui l'a tout d'abord fait connaître, mais son vin de cépage issu de Sauvignon est d'excellente qualité.

R. H. Phillips

L'exploitation de la famille Giguiere, qui produit 3 millions de bouteilles, est située dans les collines de Dunnigan, à l'est de la célèbre vallée de Napa. Parce que le terrain est bon marché dans la vallée de Yolo (près de l'université de Californie à Davis), ses assemblages frais et fruités et ses vins de cépage sont d'un rapport qualité/prix particulièrement intéressant. Les vendanges nocturnes donnent des vins propres et vifs – surtout pour le Sauvignon.

Quady

Andrew Quady a donné ses lettres de noblesse aux vins de dessert. Son Orange Muscat floral, nommé Essensia, son Black Muscat au goût de cerise (Elysium) et son Orange Muscat effervescent à 4 % vol d'alcool (Electra) lui ont valu le surnom de « Roi du Muscat californien ». L'exploitation de Madera produit aussi des vins mutés qui ressemblent au Porto, dont certains portent l'étiquette Starboard (« tribord », jeu de mots sur le fait que *port,* le contraire de *starboard,* signifie à la fois bâbord et Porto).

LES CONTREFORTS DE LA SIERRA

Boeger

En 1972, Greg et Susan Boeger fondèrent leur vignoble et leur exploitation juste à l'est de Placerville, dans le comté d'El Dorado. Les vignes étant plantées jusqu'à 900 m d'altitude, le climat est frais et sans brume. Leur Merlot et leur Zinfandel sont aussi séduisants l'un que l'autre.

Ironstone

Entreprise créée récemment (en 1994) dans le comté de Calaveras par John Kautz. Bien que les vignes soient encore jeunes, il élabore déjà des vins de qualité issus du Cabernet Franc et de la Syrah.

Monteviña

Le vignoble, planté sur le granite rouge décomposé du comté d'Amador, devint vite célèbre pour son puissant Zinfandel. L'exploitation, rachetée par Sutter Home (Napa) en 1988, se consacra alors à des cépages rouges italiens : dès le départ, le site donna le Barbera le plus fiable de Californie. De récentes plantations de Nebbiolo avoisinent des cépages tels que le Sangiovese, le Refosco et l'Aleatico.

Renaissance

D'admirables vignobles en terrasses au-dessus de la ville de Renaissance, dans le comté de Yuba, produisent des vins de dessert issus de Vendanges tardives de Riesling et de Sauvignon. La maison est également connue pour sa Petite Sirah riche et concentrée.

Un des grands centres de vinification de la vallée centrale.

NORD-OUEST DES ÉTATS-UNIS

PAYS VITICOLES ENCORE TRÈS JEUNES, LES DEUX ÉTATS DU
NORD-OUEST DES ÉTATS-UNIS OFFRENT UNE SÉDUISANTE
PALETTE DE VINS DE QUALITÉ.

L'Oregon est surtout réputé pour ses vins rouges de Pinot Noir.
Cette exploitation vinicole, Elk Cove, produit des Pinots Noirs
issus de trois vignobles distincts situés au nord de la vallée de
la Willamette, cœur de l'industrie vinicole de l'État.

Les deux États du Nord-Ouest pacifique – Washington et Oregon – ne sont pas, comme la Californie, célèbres pour leur ensoleillement et la douceur de leurs températures. Mais, comme chez leur voisin méridional, leur climat, influencé par les chaînes de collines et de montagnes générant de nombreux microclimats, attire et inspire les vinificateurs. Dans l'État de Washington, la plus grande partie du vignoble est retirée à l'intérieur des terres et coupée de l'influence du Pacifique par la chaîne des Cascades. Celle-ci forme une barrière contre la pluie et crée un désert ; la vigne ne peut donc prospérer que dans les vallées de la rivière Columbia et de ses affluents. L'irrigation et une approche scientifique de la viticulture permettent l'élaboration d'une grande variété de vins ; ce sont les blancs secs et demi-secs issus de Chardonnay, Riesling, Sauvignon et Sémillon et les rouges de Cabernet-Sauvignon et de Merlot qui connaissent le plus de succès. Les meilleurs sont souvent les vins de cépage (voir p. 476).

La principale région viticole de l'Oregon est la vallée de la Willamette, abritée entre la chaîne côtière et les Cascades, à l'est. Plus fraîche et pluvieuse que la Californie, elle jouit d'un climat semblable à celui de la Bourgogne, si bien que le cépage le plus cultivé est le Pinot Noir, le merveilleux raisin bourguignon, tandis que le Chardonnay et le Pinot Gris donnent d'élégants blancs secs. En raison du succès du Pinot Noir, l'Oregon est l'une des rares régions du Nouveau Monde qui pourrait se permettre de concurrencer la Bourgogne et les investissements français dans le vignoble n'ont fait qu'accroître l'enthousiasme local. L'industrie vinicole est relativement récente dans ces deux États. De la fin de la prohibition (1920-1933) jusqu'au milieu des années 1960, l'État de Washington ne possédait qu'une demi-douzaine de sociétés vinicoles qui élaboraient du vin à partir de fruits (rhubarbe, framboises, poires). En 1962, un groupe de vinificateurs amateurs planta des cépages classiques européens sur un petit lopin de terre. Dès 1967, le succès de leurs vins poussa un riche concurrent local à remplacer des raisins locaux par des variétés de *Vitis vinifera* et, depuis lors, le vignoble de l'État progressa rapidement, en quantité comme en qualité. L'histoire vinicole de l'Oregon est tout aussi récente et, si l'industrie est restée modeste, la qualité de ses vins, surtout ceux de Pinot Noir, lui vaut d'heureuses comparaisons avec la Bourgogne.

WASHINGTON

L'État de Washington est en train de rattraper celui de New York, second producteur de vin de qualité du pays. C'est une région en constant développement, qui a produit 36 millions de bouteilles en 1997. New York, qui en produisait 132 millions en 1988, n'en produit plus que la moitié aujourd'hui. Cela dit, ni l'un ni l'autre ne seront jamais une menace pour la Californie. L'État de Washington cultive environ 15 000 ha de vignes (soit un dixième du vignoble californien), dont seulement 6 000 ha de *vinifera*, mais sa production ne représente que le trentième de celle de son voisin méridional. Les deux tiers des vignobles de l'État sont complantés de Concord, qui sert à faire du jus de raisin et non du vin.

Le climat

À l'est de la chaîne des Cascades, le centre de l'État possède un climat continental, avec des étés chauds, des hivers froids et peu de précipitations. Dans la partie abritée de la pluie par les Cascades (l'altitude du mont Rainier est de 4 367 m), la vallée de la Columbia est un plateau aride et désertique, où les précipitations annuelles ne dépassent guère 200 mm. Il a donc fallu recourir à l'irrigation pour faire pousser la vigne à l'est des Cascades : il s'agit d'énormes systèmes pivotants dont les bras démesurés arrosent près de 65 ha à la fois.

Il est par ailleurs essentiel d'endurcir les vignes pour les préparer aux rigoureux hivers des plaines d'altitude : on cesse de les arroser et de leur apporter des éléments nutritifs vers la mi-août, bien avant les premières gelées d'automne, afin que les plants pré-dormants puissent résister à la rigueur de l'hiver. En 1979, avant que l'on ait compris l'importance de ce procédé, plus de 400 ha de vignes furent détruits par le froid.

Prélèvement en cours de fermentation.

LES ZONES VITICOLES

L'État de Washington compte quatre aires viticoles (AVA) : Columbia Vallley, à l'intérieur des terres, une fois et demie plus grande que la Belgique, qui se prolonge dans l'Oregon et englobe deux AVA secondaires, Yakima Valley et Walla Walla Valley, et sur le Pacifique, autour de Seattle, l'AVA Puget Sound.

Columbia Valley, avec un vignoble de plus de 4 000 ha, est de loin la plus importante. Elle a la forme d'un « T » renversé dont la tige est constituée par la Columbia qui coule vers le sud avant de former la frontière avec l'Oregon.
Walla Walla Valley, qui forme le bras oriental du « T », ne compte que 0,5 % du vignoble de l'État, mais on y élabore des vins d'une qualité exceptionnelle.
Yakima Valley forme le bras occidental du « T » et compte 40 % des vignobles de Washington. Elle doit sa prospérité à l'irrigation.
Puget Sound se trouve sur la côte du Pacifique. Le Müller-Thurgau et le Siegerrebe allemands s'y trouvent bien. On y cultive aussi du Pinot Noir.

Tout comme en Europe du Nord, les viticulteurs de l'État recherchent les versants orientés au sud, afin de profiter de la lumière solaire l'été et de la protection relative contre le froid hivernal. La proximité d'une rivière – la Columbia ou la Yakima – modère également le climat. Les nuits fraîches assurent au raisin une bonne acidité. Les vendanges ont lieu plus tard qu'en Californie : elles commencent à la mi-septembre pour ne finir parfois qu'en novembre.

Les cépages et les styles de vin

Le Chardonnay et le Riesling, pour le vin blanc, sont les cépages les plus cultivés, suivis, pour le vin rouge, du Cabernet-Sauvignon et du Merlot. Le Sauvignon (pour les blancs) gagne du terrain. Bien que moins répandu, le Sémillon a aussi ses adeptes ; il sert parfois à l'élaboration de vin de cépage mais on l'assemble également au Sauvignon. Le Cabernet Franc et la Syrah progressent tandis que le Riesling diminue.

L'État doit sa réputation à ses blancs issus de Chardonnay, au fruité vif et frais, et de Riesling, au goût profond d'abricot ; à ses Merlots rouges, pétillants d'arômes de baies, et à ses Cabernet-Sauvignons peu tanniques, dont le fruité semble étonnant. Le goût fruité est très prononcé parce que la maturation du raisin est lente et régulière sous le soleil modérément chaud de cette latitude septentrionale.

L'industrie viticole de l'État de Washington étant relativement récente, les styles sont très variés. Certains vinificateurs font vieillir quelques mois en fûts de chêne leurs blancs de Chardonnay et de Sémillon ainsi que leurs rouges.

Les vins mousseux connaissent un succès croissant, notamment ceux du Château Sainte Michelle, le plus gros producteur de l'État. □

PRODUCTEURS ET NÉGOCIANTS

L'histoire des vins fins de l'État de Washington a surtout débuté à la création de la société Columbia, suivie de celle du Château Sainte Michelle. Dans les années 1970 et 1980, le nombre de nouvelles sociétés vinicoles n'a cessé de croître. On en compte aujourd'hui 85 exploitant quelque 6 000 ha de vignes et produisant surtout des vins de cépage.

Arbor Crest

Arbor Crest a d'abord attiré l'attention avec ses Chardonnays au riche bouquet. Sa salle de dégustation, Cliff House, est perchée sur un affleurement basaltique surplombant la rivière Spokane, à quelques kilomètres à l'est de Spokane. Le vignoble des frères Mielke se trouve sur Wahluke Slope, un site de la vallée de la Columbia exposé à l'est, et produit un Sauvignon de très grande classe et un Merlot généreusement fruité.

Columbia

Fondée en 1962 par un groupe d'amateurs enthousiastes qui planta 2 ha dans la vallée de Yakima, Columbia doit sa célébrité aux superbes Cabernets-Sauvignons du vinificateur David Lake, issus de certains des meilleurs vignobles de Yakima : Otis, Red Willow et Sagemoor Farm. Columbia produit aujourd'hui environ un million de bouteilles par an, dont des vins de cépage rouges issus de Cabernet-Sauvignon, Merlot, Syrah et Cabernet Franc, et des blancs issus de Chardonnay, Riesling, Gewürztraminer et Sémillon.

Covey Run

Nommée à l'origine Quail Run, cette entreprise de Zillah (vallée de Yakima) fut créée par un groupe d'arboriculteurs fruitiers attirés par la vigne. L'odorant Lemberger vinifié en cuves inox, un rouge très original, est l'une de leurs spécialités avec le Riesling et le Chardonnay. La Caille de Fumé est un assemblage blanc sec de Sauvignon et de Sémillon.

The Hogue Cellars

Les Hogue dirigent une ferme diversifiée de 566 ha et une exploitation vinicole de 2,9 millions de bouteilles près de Prosser (vallée de Yakima). Mais un Sémillon blanc soyeux et des Merlots rouges à arôme de menthe ont incité la famille à s'occuper davantage de vinification. Leur gamme comprend maintenant aussi des rouges de Cabernet-Sauvignon et de Cabernet Franc.

Latah Creek

Mike Conway, propriétaire de cette société vinicole de Spokane, donne une note très personnelle à ses Chardonnays pleins de vitalité et à son Lemberger rouge élevé en fût de chêne.

Leonetti

Gary Figgins commença à produire un Merlot et un Cabernet-Sauvignon typés dans la cave d'une maison de Walla Walla. Les rouges demeurent sa spécialité: 5 ha de Merlot entourent la maison (avec un peu de Syrah et de Sangiovese). Son assemblage de style Bordeaux s'appelle Walla Walla Valley Select.

Preston

Le vignoble de 20 ha, planté en 1972 sur les plateaux de désert sablonneux juste à l'est de Pasco, atteint aujourd'hui 73 ha et la production est passée à 420 000 bouteilles. Le Chardonnay sec et le Riesling doux de vendanges tardives sont depuis longtemps les spécialités de Preston et son Gamay Rosé (qui porte l'étiquette Beaujolais) est frais et fruité.

Quilceda Creek

Depuis 1979, la société ne produit à Snohomish (nord de Seattle) que 12 000 bouteilles de Cabernet-Sauvignon (issu de raisin de la vallée de la Columbia), que les connaisseurs s'empressent d'acheter. Paul Golitzin a bénéficié des conseils du célèbre André Tchelistcheff, qui s'est distingué pendant près de quarante ans à Beaulieu, dans la vallée de la Napa.

Château Sainte Michelle

Voir encadré ci-dessous.

Paul Thomas

Attaché au côté étonnamment sec des « vins » élaborés à partir de fruits, Paul Thomas a créé Crimson Rhubarb – un Blanc de Noirs fait avec de la rhubarbe –, une boisson devenue classique dans l'ouest de l'État de Washington. Son Chardonnay vinifié en fûts est aussi agréable que son rouge Cabernet-Sauvignon/Merlot. L'affaire fut rachetée en 1993 par Associated Vintners (Columbia).

Woodward Canyon

Les spécialités, en rouge, du vinificateur Rick Small sont les Cabernets-Sauvignons et les Merlots, mais il produit aussi un Chardonnay de style bourguignon – vinification en fût, fermentation malolactique, séjour prolongé sur lies. Son rouge Meritage de type Bordeaux s'appelle Chabonneau. Il possède un vignoble près de son exploitation dans la vallée de Walla Walla et achète du raisin dans la vallée de la Columbia.

CHÂTEAU SAINTE MICHELLE

Située dans la banlieue de Seattle, cette société vinifie du raisin local et est devenue d'ailleurs la plus influente de l'État en 1967, lorsque de gros investissements permirent d'engager André Tchelistcheff (de la vallée de la Napa, en Californie) comme conseiller, et de commencer à faire des vins de cépage. Château Sainte Michelle produit aujourd'hui 6 millions de bouteilles par an, avec une gamme de vins de cépage (des Rieslings, du Cabernet-Sauvignon Cold Creek de la vallée de Yakima) et des vins mousseux portant son nom. La société mère, Stimson Lane, possède également une autre grosse exploitation, Columbia Crest à Paterson, connue pour ses blancs faciles à boire, ainsi que celle plus modeste de Snoqualmie, qui produit un Riesling de vendanges tardives (doux) et un Muscat Canelli demi-sec.

OREGON

Sans commune mesure avec son importance quantitative, l'Oregon devint célèbre un jour de 1979 quand, lors d'une dégustation à l'aveugle organisée par Robert Drouhin, le Pinot Noir 1975 d'Eyrie Vineyard dû à David Lett fut classé deuxième, après le Chambolle-Musigny 1959 de Drouhin et avant le phénoménal Clos de Bèze 1961 du même vigneron. À cette époque, l'Oregon ne comptait qu'un peu plus de 100 ha de Pinot Noir.

La vigne occupe aujourd'hui environ 3 000 ha (dont la moitié de Pinot Noir), soit moins de 2 % de la surface que la Californie consacre au raisin de cuve.

Les climats et les sols

La plus grande partie du vignoble est située à l'ouest de la chaîne des Cascades, orientée nord-sud et parallèle au Pacifique, à environ 160 km à l'intérieur des terres. C'est une région fraîche et pluvieuse, qui ressemble plus à la Bourgogne et aux autres vignobles du nord de l'Europe qu'à la Californie ou à l'État de Washington.

Le cœur de la région viticole se trouve dans le comté de Yamhill, à l'intérieur des terres, près de Tillamook, qui possède le quart des vignes de l'État. McMinnville (10 000 habitants) est le centre du comté de Yamhill, dans la partie la plus septentrionale de la vallée de la Willamette (voir encadré). C'est là, au Linfield College, qu'a lieu chaque année au mois de juillet la Fête internationale du Pinot Noir (IPNC).

La vallée de la Willamette, jadis une mer intérieure, possède des terres d'origine volcanique (souvenir d'une ancienne éruption de l'Idaho), très riches en oxyde de fer couleur de rouille dans la région de Dundee (Red Hills), bien que certains versants ouest de Yamhill présentent des couches sédimentaires jaunâtres. Les rendements sont généralement d'à peine 30-40 hl/ha dans la vallée de la Willamette, qui fournit les trois quarts des raisins de l'Oregon.

Vignoble de Red Hills (Dundee).

Dans cette région fraîche, les vendanges durent généralement du début d'octobre à la mi-novembre. La vallée de la Rogue, un peu plus chaude, est légèrement plus précoce, sauf là où pousse le Cabernet-Sauvignon, toujours tardif.

Les premières vignes à vin furent plantées en 1961, lorsque Richard Sommer eut l'idée de produire à l'ouest de Roseburg le Riesling apte à vieillir. La HillCrest Vineyard fut agréée en 1966. La même année furent plantés les premiers pieds de vigne du comté de Yam-

LES ZONES VITICOLES

Outre une partie de Columbia Valley, l'Oregon possède trois AVA, la plus grande étant la vallée de la Willamette.

Willamette Valley s'étend du sud vers l'ouest, entre Portland et Eugene.
Umpqua Valley se trouve plus au sud et s'étend jusqu'à Roseburg.
Rogue Valley – qui inclut les vallées de l'Applegate et de l'Illinois – est juste au nord de la frontière californienne, autour de la ville de Grants Pass.

hill, à Eyrie Vineyard, où David et Diana Lett prouvèrent que le Pinot Noir n'a pas besoin d'avoir une couleur sombre pour être bon et bien vieillir. « Le Cabernet-Sauvignon possède un arôme particulier, où qu'il pousse », dit David Lett. « Mais le Pinot Noir peut tellement varier selon le site et le vinificateur que les gens ont du mal à le définir, et c'est ce qui le rend si intéressant. »

Les cépages et les styles de vin

La moitié du vignoble de l'Oregon est planté en Pinot Noir. Presque tout le reste sont des cépages blancs : le Chardonnay vient en deuxième position, suivi par le Riesling et le Pinot Gris.

Bien que le Pinot Noir soit l'objet de tous les soins, les années 1980 ont vu naître deux phénomènes nouveaux : le premier fut l'explosion du Pinot Gris, vinifié jadis à l'italienne (Pinot Grigio), et qui donne aujourd'hui un blanc sec au goût de pierre à fusil.

Le deuxième se développa plus discrètement : on passa du Chardonnay de style californien, très épanoui, à celui plus subtil et plus élégant de l'Oregon, fruité et épicé. Les fermentations malolactiques arrondirent les accents rudes et trop acides dus au climat plus frais de l'Oregon.

Les blancs de l'Oregon, surtout les Chardonnays, peuvent vieillir trois ou quatre ans en bouteille. Les rouges de Pinot Noir présentent une grande variété – selon les vinificateurs et les millésimes –, mais la plupart sont prêts à boire au bout de quatre à six ans, bien que les meilleurs continuent de s'améliorer pendant bien plus longtemps.

Les années 1980 ont amené dans l'État des vinificateurs respectés de Californie (Willam Hill, Carl Doumani, Steve Girard), de France (Domaine Drouhin et Laurent-Perrier) et d'Australie (Brian Croser), possédant les talents et les moyens financiers nécessaires pour développer l'expérience viticole de l'Oregon. □

PRODUCTEURS ET NÉGOCIANTS

Les exploitations vinicoles de l'Oregon, comme celles de l'État de Washington, datent des années 1970 et 1980. La plupart sont familiales et mettent l'accent sur des vins élaborés à partir de leurs propres raisins locaux. La majorité des exploitations énumérées ci-dessous se trouvent dans le nord de la vallée de la Willamette, entre Portland et Salem. Les vins portent généralement le nom du cépage, comme dans le reste des États-Unis.

Adelsheim
David et Ginny Adelsheim commencèrent à planter leur vignoble de 19 ha en 1971, sur les versants de Chelahem Mountain, en quantités égales de Pinot Noir et de Pinot Gris. Plus tard, ils y ajoutèrent le Chardonnay, le Pinot Blanc et le Riesling.

Amity
La moitié du vignoble de 6 ha de Myron Redford, planté en 1970, est du Pinot Noir, dont une partie est vinifiée chaque année en vin nouveau. Le Gewürztraminer Blanc mérite d'être mentionné, ainsi que le Gamay.

Bethel Heights
En 1977, les jumeaux Ted et Terry Casteel commencèrent à planter leurs 21 ha dans les collines d'Eola, à 19 km au nord-ouest de Salem. Depuis 1984, ils produisent du vin provenant uniquement de leur domaine. Presque la moitié des vignes sont du Pinot Noir, qui donne un vin souple. Le Chenin Blanc donne un blanc sec.

Domaine Drouhin
Après le triomphe lors d'une célèbre dégustation à l'aveugle du Pinot Noir du Californien David Lett (The Eyrie), Joseph Drouhin a créé une entreprise à Dundee dont le premier millésime de Pinot Noir, en 1988, a stupéfié les autres producteurs.

Erath
Le bûcheron Carl Knudsen et le vinificateur Dick Erath fondèrent en 1972 la plus grosse exploitation de l'Oregon (aujourd'hui 480 000 bouteilles), à l'ouest de Dundee. La moitié de leur production est un Pinot Noir. Un Riesling au parfum de chèvrefeuille est élaboré en sec et dans le style des vins de Moselle (2 % de sucre résiduel). Leur Vin Gris (rosé) sec et fruité est issu de Pinot Noir ; le Pinot Gris est fermenté en fûts de chêne français et vieilli sur lies.

The Eyrie
Voir encadré ci-contre.

Henry Estate
C'est en 1972 que la famille Henry commença à planter des vignes sur les rives de la rivière Umpqua, à 20 km au nord-ouest de Roseburg, et les chais furent achevés en 1978. Bien qu'il fasse plus chaud ici que dans la vallée de la Willamette, le Pinot Noir est malgré tout le vin prédominant. Les blancs sont un Chardonnay vieilli dans du chêne américain, du Gewürztraminer et du Müller-Thurgau.

Oak Knoll
Ron et Marge Vuylsteke ne possèdent pas de vignes mais achètent leur raisin. Un Chardonnay vieilli en fûts de chêne vient en tête, suivi par un Pinot Noir soyeux, un Riesling et un Pinot Gris sec.

Ponzi
Le vignoble de 28 ha de Dick et Nancy Ponzi se trouve seulement à 24 km à l'ouest de Portland. Leurs Rieslings racés et leurs Pinots Noirs sont séduisants. Leur Chardonnay est vinifié dans des fûts de chêne de l'Allier.

Rex Hill
Cette exploitation fut fondée en 1982 par ses propriétaires, Paul Hart et Jan Jacobsen. Le vinificateur Lynn Penner-Ash met l'accent sur de savoureux Pinots Noirs. Provenant de sept vignobles différents, ils représentent 60 % de la production de 360 000 bouteilles. Le Chardonnay sec possède un goût de pierre à fusil et un riche parfum de clou de girofle.

Sokol-Blosser
Susan Sokol-Blosser et son époux Bill commencèrent à planter des vignes sur les Red Hills de Dundee en 1971 ; leur premier millésime fut le 1977. Ils produisent un Müller-Thurgau (blanc) au parfum de chèvrefeuille, un Chardonnay aux notes d'agrumes et des Pinots Noirs aux notes de cerise.

Tualatin
Le vinificateur californien Bill Fuller et l'homme d'affaires Bill Malkmus fondèrent en 1973 ce vignoble de 34 ha dans la minuscule ville de Forest Grove. Leur Riesling à goût d'abricot et de pierre à fusil, leur Pinot Noir à l'arôme de clou de girofle fumé et leur Chardonnay riche en pain grillé, en chêne et en clou de girofle sont très appréciés. Ils élaborent aussi des vins blancs issus de Sauvignon, de Gewürztraminer, de Flora (un hybride de Sémillon et de Gewürztraminer) et de Müller-Thurgau.

THE EYRIE

C'est dans cette exploitation située sur un petit terrain industriel de la banlieue de McMinnville, dans le comté de Yamhill, que naquirent les grands vins de l'Oregon. Les vignobles, plantés en 1966 dans les Red Hills de Dundee par David et Diana Lett, sont les plus vieux pieds de vigne de la vallée de la Willamette. Les vins qu'ils produisent sont étonnants. Leurs Pinots Noirs, intenses dans leur jeunesse, vieillissent aussi bien que certains des Bourgognes rouges qui leur ont servi de modèles : les meilleurs millésimes des années 1970 se sont gardés vingt ans, tandis que les moins bons se boivent au bout de cinq à dix ans. Leur Pinot Gris et leur Chardonnay sont également bons. Les produits les plus originaux d'Eyrie sont un subtil Muscat Ottonel blanc et un peu de rare Pinot Meunier rouge.

NORD-EST DES ÉTATS-UNIS

AYANT PRODUIT DES VINS DEPUIS L'ÉPOQUE COLONIALE,
LE NORD-EST DES ÉTATS-UNIS ÉLABORE AUJOURD'HUI
DES VINS DE STYLE CLASSIQUE.

Les vignobles de Tewksbury Wine Cellars, sur les collines du comté d'Hunterdon (New Jersey), témoignent de la renaissance vinicole de l'État. Les cépages, de *vinifera* principalement, sont sensibles aux gelées printanières.

C'est dans le nord-est des États-Unis que sont nés les vins issus de cépages américains. Les nombreuses vignes qui y poussaient à l'état sauvage à l'époque coloniale ont donné naissance à des noms de lieux, tel « le vignoble de Martha », au large de la côte du Massachusetts, et à bien des noms de villes dans toute la Nouvelle-Angleterre comme dans les États voisins. Ces vignes sauvages robustes et résistantes sont les ancêtres du cépage Concord, patriarche de l'espèce *Vitis labrusca*. On pensa un temps que, si la vigne poussait à l'état sauvage, les cépages européens prospéreraient également. Pour cette raison, de nombreux colons dédaignèrent le cépage indigène. En 1683, William Penn, fondateur de Philadelphie, importa des boutures de vigne de France et d'Espagne et fit la première vaine tentative pour acclimater les cépages européens au Nouveau Monde. Dans les années 1850, le Concord finit par être domestiqué, et, depuis lors, il règne en maître dans le Nord-Est.

Au début, on ne cultivait pas la vigne dans le but d'élaborer du vin. Depuis longtemps, le Concord était très prisé en raison de ses multiples qualités : on en faisait du jus de raisin, des confitures et des gelées. Avant la prohibition, d'autres cépages de *labrusca* (Delaware, Dutchess, Elvira et Catawba) donnaient des vins tranquilles, des Mousseux et des vins mutés. Or, que ce soit avant ou après cette époque, les vins de l'Est ne réussirent jamais à se faire une bonne réputation aux États-Unis. Leur image demeura celle de vins doux issus de cépages américains, et celle des vins kasher qui, parce qu'ils étaient élaborés à partir de Concord, furent automatiquement associés aux vins de cette région. Les hybrides français et les cépages de *vinifera* ne furent guère plantés hors de l'État de New York avant la fin des années 1960, lorsque la réglementation d'État fut modifiée pour encourager la création de petites entreprises vinicoles « fermières », en réduisant notamment les coûts prohibitifs de l'autorisation. C'est ainsi que l'on compte aujourd'hui plus de 200 entreprises vinicoles dans le Nord-Est (New York, Nouvelle-Angleterre, New Jersey, Pennsylvanie et Maryland), dont la moitié environ se trouvent dans l'État de New York. Tandis que ces petites sociétés se multipliaient, on commença également à planter davantage d'hybrides, de *vinifera*, ou des deux, si bien que l'on trouve maintenant de bons vins tranquilles et d'assez bons Mousseux dans cette région.

L'histoire des vins du Nord-Est

La plus ancienne région viticole est la vallée de l'Hudson, dans l'État de New York, où l'entreprise vinicole Brotherhood Winery, fondée en 1839, est censée être la plus vieille des États-Unis. Dès 1860, on élaborait du vin dans l'est de l'État de New York, dans le district des Finger Lakes. Celui-ci devint le centre de la production vinicole du Nord-Est et conserva son importance après la prohibition.

L'État de New York était alors le principal producteur de raisin et de vin de la région, au point que des viticulteurs de Pennsylvanie, du New Jersey et même du Canada envoyaient leur raisin à de grands producteurs de vin ou de jus de fruits de New York. La région devint rapidement célèbre pour le jus de raisin Welch's, les vins aromatiques de *labrusca*, les vins kasher et les vins mutés bon marché.

L'implantation des vignes étrangères

On pensait généralement que le climat froid du Nord-Est, son cycle végétatif court et son humidité estivale excluaient toute possibilité d'y faire pousser des vignes autres que locales. Au cours des années 1960, quelques viticulteurs de l'État de New York et des États voisins commencèrent à planter des hybrides français résistant au froid et à de nombreuses maladies. Philip Wagner, de Boordy Vineyards, dans le Maryland, consacra de nombreuses années de recherche aux hybrides adaptés au climat continental, sélectionnant soigneusement les microclimats appropriés et faisant pousser des souches à l'abri du gel. Wagner fonda une pépinière viticole et fournit toute une gamme d'hybrides français aux viticulteurs du Nord-Est et du Middle West.

Deux autres pionniers, Charles Fournier et Konstantine Frank, cherchèrent une souche résistante permettant de faire pousser *Vitis vinifera* dans les climats froids et, en 1957, leurs vignes expérimentales survécurent aux gelées désastreuses qui ravagèrent les Finger Lakes. C'est ainsi que les viticulteurs du Nord-Est s'intéressèrent à *vinifera*.

Fûts et demi-jeannes à Montbray Wine Cellars, entreprise pionnière du Maryland.

Les cépages et les styles de vin

Il n'est pas rare que les producteurs fassent des vins à partir des trois types de cépages – américains, hybrides et *vinifera*. Le choix se fait en fonction de ce que le vinificateur a pu se procurer et de la demande du marché. Certains producteurs ne vendent qu'aux résidents de la région ; d'autres ont pour clients des touristes, ou encore le marché plus sophistiqué des restaurateurs et des détaillants, à la fois dans la région et ailleurs.

Même les viticulteurs qui s'attaquent au marché international avec des vins fins offrent souvent aux touristes de passage des vins bon marché, doux et faciles. De nombreux vins issus d'hybrides portent un nom de propriétaire, ce qui est généralement plus accessible pour le novice que le nom du cépage hybride (plus difficile à prononcer). Au fil des ans, le Nord-Est a rendu un grand service au monde du vin en tentant de cultiver une si grande quantité de cépages hybrides de climat froid dans des sites et des sols différents. Plusieurs sont sortis du rang. L'hybride franco-américain Aurora est devenu très populaire lorsque les hybrides indigènes se sont révélés de piètre qualité, mais, aujourd'hui, il est petit à petit remplacé par le Cayuga White. Parmi les autres cépages blancs qui ont fait leurs preuves, les plus appréciés des viticulteurs du Nord-Est sont le Seyval Blanc et le Vidal Blanc. Le Ravat (également dénommé Vignoles) semblerait être l'un des raisins blancs les plus versatiles, donnant des vins secs, doux ou mousseux.

Parmi les hybrides rouges, Baco Noir (le premier à avoir fait ses preuves partout), Chambourcin, Chelois, de Chaunac, Maréchal Foch et Villard Noir sont les plus performants. Mais aucun hybride rouge ne s'est encore révélé vraiment supérieur aux autres. □

ÉTAT DE NEW YORK

Aussi loin que remontent les archives, l'État de New York a toujours été le deuxième producteur de vin des États-Unis ; mais les grands amateurs l'ont toujours traité avec mépris, en raison du volume de sa production de vins sucrés. Pendant des années, ses vins, issus pour la plupart de Concord, de Catawba et d'autres cépages de *labrusca*, étaient en effet plutôt vinifiés en doux afin de masquer les arômes foxés de ces raisins.

Les cépages américains furent les plus répandus jusque dans les années 1980, quelques grosses entreprises dominant la production. La situation commença à changer grâce à une loi, le Farm Winery Act de 1976, qui abaissait le prix de la licence et permettait aux petits producteurs (de moins de 240 000 bouteilles) de vendre directement aux consommateurs. Sur 88 entreprises vinicoles recensées en 1993, 73 ont été fondées après 1976. La plupart sont de petite taille et familiales.

Le Concord, malgré son recul, représente encore 75 % du vignoble. Bien que la surface viticole totale diminue à mesure que l'on supprime les vignes improductives et les cépages indésirables, la surface plantée en hybrides et en *vinifera* augmente. Les principaux hybrides sont l'Aurora, le Seyval Blanc, le Cayuga White et le Vidal Blanc pour les blancs, et, pour les rouges, le Baco Noir et le de Chaunac. Le principal cépage de *vinifera*, septième par ordre d'importance, est le Chardonnay. Le Riesling et le Gewürztraminer gagnent du terrain.

L'État de New York possède cinq AVA. Au sud-ouest de Buffalo, 95 % de l'AVA Lake Erie sont plantés en Concord, dont la plus grande partie est transformée en jus de raisin. Les quatre autres AVA s'intéressent davantage aux vins de qualité. Finger Lakes prend un nouveau départ avec de jeunes producteurs, exigeants sur la qualité, qui cultivent des hybrides et des cépages de *vinifera*. L'AVA

Exploitation sur le lac Érié.

Hudson River, réputée pour ses hybrides parfumés et bien élaborés, cultive aujourd'hui des cépages de *vinifera*. Les deux autres AVA, situées à l'extrémité orientale de Long Island, ont totalement misé leur avenir sur les vins de *vinifera*. Si l'industrie vinicole de l'État de New York ne s'est pas développée au cours des dernières années, sa production annuelle atteint malgré tout en moyenne 180 millions de bouteilles.

Finger Lakes

Avec sa quarantaine d'entreprises, cette AVA produit plus de 85 % des vins de l'État. On y trouve tous les types de raisin – *labrusca*, hybrides et *vinifera*. Bien que la superficie totale du vignoble ait diminué, beaucoup de nouvelles vignes ont été plantées le long des rives un peu plus protégées des lacs Cayuga et Seneca, où les cépages de *labrusca* comme les hybrides sont remplacés par des cépages de *vinifera*. La plupart des sociétés les plus anciennes – Taylor, Great Western, Gold Seal – se sont installées près des lacs Canandaigua et Keuka, où se trouve l'une des plus grosses entreprises américaines, la Canandaigua Wine Com-

pany. Les principales petites entreprises produisent d'excellents Chardonnays, Rieslings et Gewürztraminers et, dans la plupart des millésimes, le Seyval Blanc et le Cayuga White demeurent des hybrides fiables.

Hudson Valley

La plus ancienne région viticole de l'État est située à 110 km au nord de la ville de New York et compte plus de 20 entreprises, toutes relativement petites. En raison de l'humidité, la plupart d'entre elles commencèrent par planter des hybrides français – essentiellement du Seyval Blanc. Toutefois, la longueur du cycle végétatif (entre 180 et 195 jours) a éveillé un nouvel intérêt pour les *vinifera*, notamment Chardonnay et Cabernet.

Long Island

La partie orientale de Long Island se divise en deux AVA – North Fork, une zone rurale, et The Hamptons, domaine des belles résidences. Presque toutes les entreprises sont situées dans la North Fork, où les sols d'argile sablonneux et l'influence adoucissante de l'océan et de la baie créent un site particulièrement favorable pour les nobles cépages de *vinifera*. Seize producteurs y élaborent des vins de qualités diverses avec pour débouché la ville de New York.

Depuis 1973, Hargrave Vineyards a convaincu même les plus incrédules que cette région convient à la viticulture : le succès de son Cabernet-Sauvignon et de son Merlot a poussé ses concurrents à planter des ceps de *vinifera*. Au cours de ses vingt premiers millésimes, Long Island a produit de nombreux Merlots riches et presque classiques, ainsi que de bons Cabernets-Sauvignons. Les efforts plus récents pour faire des assemblages de style bordelais pourraient bien être couronnés de succès. Le Chardonnay et le Sauvignon sont, quant à eux, les cépages blancs prédominants. □

PRODUCTEURS ET NÉGOCIANTS

Les grosses entreprises élaborant principalement des vins de faible qualité à partir de cépages indigènes sont enfin concurrencées par un groupe croissant de vignerons employant les meilleurs hybrides et les cépages de l'espèce *vinifera*.

FINGER LAKES

Canandaigua Wine Co.

Avec plus de 96 millions de bouteilles par an, c'est l'une des plus grosses entreprises vinicoles américaines. Elle possède l'étiquette la plus ancienne, Virginia Dare, produit beaucoup de vins de *labrusca* mais aussi des vins de cépage haut de gamme, notamment du Muscat.

Glenora Wine Cellars

Fondée en 1977, cette société a toujours mis l'accent sur les vins de cépage millésimés issus d'hybrides et, plus récemment, de Riesling et de Chardonnay. Elle complète le produit de ses vignes de Seneca Lake avec du raisin acheté aux viticulteurs locaux. Glenora produit de bons Rieslings équilibrés et un riche Reserve Chardonnay vinifié en fût. Ses vins mousseux de méthode traditionnelle (assemblage de Chardonnay et de Pinot Noir) peuvent être remarquables.

Knapp Vineyards

Sa vaste gamme de vins de cépage issus d'hybrides et de *vinifera* a valu à Knapp de nombreuses récompenses ces dernières années. Fondée en 1982, à Seneca Falls, près du lac Cayuga, Knapp possède son propre vignoble de 26 ha et a signé un bail à long terme pour 53 ha supplémentaires. Ses blancs, Rieslings secs ou de vendanges tardives, Seyval Blanc et Vignoles, sont impressionnants.

Wagner Vineyards

Depuis sa première vendange en 1978, Wagner est devenu le plus célèbre producteur de Chardonnay de la région des Finger Lakes (comté de Seneca). Il ne produit que des vins issus des vignes du domaine, où la *vinifera* (Chardonnay, Riesling, Pinot Noir et Gewürztraminer) représente près de la moitié de ses 240 000 bouteilles. Il faut aussi mentionner

son Seyval Blanc vinifié en fût et son plaisant Reserve White. En 1988, Wagner a sorti deux vins de glace extraordinaires (issus de raisins gelés) de Ravat Blanc et de Riesling.

HUDSON VALLEY

Benmarl Wine Co.

Mark Miller a commencé à produire du vin à Marlboro en 1971, bien avant ses concurrents. 30 ha furent d'abord plantés d'hybrides, auxquels s'ajoutèrent plus tard du Chardonnay et du Cabernet-Sauvignon. Pour financer son projet, Miller vendit des parts de ses vignes à 400 actionnaires qui l'aident toute l'année. Ses principaux vins sont le Seyval Blanc, le Baco Noir, le Chelois et le Vignoles.

Clinton Vineyards

Cette société du comté Dutchess a trouvé sa voie en se spécialisant dans le Seyval Blanc, dont elle fait également un Mousseux.

Sa production atteint annuellement 120 000 bouteilles. Elle inclut aussi du Chardonnay et du Riesling.

Millbrook Vineyards

Le propriétaire, John Dyson, a fait breveter un système original d'échalassement, qui lui permet de faire pousser 100 % de cépages de *vinifera* à Millbrook, à l'est de l'Hudson. Le Chardonnay, dont un Reserve vinifié en fût, constitue plus de la moitié de sa production. Il produit depuis peu du Cabernet Franc, du Pinot Noir et du Tokay. Il essaye actuellement les cépages du Rhône et des cépages italiens.

Rivendell Winery

Le démarrage prudent, en 1983, de cette société de New Paltz, à l'ouest de l'Hudson, ne l'a pas empêchée de devenir en dix ans l'une des marques les plus recherchées. Sa réputation sans faille s'est bâtie sur son Chardonnay, son Seyval Blanc fermenté en fût, son Vidal Blanc, son Cabernet-Sauvignon et ses propres assemblages.

LONG ISLAND

Bedell Cellars

Cette petite société (60 000 bouteilles), dirigée par Kip et Susan Bedell depuis le début des années 1980, est installée dans une grange à pommes de terre rénovée. Ses premiers millésimes de Merlot et de Cabernet-Sauvignon étaient si riches et semblaient de si longue garde qu'ils ont immédiatement placé Bedell parmi les meilleurs producteurs en dehors de la côte ouest.

Bridgehampton Winery

L'un des rares producteurs de la côte sud, cette société modèle s'est fait un nom avec son Chardonnay, son Merlot et son vin de dessert, un Riesling de vendanges tardives qu'elle produit à l'occasion.

Hargrave Vineyards

Fondée en 1973, elle fut la première société vinicole contemporaine du Nord-Est. Son succès est principalement dû à ses rouges, notamment son Cabernet-Sauvignon, son Merlot et son Cabernet Franc. Son meilleur blanc, le Chardonnay, manque malheureusement un peu de consistance. Elle fait aussi du Sauvignon, du Riesling, du Gewürztraminer et du Pinot Noir, et tourne à sa pleine capacité de 144 000 bouteilles par an.

Palmer Vineyards

Créée en 1983 par le publicitaire new-yorkais Robert Palmer, cette société produisant 120 000 bouteilles est située sur le domaine le plus ancien de North Fork. Palmer s'est vite fait une réputation avec son Gewürztraminer et son Merlot, et produit aussi du Cabernet-Sauvignon et du Chardonnay.

Pindar Vineyards

Avec ses 85 ha de vignes à North Fork, c'est la plus grosse exploitation de Long Island : 540 000 bouteilles par an. Elle offre une vaste gamme de vins et, grâce à son système de distribution sophistiqué, s'est fait une réputation internationale avec son Merlot et son Mythology, un assemblage rouge de type bordelais. Son Chardonnay est également très bon.

AUTRES ÉTATS DU NORD-EST

Les autres régions viticoles du nord-est des États-Unis sont certains États de la Nouvelle-Angleterre, le New Jersey, la Pennsylvanie et le Maryland. L'histoire viticole de ces régions est similaire à celle de l'État de New York.

Nouvelle-Angleterre

Le Massachusetts cultive la vigne depuis fort longtemps. L'île de Martha's Vineyard fut découverte en 1602, et ainsi nommée en raison des raisins *labrusca* qui y poussaient. Cette AVA possède aujourd'hui une gamme impressionnante de cépages *vinifera*.

Les six États de la Nouvelle-Angleterre ont tous joué un rôle dans la renaissance actuelle des vins américains. En 1973, White Mountains Vineyards, dans le New Hampshire, fut la première société à ouvrir après la prohibition. Hélas, ce pionnier de l'espèce *vinifera*, qu'il fit pousser avec succès jusqu'à l'hiver particulièrement rude de 1983, ne survécut pas.

Les meilleures régions viticoles de la Nouvelle-Angleterre se trouvent près de la côte ou dans les montagnes de l'intérieur. De 30 à 40 exploitations sont actuellement en activité dans cette région. Suivant la proximité de l'océan ou l'altitude, le cycle végétatif peut se réduire à 145 jours ou s'allonger jusqu'à 210. Les vignes couvrent aujourd'hui une totalité de 400 ha, en proportion à peu près égale de *vinifera* et d'hybrides français.

Les États en tête sont actuellement le Connecticut et le Massachusetts, qui possèdent chacun 10 exploitations, dont beaucoup sont situées sur une étroite bande côtière. De nombreuses sociétés produisent également des « vins » de fruits et de baies ou du cidre. Le sud-est de la Nouvelle-Angleterre (Southeastern New England) est devenu une AVA appréciée des producteurs du Connecticut, de Rhode Island et du Massachusetts. Ceux qui possèdent des vignes dans l'ouest du Connecticut préfèrent utiliser

Exploitation connue de Pennsylvanie.

l'AVA Western Connecticut Highlands, bien que la première soit beaucoup plus chaude et mieux adaptée à *vinifera*.

New Jersey (AVA Warren Hills)

Le Farm Winery Act de 1981 a permis à l'État d'opérer une petite renaissance vinicole. Surnommé le *Garden State* (« État-jardin »), le New Jersey possède environ 260 ha de vignes, dont 75 % d'hybrides français. De nombreux producteurs possédant des vignes dans le comté de Hunterton utilisent l'AVA Central Delaware Valley. La plupart des 19 producteurs de l'État connaissent un certain succès avec les hybrides, notamment le Seyval Blanc et le Chambourcin.

Pennsylvanie

Possédant actuellement 3 650 ha de vignes, dont 80 % de cépages *labrusca*, la Pennsylvanie a vu son vignoble décroître depuis quelques années. Conestoga Vineyard, le premier producteur de vin de l'histoire contemporaine de l'État, a été créé en 1963. En 1968, après que l'État eut autorisé les exploitations à commercialiser leurs propres vins,

d'autres sociétés furent fondées : il en existe aujourd'hui plus de 40. La partie sud-est de l'État possède des terrains de choix pour les hybrides et *vinifera*, où les conditions climatiques ressemblent à celles de son voisin, le Maryland.

Maryland

Grâce aux travaux du pionnier Philip Wagner, qui fonda Boordy Vineyards en 1945, cet État produisait du vin bien avant ses voisins. Dès la fin des années 1960, Montbray Cellars, près de Baltimore, consacrait tous ses efforts à *vinifera*. Ceux qui le suivirent dans les années 1970 plantèrent des hybrides ou essayèrent le Chardonnay, le Riesling et le Cabernet-Sauvignon. Seuls des cépages *vinifera* ont été plantés au cours des dernières années. Le Maryland possède maintenant 130 ha de vignes, dont environ une moitié est constituée d'hybrides, et l'autre de *vinifera*. La plupart des vignobles se trouvent tout à fait à l'est de l'État, près de la frontière avec la Virginie. Le Cabernet-Sauvignon et le Chardonnay viennent en tête pour *vinifera*, le principal hybride étant le Seyval Blanc.

Les sociétés commerciales du Maryland se trouvent dans une situation étrange : pour obtenir du raisin, elles doivent littéralement se battre contre les petits producteurs, qui proposent des prix d'achat plus élevés aux vignerons. Les grands gagnants de cette compétition sont les viticulteurs indépendants.

Bien que la plupart des producteurs fassent figurer « Maryland » sur leur étiquette, l'État s'est vu attribuer trois AVA. Cumberland Valley s'étend jusqu'en Pennsylvanie et inclut de nombreux vignobles hors pair. Cette appellation sera sans doute de plus en plus utilisée à l'avenir. Catoctin, dans les montagnes à l'ouest de Baltimore, est une région qui montre un fort potentiel pour les cépages *vinifera*. La troisième AVA, Linganore, doit encore faire ses preuves. □

PRODUCTEURS ET NÉGOCIANTS

Depuis toujours, les producteurs du Nord-Est souffrent d'une situation financière précaire due à la législation de l'État (en cours de changement), aux conditions climatiques défavorables et aux réticences du marché face aux cépages non *vinifera*.

NOUVELLE-ANGLETERRE

Les États du Connecticut et du Massachusetts sont les deux régions viticoles les plus importantes de la Nouvelle-Angleterre. En outre, une douzaine de petites exploitations existent dans le Rhode Island.

CONNECTICUT
Chamard Vineyards

Numéro deux du Connecticut, cette exploitation moderne de Clinton est dirigée par la famille Chaney. Elle se consacre aux cépages *vinifera* – Chardonnay, Pinot Noir et Cabernet-Sauvignon –, mais également au Merlot et au Cabernet Franc pour ses assemblages. Sa production devrait augmenter substantiellement.

Haight Vineyards

Première entreprise contemporaine de l'État, Haight planta des vignobles expérimentaux en 1978 et commença à commercialiser ses vins six ans plus tard. Situées dans le nord-ouest de l'État, dans le comté de Litchfield, ses vignes en coteaux couvrent 12 ha et produisent 96 000 bouteilles par an. Sa gamme comprend du Riesling, du Chardonnay, un assemblage de cépages rouges et blancs essentiellement hybrides étiqueté Recolte, ainsi qu'un peu de Blanc de Blancs mousseux méthode traditionnelle. L'exploitation s'approvisionne dans l'AVA Connecticut Highlands.

RHODE ISLAND
Sakonnet Vineyards

Ce producteur du comté de Newport a traversé une période difficile avant d'être racheté par les Samson en 1987. Ceux-ci ont porté la surface du vignoble cultivé à 17,5 ha et achètent du raisin dans les États voisins pour parvenir à une production de 300 000 bouteilles par an. Leurs vignes produisent du Vidal Blanc, du Chardonnay, du Gewürztraminer, du Pinot Noir et du Cabernet Franc. Leurs vins les plus appréciés sont deux assemblages, America's Cup White et Spinnaker White, tous deux issus en partie de Vidal et de Cayuga White.

MASSACHUSETTS
Chicama Vineyards

L'une des premières exploitations du Nord-Est à se consacrer aux cépages *vinifera*, Chicama fut fondée en 1971 par la famille Mathiesen. Chicama est située sur l'île de Martha's Vineyard, au large du Massachusetts, et cultive une gamme de cépages *vinifera*, dont le Chenin Blanc, le Chardonnay, le Sauvignon, le Gewürztraminer, le Cabernet-Sauvignon, le Merlot et le Pinot Noir. Le vinificateur de Chicama, Tim Mathiesen, s'intéresse surtout aux rouges, mais son Chardonnay mousseux, Sea Mist, a beaucoup d'avenir. La plupart de ses vins sont vendus aux touristes ou dans le Massachusetts. Ce domaine agricole a été converti à la culture de la vigne en 1986 et a commencé à produire du vin en 1989. C'est maintenant le plus vaste vignoble de Nouvelle-Angleterre.

AUTRES ÉTATS DU NORD-EST

Au sud de l'État de New York se trouvent les États du New Jersey, de Pennsylvanie et du Maryland. Aucun n'est un grand producteur, mais l'activité vinicole locale pourrait devenir intéressante.

NEW JERSEY
Renault Winery

Située à Egg Harbor City, c'est la plus ancienne exploitation de l'État (1864), et toujours l'une des plus appréciées. Fondée par le négociant champenois Louis Renault, arrivé aux États-Unis vers le milieu du XIXe siècle, elle produit aujourd'hui 300 000 bouteilles de vins divers, avec en tête de liste des Mousseux, dont leur Spumante.

Tewksbury Winery Cellars

L'une des premières exploitations à ouvrir (en 1979), elle est située dans le comté de Hunterdon, dans le nord-est du New Jersey, tout comme la plupart des meilleures exploitations de l'État. Son propriétaire, le vétérinaire Dan Vernon, a planté 8 ha en coteaux près de sa ferme et produit un Chambourcin, un Riesling et un Gewürztraminer appréciés.

PENNSYLVANIE
Chaddsford Winery

Eric Miller, dont la famille possède Benmarl dans l'État de New York, a fondé sa propre exploitation dans le sud-est de la Pennsylvanie en 1982. Il produit plusieurs hybrides et assemblages vendus aux touristes et dans la région. Il achète son raisin aux vignobles de Phi-

lip Roth et de Stargazer dans la région de Piedmont, et ses excellents Chardonnays fermentés en fût ont été dûment récompensés. Il produit également du Cabernet-Sauvignon.

MARYLAND
Catoctin Vineyards

Jerry Milne n'avait d'autre ambition que d'être propriétaire de vignoble, mais les circonstances l'ont obligé à se lancer dans la vinification, et ses vins se sont avérés excellents. Situé dans le comté de Montgomery, Catoctin produit 48 000 bouteilles par an et fournit aussi du raisin à plusieurs autres producteurs. Ses meilleurs vins sont le Cabernet-Sauvignon et le Chardonnay.

Boordy Vineyards

Avec ses 96 000 bouteilles par an, cette exploitation est la plus grosse du Maryland. Elle produit une gamme d'hybrides issus de raisins de son propre petit domaine et de celui de viticulteurs de la région. Aujourd'hui située dans les Hydes ruraux et non plus dans les faubourgs de Baltimore, elle appartient à la famille Deford, qui a racheté ce vignoble historique à son fondateur Philip Wagner.

Montbray Wine Cellars

G. Hamilton Mowbray, propriétaire de cette exploitation vinicole de Westminster, dans le comté de Carroll, élabore des vins depuis le milieu des années 1960 et s'est fait une certaine réputation dans l'État. Il produit une gamme de vins issus de cépages *vinifera*, ainsi qu'un Seyval Blanc exemplaire.

SUD ET MIDDLE WEST

PEU D'ÉTATS ONT DÉVELOPPÉ LEUR PRODUCTION VITICOLE
AVANT LES ANNÉES 70 MAIS, AVEC L'APPORT DES NOUVELLES
TECHNOLOGIES, LEUR AVENIR EST REMPLI DE PROMESSES.

Le vignoble de Naked Mountain, près de Markham sur les
pentes boisées du comté de Fauquier, est l'une des
exploitations qui ont développé un encépagement de variétés
de *vinifera* afin de faire renaître l'activité viticole.

La vigne indigène découverte par Walter Raleigh et les premiers explorateurs du sud-est des États-Unis appartenait au sous-genre *Muscadinia* de l'espèce *Vitis rotundifolia*. Pendant des années, le cépage le plus cultivé du Sud fut le Scuppernong, qui prospère toujours dans les climats chauds et humides des Carolines, de Géorgie et du Mississippi. Selon l'historien du vin Leon Adams, le tout premier vin élaboré en Amérique du Nord, en 1565, aurait été du Scuppernong de Floride. Virginia Dare, le vin le plus connu et le plus apprécié d'Amérique du Nord avant la prohibition, était issu de Scuppernong, un cépage qui ne ressemblait en rien aux variétés de *vinifera*. On le qualifie souvent, peut-être avec une touche d'humour, de « don de Dieu au Sud ensoleillé ».

Leurs conditions de travail étant très différentes de celles des viticulteurs de l'Est, les vignerons du Midwest privilégièrent d'abord les cépages de *labrusca*. Avant la prohibition, l'Ohio et le Missouri, qui cultivaient des cépages indigènes tels que le Catawba et le Delaware, étaient les plus gros producteurs du pays. Vers 1900, chacun de ces États produisait davantage de vin que la Californie, mais leur industrie fut presque entièrement ruinée par la prohibition. Les premiers signes de renaissance n'apparurent qu'à la fin des années 1960. Dans les années 1970, la plus grande partie des États du Middle West (Ohio, Indiana, Michigan, Missouri) avait plus ou moins repris ses activités vinicoles, avec des cépages de *labrusca* et des hybrides. Aujourd'hui, chaque État du Middle West, y compris le Wisconsin et le Minnesota, produit du vin en quantité commerciale, l'Ohio et le Missouri venant en tête. Le premier a fait d'énormes progrès avec les hybrides franco-américains et commence à s'intéresser à *vinifera*. Le Missouri, peu porté sur *vinifera*, offre toute une gamme de bons vins issus d'hybrides et même de quelques bons cépages locaux.

Le nouveau leader incontesté du Sud est la Virginie, qui s'est bâti une réputation international avec ses vins *vinifera* de style classique. À mesure que la population des États-Unis se déplace vers le Sud (et le Sud-Ouest), ces régions au potentiel vinicole encore inexploité – surtout le Tennessee, la Géorgie et la Caroline du Nord – feront peut-être du Sud le second producteur de grands vins, après la côte ouest.

Le Sud

Si l'histoire viticole de la Virginie remonte au vignoble de Thomas Jefferson à Monticello (où il tenta vainement de cultiver des vignes de *vinifera*), l'État fut cependant l'un des plus lents à développer son industrie viticole au cours des dernières décennies, produisant traditionnellement des vins de *labrusca* et des vins mutés. Il possède aujourd'hui quelque 600 ha de vignes, dont les deux tiers sont plantés en Chardonnay, en Cabernet-Sauvignon et en autres cépages *vinifera*. Plus de 200 vignerons vendent leur raisin à 50 centres de vinification de tailles diverses, dont la production va de 100 000 à plus de 1 200 000 bouteilles. Bien qu'éparpillées à travers plusieurs AVA, c'est en Virginie centrale, le long des Blue Ridge Mountains, que ces exploitations sont le plus concentrées.

Le Tennessee, la Caroline du Nord, la Géorgie, la Floride, l'Arkansas et le Mississippi possèdent chacun plusieurs sociétés vinicoles. Le Tennessee, en particulier, a rejoint les rangs des États producteurs de vin et possède maintenant 240 ha de vignes, 15 exploitations et suffisamment de terres pour s'étendre davantage. Le nombre des exploitations en Géorgie est monté à 6, mais seulement 5 % de ses 500 ha de vignes sont de *vinifera*. La Caroline du Nord consacre environ 20 % de ses 160 ha de vignobles à *vinifera*. La Floride dispose de 240 ha de vignes et de 6 producteurs.

Les producteurs de ces régions sont confrontés à des problèmes de climat : les hivers sont trop chauds en Floride et trop froids en Caroline du Nord pour *vinifera*. Des cépages autochtones, dont le Scuppernong (Caroline du Nord et Mississippi), des hybrides et des assemblages locaux donnent une large gamme de styles de vin qui viennent s'ajouter à ceux des cépages de *vinifera*.

Les États du Sud-Ouest

En 1975, le Texas ne possédait que 1 exploitation et 8 ha de vignes : en dix ans, ces chiffres sont passés respectivement à 26 et à 2 000, et plusieurs exploitations nouvelles semblent pleines de promesses. Avec le temps, certains cépages comme le Ruby Cabernet et le Carignan se sont révélés des choix malheureux pour la région. Plusieurs producteurs, notamment ceux qui avaient des intérêts dans l'industrie pétrolière, ont connu des difficultés financières au cours des années 1980, et d'autres n'ont pas abouti aux résultats espérés. Le Texas, avec une production annuelle de près de 12 millions de bouteilles, est le quatrième producteur des États-Unis. Au début des années 1990, il avait produit suffisamment de beaux vins à partir de Cabernet-Sauvignon, Sauvignon, Chenin Blanc et Chardonnay pour qu'on l'estime promis à un brillant avenir vinicole. Le Texas possède cinq AVA, dont l'une des plus grandes du pays, Hill Country, qui couvre 40 000 km². La majorité des vignes se répartit entre trois régions : les plateaux des High Plains (à 999 m d'altitude) près de Lubbock ; l'ouest d'Austin dans Hill Country ; l'Ouest, où les vignes appartiennent à l'université du Texas.

L'histoire vinicole du Nouveau-Mexique remonte à 1580, lorsque les missionnaires plantèrent des vignes le long du Rio Grande. Une petite industrie survécut plus de 300 ans, dotant l'État de plus de 1 200 ha de vignes. La prohibition ayant mis fin à ces activités, la renaissance vinicole débuta dans les années 1980, grâce à 160 ha de cépages *vinifera* qui permirent d'alimenter les premières nouvelles exploitations commerciales. Les vignobles, situés le long des mesas, en bordure du Rio Grande, sont regroupés en trois AVA : Mesilla Valley, Middle Rio Grande Valley et Mimbres Valley. La presque totalité de ces 2 000 ha est plantée de *vinifera*. Plusieurs producteurs font de bons Cabernets-Sauvignons et Sauvignons et leurs nouveaux vins mousseux ont donné des résultats remarquables.

Avec ses 100 ha de *vinifera* plantés dans l'AVA Sonita, l'Arizona n'en est qu'aux tout premiers stades de son histoire vinicole. Les vignobles de Sonita se trouvent à 1 500 m d'altitude : le climat chaud et sec ainsi que la grande superficie encore disponible devraient encourager de nouvelles exploitations à se joindre aux 6 déjà existantes.

Le Middle West

Le Michigan dispose de 4 500 ha de vignes, dont 800 seulement (surtout des hybrides et une moindre quantité de *vinifera*) sont destinés au vin. La production de Concord est expédiée dans l'État de New York, qui la transforme en jus de raisin. Quatorzième État vinicole des États-Unis, le Michigan possède aujourd'hui 18 exploitations. La plupart des vignobles bordent les rives du lac Michigan, les plus modestes se situant près du lac Érié. L'État compte quatre AVA : Fennville, Lake Michigan Shore, Leelanau Peninsula et Old Mission Peninsula.

Grâce au soutien actif de l'État, le Missouri est près de regagner sa place d'autrefois dans l'industrie vinicole américaine. Son vignoble couvre plus de 500 ha. Le Catawba, utilisé pour les vins de table rouges et les Mousseux, est le cépage le plus planté. Le Vidal et le Seyval Blanc sont deux des meilleurs hybrides blancs du Missouri. Le Norton (Cynthiana), qui donne un vin rouge plein d'arôme, est aussi bien coté que le Chancellor et le Chambourcin pour les rouges. *Vinifera* est quasiment inexistante. Les 30 exploitations du Missouri produisent une gamme de vins de cépage et d'assemblage issus d'hybrides. Les AVA sont au nombre de 4 : Augusta, Hermann, Ozark Highlands et Ozark Mountain.

Après de longues années au cours desquelles les hybrides ont ouvert la voie à des vins de *vinifera* au succès mitigé, l'Ohio et l'Indiana connaissent un timide développement. L'Ohio possède 1 000 ha de vignes, dont la moitié d'hybrides français et de *vinifera*. À l'avenir, on compte planter davantage de *vinifera*, dont les cépages les plus prometteurs semblent être pour l'instant le Riesling, le Gewürztraminer et le Chardonnay. Le Cabernet-Sauvignon connaît un certain succès et plusieurs viticulteurs font des essais de Pinot Gris. Les AVA sont au nombre de 4 : Ohio River Valley, Grand River Valley, Isle St. George et Lake Erie. □

PRODUCTEURS ET NÉGOCIANTS

De nombreux producteurs en sont encore à chercher les cépages les mieux adaptés à leur région. Certains complètent leur récolte avec du raisin provenant, notamment, de la côte ouest. Les cépages *vinifera* sont encouragés dans les États les plus chauds bénéficiant d'un système d'irrigation, tandis que les climats plus frais doivent s'en tenir aux hybrides.

CAROLINE DU NORD
Château Biltmore
Située à Ashville, cette exploitation n'est qu'une petite partie d'un domaine historique de 3 250 ha, sur lequel la famille Vanderbilt construisit, en 1880, une fort belle demeure, devenue aujourd'hui une attraction touristique. Les 45 ha de Cabernet-Sauvignon et de Chardonnay furent plantés au début des années 1980. On y produit également un Blanc de Blancs mousseux.

GÉORGIE
Château Elan
Située à environ 48 km au nord d'Atlanta, cette exploitation reçoit plus de 250 000 visiteurs par an dans son restaurant et son musée. Le vignoble de 80 ha est planté en Chardonnay, Sauvignon, Riesling, Cabernet-Sauvignon, mais également en Chambourcin et Seyval Blanc, deux hybrides appréciés. Château Elan vend la moitié de sa production dans la région et vise les 720 000 bouteilles par an.

VIRGINIE
Montdomaine Cellars
Situé à Charlottesville, ce domaine possède un vignoble de 20 ha dans l'appellation Monticello. Il se concentre sur le Chardonnay et des assemblages rouges de type bordelais. Ses premiers millésimes de Cabernet-Sauvignon et de Merlot ont été très bien notés.

Meredyth Vineyards
À Middleburg, la plus ancienne exploitation de Virginie produit avec talent des vins issus d'hybrides et de *vinifera*. Son vignoble de 22 ha est situé dans les splendides montagnes Bull Run. Un Merlot correct s'est récemment ajouté à son Seyval Blanc, invariablement bon.

Prince Michael Vineyards
Avec ses 45 ha dans la région de Montpelier, Prince Michael s'est fait une réputation avec son Chardonnay fermenté en fût et son rouge épicé de type bordelais, LeDucq Meritage.

Piedmont Vineyards
Cette exploitation de la région de Middleburg, non loin de Washington DC, produit d'excellents Chardonnays et Sémillons. Depuis sa fondation, en 1973, elle produit un agréable Seyval Blanc sur son vignoble de 25 ha, tandis que son assemblage rouge de type bordelais est une toute nouvelle tentative.

ARKANSAS
Wiederkehr Vineyards
Fondés en 1880, à Altus, par la famille suisse Wiederkehr, ces chais historiques, plusieurs fois agrandis, ont fait de Wiederkehr l'un des plus gros producteurs à l'est des Rocheuses. Les deux tiers du vignoble sont plantés de *vinifera* et produisent une vaste gamme de vins. Son Riesling et plusieurs vins issus de Muscat viennent en tête.

TEXAS
Fall Creek
Sur ces 32 ha bordant le lac Buchanan, dans le comté de Llano, les Auler ont bâti la réplique d'un château français et produisent du Chardonnay, du Cabernet-Sauvignon et du Sauvignon. Ils font aussi un remarquable Reserve Chardonnay en quantité limitée.

Llano Estacado
Pionnière de la renaissance vinicole du Texas, cette exploitation est aujourd'hui la seconde de l'État, avec une moyenne de 800 000 bouteilles par an. Elle produit un Chardonnay, un Chenin Blanc et un Sauvignon relativement bons. Son prochain défi sera le Cabernet-Sauvignon.

Cap Rock Winery
Construite en 1988 à Lubbock, cette exploitation « high tech » a changé de mains avant sa première vendange. Dotée d'un vignoble de 48 ha, elle se spécialise dans le Chardonnay, le Cabernet-Sauvignon et le Sauvignon, et propose trois gammes de prix pour chacun. Elle fait également du Chenin Blanc, du *blush* et du Mousseux.

Pheasant Ridge
Souvent inégaux, les vins de cet autre pionnier de Lubbock sont parfois marqués par des traits de génie. Le propriétaire, Bobby Cox, produit du Chardonnay, du Chenin Blanc, du Sauvignon et du Cabernet-Sauvignon ; ce dernier vin devrait être sa meilleure cuvée dans le futur.

NOUVEAU-MEXIQUE
Gruet Winery
Fondée en 1984 par la famille Gruet, d'origine champenoise, cette exploitation se spécialise dans les vins mousseux méthode traditionnelle : Brut, Blanc de Noirs et un Blanc de Blancs millésimé.

Anderson Valley Vineyards
Située au nord de la vallée du Rio Grande, cette société fondée en 1973 fut la première de l'État à produire des vins de qualité. Avec son vignoble de 47 ha autour d'Albuquerque, elle s'est fait un nom grâce à son Cabernet-Sauvignon, son Sauvignon et ses autres vins issus de *vinifera*.

MISSOURI
Stone Hill Wine Co.
Un des premiers géants du Missouri (fondé à Hermann, en 1847), Stone Hill était la deuxième exploitation du pays en 1910. Réouverte en 1965, elle produit toute une gamme de vins, partiellement issus de son vignoble de 25 ha. Ses immenses chais attirent des milliers de touristes qui apprécient les vins de *labrusca* et d'hybrides. Le Catawba et le Norton ont toujours du succès, tandis que les hybrides comme le Seyval Blanc, le Vidal et le Vignoles pour les blancs, et le Villard Noir pour les rouges, inspirent un respect croissant.

Mount Pleasant Vineyard
Cette société historique du Missouri fut fondée en 1881 et rénovée en 1968 par Lucian Dressel, son propriétaire et vinificateur. Elle produit 240 000 bouteilles d'une gamme de vins de cépage et de Mousseux issus de son vignoble de 28 ha. Le Vidal Blanc est souvent d'une qualité remarquable, de même que le Seyval Blanc, un délicat Missouri Riesling et un vin muté de type Porto. Dressel a contribué à faire d'Augusta une AVA, la première appellation américaine à avoir reçu l'agrément fédéral.

Hermannhof Winery

Cette ancienne brasserie abandonnée, située à Hermann, a été reprise au début des années 80 par un banquier de la région, James Dierberg. Il a rénové tout le bâtiment, y compris les caves, pour le plus grand plaisir des touristes, et produit une gamme d'hybrides français. Ses vins les plus demandés sont le Cynthiana et sa gamme de Mousseux.

TENNESSEE
Tennessee Valley Winery

Ancienne association de viticulteurs amateurs, cette exploitation du comté de Loudon est maintenant dirigée par la famille Reed. Elle produit des vins issus de cépages américains, d'hybrides et de *vinifera*, les meilleurs étant Aurora, de Chaunac et Maréchal Foch. La qualité du Chardonnay et du Cabernet-Sauvignon s'est montrée inégale.

MICHIGAN
Château Grand Traverse

Fondée en 1974, cette société du Michigan appartient à la famille O'Keefe, qui ne cultive que des cépages *vinifera* dans l'AVA Leelanau Peninsula, à l'extrémité nord du lac Michigan. La moitié des 420 000 bouteilles produites est une gamme de Rieslings plus ou moins doux.

St. Julian Wine Co.

Fondée en 1921, St. Julian est l'une des rares exploitations de la région, jadis prospère, de Paw Paw à se porter toujours aussi bien. Sa vaste gamme de vins de table issus d'hybrides et ses Mousseux sont appréciés, et les ventes sont montées en flèche lorsqu'un jus de raisin gazeux non alcoolisé y a été ajouté. Cette boisson existe maintenant en 14 variantes et les salles de dégustation attirent de nombreux visiteurs. Les ventes annuelles de vin dépassent 2 400 000 bouteilles, et l'on peut estimer que St. Julian produit 50 % des vins du Michigan.

OHIO
Firelands Winery

Cette société appartient à Paramount Distillers, de Cleveland, dont le président, Bob Gottesman, a maintenu en vie à lui tout seul l'industrie vinicole de l'État. Paramount, qui possède Lonz Winery, Mon Ami Wine Company et Meier's Wine Cellars (tous dans l'Ohio), a fait d'importants investissements dans Firelands.

C'est par ferry que l'on accède à cette exploitation située dans l'AVA Isle St. George, sur le lac Érié. Avec ses 16 ha de *vinifera*, Firelands se spécialise dorénavant dans le Chardonnay, le Cabernet-Sauvignon et le Gewürztraminer.

Chalet Debonne

L'un des courageux pionniers de Madison, dans le comté de Lake, Debonne débuta en 1971 avec des hybrides. Il a, depuis, ajouté des *vinifera* à son vignoble qui compte 25 ha. Les hybrides comprennent le fiable Chambourcin et, les bonnes années, un Chardonnay et un Riesling étonnamment bons.

MINNESOTA
Alexis Bailly Winery

Juriste de profession et fermier de vocation, David Bailly s'est d'abord intéressé au vin en tant que passe-temps. Il lui fallait beaucoup de courage car le climat est si rigoureux que les ceps doivent être enterrés en hiver pour survivre. Au cours des années 1970, il a planté quelques hectares d'hybrides sur ses terres du sud-est de Minneapolis, puis construit de petits chais. Les hybrides rouges – Maréchal Foch et Léon Millot – donnent des vins de cépage de couleur sombre, la plupart du temps équilibrés et aromatiques. Nan, la fille de David, s'occupe aujourd'hui de la vinification.

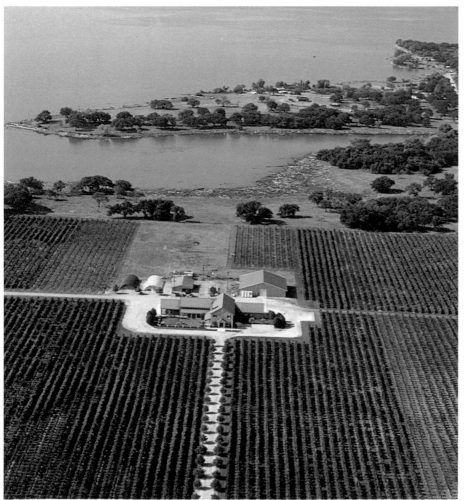

Au Texas, Fall Creek Vineyards illustre fort bien le style de viticulture des États du Sud.

CANADA

MALGRÉ DES CONDITIONS SOUVENT PEU PROPICES À LA VIGNE,
LE CANADA COMMENCE À ACQUÉRIR UNE RÉPUTATION POUR SES VINS.
CERTAINS ONT UN CARACTERE ORIGINAL, D'AUTRES SONT MOINS TYPÉS.

Waddington Bay, en Colombie-Britannique, est l'exemple-
type du paysage montagneux du Canada – rarement adapté à
la viticulture. Mais les vignerons du pays profitent de certains
microclimats pour produire des vins de styles variés.

Il peut paraître surprenant de trouver plus de 70 sociétés vinicoles dans un pays universellement connu pour la longueur et la rigueur de ses hivers : plus de 8 000 ha de vignes sont pourtant cultivés dans l'Ontario, la Colombie-Britannique et, de façon marginale, en Nouvelle-Écosse et au Québec. Et les Canadiens consomment plus de vin par habitant que leurs voisins américains. Plus de la moitié du vin produit au Canada est blanc, mais la mode est désormais aux rouges, depuis l'émission de télévision « Le paradoxe français », au cours de laquelle un médecin suggéra que les Français, malgré une forte absorption de cholestérol, étaient moins sujets aux maladies cardiaques parce qu'ils buvaient régulièrement du vin rouge.

Bien peu de gens savent que le Canada est le plus grand producteur d'*Ice Wine*, ce « vin de glace » rare, blanc et doux. Chaque année, entre novembre et Noël, la température descend si bas dans l'Ontario et la Colombie-Britannique que les raisins tardifs gèlent sur les vignes ; les grains sont pressés alors qu'ils sont encore congelés. Les cépages privilégiés pour le vin de glace sont le Riesling et l'hybride blanc à peau épaisse nommé Vidal. Si ce coûteux nectar a accumulé les médailles d'or, de Bordeaux à Vérone et de Londres à l'État de New York, les vins de table secs élaborés à partir de cépages européens commencent également à avoir du succès, aussi bien au Canada qu'à l'étranger. Au Canada, les vins de qualité doivent beaucoup au Vintners Quality Alliance, un système d'appellation instauré en 1988 par la région viticole la plus importante du pays, l'Ontario, et suivi deux ans plus tard par la Colombie-Britannique.

Bien que l'industrie vinicole canadienne date du début du XIXᵉ siècle, il fallut attendre les années 1960 pour que des cépages hybrides tels que Seyval Blanc, Vidal, Baco Noir, Maréchal Foch, ainsi que des cépages européens traditionnels commencent à remplacer les variétés de *Vitis labrusca* indigènes. Pendant plusieurs dizaines d'années, le robuste Concord fut la base des vins de l'Ontario, donnant des produits doux et puissants commercialisés sous les noms usurpés de « Porto » ou de « Xérès ». Ces désignations devraient d'ailleurs être abandonnées dans un futur proche.

Aujourd'hui, au Canada, on met l'accent sur les vins tranquilles issus de Chardonnay, Riesling, Pinot Gris et Pinot Blanc pour les vins blancs ; de Pinot Noir, Cabernet-Sauvignon, Cabernet Franc, Gamay et Merlot pour les rouges. Outre les vins de glace, les Rieslings et les Vidals de vendanges tardives méritent réellement d'être dégustés dans l'Ontario et la Colombie-Britannique. Un Mousseux étiqueté « Champagne canadien » est élaboré selon la méthode traditionnelle et l'on continue à produire aussi des « Portos », des « Xérès » et des vins à faible teneur alcoolique (7 % vol).

L'histoire du vin canadien

S'il faut en croire les sagas norvégiennes, l'explorateur viking Leif Ericsson aurait découvert le raisin en débarquant sur le continent américain en l'an 1001, et baptisé ce lieu Vineland (« Pays de la vigne »). Peut-être s'agissait-il de raisin sauvage, mais l'histoire du vin canadien ne remonte, en fait, pas si loin.

C'est Johann Schiller, un caporal allemand qui combattit dans trois guerres américaines, qui est considéré comme le père du vin canadien. En 1811, il prit sa retraite sur une concession, juste à l'ouest de Toronto. Il y planta un petit vignoble avec des boutures de vignes sauvages trouvées sur les rives de la Credit River, vinifia son raisin et vendit son vin à ses voisins. Trente-cinq ans plus tard, le « domaine » fut racheté par un aristocrate français, Justin de Courtenay, qui avait essayé sans succès d'élaborer au Québec un vin qui ressemblât au Bourgogne rouge.

La première véritable entreprise vinicole commerciale naquit au Canada en 1866, lorsque trois *gentlemen farmers* du Kentucky achetèrent des terres sur l'île Pelée (lac Érié), à l'extrême sud du Canada, et y plantèrent 12 ha de raisin Catawba. Quelques mois plus tard, deux frères anglais, Edward et John Wardoper, les rejoignirent et plantèrent leur propre vignoble de 6 ha.

Peu à peu, des vignes furent plantées ailleurs, vers la péninsule du Niagara, à l'est, où se trouve aujourd'hui la majorité des vignobles. Dès 1890, le Canada possédait ainsi 41 sociétés vinicoles, dont 35 dans l'Ontario. Dans la vallée d'Okanagan (Colombie-Britannique) et sur les rives du Saint-Laurent (Québec), ce fut l'Église plutôt que les fermiers qui encouragea la viticulture et l'art de la vinification.

Durant les quinze années de la prohibition (1919-1933), on put légalement élaborer et vendre du vin au Canada (grâce au puissant *lobby* des viticulteurs, qui réussit à faire exclure le vin de la loi instaurant la prohibition) et les Canadiens eurent le droit d'acheter des vins doux à base de *labrusca* qui titraient 20 % vol. Après la prohibition, le système de la Régie des alcools fut instauré dans tout le pays : le gouvernement de chaque province réglementait la vente et la distribution des boissons alcooliques. On créa des magasins gouvernementaux, dont les produits étaient fortement taxés afin de freiner la consommation tout en générant d'importants bénéfices. Ce système persiste de nos jours, bien que l'Alberta et le Manitoba aient décidé de privatiser le commerce de détail, tout en conservant le contrôle des prix de gros.

L'industrie vinicole canadienne se divise en trois catégories : de grosses entreprises commerciales, des propriétés viticoles et de petites affaires artisanales.

Le climat

Le pays étant frais, la qualité varie d'une vendange à l'autre, tout comme dans les vignobles du nord de l'Europe. On a longtemps pensé que la vigne de type *Vitis vinifera* ne survivrait pas aux rigueurs de l'hiver canadien, suivi par des périodes successives de gel et de dégel au printemps. Aussi planta-t-on essentiellement de robustes cépages de *labrusca* (principalement du Concord pour les rouges et du Niagara pour les blancs), ainsi que des hybrides à fort rendement et à maturation rapide. Dans l'Ontario, les cépages de *labrusca*, avec leur arôme

« foxé », ne sont heureusement presque plus utilisés depuis 1988 pour les vins tranquilles (ils servent encore pour les « Portos », les « Xérès » et les vins à 7 % vol) et les cépages traditionnels européens remplacent de plus en plus les hybrides.

La législation vinicole

La production et la vente des boissons alcooliques sont réglementées par les provinces, si bien que la législation varie selon les régions. Le pays étant en partie bilingue, certaines mentions doivent figurer sur les étiquettes en anglais et en français ; on y trouve à peu près les mêmes indications qu'aux États-Unis (voir p. 476).

La Vintners Quality Alliance (VQA), inspirée par le système d'appellation contrôlée français, ne s'applique pour l'instant qu'à l'Ontario et à la Colombie-Britannique. Les normes VQA imposent que les vins proviennent de cépages cultivés dans la province où ils doivent également avoir été mis en bouteilles.

Il existe deux catégories de VQA : provinciale et géographique.

L'appellation provinciale admet l'utilisation de raisins hybrides ou de *vinifera*, dont un minimum de 75 % du cépage mentionné. L'étiquette spécifiera « Produit de l'Ontario » ou « Produit de la Colombie-Britannique ».

Les appellations géographiques s'appliquent à des régions viticoles précises, qui sont mentionnées sur l'étiquette. Seuls les cépages de type *Vitis vinifera* sont autorisés, avec un minimum de 85 % du cépage mentionné. Un vin d'assemblage tel qu'un Riesling/Chardonnay ou un Cabernet-Sauvignon/Merlot doit contenir au moins 10 % du second cépage mentionné. Les vins millésimés doivent contenir un minimum de 95 % de vin de la même année.

Les vins VQA sont dégustés par un groupe de professionnels, qui jugent leur style et leur qualité. Les vins approuvés reçoivent un sceau noir VQA ; les vins notés 15 sur 20 ont droit à l'appellation supérieure du sceau d'or. □

RÉGIONS, PRODUCTEURS ET NÉGOCIANTS

Les deux principales régions viticoles du Canada sont l'Ontario, à l'est, et la Colombie-Britannique, à l'ouest. Les vignobles de la Nouvelle-Écosse et du Québec, situés à l'est, sont beaucoup plus modestes.

ONTARIO

Les régions viticoles de l'Ontario, d'où proviennent au moins 85 % des vins canadiens, sont à une latitude proche de celle du Languedoc-Roussillon et du Chianti. Mais, du point de vue de la température et des précipitations, le climat ressemble davantage à celui de la Bourgogne. Les années chaudes et sèches, on peut y élaborer des vins rouges de type Bordeaux, ainsi que de puissants Gamays et Pinots Noirs de style Bourgogne. La plupart du temps, le Chardonnay et le Riesling donnent des vins honnêtes, voire très bons, grâce aux microclimats chauds des lacs Ontario et Érié, ainsi qu'à la circulation d'air provoquée par l'escarpement du Niagara. Cette ancienne rive de lac préhistorique amortit, en effet, les brises du lac, réduisant ainsi les risques de gel.

L'Ontario possède trois VQA : Peninsula, Lake Erie North Shore et Île Pelée. Selon la législation vinicole, les producteurs peuvent produire des vins VQA à partir de raisins cultivés à 100 % dans la région (étiquetés « Produit de l'Ontario ») ou assembler jusqu'à 75 % de vin produit ailleurs avec du vin local, pour des vins qui ne porteront pas la mention VQA, mais seulement « Produit du Canada ».

L'Ontario possède trente sociétés vinicoles, qui vont de Brights (qui vient de racheter Cartier-Inniskillin, ce qui la place au dixième rang des entreprises vinicoles d'Amérique du Nord) jusqu'à de minuscules propriétés produisant moins de 60 000 bouteilles.

Parmi les meilleurs producteurs, il faut citer Cave Spring Cellars, le Château des Charmes, Henry of Pelham, Hillebrand Estates, Inniskillin, Konzelmann Winery, Marynissen, Pelee Island Winery, Reif Estate, Southbrook Farms, Stoney Ridge, Vineland Estates.

COLOMBIE-BRITANNIQUE

La vallée d'Okanagan, où se trouvent la plupart des sociétés vinicoles de la Colombie-Britannique, est en réalité un désert. Dans sa partie méridionale, à la frontière de l'État de Washington (États-Unis), la température diurne monte jusqu'à 35 °C, mais les nuits sont très fraîches. Elle se trouve à la même latitude que la Champagne et le Rheingau, mais, contrairement à ces régions du nord de l'Europe, les étés torrides, l'absence de pluie et la fraîcheur des soirées rendent l'irrigation nécessaire. De nombreux cépages allemands peu connus y ont été plantés (Optima, Ehrenfelser, Siegfried Rebe), ainsi que du Riesling, du Gewürztraminer, du Bacchus et de l'Auxerrois. Les rouges, essentiellement du Pinot Noir, du Merlot et des hybrides, n'ont, à de rares exceptions près, pas encore atteint la qualité des blancs.

Il existe trente sociétés vinicoles, réparties dans les quatre régions d'appellation : Okanagan Valley, Similkameen Valley, Fraser Valley et Vancouver Island. Les vignobles ont connu une croissance impressionnante depuis 1988, de 40 à 60 ha supplémentaires étant plantés chaque année. Les nouvelles plantations sont toutes en *Vitis vinifera*. Ce sont les petites et les moyennes exploitations qui ont connu la plus forte expansion.

Suivant la législation de la Colombie-Britannique, seules les plus grandes sociétés vinicoles sont autorisées à mettre en bouteilles le vin « importé », qui peut être assemblé à du vin local. Les petites et moyennes entreprises ne peuvent mettre en bouteilles que le vin provenant de raisins de la région, qui aura droit à l'étiquette VQA s'il satisfait à l'examen de dégustation.

Parmi les meilleurs producteurs, il faut citer Blue Mountain Vineyard, Brights, Cedar Creek, Domaine de Chaberton, Gehringer Brothers Estate, Gray Monk, Hainle Vineyards, Le Comte Estate, Mission Hill, Sumac Ridge, Summerhill.

NOUVELLE-ÉCOSSE

Située à mi-chemin entre l'équateur et le pôle Nord, la Nouvelle-Écosse possède trois entreprises vinicoles et un total de 60 ha de vignes, composées surtout d'hybrides et de vieux cépages rouges russes tels que le Michurinetz et le Severnyi. Le cycle végétatif court réduit le nombre des cépages que l'on peut planter dans la vallée d'Annapolis et le détroit de Northumberland. Aussi s'efforce-t-on de trouver des clones à maturation rapide. Les trois sociétés vinicoles de cette province (notamment Sainte Famille) se fournissent auprès de 38 viticulteurs.

QUÉBEC

Le Québec est la région la moins favorable à la viticulture. La ville de Durham est le centre de la petite – mais ô combien enthousiaste ! – région viticole du Québec, où quinze sociétés ont reçu leur agrément depuis 1985. Les sociétés vinicoles bordent la frontière américaine et s'efforcent courageusement de produire du Seyval Blanc pour les touristes. Pendant les mois d'hiver, des machines recouvrent les vignes de terre pour les protéger du froid, et il faut ensuite les déterrer à la main au printemps. La région de Durham jouit d'un ensoleillement moyen de 1 150 heures durant le cycle végétatif (contre 2 069 dans le Bordelais), mais de nombreux microclimats créent des poches chaudes où seules les vignes les plus résistantes survivent et, parfois, prospèrent.

Les petites sociétés vinicoles produisent essentiellement (90 %) du vin blanc, surtout du Seyval Blanc très frais. On ne peut se procurer ces vins que chez le producteur, mais le paysage vaut le détour (80 km au sud de Montréal).

Parmi les meilleurs producteurs, il faut citer le Vignoble de l'Orpailleur, Vignoble Dietrich-Joos, Vignobles le Cep d'Argent.

Malheureusement, ni la Nouvelle-Écosse ni le Québec n'ont accepté les normes VQA, ce qui aurait permis au Canada d'avoir un système d'appellation national.

AMÉRIQUE LATINE

—

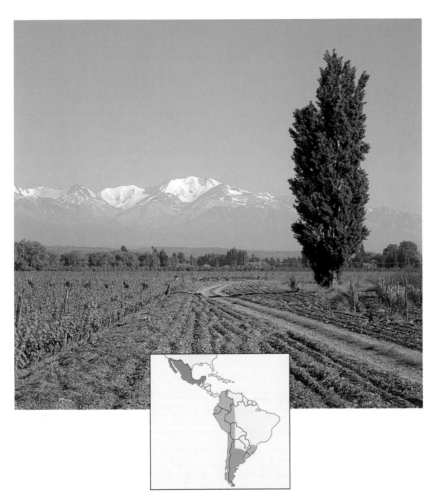

AU MEXIQUE SE TROUVENT LES PLUS ANCIENS VIGNOBLES

DU NOUVEAU MONDE ; CEUX DU CHILI ET D'ARGENTINE

SONT APPRÉCIÉS POUR LEUR GRANDE PRODUCTIVITÉ

AINSI QUE POUR LA QUALITÉ CROISSANTE DE LEURS VINS.

—

La vigne, introduite en Amérique par les *conquistadores* espagnols, fut ensuite cultivée par les missionnaires, qui avaient besoin de vin pour célébrer leurs messes. Hernán Cortés, gouverneur de la Nouvelle-Espagne (Mexique actuel) au XVIe siècle, ordonna à chaque colon de planter 1 000 pieds de vigne chaque année. C'est ainsi que, en partant du Mexique, la viticulture se répandit vers le nord et le sud du Nouveau Monde, atteignant le Pérou à la fin du siècle, puis le Chili et l'Argentine, et, au siècle suivant, la Californie. Les vignes s'adaptèrent à leurs nouveaux sites de culture et furent assez prolifiques pour que l'on produise à la fois du vin et de l'eau-de-vie. Pour répondre à la demande en vin, modeste mais réelle, quelques cépages d'une lointaine origine espagnole, comme le País (au Chili) et le Criolla (en Argentine), se mirent à proliférer dans ces deux pays au climat sec et chaud, envié par les viticulteurs du monde entier.

Entre ces latitudes de 32° et 36° sud, les différents cépages de *vinifera,* plantés au milieu du XIXe siècle en Argentine et au Chili, mûrissent suffisamment pour que la chaptalisation ne soit pas nécessaire. Sans les brises rafraîchissantes de l'océan Pacifique tout proche, la plupart des vignobles du Chili seraient trop chauds pour des cépages sensibles, et les viticulteurs chiliens n'ont eu à déplorer que quelques rares vagues de froid ou de gel juste avant les vendanges. Les ressources naturelles de l'Amérique du Sud, encore plus que son climat, font des envieux chez les vignerons des autres pays. Santiago et Mendoza, capitales vinicoles respectives du Chili et de l'Argentine, ne sont distantes que de 240 km, mais elles sont séparées par la cordillère des Andes, aux sommets élevés, qui fournit toute l'eau nécessaire à la culture de la vigne.

Dès que les abondantes ressources en eau des Andes furent maîtrisées par des systèmes d'irrigation, il fut facile d'établir des vignobles. Au Chili, la plupart sont situés près des principaux fleuves coulant vers l'ouest, en direction de l'océan Pacifique. Ces fleuves et leurs affluents, généreusement alimentés par la montagne, ne s'assèchent jamais. Au moyen de canaux et de fossés, les producteurs ont conçu un système à base de sillons permettant d'irriguer à tout instant les rangs de vignes. De l'autre côté des Andes, les producteurs argentins ont conçu un système plus élaboré et plus complexe de réservoirs, digues, canaux et fossés pour capter et distribuer l'eau de la fonte des neiges. L'eau ne coulant pas toute l'année, ce système permet de la capter en quantité suffisante, de la stocker, puis d'irriguer plus tard, au cours du cycle végétatif, les vignobles situés au pied des Andes.

Vers le milieu du XIXe siècle, l'afflux d'immigrés européens en Amérique du Sud accrut l'intérêt porté au vin et encouragea des essais sur toute une gamme de cépages. Dans les années 1850 se développèrent au Chili et en Argentine les premiers vignobles importants de *Vitis vinifera* d'origine française. L'influence française sur la viticulture chilienne se fit sentir plus longtemps, mais limita, jusqu'à récemment, le choix des cépages. Les cépages et les styles de vin italiens sont plus fréquents en Argentine et au Brésil. Avec le temps, les Français, les Italiens et les Allemands finirent par imposer le vin dans les habitudes alimentaires. Au Mexique, en revanche, comme dans la majeure partie de l'Amérique centrale, l'industrie viticole naissante ne bénéficia pas de l'arrivée d'émigrés connaisseurs en vin. Plus tard dans le siècle, tandis que le phylloxéra ravageait les vignobles européens, un certain nombre de vignerons et de gens possédant quelques rudiments en matière de vigne et de vin s'installèrent en Amérique de Sud, où *Vitis vinifera,* qui leur était familière, prospérait.

Pendant des décennies, la réputation des industries vinicoles d'Amérique centrale et du Sud a été ternie par les difficultés économiques et politiques locales. À la fin des années 1980, la stabilité restaurée dans de nombreux pays attira les investisseurs étrangers et les producteurs de vin purent se consacrer davantage aux marchés d'exportation et à accroître la qualité de leurs vins plutôt que leur quantité. De nouveaux styles de vin, capables de concurrencer ceux d'Europe, de Californie et d'Australie, permirent d'obtenir des vins blancs aux arômes de fruit frais et des rouges, riches, d'une couleur profonde et possédant des goûts et des arômes intenses.

LES RÉGIONS VITICOLES D'AMÉRIQUE LATINE

Les régions viticoles principales d'Amérique du Sud
se situent de part et d'autre de la cordillère des Andes, au
Chili et en Argentine – entre les latitudes 32° et 36° sud –,
les conditions climatiques y étant idéales pour la viticulture.
On produit aussi des vins dans d'autres pays comme
le Brésil, le Mexique, l'Uruguay, ainsi qu'au Pérou,
en Colombie, au Paraguay, en Bolivie et en Équateur.

Instabilité politique et économique
Au Mexique, la viticulture connut deux coups durs au début du XXᵉ siècle : l'un fut le phylloxéra, qui fit des dommages considérables, et l'autre la révolution de 1910. Au Chili, pays isolé par les Andes et, par conséquent, à l'abri du phylloxéra, les producteurs durent faire face en 1902 à des taxes excessives sur les vins, puis, de 1938 à 1945, à l'interdiction de planter de nouvelles vignes.

Au début des années 1970, la réforme agraire démantela de nombreux vignobles chiliens. Au cours des années 1970, plusieurs pays sud-américains connurent des périodes d'inflation galopante et de taux d'intérêt exorbitants qui, d'une part, portèrent préjudice aux marchés intérieurs, et, d'autre part, découragèrent les investisseurs étrangers.

La révolution viticole
À mesure que les conditions politiques et économiques se stabilisaient dans les années 1980, les investisseurs étrangers commencèrent à s'intéresser de plus près aux terres d'Amérique du Sud pouvant convenir à des vignobles et des sociétés internationales bien établies y investirent des capitaux. L'époque s'y prêtait on ne peut mieux : au Chili et en Argentine, les marchés intérieurs, qui absorbaient jusque-là toute la production, étaient en plein ralentissement.

Pour assurer leur survie à long terme, les producteurs visent aujourd'hui les marchés d'exportation. Ils ont été amenés par conséquent à repenser leurs méthodes. La plupart des gros exportateurs ont modernisé leurs installations et développé des styles de vin et des techniques de vinification nouveaux, comme l'utilisation de petites barriques de chêne pour le vieillissement de leurs meilleurs vins, Chardonnay et Cabernet-Sauvignon. Les chais construits il y a plus d'un siècle font contraste avec les rangées de cuves brillantes en acier inoxydable, les centrifugeuses, les pressoirs dernier cri et les chaînes de mise en bouteilles. Certains producteurs plus traditionalistes refusent ces progrès, mais la plupart les considèrent comme la seule voie possible. Au début des années 1990, les vins chiliens s'étaient fait accepter sur de nombreux marchés et l'Argentine se préparait, elle aussi, à l'exportation. L'un des plus grands obstacles que rencontrent les producteurs reste l'inclination naturelle des viticulteurs sud-américains à laisser les vignes produire des récoltes trop importantes. À l'approche du XXIᵉ siècle, l'Amérique du Sud a accès à toute la technologie vinicole qu'elle souhaite. Maintenant que le conflit hauts rendements/vins de qualité est réglé et que les vins d'Amérique du Sud jouent un rôle de plus en plus important sur le marché mondial, une révolution se prépare dans le monde vinicole.

Les régions viticoles
Le Mexique est certes le plus ancien producteur américain, mais son industrie de vins de qualité est relativement récente. Les vins rustiques et l'eau-de-vie dominent toujours sa production, et le pays reste éclipsé par ses voisins du Nord et du Sud.

Le Chili est le champion des exportations. Il est aujourd'hui devenu le troisième fournisseur de vin d'importation aux États-Unis, derrière l'Italie et la France, supplantant ainsi l'Australie et l'Allemagne. Il a obtenu ce résultat en proposant des vins sous des noms de cépages connus, et à des prix abordables.

L'Argentine, géant qui s'éveille, dispose de si vastes sites convenant à la viticulture qu'elle pourrait prendre le rôle principal sur la scène sud-américaine. C'est la plus importante région vinicole du continent et celle qui a le plus fort potentiel. Ses exploitations les plus connues sont relativement modernes, mais elles ont toujours visé la production massive.

Le Brésil, troisième producteur de vin d'Amérique du Sud, profite d'une nette amélioration de son économie. Avec 60 000 ha plantés, il n'a pas encore percé à l'exportation, car sa production couvre tout juste ses besoins. □

Les caves de brique centenaires de Santa Rita, dans la vallée du Maipo, au Chili.

MEXIQUE

En dépit de son riche passé et de son rôle essentiel dans la viticulture américaine, le Mexique est une anomalie dans le monde du vin. Ce pays, qui a introduit la vigne et la vinification au nord et au sud de ses frontières, est considéré souvent comme trop chaud et trop inhospitalier pour la viticulture. La moitié de son territoire se situant dans la zone torride du sud du tropique du Cancer, on cultive la vigne sur le plateau central, à une altitude de 1 600 m, et en Basse-Californie.

L'histoire vinicole

À la fin du XIXᵉ siècle, la famille Concannon, pionnière de la viticulture en Californie (Livermore Valley), persuada le gouvernement mexicain de tirer parti du potentiel viticole du pays et introduisit quelques douzaines de variétés françaises de *vinifera* au Mexique. James Concannon quitta le Mexique en 1904 mais, six ans plus tard, un autre vinificateur californien, Perelli-Minetti, planta une autre gamme de cépages sur des centaines d'hectares, près de Torreón.

Vers 1900, une grande partie des vignobles mexicains fut détruite par le phylloxéra et des problèmes politiques perturbèrent le pays pendant de nombreuses années après la révolution de 1910. La viticulture ne connut un regain d'intérêt qu'au début des années 1940, lorsque des fermiers remplacèrent leurs champs de coton par des vignes.

L'industrie vinicole moderne

Aujourd'hui comme hier, la priorité reste la production d'eau-de-vie. Plusieurs entreprises internationales ont investi dans la viticulture mexicaine et créé leurs propres exploitations afin d'éviter les lourdes taxes d'importation européennes pesant sur les eaux-de-vie. La famille espagnole Domecq fut la première à faire de gros investissements, en 1953. Son siège est à Mexico, mais ses installations de production d'eau-de-vie et de vin sont réparties sur onze sites. Les Espagnols Gonzalez-Byass et Freixenet, les Français Hennessy et Martell, les Italiens Martini & Rossi et Cinzano, le Japonais Suntory et le Nord-Américain Seagram sont d'autres firmes réputées possédant d'importants intérêts au Mexique. Par des efforts considérables, en temps et en argent, dans la production de vin, Domecq s'est affirmé comme le premier producteur de vin de qualité et exporte plusieurs de ses gammes aux États-Unis.

Les vignobles mexicains comptent plus de 40 000 ha. Près de 80 % des vins sont destinés aux distilleries d'eau-de-vie ou à l'élaboration de Vermouth, mais la production de vins de consommation a progressé depuis 1980. Compte tenu du nombre croissant de vignobles qui se reconvertissent dans les cépages nobles et du développement des sites côtiers ou d'altitude, la relative dynamique des années 1990 devrait se poursuivre. □

RÉGIONS VITICOLES ET PRODUCTEURS

La production est dominée par les grandes sociétés internationales. Par ailleurs, les petits producteurs sont découragés par une administration tatillonne et le fait que la plupart des Mexicains préfèrent le mescal, la tequila et la bière au vin.

Basse-Californie

Le nord de cette région bénéficie d'un climat relativement frais pour le Mexique et son vignoble de plus de 10 000 ha s'étend rapidement. La plupart des vignobles se trouvent dans les vallées de Guadalupe, de Santo Tomás et dans les environs d'Ensenada. Un des plus anciens et le plus connu des producteurs, Santo Tomás, fait des Cabernets-Sauvignons et des Chardonnays très prometteurs. L.-A. Cetto élabore des vins de Cabernet-Sauvignon, de Nebbiolo, de Petite Sirah et du cépage californien Zinfandel. Les Cabernets-Sauvignons de Cava Valmur et Pedro Domecq sont aussi renommés.

Parras, Saltillo

La vallée de Parras, au nord de Mexico, serait le berceau du vin américain. Les meilleurs vignobles se situent à 1 500 m d'altitude, là où le climat convient à la production de vins de qualité. Venedos San Marcos, exploitation moderne, est surtout connue pour son Cabernet-Sauvignon et son Mousseux. Bodegas de San Lorenzo (appartenant à Casa Madero), dont la fondation remonte à 1626, produit une gamme de vins de *vinifera* et des eaux-de-vie. Cette zone compte plusieurs grosses distilleries.

Lagana, district de Torreón

Dans ce district largement dédié à la culture du coton, le climat est trop chaud pour la culture des cépages nobles. L'entreprise la plus connue, Vergel, fondée en 1943, a modernisé ses installations et utilise des cuves en acier inoxydable avec régulation de température.

San Juan del Rio

Le développement de cette région viticole située à 160 km au nord de Mexico est relativement récent. La plupart des vignobles sont à une altitude de 1 800 m. Cava de San Juan donne l'exemple avec des *vinifera* nobles comme le Cabernet-Sauvignon et le Pinot Noir (étiquette Hidalgo) et un Mousseux (Carte Blanche). Martell produit ici des vins tranquilles de qualité.

Sonora

Près de 20 000 ha de vignes largement consacrés au Thompson Seedless et à d'autres raisins de table ainsi qu'au raisin de cuve destiné à la distillation.

Zacatecas

Avec ses vignobles situés à 2 000 m d'altitude, c'est la région viticole la plus haute et la plus fraîche. La viticulture y débuta dans les années 1970 et le premier producteur fut Bodegas de Altiplano.

CHILI

Le Chili est un des rares pays vinicoles d'importance qui ont été épargnés par le phylloxéra. Le puceron meurtrier, qui ravagea tous les vignobles d'Europe et d'Afrique du Nord, n'a jamais franchi la cordillère des Andes ni la grande zone désertique du nord et n'a pu atteindre le vignoble côtier. Les vignes chiliennes sont donc franches de pied puisqu'elles n'ont pas besoin d'être greffées. C'est pourquoi les œnophiles observent avec passion les progrès des méthodes de culture et de vinification qui devraient permettre au Chili de nous donner des vins comptant parmi les meilleurs du monde.

Les producteurs étrangers ne sont pas restés insensibles aux possibilités qu'offre cette situation privilégiée. Ainsi, le Catalan Torres s'est laissé tenter par l'aventure chilienne dès 1979, bientôt imité par des producteurs bordelais (notamment Cos d'Estournel, Margaux et Lafite), de Chablis, d'Alsace, puis par des Californiens. Un Cabernet-Sauvignon chilien a créé la sensation à Vinexpo en rivalisant avec les plus grands châteaux bordelais – il provenait de la *bodega* Las Vascos, dans la vallée de Rapel, contrôlée par les Rothschild de Lafite.

Par ailleurs, certaines entreprises purement chiliennes ont fait appel, pour hausser la qualité de leurs vins, à des œnologues français (notamment Michel Rolland, Jacques Lurton et Jacques Bassenot), des vinificateurs volants australiens et néo-zélandais, dont Brian Bicknell, et des conseillers californiens comme Edward Flaherty.

La surface viticole est d'environ 140 000 ha (près de deux fois plus de raisin de table que de raisin de cuve) et la production (y compris de vin destiné à la distillation), d'environ 5,5 millions d'hectolitres. Les trois quarts des vins fins chiliens sont exportés.

Les régions viticoles

L'appellation contrôlée *(denominación de origen)* instaurée en 1995 distingue cinq

Vignoble de Molina, près de Lontué.

régions, divisées en plusieurs sous-régions correspondant à des vallées distinctes :

Atacama (vallées de Copiapó et de Huasco). Région septentrionale, qui s'étend de la côte aux contreforts des Andes, où l'on n'élabore pas de vin de qualité et où le raisin de table compte pour l'essentiel de la production.

Coquimbo (vallées d'Elqui, Limari et Choapa). Vignobles dispersés dans une région montagneuse dont on tire surtout du raisin de table et du vin médiocre destiné à la distillation de l'eau-de-vie nationale, le *pisco*.

Aconcagua (vallées de l'Aconcagua et de Casablanca). Région proche du port de Valparaíso, à environ 100 km au nord-ouest de Santiago.

■ Dans la vallée de l'Aconcagua au climat de type méditerranéen, on cultive surtout sur des sols alluviaux ou graveleux les cépages rouges bordelais et, depuis quelques années, la noble Syrah.

■ La vallée de Casablanca, dont le développement est relativement récent (on n'y trouvait pas un seul vignoble en 1980), bénéficie des brises fraîches du Pacifique. Le sol sableux-crayeux est favorable à la culture du Chardonnay qui donne un vin délicatement aromatique. Cette zone convient bien aussi au Merlot et au Sauvignon Blanc.

Vallée centrale (avec, par ordre croissant d'importance, les vallées de Maipo, Rapel, Curicó et Maule – près de 45 000 ha de vignes), à mi-distance du Pacifique et des Andes.

■ Proche de Santiago, la vallée de Maipo est la plus ancienne région vinicole du Chili et reste celle où la concentration des vignobles est la plus élevée. Les terroirs sont très variés et les vins de grande qualité.

■ La plus grande partie de la vallée de Rapel, un peu plus pluvieuse que celle de Maipo, bénéficie pendant l'été de l'influence modératrice des vents du sud. Elle a connu un développement spectaculaire dans les années 1990. Les cépages rouges s'y trouvent particulièrement bien.

■ Située à environ 200 km au sud de Santiago, la vallée de Curicó est réputée pour ses Chardonnays. On y fait aussi de bons rouges de Cabernet-Sauvignon, de Merlot et de Pinot Noir.

■ La vallée de Maule est la plus méridionale et donc la plus froide de la vallée centrale. On y cultive encore beaucoup du País, mais ce cépage médiocre cède graduellement la place aux cépages nobles, notamment Chardonnay, Sauvignon Blanc et Merlot.

Région du Sud (vallées de Iata et Bió-Bió).

■ L'héritage de l'ère coloniale est encore très présent dans la vallée d'Iata, dominée par le País, mais, pour répondre à une demande croissante de vins de qualité, on commence à y cultiver des cépages nobles.

■ La vallée de Bió-Bió, la plus méridionale du Chili vinicole, compte relativement peu de vignobles. Le Chardonnay, le Pinot Noir et le Riesling se plaisent à cette latitude. ◻

PRODUCTEURS ET NÉGOCIANTS

La plupart des producteurs nomment leurs vins destinés à l'exportation selon le cépage : Cabernet-Sauvignon, Merlot, Chardonnay et Sauvignon Blanc sont les plus fréquemment rencontrés. Mais il devient habituel pour les producteurs de proposer des mises en bouteilles d'un ou de plusieurs types de cépages à des prix variés et/ou sous diverses appellations.

Almaviva

Entreprise franco-chilienne créée en 1997, dans laquelle les Rothschild de Mouton et Concha y Toro, le plus gros producteur du Chili, se sont asscociés à parts égales. La partie chilienne a apporté notamment un petit vignoble d'une quarantaine d'hectares situé dans les faubourgs méridionaux de Santiago, cultivé depuis une dizaine d'années. Almaviva propose un seul vin, issu des deux Cabernets. La production de ce vin de style Bordeaux, qui se veut l'égal d'un cru classé, ne dépasse guère 40 000 bouteilles pour l'instant.

Aquitania

Ce domaine proche de Santiago, créé il y a quelques années à Quebrada de Macul, dans la vallée de Maipo, appartient à Bruno Prats (qui dirigea le Château Cos d'Estournel à Saint-Estèphe), Paul Pontallier (Château Margaux) et Felipe de Solminihac (un des meilleurs œnologues du Chili). Il produit pour l'instant un peu plus d'un million de bouteilles de Cabernet-Sauvignon étiqueté Domaine Paul Bruno.

Caliterra

Cette exploitation ultramoderne créée en 1989 à Curicó appartient maintenant à la famille Chadwick, propriétaire d'Errázuriz, et à Robert Mondavi dont l'ambition est d'y élaborer l'équivalent chilien de son Opus One. Elle exploite quelque 230 ha de vignes à Casablanca, Maipo, Rapel et Curicó, et produit environ 7 millions de bouteilles de Cabernet-Sauvignon, Merlot, Chardonnay et Sauvignon Blanc.

Canepa

Cette entreprise de la vallée de Maipo, dont l'origine remonte aux années 1930, exploite plusieurs grands vignobles dans les vallées de Maipo, Rapel, Curicó et Maule. Récemment modernisée, elle produit plus de 15 millions de bouteilles de vins des cépages bordelais rouges et blancs ainsi que de cépages moins courants, Zinfandel et Gewürztraminer. Les vins sont étiquetés selon leur destination : Petroa, Montevenuto, Rowan Brooks, ou portent la marque de l'acheteur.

Carmen

Fondée en 1850, Viña Carmen est une des plus vieilles entreprises vinicoles du Chili. Située dans la vallée de Maipo, elle appartient depuis les années 1980 à Santa Rita et a été entièrement modernisée en 1992. Sa production est supérieure à 30 000 hl. Les vins sont élaborés sous la direction d'Alvaro Espinoza, un des meilleurs œnologues du pays. La gamme proposée comprend en plus des vins de cépages bordelais habituels, des vins de Pinot Noir, de Petite Sirah et de Grande Vidure.

Casa Lapostolle

Le groupe français Marnier-Lapostolle – producteur du Grand Marnier, la célèbre liqueur à base d'orange et de cognac, propriétaire du Château de Sancerre –, qui cherche à se diversifier dans les vins du Nouveau Monde, s'assure le concours de l'œnologue Michel Rolland, acquiert 51 % du capital d'une *bodega* de la région de Rapel en 1994, rebaptise le domaine Casa Lapostolle, l'équipe du matériel le plus moderne et rachète 300 ha de vignes : le vignoble de Casablanca dans la vallée de ce nom (principalement Chardonnay et Pinot Noir), les vignobles de Requinoa (Cabernet-Sauvignon et Sauvignon Blanc) et d'Apalta (vieilles vignes de cépages rouges bordelais). Ces vignobles fournissent 60 % du raisin, le reste provient de viticulteurs sous contrat. La production atteint aujourd'hui 1 800 000 bouteilles des gammes Casa Lapostolle (Sauvignon, Chardonnay, Merlot et Cabernet-Sauvignon); Cuvée Alexandre (Chardonnay, Merlot et Cabernet-Sauvignon); Clos Apalta (assemblage haut de gamme de Merlot, Carmenère et Cabernet-Sauvignon).

Concha y Toro

Fondée en 1883 dans la vallée de Maipo, cette *bodega*, modernisée dans les années 1980, est le principal producteur du Chili avec environ 130 millions de bouteilles, dont plus de la moitié est exportée. Outre les vins des cépages bordelais classiques, elle fait aussi des vins de Pinot Noir et de Syrah. En ordre de qualité croissante, les vins sont étiquetés Concho y Toro, Trio ou Explorer, Casillero del Diablo, Marqués de Casa Concha, Amelia (Chardonnay vinifié et élevé en barrique) et Don Melchior (Cabernet-Sauvignon).

Cono Sur

Entreprise créée en 1993 par Concha y Toro à Chibarongo, dans la vallée de Colchagua (Rapel), qui a fait appel à l'origine au Californien Edward Flaherty pour l'élaboration des vins, tous destinés à l'exportation. Cono Sur exploite ses vignobles en Casablanca, Rapel et Bió-Bió et produit quelque 6 millions de bouteilles dans une gamme étendue de vins (Chardonnay, Gewürztraminer et Viognier en blanc, Cabernet-Sauvignon, Merlot, Pinot Noir et Zinfandel en rouge), qui sont distribués sous les étiquettes Cono Sur, Tarconal (pour les supermarchés) et Isla Negra (haut de gamme).

Cooperativa de Curicó

Créée en 1939, cette coopérative s'est longtemps limitée à la production de vins pour le marché local. Devant le développement du marché pour des vins de meilleure qualité, elle a modernisé ses installations dans les années 1980 et fait appel au vinificateur volant Peter Bright. Elle exporte, sous l'étiquette Los Robles, du Cabernet-Sauvignon, du Merlot et du Sauvignon Vert, représentant environ la moitié d'une production de quelque 50 000 hl.

Errázuriz

L'entreprise Errázuriz a été créée en 1870 à Panquehue, au nord de Santiago, dans la vallée de l'Aconcagua, à une époque où l'on choisissait de préférence celle de Maule, au sud de la capitale. Elle appartient depuis 1983 à la famille Chadwick qui a fait appel au vinificateur volant néo-zélandais Brian Bicknell, puis au Californien Edward Flaherty pour élaborer des vins ayant beaucoup de personnalité. L'entreprise exploite plusieurs vignobles totalisant plus de 350 ha dans les vallées de l'Aconcagua, Casablanca, Maipo et Curicó, où l'on cultive essentiellement, suivant le terroir, Cabernet-Sauvignon, Merlot, Chardonnay et Sauvignon Blanc.

Cousiño Macul

Quand le domaine de la famille Cousiño fut créé en 1865 à Macul, près de Santiago, il se trouvait en pleine campagne. Aujourd'hui, son vignoble de quelque 250 ha est de plus en plus menacé par le développement urbain. Il est vraisemblablement condamné, comme ses voisins, à disparaître dans un avenir proche. Aussi les Cousiño ont-ils acquis des terres plus au sud et entrepris d'y créer un vignoble et des bâtiments d'exploitation. Aujourd'hui, le domaine de Macul est connu pour son Cabernet-Sauvignon, son Merlot et son Chardonnay, vins issus en général de vieilles vignes, dont le style est plus européen qu'américain.

Montes

En 1988, quatre partenaires, ayant une forte expérience du commerce du vin, formèrent la Discovery Wine Company – qui a depuis adopté le nom de leur œnologue, Aurelio Montes – pour faire des vins destinés à l'exportation. L'entreprise, fixée dans la vallée de Curicó, possède 220 ha de vignes et produit sous de nombreuses étiquettes plus de 3 millions de bouteilles de la gamme habituelle : Cabernet-Sauvignon, Sauvignon Blanc et Chardonnay, à laquelle s'ajoute un Merlot remarquable.

San Pedro

San Pedro est exemplaire de la récente révolution de l'industrie vinicole chilienne. Fondée en 1865, l'entreprise reste entre les mains de la même famille pendant 75 ans, puis est cédée au plus gros brasseur du pays. L'exploitation se poursuit à petite échelle

avec un matériel vétuste jusqu'au début des années 1990. En moins de 10 ans, elle est devenue une des plus grandes et des plus modernes entreprises vinicoles d'Amérique latine. Elle contrôle plus de 2 000 ha de vignobles, loge son vin dans une impressionnante batterie de gigantesques cuves en inox, élève les meilleurs vins dans des milliers de barriques en chêne français et américain et commercialise près de 50 millions de bouteilles par an. San Pedro bénéficie du concours de l'œnologue bordelais Jacques Lurton. L'entreprise est connue surtout pour ses vins étiquetés Gato Negro et Gato Blanco, qui à eux seuls représentent presque la moitié des exportations. Elle distribue aussi sous d'autres étiquettes, par exemple Santa Helena et Castillo de Molina, pour les vins de prestige. Les exportations sous le nom bien connu de San Pedro consistent surtout en Chardonnay et en Merlot.

Santa Carolina

Créée en 1875 à Santiago, Santa Carolina fut parmi les premières exploitations à se moderniser. Le vignoble d'origine a été victime du développement urbain, mais l'entreprise possède plus de 600 ha de vignes dans les vallées de Casablanca, Maipo et Rapel et achète beaucoup de raisin à des viticulteurs indépendants. Elle produit, sous la houlette du talentueux maître de chais Maria del Pilar Gonzalez, plus de 30 millions de bouteilles de la gamme habituelle – Cabernet-Sauvignon, Cabernet-Sauvignon/Merlot, Merlot, Sauvignon Blanc et Chardonnay –, complétée par un peu de Malbec, de Syrah et même de Gewürztraminer.

Santa Ema

La famille Pavone, d'origine piémontaise, qui cultivait du raisin dans l'île de Maipo depuis 1931, a fondé la Viña Santa Ema en 1955 pour élaborer elle-même son vin plutôt que de vendre son raisin à d'autres producteurs.

L'acquisition de terrains dans la vallée de Rapel a porté la surface viticole à quelque 300 ha. Le marché visé étant surtout celui des États-Unis, la plupart des vins – notamment Cabernet-Sauvignon, Merlot, Chardonnay et Sauvignon Blanc –, élevés dans du chêne français et américain, sont élaborés dans le style extraverti typiquement nord-américain.

Santa Emiliana

Cette société ambitieuse a été créée en 1986 à Maipo par plusieurs des actionnaires principaux de Concha y Toro en association avec Banfi Vintners. Elle exploite plusieurs vignobles dans les vallées de Casablanca, Rapel et Maipo et produit près de 20 millions de bouteilles de Cabernet-Sauvignon, Merlot et Chardonnay ainsi que de Mousseux élaborés en cuve close. Sous le nom de Walnut Crest, ses vins sont très appréciés aux États-Unis, son principal marché d'exportation.

Santa Mónica

L'œnologue chilien Emilio de Solminihac, formé à Bordeaux, et sa femme, Mónica, acquièrent un domaine vinicole à Rancagua, dans la vallée de Rapel, en 1976 – à une époque où l'avenir du vin chilien était pour le moins incertain. Tout en faisant du vin en vrac pour d'autres producteurs, ils modernisèrent les installations de vinification, développèrent le vignoble du domaine, qui atteint aujourd'hui 93 ha, et commencèrent à mettre une partie de leur vin en bouteilles. Tous les vins exportés aujourd'hui par Santa Mónica proviennent de ce vignoble, chose rare au Chili. Solminihac aime innover. Aussi fait-il du Riesling en plus des habituels Cabernet-Sauvignon, Merlot et Chardonnay – le meilleur étant vinifié en fût. L'entreprise produit pour l'instant moins d'un million de bouteilles, le reste du vin continuant à être vendu en vrac. Les meilleurs vins d'exportation sont étiquetés Tierra del Sol.

LOS VASCOS

Domaine célèbre créé en 1750 dans la vallée de Limari, dans la région de Colchagua, par le Basque Miguel Echenique. Les descendants du fondateur, expropriés lors de la réforme agraire des années 1960, reconstituèrent le domaine, parcelle par parcelle, dans les années 1970. Ces acquisitions entraînèrent des difficultés financières, obligeant les propriétaires à trouver un associé. Les Rothschild de Château Lafite firent l'acquisition de la moitié des parts en 1988 (les Eyzaguirre-Echenique revendront les leurs en 1996 à Santa Rita). L'associé français entreprit aussitôt de moderniser les installations, de faire venir de Lafite des centaines de barriques et d'appliquer les méthodes en usage à Pauillac. Il n'est pas étonnant dans ces conditions que le Cabernet-Sauvignon de Los Vascos ait un style plus médocain que californien.

Santa Rita

Créée en 1880 à Buin, dans la vallée de Maipo, cette entreprise a été modernisée à partir de 1980, et la surface du vignoble portée à 2 000 ha dans les vallées de Casablanca, Maipo et Maule. Des contrats furent passés avec des viticulteurs pour la livraison de raisin additionnel de grande qualité et l'accent fut mis sur l'exportation (300 000 bouteilles en 1985, 5 millions en 1994 et 12 millions en 1998 sur une production de près de 17 millions de bouteilles). On fait abondamment usage de barriques en chêne français pour la vinification et/ou l'élevage des meilleurs vins. La production exportée est principalement vendue sous trois étiquettes désignant des vins de qualité croissante : « 120 », Riserva et Medalla Real. En plus de la gamme habituelle, on trouve notamment des vins de Carmenère, de Sémillon/Viognier, Petite Sirah/Merlot et Pinot Noir.

Tarapacá ex-Zavala

Ce vignoble, créé dans la vallée de Maipo, en 1874, sous le nom de Rojas, fut racheté par Antonio Zavala qui lui donna son nom. Un divorce dans la famille Zavala créa par la suite un problème qui resta non résolu jusqu'à ce que le président de la République chilienne, dont le surnom était « le lion de Tarapacá », décrète que la propriété devrait être renommée Ex-Zavala. Finalement, il prit celui de Tarapacá ex-Zavala. L'entreprise resta modeste jusqu'à son rachat, en 1992, par le Holding Fosforos qui n'a pas investi moins de 50 millions de dollars dans la construction et l'équipement de nouveaux bâtiments, l'acquisition de terrains et leur plantation. Les premiers 440 ha de nouvelles vignes sont entrés en production en 1995. Tarapacá produit maintenant près de 13 millions de bouteilles de Cabernet-Sauvignon, Merlot, Chardonnay et Sauvignon Blanc, les meilleurs vins étant élevés en barriques de chêne américain ou français suivant leur destination. Le Cabernet-Sauvignon 1988 et le Sauvignon Blanc 1999 ont remporté une médaille d'or à Vinando 1999, à Mendoza, en Argentine.

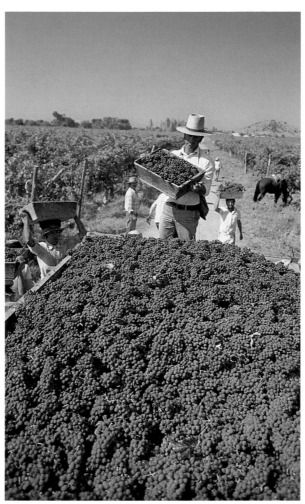

Vignoble de Los Vascos, près de Peralillo, dans la vallée de Limari.

Miguel Torres

Cette entreprise très innovatrice commença en 1979 avec l'achat d'un vieux vignoble dans la vallée de Curicó par Miguel Torres, de la célèbre famille espagnole de producteurs de vin. Un équipement ultramoderne fut installé pour une production de 1 200 000 bouteilles par an, portée ensuite à 2 millions. Torres introduisit au Chili des cuves en acier inoxydable avec régulation de température, des pressoirs modernes et des barriques en chêne français. Dans le vignoble, une meilleure conduite de la vigne et l'irrigation contrôlée ont amélioré la qualité, et ces méthodes ont largement inspiré les autres producteurs. Sur ses trois principaux vignobles de Curicó et de Maule (plus de 300 ha), Torres se concentre sur le Sauvignon Blanc, le Chardonnay et le Cabernet-Sauvignon, mais il ne cesse d'innover, avec notamment le Carignan, la Syrah et le Gewürztraminer ; il fait aussi du vin effervescent Brut Nature méthode classique, issu du Chardonnay et du Pinot Noir.

Près des trois quarts de la production sont destinés à l'exportation.

Undurraga

Créée en 1885, Undurraga fut une des premières entreprises à exporter aux États-Unis, au début du XXᵉ siècle. Équipée d'un matériel à la pointe de la technique, elle expédie aujourd'hui dans le monde entier quelque 10 millions de bouteilles, 8 millions étant consommées au Chili même. La production de ses vignobles des vallées de Maipo et Maule (près de 1 000 ha) est complétée par du raisin de viticulteurs indépendants. Les vins, dont les meilleurs sont vinifiés et/ou élevés dans le bois, sont issus de l'assortiment de cépages bordelais et du Pinot Noir.

Valdivieso

Cette entreprise, dont l'origine remonte à 1879, était surtout connue pour son Mousseux, jusqu'à sa reprise par la famille Mitjans vers 1950. Modernisée en 1990, elle continue à faire 90 % du Mousseux vendu au Chili (près de 5 millions de bouteilles, dont la moitié environ produite en cuve close), mais produit aussi des vins tranquilles, surtout des rouges de Pinot Noir, Cabernet-Sauvignon et Malbec, presque entièrement destinés à l'exportation.

Los Vascos

Voir l'encadré page 526.

Villard

Le Français Thierry Villard a acheté en 1989 une terre dans la vallée de Casablanca, planté un petit vignoble, créé une entreprise avec la participation minoritaire de Santa Emiliana, installé un matériel moderne et importé des barriques en chêne français. Le raisin vient de ce petit vignoble et de la vallée de Maipo. Villard fait depuis 1997 une quantité encore limitée de vins de Chardonnay, Sauvignon Blanc, Cabernet-Sauvignon, Merlot et Pinot Noir.

ARGENTINE

Les premiers vignobles furent créés au milieu du XVIe siècle par des missionnaires et des *conquistadores* venus du Pérou et du Chili, au pied des Andes, dans l'actuelle région de Mendoza qui est restée la principale région vinicole d'Argentine. Au XIXe siècle, après l'indépendance, puis la construction du chemin de fer Buenos Aires-Mendoza, les vignobles andins prirent une grande importance et des vagues successives d'immigrants italiens, français et espagnols implantèrent des cépages de leur pays d'origine. Au XXe siècle, le vignoble ne cessa de se développer jusqu'à atteindre 320 000 ha en 1980. Depuis, sa surface a diminué (210 000 ha en 1998). Cependant, avec une production de 12 673 000 hl, l'Argentine occupe toujours le cinquième rang mondial derrière l'Italie, la France, l'Espagne et les États-Unis. La consommation est passée de 90 l par habitant en 1980 à 50 l en 1997 (sixième rang mondial). En revanche, les exportations ont augmenté de façon spectaculaire : 1 205 000 hl en 1997 contre 220 000 hl dans les années 1980. Les vignobles s'étendent sur plus de 1 770 km à l'ouest du pays, où ils bénéficient de l'irrigation, indispensable sous le climat de l'intérieur. Un réseau de canaux amenant l'eau de la fonte des neiges à des réservoirs répartis dans les régions viticoles est complété par des forages profonds à gros débit. Le centre de l'industrie vinicole, d'où proviennent environ 70 % des vins argentins, est la province de Mendoza, à quelque 960 km à l'ouest de Buenos Aires – à la latitude de Santiago et des meilleures régions vinicoles du Chili. La plupart des vignobles sont situés dans les vallées et sur les plateaux des basses Andes. Au sud de la ville de Mendoza se trouvent deux zones de haute altitude au climat plus frais, Maipu et Lujan de Cuyo, où sont cultivés les cépages nobles, notamment le Caber-

La plupart des vignobles de la région de Mendoza sont situés dans les vallées et sur les plateaux des basses Andes.

net-Sauvignon et le Malbec. À l'est, au pied du pic Tupungato, le Chardonnay et le Merlot réussissent très bien. San Juan, la deuxième région viticole du pays, au nord de Mendoza, est beaucoup plus chaude. Elle fournit peu de vin de grande qualité, mais beaucoup de vin destiné aux eaux-de-vie et aux Vermouths ainsi qu'une grande quantité de moût concentré. Les autres régions sont quantitativement moins importantes. Salta, encore plus loin au nord, est proche du tropique du Capricorne. Ses vignes sont cultivées à 1 700 m d'altitude, où la fraîcheur convient aux cépages blancs. Bien que ne fournissant qu'environ 5 % de la production, la région la plus méridionale, Rio Negro, en Patagonie, est encore plus fraîche que les vignobles d'altitude du nord. Elle est idéale pour la culture des cépages blancs de grande qualité et la production des vins de base pour les Mousseux.

Les cépages et les vins

Le cépage hérité des débuts de la colonisation, le Criolla, fournit encore d'énormes volumes de vin rouge ordinaire, même s'il a été la première vic-

time de la diminution de la surface viticole. Le Malbec donne en Argentine le meilleur de lui-même, avec des vins de garde bien charpentés à la robe profonde, riche en arômes de cassis mûr et d'épices. Le Bonarda rivalise avec lui pour la place de cépage rouge de qualité le plus abondant. Le Cabernet-Sauvignon est en progrès – marché international oblige –, le plus souvent assoupli avec du Merlot et/ou du Malbec. En plus du Bonarda, les immigrants italiens ont introduit d'autres cépages rouges dont le Barbera Dolcetto et le Sangiovese. Enfin, le Tempranillo espagnol joue un rôle non négligeable. Les débuts de la Syrah sont prometteurs, mais le Pinot Noir prouve une fois de plus qu'il est un cépage difficile à maîtriser.

Le cépage blanc le plus intéressant est le Torrontes qui engendre des vins vifs et aromatiques agréablement épicés. Le Muscat d'Alexandrie et le Pedro Giménez sont abondants, des vins plutôt neutres sont issus de l'Ugni Blanc et du Chenin Blanc, et le Chardonnay donne des vins de style international surtout destinés aux marchés anglo-saxons. On cultive aussi le Sémillon et le Viognier. □

PRODUCTEURS ET NÉGOCIANTS

L'Argentine exporte une proportion non négligeable de son vin en vrac. Celui-ci est mis en bouteilles par l'acheteur qui lui donne souvent un nom de son choix. Ainsi, l'étiquetage d'un même vin peut varier selon le pays importateur ou même selon le distributeur. Sur le marché argentin, la plupart des vins effervescents portent le nom de *champaña*, qu'ils soient produits sur place ou importés, élaborés en cuve close ou par la méthode traditionnelle.

La Agricola

Décidée à se faire une place sur le marché international, La Agricola s'est modernisée et a fait appel à deux vinificateurs volants, le Californien Edward Flaherty et l'Australien David Morrison. Le Bonarda/Sangiovese est sans doute le plus intéressant de la gamme Santa Julia (ou Picajuan Peak pour une grande chaîne de supermarchés britanniques), qui présente un excellent rapport qualité/prix. La Agricola propose aussi un Torrontes vif et aromatique.

Bodegas Balbi

Entreprise du groupe Domecq, qui fait divers vins pour l'exportation, dont, notamment avec le concours de l'œnologue Thierry Boudinaud, un rouge d'assemblage complexe issu de quatre cépages – Cabernet-Sauvignon, Malbec, Merlot et Syrah –, distribué sous l'étiquette Barbaro.

Bianchi

Entreprise du groupe Seagram. Les meilleurs vins sont un Chardonnay et un Malbec. Bianchi produit aussi un *champaña*.

Luigi Bosca

Bosca produit des vins de cépage pour le marché d'exportation, issus du Cabernet-Sauvignon, du Malbec et du Chardonnay.

Humberto Canale

Vins du Sud, de la région de Rio Negro (Patagonie). Le Sémillon et le Malbec sont particulièrement remarquables.

Catena

Gros volume pour le marché intérieur de vins d'un bon rapport qualité/prix étiquetés Trumpeter, et, principalement pour l'exportation, des vins de style international, de Malbec, Cabernet-Sauvignon et Chardonnay, sous les noms de Alamos, Catena, Viña Esmeralda, Rutini et San Felician. Les vins de prestige sont étiquetés Catena Alta.

Domaine Chandon

Créée en 1960 par la maison champenoise Moët & Chandon, cette entreprise, le plus grand producteur de *champaña*, s'est diversifiée avec des vins tranquilles destinés au marché local et à l'exportation, dont un Chardonnay et un vin rouge d'assemblage baptisé Castel Chandon.

Etchart

Etchart (groupe Pernod-Ricard) produit une gamme étendue de bons vins, dont, dans la région de Salta, de délicieux Torrontes (le 1999 a reçu une médaille d'or aux Vinalies 2000 à Paris) et Chardonnays, et, dans la région de Mendoza, du Malbec et du Cabernet-Sauvignon.

Finca Flichman

Cette vieille entreprise récemment modernisée, qui a fait appel au vinificateur volant Hugh Ryman, complète les cépages nobles classiques, Malbec, Cabernet-Sauvignon et Merlot, par les Barbera et Sangiovese italiens, le Tempranillo espagnol et la Syrah de la vallée du Rhône. La gamme de ses vins de cépage ou d'assemblage est étendue. Le Cabernet-Sauvignon distribué sous l'étiquette Caballero de la Cepa est épanoui et puissamment aromatique. L'étiquette Fond de Cap est réservée aux vins de haut de gamme.

Bodegas Lurton

Jeune entreprise créée par le Bordelais Jacques Lurton et par l'Argentin Nicola Catena. Elle exporte un assemblage Tempranillo/Malbec et un grand Cabernet-Sauvignon sous l'étiquette Gran Lurton.

Navarro Correas

Marque commune à trois producteurs pour l'exportation, notamment sur les marchés anglo-saxons, d'une gamme de vins, dont des vins monocépages de Malbec et de Syrah ainsi qu'un assemblage Merlot/Malbec étiqueté Colección Privada.

Norton

Entreprise de la fin du XIXᵉ siècle acquise par un industriel autrichien en 1989. Elle exporte des vins de cépage (Malbec et Merlot) ainsi que de beaux assemblages Cabernet-Sauvignon/Merlot et Cabernet-Sauvignon/Malbec.

Peñaflor

Peñaflor, le plus grand groupe vinicole d'Argentine, a fait appel aux célèbres vinificateurs volants Peter Bright et John Worontschak. Le groupe distribue sur le marché national surtout des vins de consommation courante, principalement rouges. La plupart de ses vins d'exportation sont élaborés par sa filiale Trapiche (voir plus loin).

Henri Piper

Marque utilisée sur le marché argentin pour le *champaña* élaboré sur place par la maison champenoise Piper Heidsieck.

Finca El Retiro

Créée en 1912 dans la région de Mendoza, cette entreprise familiale a fait appel au concours d'un œnologue italien, Alberto Antonioni. Ses vins rouges sont concentrés, notamment celui issu du cépage espagnol Tempranillo.

San Telmo

Ce producteur en gros volumes montre une remarquable aptitude à élaborer des vins de style international : Malbec, Cabernet-Sauvignon et assemblage Malbec/Cabernet-Sauvignon (étiqueté Cuseta del Madero).

Trapiche

Bodega du groupe géant Peñaflor, qui s'appuie sur les conseils de l'omniprésent œnologue Michel Rolland. Ses vins les plus connus sont, en rouge, les Cabernet-Sauvignon, Malbec, Syrah et un vin rouge d'assemblage de style bordelais étiqueté Medella ; en blanc, les Chenin, Chardonnay et Torrontes. Un Cabernet-Sauvignon de haut de gamme porte le nom d'Andean Vineyard.

Vistalba

Cette entreprise française installée dans la région de Mendoza produit une gamme de vins de Cabernet-Sauvignon, Malbec, Syrah et Barbera, destinée en grande partie au marché international.

Bodegas Weinert

Depuis sa modernisation, en 1975, par le Brésilien Bernardo Weinert, dont elle porte le nom, cette entreprise créée à la fin du XIXᵉ siècle s'est hissée au rang des meilleurs producteurs d'Argentine, avec notamment un Chardonnay, un Merlot et un Cabernet-Sauvignon. Le Cavas de Weinert est un remarquable assemblage Merlot/Malbec. Les vins rouges de Weinert, souvent élevés en fûts de chêne, sont la plus belle expression du style argentin traditionnel.

BRÉSIL ET AUTRES PAYS

Avec près de 2 800 000 hl de vin, le Brésil est le troisième producteur du sous-continent. Les premiers vignobles furent créés par les jésuites au XVIIe siècle dans le Rio Grande do Sul avec le Criolla provenant d'Argentine, mais ils furent abandonnés après la destruction des missions. Au XVIIe siècle, les Portugais essayèrent d'implanter les cépages de leur pays, mais sans grand succès, le climat tropical faisant pourrir *vinifera* avant la maturité du raisin.

Dès les années 1830, on importa des États-Unis l'hybride Isabella, cépage rouge mieux adapté au climat. Il est encore présent, ainsi que divers métis et hybrides américains et européens comme le Couderc Noir et les cépages blancs Delaware, Niagara, Dutchess et Seyval Blanc. Ce sont les immigrants, notamment italiens, qui introduisirent ensuite *vinifera* dans l'État du Rio Grande do Sul. Aujourd'hui, les cépages *vinifera* les plus répandus – mais qui ne comptent encore que pour environ 20 % de l'encépagement – sont les rouges Barbera, Bonarda, Cabernet Franc, Cabernet-Sauvignon, Merlot, et les blancs Malvoisie, Muscat, Trebbiano (Ugni Blanc) et Sémillon.

Les régions viticoles

Les quelque 600 producteurs se trouvent principalement dans les États de São Paulo, Santa Catarina et surtout Rio Grande do Sul où nombre de nouveaux vignobles de coteaux, très prometteurs, s'inscrivent dans un triangle défini par trois villes : Bento Gonçalves, Garibaldi et Caxias do Sul. Le long de la frontière uruguayenne, la région vinicole de Frontera se développe vite autour de Bagé et Livramento.

De nombreuses sociétés internationales ont été attirées par le Brésil. National Distillers a fondé une filiale d'Almaden Vineyards dans les années 1970, imité ensuite par Cinzano, Martini & Rossi, Rémy Martin et Moët & Chandon.

Autres pays d'Amérique du Sud

L'Uruguay est avec 1 132 000 hl le quatrième producteur sud-américain. Plus de la moitié du vignoble est consacrée à *vinifera* (principalement Cabernet-Sauvignon, Merlot, Sémillon et Pinot Noir). **Le Pérou** produit 120 000 hl de vin dont une grande partie sert à la distillation du *pisco*. Parmi les rares vins présents sur le marché mondial, ceux du vignoble de Tacama (150 ha), dans la vallée de l'Ica, à 400 m d'altitude, sont élaborés avec le concours d'œnologues français. On y cultive les cépages bordelais traditionnels et quelques autres, dont le Chenin et l'Ugni Blanc. **La Colombie** ne consacre que 1 500 ha à la vigne, le cépage largement majoritaire est l'Isabella, et le pays produit surtout des vins mutés. **Le Paraguay, la Bolivie** et **l'Équateur** produisent de très petites quantités de vin de faible qualité. □

LES MEILLEURS PRODUCTEURS DU BRÉSIL

Vinicola Aurora

Avec une production de quelque 20 millions d'hectolitres, cette immense coopérative fondée en 1931 à Bento Gonçalves, dans l'État du Rio Grande do Sul, est le plus grand producteur et le principal exportateur du Brésil. Elle compte plus de 1 000 membres cultivant plus de 20 000 ha de vignes. Une partie de sa production de quelque 130 millions de bouteilles est destinée à la marque américaine Marcus James (voir ci-dessous). L'entreprise a fait appel au vinificateur volant John Worontschak pour améliorer ses vins. Les meilleurs sont étiquetés Conde de Foucauld (Cabernet-Sauvignon) et Clos des Nobles (Cabernet Franc).

Casa Moët & Chandon

La grande maison champenoise a créé une entreprise équipée de cuves de vinification en inox à régulation de température, à Garibaldi, dans la Serra Gaucha (Rio Grande do Sul). Elle y fait, comme de juste, du vin effervescent vendu sous le nom de Champaña, mais aussi des vins tranquilles.

Dreher

Fondée par Heublein, cette société a créé des vignobles de *vinifera* dans les montagnes proches de Bagé dans la récente région vinicole de Frontera, qui jouxte l'Uruguay. Elle exporte du Cabernet-Sauvignon, du Barbera et, sous l'étiquette Castel Marjolet, un assemblage de Cabernet-Sauvignon et de Merlot.

De Lantier

Cette entreprise créée par Martini & Rossi dans la Serra Gaucha (Rio Grande do Sul) produit avec un matériel moderne notamment des vins tranquilles de cépages nobles de *vinifera* étiquetés Baron de Lantier et des vins effervescents par la méthode classique, étiquetés De Gréville.

Riograndense

Pionnière dès les années 1930 des cépages de *vinifera*, cette exploitation proche de Caxias do Sul (Rio Grande do Sul) cultive quelque 60 ha de Merlot, Cabernet-Sauvignon et Trebbiano (Ugni Blanc). Elle distribue la plupart de ses vins sous l'étiquette Granja União.

Marcus James

Cette marque, dont les vins sont élaborés à Vinicola Aurora, est la propriété de la société américaine Canandaigua Wine Company. Elle propose une large gamme de vins de cépage, dont Chardonnay, Cabernet-Sauvignon, Merlot et Zinfandel. La production annuelle approche les 12 millions de bouteilles.

Palomas

Cette entreprise de la région de Frontera, passée en 1989 sous le contrôle de Seagram, cultive plus de 1 000 ha de cépages de *vinifera* et a entrepris de moderniser ses installations, ce qui s'est traduit par une amélioration notable de la qualité.

AUSTRALIE
ET NOUVELLE-ZÉLANDE

—

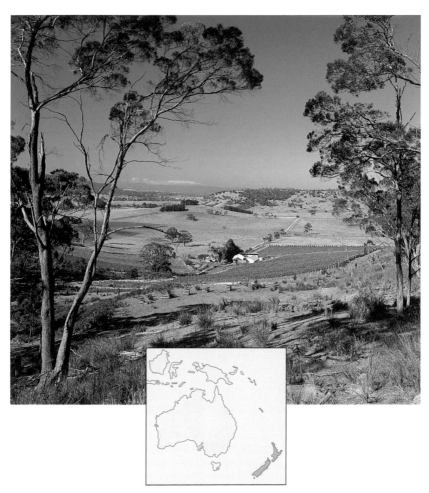

LES VINS AUSTRALIENS ET NÉO-ZÉLANDAIS,

APPARUS DANS LES ANNÉES 1980 SUR LE MARCHÉ INTERNATIONAL,

BÉNÉFICIENT D'UNE SOLIDE RÉPUTATION POUR LEUR EXCELLENTE

QUALITÉ ET L'ORIGINALITÉ DE LEURS ARÔMES.

—

AUSTRALIE

L'AUSTRALIE PRODUIT DES VINS D'UN EXCELLENT RAPPORT
QUALITÉ/PRIX, QUI REGORGENT DE FRUIT ET D'ARÔMES,
AINSI QU'UNE GAMME DE VINS FINS.

En Australie-Méridionale, la région
de Southern Vales est centrée sur McLaren Vale,
dont les collines couvertes de vignobles baignent
dans un climat quasi méditerranéen.

Le style bien distinct des vins australiens met l'accent sur l'éclat, la fraîcheur et la mise en valeur des arômes primaires du raisin. Les vins, souples, fruités, très aromatiques, sont le reflet du climat ensoleillé. Ils sont appréciés parce qu'ils correspondent bien au style du vin que le marché recherche et qu'ils sont prêts à être bus dès leur mise en bouteille. C'est là une caractéristique largement répandue, même si les exceptions sont nombreuses. Les meilleurs vins australiens se distinguent par leur complexité, leur structure et leur fort potentiel de vieillissement : les vins de Sémillon et de Riesling peuvent être magnifiques à 20 ans, ceux de Cabernet-Sauvignon à 30 ans et le Grange Hermitage de Penfolds à 40 ans ou plus. Alors que les grandes entreprises vinicoles produisent des vins techniquement irréprochables et d'une qualité constante, plus de 800 autres producteurs élaborent des vins d'une grande diversité de style et de qualité. La production a atteint 7 930 000 hl en 1999, dont plus de 27 % ont été exportés. S'y ajoutent 580 000 hl destinés à la distillation.

La vigne, arrivée en Australie en 1788 par le cap de Bonne-Espérance, fut plantée dans le jardin du gouverneur Phillip, à l'emplacement actuel du centre-ville de Sydney. Sa culture s'étendit rapidement loin de l'humidité et des pluies estivales des zones côtières, d'abord vers les faubourgs ouest de Sydney et vers Hunter Valley pour atteindre ensuite aussi bien l'Australie orientale que méridionale jusqu'au Victoria et à la Tasmanie. À la fin des années 1830, chacune de ces régions produisait à une échelle commerciale – un développement qui se prolongea jusqu'à la fin du siècle dernier. Les vins australiens restèrent cependant méconnus à l'étranger jusqu'à ces quinze ou vingt dernières années. Puis, moins isolés en général, encouragés par un marché intérieur en pleine expansion, aidés par une technologie massive – l'irrigation transforma de vastes régions jusque-là trop chaudes et arides –, les producteurs australiens se mirent à produire les types de vin qu'attendait le marché international. Avec quelque étonnement, ils découvrirent que leurs vins étaient appréciés et acclamés dans le monde entier pour leur rapport qualité/prix. La réputation des producteurs de cette partie de l'hémisphère Sud ne cesse de croître et leurs vins continueront à surprendre et à passionner au fur et à mesure qu'ils réaliseront pleinement leur potentiel.

Les régions viticoles

On cultive de la vigne quelque part dans chacun des États et territoires d'Australie (on trouve même un petit vignoble dans la fournaise des Territoires du Nord). Toutefois, les régions viticoles importantes se situent dans le Sud-Est – le long de la côte et dans les bassins de la Murray et de son affluent, le Murrumbidgee – et à l'extrême sud-ouest, pour l'essentiel dans les quatre États suivants :

■ **Nouvelle-Galles du Sud,** le plus ancien et le plus chaud des États viticoles, qui comprend notamment la célèbre Hunter Valley, au nord de Sydney, et la grande région irriguée de Murrumbidgee, dans l'ouest. Cet État occupe le deuxième rang avec 34 % de la production et on y a fait 26 % de plus de vin en 1999 qu'en 1997.

■ **Australie-Méridionale.** Les vignobles sont concentrés dans la partie sud-est de cet État qui se classe au premier rang avec 46 % de la production vinicole, avec une augmentation de seulement 9 % entre 1997 et 1999. On produit certains des meilleurs vins d'Australie (par exemple, dans Barossa Valley) et aussi, à l'intérieur des terres, dans le Riverland, au nord-est d'Adélaïde, une énorme quantité de vin de consommation courante, vendu en Cubitainers.

■ **Victoria.** L'État le plus méridional et le plus petit, mais celui qui compte plus de régions viticoles que tout autre État. Occupant le troisième rang avec 17 % de la production, il propose une gamme très variée de vins dont la qualité générale ne cesse de s'améliorer et dont certains comptent parmi les meilleurs d'Australie. Sa production a augmenté de 18 % entre 1997 et 1999.

■ **L'Australie-Occidentale.** Dernier converti à la viticulture, cet État – bien que sa production ait augmenté de 59 % entre 1997 et 1999 – ne compte que pour 3 % du vin australien. Les vignobles sont concentrés dans le sud-ouest, près de la capitale, Perth. Le climat y est varié, mais le manque d'eau est la préoccupation majeure des viticulteurs.

Les millésimes et le climat

La diversité des vins australiens est accentuée par les variations qui existent d'un millésime à l'autre. Les conditions climatiques au cours du cycle végétatif peuvent, contrairement à ce qui est généralement admis, avoir un impact considérable sur le style (surtout) et sur la qualité de la production dans les régions prestigieuses. Rares sont les millésimes médiocres au sens européen du terme – peu de sucre naturel, beaucoup de mildiou ou de pourriture –, mais les millésimes ne se ressemblent pas : chacun a son caractère propre, qu'un dégustateur averti peut reconnaître.

Les vins de tous les jours et les vins fins

L'idée selon laquelle l'Australie est un continent chaud et ensoleillé est valable pour 90 % de sa superficie. Or, de nombreuses régions productrices de vins de qualité sont situées dans les 10 % restants, où le climat, pour ensoleillé qu'il soit, est bien plus frais. Pour comprendre le rapport entre le climat australien, le style des vins, leur qualité et le choix des cépages, il convient de distinguer entre vins fins et vins courants, crus classés et vins ordinaires.

Tout comme la France et la Californie, l'Australie a sa région de vins sans prétention, Riverland, à la frontière de Victoria et de l'Australie-Méridionale. Le climat est terriblement chaud et ensoleillé, mais l'irrigation a transformé cette zone semi-désertique en vignobles verdoyants à fort rendement, qui fournissent des raisins bon marché de qualité régulière. On les utilise pour les vins vendus en Cubitainers et en bonbonnes (deux tiers des ventes intérieures), mais aussi pour des vins exportés en vrac. En tout, la région de Riverland fournit environ 60 % de la production et devrait conserver ce rôle de premier plan encore longtemps.

Les noms des vins

La plupart des vins australiens, et plus particulièrement ceux de qualité, tirent leur nom du cépage dont ils sont issus (voir encadré). L'Australie utilisait déjà les noms de cépage quand ceux-ci n'étaient que des mots techniques et obscurs pour les Européens. Elle a également employé des noms européens pour identifier les styles de vin : ainsi pouvait-on trouver sur les linéaires des magasins australiens des « Clarets » de Coonawarra et des « Chablis » d'Australie-Méridionale. Une autre convention d'étiquetage, toujours en vigueur, consiste à désigner des vins par un numéro de

LES PRINCIPAUX CÉPAGES

La physionomie de la viticulture australienne a été profondément modifiée par la plantation de nouveaux vignobles, qui a permis de doubler la production en moins de 10 ans, et par le remplacement d'une partie des cépages médiocres par des cépages nobles. C'est ainsi que le Chardonnay, pour ainsi dire inexistant en 1970, a occupé, en 1999, la première place. Les cinq principaux cépages, qui comptent ensemble pour plus de la moitié de la production, sont les suivants, en ordre quantitatif (entre parenthèses, production en tonnes, en 2001) :

Syrah (311 045). Appelé ici Shiraz, le noble cépage de la vallée du Rhône est capable en Australie du meilleur, par exemple dans Barossa Valley et Hunter Valley, comme du pire, dans l'océan de vin rouge ordinaire des grandes régions irriguées.

Cabernet-Sauvignon (249 288). L'illustre cépage des grands Bordeaux se plaît en Australie, seul ou assemblé avec la Syrah et le Merlot.

Chardonnay (210 770). Ce cépage, qui s'illustre dans le Bourgogne blanc et le Champagne, est devenu une vedette mondiale. On en tire en Australie des vins riches et fruités ayant beaucoup de personnalité, qui bénéficient souvent d'un élevage dans le chêne.

Sémillon (88 427). Ce cépage bordelais donne d'excellents vins blancs. Ceux de Hunter Valley comptent parmi les meilleurs du monde.

Merlot (80 142). Utilisé surtout pour arrondir le Cabernet-Sauvignon.

À cela s'ajoute le Colombard, délaissé en France, mais dont les Australiens apprécient la capacité à donner des vins blancs vifs dans les régions chaudes.

cuvée *(bin)* pour les vins particulièrement remarquables. Une nouvelle réglementation et des accords récents concernant les étiquettes ont clarifié la situation (voir encadré p. 536).

Le nom de la région, et parfois celui du producteur, figure de plus en plus souvent sur l'étiquette. Si les styles de vin sont aussi nombreux que les producteurs, l'origine des raisins et le nom de la parcelle *(paddock)* sont désormais fréquemment cités. Cette évolution signifie que les producteurs prennent conscience que l'adéquation entre le cépage et le terroir a son importance.

Les fûts de chêne et l'élevage

Les cépages blancs Chardonnay, Sémillon et Sauvignon, auxquels ce système est profitable, sont le plus souvent vinifiés sous bois. L'élevage en barriques de chêne français dure entre 6 et 9 mois pour les meilleurs vins. Quant aux cépages plus aromatiques comme le Riesling et le Gewürztraminer, ils sont vinifiés en cuve et mis en bouteilles peu de temps après.

Les producteurs élèvent fréquemment leurs vins rouges de qualité en petits fûts de chêne : le Cabernet-Sauvignon et le Shiraz (Syrah) tirent profit d'un séjour en fûts de 6 mois à 2 ans.

Les vins blancs australiens ont tendance à évoluer rapidement. À l'exception de certains Sémillons de Hunter Valley, qui se bonifient sur une période de 20 ans, les autres arrivent à maturité entre 2 et 6 ans. Les vins rouges aussi sont conçus pour être agréables à boire bien plus rapidement que leurs homologues européens. Quelques grands vins rouges, le Grange Hermitage de Penfolds, par exemple, sont vinifiés pour une longue maturation en bouteilles, mais, dans la grande majorité des cas, les rouges atteignent leur apogée entre 5 et 10 ans. Le climat australien ne convient guère aux caves particulières, aussi quelques producteurs ne commercialisent-ils leurs vins que lorsqu'ils sont arrivés à maturité. Le développement récent de l'industrie australienne ne permet pas un recul suffisant pour juger de l'évolution des différents styles de vin et domaines.

L'histoire du vin australien

Si l'on comparait les cartes viticoles de l'Australie de 1890 et 1990, on constaterait peu de différences. En revanche, les producteurs ont connu des hauts et des bas au cours du siècle. Apparu à Geelong (Victoria) en 1875, le phylloxéra entraîna une destruction massive du vignoble de cette région (épargnant, fort heureusement, les autres). Le krach bancaire et la crise de 1893, tout comme la suppression des taxes entre États (consécutive à leur fédération en 1901), affectèrent l'ensemble de l'industrie vinicole : la possibilité pour les producteurs de vendre dans les autres États aida l'expansion de l'Australie-Méridionale (Riverland et Barossa Valley), stimulée par ailleurs par la demande croissante de vins mutés destinés, notamment, à l'Angleterre de l'époque victorienne.

Les vins mutés dominèrent le marché au détriment des autres styles de vin jusqu'aux années 1960, lorsque la demande de vins non sucrés, malgré leur qualité médiocre, se fit de plus en plus forte. À partir de cette époque, d'autres facteurs contribuèrent à donner à l'industrie vinicole sa forme actuelle : le développement d'un savoir-faire technique d'un niveau élevé et l'extension du Cabernet-Sauvignon (à partir de 1960) et du Chardonnay (à partir de 1970) pour répondre à une demande accrue de vins de qualité. Suivant l'exemple donné en 1963 par le docteur en médecine Max Lake, à Lake's Folly en Nouvelle-Galles du Sud, une kyrielle de médecins, d'avocats, d'hommes ou de femmes d'affaires créèrent des centaines d'exploitations pour agrémenter leurs week-ends ou leur retraite. Celles-ci sont réparties sur des

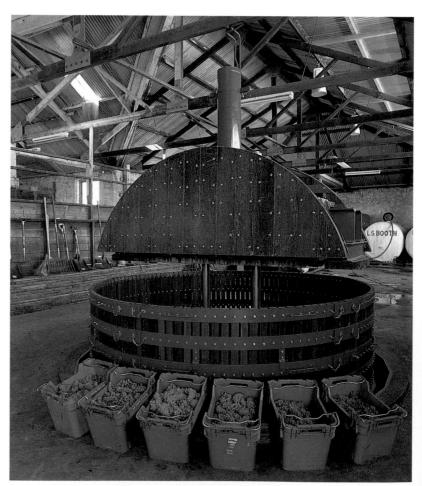

Raisins de Chardonnay près d'un pressoir traditionnel à Padthaway.

LES RÉGIONS VITICOLES D'AUSTRALIE

Les régions viticoles les plus importantes d'Australie sont situées au sud-est et au sud-ouest de ce vaste continent, soit en régions côtières, soit le long des cours de deux fleuves, le Murray et le Murrumbidgee. Les noms indiqués sur les cartes correspondent à ceux des zones d'appellation et des régions viticoles qui ont été récemment définies dans le cadre de la nouvelle législation réglementant la production des vins australiens.

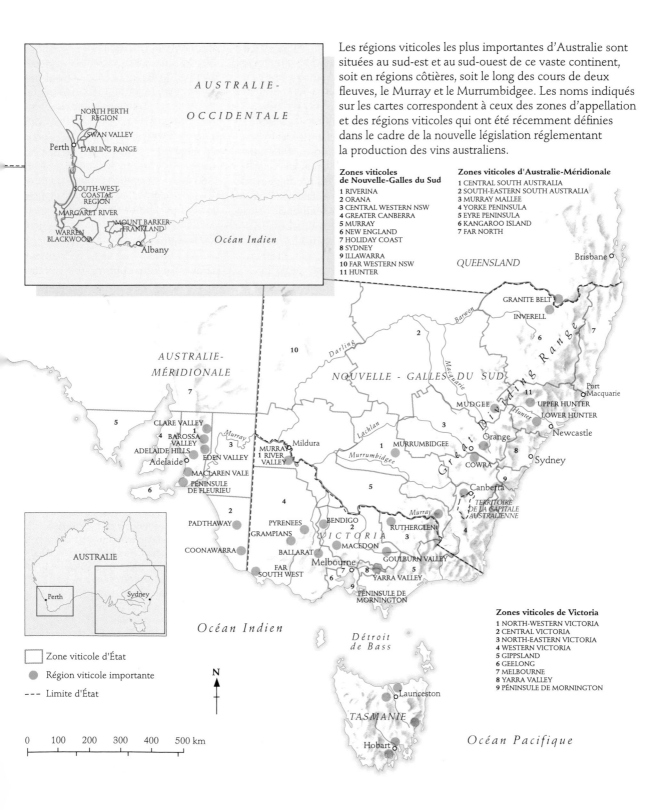

**Zones viticoles
de Nouvelle-Galles du Sud**
1 RIVERINA
2 ORANA
3 CENTRAL WESTERN NSW
4 GREATER CANBERRA
5 MURRAY
6 NEW ENGLAND
7 HOLIDAY COAST
8 SYDNEY
9 ILLAWARRA
10 FAR WESTERN NSW
11 HUNTER

Zones viticoles d'Australie-Méridionale
1 CENTRAL SOUTH AUSTRALIA
2 SOUTH-EASTERN SOUTH AUSTRALIA
3 MURRAY MALLEE
4 YORKE PENINSULA
5 EYRE PENINSULA
6 KANGAROO ISLAND
7 FAR NORTH

Zones viticoles de Victoria
1 NORTH-WESTERN VICTORIA
2 CENTRAL VICTORIA
3 NORTH-EASTERN VICTORIA
4 WESTERN VICTORIA
5 GIPPSLAND
6 GEELONG
7 MELBOURNE
8 YARRA VALLEY
9 PÉNINSULE DE MORNINGTON

Zone viticole d'État
Région viticole importante
Limite d'État

0 100 200 300 400 500 km

terroirs et des zones climatiques aussi divers que ceux rencontrés entre la Champagne et le Languedoc-Roussillon.

L'essor des vins fins

Un grand courant d'air frais souffle sur les vignobles australiens : en 1985, un tiers de la production provenait de cépages nobles ; en 1999, cette proportion a atteint près des deux tiers. En 1970, le Riesling et le Sémillon étaient les seuls cépages blancs de qualité produits en quantité commerciale. La même année, la production de Chardonnay ne dépassait pas les 50 tonnes, alors que celle de 1999 a dépassé 210 000 tonnes, l'emportant ainsi sur tout autre cépage. Les cépages blancs, dont le Colombard, remplacent donc progressivement les cépages de moindre qualité et sont déjà majoritaires dans le Riverland. On constate une même tendance pour les cépages rouges. Vient ensuite le Riesling, appelé ici Rhine Riesling pour le distinguer de nombreux faux Rieslings. On en tire des blancs secs à demi-secs vifs et délicats de style plus français qu'allemand. Le Pinot Noir sert surtout à l'élaboration des Mousseux. On en tire aussi dans les régions les plus fraîches quelques vins de cépage possédant une qualité indéniable.

La technologie dans l'industrie vinicole

Le vin d'Australie est le produit d'une industrie dont le niveau technologique est actuellement inégalé dans le monde. Cela est à porter au crédit de l'Institut australien de recherche vinicole et aux universités Charles Sturt en Nouvelle-Galles du Sud et d'Adelaïde.

La révolution technologique de l'industrie vinicole débuta au milieu des années 1950 par l'introduction, pour le Riesling et le Sémillon, des cuves en acier inoxydable. En moins de vingt ans, les producteurs prirent conscience de l'importance de la technique pour réussir des vins de qualité malgré le climat chaud et aride de nombreuses régions.

L'irrigation, désapprouvée dans nombre de zones viticoles traditionnelles, est indispensable presque partout en Australie pour améliorer la qualité du fruit et assurer de bons rendements.

De nos jours, on utilise plusieurs techniques visant à protéger les vignes du soleil pendant le cycle végétatif : on teste en permanence de nouveaux coteaux, plus frais, et la sélection clonale. Les vendanges mécaniques sont effectuées de nuit pour récolter les raisins à bonne température ; leur transport se fait sous réfrigération. Enfin le processus de contrôle des températures durant la vinification garantit aujourd'hui un produit de grande qualité.

L'impact de la technologie s'est doublé d'une volonté de la part des producteurs de partager leurs connaissances : tous les deux ans se tient une conférence technique nationale qui attire des experts du monde entier et la plupart des régions organisent des conférences locales.

Les concours vinicoles

L'Australie a mis au point un système de concours vinicoles très développé qui attire beaucoup l'attention (et un certain nombre de critiques), car les négociants de vins australiens font grand état des prix et des médailles obtenus. Chaque capitale des sept États réunit durant quatre jours une vingtaine de producteurs éminents qui jugent près de 2 000 vins dans des conditions très strictes. Pendant le concours, les discussions sur la technique, le style mais aussi les tendances de l'industrie vont bon train. Une semaine après l'annonce des récompenses, une centaine de producteurs se réunissent pour déguster et comparer leurs vins à ceux qui viennent d'être jugés les meilleurs du pays. □

LA RÉGLEMENTATION ET LES ÉTIQUETTES

L'Australian Wine and Brandy Corporation, organisme de droit public, a récemment introduit un programme baptisé « vérité des étiquettes » destiné à compléter la législation régissant et faisant respecter un système d'appellations d'origine : toute revendication de millésime, de cépage ou de région doit être exacte et vérifiable.

Les noms nouveaux

Un accord conclu avec l'Union européenne entraînera la suppression progressive de noms comme « Chablis », « Champagne », « Bourgogne » et « Bordeaux » sur les étiquettes de vins australiens destinés au marché intérieur (ces noms ont déjà été abandonnés pour les vins australiens vendus à l'exportation).

Pour les remplacer, les principaux producteurs continueront de développer des noms de marque comme Jacob's Creek de la société Orlando, Jamiesons Run de Mildara, Grange Hermitage et Koonunga Hill de Penfolds et Bin 65 Chardonnay de Lindeman's. Pour ces marques, en effet, la région et le cépage importent peu. C'est le pragmatisme qui s'impose : les quatre plus importantes sociétés viticoles – Southcorp (regroupant notamment Penfolds, Lindeman's et Seppelt), BRL Hardy, Orlando et Mildara-Blass – produisent 80 % des vins australiens. Pour obtenir de telles quantités, elles assemblent depuis longtemps les cépages (Cabernet-

Sauvignon et Syrah, par exemple) et les vins de régions aussi disparates que Hunter Valley, Coonawarra et Clare Valley.

Les petites exploitations mettent davantage l'accent sur le cépage, la région et, bien évidemment, leur propre nom. Même si les plus importantes d'entre elles possèdent des vignobles, elles sont nombreuses à compléter leur récolte, presque toujours par des raisins de la même région.

Les étiquettes

Les étiquettes des vins australiens ne sont pas d'une grande aide pour les étrangers. Si l'on fait abstraction des messages commerciaux et des mentions obligatoires portées sur la contre-étiquette, l'étiquette principale paraît fort simple. En fait, il faut connaître la réglementation, avoir de solides notions de géographie et posséder un certain flair pour déterminer si le lieu de production et l'origine du vin ont quelque chose en commun. En résumé, si les producteurs doivent obligatoirement indiquer leur adresse, ils ne sont pas tenus de révéler l'origine des raisins (et donc du vin) et, s'ils choisissent de le faire, 85 % du raisin doit provenir de là. Il en va de même pour les vins de cépage, qui doivent contenir 85 % des cépages mentionnés. Enfin, si plusieurs régions ou cépages sont indiqués, ils doivent figurer par ordre décroissant d'importance.

NOUVELLE-GALLES DU SUD

La Nouvelle-Galles du Sud fut le premier des États australiens à cultiver la vigne. Dans Hunter Valley, près de la côte, on produit de nos jours quelques-uns des meilleurs vins d'Australie. Possédant, en plus, deux zones à l'intérieur des terres, Mudgee et Murrumbidgee Irrigation Area, cet État fournit plus du tiers de la production totale des vins australiens.

Trois personnages dominent le développement de l'industrie vinicole de la Nouvelle-Galles du Sud. Le capitaine John Macarthur, plus connu en tant que père de l'industrie lainière australienne, voyagea en France et en Suisse en 1815 et 1816. Il en rapporta différents cépages dont il étudia la culture et, en 1820, créa un vignoble à des fins commerciales à l'ouest de Sydney. Gregory Blaxland, par ailleurs explorateur et éleveur de bétail, exporta les premiers vins autraliens en Angleterre en 1822. Enfin, James Busby, un jardinier écossais, rapporta d'Europe en 1831 quelque 600 greffons – pratiquement toutes les variétés connues de *Vitis vinifera*.

En 1825, Busby acheta à Hunter Valley un domaine dont il confia la gérance à son beau-frère, William Kelman. Le développement du vignoble commença réellement à son retour d'Europe, en 1831, année où George Wyndham, fondateur de ce qui allait devenir le plus grand établissement viticole de Hunter Valley, planta des vignes avec succès à Dalwood, près de Branxton. Un an plus tard, la Nouvelle-Galles du Sud comptait dix domaines viticoles, allant de 0,5 à 1 ha.

Hunter Valley

Grâce au développement de Upper Hunter Valley (bref dans les années 1860 et 1870, mais plus important depuis 1960), la domination de la zone de Hunter Valley paraît assurée. Pourtant, en matière de viticulture, cette domination reste une anomalie qui ne s'explique qu'en partie par la proximité de Sydney, la

Arrowfield Estate, à Upper Hunter.

ville la plus peuplée d'Australie. Lower Hunter Valley semble, en effet, bien mal adaptée à la culture de la vigne : la majeure partie des pluies tombe au mauvais moment (souvent au tout début des vendanges), le sol très argileux est mal drainé, les températures estivales atteignent des sommets. En revanche, les nuages de l'après-midi protègent les vignes, et le taux d'humidité élevé et les brises marines les aident à supporter la chaleur. De plus, les rendements sont faibles, ce qui donne de bons raisins, et les cépages Sémillon et Syrah montrent une affinité inexpliquée pour ce terroir.

Hunter Valley produit parmi les meilleurs vins secs issus de Sémillon du monde, comme l'ont illustré les vins majestueux de 20 ou 30 ans produits par Lindeman's. Les vignobles à l'origine de ces vins blancs uniques ont cessé de produire au début des années 1970, mais McWilliams, Tyrrell's et Rothbury (ainsi que Lindeman's, mais à une moindre échelle) élaborent toujours des vins superbes et distingués, très caractéristiques du terroir. La magie du Sémillon de Hunter Valley – élaboré sans

élevage dans le bois – tient à sa façon d'évoluer d'un vin mince, légèrement végétal, anémique dans sa jeunesse, en un vin opulent, aux arômes de miel et de noisettes grillées lorsqu'il arrive à sa pleine maturité.

Au cours de sa vie, le Shiraz subit une métamorphose différente mais tout aussi remarquable. Charpenté et tannique dans sa jeunesse, le vin de Hunter Valley révèle à maturité une texture de velours et des arômes de fruits rouges et noirs, mais aussi de terre, de cuir, de chocolat, de café et de paille.

Du côté des cépages blancs, le Chardonnay est à l'heure actuelle plus cultivé que le Sémillon tandis que, pour les rouges, le Cabernet-Sauvignon rattrape rapidement la Syrah : ces quatre cépages occupent aujourd'hui les trois quarts du vignoble. À Upper Hunter, les blancs dominent. Le Chardonnay, omniprésent, y produit un vin suave, très commercial, aux arômes de pêche et d'une évolution rapide. Le Cabernet-Sauvignon, employé pour les rouges, réussit mieux en Lower Hunter, même si le caractère régional domine avec l'âge.

Mudgee

Mudgee occupe l'extrémité sud-ouest de la vaste Orana Zone, à la même latitude que Hunter Valley, mais à l'ouest du Great Dividing Range. Le viticulteur allemand Adam Roth y planta les premières vignes en 1858. Le vignoble et l'exploitation viticole (Craigmoor) qu'il a créés restèrent dans la famille jusqu'en 1969.

Bien que Mudgee ait bâti sa réputation sur les Shiraz rouges, riches et concentrés, à la robe intense (et, plus tard, les Cabernets-Sauvignons), le petit-fils de Roth planta en 1930 des greffons de cépages blancs obtenus auprès du Kaluna Vineyard de Laraghy. Vers la fin des années 1960, ces derniers furent identifiés par le Dr Denis Bourbals, un ampélographe français renommé, comme des clones de Chardonnay de très grande qualité exempts de tout virus. Ils devinrent ainsi une importante source de Chardonnay dans le grand périple que fit ensuite celui-ci dans toute l'Australie.

Avec son climat relativement plus sec et ses sols plus propices à la vigne, Mudgee devint pour Hunter Valley, entre autres, un fournisseur de raisins et de vins souvent méconnu mais hautement fiable. Personne ne fut surpris lorsque Wyndham Estate, de Hunter Valley, acquit les vignobles et les établissements viticoles de Montrose (de loin le plus gros producteur), Craigmoor et Amberton, à la fin des années 1980. Rothbury Estate, de Hunter Valley, loue aujourd'hui l'immense Augustine Vineyards de Mudgee, tandis que Rosemount Estate et Tyrrell's, deux autres sociétés de Hunter Valley, ont passé des contrats d'achat à long terme avec les producteurs de cette région.

Murrumbidgee

Les quelques milliers de tonnes de la production annuelle de Mudgee et de Hunter Valley paraissent insignifiantes comparées aux 123 000 tonnes de raisin récoltées chaque année par la Murrumbidgee Irrigation Area, dans la Riverina Zone. Les vins blancs, de Sémillon et Trebbiano pour plus de la moitié, comptent pour 70 % de la production ; 50 % des rouges sont issus de la Syrah. À une exception près – le Sémillon botrytisé –, les vins sont de qualité courante. Les considérations de quantité et de coût de revient dominent : les pluies printanières et estivales étant faibles, on doit s'en remettre à l'irrigation, qui permet des rendements prolifiques.

Le reste de Nouvelle-Galles du Sud

On commence enfin à explorer systématiquement les coteaux en altitude et d'exposition ouest du Great Dividing Range pour identifier des sites de vignobles possibles. Tyrrell's a planté un vignoble important à Inverell, dans la New England Zone. Le directeur des vinifications de Rosemount, Philip Shaw, s'est associé avec Rosemount pour cultiver la vigne à Orange, dans la Central Western Zone : les premiers vins de

Rosemount Orange Region ont vu le jour en 1993. Il a ainsi rejoint Bloodwood Estate (également sous contrat avec Rosemount) comme premiers producteurs de la région à commercialiser leurs vins. Mais d'autres attendent leur tour.

La Central Western Zone inclut aussi Cowra Region, qui se trouve plus au sud, mais à plus basse altitude, et fournit à Cowra Estate et Rothbury Estate des vins de Chardonnay. Encore plus au sud, mais plus en altitude, se trouve la Young Region (dans la Great Canberra Zone). La société McWilliam's, propriétaire actuel de Barwang Estate, produit en quantité limitée, mais croissante, des vins de Syrah et de Sémillon. Un certain nombre d'autres viticulteurs y font eux-mêmes de petites quantités de vin ou vendent leurs raisins aux producteurs de Greater Canberra, un ensemble d'exploitations florissantes réparti dans tout le Territoire fédéral de la capitale. Le regard probablement tourné vers l'est, à l'approche du prochain millénaire, la zone comprend seize régions, de Goulburn, au nord, à Snowy River et Bega Valley, au sud.

Dans la partie sud de la Nouvelle-Galles du Sud se trouve le district de Tumbarumba, qui appartient à la Murray Zone et bénéficie du climat toujours frais des Snowy Mountains. Southcorp, le groupe géant d'Australie-Méridionale, est son principal client : il y achète du Chardonnay et du Pinot Noir pour ses vins effervescents de qualité et, depuis le millésime 92, commercialise en Australie-Méridionale un Sauvignon étonnant fait d'un assemblage de raisins de Tumbarumba et de Padthaway.

Enfin, on trouve les exploitations situées sur la côte, entre Port Macquarie, dans Hastings Valley, au nord (Cassegrain), et Begain, au sud (Grevillea Estate). Exception faite de Cassegrain, la production de ces petites exploitations côtières vise ouvertement le marché des touristes et la qualité est, au mieux, médiocre. □

QUEENSLAND

Le Queensland, État du nord-est de l'Australie, ne possède qu'une faible superficie de vignobles. Mis à part des avant-postes comme Roma (dans la partie ouest, reculée et torride), Atherton Tablelands et Ipswich, toutes les exploitations du Queensland sont établies dans Granite Belt, une région fruitière située à l'extrémité sud de Darling Downs, à quelques kilomètres de la frontière avec la Nouvelle-Galles du Sud. Cela explique que le Queensland se retrouve inclus dans ce chapitre.

Les vignobles se trouvent tous à une altitude comprise entre 750 et 900 m. Le débourrement est tardif et les gelées printanières sont une menace réelle. Après les chaleurs de l'été, les températures baissent rapidement. Les pluies sont abondantes pendant la saison végétative et peuvent se poursuivre pendant les vendanges.

Les deux cépages qui conviennent le mieux sont le Sémillon, au goût caractéristique, et la Syrah, poivrée et épicée. Cependant, Chardonnay et Cabernet-Sauvignon ont également leur importance à Ballandean. La production

totale est faible et principalement destinée à la vente directe aux touristes.

PRODUCTEURS ET NÉGOCIANTS

Bald Mountain
Denis Parsons cultive méticuleusement ses vignes. Il fait faire ailleurs, sous contrat, ses vins de Sauvignon et de Chardonnay ronds et suaves et son Shiraz épicé.

Ballandean Estate
La plus ancienne exploitation vinicole de la région produit des vins de styles et de cépages variés, en particulier des *Auslesen* Sylvaner (blancs) – une rareté – ainsi que des rouges d'une belle texture.

Rumbalara
Rumbalara est spécialisé dans le Sémillon et obtient quelques très bons vins, quoique la qualité reste variable. Le domaine sort parfois un Cabernet-Sauvignon velouté.

Stone Ridge
Cette société a bâti sa réputation sur son Shiraz très poivré, mais propose aussi maintenant un Chardonnay élégant.

RÉGIONS, PRODUCTEURS ET NÉGOCIANTS

À l'exception notoire de Riverina, les régions viticoles de Nouvelle-Galles du Sud sont fortes d'une tradition de petites exploitations familiales et furent à l'avant-garde de l'essor des vinificateurs « du week-end ». Les régions sont présentées par ordre d'importance et sont suivies de quelques producteurs importants qui n'en font pas partie. Pour la liste complète des zones et régions voir p. 592.

LOWER HUNTER VALLEY

Avec Barossa Valley, c'est la région viticole la plus ancienne et la plus connue d'Australie. La diversité des sols, les étés chauds ou très chauds et les pluies insuffisantes posent des problèmes. Malgré tout, on y fait de grands vins : des Sémillons au lent vieillissement, des Chardonnays qui évoluent rapidement, des Shiraz veloutés de longue garde, et des Cabernets-Sauvignons de caractère.

Allandale
Ce domaine met l'accent sur les vins de Sémillon, Chardonnay, Syrah et Cabernet-Sauvignon, tous fidèles au style régional.

Allanmere
Le propriétaire, Newton Potter, et le vinificateur, Geoff Broadfield, obtiennent des vins de Chardonnay et de Sémillon superbes ainsi que des rouges. Durham est l'étiquette Reserve.

Broke Estate
Ce nouvel arrivant ambitieux, qui met des experts à contribution, a débuté avec un vin d'assemblage remarquable à base de Cabernet et avec un Chardonnay bien construit.

Brokenwood
Il s'agit d'une petite exploitation des plus prisées, qui produit une gamme de vins de qualité allant du Graveyard Hermitage (rouge), issu des raisins du domaine, au Sauvignon/Sémillon et au Cabernet/Merlot (étiquette Cricket Pitch). Le Chardonnay et le Cabernet-Sauvignon Hunter Valley sont très demandés.

Drayton's
Cette exploitation familiale datant de 1853 fait des vins à prix modéré mais de qualité régulière. Verdelho (blanc) et Hermitage (rouge) sont ses spécialités.

Evans Family
Cette exploitation familiale du « gourou » du vin Len Evans cultive du Gamay, du Pinot Noir et du Chardonnay, ce dernier étant le seul remarquable.

Lake's Folly
Max Lake, un docteur en médecine, fut le fondateur de la première de ces exploitations « de week-end » si importantes dans le monde du vin australien. Son fils Stephen dirige les vinifications et produit des Cabernets-Sauvignons et Chardonnays.

Lindeman's
L'exploitation Lindeman's remonte à 1870. Elle est fière de sa longue tradition qui comprend des vins d'assemblage à forte proportion de Sémillon, des Shiraz – qui sont aujourd'hui ses meilleurs vins – ainsi que des Chardonnays sophistiqués.

McGuigan Brothers
Brian McGuigan, un génie du marketing, s'occupe de la production de vin. La société, largement vouée à l'exportation, produit fièrement des vins commerciaux.

McWilliam's Mount Pleasant
C'est l'opération de prestige du clan McWilliam, basé à Riverina. La société de cette famille prolifique, fondée dans les années 1880, dominait davantage autrefois.

La qualité des vins produits par McWilliam's Mount Pleasant ne peut être prise en défaut : le Sémillon Elizabeth, mis en vente après un élevage de 6 ans, est un véritable bijou.

Murray Robson Wines
Robson a connu des hauts et des bas, mais, sous la direction de son riche propriétaire, cette société est aujourd'hui florissante avec ses étiquettes et ses styles de vin nombreux, dont le Chardonnay, le Sémillon, le Shiraz et le Cabernet-Sauvignon.

Richmond Grove
Membre du groupe Wyndham (qui appartient à la société Orlando d'Australie-Méridionale), cette exploitation utilise principalement les raisins d'un vignoble ultramoderne de Cowra.

Rothbury Estate
Création de l'écrivain Len Evans, cette société produit annuellement 3 millions de bouteilles.

Dans cette importante production, il faut noter un Cowra Chardonnay, un Hunter Chardonnay et un Shiraz particulièrement concentré, sans oublier le Sémillon.

Tulloch
La réputation de cette exploitation a souffert depuis que la famille Tulloch, qui la dirigeait depuis 1895, l'a vendue en 1969. Membre du groupe Southcorp, Tulloch ne brille plus qu'occasionnellement avec son Chardonnay.

Tyrrell's
Voir encadré p. 540.

Wyndham Estate
De loin le plus gros producteur de Hunter Valley, Wyndham (groupe Orlando) jouit d'une longue tradition. L'exploitation d'aujourd'hui est le résultat des fougueuses années 1970, époque où elle était dirigée par Brian McGuigan.

UPPER HUNTER VALLEY
Les sols profonds, fréquents dans cette région, expliquent que les rendements soient plus élevés que dans Lower Hunter. Les cépages Chardonnay et Sémillon ont fait la réputation de cette région qui recense deux vignobles importants : Denman Estate (propriété de Rothbury) et Segenhoe Estate (propriété de Tyrrell's).

Arrowfield
Les meilleurs vins de cette exploitation japonaise sont élaborés à partir de raisins venant d'autres régions, et même de Nouvelle-Zélande. La plupart des blancs sont élevés en barriques de chêne.

Reynolds Yarrama
Jon Reynolds, ancien vinificateur de Houghton (Australie-Occidentale), élabore des vins solides et savoureux, dont un Chardonnay et un Cabernet/Merlot.

Rosemount Estate
Grand succès depuis sa fondation en 1969, Rosemount obtient des vins remarquablement réguliers. Les Roxburgh Chardonnay et Show Reserve, tous deux voluptueux, sont les fleurons du domaine.

MUDGEE
Les pluies sont ici moins abondantes pendant le cycle végétatif, les nuits plus fraîches et les

journées d'été plus chaudes qu'à Hunter Valley. Les meilleurs vins sont un Sémillon (éclipsé par celui de Hunter Valley), un Chardonnay, un Shiraz et un Cabernet-Sauvignon.

Botobolar

Gil Wahlquist fut l'un des premiers à se convertir à la culture organique. Il produit des blancs éclectiques, des Shiraz et des Cabernets-Sauvignons étoffés.

Craigmoor

Fondée en 1858, la deuxième plus ancienne exploitation australienne, magnifiquement située, est une attraction touristique. Craigmoor appartient de nos jours à Wyndham.

Huntington Estate

Bob Roberts, un autodidacte, élabore de ravissants vins de Cabernet-Sauvignon, Syrah et Cabernet/Syrah qui gardent pendant quelques décennies leurs arômes de fruit.

Miramar

À l'inverse de ce qui se pratique habituellement à Mudgee, Ian MacRae produit davantage de blancs que de rouges : Riesling, Sémillon, Sauvignon, Traminer et Chardonnay.

Montrose

Cette exploitation (groupe Orlando) produit d'importantes quantités de vins blancs et rouges, souples et suaves, dont les meilleurs exemples portent l'étiquette Poets Corner. Montrose réussit parfois des joyaux : le Chardonnay 1991, aux notes de melon et de pêche, en est un bel exemple.

Stein's

Bob Stein fait des Shiraz regorgeant de notes épicées et d'arômes de fruit (cerise noire).

TYRRELL'S

Cette petite exploitation fut établie par Edward Tyrrell à Hunter Valley en 1864. Murray Tyrrell l'a tirée d'une relative obscurité pour la hisser à un niveau international. Depuis 1888, elle n'a eu que deux propriétaires : « Uncle Dan » Tyrrell, qui fit 70 millésimes consécutifs (jusqu'en 1958), et Murray Tyrrell (avec son fils Bruce au poste de directeur général). Murray a créé un habile équilibre entre la tradition et les contraintes commerciales de l'exploitation et fut le premier à se rendre compte du potentiel du Chardonnay. Le curieusement nommé Vat 47 Chardonnay, créé en 1971, resta dix ans sans rival et conserve une grande réputation. Il vient en tête d'une liste comprenant les divers « Vats », la gamme Old Winery et deux vins produits en grande quantité, Long Flat Red et Long Flat White.

Thistle Hill

Dave Robertson peut produire des vins de Chardonnay extrêmement bons, aux notes fumées et exotiques, ainsi que des vins de Cabernet-Sauvignon.

MURRUMBIDGEE IRRIGATION AREA (MIA)

La MIA, ou région de Riverina, est née d'un semi-désert transformé par un vaste plan d'irrigation de 1906 à 1912. Les cépages sont essentiellement blancs, le Sémillon venant en tête. Le Shiraz est le seul rouge d'importance. Le Sémillon botrytisé est la spécialité de la MIA.

De Bortoli

Cette exploitation, fondée en 1928, produit 36 millions de bouteilles par an. L'opulent Noble One, un Sémillon botrytisé, est un grand vin et le fleuron du domaine.

Lillypilly

Petite exploitation familiale, Lillypilly est dirigée par Robert Fiumara. Les blancs doux sont ses meilleurs vins : un Muscat d'Alexandrie épicé et botrytisé et un Riesling botrytisé.

McWilliam's Mount Pleasant

Fondé en 1877, McWilliams produit près de 18 millions de bouteilles. La société a de l'ambition, mais, aujourd'hui encore, son fonds est constitué de vins mutés de style Sherry et Porto et de vins sans grande originalité.

Miranda

Cette société ambitieuse a relevé sa qualité en achetant une exploitation à Barossa (Rovalley) et des raisins d'Australie-Méridionale. Les vins de Chardonnay au goût caractéristique et les Rieslings aux notes de citron vert (étiquette Wyangan Estate) sont fort réussis.

CANBERRA

Il n'y a pas de Freehold Title dans le Territoire fédéral de la capitale. Aussi les exploitations se concentrent-elles près de la frontière et comptent-elles énormément sur les ventes directes aux clients de passage. Le climat est continental et la plupart des vignobles sont situés à 500 m d'altitude ou plus. Les meilleurs vins sont ceux de Cabernet-Sauvignon, Riesling et Chardonnay.

Brindabella Hill

Roger Harris réussit ses Rieslings aux arômes de citron vert, ses assemblages Sémillon/Sauvignon vifs, aux notes végétales, et ses Cabernets frais et éclatants.

Doonkuna Estate

Le regretté sir Brian Murray était le seul gouverneur à être exploitant viticole. Sa veuve poursuit son œuvre avec notamment des Rieslings très parfumés, des Sauvignons subtils et des Chardonnays élégants.

Helm's Wines

Ken Helm est un ambassadeur infatigable pour le district. La qualité peut être inégale, mais les Rieslings et les assemblages Cabernet/Merlot sont bons.

Lark Hill

Selon l'avis de beaucoup, c'est la meilleure exploitation de la région. Ses Rieslings, *Spätlesen* Rieslings, Chardonnays et Cabernets/Merlots arrivent en tête.

AUTRES PRODUCTEURS

Camden Estate

Camden Estate est situé non loin de Sydney et tout près d'un des premiers vignobles australiens. Son Chardonnay est étoffé et complexe.

Cassegrain

Cassegrain, dans Hastings Valley, est connu pour son Chardonnay étoffé et riche et son Merlot vif d'un style nouveau.

Trentham Estate

La famille de Tony Murphy cultive des vignes depuis longtemps à Mildura, sur le Murray, du côté de la Nouvelle-Galles du Sud. Son exploitation de Trentham s'est vite créé une réputation avec une gamme étonnante.

VICTORIA

Victoria possède plus de régions viticoles que n'importe quel autre État australien et offre des styles de vin très variés, mais son industrie vinicole a connu une histoire mouvementée. Aujourd'hui, de nombreuses exploitations soucieuses de qualité produisent des vins passionnants et l'avenir est très prometteur.

Les premières vignes arrivèrent de Tasmanie à Victoria en 1834, mais nul ne sait ce qu'il en advint. Trois ans plus tard, William Ryrie, originaire de Nouvelle-Galles du Sud, passa les Snowy Mountains, créa une ferme dans ce qu'on appelle aujourd'hui Yarra Valley et y planta les greffons qu'il avait apportés.

À la fin des années 1840, trois régions pouvaient être fières de leur production : Melbourne Metropolitan (autour de la capitale de l'État), Geelong et Yarra Valley. Elles restèrent importantes jusqu'aux alentours de 1880, mais la découverte d'or en 1851 à Ballarat, dans le Central Victoria, changea le cours de l'histoire : l'Australie devint, pendant une brève période, le pays le plus riche du monde (en revenu par habitant). C'est ainsi que les vignobles connurent une rapide expansion vers le nord à Ballarat, Bendigo, Great Western et Rutherglen.

Un éleveur de bétail, Lyndsay Brown, fut malgré lui le précurseur du vignoble australien en plantant de la vigne à Rutherglen, l'année de la découverte de l'or : il affirmait que « pour découvrir de l'or, il suffit de creuser sur 45 cm de profondeur et de planter des pieds de vigne ». En 1875, Victoria était de loin l'État viticole le plus important et, en 1890, fournissait bien plus de la moitié de la production australienne.

La chute et le renouveau du vin de Victoria

En 1875, le phylloxéra fit son apparition dans la région de Geelong, puis

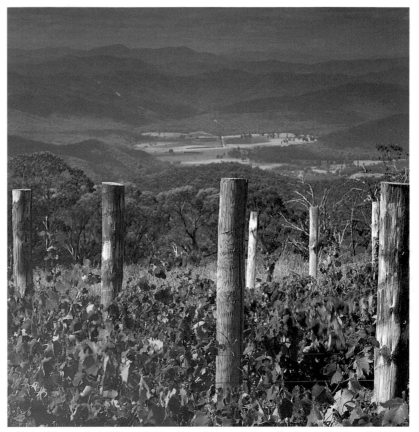

Vignobles situés à 750 m d'altitude sur les contreforts du Great Dividing Range.

gagna progressivement le nord, traversa Bendigo et dévasta Rutherglen et Milawa avant la fin du siècle. Certaines régions – dont Yarra Valley et Great Western – furent mystérieusement épargnées. Victoria fut le seul État à avoir été profondément affecté par le phylloxéra.

La chute de la production se poursuivit inexorablement. La fédération des États australiens, en 1901, entraîna la suppression des barrières douanières et des taxes entre les États. Simultanément, les habitudes des consommateurs évoluèrent vers des vins mutés bon marché et des rouges secs et charpentés. Ces deux phénomènes servirent la cause de l'industrie vinicole de l'Australie-Méridionale, qui finit par

accaparer le marché au détriment de son voisin Victoria. À l'exception de quelques avant-postes éparpillés, tel Château Tahbilk, toutes les régions du sud de Victoria cessèrent de produire.

La renaissance de l'industrie vinicole de Victoria eut lieu dans la seconde partie des années 1960, alors qu'une petite douzaine d'exploitations subsistaient en dehors de la zone North-East. Vingt-cinq ans plus tard, elles étaient plus de 200 et il s'en créait presque quotidiennement.

La délimitation des régions viticoles australiennes que propose l'industrie du vin divise l'État en neuf zones : North-Western Victoria (Murray Valley), Central Victoria, North-Eastern Victoria, Western Victoria, Gippsland,

Yarra Valley, Geelong, Melbourne et la péninsule de Mornington. Ces zones se subdivisent à leur tour en 17 régions et 82 sous-régions. La division des sous-régions est parfois si subtile qu'elle en est incompréhensible, même pour le plus motivé des amateurs de vins australiens ; dans d'autres cas, les limites sont une démarcation claire entre des terroirs et des climats bien distincts. Les zones et régions ne présentent pas toutes un intérêt commercial.

Les régions viticoles et les zones climatiques

Pour aléatoire que soit toute généralisation, on distingue cependant trois régimes climatiques dans cet État.

Très chaud. Les régions de Murray River Valley, Central Northern Victoria (une région de Central Victoria Zone) et North-Eastern Victoria Zone (à l'exception des sous-régions en altitude de King Valley Region) sont très chaudes, avec des températures élevées le jour et fraîches la nuit. Elles produisent des vins mutés de la meilleure qualité et, surtout dans Murray River Valley, de grandes quantités de vins blancs pour la vente en fûts.

Tempéré. Les zones de Western et Central Victoria englobent Grampians (anciennement Great Western), Pyrenees, Bendigo et Goulburn Valley. Le climat tempéré se prête parfaitement à la production de Shiraz et de Cabernets-Sauvignons charpentés, riches et étoffés. La maturité des raisins est garantie, et le climat n'est pas chaud au point d'inhiber l'expression des cépages.

Frais. Les régions qui, sur le plan géographique, appartiennent aux deux zones précédentes mais, du point de vue climatique, se rapprochent de la partie sud de l'État sont le Far South-West (dont Drumborg), Macedon et Ballarat. Elles forment avec Yarra Valley, Geelong, la péninsule de Mornington et Gippsland un groupe au climat frais.

Le Pinot Noir, qui, tout comme le Chardonnay, se plaît dans les régions plus fraîches, sert à l'élaboration des vins tranquilles et des Mousseux. À leur meilleure expression, les Pinots Noirs et les Chardonnays prennent des

Vendanges à Coldstream Hills.

tonalités nettement bourguignonnes qui s'accentuent quand ils arrivent à maturité (de 3 à 5 ans pour le Pinot Noir et 10 ans pour le Chardonnay).

Ce sont les particularités d'un microclimat et/ou d'un millésime qui déterminent si les cépages plus tardifs, Cabernet-Sauvignon et Syrah, vont atteindre leur maturité optimale, source de toutes les saveurs. Le Sauvignon et le Merlot sont des raisins qui mûrissent plus tôt, et leur culture ne peut que se développer davantage.

La Murray River Valley

Cette région célèbre fournit plus de 80 % des raisins de Victoria. Aussi n'est-il pas surprenant que la plus grande exploitation d'Australie (Karadoc, propriété de Lindeman's, d'une capacité de stockage de 64 millions de litres) soit située à l'extrémité ouest de la vallée, non loin de la ville de Mildura. Mais la région compte d'autres grandes exploitations : la plus importante, celle de Mildara – située aux abords de la ville –, paraît quelque peu obsolète par rapport à celle de Lindeman's. Plus au sud, à Irymple, la société Alambic Wine Company, qui a longtemps fourni du vin en gros aux autres exploitations sans utiliser son nom,

promeut aujourd'hui avec succès ses propres marques, Salisbury Estate et Somerset Crossing. Enfin, de l'autre côté de Murray et, géographiquement, dans la Nouvelle-Galles du Sud, se trouve l'exploitation Buronga Hill appartenant au groupe BRL Hardy.

Le reste de l'État de Victoria

Un examen attentif des statistiques révèle clairement l'importance et la nature de la production du reste de l'État de Victoria. Presque la moitié de la production de Murray River Valley est assurée par le Muscat Gordo Blanco et le Sultana, deux cépages peu prestigieux dont l'importance ne cesse de diminuer. De l'autre côté, 65 % des quatre cépages rouges nobles (Cabernet-Sauvignon, Syrah, Pinot Noir et Merlot) et presque 40 % des cépages nobles blancs (Chardonnay, Riesling et Sauvignon) viennent du sud de Murray.

Dans un avenir proche, la contribution du reste de l'État à la production de vins de qualité croîtra régulièrement. Prétendre que Victoria va retrouver son rôle moteur de la fin du XIXᵉ siècle relèverait d'un optimisme aveugle ou d'un esprit de clocher excessif, mais il est indéniable que, depuis 1970, son industrie vinicole a connu plus de changements qu'aucun autre État australien et que son développement ne montre aucun signe de ralentissement.

Si la frontière nord-sud entre l'Australie-Méridionale et Victoria avait été fixée 20 km plus à l'ouest, Coonawarra – la plus prestigieuse des régions australiennes pour les rouges – aurait fait partie de Victoria ; si elle avait été établie 30 km plus à l'ouest, ce sont les grands vins blancs de Padthaway qui auraient fait partie de Victoria. La théorie selon laquelle le climat et le style de vin de ces deux régions réputées sont plus proches de ceux de Victoria que de ceux du reste de l'Australie-Méridionale se défend.

L'influence de l'altitude, la latitude et la confluence de l'océan Indien et de la mer de Tasman créent un paysage viticole extraordinairement riche, et cela partout dans cet État. □

RÉGIONS ET PRODUCTEURS

Bien que les producteurs de vin en vrac dominent, les petites propriétés individuelles soucieuses de qualité, créées depuis une dizaine d'années, étendent leur influence. Dans la région de Murray River, Victoria compte de nombreux gros producteurs également présents en Nouvelle-Galles du Sud. Les zones les plus importantes sur le plan commercial, ou les régions à l'intérieur de ces zones, figurent ci-dessous par ordre alphabétique. Pour la liste complète des zones, régions et sous-régions, voir p. 592.

BENDIGO

Bendigo est un pays de vins rouges. Ses vignobles clairsemés sont entourés de forêts d'eucalyptus qui, semble-t-il, contribuent au caractère des vins, Shiraz, Cabernet-Sauvignon et vins d'assemblage Syrah/Cabernet-Sauvignon, charpentés et à la robe profonde.

Jasper Hill

Ron et Elva Laughton élaborent deux rouges puissants, Georgia's Paddock Shiraz et Emily's Paddock (assemblage Syrah/Cabernet Franc), qui vieillissent bien.

Mount Ida

Propriété de Mildara-Blass, Mount Ida produit un excellent Shiraz.

Passing Clouds

Graeme Leith signe un délicieux Shiraz, ainsi que des vins d'assemblage à base de Cabernet.

Yellowglen

Yellowglen utilise des raisins de tout le sud-est de l'Australie et xa amélioré la qualité de ses meilleures cuvées.

GEELONG

Les plaines et pentes douces de Geelong, relativement fraîches, peu arborées et balayées par les vents, conviennent bien à la production de Chardonnays et de Pinots Noirs authentiques et aromatiques. On y produit également des vins aux notes épicées issus de Syrah, de Cabernet-Sauvignon, de Sauvignon et de Riesling.

Bannockburn

Des vignobles à pleine maturité, des rendements bas et des méthodes de vinification empreintes d'influence française produisent des Sauvignons et des Chardonnays, ainsi que des Pinots Noirs (la spécialité du domaine) et des Shiraz.

Clyde Park

Gary Farr vinifie à Bannockburn, mais possède son propre vignoble à Clyde Park. Le Chardonnay est son meilleur vin.

Idyll Vineyard

Les Sefton, installés ici depuis les années 1960, produisent des Traminers savoureux, de caractère, ainsi que des Shiraz et des Cabernets-Sauvignons en barriques.

Prince Albert

C'est l'un des deux domaines australiens qui élaborent des vins 100 % Pinot Noir à partir d'un site planté au XIXe siècle. Les vins sont plaisants, mais plutôt légers.

Scotchmans Hill

Depuis 1990, ce domaine a produit de grands vins, dont des Chardonnays, des Pinots Noirs (surtout) et des Cabernets, à la fois souples et savoureux.

GIPPSLAND

De grandes distances séparent les petits vignobles qui parsèment ce paysage de plaines souvent desséché. Comme on peut l'imaginer, les rendements, extrêmement bas, permettent d'obtenir des Chardonnays très concentrés et d'une belle texture ainsi que quelques Pinots Noirs magnifiques. On y produit également des vins de Cabernet.

Bass Phillip

C'est l'autre domaine voué uniquement au Pinot Noir. Phillip Jones réussit des vins élégants.

Briagolong Estate

Le Dr Gordon McIntosh réussit des vins de Chardonnay et de Pinot Noir très personnels mais pleins de saveur.

McAlister Vineyards

Le seul vin produit par ce domaine est le McAlister, un assemblage de Cabernet-Sauvignon, Cabernet Franc et Merlot à la fois puissant, complexe et musclé.

Nicholson River

Ken Eckersley élabore un Chardonnay qui regorge de notes de miel et de nuances de pain grillé provenant des barriques.

GOULBURN VALLEY

La bourgade de Tabilk et le Château Tahbilk constituent depuis toujours le centre de cette région viticole. Ils ont été rejoints par Mitchelton, un voisin plus récent. Les meilleurs vins comprennent des Shiraz, des Cabernets-Sauvignons de grande garde ainsi que de puissants Rieslings.

Château Tahbilk

Dans ce domaine historique et familial, on produit du vin depuis les années 1860 : quelques vignes de Syrah plantées en 1862 sont encore en production. Les spécialités sont des vins de Marsanne élégants, des Shiraz et des Cabernets-Sauvignons de longue garde, parfois tanniques.

Mitchelton

Ce producteur vend très bien à l'exportation une gamme importante, dont des vins de Marsanne élevés en barriques de chêne, de bons Rieslings charnus et un assemblage Syrah/Cabernet-Sauvignon riche en fruit.

GRAMPIANS

Depuis 140 ans, l'or et le vin sont inextricablement liés dans cette région (ancien Great Western), avec plusieurs types de Shiraz illustrant qualité et régularité, des Cabernets-Sauvignons charnus et suaves et des Chardonnays.

Best's

Ce vignoble historique possède des vignes plantées dans les années 1860 et des cépages inconnus partout ailleurs. Les vins de Syrah et de Cabernet-Sauvignon, soyeux, sont excellents, tout comme ceux de Chardonnay, aux arômes de melon et de pêche.

Montara

Les vins de Chardonnay, Riesling, Ondenc (blanc), Chasselas (blanc), Pinot Noir, Syrah, Cabernet-Sauvignon et les « Portos » viennent tous des vignes du domaine. De temps en temps, le Pinot Noir excelle – contre toute attente puisque le climat est, en théorie, trop chaud.

Mount Langi Ghiran

Trevor Mast produit quelques-uns des plus grands Shiraz d'Australie. De texture merveilleuse, ses vins regorgent d'arômes.

Seppelt Great Western

Fondé en 1865 par Joseph Best et racheté en 1918 par Seppelt, c'est le centre de production de tous les Mousseux commercialisés par Penfolds sous les étiquettes Seppelt, Seaview, Minchinbury et Killawarra. La qualité s'est améliorée depuis le milieu des années 1980, à mesure que le Chardonnay et le Pinot Noir supplantaient les cépages moins intéressants.

MACEDON

Les districts de Macedon sont très contrastés : Sunbury se trouve dans les plaines, alors que Kyneton et Macedon Ranges sont situés sur des coteaux. Ils ont en commun un sol granitique relativement dur, des vents mugissants et un climat très frais. Les millésimes ensoleillés donnent des vins de Cabernet et de Syrah de grande distinction ; les années plus fraîches favorisent les Pinots Noirs pleins de sève et les Chardonnays bien structurés.

Cleveland

Ce domaine obtient ses meilleurs résultats avec le Chardonnay et le Pinot Noir. On y produit également des vins effervescents et un Cabernet-Sauvignon.

Cobaw Ridge

Vinificateur autodidacte, Alan Cooper produit des vins de Chardonnay et un Shiraz.

Cope-Williams

Gordon Cope-Williams, un architecte anglais expatrié, fait un excellent Mousseux, Macedon Brut.

Craiglee

Craiglee réincarne depuis 1976 un vignoble historique de Macedon à Sunbury. On y produit d'excellents Shiraz ainsi qu'un Chardonnay séduisant.

Goonawarra

Fondé en 1863, ce domaine revit depuis 1983 dans des superbes bâtisses en trapp d'Australie. Les vins de Sémillon, Chardonnay et Cabernet Franc issus des vignobles du domaine sont tous de grande qualité.

Hanging Rock

John et Ann Ellis produisent une gamme importante de vins allant du Mousseux des vignobles du domaine à des vins sans prétention, Picnic White et Picnic Red.

Rochford

Des Pinots Noirs légers ou moyennement étoffés sont les vins de ce domaine à surveiller attentivement.

Virgin Hills

Ce domaine produit un seul vin rouge de grande qualité (les meilleures barriques sont mises en bouteilles sous l'étiquette Reserve), élaboré sans adjonction de dioxyde de soufre à partir des cépages Cabernet-Sauvignon, Syrah et Merlot du domaine, cultivés organiquement.

Wildwood

Après des débuts incertains en 1983, Wayne Stott produit des Pinots Noirs aromatiques et des Cabernets à l'arôme de menthe.

PÉNINSULE DE MORNINGTON

Autrefois villégiature des habitants fortunés de Melbourne, cette région recense trente-cinq domaines viticoles, dont la plupart pourvoient aux besoins des touristes et des clients de passage en leur fournissant des vins réguliers et de bonne qualité. La fraîcheur du climat maritime favorise les vins délicats et élégants ; les cépages Chardonnay, Pinot Noir, Syrah, Merlot et Cabernet-Sauvignon dominent.

Dromana Estate

Les vignobles impeccablement tenus de Garry Crittenden produisent du Chardonnay et du Cabernet/Merlot (étiquette Dromana Estate), ces deux vins faisant l'admiration de tous. En outre, des raisins sont achetés ailleurs pour une gamme éclectique commercialisée sous l'étiquette Schinus.

Elgee Park

Bailleu Myer fut le pionnier de la renaissance que connut la péninsule de Mornington au XXᵉ siècle pour y avoir introduit le premier cépage Viognier d'Australie. Ses meilleurs vins sont le Chardonnay et le Riesling.

King's Creek

L'œnologue-conseil Kathleen Quealy fait, en petite quantité, d'élégants vins de Chardonnay et de Pinot Noir.

Main Ridge

Nat White a choisi l'un des sites les plus frais de la péninsule pour produire des vins de Chardonnay, Pinot Noir et Cabernet-Sauvignon légers, nets et vifs.

Massoni

Leon Massoni, un restaurateur de Melbourne, et Ian Home, l'ancien propriétaire de Yellowglen, ont l'ambition d'augmenter leur production de Pinot Noir, de Chardonnay, et d'un vin blanc effervescent.

Merricks Estate

L'avocat George Kefford et sa femme Jacquie produisent un Shiraz, succulent et épicé, vinifié sous contrat.

Moorooduc Estate

Le Dʳ Richard McIntyre réussit depuis 1983 des vins de Chardonnay d'une texture remarquable, ainsi que d'élégants Pinots Noirs et Cabernets-Sauvignons.

Port Phillip Estate

Jeffrey Shera, avocat éminent, a commercialisé en 1991 ses premiers vins de Pinot Noir, Syrah, Cabernet/Merlot et Chardonnay.

Stoniers Merricks

Il s'agit d'un domaine qui connaît un développement rapide et vinifie plusieurs vins pour le compte des autres. La qualité est exemplaire, avec en

---

BROWN BROTHERS

Établi en 1889 dans North-Eastern Victoria, Brown Brothers a toujours su garder son avance sur la concurrence. Tout le mérite en revient à John Charles Brown, qui fait partie de la troisième génération de Brown à faire du vin : son premier millésime date de 1934. Ses quatre fils perpétuent la tradition. Brown Brothers s'est surtout distingué en procédant à la première évaluation systématique des innombrables cépages qui n'avaient pas encore été utilisés et en créant des vignobles d'altitude, au climat plus tempéré, sur les contreforts des Alpes australiennes. La société est spécialisée dans les vins monocépages et produit plusieurs vins blancs, parmi lesquels le Dry Muscat Blanc et le Family Reserve Chardonnay, alors que son meilleur rouge est le délicieux Koombahla Cabernet-Sauvignon.

tête de liste des Pinots Noirs élégants, qui défient les meilleurs du genre de Yarra Valley.

T'Gallant

Un couple d'œnologues-conseils, Kevin McCarthy et Kathleen Quealy, dirige ce domaine et produit un Chardonnay, Holystone (un blanc d'assemblage Pinot Noir/Chardonnay), et un Pinot Gris.

Tuck's Ridge

Établi en 1993, ce domaine encore modeste semble destiné à devenir le plus important de la région quand les vignes récemment plantées deviendront productives. On y produit des vins de Riesling, Chardonnay, Pinot Noir et Cabernet-Sauvignon.

MURRAY RIVER VALLEY

Le puissant Murray prend sa source dans le Great Dividing Range, court le long de la frontière entre Nouvelle-Galles du Sud et Victoria, et se jette à l'ouest dans l'océan Indien (1 000 km), près d'Adélaïde. Des deux côtés du fleuve, la viticulture dépend totalement de l'irrigation. De gros volumes de vins blancs de consommation courante font vivre la région.

Lindeman's Karadoc

C'est le vaste centre de production de la branche Lindeman's du groupe Southcorp, avec plus de 5 millions de bouteilles de Bin 65 Chardonnay, expédiées chaque année aux quatre coins du monde.

Mildara

Le nom remonte à 1888, mais le domaine d'aujourd'hui est quelque peu désuet. Il appartient au groupe Mildara-Blass, un des quatre grands d'Australie, et propose une gamme importante de boissons allant de vins de Riverland aux eaux-de-vie en passant par des vins mutés. Les vins de haut de gamme commercialisés sous l'étiquette Mildara-Blass sont, pour la plupart, vinifiés ailleurs.

Salisbury Estate

Les vins vendus sous l'étiquette du domaine ne représentent qu'un faible pourcentage des quelque 20 millions de bouteilles de vins vendus à d'autres domaines.

Tisdall

Tisdall fait partie de Mildara-Blass depuis 1993. Il est probable que sa gamme de produits soit prochainement réduite. Le meilleur vin du domaine est un Cabernet/Merlot de qualité régulière.

FAR SOUTH WEST

Le vignoble Seppelt Drumborg (Southcorp) est de loin l'entreprise la plus importante, bien que les raisins soient vinifiés à Great Western. Le temps, parfois très frais et variable, rend la viticulture difficile, mais l'effort est compensé par des Mousseux, quelques Rieslings botrytisés et, de temps en temps, un Cabernet-Sauvignon de caractère.

Crawford River

Vinificateur à ses heures, John Thomson réussit contre toute attente à réaliser des Rieslings, des Rieslings botrytisés, des vins d'assemblage Sémillon/Sauvignon Blanc et de bons Cabernets-Sauvignons.

YARRA VALLEY

Cette belle vallée bordée de montagnes possède un climat plus sec mais plus frais que celui du Bordelais (et plus chaud que celui de Bourgogne). Les sols anciens, bien drainés, se prêtent bien à la production de Chardonnays élégants, de Shiraz épicés, de Merlots somptueux et de Cabernets-Sauvignons de haute qualité. Mais c'est le Pinot Noir qui a fait le succès exceptionnel de la région : comptant parmi les meilleurs vins du monde, il a rétabli la réputation prestigieuse dont la région bénéficiait au XIXᵉ siècle.

Coldstream Hills

Fondé et encore dirigé par James Halliday, le plus connu des écrivains sur le vin d'Australie (mais cédé au groupe Southcorp), ce domaine a remporté plus de récompenses que quiconque à Yarra Valley. Il connaît un beau succès avec son Pinot Noir et son Chardonnay.

De Bortoli

Premier producteur de la vallée (près de 2 millions de bouteilles), De Bortoli connaît un développement rapide. Il propose des vins généreux sous l'étiquette De Bortoli et d'autres, à des prix très étudiés, sous l'étiquette Windy Peak.

Diamond Valley

David Lance élabore avec talent un Riesling, un Chardonnay et un Cabernet d'assemblage, mais se dépasse avec son Pinot Noir.

Domaine Chandon

Exploitation de rêve à Yarra Valley, ce domaine appartenant à la société Moët & Chandon élabore plusieurs cuvées de vins effervescents de style et de qualité extraordinaires dont la marque Green Point.

Long Gully Estate

Ce domaine important produit une large gamme de vins non vinés qui se vendent bien à l'exportation.

Mount Mary

Considéré par beaucoup comme le meilleur producteur de la région, John Middleton élabore en petite quantité des Cabernets parfaitement équilibrés et de longue garde, des Pinots Noirs fins et racés et des blancs austères et élégants.

Oakridge Estate

Avec ses vignes plantées dans des sols rouges volcaniques, ce domaine est spécialisé dans les Cabernets-Sauvignons et obtient des vins de grande classe, d'une belle définition.

Seville Estate

Peter McMahon produit de grands vins en petite quantité, notamment un Shiraz aux allures de vin du Rhône et des Rieslings très botrytisés.

St. Hubert's

Premier des domaines à avoir été relancés, St. Hubert's, qui appartient à Rothbury Estate, produit d'excellents vins de Chardonnay et de Cabernet-Sauvignon.

Tarrawarra

Magnat de l'industrie vestimentaire, Marc Besen fait des vins de Chardonnay et de Pinot Noir puissants, concentrés, dont la longévité est tout à fait impressionnante.

Yarra Edge

Créé en 1982, ce domaine n'a commencé qu'en 1990 à vendre sous son nom ses vins, dont un bon Cabernet-Sauvignon.

Yarra Ridge

Ce domaine a connu depuis son premier millésime, en 1989, une expansion rapide qui devrait se poursuivre depuis son association avec Mildara-Blass. Des raisins de toutes les zones et régions de Victoria sont utilisés pour les vins, dont un Cabernet-Sauvignon qui connaît un grand succès.

Yarra Yering

Bailey Carrodus produit des vins rouges charnus et complexes, dont le Dry Red Nᵒ 1 (à base de Cabernet) et le Dry Red Nᵒ 2 (à base de Shiraz).

Yeringberg

De nationalité suisse, le baron Guillaume de Pary produit des vins voluptueux sur ce domaine fondé par son grand-père dans les années 1860. Les cépages Marsanne et Roussanne sont les spécialités de la maison.

AUSTRALIE-MÉRIDIONALE

L'Australie-Méridionale contribue pour un peu moins de la moitié à la production vinicole du pays. La zone à fort rendement de Riverland propose surtout des vins divers sans grande distinction, mais le reste de la région produit des vins rouges, blancs et mousseux qui font partie des meilleurs d'Australie.

Qui, en Australie-Méridionale, fut le premier à faire du vin destiné au commerce ? La question n'est toujours pas résolue. L'un des prétendants au titre, Walter Driffield, après avoir envoyé en Angleterre douze bouteilles de vins blancs du millésime 1844 à la reine Victoria, fut traduit en justice pour avoir fait du vin sans autorisation. L'histoire ne dit pas ce que la reine a pensé du vin. La production a débuté dans les jardins de la banlieue de la ville d'Adélaïde, mais s'est rapidement étendue vers Reynella, au sud, et vers Clare et Barossa Valley, au nord. Une bonne partie de Barossa Valley doit son développement à des Allemands luthériens de Silésie.

Les premiers vignerons s'aperçurent que le climat de l'Australie-Méridionale convenait bien mieux à la culture de la vigne que celui de leur Europe natale. Les sols variés, mais, en général, bien structurés, retenaient suffisamment les pluies d'hiver et de printemps pour alimenter les vignes pendant les étés secs. Les bons rendements de raisins sains étaient en principe garantis et les teneurs élevées en sucres, certaines.

Le climat et les zones viticoles

Située à une latitude de 35° Sud, Adélaïde, capitale de l'Australie-Méridionale, est comparable sur le plan climatique à la côte centrale de Californie. Une bonne partie de l'Australie-Méridionale subit une influence maritime, la fraîcheur des mers améliorant des conditions qui, autrement, seraient trop chaudes pour produire des vins de grande qualité.

Dans les années 1940 et 1950, l'Australie-Méridionale produisait 75 % des vins australiens. Quoique ce pourcen-

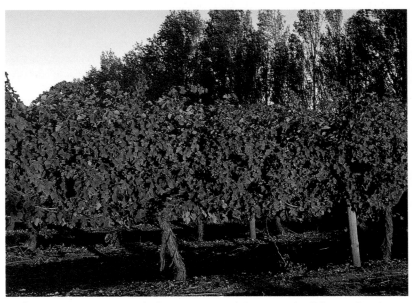

Le fameux terroir *terra rossa* de Coonawarra produit un superbe Cabernet-Sauvignon.

tage ne soit plus aujourd'hui que de 46 %, l'importance de cet État est évidente. Il est divisé en trois zones : Central, South-East et Murray Mallee. (Quatre autres zones, la péninsule de Yorke, la péninsule d'Eyre, l'île Kangaroo et Far North, sont d'un intérêt purement académique.)

La Central Zone pourrait être qualifiée de salle des machines de l'industrie australienne. Cette zone englobe les régions traditionnelles – et les plus connues – d'Australie-Méridionale.

Barossa Valley

Barossa Valley est de loin la région la plus importante. Malgré cela, pendant les années 1970 en particulier, elle a traversé une période difficile. À la même période, les régions viticoles de climat frais acquéraient une certaine renommée, le Chardonnay remplaçant le Riesling et le Cabernet-Sauvignon prenant la place du Shiraz comme cépage et vin les plus recherchés. La superficie cultivée a diminué et, à mesure que les petits propriétaires-récoltants gagnaient les faveurs du public, les grands domaines

de la Barossa étaient desservis par leurs options industrielles. Le déclin de Barossa Valley est dû à l'arrachage des vignes à petit rendement qui servaient autrefois principalement à la production de vins mutés. Pourtant, les raisins noirs des vieux ceps de Syrah, Mourvèdre et Grenache qui subsistent, sans palissage ni irrigation, sont aujourd'hui très recherchés.

La renaissance de Barossa Valley révèle ses points forts : elle convient parfaitement à la production de vins rouges riches, charnus et généreux, comme le démontre le Grange Hermitage de Penfolds. On continue néanmoins d'y produire de grandes quantités de vins blancs, des Rieslings et des Chardonnays, comme partout ailleurs, mais la production de raisins rouges dépasse de loin celle des raisins blancs.

Clare Valley et Eden Valley

C'est dans Clare Valley, au nord de la Barossa, ainsi que dans Eden Valley, entre Barossa Valley et les Adelaide Hills, que s'épanouit le Riesling, appelé Rhine Riesling. Il porte l'empreinte très particulière du style australien. En effet, le vin blanc acéré qu'il engendre ne ressemble en rien au Riesling d'Allemagne et guère à celui d'Alsace, mais il évolue en bouteille de la plus belle façon pendant 10 à 20 ans.

Clare Valley jouit d'un climat particulier, plus continental que maritime, qui, curieusement, convient tout aussi bien aux cépages rouges Cabernet-Sauvignon, Syrah et Malbec. Les vins de ces cépages ont une robe profonde, de la concentration et de la puissance, sans être trop mûrs ou confits.

McLaren Vale

McLaren Vale, situé au centre de la région de Southern Vales, à environ 40 km au sud d'Adélaïde, a forgé sa réputation sur la production, depuis un peu plus d'un siècle, de vins rouges très concentrés. Bien que l'on continue de produire des Shiraz et des Cabernets-Sauvignons, plusieurs vignobles conviennent aussi bien aux raisins blancs, Sauvignon, Sémillon et Chardonnay. En général, ils bénéficient d'un climat maritime et réussissent mieux les années plus fraîches.

Adelaide Hills

L'industrie du vin d'Australie-Méridionale est née dans certains endroits des plaines asséchées entourant la ville d'Adélaïde. Le développement urbain a chassé bien des viticulteurs vers le climat plus frais des Adelaide Hills. Dans la sous-région de Clarendon, au nord des Adelaide Hills, on trouve des Rieslings puissants et des Cabernets-Sauvignons aux accents de cassis et d'une finesse exceptionnelle. En gagnant de l'altitude, en direction de la sous-région de Piccadilly Valley, vers le nord, le climat devient nettement plus frais : le Chardonnay et le Pinot Noir dominent et une part importante de la production sert à l'élaboration de vins effervescents. Plus loin, vers le nord-est, la sous-région de Lenswood produit tous les cépages classiques du Bordelais et de la Bourgogne.

South-East Zone

La South-East Zone, à plusieurs centaines de kilomètres au sud-est d'Adé-laïde, comprend deux sous-régions très importantes, Coonawarra et Padthaway.

Le climat de Coonawarra s'est révélé idéal pour le Cabernet-Sauvignon : il est nettement maritime, mais suffisamment chaud pour éviter des arômes végétaux excessifs et suffisamment frais pour permettre la pleine expression du caractère des cépages. La Syrah prospère elle aussi depuis toujours dans le Coonawarra : des notes épicées ressortent les années fraîches, tandis que les arômes de cerise noire et de cassis dominent les années plus ensoleillées. Les vins de Cabernet-Sauvignon et de Syrah partagent la même texture souple et soyeuse : les tanins sont fins et doux.

Quelques-unes des plus importantes sociétés viticoles emploient des techniques à la pointe du progrès – mais controversées. Ces méthodes garantissent des rendements élevés et réduisent le coût de production du raisin à des niveaux très bas par rapport aux normes mondiales. En revanche, elles n'optimisent pas le potentiel de qualité des vins.

Plus au nord, Padthaway, une région un peu plus chaude, privilégie les raisins blancs, bien que tous les cépages principaux soient cultivés dans les deux régions. Les Chardonnays de Padthaway, en particulier, possèdent un caractère régional très marqué, avec des arômes et des goûts évoquant immanquablement le pamplemousse. Dans cette région également, les rendements sont importants.

Murray Mallee

Le célèbre Riverland – dans la zone de Murray Mallee – est une région de plaines arides et chaudes, que le fleuve Murray traverse d'est en ouest en partant de la frontière de l'État de Victoria. La viticulture n'y est possible que grâce à un vaste système d'irrigation. D'énormes quantités de vins ordinaires, qui n'en sont pas moins très demandés, sont produits pour la vente en fûts, en cubitainers ou en vrac à l'exportation. Il s'agit principalement de vins blancs. Les vendanges sont mécaniques et les rendements élevés. □

TASMANIE

La Tasmanie est une île au large de la côte sud-est de l'Australie. Sa minuscule production, de raisins et de vins, ne l'empêche pas d'être toujours un objet de fascination depuis que Bartholomew Broughton mit son premier vin en vente en 1827 et que Diego Bernacchi, à en croire la légende, attacha en 1889 de fausses grappes de raisin à ses vignes de l'île de Maria pour attirer des investisseurs. Selon le ministère de l'Agriculture tasmanien de l'époque, le climat du territoire convenait bien mieux aux pommiers qu'aux vignobles. Aujourd'hui, la vigne occupe six endroits distincts de l'île. En 1999, 3 000 tonnes seulement ont été récoltées, dont près des trois quarts en Chardonnay et en Pinot Noir.

Les trois régions principales étaient autrefois Pipers Brook, Tamar Valley et Derwent Valley, mais trois nouvelles régions commencent à faire parler d'elles : Coal River, la Côte Est (environ la moitié supérieure) et Huon Valley (au sud-ouest de Hobart).

LES PRODUCTEURS

Quelques dizaines d'entreprises ont produit ensemble 1 300 000 bouteilles en 1999 (contre seulement 310 000 en 1997).

Heemskerk

Cette société produit le Mousseux Jansz, un Pinot Noir bien construit, un Riesling parfumé et un Chardonnay austère.

Morilla Estate

Magnifiquement situé sur le fleuve Derwent, Morilla fait un gros effort avec le Pinot Noir, mais semble mieux réussir les Chardonnays, Rieslings et Gewürztraminers.

Pipers Brook

Andrew Pirie dirige ce domaine au développement rapide. Un Chardonnay et un Pinot Noir très appréciés viennent en tête de sa production.

Les petits producteurs qui méritent d'être signalés sont Freycinet et Spring Vale (Côte Est), Holm Oak et Marion's Vineyard (Tamar Valley) et Domain A (Coal River).

RÉGIONS ET PRODUCTEURS

Jusqu'à ces dernières années, les importantes sociétés viticoles de Riverland ont dominé l'industrie du vin d'Australie-Méridionale au détriment des petites exploitations. Beaucoup de petits producteurs se regroupent actuellement pour obtenir davantage de pouvoir et d'influence. Les régions les plus importantes sur le plan commercial figurent ci-dessous par ordre alphabétique. Pour la liste complète des zones, régions et sous-régions, voir p. 592.

ADÉLAÏDE
La banlieue nord d'Adélaïde compte plusieurs quartiers autrefois célèbres pour leurs vins, dont Magill, Woodbury, Tea Tree Gully et Hope Valley. La forte urbanisation a cantonné la viticulture à Angle Vale et Gawler River, dans les chaudes plaines du nord de la ville.

Penfolds Magill Estate
Cinq précieux hectares de Syrah entourent encore la maison construite par Christopher Rawson Penfold à son arrivée d'Angleterre en 1844. On y produit le Magill Estate Dry Red.

Primo Estate
Lauréat de la médaille d'or de Roseworthy (université d'Adélaïde), Joe Grilli produit un Colombard vif, un Joseph Cabernet-Sauvignon concentré et un Riesling botrytisé.

ADELAIDE HILLS
Les vignobles se trouvant à une altitude de 400 à 600 m, le climat est bien plus frais que celui d'Adélaïde, à une demi-heure seulement de distance. La région produit avec régularité des vins tout en élégance et en finesse.

Ashton Hills
Stephen George, également œnologue-conseil à Vendouree dans Clare Valley, élabore d'élégants vins de Riesling, de Chardonnay, de Pinot Noir ainsi qu'un vin d'assemblage issu de Cabernet-Sauvignon et de Merlot.

Grand Cru Estate
Ancien directeur de Seppelt, Karl Seppelt produit des Chardonnays et des Shiraz, ainsi qu'un Cabernet-Sauvignon .

Petaluma
Brian Croser produit des vins au sommet de la qualité avec des raisins de Coonawarra, de Piccadilly Valley et de Clare Valley. Le Mousseux s'appelle Croser, la deuxième étiquette des vins tranquilles est Bridgewater Mill.

Stafford Ridge
Ancien directeur des vinifications chez Hardy, Geoff Weaver a agrandi son propre domaine de Stafford Ridge. Ses Rieslings, Sauvignons et Chardonnays sont intensément aromatiques.

BAROSSA VALLEY
Un climat tempéré, des pluies hivernales et printanières, des étés généralement secs et des sols variés font de Barossa Valley une région idéale pour la production de vins rouges corsés. Penfolds et d'autres produisent de grands vins rouges de vignobles de vieilles vignes (jusqu'à 100 ans) à petits rendements.

Basedow
Ce domaine datant de 1896 produit avec détermination des vins qui ne déçoivent jamais, comme, par exemple, un Sémillon élevé en barriques.

Charles Melton
Graeme (Charlie) Melton joue un rôle prépondérant dans la renaissance de Barossa Valley, surtout avec son vin rouge, Nine Popes, issu d'un assemblage de Syrah, de Grenache et de Mourvèdre.

Elderton
La famille Ashmead est passée de la viticulture à la production de vin (vinifié ailleurs sous contrat). Le Shiraz et le Cabernet-Sauvignon sont ses meilleurs vins.

Grant Burge
Fondateur de Krondorf, Grant Burge a constitué un vignoble très important pour ce domaine fondé en 1988. Il y produit des rouges et des blancs.

Kaiser Stuhl
Fondée en 1931, cette ancienne coopérative fait désormais partie du groupe Southcorp et produit quelque 20 millions de bouteilles par an. Seul le Red Ribbon Shiraz a des prétentions de qualité.

Krondorf
Aujourd'hui partie intégrante de Mildara-Blass, Krondorf est un succès commercial. Les raisins viennent de l'ensemble de l'Australie-Méridionale.

Orlando
Appartenant aujourd'hui à Pernod-Ricard, mais fondée en 1847, Orlando produit avec Wyndham et plusieurs autres membres du groupe un vin de réputation mondiale, Jacobs Creek (rouge et blanc). Parmi les autres étiquettes, on compte St. Hugo, St. Helga, Gramps et RF.

Penfolds
Voir encadré p. 549.

Peter Lehmann
Ses vins de Riesling, Sémillon, Chardonnay, Syrah, Cabernet-Sauvignon et un assemblage de Cabernet-Sauvignon/Malbec sont les valeurs sûres de ce domaine.

Richmond Grove
Fondé en 1931, le domaine de Leo Buring est depuis longtemps considéré comme le producteur des plus grands Rieslings australiens. Ce sont des vins blancs qui évoluent merveilleusement pendant 20 ans et plus. Le domaine a été repris par le groupe Orlando qui l'a rebaptisé Richmond Grove, Southcorp ayant acquis le nom de Leo Buring.

Rockford
Rocky O'Callaghan vinifie à l'ancienne et met des vieilles vignes à contribution pour produire des vins de très fort caractère, dont le Riesling et le Shiraz.

St. Hallett
Voir encadré p. 550.

Tollana
Fondé en 1888, Tollana fait partie du groupe Southcorp, mais s'est forgé sa propre identité avec son Eden Valley Riesling concentré, ses Sémillons, Sauvignons et Chardonnays vinifiés en barriques et ses vins rouges élégants et pleins de sève.

Tolley's
Appartenant à la même famille depuis 1892, Tolley's produit un éventail classique de vins bien faits et de prix raisonnables, avec toutefois une spécialité, un Gewürztraminer très aromatique.

Wolf Blass Wines
Depuis les années 1960, Wolf Blass a développé l'une des marques les plus réussies d'Australie, qui comprend des assemblages de vins de plusieurs cépages et plusieurs régions, tous élevés dans du chêne américain.

Yalumba

Datant de 1863 et produisant plus de 10 millions de bouteilles par an, Yalumba est l'un des plus grands domaines familiaux d'Australie et connaît un franc succès avec son Mousseux Angas Brut bon marché, ses vins de cépage commercialisés sous l'étiquette Oxford Landing et ses vins de marque.

CLARE VALLEY

Clare Valley forme un contraste étonnant avec la Barossa. Les exploitations, plus petites, appartiennent en majorité à des familles qui s'en occupent directement et utilisent surtout les raisins de la région. Parmi les vins, on trouve des Rieslings superbes, de longue garde, des Shiraz puissants et une spécialité régionale, un assemblage complexe de Cabernet-Sauvignon et de Malbec. Le Sémillon et le Chardonnay s'y plaisent.

Eaglehawk Estate

Ce domaine fondé en 1856 s'appelait Quelltaler avant d'être racheté par Wolf Blass et produit aujourd'hui une sélection limitée de vins agréables.

Grosset

Jeffrey Grosset élabore de très bons Rieslings et Chardonnays, mais aussi le Gaia, un superbe Cabernet-Sauvignon/Merlot.

Jim Barry

La grande famille Barry est propriétaire de quelques vignobles où elle élabore des Rieslings et l'Armagh, un concurrent de haute volée pour le Grange de Penfolds.

Leasingham

Vingt ans sous la houlette de H. J. Heinz n'ont pas permis à cette société fondée en 1893 de recouvrer la réputation qu'elle avait autrefois. Appartenant aujourd'hui à BRL Hardy (groupe Southcorp), elle produit des vins de Riesling, Chardonnay, Syrah et Cabernet/Malbec.

Mitchell Cellars

Depuis 1975, Andrew et Jane Mitchell élaborent un Riesling classique ainsi qu'un Cabernet-Sauvignon solide et tannique. Ils ajoutent aujourd'hui à leur liste un Chardonnay et un Shiraz aux arômes de menthe.

Pikes

Les frères Neil et Andrew (viticulteurs chez Penfolds) produisent un Sauvignon et un Cabernet-Sauvignon.

Sevenhill

Établi en 1851 par la Jesuit Manresa Society, qui dirige toujours le domaine, Sevenhill élabore des vins de messe et des vins issus de cépages habituels et inhabituels, le Crouchen (blanc), le Grenache et le Touriga (rouges).

Skillogalee

Les vignobles escarpés de Skillogalee produisent des Rieslings, des Shiraz et des vins d'assemblage (Cabernet-Sauvignon/Cabernet Franc/Malbec).

Taylor's

Des raisins du domaine récoltés manuellement, de grandes ambitions et une approche commerciale pragmatique (qualité et prix modestes): cette recette donne de bons résultats pour le Chardonnay et le Cabernet-Sauvignon.

Tim Knappstein

Le domaine a été racheté par Petaluma en 1993, mais le talentueux Tim Knappstein s'en occupe toujours. Il produit des Rieslings, Chardonnays, Fumés Blancs et Cabernets/Merlots ainsi qu'un Riesling botrytisé exceptionnel, un Sémillon et un Pinot Noir de Lenswood.

Wendouree Cellars

Établis en 1895, ces vignobles possèdent un microclimat unique et produisent en petite quantité des vins rouges qui sont extrêmement concentrés et profonds, Shiraz, Mour-

vèdre, Malbec et Cabernet-Sauvignon.

Wilson Vineyard

Les vins de John Wilson sont éclectiques et comprennent un Zinfandel et un rouge effervescent.

COONAWARRA

Cette région possède toutes les caractéristiques d'une véritable appellation : un sol calcaire très particulier (rouge en raison de dépôts de fer) appelé *terra rossa* et un microclimat tempéré unique. La région produit en abondance les plus grands Cabernets-Sauvignons d'Australie et des Shiraz de grande qualité. Les Rieslings, Sauvignons et Chardonnays y sont tout aussi à l'aise.

Balnaves

Le propriétaire, Doug Balnaves, fait vinifier une partie de ses raisins sous contrat. Ses vins de Chardonnay, Cabernet-Sauvignon et Cabernet/Merlot sont riches et fruités.

Bowen Estate

Doug Bowen est un petit producteur qui se surpasse avec des Shiraz corsés et des Cabernets-Sauvignons concentrés.

Brands Laira

Les conseils techniques des McWilliam's, les nouveaux copropriétaires, ont amélioré l'éventail de Rieslings, Chardonnays, Shiraz, Cabernets-Sauvignons et Cabernets/Merlots. Il faut rechercher leur Original Vineyard Shiraz.

Hollick

Ian Hollick produit des rouges de qualité et Patrick Tocaciu, autrefois chargé des vinifications à Tollana, élabore des Rieslings et de subtils Chardonnays.

PENFOLDS

Penfolds qui fut la plus importante exploitation d'Australie et le plus grand groupe de domaines fait partie de Southcorp depuis 1994. La force de Penfolds réside dans ses vins rouges, de son Grange Hermitage (le plus grand vin du pays) à son Koonunga Hill en passant par Magill Estate, Bin 707 Cabernet-Sauvignon, St. Henri, Clare Estate, Bin 389 Cabernet Shiraz, Bin 128 Coonawarra Shiraz et Bin 28 Kalimna Shiraz. Des vendanges faites à pleine maturité, des assemblages de vins issus de différentes régions pour atteindre un bon équilibre, des fermentations et des techniques d'élevage en barriques contrôlées avec rigueur donnent aux vins profondeur et complexité. Depuis 1990, Penfolds s'est lancé avec succès dans la production de vins blancs.

Katnook Estate

Ce domaine fait partie de la société Coonawarra Machinery, le plus grand groupe de viticulteurs indépendants du district. De bons vins de Sauvignon, des Chardonnays de grand style et des Cabernets-Sauvignons sont en tête de la sélection Katnook. Riddoch est la seconde étiquette largement diffusée.

Leconfield

Ralph Fowler élabore des Rieslings et des Cabernets-Sauvignons de grande qualité.

Lindeman's

Très connu à Hunter Valley, en Nouvelle-Galles du Sud, Lindeman's (groupe Southcorp) s'est installé en Coonawarra dans les années 1960. L'accent est mis sur les vins rouges, avec, en tête de liste, le St. George Cabernet-Sauvignon et le Limestone Ridge (Syrah/Cabernet).

———— ST. HALLETT ————

Si la réputation de Barossa Valley a souffert de 1965 à 1985, de petites exploitations comme St. Hallett ont beaucoup contribué à rétablir la situation. Le mérite en revient à Bob McClean (qui travaillait auparavant chez Orlando), qui s'est associé avec le vinificateur Stuart Blackwell et Carl Lindner, viticulteur depuis fort longtemps en Barossa. Les trois hommes ont transformé St. Hallett en produisant le Old Block Shiraz, élaboré à partir d'une série de vignobles plantés en vignes de plus de soixante ans. Alors que les arômes sont intenses, le vin n'est ni tannique ni rude. Sa texture souple et soyeuse a été renforcée par l'utilisation de barriques neuves.
La société produit également un vin blanc qui ne passe pas en barrique, le Poachers White, un assemblage Sémillon/Chardonnay/Sauvignon et un Barossa Shiraz.

Mildara

Cette société a été fondée en 1888 à Mildura dans l'État de Victoria et son siège social s'y trouve encore. En 1955, la société a fait l'acquisition en Coonawarra de vignobles où elle produit aujourd'hui tous ses vins de prestige. Avec Wynns, elle a joué un rôle déterminant dans la renaissance de la région. Le succulent Jamiesons Run, un assemblage de vins de plusieurs cépages, est à l'origine de son succès commercial.

Parker Estate

Il s'agit d'une association de trois familles qui élaborent deux Cabernets-Sauvignons, dont le meilleur porte l'étiquette Terra Rossa First Growth et est extrêmement concentré.

Penley Estate

Des Chardonnays aux arômes complexes et des Cabernets-Sauvignons sont ses meilleurs vins. Ils seront bientôt issus des raisins du domaine.

Redman

Un nom célèbre qui déçoit depuis plusieurs années, mais qui est revenu récemment à un bon niveau avec son Claret (Syrah) et son Cabernet-Sauvignon.

Rouge Homme

Il s'agit d'une marque séparée de Lindeman's composée de vins d'assemblage de Syrah et de Cabernet ainsi que de Chardonnay.

Rymill

Peter Rymill est passé de la viticulture à la vinification en 1987. Son Cabernet-Sauvignon est intense, son Shiraz très concentré et son Chardonnay excellent.

Wynns Coonawarra Estate

Fondé à la fin du XIXe siècle, Wynns est peut-être le plus célèbre producteur de la région, et sans aucun doute celui qui a le mieux réussi. John Riddoch Cabernet-Sauvignon et Michael Hermitage (rouge) sont ses porte-drapeaux, produits en petite quantité. Wynns, qui fait maintenant partie de Southcorp, fait aussi des vins de Riesling et de Chardonnay.

Zema Estate

La famille Zema taille et vendange à la main, ce qui est rare dans la région de Coonawarra. Elle élabore des Shiraz et des Cabernets-Sauvignons.

EDEN VALLEY

L'extrémité nord des Adelaide Hills, balayées par le vent, s'est toujours considérée comme une extension de Barossa Valley. Le Riesling prospère, rivalisant en qualité avec celui de Clare Valley, mais possède son style propre, un peu plus fruité. Le climat relativement frais convient également aux élégants Chardonnays, Shiraz et Cabernets-Sauvignons.

Heggies

C'est la seconde incursion de Yalumba de Barossa Valley dans la viticulture à haute altitude. Des Rieslings fermes aux notes d'agrumes, d'autres très intenses, botrytisés, et des Chardonnays sont les meilleurs vins.

Henschke

Ce petit domaine, datant de 1868, dirigé avec dévouement et talent par Stephen et Pru Henschke figure parmi les meilleurs de la région. Il produit un large éventail de vins méritant presque toujours des superlatifs, dont, en tête de liste, un Hill of Grace Shiraz à la texture veloutée, qui provient de vignes vieilles de cent vingt ans.

Hill-Smith Estate

Hill-Smith dépend pour ses raisins de deux vignobles situés respectivement à 380 et 550 m et fournit une troisième marque pour Yalumba. Le Sauvignon, le Chardonnay et le Cabernet/Syrah sont tous bien réussis.

Mountadam

David Wynn et son fils Adam élaborent des vins de Chardonnay, Pinot Noir et Cabernet-Sauvignon concentrés provenant de vignobles à petits rendements appartenant au domaine.

Pewsey Vale

Ce vignoble fut le premier que Yalumba ait possédé en dehors de Barossa Valley (depuis près d'un siècle). Un Riesling ferme est sa récompense.

PÉNINSULE DE FLEURIEU

La péninsule est une zone d'influence maritime où il fait bien plus frais que l'on ne s'y attendrait. La sous-région de Langhorne Creek, qui dépend totalement des inondations d'hiver, fournit depuis longtemps des raisins aux gros producteurs de Barossa Valley, le fruit, légèrement végétal, s'assemblant parfaitement avec celui des régions plus chaudes.

Bleasdale Vineyards

C'est un bijou d'intérêt historique – fondé en 1850 et toujours dirigé par la famille Potts – produisant du Verdelho (blanc) dans le style des Madères ainsi qu'un vin aux notes boisées.

Currency Creek

Sous influence maritime, ce vignoble produit des Sauvignons Blancs, des Chardonnays et des vins effervescents élégants.

MCLAREN VALE

Depuis le début du siècle, McLaren Vale est le centre des petites exploitations professionnelles. La région possède un charme unique et produit de grands vins, notamment dans les millésimes frais. Sauvignon, Chardonnay et Cabernet-Sauvignon sont les plus réussis.

Andrew Garrett

Ambitieux dans les années 80, mais plus calme depuis qu'il a été repris par le Japonais Suntory, puis Mildara-Blass, ce domaine produit de très agréables vins de Riesling, Chardonnay, Syrah et Cabernet/Merlot.

BRL Hardy

Un mariage de convenance entre Renmano et la société familiale de longue tradition Thomas Hardy, fondée en 1853, a donné naissance à l'un des quatre grands groupes australiens, la branche Hardy produisant plus de 10 millions de bouteilles. Les vins de la marque Hardy sont nombreux et variés, honnêtes et sans surprise.

Chapel Hill

C'est la grande réussite des années 1990, grâce aux conseils

de Pam Dunsford et au capital apporté par les nouveaux propriétaires. Les vins de Chardonnay, Syrah et Cabernet-Sauvignon sont d'une grande opulence.

Château Reynella

Fondé en 1838, Château Reynella est aujourd'hui le siège social de BRL Hardy. Il produit des vins de qualité sous l'étiquette Stony Hill et un grand « Porto » millésimé.

Coriole

La famille Lloyd produit un superbe Shiraz, un Sangiovese (rouge), et quelques blancs secs.

D'Arenberg

D'Arry Osborn et son fils Chester élaborent des vins rouges de grand caractère et de belle qualité à partir de vieilles vignes de Syrah et de Grenache.

Geoff Merrill

Merrill compte parmi les personnalités de l'industrie vinicole australienne. Il élabore des vins d'une élégance surprenante sous l'étiquette Geoff Merrill et des vins plus exotiques sous celles de Mount Hurtle et Cockatoo Ridge.

Ingoldby

Nom très respecté dans la région, Ingoldby appartient aujourd'hui à Bill Clappis, qui produit sans faille des Cabernets-Sauvignons bien charpentés aux saveurs généreuses ainsi que de nombreux autres vins.

Kay Bros

Colin Kay perpétue une tradition familiale vieille d'un siècle. Son meilleur vin est le Block 6 Shiraz.

Norman's

Domaine familial datant de 1851, Norman's produit avec une grande régularité des vins de qualité. Les meilleurs d'entre eux sont le Shiraz et le Cabernet-Sauvignon (sous l'étiquette Chais Clarendon).

Pirramimma

Autre domaine familial établi à la fin du XIXᵉ siècle, Pirramimma a perdu du terrain depuis quelques années, mais il possède des vignobles excellents pour son approvisionnement en raisins. Il tente actuellement de se redresser grâce aux cépages Riesling, Chardonnay et Syrah.

Richard Hamilton

Richard Hamilton est également propriétaire de Leconfield (voir p. 550) et emploie la même équipe talentueuse pour la viticulture et le marketing des deux domaines. Un Chardonnay succulent et un Shiraz épicé provenant de vieilles vignes sont ses meilleurs vins.

Shaw & Smith

Michael Hill-Smith, premier *Master of Wine* d'Australie, et Martin Shaw, ancien vinificateur volant, produisent un Sauvignon de grande qualité et un Chardonnay à fort caractère vinifié en barrique.

Wirra Wirra

C'est une exploitation dynamique et couronnée de succès que l'on connaît depuis longtemps pour son Sauvignon net et précis aux arômes végétaux et un Chardonnay de grande qualité et complexe. Doivent leur être aujourd'hui ajoutés un excellent Mousseux, The Cousins, et un Cabernet-Sauvignon soyeux, baptisé The Angelus.

Woodstock

Scott Collett est un grand épicurien qui fait des vins dans ce même esprit. Les meilleurs sont un Cabernet-Sauvignon aux notes de fruits rouges et un vin blanc liquoreux, bien botrytisé, d'une intensité impressionnante.

MURRAY MALLEE

C'est le pays du désert et du bush, qui ne peut vivre que grâce à l'irrigation. Un été chaud et sec, un sol sableux qui draine librement et de l'eau en quantité illimitée produisent des ren-

dements importants de raisins blancs – principalement Chardonnay, Riesling, Chenin et Colombard – aussi bien que d'autres cépages utilisés pour les vins vendus en vrac, les vins mutés et les eaux-de-vie.

Angove's

Ensemble impressionnant de modestes vins blancs et rouges, de vins mutés et d'eaux-de-vie de grande qualité provenant tous des raisins du domaine. Les rangs de vignes totalisent une longueur de 1 500 km.

Berri Estates

Ancienne coopérative qui fait partie aujourd'hui de BRL Hardy (groupe Southcorp), Berri Estates produit principalement des vins pour la vente en fûts et en vrac à l'exportation, dont une bonne partie destinée aux marchés scandinaves et à l'Union européenne.

Renmano

Renmano est la moitié BRL du groupe BRL Hardy (groupe Southcorp). Parmi les vins, on trouve le Chairman's Selection, des Rieslings et des Cabernets-Sauvignons savoureux, ainsi qu'un Chardonnay et un « Porto » tawny.

PADTHAWAY

Padthaway est littéralement le monopole de quelques-unes des plus importantes sociétés vinicoles d'Australie : Southcorp (Lindeman's, Seppelt, Wynns, BRL Hardy) et Orlando s'y partagent plus de 90 % des vignes et un seul petit producteur réside sur place, Padthaway Estate. Avec un climat légèrement plus chaud que celui de Coonawarra et des sols très bien drainés et structurés, la région produit des rendements confortables de raisins de bonne qualité, surtout des cépages Chardonnay, Riesling et Sauvignon. Une proportion importante des raisins entre dans des assemblages anonymes, utilisés notamment pour des vins effervescents.

AUSTRALIE-OCCIDENTALE

L'Australie-Occidentale fut le dernier des États australiens à posséder un vignoble important, mais sa surface viticole a augmenté de 48 % de 1997 à 1999. Cette région au climat très contrasté possède des vins tout aussi variés. On planta Swan Valley en premier, mais les vignobles du sud de Perth, au climat plus frais, sont aujourd'hui les plus intéressants et ont un avenir prometteur.

La colonisation de l'Australie-Occidentale commença à l'arrivée du navire *Parmelia* en 1829 : l'un de ses passagers, le botaniste Thomas Waters, apportait dans ses bagages des ceps de vigne. Un domaine de 20 ha lui fut attribué à Guildford, sur le fleuve Swan, où il planta ses vignes et creusa les caves d'Olive Farm, le tout premier établissement vinicole australien.

La Swan Valley

En 1840, John Septimus Roe planta le vignoble Sandalford dans la Swan Valley, fondant ainsi une dynastie viticole qui a duré 130 ans. Vers la même époque, Houghton, aujourd'hui le plus important établissement vinicole d'Australie-Occidentale, fut créé à proximité.

La viticulture resta concentrée dans Swan Valley jusqu'au milieu des années 1960, les colons yougoslaves y étant majoritaires (de la même façon que les luthériens à Barossa Valley). À une certaine époque, Swan Valley comptait davantage d'établissements vinicoles que les États de Victoria ou de Nouvelle-Galles du Sud.

L'évolution du style de vie et de la demande, l'incursion des vins en vrac d'Australie-Méridionale, vendus aux supermarchés, et l'émergence des régions plus méridionales, au climat plus frais, modifièrent progressivement la situation. En 1979, Swan Valley fournissait 58 % des raisins de l'Australie-Occidentale, contre 25 % seulement en 1992. On a constaté depuis une stabilisation de la production.

Vendanges de Chardonnay à Perth Hills.

C'est le climat le plus chaud de toutes les régions viticoles australiennes, les pluies d'été étant les plus faibles et le nombre d'heures d'ensoleillement le plus élevé. Les vendanges débutent fin janvier, durent un mois, et deux tiers de la récolte sont des raisins blancs.

À l'exception d'une petite quantité de Cabernet-Sauvignon, utilisé pour la plupart pour le Houghton Rosé, le seul cépage rouge planté en quantité est le Grenache, destiné surtout aux vins mutés. Le cépage blanc majoritaire est le Chenin, suivi des cépages Verdelho et Chardonnay, puis Muscadelle et Sémillon. La plupart des raisins blancs de cette région servent à l'élaboration du Houghton White Burgundy (connu à l'étranger sous le nom de Houghton Supreme). C'est le vin blanc sec qui fut pendant longtemps le plus vendu d'Australie. Cette région est maintenant sur le déclin.

Les régions du Sud

La Margaret River Region, à 250 km au sud de Perth, s'est taillé une réputation internationale pour la qualité admirable de ses vins, mais elle possède également un caractère unique et des paysages d'une grande beauté.

Tous les cépages importants ont été essayés dans ce climat tempéré: on trouve les Cabernet-Sauvignon, Sémillon, Merlot, Sauvignon, Chenin, Chardonnay et Syrah alors que le Riesling et le Pinot Noir ont échoué. En revanche, un petit vignoble de Zinfandel, spécialité californienne, est un grand succès.

La région de Mount Barker-Frankland, qui se trouve tout à fait au sud, au climat plus frais, s'étend vers le nord, de la ville d'Albany (bien connue à l'époque de la chasse à la baleine) à Mount Barker. Les premières vignes plantées près de Mount Barker datent de 1966, un an avant celles de Vasse Felix à Margaret River. Dès le départ, des Rieslings fermes, d'une bonne aptitude au vieillissement, et des Cabernets-Sauvignons classiques et austères se sont imposés. Sauvignon, Chardonnay, Pinot Noir (surtout à Albany) et Syrah ont prospéré depuis lors sans remettre en question la primauté des cépages Riesling et Cabernet-Sauvignon.

À mi-chemin entre Margaret River et Mount Barker se trouve Warren Blackwood, zone plus connue sous le nom de ses sous-régions, Manjimup et Pemberton. On nourrit de grands espoirs pour cette jeune région, en particulier avec les cépages Pinot Noir et Chardonnay.

La South-West Coastal Region, de Margaret River jusqu'au nord de Perth, a la forme d'une anguille. Les vignobles sont plantés dans un sol sableux appelé Tuart Sands et le climat est bien plus chaud à l'extrémité nord qu'à l'extrémité sud.

Darling Range, à l'est de Perth, regroupe quelques domaines et, surtout, des petites exploitations. Son climat est à peine plus frais que celui de Swan Valley. Enfin, la Northern Perth Region est très chaude et vouée presque entièrement à la production de raisins blancs. □

RÉGIONS
ET PRODUCTEURS

Les zones plus récentes et plus fraîches de l'Australie-Occidentale se distinguent par de nombreuses petites exploitations qui se consacrent à des styles de vin plus complexes. Dans la mesure où elles sont situées à l'écart des marchés principaux localisés à l'est, certaines doivent encore réaliser leur potentiel. Pour la liste complète des zones, régions et sous-régions, voir p. 592.

MARGARET RIVER

Les eaux relativement chaudes de l'océan Indien et l'absence de montagnes proches se conjuguent pour donner à la région de Margaret River l'un des climats les plus tempérés du monde vinicole. Elle produit des blancs très caractéristiques, Sémillon, Sauvignon et Chardonnay, ainsi que des Cabernets-Sauvignons puissants qui vieillissent avec bonheur.

Amberley Estate

Albert Haak, né en Afrique du Sud, connaît un succès commercial avec sa spécialité, des Chenins faciles à boire et vendus à des prix modérés.

Ashbrook Estate

Les frères Devitt élaborent soigneusement des vins de cépage qui impressionnent toujours par leur qualité.

Brookland Valley

Magnifiquement située et dotée d'un restaurant, cette exploitation produit des Chardonnays et des Sauvignons vifs et légers.

Cape Mentelle

Ce grand producteur de la région appartient en majorité à la maison champenoise Veuve Clicquot. Il fait un Sémillon mordant, un Chardonnay vinifié en barrique, très caractéristique, et des vins de Zinfandel, Syrah et Cabernet-Sauvignon voluptueux.

Chateau Xanadu

Les bouteilles de Xanadu portent des étiquettes surprenantes. Vif, avec des notes végétales, le Sémillon est de qualité régulière.

Cullen Wines

La famille Cullen produit de nombreux grands vins avec, en tête, des Cabernets/Merlots.

Devil's Lair

La production est appelée à augmenter dans cette exploitation neuve : Chardonnays aux notes florales et Cabernets-Sauvignons puissants.

Happ's

Erland Happ cherche à se spécialiser dans le Merlot mais, pour l'instant, il réussit mieux un Chardonnay complexe.

Hayshed Hill

Cette société fondée en 1993 en offre un Cabernet-Sauvignon très fruité et un Sémillon riche, aux notes boisées.

Leeuwin Estate

Le domaine de Leeuwin produit un Chardonnay merveilleux, de longue garde, et un Cabernet-Sauvignon.

Moss Wood

Keith Mugford élabore amoureusement deux cuvées de Sémillon, un Chardonnay voluptueux, le Cabernet-Sauvignon le plus sensuel de cette région et un Pinot Noir excellent, tous d'une grande élégance.

Pierro

Grâce à son travail, Michael Peterkin obtient un Chardonnay faisant partie des plus riches et des plus complexes d'Australie ainsi qu'un Sémillon/Sauvignon.

Vasse Felix

La plus ancienne des exploitations de la région appartient maintenant à la famille Holmes à Court. Elle produit un vin blanc « Classic Dry White », un Noble Riesling botrytisé et un Shiraz.

Willespie

Ce domaine produit avec régularité un Sauvignon regorgeant d'arômes, un Verdelho (blanc), un Sémillon ainsi qu'un Merlot.

MOUNT BARKER-FRANKLAND

Le climat de cette région très pittoresque est maritime à Albany, où prospèrent Chardonnay, Sauvignon et Pinot Noir. Il est continental mais tout aussi frais plus au nord, où dominent Riesling, Syrah, Cabernet-Sauvignon et Malbec.

Alkoom

Producteur remarqué de Riesling et de Chardonnay structurés et de longue garde, de Cabernet-Sauvignon et de Malbec quelquefois opulent.

Castle Rock

La vue que l'on a des vignobles du domaine, situés sur les coteaux du Porongurup, est imprenable, mais les Rieslings et les Chardonnays délicats ainsi que les Cabernets-Sauvignons complexes sont pour la famille Diletty d'une meilleure rentabilité que le tourisme.

Chatsfield

Ken Lynch et sa fille Siobhan élaborent un Chardonnay délicieux, un Riesling, un Shiraz épicé.

Frankland Estate

Barrie Smith et Judy Cullan, éleveurs de moutons, se sont diversifiés en se tournant vers la production de vins. Leur Riesling est excellent et leur Sauvignon, bien construit.

Galafrey

Ian et Linda Tyrer ont beaucoup de succès avec leur Riesling aux notes végétales, leur Shiraz intense et leur Chardonnay.

Goundrey

La plus importante exploitation de la région appartient au vinificateur volant Michael Goundrey. Elle fait aussi, pour des domaines plus petits, du vin qui porte les étiquettes de ceux-ci. Goundrey est propriétaire des marques Windy Hill et Langton, de moindre renommée. Les vins de cette dernière peuvent être d'un excellent rapport qualité/prix, tout particulièrement le Chardonnay et l'assemblage Sauvignon/Sémillon.

Howard Park

Le vinificateur de Plantagenet, John Wade, réussit dans sa propre exploitation, fondée en 1986, des Rieslings méticuleusement faits et des Cabernets-Sauvignons/Merlots épicés, aux notes de chêne et de cerise, de très grande classe. Il a introduit récemment une deuxième étiquette, Madfish Bay.

Plantagenet

Plantagenet, premier producteur à cultiver du raisin à Mount Baker, a gagné le respect de tous avec ses Chardonnays intenses et élégants (la cuvée Omrah Vineyard ne passe pas en barrique), ses Shiraz épicés, et un Cabernet-Sauvignon souple et soyeux.

Wignalls
Ce vignoble convient exceptionnellement bien à la production de Pinots Noirs aromatiques et pleins de sève, au caractère bourguignon. Ses Chardonnays et ses Sauvignons sont bons également. Plantagenet s'occupe de la vinification des trois vins.

SOUTH-WEST COASTAL
Bande côtière étroite (250 km de long sur 20 de large), cette région viticole est l'une des plus insolites au monde. L'industrie viticole s'y est installée en raison du terroir, un sable fin baptisé « Tuart » d'après le nom des gommiers qui y poussent. Les styles de vin sont variés.

Baldivis Estate
Ce domaine fait partie d'une exploitation horticole qui produit des blancs agréables et légers de cépages Sémillon, Chardonnay et Sauvignon, ainsi qu'un rouge de cépages Cabernet-Sauvignon et Merlot.

Capel Vale
Peter Pratten fait appel au talent du vinificateur Rob Bowen pour produire des Rieslings éclatants, des Chardonnays aux arômes de figue et de melon qui vieillissent avec bonheur et Baudin, un vin d'assemblage à base de Cabernet-Sauvignon et de Merlot.

Killerby Vineyards
Killerby a été fondé par le regretté Barry Killerby dont la fille Anna s'occupe maintenant du domaine avec son époux Matt Aldridge (autrefois chez Rosemount), qui s'occupe des vinifications. Ils font des vins blancs élégants et un Cabernet-Sauvignon qui a remporté des médailles dans les concours.

─────── HOUGHTON ───────

Houghton fut fondé en 1836. John Fergusson y fit le premier vin en 1859 et, pendant un siècle, le domaine resta dans les mains de la même famille. L'arrivée en 1930 du regretté Jack Mann, vinificateur de grand talent, fut l'événement le plus important de l'histoire du domaine. Leur vin blanc est issu des cépages Chenin et Muscadelle et est devenu l'un des plus vendus d'Australie ; à lui tout seul, il a fait gagner à Swan Valley ses lettres de noblesse. Après 10 à 15 ans de bouteille, il devient d'une richesse comparable à un Sémillon de Hunter Valley d'âge équivalent. (Ni l'un ni l'autre ne font appel au chêne.) Les successeurs de Jack Mann ont affiné le style en ajoutant du Chardonnay et en diminuant la proportion de Muscadelle. Houghton fait partie de BRL Hardy (Southcorp).

Paul Conti
Excellent vinificateur, Paul Conti produit une gamme de vins sans prétention. Son Frontignac (blanc) vendange tardive, très pur, aux arômes d'épices et de raisins frais, et son excellent Manjimup Hermitage (rouge) aux arômes de cerise sont toujours bons.

SWAN VALLEY
En dépit d'un climat horriblement chaud et sec en été, les sols d'alluvions profondes retiennent bien l'eau. Mais l'évolution de l'industrie a contribué au déclin de plusieurs exploitations et à la concentration de la production à Houghton.

Evans & Tate
Les bâtiments viticoles et l'un des vignobles (Gnangara) de l'exploitation se trouvent ici, mais les meilleurs vins proviennent des raisins de Margaret River : un Sémillon frais et aromatique, un Chardonnay vif et plein de caractère, un Merlot soyeux, aux arômes de fruits rouges, et un Cabernet-Sauvignon charpenté, dont les arômes de pain grillé proviennent de la barrique.

Houghton
Voir encadré ci-contre.

Lamont
Corin, la fille du regretté Jack Mann, a repris les méthodes de son père pour produire un White Burgundy, un Light Red Cabernet, un Hermitage et un Chardonnay.

Moondah Brook Estate
Cette marque de Houghton utilise des raisins de Chenin et Verdelho du vignoble Moondah Brook et du Cabernet-Sauvignon de Margaret River et Frankland.

Olive Farm
Plus vieille exploitation vinicole d'Australie, Olive Farm a été fondée en 1829. Elle fait peu parler d'elle aujourd'hui, mais elle continue à produire avec compétence une gamme complète de vins de table et de vins mutés.

Sandalford
Fondé en 1840, Sandalford possède un vignoble important à Margaret River. Ses vins ont pourtant été régulièrement décevants jusqu'au millésime 1993, qui a vu l'arrivée du nouveau vinificateur, Bill Crappsley (autrefois chez Evans & Tate). Le Cabernet-Sauvignon assure le gros des ventes, mais les blancs de Verdelho sont plus prometteurs.

Westfield
John Kosovich, dont le père a fondé le vignoble en 1922, fait des merveilles depuis longtemps avec le Verdelho, le Chardonnay et le Cabernet-Sauvignon de Swan Valley. Il récoltera bientôt les premiers raisins de son petit vignoble situé à Pemberton.

WARREN BLACKWOOD
C'est l'une des régions viticoles les plus récentes d'Australie. L'altitude est variable, mais rafraîchit bien le climat et favorise les pluies d'hiver et de printemps. Quasiment tous les cépages importants y sont expérimentés, mais on porte une attention toute particulière au Chardonnay et au Pinot Noir.

Parmi les producteurs :
Donnelly River, Gloucester Ridge, Mounford, Piano Gully, Smithbrook, Warren Vineyard.

DARLING RANGE
Darling Range, appelé aussi Perth Hills (collines de Perth), se trouve à 15 km de Perth. La plupart des vignobles sont situés entre 150 et 400 m d'altitude et n'ont pas besoin d'être irrigués. Les cépages blancs dominent (Chardonnay, Sémillon et Sauvignon), mais ils ne totalisent à eux tous qu'environ 50 ha.

Parmi les producteurs :
Avalon, Carosa Vineyard, Chittering Estate, Coorinja Vineyard, Cosham, Darlington Estate, Hainault, Piesse Brook, Scarp Valley.

NOUVELLE-ZÉLANDE

BIEN QU'ELLE PRODUISE DIX FOIS MOINS DE VINS QUE L'AUSTRALIE
VOISINE, LA NOUVELLE-ZÉLANDE S'EST FAIT UNE PLACE DE CHOIX SUR
LE MARCHÉ INTERNATIONAL, NOTAMMENT GRÂCE AUX VINS BLANCS.

Le pic de Te Mata dominant le vignoble de Hawke's Bay près
d'Hastings, l'une des régions viticoles majeures de la côte est
de l'île du Nord. Les rangs de vigne espacés permettent
une mécanisation plus facile de la viticulture.

L'industrie vinicole moderne en est à ses débuts en Nouvelle-Zélande, mais elle a acquis une réputation mondiale sans aucun rapport avec sa dimension et son ancienneté. Avec le slogan « des vins de climat frais », les vins néo-zélandais se sont donné une personnalité facile à mémoriser et immédiatement populaire. Ils sont vifs et fruités, possèdent acidité et concentration aromatique. Ils évitent une certaine lourdeur au profit de l'élégance et de l'équilibre. Il n'est pas étonnant que les vins de Nouvelle-Zélande aient trouvé des amateurs en Europe, dans les deux Amériques et en Extrême-Orient. Ils sont parfaitement représentés par deux vins blancs qui ont séduit les dégustateurs du monde entier. Le premier est le Sauvignon, issu du cépage qui donne naissance aux grands blancs français que sont le Sancerre et le Pouilly Fumé. En Nouvelle-Zélande, il prend une intensité aromatique magnifique. Le second est issu de Chardonnay, autre cépage présentant dans ce pays une remarquable acidité naturelle, équilibrée par la rondeur due à la fermentation malolactique, au recours au bois neuf, et de belles notes de fruit. À ces deux types de vin s'en ajoute un troisième, en rapide progrès : le Cabernet-Sauvignon, assoupli avec un peu de Merlot, dont l'élégance commence à se rapprocher de celle des vins de Bordeaux. De par sa latitude, on s'attendrait à ce que la Nouvelle-Zélande ait un climat chaud, un peu comme dans les vignobles espagnols. En réalité, la position isolée de ce pays au sud de l'océan Pacifique lui vaut un climat variable, avec de forts vents du sud – souvent froids – soufflant de l'Antarctique. La région de Northland, à la pointe septentrionale de l'île du Nord, est en fait semi-tropicale, alors que l'extrême sud de l'île du Sud, vers Dunedin et Invercargill, peut connaître des hivers rigoureux et des étés frais. Dans les deux îles, les vignobles se situent entre ces deux extrêmes climatiques. Ceux d'Auckland, les plus au nord, sont aujourd'hui en déclin. Les nouvelles plantations sont concentrées dans une zone tempérée allant du centre de l'île du Nord (Gisborne et Hawke's Bay, sur la côte orientale) vers le sud, en passant par la vallée de Wairarapa, jusqu'à la région de Martinborough, ainsi que dans le nord de l'île du Sud, dans les régions de Marlborough et de Nelson.

L'histoire des vins

L'industrie vinicole actuelle – orientée vers la production de bons vins de cépages issus surtout de variétés françaises – a connu un développement rapide depuis les années 1970, mais la viticulture néo-zélandaise, comme celle de l'Australie, date en fait de la colonisation européenne. La vigne fut introduite en 1819 par un missionnaire anglais, le révérend Samuel Marsden, qui planta à Kerikeri, dans la région du Northland, les premiers ceps apportés d'Australie. Les premiers vins furent en revanche l'œuvre de James Busby, qui joua lui aussi un rôle considérable dans le développement de la viticulture australienne. Il arriva en Nouvelle-Zélande en 1832 et, quatre ans après avoir planté ses premiers ceps, il faisait du vin à Waitangi, toujours dans le Northland.

Outre les fervents Britanniques de la première heure, des immigrants français, allemands et dalmates apportèrent indirectement leur contribution à la croissance de l'industrie vinicole au cours du XXᵉ siècle : venus exploiter la gomme (résine fossilisée d'un arbre, le kaori) et ne pouvant se passer de vin sur leur lieu de travail, ils finirent par s'occuper de vinification à plein temps.

Outre les problèmes dont souffrirent tous les vignobles au XIXᵉ siècle – dont le phylloxéra, qui atteignit la Nouvelle-Zélande en 1895 –, les producteurs de ce pays durent affronter la chute de la consommation résultant d'un puissant mouvement de tempérance. Les effets de cette tradition d'abstinence continuèrent à se faire sentir jusqu'en 1989, lorsque les supermarchés furent pour la première fois autorisés à vendre de l'alcool.

Les tendances récentes

Jusque vers les années 1970, une grande partie du vin produit était mutée et vendue sous les noms de « Sherry » ou « Porto », selon le style et le degré de douceur. Depuis, les vins non mutés ont pris une importance croissante. À la même époque, plus des deux tiers des vignobles de Nouvelle-Zélande étaient en outre plantés d'hybrides – croisement de variétés américaines et européennes – qui ont presque totalement disparu aujourd'hui. En matière de viticulture, la Nouvelle-Zélande est toujours en pleine mutation et ce n'est que depuis les années 1980 que des zones viticoles ont été définitivement établies, avec une culture de cépages spécifiques et une expérimentation continue.

Quand l'implantation de cépages européens prit le dessus sur celle d'hybrides, il fut décidé de planter des variétés allemandes, en particulier le cépage blanc Müller-Thurgau. Or, peu à peu, les viticulteurs comprirent que le climat néo-zélandais ressemblait plus à celui du centre de la France qu'à celui de l'Allemagne et se mirent à planter du Sauvignon au début des années 1970 et du Chardonnay au milieu des années 1980. Les cépages allemands, qui formaient la base de la production de vins bon marché en vrac ou en Cubitainers, furent remplacés par des variétés françaises, considérées comme plus adaptées au style particulier des vins de Nouvelle-Zélande. Parmi les cépages rouges, seul le Cabernet-Sauvignon, déjà planté par James Busby, a une longue histoire dans le pays.

Après la campagne d'arrachage de près d'un quart des vignes lancée en 1986 en raison d'une surproduction, la surface viticole a recommencé à croître, surtout en cépages nobles, passant de 5 000 ha en 1988-1990 à 9 000 ha en 1998. Aujourd'hui, la croissance de la production dépend en grande partie du marché mondial. Les exportations ont connu une augmentation spectaculaire : 23 000 hl en moyenne par an entre 1986 et 1990, 131 000 hl en 1997 (sur une production de 550 000 hl). L'avenir vinicole de la Nouvelle-Zélande est une question de qualité et non de volume. Or, si elle peut facilement rivaliser avec l'Australie sur le plan de la qualité, elle aura plus de difficultés sur celui du prix.

La structure de l'industrie vinicole

Pour satisfaire la demande intérieure et extérieure, l'industrie du vin s'est à la fois concentrée et diversifiée. En 1992, trois gros producteurs représentaient à eux seuls 85 % des ventes, 78 % de la production et 65 % des exportations, mais on trouvait aussi 163 exploitations plus petites. En cela, comme en bien d'autres choses, le secteur vinicole de Nouvelle-Zélande ressemble à celui de l'Australie. Dans les deux pays, les géants dominent, mais offrent aussi – heureusement – une gamme de qualité. On trouve également des points de vente dans quelques petites caves qui produisent certains des meilleurs vins et ont un service commercial très actif. Entre les deux, des exploitations vinicoles offrent certains vins de grande qualité dans des quantités relativement importantes. Beaucoup d'investisseurs ont traversé la mer de Tasman : Cloudy Bay, par exemple, la plus célèbre exploitation de Marlborough, est associée au producteur Cape Mentelle d'Australie-Occidentale.

L'évolution de la viticulture

En Nouvelle-Zélande, l'industrie du vin s'est développée vers le sud en partant de la région d'Auckland. Dans bien des endroits, la viticulture est apparue pour des raisons plus sociologiques que climatiques, de sorte que les vignobles ne sont pas forcément implantés là où l'on s'y attendrait. Beaucoup d'exploitations qui cultivaient autrefois leurs raisins à Auckland les achètent aujourd'hui à des viticulteurs sous contrat dans des zones convenant mieux à la vigne. Certains continuent de vinifier les raisins sur place, alors que d'autres les transportent du vignoble au chai par camions frigorifiques.

Beaucoup de régions, même celles où la viticulture est récente, enregistrent une pluviosité forte ou assez forte, de sorte que le principal problème est souvent la croissance exubérante des vignes. Une taille sévère pendant la période de croissance et une conduite de la vigne assurant aux baies un maximum d'exposition ont été adoptées. Ces techniques ont été imitées ailleurs.

L'île du Nord

Les trois quarts des vignes de Nouvelle-Zélande sont toujours cultivées dans l'île du Nord, en dépit des inconvénients climatiques, mais les producteurs tendent à prendre leurs raisins plus au

LES RÉGIONS VITICOLES DE NOUVELLE-ZÉLANDE

Une grande variété de sols et de climats fait la richesse
du vignoble néo-zélandais, de Northland, dans l'île
du Nord, à Otago, dans l'île du Sud. Auckland, Gisborne
et Hawke's Bay ont été les premières des régions viticoles
les plus importantes de Nouvelle-Zélande à acquérir
leurs lettres de noblesse ; les nouvelles zones de Wairarapa,
dans l'île du Nord, et de Marlborough, dans l'île du Sud,
reconnues seulement depuis le début des années 1980,
sont encore en cours de développement.

sud, en achetant ou en plantant des vignobles, ou encore en achetant leur récolte à des viticulteurs.

Auckland, au nord de l'île, est la plus ancienne région viticole de Nouvelle-Zélande, mais son climat humide aux fortes pluies automnales favorisant le mildiou ne convient pas à la vigne. Les sols sont le plus souvent lourds et argileux, de sorte qu'un bon drainage est indispensable.

Bien que la surface totale du vignoble ait diminué – il produit aujourd'hui moins de 7 % des raisins du pays –, des zones relativement importantes subsistent à Henderson, Kumeu, Huapai et sur l'île Waiheke dans la baie d'Auckland. C'est plutôt une région de vin rouge, avec le Cabernet-Sauvignon pour principal cépage.

Waikato et la baie de Plenty, au sud d'Auckland, sont deux zones relativement proches, mais distinctes. Cette partie du pays a été colonisée plus tard en raison des guerres du XIXe siècle entre Maoris et Européens pour l'occupation des terres, mais elle est depuis longtemps associée à la viticulture. Romeo Bragato, un viticulteur italien venu d'Australie, y créa un vignoble expérimental dès la fin du siècle dernier et la station gouvernementale de recherche viticole se trouve à Te Kauwhata.

Le risque de fortes pluies automnales entraînant la pourriture du raisin persiste, avec les pertes que cela implique. Les sols varient. Les vignobles de Waikato sont situés près de Hamilton et autour de l'estuaire de Thames, alors que la baie de Plenty se trouve plus à l'est. Les cépages les plus cultivés sont le Sauvignon et le Chenin, en remplacement du Müller-Thurgau.

Gisborne, au sud-est de la baie de Plenty, avec de riches sols alluviaux à haut rendement, est une région de forte production. Il y pleut en automne, mais rarement assez pour endommager la récolte. Le principal problème est celui des gelées de printemps, une menace récurrente. C'est surtout une zone de vins blancs où le Müller-Thurgau domine encore, suivi par le Muscat Dr Hogg, le Chardonnay, le Reichensteiner et le Gewürztraminer. Une bonne partie du vin part en vrac pour être conditionnée en Cubitainers. Les exploitations locales sont rares ; parmi elles, se trouve la seule entreprise néo-zélandaise appliquant les méthodes de biodynamie.

Hawke's Bay, sur la côte est de l'île du Nord, entre Napier et Hastings, a longtemps été une région pionnière et convient bien à la viticulture : grâce à beaucoup de soleil et à de faibles pluies en automne, le raisin mûrit bien, en dépit du risque de gelées printanières. Les meilleurs sols sont composés de graves bien drainées.

Le cépage de loin le plus cultivé est le Müller-Thurgau, suivi d'un cépage rouge, le Cabernet-Sauvignon. Cette zone est en effet à l'origine de certains des meilleurs vins rouges du pays. Beaucoup d'autres régions achètent des raisins à Hawke's Bay, la plus grande zone viticole de qualité de l'île du Nord.

Wairarapa, au sud de l'île, possède un vignoble encore relativement peu étendu, mais ses rouges de Pinot Noir ont une réputation internationale. Son arrivée dans le monde du vin est récente (les premiers vignobles contemporains ont été plantés en 1978), mais c'est la « nouvelle » région viticole la plus en vogue de Nouvelle-Zélande. On y cultive aussi certains cépages blancs, dont le Chardonnay, le Sauvignon et le Gewürztraminer.

Au cœur de Wairarapa se trouve la ville de Martinborough, située au centre d'un petit plateau appelé Martinborough Terrace. Cette zone est abritée par les montagnes de Tararua, de sorte que la pluviosité annuelle est faible. Le seul problème est le vent, qui impose l'installation de brise-vent. Les meilleurs sols sont des limons graveleux bien drainés, autour de Martinborough.

LES CÉPAGES ET LES STYLES DE VIN

Cépages blancs

Le Chardonnay est le cépage blanc le plus répandu en Nouvelle-Zélande : on en trouve dans chaque région viticole, celles de Marlborough et de Hawke's Bay produisant les styles de vin les plus typiques. Les vins de Chardonnay sont généralement élevés dans le bois et associent des saveurs bien mûres à une belle acidité.

Le second cépage de qualité est le Sauvignon. La plupart viennent de Marlborough, tandis que ceux de Hawke's Bay ont plus de rondeur.

Le Riesling provient surtout de South Island et de Hawke's Bay, où il donne des vins blancs secs et des vins liquoreux.

Le Müller-Thurgau vient juste après le Chardonnay en termes de superficies plantées. Il donne des vins blancs demi-secs ou moelleux utilisés dans des assemblages ou pour la vente en Cubitainers. On le cultive surtout à Gisborne.

Parmi les autres cépages blancs, on trouve le Sémillon, le Gewürztraminer, le Chenin et le Palomino (pour des vins de type Xérès).

Cépages rouges

Le Cabernet-Sauvignon est le cépage rouge le plus répandu en Nouvelle-Zélande. Il est surtout cultivé dans la région d'Auckland, en particulier dans l'île Waiheke ; à Hawke's Bay, dont les vins ont beaucoup de caractère, et à Marlborough, qui commence à se faire une réputation dans ce domaine.

Ce cépage est de plus en plus souvent assemblé avec du Merlot pour obtenir des vins plus équilibrés ; vinifié seul, il prend un goût légèrement herbacé.

La plupart des fameux Pinots Noirs de Nouvelle-Zélande sont produits dans la région de Wairarapa, autour de Marlborough, mais d'autres, à Canterbury, et à Central Otago notamment, ont à l'occasion donné un vin exceptionnel, qui laisse présager le grand potentiel de ce cépage. Pour l'instant, une bonne partie du Pinot Noir est assemblée avec du Chardonnay pour produire des vins effervescents méthode traditionnelle, surtout à Marlborough.

Certains Merlots de Hawke's Bay et de Marlborough parfois vinifiés seuls indiquent que la Nouvelle-Zélande est capable de produire des vins de niveau mondial dans cette catégorie. Pour l'instant, la belle maturité normalement atteinte par ce cépage est surtout utilisée pour arrondir des vins de Cabernet-Sauvignon parfois trop verts, donnant ainsi des vins d'assemblage.

L'île du Sud

Plantés en même temps que ceux de North Island, la plupart des vignobles avaient été abandonnés et les producteurs n'ont compris leur potentiel que dans les années 1970.

Nelson, sur la côte nord, est une région viticole peu étendue, bien que la culture de la vigne y remonte aux années 1860. C'est l'endroit le plus chaud de l'île, où l'ensoleillement est important malgré un risque de pluie en automne et de gel au printemps. Chardonnay et Riesling sont les cépages les plus courants.

Marlborough, au sud-est de Nelson, dans les larges plaines de Wairau, est désormais la plus grande région viticole de Nouvelle-Zélande. Pourtant, c'est seulement en 1973 que Montana, la plus grande société vinicole du pays, y a créé un premier vignoble. C'est l'une des zones les plus sèches et les plus ensoleillées de tout le pays, même si des gelées peuvent se produire au printemps, et les conditions de lente maturation conviennent aux cépages blancs – Müller-Thurgau, Sauvignon, Chardonnay et Riesling. Le Cabernet-Sauvignon est le principal cépage rouge, mais donne ici des vins au goût herbacé en raison du manque de maturité des raisins. Plusieurs exploitations d'Auckland achètent du raisin à Marlborough, ou y font faire leur vin.

Canterbury-Christchurch, à l'est de l'île, est une région dont l'intérêt date du début des années 1970. Des colons français y ont planté des vignes en 1840. Une grande confusion continue de régner quant au type de vin sur lequel les producteurs devraient faire porter leurs efforts, dans cette région plutôt fraîche. Sa faible pluviosité et ses longs automnes aux journées chaudes et aux nuits fraîches conviennent très bien à la viticulture. Les sols sont composés de limons recouvrant du gravier d'origine fluviale.

Central Otago, plus au sud, est la plus petite zone viticole du pays. Son climat convient particulièrement bien au Pinot Noir, au Gewürztraminer et aux autres cépages blancs. La belle saison y est courte, mais les automnes sont secs et bien ensoleillés. □

Vignoble de Gibbston Valley (Central Otago) au sud de l'île du Sud.

LA LÉGISLATION VINICOLE

Convaincus qu'un vin se vend pour son goût et non pour sa provenance, les Néo-Zélandais sont moins soucieux de législation que les Européens en matière d'étiquettes.

Comme d'autres nouveaux pays vinicoles, les producteurs de Nouvelle-Zélande ont utilisé des noms français et allemands pendant des années pour identifier le style de leurs vins. Depuis 1983, la législation est devenue plus stricte et les étiquettes portant un nom de cépage sont désormais pratique plus courante. Un vin de cépage doit être issu à 85 % du cépage indiqué; si c'est un vin d'assemblage, le cépage dominant est mentionné en premier. Les autres informations sont classiques : millésime, producteur, contenance et degré alcoolique. On peut trouver la mention « estate-bottled » (mis en bouteille au domaine), mais elle ne signifie pas grand-chose en Nouvelle-Zélande où l'on transporte couramment les raisins sur des centaines de kilomètres, du vignoble au centre de vinification.

Un nom régional figure sur l'étiquette si le vin provient en totalité de cette région (raisins cultivés et vinifiés sur place): Marlborough et Hawke's Bay sont les régions les plus fréquemment citées. La zone de Wairarapa, avec la ville de Martinborough, s'est imposé elle-même un système d'étiquetage : une petite étiquette adhésive portant la mention « 100 % Martinborough Terrace Appellation Committee » certifie que le vin est originaire à 100 % de la région.

Depuis 1994, un système d'enregistrement délimite les zones de production en traçant les frontières de régions reconnues, de sous-régions et même de vignobles portant un nom.

Le gouvernement de Nouvelle-Zélande soutient l'industrie du vin depuis la fin du XIXe siècle. Dans les années 1960 et 1970, les fermiers – pas seulement les producteurs de vin – furent encouragés à planter de la vigne sur les terres disponibles. Cela explique les grandes quantités de raisins fournies actuellement à l'industrie par des viticulteurs sous contrat, mais également l'arrachage de nombreux hybrides de piètre qualité.

Plus récemment, le gouvernement a décrété plusieurs plans d'arrachage pour lutter contre la surproduction. Le dernier, mis en place après la vendange de 1985, portait sur 1 515 ha et ne concernait pas que des cépages inférieurs. Pourtant, en raison d'une demande aujourd'hui tournée vers l'exportation, le vignoble est actuellement plus étendu qu'en 1985.

PRODUCTEURS ET NÉGOCIANTS

Les quatre cinquièmes des raisins utilisés par l'industrie vinicole de Nouvelle-Zélande sont fournis par des viticulteurs sous contrat et non pas cultivés par ceux qui les vinifient. Cela explique l'importance accordée dans la liste ci-dessous à la provenance des raisins. Le moindre centre de vinification possède des équipements de technologie récente et se caractérise par son autonomie et l'enthousiasme accompagnant une industrie nouvelle.

L'ÎLE DU NORD

La plupart des centres de vinification établis de longue date se trouvent sur l'île du Nord.

Ata Rangi

Ce petit mais remarquable vignoble de Wairarapa produit un beau Pinot Noir, un vin rouge baptisé Célèbre (Cabernet-Sauvignon, Merlot et Syrah) et un magnifique Chardonnay.

Babich

Cet exemple des nombreuses exploitations vinicoles créées par des immigrants dalmates appartient toujours à la famille Babich. Celle-ci achète des raisins, mais possède par ailleurs des vignes à Henderson, au nord d'Auckland. La gamme Irongate, provenant de Hawke's Bay, est la meilleure : elle comprend un Chardonnay et un assemblage Cabernet/Merlot. Un Sauvignon Blanc vient de Marlborough et un Sémillon/Chardonnay de Gisborne.

Brookfield

Peter Robinson possède 3,5 ha à Hawke's Bay et achète le reste de ses raisins dans la région. Ses deux principaux vins sont un Chardonnay et un assemblage de Cabernet et de Merlot.

Collard Brothers

La famille Collard est l'une des rares à produire de beaux blancs de Chenin. Elle fait aussi des Chardonnays issus des quatre principales zones viticoles du pays : Auckland, Gisborne, Hawke's Bay et Marlborough. Les Collard sont basés à Henderson.

Coopers Creek

Cette jolie exploitation vinicole située à Huapai, au nord d'Auckland, produit une large gamme de vins de cépage dont le plus célèbre est sans doute le Swamp Reserve Chardonnay, issu de raisins locaux. Un Chardonnay provenant de Parker's Vineyard à Gisborne s'est ajouté à la liste en 1992. Le Coopers Red est issu de Pinot Noir.

Corbans

Deuxième entreprise vinicole de Nouvelle-Zélande, le groupe a des centres de vinification à Te Kauwhata, Hawke's Bay, Gisborne et à Marlborough, ce dernier en commun avec la société australienne Mildara-Blass. Les meilleurs vins sont ceux de Stoneleigh Vineyard à Marlborough – du Chardonnay, du Sauvignon et, plus récemment, des rouges comme le Malbec. Les Rieslings sont depuis longtemps une spécialité de la marque Corbans. La marque Cooks, quant à elle, est réservée aux vins de Hawke's Bay.

Delegat's

Delegat's, une exploitation vinicole familiale de Henderson, a rationalisé son abondante gamme de produits. De Hawke's Bay viennent une série de vins de cépage bon marché et la gamme supérieure Proprietor's Reserve ; un Chardonnay et un Sauvignon (marque Oyster Bay) proviennent de Marlborough.

De Redcliffe

Ce petit centre de vinification s'inscrit dans un complexe de loisirs situé dans la région de Waikato. À partir de 14 ha couvrant la moitié de ses besoins et de raisins achetés dans la région de Marlborough, De Redcliffe produit une gamme variée allant d'un savoureux Riesling de Marlborough ou d'un Sauvignon Blanc de Marlborough, aux arômes typiquement végétaux, à des blancs de Sémillon très boisés. Un Chardonnay et un Pinot Noir proviennent de Hawke's Bay.

Dry River

Neil McCallum cultive son petit vignoble à l'écart des tendances générales de la région de Wairarapa. Bien qu'il produise du Pinot Noir, il consacre plus de temps à des cépages blancs comme le Riesling, le Gewürztraminer et le Pinot Gris. Son Gewürztraminer sec est particulièrement réussi, tout comme son Pinot Gris, dont il extrait les arômes secs et poivrés qu'un tel vin présenterait en Alsace.

Esk Valley

Depuis son rachat en 1987 par Villa Maria, le changement de cap de cette entreprise vinicole de Hawke's Bay est spectaculaire. Désormais spécialisée dans les vins de qualité, elle marche sur les traces de Villa Maria en produisant de bons assemblages de Cabernet et de Merlot.

Goldwater

L'île de Waiheke s'est fait connaître grâce au vin de « style bordelais » de Goldwater. Cet assemblage de Cabernet-Sauvignon, Cabernet Franc et Merlot a besoin de temps pour mûrir, mais il présente toujours de belles notes fruitées au-delà de ses tanins. Au rouge s'ajoutent maintenant le Dalimore Vineyard Chardonnay, qui passe de neuf à dix mois dans le bois, et le Sauvignon Blanc élevé en barriques de chêne.

Kumeu River

On est passé ici des vins mutés à un style ouvertement français, avec des Chardonnays à goût de miel, du Sauvignon vinifié dans le bois et un assemblage de cépages bordelais (40 % de Cabernet-Sauvignon, 40 % de Cabernet Franc et 20 % de Merlot). Le chai de vinification, propriété de la famille Brajkovich, continue d'utiliser des raisins d'Auckland.

Lincoln

Cette exploitation appartient à la famille Fredatovich. Sa gamme comprend un Chardonnay de Parklands Vineyard à Brighams Creek, un Chenin Blanc et des vins de cépages allemands aromatiques.

Martinborough

Le Pinot Noir et le vignoble de Martinborough sont indissolublement liés. Avec 10 ha de vignes en propre et davantage sous contrat, l'exploitation couvre l'essentiel de ses besoins. Il y a aussi du Chardonnay, du Sauvignon et du Gewürztraminer.

Matawhero

Les principaux vins produits sur ce vignoble de 30 ha situé à Gisborne sont un Chardonnay, un Gewürztraminer, un assemblage de Cabernet et de Merlot, un Pinot Noir et un Syrah. Denis Irwin, le propriétaire, n'utilise que des levures naturelles.

Matua Valley

Matua Valley, l'une des exploitations les plus innovatrices, produit une large gamme de vins de cépage dont certains, comme M – l'un des meilleurs vins effervescents de Nouvelle-Zélande –, ne peuvent être achetés qu'au chai de Waimauku, au nord d'Auckland. La famille Spence, qui dirige l'affaire, figure parmi les premiers producteurs de Sauvignon en Nouvelle-Zélande. Elle a récemment commencé à produire dans la région de Marlborough du Sauvignon, du Riesling et du Chardonnay (récompensés dans les concours) sous la marque Shingle Peak.

The Millton Vineyard

Cette entreprise renommée se trouve à Gisborne, où la famille Millton produit un Chardonnay vinifié dans le bois, très réputé, un Riesling botrytisé et un Chenin dans le style des vins de Loire. Son système de culture biodynamique utilise des plantes au lieu de produits chimiques pour lutter contre maladies et insectes.

Mission

Presque âgée de 150 ans, cette exploitation de Hawke's Bay appartenant à un ordre religieux produit une vaste gamme de bons vins de cépage à bas prix. Témoignant d'un renouveau qualitatif, le Chardonnay Saint Peter Chanel Vineyard Reserve présente beaucoup d'intensité et de saveur.

Montana

C'est le plus grand groupe vinicole du pays et l'un des plus novateurs. Montana a été le premier à planter du Sauvignon à Marlborough. Son excellent blanc mousseux méthode traditionnelle, Deutz Marlborough Cuvée (joint-venture avec la société française Champagne Deutz), est issu de raisins provenant de Marlborough. Une association avec la société australienne Penfolds vise à rehausser le niveau des vins rouges. Plus récemment, Montana a repris des vignobles de

Hawke's Bay (marque Church Road). La société produit une vaste gamme de vins bon marché, dont certains sont très populaires : Wohnsiedler, Blenheimer, Chablisse et Chardon. Elle possède des centres de vinification à Gisborne, Hawke's Bay, Marlborough et Auckland.

Morton Estate

Cette exploitation vinicole de la baie de Plenty s'est fait une solide réputation, surtout grâce à son Chardonnay. Responsable des vinifications, John Hancock utilise des raisins de Riverview Vineyard pour son Black Label Chardonnay. Son vin rouge issu de Cabernet et de Merlot est ample et robuste. La gamme comprend aussi deux Pinots Noirs et trois vins mousseux méthode traditionnelle, dont le tout nouveau Black Label.

Ngatarawa

Alwyn Corban gère selon des méthodes biologiques ce vignoble de 15 ha situé à Hawke's Bay. La gamme de la maison comprend le Glazebrook, issu de Cabernet et de Merlot, le Chardonnay Alwyn et un Riesling botrytisé.

Nobilo Vintners

Propriété de la famille Nobilo, cette exploitation vinicole est l'une des principales du pays. Les raisins viennent de Gisborne, Hawke's Bay et Marlborough, ainsi que de vignobles en propre. Produisant surtout du Chardonnay, Nobilo offre une gamme complète comprenant l'un des rares vins de Pinotage (rouge) produits en Nouvelle-Zélande.

Palliser Estate

L'un des nouveaux venus de Wairarapa (premier millésime en 1989) est aussi l'un des principaux, avec 30 ha plantés et d'autres en prévision. Le meilleur vin est un Pinot Noir.

C. J. Pask

Chris Pask possède 35 ha de vignes à Hawke's Bay. Avec la

collaboration de Kate Radburn, responsable de vinification collectionnant les médailles, il produit du Chardonnay, du Sauvignon, un assemblage de Cabernet et de Merlot et une gamme bon marché baptisée Roy's Hill.

Selaks

Les raisins viennent des 45 ha entourant le chai de Kumeu (Auckland), de vignobles de Marlborough, Gisborne et Hawke's Bay. La marque haut de gamme, Founders, comprend un Sauvignon élevé sous bois, un Chardonnay, un Cabernet-Sauvignon et Mate I, un Mousseux.

Stonyridge

Le meilleur vin de ce domaine voué au rouge est Larose, un assemblage associant Cabernet-Sauvignon, Merlot, Cabernet Franc et Malbec. Il est réputé pour être l'un des plus beaux vins de

Nouvelle-Zélande dans cette catégorie de style bordelais.

Te Kairanga

Vaste et ambitieux domaine de 32 ha à Wairarapa, Te Kairanga produit un Pinot Noir fruité, un Cabernet-Sauvignon, un Chardonnay vinifié en cuve, un Reserve Chardonnay et un Sauvignon fermentés en fût et un rouge léger baptisé Nouveau Rouge, assemblage de Pinot Noir, Cabernet-Sauvignon et Durif.

Te Mata Estate

Voir encadré ci-dessous.

Vidal

Fondée en 1905, cette exploitation vinicole de Hawke's Bay fait aujourd'hui partie du groupe Villa Maria. Le Reserve, issu de Cabernet-Sauvignon et de Merlot, est un vin robuste, mais toujours élégant. Le Reserve Cabernet-Sauvignon est également de bon

---

TE MATA ESTATE

Te Mata, la plus fameuse exploitation vinicole de Hawke's Bay et la plus ancienne du pays, produit les vins les plus prestigieux de Nouvelle-Zélande. La vigne y a été plantée en 1892, mais le vignoble a décliné après la crise des années 30. Ce n'est qu'après son rachat en 1974 par John Buck et Michael Morris que l'exploitation a repris de la vigueur. Le chai et les dépendances, récemment restaurés, sont des exemples marquants d'architecture moderne. Les meilleurs vins sont le Coleraine (Cabernet-Sauvignon et Merlot), généreusement fruité, et l'ample Elston Chardonnay, deux vins de cru. Il y a aussi Awatea, un assemblage de Cabernet-Sauvignon et de Merlot, Te Mata, un autre assemblage des mêmes cépages, Castle Hill Sauvignon Blanc, un rosé et des blancs secs d'assemblage.

niveau : tous deux bénéficient d'un élevage sous bois soigné. Le Reserve Chardonnay est également réputé. La gamme Private Bin est plus courante.

Villa Maria

George Fistonich est à l'origine du succès des vins rouges de ce groupe. Il présente une Cellar Selection ainsi que les gammes Reserve et Private Bin issues de raisins provenant de Hawke's Bay et de Marlborough : Cabernet-Sauvignon, assemblages de Cabernet et de Merlot, Chardonnay, Syrah, Riesling botrytisé, Sauvignon et Gewürztraminer.

Waimarama

John Loughlin produit des rouges haut de gamme de « style bordelais » dans cette exploitation de Hawke's Bay. Les premiers vins, depuis le millésime 1991, ont été un assemblage de Cabernet-Sauvignon et de Merlot et un Cabernet-Sauvignon vinifié seul.

L'ÎLE DU SUD

Les vinificateurs n'ont vraiment commencé à apprécier le potentiel viticole de l'île du Sud que depuis les années 1970.

Cellier Le Brun

Cette entreprise de Marlborough, créée par Daniel Le Brun, descendant d'une longue lignée de producteurs français de Champagne, continue à produire, après son récent rachat, une série de grands vins effervescents, dont les meilleurs sont la cuvée millésimée, un Blanc de Blancs et un rosé.

Chard Farm

Ce vignoble situé sur un coteau de Central Otago s'est spécialisé dans le Chardonnay et le Pinot Noir. On y cultive également du Riesling.

Cloudy Bay

Voir encadré ci-dessous.

Gibbston Valley

Ce vignoble situé près de la rivière Kawarau a été planté en 1981. Il produit toute une série de vins afin de déterminer les cépages convenant le mieux à la brève saison de croissance et au climat continental de Central Otago. Les cépages utilisés comprennent Riesling, Müller-Thurgau, Gewürztraminer, Pinot Gris, Sauvignon, Chardonnay et Pinot Noir.

Giesen

Le plus grand domaine viticole (20 ha) de Canterbury a été fondé en 1984 par les frères Giesen, venus d'Allemagne. Ils produisent de remarquables Rieslings de vendanges tardives, ainsi que de bons Chardonnays et Sauvignons.

Grove Mill

Grove Mill s'est rapidement fait une place à Marlborough, en particulier grâce à son onctueux Landsdowne Chardonnay. Parmi les autres vins, on trouve un Gewürztraminer, un Sauvignon et un Cabernet-Sauvignon délicieusement fruité.

Hunter's

Le Sauvignon est ici en vedette : dans sa version non boisée, il respecte le style vif et fruité propre à Marlborough. Le vignoble de 18 ha produit également un Chardonnay fermenté en fût, souple et doté d'arômes de fruits exotiques, un Gewürztraminer souple et légèrement doux, et un Cabernet-Sauvignon rond et poivré.

Jackson

Cette exploitation vinicole de Marlborough est de création récente, mais son vignoble a alimenté les producteurs locaux en raisin depuis 1987. La famille Stitchbury a présenté son premier millésime en 1991 et le Sauvignon a immédiatement fait sensation, rivalisant avec celui de Cloudy Bay.

Neudorf

Les Finn cultivent ce petit domaine de 5 ha à Nelson. Ils produisent un Chardonnay ample, un Sauvignon aux arômes de fruits exotiques, du Riesling et du Pinot Noir.

Omihi Hills

Des vins de Pinot Noir et de Chardonnay haut de gamme, telle est l'ambition de ce vignoble de 6,5 ha au nord de Canterbury, qui a sorti son premier millésime de volume notable en 1992.

Rippon

Rippon a commercialisé ses premiers vins en 1989 et s'est rapidement fait une réputation, surtout pour ses vins de Pinot Noir, Sauvignon et Chardonnay.

Saint Helena

Après avoir atteint un sommet en 1982, avec un Pinot Noir qui a valu à Canterbury sa réputation, Saint Helena a connu des hauts et des bas. Aujourd'hui remis d'aplomb, le domaine produit également des vins de Chardonnay, Pinot Blanc et Pinot Gris.

Seifried / Redwood Valley

C'est le plus vaste domaine situé à Nelson. Ses 40 ha de vignes appartiennent à Hermann Seifried. Un Riesling botrytisé et un Riesling sec figurent parmi les meilleurs vins.

Vavasour

En établissant son vignoble loin du centre de la région de Marlborough (dans Awatere Valley), Peter Vavasour a pris des risques, mais cela en valait la peine. Son Cabernet-Sauvignon est considéré comme l'un des meilleurs rouges de l'île du Sud et rivalise avec ceux de Hawke's Bay.

Waipara Springs

Les vins de Chardonnay, Pinot Noir et Sauvignon produits par cette nouvelle exploitation vinicole du nord de Canterbury ont remporté des médailles.

CLOUDY BAY

Le Sauvignon de Cloudy Bay est à l'origine de la grande réputation de la Nouvelle-Zélande pour ce cépage. Avec sa plénitude et son ampleur, mais en conservant toujours ses notes végétales, ce vin est l'expression du climat frais qui caractérise la Nouvelle-Zélande et a retenu l'attention du monde du vin à la fin des années 80. Un excellent Chardonnay montre lui aussi ce juste équilibre entre bois, fruit et acidité qui marque le style de Marlborough. Cette exploitation, qui comporte un vignoble de 32 ha (aujourd'hui propriété du Champagne Veuve Clicquot et faisant partie de Cape Mentelle, entreprise vinicole de l'Ouest australien), produit aussi depuis peu des vins rouges – un vin issu de Cabernet-Sauvignon et de Merlot et un Pinot Noir – ainsi qu'un vin effervescent baptisé Pelorus.

AFRIQUE DU SUD

—

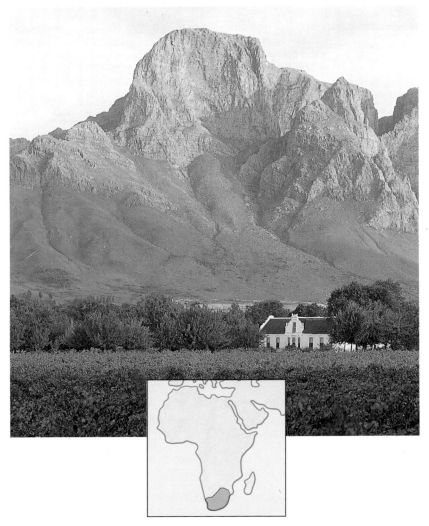

DEPUIS L'OUVERTURE POLITIQUE DU PAYS,

L'INDUSTRIE VINICOLE DE L'AFRIQUE DU SUD EST EN PLEINE

MUTATION ; SES VINS OCCUPENT UNE PLACE CROISSANTE

SUR LE MARCHÉ INTERNATIONAL.

—

En 1652, Jan Van Riebeeck fonda la station de ravitaillement de la Compagnie des Indes au cap de Bonne-Espérance et, peu après, fit venir d'Europe des boutures de vignes, persuadé qu'en buvant du vin les marins souffriraient moins du scorbut. Le 2 février 1659, il écrit dans son journal intime : « Aujourd'hui, Dieu soit loué, du vin des raisins du Cap a coulé pour la première fois. » Simon Van der Stel, son successeur en tant que gouverneur, et, lui aussi, connaisseur en vins, planta ses propres vignes, à Constantia, avec l'aide de réfugiés huguenots français expérimentés en viticulture et vinification. L'industrie ne cessa alors de prospérer.

La réduction des taxes sur le vin entre l'Angleterre et la France, en 1861, inaugure une longue période défavorable aux vignerons sud-africains, marquée par trois catastrophes successives : le phylloxéra (1886), la replantation des vignobles et la surproduction qui s'ensuivit (par manque de débouchés), puis la guerre des Boers (1899-1902). Cette tendance à la surproduction au début du XXe siècle est accentuée par le fait que, ironie du sort, le vignoble se remet finalement assez vite de la terrible maladie et attire les producteurs touchés par la dégringolade du marché des plumes d'autruche. Ces nombreux fermiers vendent leurs raisins à des coopératives et les prix subissent l'influence de puissants négociants. C'est ainsi qu'en 1918 est créée, à l'initiative des fermiers, la Ko-operatiewe Wynbouwers Vereniging (KWV), une coopérative subventionnée par l'État pour contrôler l'application de la législation, réduire la production (par un système de quotas), créer des produits susceptibles de trouver des débouchés commerciaux et stimuler la demande. La KWV garda longtemps les pleins pouvoirs que l'État lui avait confiés sur la filière viticole, depuis la production jusqu'à la commercialisation, en passant par le secteur œnologique, les droits de plantation et les statistiques propres à l'industrie viticole.

Inévitablement, l'isolement du pays entraîna une certaine inertie et l'impossibilité de suivre l'évolution des tendances mondiales, notamment en matière de cépages. Des lois strictes mirent le Chardonnay en quarantaine pendant des décennies. Aujourd'hui, le rôle de la KWV a évolué : elle administre toujours le secteur vitivinicole, mais ne dépend plus du gouvernement et ne contrôle plus la production, ce qui laisse toute latitude aux producteurs pour choisir leurs sites, planter les cépages qu'ils veulent et faire jouer la concurrence sur un marché libre. La KWV est également elle-même une société vinicole qui exploite des vignobles, élabore du vin et vend ses produits sur les marchés national et international. En 1996, l'énorme coopérative entama sa restructuration afin de pouvoir faire front dans un marché international fort concurrentiel. Elle fut transformée en un groupe de sociétés privées en décembre 1997, les membres eux-mêmes étant devenus les actionnaires.

Aujourd'hui les producteurs d'Afrique du Sud suivent les tendances et les techniques internationales. La vinification a changé radicalement depuis les années 1960, lorsque les vinificateurs du Cap ont conduit des fermentations à basse température pour obtenir des vins frais et aromatiques sous ce climat chaud. Soucieux de qualité, ils expérimentent l'élevage en barriques de chêne français. Enfin les normes de soins au moment des vendanges, celles de vinification, d'élevage et, d'une manière générale, d'hygiène se sont améliorées.

Côté vignoble, l'industrie viticole a, dès les années 1960, mis en place un programme de détection des virus et de certification du matériel, après avoir connu, dans la première moitié du XXe siècle, de graves problèmes d'infection. En 1986, un comité d'amélioration de la vigne (Vine Improvement Board), représenté par les producteurs indépendants, la KWV, les négociants et les pépiniéristes, a été créé pour mettre sur le marché les meilleurs plants certifiés. Mais les problèmes de virus et de maladie, dont le vignoble sud-africain a souvent été victime, persistent, notamment l'enroulement.

Beaucoup de producteurs voyagent pour acquérir de l'expérience et, notamment, se former aux cépages européens classiques, aujourd'hui plantés à grande échelle. Certains font les vendanges en Europe ou en Californie, d'autres préparent des diplômes d'œnologie en France, en Allemagne, en Australie ou en Nouvelle-Zélande. Tous sont conscients de la nécessité commerciale de faire les styles de vin correspondant à la demande du consommateur.

LES RÉGIONS VITICOLES D'AFRIQUE DU SUD

Le système d'appellation d'origine *(Wine of Origin Scheme)* a été créé en 1973. Quatre régions se déclinent en districts qui comportent chacun des wards : Coastal Region (districts de Paarl, Stellenbosch, Swartland et Tulbagh), Breede River Valley (districts de Robertson, Worcester et Swellendam), Klein Karoo (un seul district également ward : Calitzdorp), Olifants River. Trois districts ne font partie d'aucune région : Overberg, Piketberg et Douglas.

Régions viticoles

- Constantia
- Durbanville
- Olifants River
- Paarl-Wellington
- Swartland
- Tulbagh
- Stellenbosch
- Franschhoek
- Worcester
- Robertson
- Hermanus/Overberg Walker Bay
- Klein Karoo

N

0   25   50 km

Lutzville
Vredendal

Océan Atlantique

Lamberts Bay
Clanwilliam
Elands Bay
Citrusdal
Sutherland
Beaufort West

Olifants

PROVINCE DU CAP

Velddrif
Vredenburg
Berg
Piketberg
Saldanha
Moorreesburg
Tulbagh
Matjiesfontein
Laingsburg
Prince Albert
Yzerfontein
Ceres
Ladismith
Calitzdorp
Malmesbury
Wolseley
De Doorns
Oudtshoorn
Wellington
Worcester
Montagu
Barrydale
Paarl
Robertson
Ashton
George
Le Cap
Franschhoek
Bonnievale
Swellendam
Riversdale
Stellenbosch
Villiersdorp
Mosselbaai
Strand
Riviersonderend
Heidelberg
Caledon
Brée
Kleinmond
Hermanus
Witsand

Cap de Bonne-Espérance

Bredasdorp
Arniston

AFRIQUE

Le Cap

Près de Stellenbosch, les vendanges ont lieu en mars et avril, six mois plus tôt que dans l'hémisphère Nord.

Ouverture sur le monde

Après l'abolition de l'Apartheid, en 1991, puis l'élection de Nelson Mandela, en 1994, le vignoble sud-africain a enfin pu s'ouvrir sur le monde et établir des rapports commerciaux avec des nations qui, jusque-là, boycottaient le pays. L'industrie viticole, qui vivait en autarcie, a dû revoir son système de fonctionnement. D'autant qu'elle a pris un retard significatif : elle était fermée au moment même où, dans les années 1980, les progrès techniques et les pratiques œnologiques faisaient un bon pas en avant dans le reste du monde. Elle s'est notamment employée à reconvertir sa production, jusque-là essentiellement vouée au brandy, en raisins de cuve. Les fermiers, autrefois concentrés sur la quantité, durent changer leur philosophie en s'efforçant de faire de la qualité. Pour cela, il fallut convertir une partie du vignoble en passant de cépages destinés au vrac et à la distillation, à des cépages dits nobles, comme le Chardonnay, le Sauvignon, le Cabernet-Sauvignon, le Merlot, la Syrah et le Pinotage, plus prompts à plaire au goût international. Ces cépages ne repré-

sentaient en 1997 que 19 % de la totalité des plantations, contre une énorme majorité de Chenin Blanc, une variété passe-partout, capable de donner des vins blancs secs, des vins blancs doux comme du brandy.

En 1997, le Chenin Blanc diminuait doucement au profit des cépages nobles (32 % en 1987, 28,5 % en 1997). Les raisins blancs étant prédominants, les rouges occupent encore peu de place et le manque de vins rouges de qualité s'en ressent terriblement. Les grands vins existent pourtant, mais en quantité limitée, et sont souvent issus des mêmes zones : Constantia, Simonsberg, Helderberg. Le vignoble sud-africain suit en quelque sorte la mode internationale : en pleine mutation, il en est au stade de la recherche des terroirs intéressants pour y cultiver des raisins de qualité.

Entre 1995 et 1996, les exportations ont progressé de 35 %, passant de 8,2 millions de caisses de douze bouteilles à 11,1 millions, générant un revenu de 550 millions de rand. En 1990, elles étaient de 855 000 caisses, ce qui représente un bond de 1 300 % en

l'espace de sept ans. En 1999, elles se chiffrent à 129 193 314 litres, contre 118 407 948 en 1998 : la tendance à la hausse continue.

Depuis que le marché s'est libéré et que les quotas ne sont plus à l'ordre du jour, l'export, autrefois exclusivement réservé au KWV, est devenu la coqueluche des producteurs. De cinq membres en 1990, l'Association des exportateurs de vins et spiritueux (South Africain Wine and Spirit Exporters' Association) est passée à 160 en 1997, et à 350 en 2000. La majorité des vins sud-africains se vend au Royaume Uni et au Benelux, mais les Sud-Africains misent de plus en plus sur des marchés comme la Scandinavie, le Japon, le Canada et les États-Unis. Entre 1998 et 1999, les ventes de vin blanc ont progressé au Royaume Uni de 29 % – le marché le plus important pour l'Afrique du Sud puisqu'il représente 40 % des ventes à l'export –, de 42 % aux Pays-Bas et 41 % aux États-Unis. En 1999, la Scandinavie consommait déjà autant de vin sud-africain que l'Allemagne, autour de 7,5 millions de litres.

Les vins destinés à l'export sont soumis à un examen précis au sein du Wine and Spirit Board de Nietvoorbij, où ils sont analysés et dégustés. Chaque bouteille se voit attribuer un sceau officiel garantissant l'origine, le millésime et le cépage.

Certaines coopératives, pour échapper à l'image de « coop », veulent devenir des sociétés à capitaux privés. De nombreux producteurs se sont lancés à l'attaque de l'énorme marché international. Parmi eux, des *winemakers* auparavant salariés qui, propulsés par le boom de l'export, choisissent de monter leur propre structure et de commercialiser leur propre vin, sans être propriétaire pour autant ni de vignes ni de cave. Ils achètent les raisins et louent un bâtiment, n'ayant pour seuls investissements que la matière première et les fûts, et vendent dans les tarifs les plus élevés. On voit de cette façon apparaître des crus dits « de garage » (cuvées de très haute qualité produites en quantité extrêmement limitée) : Étienne Le Riche, Nico Vermeulen, Signal Hill, Kleinvallei ou encore David Trafford. La nouvelle situation politique, bien qu'encore très fragile, a attiré des investisseurs étrangers, suisses, allemands, belges, italiens ou américains, mais également français.

Autre signe de l'évolution : le *black empowerment* commence à poindre dans le vignoble. L'implication des *workers*, ouvriers noirs ou métis, se traduit par des joint-ventures entre eux et les propriétaires des domaines et les budgets destinés à leur éducation augmentent. On note également les premiers *winemakers* non blancs. Mais, en ce changement de millénaire, ce ne sont encore que les prémices…

Une forte motivation nationale

Très marqué par le style anglo-saxon, le consommateur sud-africain de la région du Cap s'est vite pris au jeu. Il est fier de ses vins et, à l'instar des Anglais très studieux en matière de connaissances viticoles, fera tout ce qu'il faut pour devenir incollable. Des clubs de dégustation se montent, formels ou informels. On en distingue de différentes sortes : les clubs commerciaux, les clubs d'étudiants, les clubs de *winemakers* (œnologues-maîtres de chai) en herbe qui souhaitent échanger, au cours d'une séance, leurs questions et leurs connaissances techniques et œnologiques, et enfin les clubs d'amateurs. Ces derniers se réunissent chez les uns et les autres, à tour de rôle. Le jeu consiste à goûter une série de vins à l'aveugle pour deviner le cépage, l'année et le domaine, puis le *winemaker* qui se cache derrière chaque échantillon. Le *winemaker* a en effet, en Afrique du Sud, un rôle prépondérant aux yeux du consommateur. À tel point qu'un concours interclub est organisé chaque année, la *blending competition* : le jeu consiste à élaborer le meilleur assemblage à partir de cépages donnés, tout comme le ferait le *winemaker* lui-même.

Autre marque de sérieux : la Cape Wine Academy. Créée en 1979 par les acteurs de l'industrie viticole afin d'encourager les consommateurs à boire de manière intelligente, cette institution accueille plus de cinq mille élèves par an à travers le pays. Elle dispense des cours complets sanctionnés par des examens, dont le plus haut grade est le *Cape Wine Master*, calqué sur le *Master of Wine* britannique.

Signe d'ouverture, chaque région propose une très sérieuse route des vins bien documentée et un accueil chaleureux, avec visite guidée, attend le visiteur dans la plupart des propriétés viticoles. À l'heure du déjeuner, ce dernier peut se détendre dans les magnifiques parcs des domaines et se laisser aller à l'un de ces *pic-nics baskets* très en vogue, accompagnés d'un verre de vin de la propriété.

Des fêtes du vin et de nombreux concours mettant des cuvées en compétition ont régulièrement lieu. Les producteurs sud-africains sont conscients que des efforts sont nécessaires pour s'imposer dans un marché mondial du vin de plus en plus exigeant. L'une de leurs principales préoccupations consiste notamment à observer ce que font les pays du Nouveau Monde, comme l'Australie, la Nouvelle-Zélande ou le Chili, puissants en matière de marques et de marketing.

Les cépages et les styles de vin

Au XIXᵉ siècle, les vins du Cap jouissaient d'une bonne notoriété en Europe, en particulier le vin doux Constantia (issu de Muscat), très apprécié par Napoléon pendant son exil et par les tsars russes. Les vins mutés et les liqueurs s'inscrivent également dans la tradition sud-africaine.

Par tradition, l'Afrique du Sud est le pays des vins blancs. Les principaux cépages sont le Steen, nom local du Chenin Blanc (23,8 % de la superficie plantée), le Hanepoot, ou Muscat d'Alexandrie (4,3 %), le Colombard (11,2 %), le Sauvignon (5 %) et le Cape Riesling, qui est à l'origine le Crouchen Blanc du sud-ouest de la France (2,7 %). Le Chardonnay (5,7 %) connaît actuellement un grand essor.

Le Chenin Blanc est utilisé pour des styles de vin allant des blancs secs de caractère vif, fermentés à basse température, aux vins demi-secs, moelleux et, parfois, botrytisés.

Les cépages rouges les plus importants sont le Cinsaut (3,6 %), le Cabernet-Sauvignon (6,7 %) et le Pinotage, un croisement de Cinsaut et de Pinot Noir créé en 1926 (5,5 %). Les cépages Syrah (Shiraz), Merlot, Cabernet Franc et Pinot Noir connaissent une popularité grandissante. C'est le Dʳ I. A. Perold de la KWV qui eut le premier l'idée de croiser le Pinot Noir et le Cinsaut, croisement qui fut ensuite développé par le professeur C. J. Theron. La première bouteille ne fut réellement commercialisée qu'en 1961, soit trente-six ans plus tard, par la Stellenbosch Farmers' Winery. Il existe cinq autres croisements, issus de cépages blancs et appelés Chenel, Weldra, Colomino, Grachen et Follet, mais seul le Pinotage a trouvé sa place au sein des cépages rouges internationaux et véhicule d'ailleurs à lui seul l'image du vin sud-africain.

Comme en Amérique et en Australie, les vins sont généralement commercialisés sous leur nom de cépage (connu dans le pays sous le nom de *cultivar*). Le nom du producteur occupe une place importante sur l'étiquette.

Le climat et le sol

Si la vie du vignoble est fortement comparable à celle du vignoble européen, l'année est, hémisphère Sud oblige, complètement inversée : lorsque l'on vendange en France, la vigne sud-africaine se réveille tout juste de sa léthargie hivernale. En janvier, c'est le début de l'été, les cépages précoces commencent à mûrir et les vendanges battent leur plein entre février et avril.

Le sud-ouest de la région du Cap jouit d'un climat plus frais qu'on ne pourrait le supposer à cette latitude de 35° au sud de l'équateur. Les océans Atlantique et Indien et le courant froid de Benguela qui, venant de l'Antarctique, suit la côte vers le nord, exercent une influence modératrice. Le climat ressemble à celui des pays de la Méditerranée. Les précipitations annuelles, qui varient de moins 100 mm à l'intérieur des terres à moins de 1 000 mm à proximité de la côte, tombent principalement entre mai et août. Les étés sont habituellement chauds, voire très chauds dans les régions centrales, les hivers, doux, et les gelées, rares. Les raisins des zones les plus chaudes du Cap ont tendance à souffrir de la chaleur ou à mûrir trop rapidement, mais, si l'eau arrive au bon moment et en quantité suffisante, tout problème peut être écarté. L'irrigation est ici vitale et justifiée.

Des années de recherche et d'expérimentation ont établi la meilleure adéquation entre les différents microclimats et les cépages spécifiques du riche héritage viticole du pays (Steen, Hanepoot, Syrah). La recherche continue sur les variétés de raisins importées plus récemment.

Parallèlement, l'expérimentation se poursuit, comme dans plusieurs pays du Nouveau Monde, dans le but d'identifier les meilleurs sols et les meilleurs sites. Les sols varient beaucoup, non seulement dans la partie sud-ouest du Cap, mais aussi entre les différents vignobles d'une même région. Généralement, les sols des plaines côtières varient du grès de Table Mountain, à l'ouest, aux roches de granite, à l'est. Les schistes dominent dans le Karoo, tandis que dans les vallées, là où se trouve la majorité des vignobles, les coteaux sont pierreux et les fonds des vallées sont composés de sables et de graviers.

L'Afrique du Sud s'efforce par ailleurs de développer la production de vin dans le respect de l'environnement, orientation appuyée par des lois, par de la recherche au sein du Centre de la vigne et du vin de Nietvoorbij et par la mise en place d'un programme 2000 mené par le Wine and Spirit Board. Toute l'industrie viticole devrait être impliquée, des coopératives aux producteurs privés.

Les régions vinicoles

La région de Worcester comporte le plus d'hectares de vignes (16,5 %). Suivent les régions de Paarl (16,5 %), Stellenbosch (15,3 %), Robertson (11,7 %), Olifants River (8,7 %), Orange River (14,7 %) et Klein Karoo (3,1 %). En matière de production, c'est aussi Worcester qui arrive en tête (22,7 %), puis Robertson (15,6 %), Paarl (14,5 %), Olifants River (14,1 %), Stellenbosch (12,4 %), Orange River (8,5 %) et Klein Karoo (3,9 %).

En 1973, l'introduction du système des vins d'origine (WO) a divisé les vignobles d'Afrique du Sud en plusieurs régions officielles, districts, zones (*wards*) et domaines (*estates*), par ordre décroissant de superficie. La zone de production la plus concentrée, située dans un rayon de 50 à 80 km autour de la ville du Cap, est divisée en deux régions principales : Coastal et Breede River Valley. L'appellation Boberg Region est utilisée pour les vins mutés de certaines parties de la Coastal Region (voir p. 569). Huit districts sont situés en dehors des régions principales. Un vin peut porter l'appellation plus spécifique d'une zone classée (sous-district) s'il est élaboré à partir de raisins récoltés entièrement à l'intérieur de ladite zone.

Le système WO met l'accent sur la variété de raisin – 75 % au minimum si un seul cépage est mentionné sur l'étiquette ou 85 % si le vin est destiné à l'exportation – plutôt qu'il ne contrôle les facteurs de qualité de base comme les rendements.

En ce qui concerne le millésime, s'il apparaît sur l'étiquette, cela signifie qu'au moins 75 % du contenu de la bouteille provient de cette année-là (et 85 % si le vin est exporté vers l'Union européenne). De plus, il ne peut être mentionné que si le vin a été certifié par le Wine et Spirit Board.

Chaque bouteille commercialisée porte un numéro de lot grâce auquel la traçabilité est assurée : il permet de remonter le processus d'élaboration jusqu'au pressurage du raisin.

Un aperçu du secteur viticole

4 515 exploitants cultivent 104 179 ha de vignes au sud-ouest du Cap. On compte trois types principaux de producteurs : les caves coopératives, les producteurs privés et les domaines. La plupart des 69 caves coopératives proposent des vins d'un bon rapport qualité/prix. Les producteurs privés, au nombre de 337, comprennent des sociétés prestigieuses comme Bellingham ou encore Distillers Corporation et Stellenbosch Farmers' Winery (qui ont fusionné en décembre 2001 sous le nom de Distell). Ces sociétés utilisent les raisins de leurs propres vignobles, mais achètent aussi des raisins et des vins jeunes pour élaborer des vins d'assemblage qu'elles commercialisent sous leurs marques. Les 92 domaines font uniquement du vin à partir des vignobles leur appartenant ou de parcelles proches.

L'Afrique du Sud est le sixième producteur de vin du monde, fournissant un peu plus de 3 % de la production mondiale. En 1999, la récolte était de 5 959 075 hectolitres. La consommation annuelle est de 9,5 litres par habitant. Traditionnellement, la plupart des vins étaient vendus par les négociants nationaux sur le marché intérieur, mais la levée des sanctions et la plus grande réceptivité des marchés étrangers entraînent une augmentation du pourcentage de vins exportés. □

RÉGIONS ET PRODUCTEURS

Les principales zones viticoles d'Afrique du Sud se situent au sud-ouest de la ville du Cap. Plus au nord, il existe plusieurs zones isolées, le long du fleuve Orange. Les principaux producteurs sont énumérés par région WO.

COASTAL REGION WO

Appellation la plus importante, elle englobe les six districts du Cap les plus fréquemment rencontrés sur l'étiquette : Constantia, Durbanville, Stellenbosch, Paarl, Swartland et Tulbagh.

Constantia District WO

Constantia est un lieu riche en histoire, puisque c'est ici que Simon Van der Stel planta ses propres vignes au XVIIᵉ siècle. Situés au sud-est de la péninsule du Cap, les vignobles jouissent d'un climat de type méditerranéen ne nécessitant pas d'irrigation et profitent de l'ombre des montagnes l'après-midi et des brises fraîches venant de la mer. Constantia cultive principalement du Chardonnay, du Sauvignon et du Riesling pour les blancs, du Cabernet-Sauvignon et de la Syrah pour les rouges. Le Sauvignon est riche et puissant.

Les principaux producteurs sont Buitenverwachting (avec un élégant Chardonnay), Groot Constantia et Klein Constantia (à noter pour son vin de Constance, un Muscat doux qui fait revivre la tradition des vins de Constantia, et aussi pour son Chardonnay et son Sauvignon).

Durbanville District WO

Situés sur les coteaux de granite des montagnes Dorstberg, dans la banlieue nord de la ville du Cap, quatre domaines subsistent. Ils produisent des rouges, notamment du Pinotage et du Shiraz.

Paarl District WO

Paarl (qui signifie « perle » en Afrikaans), à 50 km au nord-est du Cap, est un grand district vinicole (19,5 % des vignobles) qui compte quelques-uns des meilleurs producteurs et des coopératives les plus dynamiques du pays. C'est également le centre des activités internationales de la KWV et le lieu de la vente aux enchères annuelle de Nederburg.

La région ext exactement à la même latitude dans l'hémisphère Sud que le vignoble de Jerez en Espagne, dans l'hémisphère Nord. Le climat est typiquement méditerranéen, avec des étés chauds et secs et des hivers humides. L'irrigation n'est nécessaire que les années les plus sèches. Les sols varient du grès, dans la très fertile vallée Berg, au granite, autour de Paarl même, et à l'ardoise décomposée, à Malmesbury, dans le Nord-Est. Bien que le district soit surtout spécialisé dans les blancs, avec de bons Chenin Blanc, Sauvignon et Chardonnay, les vignobles plantés plus en altitude sont bien adaptés à la production de vins rouges de qualité : parmi les plus réussis se trouvent le Cabernet-Sauvignon et le Pinotage. Un festival du vin nouveau est donné tous les ans sur la montagne de Paarl ou dans une propriété.

Le district de Paarl englobe la zone de Franschhoek WO (Franschhoek signifie « coin français » : c'est ici que se sont établis les huguenots), qui a conservé son caractère français, illustré par des vins élevés dans du chêne et par le meilleur Mousseux du pays, Cap Classique (méthode traditionnelle) de Clos Cabrière.

Parmi les nombreux bons producteurs, on trouve Fairview, Glen Carlou, Simonsvlei, Villiera, et, dans la zone de Franschhoek, Bellingham, Boschendal, Cabrière, Chamonix, Dieu Donné, La Motte, La Provence et Mont Rochelle.

Stellenbosch District WO

C'est dans la jolie ville de Stellenbosch, dont l'université abrite une faculté de viticulture et d'œnologie, que se concentre le plus grand nombre d'exploitations produisant des vins de qualité (15,6 % des vignobles du pays). Le district possède trois types de sol : grès de Table Mountain à l'ouest (parfait pour les vins blancs), alluvions autour du fleuve Eerste et granite à l'est (meilleur pour les rouges), où se situe la zone de Simonsberg-Stellenbosch WO, dans les contreforts des montagnes.

Les cépages comprennent le Cabernet-Sauvignon, le Cabernet Franc, le Merlot et la Syrah. Le district produit également certains des meilleurs vins de Pinotage (d'une maturation plus précoce que le Cabernet). Plusieurs vins prestigieux, comme la plupart des grands vins, sont des rouges d'assemblage, souvent élevés en barriques de chêne.

Parmi les meilleurs producteurs : Beyerskloof, Delheim, De Trafford, Kanonkop, Louisvale, Meerlust, Morgenhof, Mulderbosch, Neethlingshof (pour le Weisser Riesling Noble Vendange Tardive), Overgaauw, Rustenberg, Rust-en-Vrede, Simonsig, Stellenzicht, Thelema, Vriesenhof, Warwick (Trilogy, un assemblage de style bordelais).

Swartland District WO

Swartland possède 12,9 % des vignobles d'Afrique du Sud, autour des villes de Darling, Malmesbury et Riebeek. L'irrigation est généralement nécessaire. Cette région est une source traditionnelle de vins mutés de grande qualité issus de cépages comme le Hanepoot, de vins rouges robustes et corsés de Cinsaut, Tinta Barocca, Pinotage et Shiraz et de bons vins peu chers de Riesling, Colombard, Bukettraube et Fernão Pires.

Parmi les bons producteurs : Allesverloren (pour les vins de style Porto), la coopérative de Swartland et Spicefoute.

Tulbagh District WO

Entourés de trois côtés par les montagnes Winterhoek (qui créent plusieurs microclimats), les vignobles de Tulbagh sont situés à la lisière est du Swartland. Le climat est chaud et relativement sec. Aussi l'irrigation est-elle nécessaire pour les vignobles situés sur les sols sableux du fond des vallées, mais moins pour ceux des coteaux, plus humides. Le producteur le plus connu est Twee Jongegezellen.

Boberg Region WO

Cette appellation ne fournit que des vins mutés élaborés dans les districts de Paarl et Tulbagh.

BREEDE RIVER VALLEY REGION WO

Cette région recouvre les trois districts de Worcester, Robertson et Swellendam, où coule le fleuve Breede, et Wolseley, actuellement peu important pour la viticulture.

Worcester District WO

Une vingtaine de coopératives fournissent 22 % du vin du pays, dont des Riesling (Weisser Riesling), Sauvignon et Colombard, et des vins de dessert de Muscadel blanc et rouge. C'est également la région la plus importante pour la production d'eau-de-vie. Worcester couvre la plupart des vallées du fleuve Breede et de ses affluents, dont chacun possède un microclimat très particulier. La coopérative Nuy est un bon producteur.

Robertson District WO

Les sols riches en calcaire de ce district sont particulièrement bien adaptés à la viticulture, et l'on y trouve 12,3 % du vignoble d'Afrique du Sud. Bordé au nord et au sud par des chaînes montagneuses et doté d'un climat chaud et aride, le district n'a pu pratiquer la viticulture qu'après la construction d'un grand barrage, au début du XXᵉ siècle. Aujourd'hui, les domaines et les caves coopératives de Robertson fournissent quelques-uns des Chardonnays et des Shiraz les plus appréciés du Cap, ainsi que des Mousseux et des vins de dessert mutés traditionnels.

Parmi les meilleurs producteurs : Graham Beck Winery (Mousseux), Bon Courage, De Wetshof, Rietvallei, la coopérative Rooiberg et Weltevrede.

Swellendam District WO

Cette région est vouée à la production de gros volumes par des coopératives.

AUTRES DISTRICTS
Klein Karoo District WO

Le district s'étend de Montagu, à l'ouest, à Oudtshoorn, à l'est. Les vignobles doivent être irrigués et sont généralement plantés dans ou près des vallées fluviales. Le Chenin, cépage versatile du Cap au bon niveau d'acidité naturelle, y prospère et produit une gamme de styles allant des blancs secs aux blancs doux. Les sols fertiles de schiste rouge et les alluvions riches et profondes, plus près des fleuves, conviennent mieux au Muscadel et aux autres vins de dessert, pour lesquels la région est réputée. Les caves coopératives fournissent la plupart de la production. Boplaas produit d'excellents vins mutés de style Porto.

Olifants River/Olifantsrivier District WO

Ce district s'étend du nord au sud le long de la vallée. Les vignes sont plantées sur des sols de grès ou de calcaire. Les étés peuvent être chauds et la pluviosité assez faible, mais une attention à la conduite de la vigne privilégiant le feuillage permet aux raisins de mûrir à l'ombre. Grâce à des techniques de vinification modernes, Olifants River devient une source importante de vins fins d'un bon rapport qualité/prix, surtout ceux de la cave coopérative Vredendal.

Overberg District WO

Overberg, au sud de Paarl et Stellenbosch, devrait devenir l'un des districts les plus intéressants d'Afrique du Sud. De minuscules vignobles s'insèrent entre de grandes étendues de blé, surtout dans la zone Walker Bay WO. Ces vignobles bénéficient des brises fraîches de l'Atlantique et possèdent des sols de schiste décomposé pour les excellents Chardonnays et le Pinot Noir.

Parmi les meilleurs producteurs : Bouchard-Finlayson, Hamilton Russell, Vergelegen.

Piketberg District WO

Ce vaste district au relief plat, entre Swartland et Tulbagh, au sud, et Olifants River, au nord, connaît des températures très élevées en été et de faibles pluies, ce qui explique l'irrigation fréquente. La plupart des rouges sont élaborés dans le style des Portos par des caves coopératives. Les investissements réalisés pour améliorer les techniques viticoles ont permis l'émergence de vins secs faciles à boire.

Autres districts

Douglas et Andalusia sont les deux WO entourant Kimberley, au centre du pays. Chacune possède une coopérative. Benede-Oranje, WO proche d'Augrabies, dans la vallée du fleuve Orange, est également au centre du pays. Ces districts produisent essentiellement du vin en vrac et du vin de dessert.

Le seul autre pays du sud du continent africain à faire des vins dignes d'intérêt est la République du Zimbabwe.

La viticulture du Zimbabwe commença par la plantation de treilles pour une production de raisins de table dans les années 1940. Des vignes furent plantées vingt-cinq ans plus tard et l'activité viticole connut son apogée au début des années 1980. Aujourd'hui, environ 300 ha sont cultivés et deux grandes sociétés se partagent la production, African Distillers (140 ha) et Cairns Winery (120 ha) ; les autres producteurs vendent leurs raisins.

Le climat n'est pas vraiment bien adapté à la viticulture. Les hivers doux et les étés chauds ne favorisent pas la production d'un fruit de qualité. L'irrigation est indispensable, tout comme un programme de contrôle des nombreuses espèces nuisibles. Les sols sont mauvais et quelques plants, importés d'Afrique du Sud, provenaient de vignes de piètre qualité ou portaient des virus. Avec beaucoup de travail, d'optimisme et d'ingéniosité, et grâce à la technologie moderne, ces problèmes ont fini par être surmontés. Le Zimbabwe produit annuellement plus de 6,6 millions de bouteilles de vins tranquilles et de Mousseux. Les principaux cépages sont : Cabernet-Sauvignon, Cinsaut et Pinotage pour les rouges ; Colombar(d), Steen (Chenin Blanc), Clairette Blanche et Hanepoot (Muscat d'Alexandrie) pour les blancs. Ces dix dernières années, le Zimbabwe a planté des cépages nobles (Merlot, Pinot Noir, Sauvignon Blanc, Syrah et Chardonnay) dans le but d'améliorer la production et d'exporter. Les difficultés

ZIMBABWE

politiques et économiques rencontrées par le pays au printemps 2000 n'ont pas épargné la viticulture, secteur qui nécessite des produits d'importation, et ont notamment mis un frein aux projets d'investissements.

Producteurs
African Distillers (Afdis)

African Distillers Limited est la plus grande société de vins et spiritueux du Zimbabwe, créée dans les années 1940. Son portefeuille comprend les marques de ses sociétés actionnaires (International Distillers and Vintners Limited, Stellenbosch Farmers' Winery Limited, etc.) ainsi que sa propre production. Sa branche vin, Stapleford Wines, possède trois domaines : Green Valley Vineyards, Bertrams Vineyards et Worringham Vineyards. Elle achète aussi des vins élaborés sous le contrôle d'un *winemaker* maison. Un projet de plantation est en cours, 45 000 plants provenant d'Afrique du Sud ayant été importés et plantés en 1998 et 1999 sur près de 40 ha près de Harare.

Cairns Winery

Cairns Winery, qui appartient à des investisseurs zimbabwéens, possède 120 ha de vignes et produit 2 millions de litres : 75 % de blancs, dont 95 % de vins tranquilles secs et demi-secs et 5 % de Mousseux, et 25 % de rouges. Elle produit aussi un Porto tawny. En 1979, Cairns acheta Mateppe Winery, fondée en 1965, et créa Mukuyu Winery avec du matériel et des techniques modernes. Le vignoble est situé dans la Ruzawi River Valley, au sud de Marondera. Avec sa marque Mukuyu, Cairns a remporté de nombreuses médailles ces quinze dernières années, en Angleterre, en Afrique du Sud et au Canada.

Reste du Monde

—

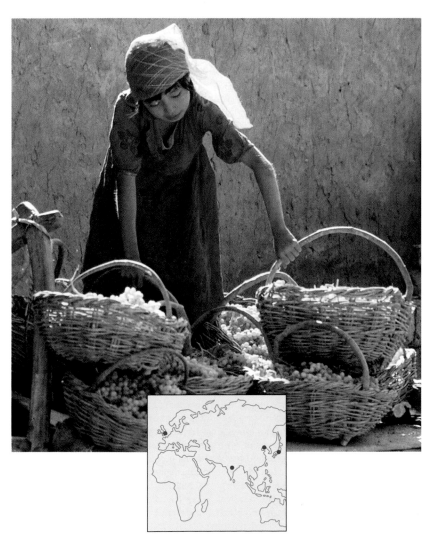

EN ANGLETERRE, LES VITICULTEURS DOIVENT COMBATTRE
LE FROID ET LA PLUIE. EN INDE, EN CHINE ET AU JAPON,
UNE INDUSTRIE VINICOLE ENCORE MODESTE
COMMENCE À PRODUIRE DES VINS DE QUALITÉ.

—

ANGLETERRE, PAYS DE GALLES

Les Anglais commencèrent à élaborer du vin sous les Romains, au Iᵉʳ siècle. Mais les vignes d'Italie s'accommodaient mal du climat froid, et le pays importait davantage de vin qu'il n'en produisait. Du temps des Saxons, au Vᵉ siècle, des vignobles étaient plantés du Cambridgeshire, à l'est, au Gloucestershire, à l'ouest. Après la conquête normande, en 1066, la culture de la vigne se poursuivit pendant près de cinq siècles sur les domaines des aristocrates et des moines. La tradition se perpétua jusqu'à la Première Guerre mondiale qui mit un terme aux activités viticoles britanniques.

La production redémarra doucement dans les années 1950, lorsqu'un petit groupe de viticulteurs tenta de trouver des vignes capables de s'acclimater au froid et à l'humidité. Certes, la proximité de la mer adoucit la température, mais les racines, gorgées d'eau, ne permettent pas à la vigne de donner du bon vin : il est vital de choisir un site bien drainé. Les gelées de printemps constituent un danger ; enfin, il faut abriter les vignes du vent. La vendange est difficile à programmer. En effet, le raisin doit mûrir aussi longtemps que possible, mais être cueilli avant que la pluie ou les gelées n'aient pourri les grappes.

Ces premières recherches permirent d'entreprendre une véritable viticulture commerciale au début des années 1970 ; dix ans plus tard, 450 ha étaient plantés en vigne, et environ 1 000 ha en 1998. Aujourd'hui, quelques 500 vignobles bien établis produisent environ 2 400 000 bouteilles par an.

Les cépages et les styles de vin

La plus grande partie du vin anglais est blanc, léger, avec un parfum fleuri et une bonne acidité ; certaines exploitations commencent à élaborer des vins rouges ainsi que des mousseux. La plupart des vins doivent être bus jeunes. Toutefois, certains peuvent vieillir en

L'hiver dans les vignobles de Denbies.

bouteille pendant presque dix ans. Près de la moitié des vignobles sont plantés en hybrides allemands tels que Müller-Thurgau, Bacchus, Reichensteiner et

RÉGIONS ET PRODUCTEURS

Au nord, la vigne est cultivée jusque dans le Yorkshire, mais en raison du climat, la plupart des vignobles sont rassemblés dans la moitié sud du pays, de la Cornouailles, à l'ouest, au Suffolk, à l'est, sans oublier le pays de Galles et les îles Anglo-Normandes. La plus forte concentration se trouve dans le Sud-Est, Kent, East Sussex et West Sussex. L'exploitation moyenne couvre 2-3 ha, mais les vignobles peuvent aller de 0,5 ha à 25 ha environ.

Le plus grand domaine viticole anglais est sans aucun doute Denbies, dans le Surrey, avec plus de 100 ha. Parmi les autres producteurs, citons : Adgestone (île de Wight), Barkham Manor (East Sussex), Biddenden (Kent), Breaky Bottom (East Sussex), Carr Taylor (East Sussex), Lamberhurst (Kent), Nutbourne Manor (West Sussex), Pilton Manor (Somerset), Tenterden (Kent), Thames Valley (Berkshire), Three Choirs (Gloucestershire), Wootton (Somerset).

Schönburger. L'hybride Seyval Blanc, résistant au gel, couvre environ 13 % de la surface. Les viticulteurs, dans cette industrie encore jeune, procèdent à de nombreux essais avec une bonne trentaine d'autres cépages.

Peu de cépages à vin rouge, comme le Pinot Noir, le Triomphe d'Alsace, le Dornfelder et le Dunkelfelder, sont plantés ; la production de vins rouges et de rosés est donc assez réduite.

La législation

Il faut distinguer entre le vin anglais et le vin britannique. Le vin anglais (ou gallois) est issu de raisin cultivé et fraîchement cueilli dans les vignobles d'Angleterre et du pays de Galles. Le vin britannique est un produit industriel fabriqué à partir de jus de raisin concentré d'importation.

La plupart des vins anglais portent l'appellation Vin de table (la législation européenne ne permet pas l'appellation de vin de qualité lorsque celui-ci est issu d'hybrides). L'*English Vineyards Association* (Association des vignobles anglais), organisme commercial qui représente la plupart des vignobles, attribue son *Gold Seal of Quality* (Sceau d'Or de Qualité) aux vins qui satisfont à une analyse et une dégustation rigoureuses par un jury de Masters of Wine. L'appellation officielle de l'Union européenne *English Vineyards Quality Wine* (vin de qualité des vignobles anglais) devrait bientôt apparaître sur les bouteilles qui la méritent, car la législation, en cours de modification, va définir les régions de vin de qualité du Royaume-Uni.

Le nom du vignoble ou de l'exploitation qui a mis le vin en bouteille figure généralement en gros caractères. L'étiquette comporte parfois aussi une description, telle que *dry white* (blanc sec) ou le nom du cépage, si celui-ci constitue au moins 85 % de l'assemblage. Si deux cépages sont cités, leur proportion peut varier, mais ils constituent à eux deux 100 % de l'assemblage. □

INDE, CHINE, JAPON

Le vin n'a jamais fait vraiment partie de la culture de l'Inde et des pays d'Extrême-Orient, bien que la viticulture ait existé dans les régions où le climat le permettait. Quelques cépages de la famille de *Vitis vinifera* sont originaires de l'Inde et du Japon, et de nombreuses autres espèces existent sur ce continent, notamment *Vitis amurensis*, qui, croisée avec *vitifera,* a donné l'hybride chinois Beichun.

INDE

L'Inde élabore du vin depuis 2 000 ans, mais il a fallu attendre les colons portugais du XVIe siècle pour que naisse une véritable industrie organisée. Les cépages portugais de Goa donnent toujours du vin, mais ce sont surtout les imitations des nouveaux vins européens qui connaissent aujourd'hui une certaine vogue. Les cépages tels que le Chardonnay, l'Ugni Blanc, le Muscat, le Pinot Noir, le Merlot et le Cabernet-Sauvignon sont de plus en plus plantés et la technologie s'améliore.

L'Inde possède environ 43 000 ha de vignes, mais moins de 1 % d'entre elles servent à élaborer du vin. La production est concentrée à l'est et au nord-est de Bombay, dans la région du Deccan, dont les plateaux offrent des conditions climatiques acceptables, sinon idéales, pour la viticulture. La législation obligeait autrefois les producteurs à exporter la totalité de leur vin. Depuis 1988, elle autorise la vente de 25 % de la production sur le marché national. Aujourd'hui, un certain nombre de sociétés indiennes sont liées à des investisseurs occidentaux qui les aident à exporter, en échange de quoi ces derniers peuvent s'introduire sur le marché indien fort de 800 millions de personnes.

Les vins indiens, vendus dans des bouteilles fermées par une capsule à vis, sont traditionnellement épais, sucrés. 1985 a vu la naissance de l'Omar Khayyam, un vin blanc mousseux élaboré selon la méthode tradi-

Dans les vignes de Suntory, au Japon.

tionnelle. Ce vin primé a fait rêver le monde international du vin. Plus récemment, Grover Vineyards, une joint-venture franco-indienne, s'est fait une réputation avec des vins élaborés à partir de cépages français.

CHINE

La viticulture n'est pas totalement étrangère à la culture chinoise, mais elle n'a eu que peu d'importance dans l'histoire. Des vignobles furent plantés au début du XXe siècle par des missionnaires européens et des marchands dans la péninsule de Shantung (Shandong) au nord-est de la Chine. La plupart des quelque 30 000 ha de vigne à vin existant aujourd'hui se trouvent toujours dans cette région, qui produit environ 12 millions de bouteilles/an. Cependant, il existe peu de statistiques précises pour confirmer l'exactitude de ces renseignements.

La plupart des vignobles chinois sont situés dans des régions au climat frais, dont la température descend à 3 °C en hiver et s'élève à 26 °C en été. Par contre, les pluies sont abondantes, surtout pendant la période de croissance, en juillet et en août. Les typhons d'été

constituent un danger. Les meilleurs vignobles sont généralement plantés sur les versants exposés au sud, sur des terres alluviales bien drainées. Les vignobles plus méridionaux, touchés par l'humidité, peuvent connaître des problèmes de pourriture.

Les cépages importés par les missionnaires – Rkatsiteli, Welschriesling, Gewürztraminer et le Muscat Noir de Hambourg – sont encore majoritaires. Traditionnellement, le Beichun, hybride rouge aux multiples qualités, assez résistant aux maladies cryptogamiques et au froid, et les cépages de raisin de table Dragon's Eye, Cow's Nipple et Cock's Heart servent tous à élaborer des vins chinois semi-doux, essentiellement blancs. Le vin le plus connu, le Kui hua chen chiew, est exporté dans tous les pays d'Extrême-Orient.

La Chine possède environ 90 exploitations, dont un tiers s'efforce de produire du vin de qualité honnête. Depuis les années 1980, caractérisées par un esprit d'ouverture aux investissements étrangers, plusieurs multinationales financent du matériel et des experts. Les raisins produits localement sont achetés à des petits vignobles familiaux sous contrat, en attendant que les nouveaux vignobles, plantés en cépages classiques européens, parviennent à maturité.

L'objectif est la production d'assemblages de demi-secs essentiellement blancs, faciles à boire, destinés aussi bien au marché national qu'à l'exportation. Outre Rémy Martin, Hiram Walker et Pernod-Ricard (voir encadré p. 574), le groupe italien Impexital et Seagram s'intéressent également au partenariat avec la Chine.

Les exploitations d'État les plus avancées commencent à élaborer des vins de type occidental. Elles s'approvisionnent largement en Riesling et Chardonnay, ce qui fait monter les prix de ces cépages encore peu cultivés et rend ces vins bien plus chers que les vins traditionnels.

JAPON

Bien que les Japonais ne boivent pas de vin, ils pratiquent la viticulture depuis fort longtemps. En 1186, le seul cépage *vinifera* nippon, le Koshu – qui donne des vins blancs fruités –, était cultivé dans des vignobles près du mont Fuji, au sud de la vallée de Kofu et à l'ouest de Tokyo. Cette région viticole demeure la plus importante, les meilleurs vignobles étant plantés sur des sols de graviers et volcaniques, sur des versants exposés au sud. La majorité des régions viticoles japonaises se trouve dans la moitié sud de l'île principale. Au nord, l'île de Hokkaido possède deux régions viticoles, et Kyushu tout au sud en possède une.

Les cépages les plus courants sont les hybrides américains, rapportés par des Japonais, à la fin du XIXe siècle, après des recherches effectuées à l'étranger : le Campbell's Early (rouge et terne) ; le Delaware (un blanc délicat mais acide, particulièrement adapté aux Mousseux) ; le Muscat Bailey A (un hybride de Koshu et de *Vitis labrusca* qui produit des rosés acceptables). Ces cépages, ainsi que le Koshu, constituent 85 % du vignoble japonais. Le reste est planté en Sémillon, Riesling, Chardonnay, Cabernet-Sauvignon et Merlot. En 1997, la surface viticole totale de 21 400 ha a produit 250 900 tonnes de raisins, mais dont seulement 27 7000 tonnes étaient destinées au vin. Les hybrides sont mieux adaptés que les cépages européens ou asiatiques à cet archipel au climat bien différent (hivers rigoureux, typhons, mousson, vents salés) de celui du bassin méditerranéen à la même latitude. Les arômes « foxés » des vins hybrides sont partiellement masqués par les 260 g de sucre par litre autorisés par la loi – le consommateur appréciant le sucré.

La première société de vinification japonaise, Dainihon Yamanashi Budooshu Gaisha (aujourd'hui Mercian) fut créée en 1877. À l'époque, deux jeunes hommes, Takano Masanari et Tsuchiya Ryuken, partirent en France pour apprendre les techniques de viticulture et de vinification, qu'ils appliquèrent dès leur retour, deux ans plus tard.

Les années 1970 furent celles des changements, avec l'arrivée d'experts étrangers – français et australiens –, et l'introduction de cépages français et allemands. Trois multinationales japonaises, Mercian, Manns et Suntory, construisirent des exploitations ultramodernes pour le marché national. Selon des chiffres officiels (1997), le Japon comptait 335 vinificateurs. Mais les trois premières marques (Mercian, Suntory et Sapporo) représentent 60 % du marché.

En 1998, les Japonais ont consommé un peu plus de 3 litres de vin par habitant. La plupart des vins sont importés.

Beaucoup de vins japonais sont assemblés à des vins d'importation bon marché et portent la mention « Produce of Japan ». Si l'apport étranger dépasse 50 % de l'assemblage, cela doit figurer sur l'étiquette. Mais cette pratique tend à disparaître à mesure que les vins importés sont distribués plus largement et à de meilleurs prix. □

RÉGIONS ET PRODUCTEURS

INDE

C I Ltd
Le multimillionnaire Sham Chougule possède une exploitation ultramoderne à 150 km de Bombay, à Narayangaon, dans les montagnes de Sahyadri. Le vignoble est situé sur un terrain riche en calcaire, exposé à l'est, à 750 m d'altitude. Son vin sec mousseux, l'Omar Khayyam, fut une surprise pour les dégustateurs européens. Avec son partenaire financier Pernod-Ricard, Chougule a lancé sur le marché indien, entre autres, la Marquise de Pompadour, version demi-sec de l'Omar Khayyam, et Riviera, un blanc issu de Thompson Seedless et de Chardonnay.

Grover Vineyards Ltd
Passionné de vin, le riche industriel Kanwal Grover a pu convaincre le Champenois Georges Vesselle, ancien directeur technique de Mumm, à se lancer dans une joint-venture pour produire des vins de qualité dans la région de Bangalore. Le vignoble sur le plateau de Karnataka bénéficie d'un sol argileux et d'un climat sec et frais, avec une faible mousson et sans hivers, permettant deux vendanges par an. Une sélection rigoureuse des cépages, introduits depuis la France, a donné des résultats très encourageants dès les premières récoltes, avec un Cabernet-Sauvignon léger et souple, un Blanc de Blancs de Clairette et un rosé frais et fruité, qui comptent désormais parmi les meilleurs vins du sous-continent. Depuis, Veuve Clicquot (LVMH) participe à cette entreprise et Michel Rolland y prodigue ses conseils. La production devra bientôt atteindre un million de bouteilles par an.

CHINE

Beijing Friendship Winery
Cette exploitation partenaire de Pernod-Ricard produit 480 000 bouteilles de Dragon Seal blanc, un assemblage de cépages français et chinois.

Hua Dong Winery
Cette société, qui appartient en partie à Hiram Walker, est associée à l'exploitation d'État de Shandong Peninsula Qingdao. Des consultants australiens ont fait planter un vignoble expérimental de Chardonnay. Les vins exportés les plus connus sont les blancs Tsingtao.

Rémy Martin
Le premier vin blanc chinois de style moderne fut le Great Wall, élaboré en 1978, conjointement par Rémy Martin et le Bureau fermier de Tianjin. La production de Dynasty (rouge et blanc) destinée tant au marché national qu'à l'exportation totalise 1 440 000 bouteilles. Imperial Court, un blanc mousseux méthode traditionnelle issu de Chardonnay, de Pinot Noir, de Pinot Meunier et d'Ugni Blanc, est élaboré dans une exploitation près de Shanghai.

JAPON
Les vins japonais de qualité proviennent du Château Lumière (qui appartient à la vieille entreprise familiale de Toshihiko Tsukamoto) et du Château Mercian (appartenant à Mercian), dont les Chardonnays, Cabernets-Sauvignons et Merlots sont concentrés et profonds. Le meilleur vin de Suntory est le Château Lion, type Sauternes, issu de Sémillon botrytisé. Il est vendu à un prix comparable à celui du Château d'Yquem.

Références

LES MENTIONS OBLIGATOIRES DES ÉTIQUETTES

Certaines mentions doivent figurer sur l'étiquette d'une bouteille de vin de qualité (contrairement à celle d'un vin de table – voir p. 580). Sont définies par la législation du pays d'origine : celles qui doivent figurer obligatoirement, celles qui peuvent figurer et, parfois, celles qui ne doivent pas figurer. Le tableau ci-dessous résume la situation chez les plus grands exportateurs de vin de qualité dans le monde.

Légendes
Obligatoire = O
Permis = P
Interdit = X

	FRANCE	ITALIE	ALLEMAGNE	ESPAGNE	PORTUGAL	ANGLETERRE	HONGRIE	GRÈCE	AUTRICHE	CHYPRE	ISRAËL	BULGARIE	ROUMANIE	ÉTATS-UNIS	AUSTRALIE	NOUVELLE-ZÉLANDE	CHILI	ARGENTINE	AFRIQUE DU SUD
1 Le terme «vin»	O / X	X	X	X	X	X	X	X	O	O	O	O	O	O	O	O	O	O	O
2 Pays d'origine	O	O	O	O	O	O	O	O	O	O	O	O	O	O	O	O	O	O	O
3 Appellation d'origine	O	O	O	O	O	O	O	O	O	O	P	O	P	O	P	O	P	O	O
4 Contenance de la bouteille	O	O	O	O	O	O	O	O	O	O	O	O	O	O	O	O	O	O	O
5 Teneur en alcool	O	O	O	O	O	O	O	O	O	P	O	O	O	O	O	O	O	O	O
6 Nom et adresse de l'embouteilleur ou du propriétaire de la marque	O	O	O	O	O	O	O	O	O	O	O	O	P	O	O	O	O	P	O
7 Niveau de qualité	O	O	O	O	O	O	O	O	O	P	P	O	P	O	P	P	P	P	X
8 Mention du SO_2 et autres additifs	X	P	X	X	P	X	P	X	P	X	P	P	X	O	O	P	X	X	X
9 Cépages	P	P	P	P	P	P	O	P	P	X	O	P	P	P	P	O	P	O	P
10 Terme «domaine» (ce qui sous-entend que les vins proviennent uniquement du domaine cité)	P	P	P	P	P	P	P	P	P	X	P	P	P	O	P	P	P	P	O
11 Millésime	P	P	P	P	O	P	O	P	P	X	P	P	P	P	P	O	P	O	P
12 Mention «sec», «doux», «liquoreux»	P	P	P	P	P	P	O	P	O	P	O	O	O	P	P	P	P	P	P
13 Agrément (analyse ou dégustation)	X	P	O	O	P	X	P	X	O	X	P	O	X	X	P	P	X	O	P
14 Sceau d'authenticité (sur l'étiquette ou le bouchon)	O	P	P	P	O	X	P	O	O	O	X	P	X	X	X	X	P	X	O
15 Nom du vignoble	P	P	P	P	P	P	P	P	P	P	X	X	P	P	P	P	P	X	P

Les notes ci-dessous s'appliquent aux points cités dans le tableau ci-contre. Pour plus de détails sur la lecture d'une étiquette, voir p. 45.

1. **Le mot «vin»** n'a pas besoin de figurer sur les étiquettes de vin de qualité de l'Union européenne, car le système d'appellation contrôlée de chaque pays le rend inutile (voir p. 578-580). Les vins VDQS français constituent la seule exception. Tout vin importé par l'Union européenne ou produit dans un pays extérieur à l'Union doit faire figurer le mot « vin » clairement sur l'étiquette.

2. **Le pays d'origine** n'a pas besoin de figurer sur l'étiquette si le vin n'est pas destiné à l'exportation. Sinon, la mention est obligatoire pour tous les vins et tous les pays.

3. **L'appellation d'origine** est généralement basée sur une région géographique (ex. : la Rioja en Espagne) ou un cépage (ex. : Barbera d'Alba en Italie).

4. **La contenance de la bouteille** est généralement exprimée en centilitres (75 cl).

5. **La teneur en alcool** (essentiellement en alcool éthylique) est le plus souvent exprimée en pourcentage (12 %)/volume, mais peut également être exprimée en degrés (12°). Sa mention, qui doit être exacte à 0,5 % près, est désormais obligatoire dans presque tous les pays.

6. **Le nom et l'adresse** de celui qui procède à la mise en bouteilles ou du propriétaire de la marque doivent figurer sur toutes les étiquettes de l'Union européenne et la plupart des autres. Si un produit est mis en bouteilles par une société sous-traitante, la responsabilité reste celle de la société pour laquelle la mise en bouteilles est effectuée. S'il s'agit d'une marque de propriétaire, la responsabilité est celle de la société dont le nom et l'adresse figurent sur l'étiquette. Le marquage par lots est similaire : il s'agit d'un code de référence permettant de retrouver le lot exact mis en bouteilles.

7. **Le niveau de qualité** des vins de l'Union européenne fait partie du système d'appellation contrôlée (voir p. 578-580) ; il en va de même pour les autres pays utilisant un système similaire. En réalité, ce n'est pas toujours une garantie de qualité, même si tous les vins sont soumis à un agrément de dégustation.

8. **La mention de la présence de dioxyde de soufre ou d'additifs** doit désormais apparaître sur tous les vins exportés vers les États-Unis ou produits dans ce pays. Le dioxyde de soufre (SO_2), utilisé comme conservateur dans le vin comme dans d'autres produits alimentaires, est naturellement présent dans le corps humain. Le taux toléré par l'Union européenne est de 160 mg/l pour le vin blanc, 210 mg/l pour le rouge et 260 mg pour les vins doux, à l'exclusion du *Beerenauslese* et du *Trockenbeerenauslese*. La tendance dans le monde entier est d'en utiliser aussi peu que possible. L'utilisation d'additifs – de produits naturels tels que l'acide ascorbique (vitamine C) et sorbique – fait l'objet d'une réglementation très stricte. À l'avenir, les pesticides utilisés dans le vignoble pourraient être détaillés sur les étiquettes américaines.

9. **Le cépage** est aujourd'hui une indication très utilisée dans le monde. Le pourcentage du (des) cépage(s) contenu(s) dans la bouteille est strictement réglementé. Les vins de l'Union européenne mentionnant un cépage doivent en contenir au minimum 85 % ; si deux cépages figurent sur l'étiquette, ils doivent constituer 100 % de l'assemblage, le cépage dominant étant cité en premier ; aucune étiquette ne peut mentionner plus de deux cépages bien que, sur les contre-étiquettes, pourrait apparaître le détail de tous les cépages. Dans les autres pays, le vin doit contenir 75 à 100 % du cépage nommé. Certains, notamment l'Australie, la Bulgarie et le Chili, ont le droit de mentionner deux cépages.

10. **Le terme «domaine»** (signifiant un vin issu exclusivement de raisins produits sur le domaine) est généralement permis sur l'étiquette, mais il est souvent mal employé. En Afrique du Sud, par exemple, « domaine » peut être utilisé si le raisin provient d'un domaine voisin ou proche, possédant le même sol et le même microclimat.

11. **Le millésime** figurant sur l'étiquette indique qu'au moins 85 % du vin (95 % aux États-Unis) provient dudit millésime.

12. **Une mention «sec» ou «doux»** est généralement autorisée sur l'étiquette, soit en toutes lettres, soit, dans le cas des vins blancs, en symboles aujourd'hui devenus internationaux. Pour les vins effervescents européens, la mention « brut » ou « demi-sec » est obligatoire.

13. **L'agrément** par un test (dégustation/contrôle de qualité en laboratoire) a toujours été en vigueur, en France, pour les vins d'appellation et fait de plus en plus partie des mentions portées sur l'étiquette dans de nombreux pays. Toutes les étiquettes de vins de qualité allemands portent un numéro AP (*Amtliche Prüfungsnummer*). La réglementation DOCG italienne exige maintenant une dégustation avant la mise en bouteilles et après vieillissement. Le *Show System* (concours de dégustation) australien et néo-zélandais est comparable au test de dégustation.

14. **Un sceau officiel** (placé sous la capsule, sur le bouchon) est un moyen pour l'organisme de contrôle régional d'authentifier l'origine et la qualité. En Afrique du Sud et en Autriche, il s'agit d'une « bande » délivrée par le gouvernement. Il n'y a pas d'organisme officiel en Australie pour la délivrance de tels sceaux, mais un désir de réglementation existe néanmoins, comme en témoigne le logo gouvernemental des vins de qualité de la Nouvelle-Galles du Sud.

15. **Le nom du vignoble** est presque toujours autorisé, car il s'agit d'une garantie de qualité supplémentaire et il fait partie intégrante du système français, pour les grands crus de Bordeaux ou les clos de Bourgogne par exemple.

LA LÉGISLATION

La plupart des pays producteurs de vin dans le monde possèdent une législation très stricte réglementant toutes les étapes de la production d'un vin de qualité. Pour prétendre au statut de vin de qualité, chaque vin doit se conformer à cette législation ; sinon, il sera placé dans une catégorie de qualité inférieure (voir p. 580).

Légende
Oui = ✔
Non = ✗
Obligatoire = O
Permis = P

	FRANCE	ITALIE	ALLEMAGNE	ESPAGNE	PORTUGAL	ANGLETERRE	HONGRIE	GRÈCE	AUTRICHE	CHYPRE	ISRAËL	BULGARIE	ROUMANIE	ÉTATS-UNIS	AUSTRALIE	NOUVELLE-ZÉLANDE	CHILI	ARGENTINE	AFRIQUE DU SUD
1 Indication d'origine contrôlée	✔	✔	✔	✔	✔	✔	✔	✔	✔	✔	✔	✔	✔	✔	✔	P	P	✔	✔
2 Appellations contrôlées	✔	✔	✔	✔	✔	✔	P	✔	✔	✔	✗	✔	✔	✔	✗	✗	✔	✔	✔
3 Cépages : mention du type	✔	✔	✔	✔	✔	✔	✔	P	✔	✔	✔	✔	✔	✔	P	O	✔	✔	✗
mention du pourcentage	✔	✔	✔	✗	✔	✔	✔	✗	P	✗	✔	✗	✗	✔	P	O	P	✗	✔
4 Mode de culture (autre que la densité par hectare)	✔	✔	✔	✔	✔	✗	✔	✔	✔	✔	✔	P	✔	✔	✗	✗	✔	✔	✗
5 Densité de plantation (nombre de ceps par hectare)	✔	P	✔	✔	✗	✗	✗	✗	✗	✔	✔	P	✔	✗	✗	✗	P	✔	✔
6 Irrigation	✗	P	✗	✔	✗	✗	P	✗	P	✗	✔	✗	✔	✔	✔	✔	✔	✔	✗
7 Mode d'élaboration : mousseux	✔	✔	✔	✔	✗	✔	✔	✔	✔	✗	✔	✗	✔	✗	✔	✗	P	✔	✔
vins mutés	✔	✔	✗	✔	✗	✗	✔	✔	✗	✔	✔	✔	✔	✗	✔	✗	✗	✔	✗
8 Mode d'élevage	P	✔	✔	✔	✔	✗	✔	✔	✔	✔	✔	✔	✔	✗	P	✗	P	✔	✗
9 Taux de SO_2 ou autres additifs	✔	✔	✔	✔	✔	✔	✔	✔	✔	✔	✔	✗	✔	✔	✔	✗	✔	✔	✗
10 Embouteillage au lieu de production	P	P	P	P	✗	✗	P	✗	P	P	✔	✔	✗	✗	✗	✗	P	✔	P
11 Maturité du raisin/alcool potentiel	P	✔	✔	P	✔	✔	✔	✗	✔	✔	✔	✗	✔	✗	✗	✗	✗	✔	✗

Les notes ci-dessous s'appliquent aux points cités dans le tableau ci-contre.

1. **Le contrôle de l'indication d'origine** est inhérent aux systèmes d'appellation basés, comme en France, en Espagne et en Italie, sur la région ou le cépage. La plupart des pays viticoles possèdent aujourd'hui une législation exigeant que, si un village ou une région est nommé sur l'étiquette, un large pourcentage du raisin dont le vin est issu en provient. Toutefois, dans les vignobles du Nouveau Monde, l'origine du raisin n'a que peu d'importance, et on commence tout juste à définir les meilleurs sites.

2. **Le système des appellations d'origine contrôlées** partage aujourd'hui le monde vinicole. Plusieurs pays qui possèdent depuis longtemps des systèmes d'appellations voudraient voir la réglementation s'assouplir pour pouvoir procéder à des expériences ; d'autres essayent de mettre en place un système similaire. Les appellations contrôlées françaises, allemandes, italiennes, espagnoles, portugaises, américaines et australiennes sont décrites en détail p. 581 à 593. Les appellations les plus intéressantes des autres pays sont commentées dans le chapitre concernant ledit pays.

3. **Cépages :** tous les vins de qualité de l'Union européenne doivent être issus de cépages appartenant à la famille *Vitis vinifera* « recommandés » ou « autorisés » pour cette région et, pour la production du vin concerné, par les autorités nationales. L'Angleterre se bat pour obtenir l'autorisation d'utiliser le Seyval Blanc pour les vins de qualité anglais et gallois. En tant qu'hybride franco-américain, il n'est actuellement pas autorisé. Dans des pays comme les États-Unis et le Canada, les hybrides sont autorisés, et on procède à davantage d'expériences. Toutefois, lorsqu'un cépage figure sur l'étiquette, il doit représenter un certain pourcentage (voir p. 577, note 9).

4. **Le mode de culture**, les pratiques viticoles, à l'exception de la densité de plantation, sont généralement strictement réglementés en Europe, surtout en ce qui concerne la taille, qui a une répercussion directe sur le rendement. La législation allemande est depuis longtemps basée sur le nombre de bourgeons autorisés sur la vigne (et sur le taux de sucre du moût), privilégiant le volume plutôt que la qualité. Les pays extérieurs à l'Union européenne, dont beaucoup ne possèdent qu'une industrie viticole naissante, adoptent une approche plus souple.

5. **La densité de plantation** est l'un des sujets sensibles, mais elle est rarement réglementée. Des régions traditionnellement de haute densité telles que la Bourgogne font des essais de plantation à moindre densité, alors qu'en Australie, où la faible densité constituait la norme, les nouveaux vignobles sont plantés avec un beaucoup plus grand nombre de vignes par hectare.

6. **L'irrigation** est autorisée, dans les pays de l'Union européenne, pour les vignobles nouveaux considérés comme encore au stade expérimental, tels le vignoble de Raimat en Espagne, ou le vignoble anglais où les essais sont difficiles. Par contre, les vignes d'appellation contrôlée n'ont pas droit à l'irrigation. Dans d'autres pays plus chauds, plus la qualité du vin est grande, moins la vigne est irriguée. En Australie ou au Chili, et dans des régions spécifiques comme la Wachau autrichienne ou le district de Robertson en Afrique du Sud, la viticulture ne peut être pratiquée sans un système d'irrigation – plus ou moins important – fonctionnant à certaines époques du cycle de la vigne.

7. **Le mode d'élaboration** des vins mousseux ou des vins doux naturels est en général réglementé par une législation spécifique.

8. **Le mode d'élevage** peut faire l'objet d'une réglementation pour certains vins appartenant à certaines appellations. Par exemple, le *Spätlese* autrichien doit être vieilli jusqu'au 1er mars de l'année qui suit celle de la vendange, et les vins *Prädikat* supérieurs, jusqu'au 1er mai. En Hongrie, il n'existe qu'une législation réglementant le Tokay. L'Australie a établi des lois particulières pour la maturation des vins mousseux fermentés en bouteille.

9. **Taux de dioxyde de soufre ou autres additifs.** Voir p. 577, note 8.

10. **La mise en bouteilles sur le lieu de production** est privilégiée par les autorités chargées des appellations, car elle évite certaines tentations de fraude et constitue une garantie supplémentaire d'authenticité, mais la législation de l'Union européenne ne permet pas de l'exiger. En Alsace, la mise en bouteilles sur le lieu de production est obligatoire pour des raisons historiques, tout comme à Marsala en Italie (afin d'empêcher le transport en vrac de vin de qualité inférieure). Certains styles de vin comme le mousseux doivent être mis en bouteilles dans leur cave d'élaboration pour des raisons évidentes, la seconde fermentation ayant lieu dans la bouteille dans laquelle le vin sera vendu.

Dans d'autres pays, comme l'Afrique du Sud, cette information est sujette à caution. Le nom d'un domaine peut être donné à un vin même si un camion-citerne transporte le vin fraîchement fermenté chez un grossiste ou un négociant en dehors du district, qui prend le relais de l'élevage.

11. **Maturité du raisin et degré d'alcool potentiel :** les systèmes d'appellation de certains pays et de certaines régions de ces pays exigent un degré de maturité du raisin, comme les systèmes allemands ou autrichiens (*Spätlese, Auslese*, etc.), entièrement fondés sur ce critère de taux minimal d'alcool. En France, seul le Muscadet possède un taux maximal d'alcool. En Espagne, certaines DO exigent un niveau de maturité. En Argentine, le moût, ou jus de raisin non fermenté, doit atteindre entre 10 et 14° Baumé (ce qui donne une indication approximative du degré potentiel d'alcool du vin).

LES APPELLATIONS DE QUALITÉ

Le système d'appellation d'origine fut tout d'abord introduit en France pour protéger les vins de qualité de certaines régions traditionnelles. Depuis les années 1960, d'autres pays européens ont instauré des systèmes s'inspirant des mêmes critères de sélection. L'Union européenne reconnaît normalement quatre niveaux de qualité : ce tableau montre comment établir un parallèle entre ces quatre niveaux dans divers pays.

PAYS	VINS DE CONSOMMATION COURANTE		VINS DE QUALITÉ	
	Vin de table	*Vin de Pays*	*Vin de qualité d'origine*	*Vin d'appellation contrôlée*
France	Vin de table	Vin de pays	Appellation d'origine vin délimité de qualité supérieure (VDQS)	Appellation d'origine contrôlée (AOC)
Italie	Vino da tavola (VDT)	Indicazione geografica tipica (IGT)	Denominazione di origine controllata (DOC)	Denominazione di origine controllata e garantita (DOCG)
Allemagne	Deutscher Tafelwein	Landwein	Qualitätswein eines bestimmten Anbaugebietes (QbA)	Qualitätswein mit Prädikat[1] (QmP)
Espagne	Vino de mesa	Vino de la tierra	Denominación de origen (DO)	Denominación de origen calificada (DOC)
Portugal	Vinho de mesa	Vinho regional	Indicação de proveniência regulamentada (IPR)	Denominação de origem controlada (DOC)
Angleterre	Table wine	Regional wine	English/Welsh Vineyards Quality Wine	Nil
Hongrie [2]	Asztali bor	Tájbor	Minöségi bor	Különleges Minöségü bor
Grèce	Table wine. Cava	Vin de pays	Appellation contrôlée d'origine (vin doux) Appellation contrôlée d'origine de qualité supérieure (vin sec)	Réserve ou Grande Réserve
Autriche	Tafelwein	Landwein	Qualitätswein Kabinett Prädikatswein[3]	Vinea Wachau[4]

1 Le *Prädikat*, ou distinction, recouvre six niveaux de maturité et de qualité : Kabinett, Spätlese, Auslese, Beerenauslese, Trockenbeerenauslese, Eiswein.

2 La Hongrie a posé sa candidature pour devenir membre de l'Union européenne.

3. Le *Prädikat*, ou distinction, recouvre huit niveaux de maturité et de qualité : Spätlese, Auslese, Beerenauslese, Trockenbeerenauslese, Eiswein, Ausbruch, Strohwein, Bergwein.

4. Les meilleurs vins de la région de Vinea Wachau ont leurs propres distinctions de maturité et de qualité : Steinfeder, Federspiel, Smaragd.

TABLEAUX DES MILLÉSIMES

Chaque cépage, chaque parcelle de vigne, chaque cru, chaque appellation offre de telles différences, d'un millésime à l'autre, que toute généralisation est approximative. Voici cependant quelques indications : la colonne « Garde » indique la maturité : « B » signifie « à boire maintenant » ;

« D », « a probablement dépassé son apogée et est sur son déclin » ; « G » signifie « à boire maintenant, mais peut encore être gardé » ; « L » signifie « laisser en cave » (« L10+ » donne une estimation de l'époque vraisemblable de maturité du millésime). Les notes vont de 1 à 10.

BORDEAUX
Rouges : Médocs et Graves

La cotation concerne les grands crus ; les autres vins seront prêts à être bus plus tôt. Les millésimes récents ont un fruit qui semble se développer plus rapidement, sauf pour les années les plus mûres. Voir aussi p. 148, 158.

	Note	Garde	Commentaires
2003	7	L	Les Cabernets-Sauvignons ont bien supporté la canicule.
2002	8	L	L'arrière-saison a tout sauvé.
2001	6	G	Les Cabernets ont eu du mal.
2000	9	L	Belle maturité, tanins abondants.
1999	6	G	Irréguliers ; meilleurs au sud du Médoc et dans les Graves.
1998	7	G	Parfois délavés ; quelques vins de garde.
1997	6	L	Maturité relative, avec quelques vins de garde.
1996	8	L10+	Beau millésime classique, avec de superbes Cabernets-Sauvignons. Très prometteur.
1995	9	L10+	Année exceptionnelle, avec quelques vins brillants.
1994	7	L	Malgré les pluies en septembre, les vins promettent.
1993	6	B	Les pluies de septembre ont nui à la bonne maturité des Cabernets.
1992	6	B	Vendange importante, les vins sont légers mais bien équilibrés.
1991	5	D	Gel de printemps et pluies ont marqué ce petit millésime.
1990	9	L	Superbes vins, bien construits, des tanins concentrés de grande finesse.
1989	9	G	Année de vendange très mûre. Les vins sont opulents mais inégaux.
1988	8	G	Millésime classique fruité.
1987	6	D	Temps maussade, les raisins manquaient de maturité.
1986	8	G	Vendanges très mûres. Belle concentration de tanins.
1985	8	G	Très beau millésime classique, très fruité avec des tanins souples.
1983	9	G	Une année de vins dont les puissants tanins se sont assouplis.

BORDEAUX
Rouges : Saint-Émilion et Pomerol

Ces vins de la « Rive droite » se développent différemment de ceux de Médoc et des Graves. La plupart des vins parviennent plus vite à maturité. Voir aussi p. 171, 177.

	Note	Garde	Commentaires
2003	6	L	Les Merlots ont souffert de la canicule.
2002	7	L	Irrégulier. Exceptions intéressantes.
2001	8	L	Belles réussites du Merlot.
2000	9	L	Superbe maturité.
1999	9	L	Vins généreux, suaves complets.
1998	8	G	Belle maturité. Vins colorés, puissants.
1997	7	B	Merlots généreux, vins gracieux.
1996	7	L	Plus inégal que pour les Médocs à cause des vendanges pluvieuses, mais quelques très bons vins.
1995	9	L10+	Très belle maturité pour les Merlots. Excellents vins.
1994	8	B	L'été chaud a produit des vins mûrs, avec des Merlots très réussis.
1993	6	B	Très beaux Merlots, les Pomerols sont excellents.
1992	5	D	Année pluvieuse, vins moyens.
1991	5	D	Gel et pluie, très peu de bons vins.
1990	10	G	Superbe année de grande concentration.
1989	9	G	Année mûre avec des vins assez tanniques.
1988	9	G	Très bonne année qui reste sur une belle structure fruitée.
1987	6	D	Année moyenne avec de bons Merlots, meilleure qu'en Médoc.
1986	8	G	Millésime de grande maturité.
1985	8	G	Superbe millésime avec une belle extraction de fruit.
1983	8	G	Bonne année avec des vins inégaux.
1982	10	G	Année de vins très concentrés.

BORDEAUX
Blancs secs

Les commentaires s'appliquent aux crus classés de Graves. Les meilleurs Graves blancs sont des vins très séduisants dans les premières années de vie pour devenir très complexes après 10 ans. Voir aussi p. 158.

	Note	Garde	Commentaires
2003	6	B	Acidités déficientes.
2002	7	L	Quelques succès.
2001	6	G	Maturités difficiles.
2000	8	G	Récolte précoce, raisins mûrs.
1999	7	B	Belle récolte, avec un rendement trop élevé.
1998	7	B	Vins souples, à boire rapidement.
1997	6	D	Petite récolte, vins réservés.
1996	8	L8+	Vins finement équilibrés, puissants, bien structurés.
1995	8	L8+	Vins puissants et très fins, comme en 1988.
1994	7	G	Vins bons, bien équilibrés.
1993	6	G	Très beaux vins très fruités.
1990	9	G	Superbe année de blancs élégants.

BORDEAUX
Liquoreux

Le Sauternes et le Barsac ont connu une décennie faste à partir de 1980. Les millésimes diffèrent quant à la quantité et à la qualité de raisins botrytisés, qui augmentent la concentration et le caractère des vins. En fonction des caprices de la nature, les vins liquoreux sont excellents ou plus ou moins médiocres. Voir aussi p. 163.

	Note	Garde	Commentaires
2003	8	L	Arrière-saison favorable au botrytis.
2002	8	L+10	Vins complets. Beau botrytis.
2001	9	L+10	Très belle année. Vins complets.
2000	7	B	Automne contrasté.
1999	8	B	Vins riches, bien construits.
1998	7	B	Vins botrytisés, parfois faciles.
1997	8	B	Vins riches et souples.
1996	9	L8+	Millésime très fin. Octobre favorable au botrytis.
1995	9	L8+	Développement rapide du botrytis dans la première quinzaine d'octobre.
1994	8	L6+	Encore une petite récolte, mais bonne là où la sélection a été rigoureuse.
1993	6	G	Petite récolte de bons vins.
1990	10	G	Superbe millésime de vins très concentrés d'une rare élégance.
1989	10	G	Excellent millésime de vins classiques et racés.
1988	9	G	Très bon millésime.
1986	8	G	Très belle année ; les meilleurs crus sont à garder.
1985	7	B	Année bien équilibrée.
1983	10	B	Très grande année de vins opulents.

BOURGOGNE
Rouges

Dans cette région, de nombreux viticulteurs et négociants élaborent des vins très différents, et les variations du climat peuvent causer de grandes différences à l'intérieur même de la région. Les commentaires sont fondés sur les premiers crus de la Côte d'Or. Voir aussi p. 181.

	Note	Garde	Commentaires
2003	8	L	La patience a donné de très bons vins.
2002	7	G	Maturités limitées mais correctes.
2001	6	B	Des irrégularités dans les maturités.
2000	6	B	Récolte trop abondante, comme en 1999.
1999	7	B	Malgré la pluie, de beaux succès.
1998	7	B	Maturité moyenne. Tanins rêches.
1997	7	B	Vins irréguliers, souples et d'un style aimable.
1996	9	L8+	Récolte irrégulière, mais les vins les plus fins seront remarquables.
1995	8	L	Bons vins, finement fruités, belle couleur.
1994	6	B	Vins variables à cause du mauvais temps, corrects, voire bons.
1993	7	G	Bon millésime.
1992	7	D	Une année moyenne.
1991	8	B	Beau millésime mais petite production (gel).
1990	9	G	Troisième grande année de suite.
1989	9	G	Excellents vins, très concentrés.
1988	9	G	Très grande année, avec des vins racés, de grande garde.

BOURGOGNE
Blancs

Les notes concernent avant tout les crus de la Côte de Beaune. Les vins de Chablis font l'objet d'une mention en bas du tableau. Voir aussi p. 181.

	Note	Garde	Commentaires
2003	7	L	Beaucoup de gras. Vins aromatiques.
2002	7	G	Une jolie matière première.
2001	7	B	Récolte saine, maturités correctes.
2000	7	B	Raisins mûrs et sains.
1999	7	B	Vins légers, mais harmonieux.
1998	7	B	Vendanges pluvieuses. Un 1997 amélioré ?
1997	7	B	Vins faciles et aimables. Moyenne garde.
1996	9	L8	Millésime exceptionnel, très sucré et finement acide.

Légende : B : à boire maintenant ; D : a probablement dépassé son apogée ; G : à boire maintenant mais peut être gardé ; L : à laisser en cave ; L10+ : nombre d'années présumées entre la vendange d'un vin et sa maturité.

	Note	Garde	Commentaires
1995	9	L6+	Petite récolte, vins superbement bien équilibrés avec une concentration exceptionnelle, comme en 1990, mais plus forte en alcool.
1994	7	G	Meilleur millésime que 1993 et que les rouges de 1994.
1993	6	D	Un bon millésime fruité.
1992	8	G	Bonne année de vins classiques.
1991	7	B	Millésime de vins équilibrés.
1990	8	G	Troisième grande année de suite : vins amples et racés.
1989	9	B	Très grande année de vins très corsés.

Chablis : 1997, 1996 et 1995 sont des millésimes exceptionnels (surtout 1996), à garder. 1993 et 1994 sont de bons millésimes. Le millésime 1992 est marqué par des vendanges importantes, des vins amples et gras. La récolte 1991 fut réduite par le gel, mais certains crus devraient être excellents. 1990 est une très bonne année pour les grands crus qui méritent d'être laissés quelques années en cave. À noter quelques excellents millésimes plus anciens de premiers et grands crus : 1989, 1988, 1986, 1985 et 1983.

CHAMPAGNE

Les vins portant un millésime ne sont produits par les très grandes maisons que les très bonnes années.

Le Champagne millésimé d'une grande année d'une grande marque mérite de passer une dizaine d'années en cave avant d'être commercialisé.

Depuis le classique 1998 et, surtout, l'excellent millésime 1996, équilibré, de garde, la Champagne a produit beaucoup de raisins à la suite d'importantes récoltes, y compris en 2000. Rien qui vaille le 1996. Grands millésimes en 1988, 1989, 1990 et 1995. Mais il existe encore de nombreux stocks de millésimes plus anciens. 1985 est un très beau millésime élégant et fruité. 1983 est moins expressif, et mieux réussi dans les cuvées de raisins noirs. 1982 reste somptueux, surtout dans les cuvées de Chardonnay à 100 %. Voir aussi p. 213.

ALSACE

La plupart des vins d'Alsace de tous les jours peuvent être bus après 1 à 4 ans ; les vins de Vendanges tardives et de Sélection de Grains nobles peuvent se garder plus longtemps. Voir aussi p. 223.

	Note	Garde	Commentaires
2003	7	L	Très belles maturités. Acidités moyennes.

	Note	Garde	Commentaires
2002	6	B	De la pluie, des maturités laborieuses.
2001	6	B	Grande irrégularité.
2000	6	B	Climat difficile pour quelques réussites.
1999	4	D	Vins encore plus dilués qu'en 1998.
1998	5	D	Vins aussi dilués qu'en 1997.
1997	5	D	Vins dilués, souples.
1996	8	L	Vins secs classiques, fins et bien structurés, mais année passable pour le botrytis.
1995	7	G	Bon millésime, vins concentrés.
1990	8	G	Bon millésime de vins classiques.
1989	10	G	Très grand millésime.
1988	9	G	Année de grande maturation.
1985	8	B	Une grande année de vins riches, fruités et racés.
1983	10	G	Superbe millésime avec des vins très concentrés.

LOIRE

Les vins secs de Pouilly et de Sancerre, issus de Sauvignon, atteignent leur apogée, à de rares exceptions près, dans les deux années qui suivent leur vendange. Les grands millésimes des vins doux d'Anjou et de Touraine issus de Chenin Blanc peuvent se bonifier en bouteille des dizaines d'années. Voir aussi p. 231.

	Note	Garde	Commentaires
2003	8	G	Belles réussites en blanc et en rouge.
2002	8	G	Rouges réussis, blancs épanouis.
2001	6	B	Belle arrière-saison. Quelques jolis vins.
2000	6	B	Blancs fruités. Rouges légers et friands.
1999	5	B	Vendanges pluvieuses. Vins moyens.
1998	6	B	Vins rouges et blancs légers.
1997	8	B	Rouges avec une belle maturité; grands liquoreux.
1996	9	L6+	Deuxième millésime excellent consécutif.
1995	9	L6+	Millésime superbe, vins blancs doux exceptionnels.
1994	7	B	Quelques bons rouges, quelques vins doux très fins.
1993	7	D	Année moyenne.
1990	9	G	Un grand millésime pour les grands vins moelleux ou liquoreux.
1989	10	B	Le millésime du siècle. Le summum pour les vins liquoreux issus de Chenin Blanc.

Parmi les grandes années des vins d'Anjou et de Vouvray qui méritent d'être gardés en cave, il faut citer : 1988, 1985, 1978, 1976, 1975, 1964 et 1959.

Légende : B : à boire maintenant ; D : a probablement dépassé son apogée ; G : à boire maintenant mais peut être gardé ; L : à laisser en cave ; L10+ : nombre d'années présumées entre la vendange d'un vin et sa maturité.

RHÔNE
Rouges

Les conditions climatiques peuvent varier entre le nord et le sud du Rhône. Le tableau des millésimes concerne les vins du nord issus de Syrah, qui méritent d'être gardés ainsi que les vins comme le Châteauneuf-du-Pape et le Gigondas au sud. Voir aussi p. 247.

	Note	Garde	Commentaires
2003	7	L	Lourd déficit quantitatif. Bonne qualité générale.
2002	5	B	Climat sévère. Vins chétifs.
2001	6	G	Maturités correctes, résultats irréguliers.
2000	7	G	Belle maturité.
1999	7	G	Vins du Nord et rouges supérieurs à ceux du Sud et aux blancs.
1998	8	G	Beaux rouges, supérieurs aux blancs.
1996	7	L	Millésime banal, récolte abondante mais peu mûre. Excellents blancs.
1995	9	L4+	Vins puissants et bien structurés.
1994	7	B	Variable, vendanges pluvieuses.
1993	6	B	Meilleur au sud qu'au nord, blancs meilleurs que les rouges.
1990	9	G	Excellent millésime.
1989	9	G	Grande année de concentration tannique.
1988	10	G	Millésime du siècle.

ALLEMAGNE
Moselle

Ici, les millésimes diffèrent en qualité et aussi en style : traditionnellement, les années chaudes sont les meilleures, produisant beaucoup de vin moelleux ou liquoreux. Les années plus fraîches, avec de bons vins *Kabinett*, ne sont pas à dédaigner. Voir aussi p. 318.

	Note	Garde	Commentaires
2003	7	L	Concentration et bonne acidité.
2002	6	B	Beaucoup de pluie. Vins parfois dilués.
2001	7	B	Globalement bon.
2000	6	G	Vendanges pluvieuses. Bons liquoreux.
1999	8	G	Vins élégants, mûrs. Vendanges pluvieuses.
1998	5	D	De l'acidité. Beaux *Eisweine*.
1997	9	L6+	Vins concentrés, de garde.
1996	7	L5+	Petite récolte de qualité inégale.
1995	8	L	Récolte bien mûre. Quelques *Eisweine*.
1994	9	L	Bon à excellent. Rieslings fins, équilibrés.
1993	8	B	Bon millésime dans conditions difficiles.

Parmi les meilleurs millésimes antérieurs à garder, il faut citer : 1990, 1988, 1985, 1983, 1976, 1975, 1971, 1964, 1959.

RÉGIONS DU RHIN

Des différences subtiles mais importantes existent entre la Moselle et le Rhin : les vins du Rhin, surtout les vins du Rheingau, vieillissent normalement plus longtemps – disons 12 ans et plus pour les très grands millésimes ; en revanche, les vins de la Hesse rhénane se gardent rarement plus de 8 ans. Voir aussi p. 325.

	Note	Garde	Commentaires
2003	8	L	Des Rieslings opulents.
2002	6	B	Climat instable. Vins moyens.
2001	8	L	Belle récolte.
2000	7	G	Assez bien.
1999	7	G	Récolte abondante.
1998	6	D	Irrégularités.
1997	8	L	Maturité, équilibre.
1996	8	L	Bons Auslese et Beerenauslese dans le Rheingau, moyen dans le Pfalz.
1995	7	G	Vins variables, vendanges précoces dues à la pourriture.

Parmi les millésimes antérieurs qui méritent notre attention, il faut citer : 1990, 1989, 1983, 1976, 1975, 1971, 1964, 1959.

TOSCANE
Rouges

Les Chianti Classico et Ruffino, les Brunello di Montalcino, et les « super *vini da tavola* », toujours plus nombreux, sont des vins à garder. Ce tableau les concerne. Voir aussi p. 381.

	Note	Garde	Commentaires
2003	6	L	Maturités hétérogènes.
2002	6	L	Climat difficile. Vins ingrats.
2001	8	L	Quelques très beaux vins.
2000	7	L	Très variable.
1999	8	L	Équilibré.
1998	8	L	Bien construit.
1997	8	G	Belle maturité.
1996	7	L3+	Variable. Des Chianti bien mûrs, aux couleurs profondes.
1995	8	L	Très bon millésime.
1994	9	L	Bon à excellent pour les vins DOCG et les *vini da tavola*.
1993	8	G	Bon millésime.
1992	7	B	Millésime honnête.
1990	9	G	Grande année.

Parmi les bons millésimes antérieurs, il faut citer, pour les rouges : 1988, 1986, 1985, 1983, 1978, 1971, 1968, 1967. Il faut aussi noter que les blancs de 1994 et 1993 ont été particulièrement réussis pour l'Ombrie et la Toscane.

Légende : B : à boire maintenant ; D : a probablement dépassé son apogée ; G : à boire maintenant mais peut être gardé ; L : à laisser en cave ; L10+ : nombre d'années présumées entre la vendange d'un vin et sa maturité.

PIÉMONT
Rouges

Les rouges Barolo et Barbaresco du Piémont ont besoin de maturité en bouteille, bien que certains vignerons adoptent un style de vinification qui donne des vins à boire plus jeunes. Voir aussi p. 365.

	Note	Garde	Commentaires
2003	6	L	Très irrégulier.
2002	7	L	Année difficile, mais quelques succès.
2001	9	L	Beaux vins complets.
2000	9	L7+	Excellent.
1999	9	L9+	Complet.
1998	7	L5+	Plus concentré que fruité.
1997	8	L5+	Belle année.
1996	8	L4+	Millésime de très bonne qualité.
1995	7	L4+	Les vendanges tardives du Nebbiolo ont produit des très bons vins.
1994	7	B	Variable, meilleur dans le Barolo.
1993	7	G	Millésime inégal.
1992	6	B	Petite année avec des vins légers.
1990	9	G	Très bonne année.
1989	7	B	La quantité a été réduite par la grêle, mais la qualité est bonne.
1988	8	G	Très bon pour les meilleurs crus.

Parmi les meilleurs millésimes antérieurs de Barolo, il faut citer : 1986, 1985, 1983, 1978, 1971 et 1964.

PORTO VINTAGE (MILLÉSIMÉ)

Le millésime est d'une telle importance pour les marques de Porto qu'elles ne choisissent de le déclarer que pour des années exceptionnelles en sélectionnant les meilleurs vins des meilleurs crus. Le terme anglais « vintage », qui signifie à la fois la vendange et le millésime, a été adopté par les Portugais pour des raisons historiques qui datent de l'époque où le commerce des vins de Porto était dominé par les Anglais. Le Porto millésimé est destiné à vieillir longtemps en bouteille.

Une note ne peut en général être donnée avant que le vin ait été mis en bouteilles (après deux ans de vieillissement en fût) et vieilli pendant quelques années, car son caractère peut changer. Un point d'interrogation dans le tableau signifie qu'il est trop tôt pour estimer la qualité. Certaines maisons déclarent les vins d'une seule *quinta* les années non millésimées. Ceux-ci seront vraisemblablement à maturité au bout de 8 à 12 ans. Voir aussi p. 440.

	Note	Garde	Commentaires
2003	?	L?	De grands espoirs pour les Vintages.
2002	?	L?	Climat irrégulier. Quelques réussites.
2001	?	L?	Après beaucoup d'humidité, la belle arrière-saison a sauvé le millésime.
2000	9	L12+	Petits volumes, mais très belle qualité.
1999	8	L10+	Belle maturité.
1998	8	L7+	Belle maturité.
1997	9	L10+	Superbes Vintages.
1996	7	L12+	Récolte abondante de qualité relativement bonne. Déclaration générale improbable.
1995	8	L12+	Pas un Vintage sauf exception.
1994	9	L20+	Petite récolte de vins excellents : Vintage.
1992	8	L12+	Sans doute un très grand Vintage.
1991	7	L12+	Vintage de grande extraction.
1982	7	G	Excellent millésime pour certaines maisons, décevant pour d'autres.
1980	8	G	S'améliore en vieillissant.
1978	7	G	Millésime qui commence à révéler son fruit, mais reste encore très fermé et un peu mince.

Les millésimes suivants sont tous excellents et devraient pouvoir survivre jusqu'à l'an 2000 : 1977, 1970, 1967, 1966, 1963, 1960, 1955, 1945.

CALIFORNIE

La taille immense des vignobles californiens et la grande variété des conditions climatiques rendent difficile une bonne appréciation des millésimes. Ces commentaires concernent surtout les régions de Napa et de Sonoma. Voir aussi p. 479.

	Note	Garde	Commentaires
2003	6	L	Extrêmement irrégulier.
2002	6	L	Maturités laborieuses. Vins déséquilibrés.
2001	7	L	Belles réussites en Cabernet-Sauvignon.
2000	6	G	Très pluvieux et très moyen.
1999	7	G	Irrégularités. Beaux Zinfandels.
1997	9	G	Vins complets et riches.
1996	7	L	Petite récolte de très bonne qualité.
1995	8	L	Bonne qualité mais les blancs sont un peu justes.
1994	8	B	Bons rouges provenant d'une petite récolte.
1993	7	D	Millésime de qualité inégale.
1991	9	B	Bons rouges à garder.
1990	8	G	Très beau temps.
1989	7	D	Bon millésime.

Parmi les millésimes antérieurs très réussis pour le Cabernet-Sauvignon, citons 1985, 1980, 1978 et 1974.

Légende : B : à boire maintenant ; D : a probablement dépassé son apogée ; G : à boire maintenant mais peut être gardé ; L : à laisser en cave ; L10+ : nombre d'années présumées entre la vendange d'un vin et sa maturité.

LES RÉGIONS VITICOLES ET LEUR PRODUCTION

Les pages suivantes listent les statistiques des zones viticoles des grands pays producteurs du monde, lorsque ces chiffres sont disponibles. Les chiffres expriment la production de vin (en hectolitres ou hl) et le nombre d'hectares (ha) plantés en vigne. Les chiffres d'une région peuvent être imprécis, car ils incluent des vignobles qui ne produisent pas.

EUROPE	superficie	production
Albanie	5	105
Allemagne	106	10 834
Autriche	49	2 703
Belgique	n.d.	1
Bosnie-Herzégovine**	4	54
Bulgarie	109	3 308
Croatie* **	59	2 277
Espagne	1 180	30 320
France	914	52 671
Grèce	129	3 826
Hongrie	131	4 180
Italie	899	54 188
Luxembourg	1	160
Malte	1	32
Portugal	260	3 621
République macédoine (ancienne)* **	31	1 803
République tchèque **	13	450
Roumanie	253	5 002
Royaume-Uni	1	12
Slovaquie	20	490
Slovénie**	20	894
Suisse	15	1 172
Yougoslavie (Serbie et Monténégro)	82	4 025
Sous-Total EUROPE	**4 282**	**182 128**

U.R.S.S. (ex)		
Arménie*	22	80
Azerbaïdjan* **	66	650
Biélorussie* **	4	232
Estonie**	n.d.	7
Géorgie* **	73	650
Kazakhstan* **	12	191
Kyrgistan* **	8	20
Lettonie**	n.d.	114
Lithuanie* **	5	197
Moldavie**	159	2 194
Russie* **	85	2 100
Tadjikistan* **	38	195
Turkmenistan* **	28	168
Ouzbekistan* **	132	1 470
Ukraine**	125	728
Sous-Total U.R.S.S. (ex)	**757**	**8 996**

AFRIQUE	superficie	production
Afrique du Sud	111	8 156
Algérie	56	360
Égypte*	56	26
Libye	7	–
Madagascar	2	90
Maroc	50	298
Tanzanie	3	–
Tunisie	27	352
Autres pays	1	26
Sous-Total AFRIQUE	**313**	**9 308**

AMÉRIQUE	superficie	production
Argentine	210	12 673
Bolivie	4	20
Brésil	60	2 782
Canada	7	343
Chili*	144	5 475
États-Unis	364	20 450
Mexique	41	1 112
Paraguay	n.d.	92
Pérou	11	120
Uruguay*	11	1 132
Vénézuela	1	12 673
Autres pays	5	5
Sous-Total AMÉRIQUE	**858**	**56 877**

ASIE	superficie	production
Chine*	194	3 550
Corée*	30	–
Inde*	43	–
Japon	22	1 301
Pakistan	9	–
Thaïlande	3	–
Taïwan	3	–
Autres pays	19	4
Sous-Total ASIE	**323**	**4 855**

MOYEN ORIENT	superficie	production
Afghanistan*	52	–
Chypre	20	710
Irak*	53	–
Iran	270	–
Israël	8	90
Jordanie	15	–
Liban*	26	–
Syrie*	86	–
Turquie*	602	278
Yémen*	24	–
Sous-Total MOYEN ORIENT	**1 156**	**1 078**

OCÉANIE	superficie	production
Australie	98	7 415
Nouvelle Zélande	9	606
Sous-Total OCÉANIE	**107**	**8 021**

(*) Superficie en production x 1,075.   (**) moyenne 92/95.

Source : Office International de la Vigne et du Vin (janvier 2001) pour 1998.

LES APPELLATIONS CONTRÔLÉES EN FRANCE

Ces zones sont listées par ordre alphabétique, avec la région ou le type de vin et la(les) couleur(s) de vin produit. (Voir aussi p. 132-134.) Les régions sont : l'Alsace (Als.), le Bordelais (Bord.), la Bourgogne (Bourg.), la Champagne (Ch.), la Loire, le Jura et la Savoie (J. et S.), le Languedoc-Roussillon (L.-R.), la Provence et la Corse (P.-C.), le Rhône, le Sud-Ouest (S.-O.), VDN, Vins Doux Naturels. R, ros, B, Ef signifient rouge, rosé, blanc, effervescent ; vj et vp, vin jaune et vin de paille.
Un astérisque (*) indique un VDQS.

Ajaccio	P.-C.	R, ros, B
Aloxe-Corton	Bourg.	R, B
Aloxe-Corton Premier Cru	Bourg.	R, B
Alsace Grand Cru	Als.	B
Alsace ou vin d'Alsace	Als.	B (R, ros)
Anjou	Loire	ros, B (R)
Anjou Coteaux-de-la-Loire	Loire	B
Anjou Gamay	Loire	R
Anjou Mousseux	Loire	Ef
Anjou Villages	Loire	R
Arbois	J. et S.	R, ros, B, vp, vj
Arbois Mousseux	J. et S.	Ef
Arbois Pupillin	J. et S.	R, B, ros, vp, vj
Auxey-Duresses	Bourg.	R, B
Auxey-Duresses Premier Cru	Bourg.	R, B
Bandol	P.-C.	R, ros (B)
Banyuls	VDN	R, ros, B, rancio
Banyuls Grand Cru	VDN	R, rancio
Barsac	Bord.	B
Bâtard-Montrachet	Bourg.	B
Béarn	S.-O.	R, ros, B
Béarn-Bellocq	S.-O.	R, B, ros
Beaujolais	Bourg.	R (ros, B)
Beaujolais Supérieur	Bourg.	R (B)
Beaujolais-Villages	Bourg.	R (ros, B)
Beaune	Bourg.	R (B)
Beaune Premier Cru	Bourg.	R (B)
Bellet	P.-C.	R, ros, B
Bergerac	S.-O.	R, ros
Bergerac Sec	S.-O.	B
Bienvenues-Bâtard-Montrachet	Bourg.	B
Blagny	Bourg.	R, B
Blagny Premier Cru	Bourg.	R, B
Blanquette de Limoux	L.-R.	Ef
Blanquette méthode ancestrale	L.-R.	Ef

Blaye ou Blayais	Bord.	R, B
Bonnes Mares	Bourg.	R
Bonnezeaux	Loire	B
Bordeaux	Bord.	R, B
Bordeaux Clairet	Bord.	R
Bordeaux Côtes-de-Francs	Bord.	R, B
Bordeaux Haut-Benauge	Bord.	B
Bordeaux Mousseux	Bord.	Ef
Bordeaux Rosé	Bord.	ros
Bordeaux Sec	Bord.	B
Bordeaux Supérieur	Bord.	R, B
Bourg	Bord.	R, B
Bourgogne	Bourg.	R, B (ros)
Bourgogne Aligoté	Bourg.	B
Bourgogne Chitry	Bourg.	R, B
Bourgogne Côte chalonnaise	Bourg.	R, B
Bourgogne Côte Saint-Jacques	Bourg.	R, B
Bourgogne Côtes d'Auxerre	Bourg.	R, B
Bourgogne Côtes du Couchois	Bourg.	??
Bourgogne Coulanges-la-Vineuse	Bourg.	R, B
Bourgogne Épineuil	Bourg.	R, B
Bourgogne Grand Ordinaire	Bourg.	R, B
Bourgogne Grand Ordinaire Rosé/Clairet	Bourg.	ros
Bourgogne Hautes Côtes de Beaune	Bourg.	R, B
Bourgogne Hautes Côtes de Nuits	Bourg.	R, B
Bourgogne La Chapelle Notre-Dame	Bourg.	R, B
Bourgogne Le Chapitre	Bourg.	R, B
Bourgogne Montrecul	Bourg.	R, B
Bourgogne Mousseux	Bourg.	Ef
Bourgogne Ordinaire	Bourg.	R, B (ros)
Bourgogne Ordinaire Rosé/Clairet	Bourg.	ros
Bourgogne Passetoutgrain	Bourg.	R (ros)
Bourgogne Rosé/Clairet	Bourg.	ros
Bourgogne Vézelay	Bourg.	B
Bourgueil	Loire	R, ros
Bouzeron	Bourg.	B
Brouilly	Bourg.	R
Buzet	S.-O.	R, ros, B
Cabardès	L.-R.	R, ros
Cabernet d'Anjou	Loire	R, ros
Cabernet de Saumur	Loire	ros
Cadillac	Bord.	B
Cahors	S.-O.	R
Canon Fronsac	Bord.	R
Cassis	P.-C.	R, B, ros

Cérons	Bord.	B
Chablis	Bourg.	B
Chablis Grand Cru	Bourg.	B
Chablis Premier Cru	Bourg.	B
Chambertin	Bourg.	R
Chambertin Clos de Bèze	Bourg.	R
Chambolle-Musigny	Bourg.	R (B)
Chambolle-Musigny Premier Cru	Bourg.	R (B)
Champagne	Ch.	Ef
Champagne Grand Cru	Ch.	Ef
Champagne Premier Cru	Ch.	Ef
Chapelle-Chambertin	Bourg.	R
Charlemagne	Bourg.	B
Charmes-Chambertin	Bourg.	R
Chassagne-Montrachet	Bourg.	R, B
Chassagne-Montrachet Premier Cru	Bourg.	R, B
Château-Chalon	J. et S.	B
Château-Grillet	Rhône	B
Châteaumeillant*	Loire	R, ros
Châteauneuf-du-Pape	Rhône	R, B
Châtillon-en-Diois	Rhône	R, ros, B
Chaume	Loire	B
Chénas	Bourg.	R
Chevalier-Montrachet	Bourg.	B
Cheverny	Loire	R, ros, B
Chinon	Loire	R (ros, B)
Chiroubles	Bourg.	R
Chorey-lès-Beaune	Bourg.	R (B)
Clairette de Bellegarde	L.-R.	B
Clairette de Die	Rhône	Ef
Clairette de Die Méthode Dioise Ancestrale	Rhône	Ef
Clairette du Languedoc	L.-R.	B
Clos de la Roche	Bourg.	R
Clos de Tart	Bourg.	R
Clos de Vougeot	Bourg.	R
Clos des Lambrays	Bourg.	R
Clos Saint-Denis	Bourg.	R
Collioure	L.-R.	R, ros, B
Condrieu	Rhône	B
Corbières	L.-R.	R (ros, B)
Cornas	Rhône	R
Corse	P.-C ;	R, ros, B
Corse Calvi	P.-C.	R, ros, B
Corse Coteaux du Cap Corse	P.-C.	R, ros, B
Corse Figari	P.-C.	R, ros, B
Corse Porto-Vecchio	P.-C.	R, ros, B
Corse Sartène	P.-C.	R, ros, B
Corton	Bourg.	R (B)
Corton-Charlemagne	Bourg.	B
Costières de Nîmes	L.-R.	R (ros, B)
Côte de Beaune	Bourg.	R, B
Côte de Beaune-Villages	Bourg.	R, B

Côte de Brouilly — Bourg. — R
Côte de Nuits-Villages — Bourg. — R (B)
Côte Roannaise — Bourg. — R, ros
Côte Rôtie — Rhône — R
Coteaux Champenois — Ch. — R, ros, B
Coteaux d'Aix-en-Provence — P.-C. — R, ros, B
Coteaux d'Ancenis* — Loire — R, ros, B
Coteaux de l'Aubance — Loire — B
Coteaux de Die — Rhône — B
Coteaux de Pierrevert — Rhône — R, ros, B
Coteaux de Saumur — Loire — B
Coteaux du Giennois — Loire — R, ros, B
Coteaux du Languedoc — L.-R. — R, ros, B
Coteaux du Layon — Loire — B
Coteaux du Loir — Loire — R, ros, B
Coteaux du Lyonnais — Bourg. — R, ros (B)
Coteaux du Tricastin — Rhône — R, ros, B
Coteaux du Quercy* — S.-O. — R, ros, B
Coteaux du Vendômois — Loire — R, ros, B
Coteaux Varois — P.-C. — R, ros, B
Côtes d'Auvergne* — Loire — R, ros, B
Côtes de Bergerac — S.-O. — R, B
Côtes de Blaye — Bord. — B
Côtes de Bordeaux Saint-Macaire — Bord. — B
Côtes de Castillon — Bord. — R
Côtes de Duras — S.-O. — R, ros, B
Côtes de la Malepère* — L.-R. — R, ros
Côtes de Millau* — L.-R. — R, B, ros
Côtes de Montravel — S.-O. — B
Côtes de Provence — P.-C. — R, ros, B
Côtes de Saint-Mont* — S.-O. — R, ros, B
Côtes de Toul — Als. — R, ros, B
Côtes du Brulhois* — S.-O. — R, ros
Côtes du Forez — Bourg. — R, ros
Côtes du Jura — J. et S. — R, ros, B, vp, vj
Côtes du Lubéron — Rhône — R, ros, B
Côtes du Marmandais — S.O. — R, ros, B
Côtes-du-Rhône — Rhône — R, ros, B
Côtes-du-Rhône-Villages — Rhône — R, ros, B
Côtes du Roussillon — L.-R. — R, ros, B
Côtes du Roussillon Villages — L.-R. — R
Côtes du Roussillon Villages Caramany — L.-R. — R
Côtes du Roussillon Villages Latour de France — L.-R. — R
Côtes du Roussillon Villages Lesquerde — L.-R. — R
Côtes du Roussillon Villages Tautavel — L.-R. — R
Côtes du Ventoux — Rhône — R, ros, B
Côtes du Vivarais* — Rhône — R, ros, B
Cour-Cheverny — Loire — B
Crémant d'Alsace — Als. — Ef
Crémant de Bordeaux — Bord. — Ef

Crémant de Bourgogne — Bourg. — Ef
Crémant de Die — Rhône — Ef
Crémant de Limoux — L.-R. — Ef
Crémant de Loire — Loire — Ef
Crémant du Jura — J. et S. — Ef
Crépy — J. et S. — B
Criots-Bâtard-Montrachet — Bourg. — B
Crozes-Hermitage — Rhône — R, B
Échezeaux — Bourg. — R
Entre-deux-Mers — Bord. — B
Entre-deux-Mers Haut-Benauge — Bord. — B
Faugères — L.-R. — R, ros
Fiefs Vendéens* — Loire — R, B
Fitou — L.-R. — R
Fixin — Bourg. — R (B)
Fixin Premier Cru — Bourg. — R (B)
Fleurie — Bourg. — R
Fronsac — Bord. — R
Frontonnais — S.-O. — R (ros)
Frontignan — VDN — B
Gaillac — S.-O. — R, ros, B
Gaillac Doux — S.-O. — B
Gaillac Mousseux — S.-O. — Ef
Gaillac Premières Côtes — S.-O. — B
Gevrey-Chambertin — Bourg. — R
Gevrey-Chambertin Premier Cru — Bourg. — R
Gigondas — Rhône — R, ros
Givry — Bourg. — R, B
Givry Premier Cru — Bourg. — R, B
Grand Roussillon — VDN — R, ros, B, rancio
Grands Échezeaux — Bourg. — R
Graves — Bord. — R, B
Graves de Vayres — Bord. — R, B
Graves Supérieures — Bord. — B
Griotte-Chambertin — Bourg. — R
Gros-Plant ou Gros-Plant du Pays nantais* — Loire — B
Haut Poitou* — Loire — R, ros, B
Haut-Médoc — Bord. — R
Haut-Montravel — S.-O. — B
Hermitage ou Ermitage — Rhône — R, B, vp
Irancy — Bourg. — R
Irouléguy — S.-O. — R, ros, B
Jasnières — Loire — B
Juliénas — Bourg. — R
Jurançon — S.-O. — B
Jurançon Sec — S.-O. — B
L'Étoile — J. et S. — B, vp, vj
L'Étoile *mousseux* — J. et S. — Ef
La Grande Rue — Bourg. — R
La Romanée — Bourg. — R
La Tâche — Bourg. — R
Ladoix — Bourg. — R, B
Ladoix Premier Cru — Bourg. — R, B

Lalande de Pomerol — Bord. — R
Latricières-Chambertin — Bourg. — R
Les Baux-de-Provence — P.-C. — R, ros
Limoux — L.-R. — Ef
Lirac — Rhône — R, ros, B
Listrac-Médoc — Bord. — R
Loupiac — Bord. — B
Lussac Saint-Émilion — Bord. — R
Mâcon — Bourg. — R, B (ros)
Mâcon Supérieur — Bourg. — R, ros, B
Mâcon-Villages — Bourg. — B
Madiran — S.-O. — R
Maranges — Bourg. — R, B
Maranges Premier Cru — Bourg. — R, B
Marcillac — S.-O. — R, ros
Margaux — Bord. — R
Marsannay — Bourg. — ros, B (R)
Maury — VDN — R, ros, B, rancio
Mazis-Chambertin — Bourg. — R
Mazoyères-Chambertin — Bourg. — R
Médoc — Bord. — R
Menetou-Salon — Loire — R, ros, B
Mercurey — Bourg. — R, B
Mercurey Premier Cru — Bourg. — R, B
Meursault — Bourg. — B (R)
Meursault Premier Cru — Bourg. — B (R)
Minervois — L.-R. — R (ros, B)
Minervois-La-Livinière — L.-R. — R
Monbazillac — S.-O. — B
Montagne Saint-Émilion — Bord. — R
Montagny — Bourg. — B (R)
Montagny Premier Cru — Bourg. — B (R)
Monthélie — Bourg. — R (B)
Monthélie Premier Cru — Bourg. — R (B)
Montlouis — Loire — B
Montlouis Mousseux ou Pétillant — Loire — Ef
Montrachet — Bourg. — B
Montravel — S.-O. — B, R
Morey-Saint-Denis — Bourg. — R (B)
Morey-Saint-Denis Premier Cru — Bourg. — R (B)
Morgon — Bourg. — R
Moselle* — Als. — R, B
Moulin-à-Vent — Bourg. — R
Moulis, Moulis-en-Médoc — Bord. — R
Muscadet — Loire — B
Muscadet Côtes de Grandlieu — Loire — B
Muscadet Sèvre-et-Maine — Loire — B
Muscadet Coteaux de la Loire — Loire — B
Muscat de Beaumes-de-Venise — VDN — B
Muscat de Frontignan — VDN — B

Muscat de Lunel................ VDN.... B
Muscat de Mireval......... VDN.... B
Muscat de Rivesaltes ..... VDN.... B
Muscat de Saint-Jean-
de-Minervois................ VDN.... B
Muscat du Cap Corse .... VDN.... B
Musigny............................ Bourg... R (B)
Néac................................. Bord..... R
Nuits ou Nuits-Saint-
Georges........................ Bourg... R (B)
Nuits ou Nuits-Saint-Georges
Premier Cru................. Bourg... R (B)
Orléans*.......................... Loire ..... R, ros, B
Orléans-Cléry*............... Loire ..... R, ros, B
Pacherenc du Vic-Bilh ... S.-O. ..... B
Pacherenc du Vic-Bilh
Sec............................... S.-O. ..... B
Palette............................. P.-C. ..... R, ros, B
Patrimonio...................... P.-C. ..... R, ros, B
Pauillac.......................... Bord..... R
Pécharmant..................... S.-O. ..... R
Pernand-Vergelesses ...... Bourg... R (B)
Pernand-Vergelesses
Premier Cru................. Bourg... R (B)
Pessac-Léognan............. Bord..... R, B
Petit Chablis................... Bourg... B
Pomerol.......................... Bord..... R
Pommard......................... Bourg... R
Pommard Premier Cru... Broug... R
Pouilly-Fuissé................. Bourg... B
Pouilly Fumé................... Loire ..... B
Pouilly-Loché.................. Bourg... B
Pouilly-sur-Loire............. Loire ..... B
Pouilly-Vinzelles............. Bourg... B
Premières Côtes-
de-Blaye...................... Bord..... R, B
Premières Côtes de
Bordeaux..................... Bord..... R, B
Puisseguin Saint-Émilion Bord. ..... R
Saint-Émilion................. Bord..... R
Puligny-Montrachet .... Bourg... B
Puligny-Montrachet
Premier Cru................. Bourg... B, R
Quarts-de-Chaume .... Loire ..... B
Quincy............................ Loire ..... B
Rasteau........................... VDN.... R, ros, B
.... *rancio*
Régnié............................ Bourg... R
Reuilly............................ Loire ..... R, ros, B

Richebourg...................... Bourg... R
Rivesaltes....................... VDN.... R, ros, B
Rivesaltes Ambre............. VDN.... B
Rivesaltes Tuilé............... VDN.... R
Rivesaltes Rancio............ VDN.... R, ros, B
Romanée Conti................ Bourg... R
Romanée-Saint-Vivant... Bourg... R
Rosé d'Anjou.................. Loire ..... ros
Rosé de Loire.................. Loire ..... ros
Rosé des Riceys.............. Ch. .... ros
Rosette............................ S.-O. ..... B
Roussette de Savoie .... J. et S.... B
Roussette du Bugey*....... J. et S.... B
Ruchottes-Chambertin ... Bourg... R
Rully............................... Bourg... R, B
Rully Premier Cru .... Bourg... R, B
Saint-Amour................... Bourg... R
Saint-Aubin.................... Bourg... B (R)
Saint-Aubin
Premier Cru................. Bourg... B (R)
Saint-Bris....................... Bourg... B
Saint-Chinian................ L.-R. ..... R, ros
Saint-Émilion.................. Bord..... R
Saint-Émilion Grand Cru Bord..... R
Saint-Estèphe .... Bord..... R
Saint-Georges
St-Émilion.................... Bord..... R
Saint-Joseph................... Rhône.. R, B
Saint-Julien.................... Bord..... R
Saint-Nicolas-de-
Bourgueil..................... Loire ..... R, ros
Saint-Péray .... Rhône.. B
Saint-Péray Mousseux ... Rhône.. Ef
Saint-Pourçain*.............. Loire ..... R, ros, B
Saint-Romain.................. Bourg... R, B
Saint-Véran.................... Bourg... B
Sainte-Croix-du-Mont ... Bord..... B
Sainte-Foy Bordeaux...... Bord..... R, B
Sancerre......................... Loire ..... B (R, ros)
Santenay......................... Bourg... R (B)
Santenay Premier Cru ... Bourg... R (B)
Saumur........................... Loire ..... R, B
Saumur Mousseux .... Loire ..... Ef
Saumur-Champigny........ Loire ..... R
Saussignac...................... S.-O. ..... B
Sauternes........................ Bord..... B
Savennières..................... Loire ..... B
Savennières Coulée-
de-Serrant .... Loire ..... B

Savennières Roche-
aux-Moines .... Loire ..... B
Savigny ou Savigny-
lès-Beaune................... Bourg... R (B)
Savigny-lès-Beaune
Premier Cru................. Bourg... R (B)
Seyssel........................... J. et S... B
Seyssel Mousseux .... J. et S... Ef
Tâche (La) .... Bourg... R
Tavel............................... Rhône. ros
Touraine.......................... Loire ..... R, ros, B
Touraine-Amboise .... Loire ..... R, ros, B
Touraine-Azay-
le-Rideau..................... Loire ..... ros, B
Touraine-Mesland........... Loire ..... R, ros (B)
Touraine Mousseux......... Loire ..... Ef
Touraine Noble-Joué ...... Loire ..... ros
Touraine Pétillant .... Loire .... Ef
Tursan*........................... S.-O. ..... R, ros, B
Vacqueyras..................... Rhône.. R (ros, B)
Valençay......................... Loire ..... R, ros (B)
Vins de Lavilledieu*........ S.-O. ..... R, Ef
Vin de Savoie.................. J. etS.... R, ros, B
Vin de Savoie Ayze
Mousseux..................... J. et S.... Ef
Vin de Savoie Ayze
Pétillant...................... J. et S.... Ef
Vin du Bugey*................ J. et S.... B
Vin du Bugey
Mousseux*.................... J. et S.... Ef
Vin du Bugey Pétillant*. J. et S.... Ef
Vins d'Entraygues
et du Fel*..................... S.-O. ..... R, ros, B
Vins d'Estaing*............... S.-O. ..... R, ros, B
Vins de Lavilledieu*........ S.-O. ..... R, Ef
Vins du Thouarsais*....... Loire ..... R, Ef
Viré-Clessé .... Bourg... B
Volnay............................ Bourg... R
Volnay Premier Cru .... Bourg... R
Vosne-Romanée .... Bourg... R
Vosne-Romanée
Premier Cru................. Bourg... .. R
Vougeot.......................... Bourg... R
Vougeot Premier Cru ..... Bourg... R
Vouvray........................... Loire ..... B
Vouvray Mousseux .... Loire ..... Ef
Vouvray Pétillant........... Loire ..... Ef

(Source : www.inao.fr, 10 mars 2004)

Principaux cépages cultivés

(Source : www.onivins.fr, 4 avril 2004)

CÉPAGES DE CUVE BLANCS (262 261 HA) : Ugni Blanc (90 341 ha), Chardonnay (36 302 ha), Chenin Blanc (9 836 ha), Muscadet à Petits Grains (6 933 ha), Colombard (6 896 ha), Grenache Blanc (6 461 ha), Maccabeo (5 223 ha), Riesling (3 407 ha), Mauzac (3 251 ha), Chasselas (3 124 ha), Muscat d'Alexandrie (3 063 ha), Clairette (2 971 ha), Terret (2 703 ha), Vermentino (2 635 ha), Folle Blanche (2 605 ha), Viognier (2 359 ha).

CÉPAGES DE CUVE NOIRS (606 518 HA) : Merlot (101 302 ha), Carignan (95 744 ha), Grenache Noir (95 717 ha), Cabernet-Sauvignon (53 412 ha), Syrah (50 676 ha), Cabernet Franc (36 094 ha), Gamay (34 535 ha), Cinsaut (31 592 ha), Pinot Noir (26 337 ha), Meunier 10 599 ha), Aramon (9 084 ha), Alicante Bouschet (8 753 ha), Mourvèdre (7 633 ha), Cot (6 129 ha), Muscat Hambourg (3 884 ha), Tannat (2 761 ha).

PRODUCTION DE VIN EN ALLEMAGNE

Les régions sont divisées en *Bereiche*, listés après la région.

Ahr. *Bereich :* Walporzheim/Ahrtal
Moyenne Rhénanie. *Bereiche :* Siebengebirge,
Loreley. Bergstraße de Hesse. *Bereiche :* Umstadt,
Starkenburg.
Franconie. *Bereiche :* Maindreieck, Mainviereck, Steigerwald,
Bayerischer Bodensee.
Wurtemberg. *Bereiche :* Remstal-Stuttgart, Kocher-Jagst-Tauber,
Württembergisches Unterland, Oberer Neckar,
Württembergischer Bodensee.
Bade. *Bereiche :* Tauberfranken, Badische Bergstraße/Kraichgau,
Ortenau, Breisgau, Kaiserstuhl Tuniberg, Markgräflerland,
Bodensee.
Moselle-Sarre-Ruwer. *Bereiche :* Zell/Mosel, Bernkastel,
Saar-Ruwer, Obermosel, Moseltor.
Nahe. *Bereiche :* Kreuznach, Schloßböckelheim.
Palatinat. *Bereiche :* Mittelhaardt/Deutsche Weinstraße,
Südliche Weinstraße.

Rheingau. *Bereich :* Johannisberg.
Hesse rhénane. *Bereiche :* Bingen, Nierstein, Wonnegau.
Saale-Unstrut. *Bereiche :* Schloß Neuenburg, Thüringen.
Saxe. *Bereiche :* Dresde, Elslertal, Meißen.

Principaux cépages cultivés

CÉPAGES DE CUVE BLANCS (84 036 HA) : Riesling (23 009 ha),
Müller-Thurgau (22 757 ha), Sylvaner (7 421 ha), Kerner
(7 412 ha), Scheurebe (3 521 ha), Bacchus (3 435 ha), Pinot Gris
(2 523 ha), Pinot Blanc (1 936 ha), Faberrebe (1 806 ha),
Morio-Muskat (1 460 ha), Huxelrebe (1 417 ha), Chasselas Blanc
(1 279 ha), Ortega (1 212 ha), Elbling (1 111 ha),
Gewürztraminer (836 ha).

CÉPAGES DE CUVE NOIRS (20 958 HA) : Pinot Noir (7 556 ha), Blauer
Porugieser (4 552 ha), Frankenthal (2 543 ha), Pinot Meunier
(2 152 ha), Dornfelder (2 125 ha), Lemberger (961 ha).

PRODUCTION DE VIN EN ITALIE

Il existe actuellement 21 DOCG et 289 DOC dans les 20 régions
administratives de l'Italie.

Principaux cépages cultivés

CÉPAGES DE CUVE BLANCS (417 964 HA) : Catarratto Bianco
Commune (64 982 ha), Trebbiano Toscano (58 477 ha),
Trebbiano Romagnolo (21 257 ha), Malvasia Bianca di Candia
(15 523 ha), Moscato Bianco (13 533 ha), Garganega (13 048 ha),
Ansonica (12 711 ha), Trebbiano d'Abruzzo (11 951 ha),
Catarratto Bianco Lucido (9 792 ha), Malvaisa del Chianti

(9 341 ha), Nuragus (8 667 ha), Malvasia Bianca (7 629 ha),
Prosecco (7 073 ha), Pinot Blanc (6 852 ha), Tocai Friulano
(6 852 ha), Chardonnay (6 180 ha), Inzolia Bianco (5 742 ha).

CÉPAGES DE CUVE NOIRS (460 261 HA) : Sangiovese (86 196 ha),
Barbera (47 121 ha), Merlot (31 872 ha), Negro Amaro
(31 387 ha), Montepulciano (31 008 ha), Primitivo (17 250 ha),
Calabrese Nera (14 188 ha), Aglianico (13 042 ha), Nerello
Mascalese (12 269 ha), Grenache (11 459 ha), Dolcetto
(10 416 ha), Gaglioppo (7 017 ha), Nerello Cappuccio (6 550 ha),
Monica (6 229 ha), Cabernet Franc et Carmenère (5 782ha),
Nebbiolo (5 246 ha), Ciliegiolo (5 101 ha).

PRODUCTION DE VIN EN ESPAGNE

L'Espagne compte actuellement 51 zones d'appellation, listées
ci-dessous après la région.

Rioja. Rioja DOC.
Navarre. Navarre DO.
Aragon. Calatayud DO, Campo de Borja DO, Cariñena DO,
Somontano DO.
Castille-León. Bierzo DO, Ribera del Duero DO, Rueda DO,
Rueda Superior DO, Rueda Espumosa DO, Toro DO,
Cigales DO.
Galice et Pays basque. Rías Baixas DO, Ribeiro DO,
Valdeorras DO, Chacolí de Guetaria, Chacolí de Vizcaya DO.
Catalogne. Alella DO, Catalunya DO, Conca de Barberà DO,
Costers del Segre DO, Empordán-Costa Brava DO,
Penedès DO, Plá de Bages DO, Priorato DO, Tarragone DO,
Terra Alta DO.
Levant. Alicante DO, Bullas DO, Jumilla DO, Valencia DO,
Utiel-Requena DO, Yecla DO.
Castille-La Manche/Madrid. Almansa DO, La Mancha DO,
Méntrida DO, Mondéjar DO, Valdepeñas DO, Vinos de
Madrid DO.

Andalousie. Condado de Huelva DO, Málaga DO,
Montilla-Moriles DO, Jerez DO.
Îles. Binissalem DO, Tacoronte-Acentejo DO, Abona DO,
El Hierro DO, La Palma DO, Lanzarote DO,
Valle de Güímar DO, Valle de la Orotava DO,
Ycoden-Daute-Isora DO.

Principaux cépages cultivés

CÉPAGES DE CUVE BLANCS (639 633 HA) : Airén (389 819 ha),
Pardilla (41 090 ha), Maccabeo (40 457 ha), Palomino Fino
(25 551 ha), Pedro Ximénes (20 435 ha), Parellado (10 390 ha),
Xarel.lo (9 879 ha), Zamela (8 506 ha), Merseguera (7 978 ha),
Malavasia Roia (7 839 ha), Grenache Blanc (7 455 ha), Pardillo
(7201 ha), Begba (6 070 ha).

CÉPAGES DE CUVE NOIRS (390 890 HA) : Grenache Noir (104 404
ha), Bobal (91 305 ha), Monastrell (73 873 ha), Tempranillo
(45 511 ha), Grenache Tintorera (15 826 ha), Negra Común de
Madrid (11 842 ha), Moravia (9 545 ha), Carignan (8 103 ha),
Mencia (6 327 ha).

PRODUCTION DE VIN AUX ÉTATS-UNIS

AVA	État
Alexander Valley	Californie
Altus	Arkansas
Anderson Valley	Californie
Arkansas Mountain	Arkansas
Arroyo Grande Valley	Californie
Arroyo Seco	Californie
Atlas Peak	Californie
Augusta	Missouri
Bell Mountain	Texas
Ben Lomond Mountain	Californie
Benmore Valley	Californie
Californie Shenandoah Valley	Californie
Carmel Valley	Californie
Catoctin	Maryland
Cayuga Lake	New York
Central Coast	Californie
Central Delaware Valley	New Jersey/Pennsylvanie
Chalk Hill	Californie
Chalone	Californie
Chiles Valley	Californie
Cienega Valley	Californie
Clarksburg	Californie
Clear Lake	Californie
Cole Ranch	Californie
Columbia Valley	Oregon/Washington
Cucamonga Valley	Californie
Cumberland Valley	Maryland/Pennsylvanie
Diablo Grande	Californie
Dry Creek Valley	Californie
Dunnigan Hills	Californie
Edna Valley	Californie
El Dorado	Californie
Escondido Valley	Texas
Fennville	Michigan
Fiddletown	Californie
Finger Lakes	New York
Fredericksburg in the Texas Hill Country	Texas
Grand River Valley	Ohio
Grand Valley	Colorado
Guenoc Valley	Californie
Hames Valley	Californie
The Hamptons, Long Island	New York
Hermann	Missouri
Howell Mountain	Californie
Hudson River Region	New York
Isle St George	Ohio
Kanawha River Valley	Ohio/W Virginie
Knights Valley	Californie
Lake Erie	New York/Ohio/Pennsylvanie
Lake Michigan Shore	Michigan
Lake Wisconsin	Wisconsin
Lancaster Valley	Pennsylvanie
Leelanau Peninsula	Michigan
Lime Kiln Valley	Californie
Linganore	Maryland
Livermore Valley	Californie
Lodi	Californie
Loramie Creek	Ohio
Los Carneros	Californie
Madera	Californie
Malibu-Newton Canyon	Californie
Martha's Vineyard	Massachusetts
McDowell Valley	Californie
Mendocino	Californie
Mendocino Ridge	Californie
Merritt Island	Californie
Mesilla Valley	Nouveau-Mexique/Texas
Middle Rio Grande Valley	Nouveau-Mexique
Mimbres Valley	Nouveau-Mexique
Mississippi Delta	Louisiane/Mississippi/Tennessee
Monterey	Californie
Monticello	Virginie
Mount Harlan	Californie
Mount Veeder	Californie
Napa Valley	Californie
North Coast	Californie
North Fork of Long Island	New York
North Fork of Roanoke	Virginie
North Yuba	Californie
Northern Neck George Washington Birthplace	Virginie
Northern Sonoma	Californie
Oakville	Californie
Ohio River Valley	Indiana/Kentucky/Ohio/West Virginie
Old Mission Peninsula	Michigan
Ozark Highlands	Missouri
Ozark Mountain	Arkansas/Missouri/Oklahoma
Pacheco Pass	Californie
Paicines	Californie
Paso Robles	Californie
Potter Valley	Californie
Puget Sound	Washington
Redwood Valley	Californie
Rocky Knob	Virginie
Rogue Valley	Oregon
Russian River Valley	Californie
Rutherford	Californie
Saint Helena	Californie
San Benito	Californie
San Francisco Bay	Californie
San Lucas	Californie
San Pasqual Valley	Californie
San Ysidro District	Californie
Santa Clara Valley	Californie
Santa Cruz Mountains	Californie
Santa Lucia Highlands	Californie
Santa Maria Valley	Californie
Santa Ynez Valley	Californie
Seiad Valley	Californie
Shenandoah Valley	Virginie/Virginie-O.
Sierra Foothills	Californie
Solano County Green Valley	Californie
Sonoita	Arizona
Sonoma Coast	Californie
Sonoma County Green Valley	Californie
Sonoma Mountain	Californie
Sonoma Valley	Californie
South Coast	Californie
South-Eastern New England	Connecticut/Massachusetts/Rhode Island
Spring Mountain District	Californie
Stags Leap District	Californie
Suisun Valley	Californie
Temecula	Californie
Texas Davis Mountains	Texas
Texas High Plains	Texas
Texas Hill Country	Texas
Umpqua Valley	Oregon
Virginia's Eastern Shore	Virginie
Walla Walla Valley	Oregon/Washington
Warren Hills	New Jersey
Western Connecticut Highlands	Connecticut
Wild Horse Valley	Californie
Willamette Valley	Oregon
Willow Creek	Californie
Yakima Valley	Washington
York Mountain	Californie
Yorkville Highlands	Californie
Yountville	Californie

Source: Federal Bureau of Alcohol Tobacco and Firearms (avril 2000)

Principaux cépages cultivés en Californie

CÉPAGES DE CUVE BLANCS : Chardonnay (34 782 ha), Colombard (18 633 ha), Chenin (8 639 ha), Sauvignon (4 513 ha), Muscat d'Alexandrie (2 084 ha), Riesling (1 650 ha).

CÉPAGES DE CUVE NOIRS (85 900 HA) : Zinfandel (19 972 ha), Cabernet-Sauvignon (17 996 ha), Merlot (15 093 ha), Grenache (4 656 ha), Barbera (4 455 ha), Pinot Noir (4 427 ha).

PRODUCTION DE VIN EN ARGENTINE

Principaux cépages cultivés

CÉPAGES DE CUVE BLANCS (60 398 HA) : Pedro Ximénez (20 647 ha), Muscat d'Alexandrie (10 184 ha), Torrontes Riojano (8 692 ha), Torrontes Sanjuanino (4 914 ha), Chenin (4 013 ha).

CÉPAGES DE CUVE NOIRS (42 580 HA) : Bonarda (12 186 ha), Cot (10 457 ha), Tempranillo (5 659 ha), Sangiovese (3 014 ha), Cabernet-Sauvignon (2 347 ha), Béquignol (1 273 ha).

PRODUCTION DE VIN AU CHILI

Principaux cépages cultivés

CÉPAGES DE CUVE BLANCS (23 284 HA) : Sauvignon et Sauvignonasse (6723 ha), Muscat d'Alexandrie (5 955 ha), Chardonnay (6 589 ha), Sémillon (2 422 ha). Torrontes Riojano (1 064 ha).

CÉPAGES DE CUVE NOIRS (46 820 HA) : Païs (15 436 ha), Cabernet-Sauvignon (20 812 ha), Merlot et Carmenère (8 317 ha), Carignan (512 ha).

PRODUCTION DE VIN EN AUSTRALIE

Principaux cépages cultivés

CÉPAGES DE CUVE BLANCS (35 516 HA) : Chardonnay (13 713 ha), Sémillon (4 803 ha), Riesling (3 423 ha, Muscat d'Alexandrie (3 410 ha), Doradilla (2 200 ha), Sauvignon Blanc (1 725 ha), Colombard (1 231 ha).

CÉPAGES DE CUVE NOIRS (35 763 HA) : Syrah (13 410 ha), Cabernet-Sauvignon (11 219 ha), Limberger (2 677 ha), Merlot (2 461 ha), Grenache (2 014 ha), Pinot Noir (1 986 ha).

Régions viticoles
Zones (en gras) et régions proposées (non encore officiellement approuvées) :

Nouvelle-Galles du Sud

Riverina. Régions : Griffith, Leeton, Murrumbidgee, Hay, Carrathool, Narrandera, Coolamon, Lockhart, Temora, Junee, Wagga Wagga, Cootamundra, Gundagai, Tumut.
Orana. Régions: Mudgee, Cobar, Bogan, Bourke, Brewarrina, Walgett, Coonamble, Warren, Narromine, Gilgandra, Coonabarabran, Coolah, Wellington, Dubbo.
Central Western. Régions : Cowra, Forbes, Orange, Blayney, Lachlan, Bland, Parkes, Weddin, Cabonne, Evans, Oberon, Rylstone, Greater Lithgow, Bathurst.
Greater Canberra. Régions : Young, Yass, Canberra, Boorowa, Harden, Crookwell, Gunning, Mulwaree, Queanbeyan, Goulburn, Tallagande, Eurobodalla, Cooma-Monaro, Snowy River, Bega Valley, Bombala.
Murray. Régions : Wentworth, Balranald, Wakool, Windouran, Murray, Conargo, Jerilderie, Urana, Berrigan, Corowa, Hume, Culcairn, Holbrook, Tumbarumba, Deniliquin.
New England. Régions : Moree Plains, Yallaroi, Inverell, Severn, Tenterfield, Bingara, Narrabri, Barraba, Manilla, Uralla, Gunnedah, Quirindi, Nundle, Walcha, Dumareso, Guyra, Parry.
Holiday Coast. Régions : Tweed, Kyogle, Lismore, Richmond River, Copmanhurst, Maclean, Nymboida, Ulmarra, Bellingen, Coffs Harbour, Kempsey, Hastings Valley, Grafton, Byron, Ballina, Nambucca, Casino.
Sydney. Régions : Hawkesbury, Wyong, Gosford, Wollondilly, Blue Mountains.
Illawarra. Régions : Woolongong, Wingecarribee, Shoalhaven.
Far Western. Région : Central Darling.

Hunter/HunterValley/Hunter River Valley.
Secteur : Upper Hunter. Région : Upper Hunter/Upper Hunter Valley/Upper Hunter River Valley. Districts : Scone, Denman, Muswellbrook, Jerrys Plains, Merriwa.
Région : Lower Hunter/Lower Hunter Valley/Lower Hunter River Valley. Districts : Allandale, Dalwood, Belford, Ovingham, Pokolbin, Rothbury, Broke/Fordwich, Milfield, Cessnock, Greater Taree, Greater Lakes, Gloucester, Dungog, Port Stephens, Newcastle, Lake Macquarie, Singleton, Maitland.

Victoria

North-Western Victoria.
Secteur : Murray River Valley. Districts : Nangiloo, Red Cliffs, Mildura, Robinvale, Merbein, Irymple, Karadoc, Wood Wood, Swan Hill, Lake Boga, Beverford, Mystic Park.
North-Eastern Victoria. Région : King Valley. Districts : Milawa, Oxley, Markwood, Meadow Creek, Edi, Myrrhee, Whitlands, Cheshunt, Whitfield, Hurdle Creek.
Région : Owens Valley. Districts : Buffalo River Valley, Buckland River Valley, Porpunkah, Beechworth.
Région : Rutherglen. Districts : Wahgunyah, Barnawartha, Indigo Valley.
Région : Kiewa River Valley. District : Yakandandah.
Région : Glenrowan.
Central Victoria.
Secteur : Daylesford.
Secteur : Maryborough.
Région : Central Northern Victoria. Districts : Picola, Katunga.
Région : Goulburn Valley. Districts : Avenel, Dookie, Murchison, Shepparton, Nagambie, Tabilk, Mitchellstown, Mount Helen, Seymour, Graytown, Strathbogie Ranges, Yarck, Mansfield.
Région : Bendigo. Districts : Bridgewater, Heathcote, Harcourt, Graytown, Rodosdale.
Région : Macedon. Districts : Sunbury, Macedon Ranges, Kyneton.
Western Victoria. Région : Grampians. Districts : Great Western, Halls Gap, Stawell, Ararat.
Secteur : Ballarat.
Région : Pyrenees. Districts : Avoca, Redbanl, Moonambel, Percydale.
Région : Far South West. Districts : Gorae, Condah, Drumborg.
Région : Ballarat. District : Smythesdale.
Yarra Valley. District : Diamond Valley.
Geelong. Districts : Anakie, Moorabool, Bellarine Peninsula, Waurn Ponds.

Mornington Peninsula.
Gippsland.   Région : West Gippsland. **Districts** : Moe, Traralgon, Warragul.
Région : South Gippsland. **Districts** : Foster, Korumburra, Leongatha, Westernport.
Région : East Gippsland. **Districts** : Bairnsdale, Dargo, Lakes Entrance, Maffra, Orbost.
Melbourne.

South-East.   Régions : Coonawarra, Padthaway, Buckingham-Mundulla, Penola.
Murray Mallee.   Région : Murray Valley. **Districts** : Riverland, Nildottie, Renmark, Berri, Barmera, Loxton, Waikerie, Morgan, Lyrup, Moorock, Kingston, Murtho, Monash, Qualco, Ramco.
Yorke Peninsula.
Eyre Peninsula.

Australie-Méridionale

Central South Australia.   Région : Adelaide. **Districts** : Magill, Marion, Modbury, Tea Tree Gully, Hope Valley, Angle Vale, Gawler River, Evanston.
Région : Adelaide Hills. **Districts** : Piccadilly Valley, Mount Pleasant, Clarendon, Lenswood.
Région : Barossa. **Districts** : Barossa Valley, Lyndoch, Rowland Flat, Gomersal, Tanunda, Nuriootpa, Greenock, Angaston, Marananga, Seppeltsfield, Dorrien, Lights Pass.
Région : Clare Valley. **Districts** : Clare, Watervale, Auburn, Sevenhill, Leasingham, Polish Hill River.
Région : Eden Valley. **Districts** : Eden Valley, Springton, Flaxmans Valley, Keyneton, High Eden, Pewsey Vale, Partalunga.
Région : Fleurieu Peninsula. **Districts** : Langhorne Creek, Currency Creek.
Région : McLaren Vale. **Districts** : Happy Valley, McLaren Vale, McLaren Flat, Seaview, Willunga, Morphett Vale, Reynella, Cromandel Valley.

Australie-Occidentale

Région : Northern Perth. **Districts** : Gingin, Bindoon, Muchea, Moondah Brook.
Région : Darling Ranges. **Districts** : Chittering Valley, Toodyay, Perth Hills (Bickley, Darlington, Glen Forrest), Orange Grove, Wandering.
Région : Swan Valley. **Districts** : Upper Swan, Middle Swan, West Swan, Guildford, Henley Brook.
Région : Mount Barker-Frankland. **Districts** : Mount Barker, Porongurup, Albany, Denmark, Denbarker, Frankland.
Région : Margaret River. **Districts** : Yallingup, Willyabrup, Cowaramup, Margaret River, Augusta.
Région : Warren Blackwood. **Districts** : Donnybrook, Bridgetown, Blackwood, Manjimup, Pemberton.
Région : South-West Coastal. **Districts** : Wanneroo, Mandurah, Bunbury, Capel, Baldivis.
Région : Esperance.

GLOSSAIRE

Ce glossaire définit un certain nombre de termes spécifiques au monde du vin sauf le vocabulaire de la dégustation, décrit p. 80. L'origine des mots de langue étrangère est indiquée sous la forme d'abréviations : Al. = Allemagne ; Esp. = Espagne ; It. = Italie ; P = Portugal ; US = USA. Les astérisques (*) marquent des mots qui font l'objet d'une entrée dans ce glossaire.

Abboccato (It.) Vin légèrement sucré.

Acide acétique Acide que l'on trouve dans tous les vins en faible quantité. S'il se développe de façon excessive, le vin tourne en vinaigre.

Acide ascorbique Antioxydant utilisé juste avant l'embouteillage, efficace seulement par la présence d'anhydride sulfureux (SO_2).

Acide citrique Acide abondant dans les fruits et les agrumes ; le raisin n'échappe pas à sa présence, mais en quantité moindre. Les raisins blancs affichent des quantités plus importantes, notamment ceux atteints par la fameuse « pourriture noble ». L'acidification par adjonction d'acide citrique dans les vins est réglementée.

Acide lactique Cet acide apparaît lors de la fermentation malolactique* du vin.

Acide malique Lorsque le raisin mûrit, l'acide malique, contenu en forte teneur dans les raisins verts, s'atténue : il est instable. Il se reconnaît à son goût âpre de pomme verte.

Acide tartrique Acide le plus noble ayant le pouvoir le plus acidifiant dans le vin, c'est un acide peu rencontré dans le monde végétal. Sa teneur dans la baie du raisin diminue jusqu'à la véraison*, puis varie en fonction des conditions climatiques.

Acidité fixe Ensemble des acides organiques contenus dans le fruit même, tels l'acide tartrique, l'acide malique, l'acide lactique.

Acidité réelle Intensité de l'acidité exprimée en pH (potentiel hydrogène), qui varie entre 0 (pour l'acidité la plus aiguë) à 7 (pour la neutralité absolue). Le pH des vins est compris entre 2,8 et 3,9.

Acidité totale Somme de l'acidité volatile et de l'acidité fixe. Elle varie bien entendu selon les saisons, froides (les raisins sont alors trop acides), ou chaudes (trop mûrs).

Acidité volatile La teneur en acides volatiles est strictement régie par la loi. Celle-ci n'accepte que des taux en deçà de 0,9 g par litre (à la production) et 1 g (au commerce de détail), une telle quantité accusant un vin trop aigre. Cette acidité, constituée par la partie des acides gras appartenant à la série acétique, augmente toujours avec l'âge du vin.

Adega (P) Centre de vinification au Portugal.

Alcool Un des éléments importants du vin, l'alcool éthylique résulte de la fermentation alcoolique : le métabolisme enzymatique des levures transforme le sucre du jus de raisin en alcool, en gaz carbonique et en chaleur. La teneur en alcool dans un vin peut varier de moins de 7 % vol à plus de 15 % vol en fonction de la teneur en sucres naturels des moûts et en sucre ajouté : voir chaptalisation*. Au-delà de 15 % vol, il s'agit généralement de vins mutés. Rappelons enfin que, pour obtenir un degré d'alcool, il faut 17 g de sucre par litre pour les vins blancs et 18 g pour les vins rouges.

Amabile (It.) Un vin plus sucré que l'abboccato*.

Ambre Couleur jaune d'or que prennent certains vins blancs en vieillissant. Cette variation de couleur est due à une oxydation des matières colorantes.

Amontillado (Esp.) Xérès élaboré au-delà du stade du Fino en ayant développé une couleur ambre, du corps et un goût de noisette.

Ampélographie Science de la vigne qui s'attache à l'étude et à la classification des cépages.

Anhydride sulfureux (SO_2) De tout temps, les vignerons ont utilisé l'anhydride sulfureux pour ses nombreuses vertus : il enraye des fermentations précoces sur les raisins vendangés, il inhibe et active des sélections de levures, élimine microbes et bactéries, protège des oxydations, a un pouvoir dissolvant, peut bloquer la fermentation malolactique* et s'avère être un précieux allié pour les vins blancs liquoreux sujets à refermenter en bouteille.

Anthocyanes Pigments rouges du raisin qui donnent leur couleur aux vins rouges. Cette coloration rouge-violet des vins jeunes est presque exclusivement le fait des molécules d'anthocyanes (composés phénoliques), assez instables, qui vont se lier au cours du vieillissement avec les tanins (autres éléments phénoliques) pour donner au vin sa couleur rouge rubis.

AOC L'Appellation d'Origine Contrôlée s'applique à des vins issus de régions et de cépages bien déterminés, dans le cadre de règlements codifiés par l'INAO*. Les vins d'AOC doivent répondre à des règles bien précises en matière d'aire délimitée de production, d'encépagement, de teneur minimale en sucre du moût à obtenir, de degré d'alcool, de rendement maximal à l'hectare, de taille de la vigne, de méthodes de culture et de vinification. Les vins d'AOC sont soumis à une dégustation d'agrément avant d'être commercialisés.

Arômes Ce terme désigne les parfums exhalés par un vin et, plus particulièrement, les sensations perçues tant au nez qu'en bouche. On distingue les arômes variétaux, les arômes fermentaires et les arômes post fermentaires (ou d'évolution).

Assemblage Opération qui consiste à marier plusieurs vins. Les assemblages ont pour but d'élaborer un ensemble bien meilleur que chaque élément pris séparément.

Ausbruch (Al.) Type de vin autrichien plus sucré qu'un Beerenauslese, mais moins sucré qu'un Trockenbeerenauslese.

Auslese (Al.) Vin allemand élaboré avec des raisins récoltés en vendanges tardives (quelquefois botrytisés), contenant une forte concentration de sucre. Les Auslesen peuvent être secs ou sucrés.

Azienda agricola (It.) Domaine italien.

Barrica (Esp.) Barrique espagnole d'une contenance d'environ 225 l.

Barrique Fût dont la contenance varie d'une région à l'autre ; dans le Pays nantais, une barrique équivaut à 228 l ; dans le Bordelais, elle en contient 225 (quatre barriques font ici un tonneau) ; la barrique de la région de Touraine-Anjou contient 232 l.

Baumé Le degré Baumé est une mesure obtenue par un densimètre gradué de 0 dans de l'eau distillée à 20 dans un mélange de 20 g de sel marin et de 80 g d'eau. Le hasard a voulu que, lorsqu'on pèse un moût avec un densimètre Baumé, le degré obtenu est à peu près le degré d'alcool que ce moût atteindra après fermentation.

Beerenauslese (Al.) Vin autrichien ou allemand élaboré avec des raisins souvent botrytisés et très sucrés récoltés en vendanges tardives.

Bereich (Al.) District viticole.

Blanc de Blancs Vin blanc élaboré à partir de raisins blancs.

Blanc de Noirs Vin blanc élaboré à partir de raisins noirs.

Blush (USA) Terme américain qui signifie rosé.

Bodega (Esp.) Équivalent espagnol de cave ou de chai.

Botrytis cinerea Célèbre moisissure parasite qui attaque le raisin. Un peu de botrytis, que l'on appelle « pourriture grise* », favorise les agents fermentaires au moment de la cuvaison ; beaucoup de botrytis compromet la vendange (au-delà de 10 ou 15 % pour les vins rouges, 20 % pour les vins blancs) ; trop de botrytis, sous certaines conditions atmosphériques, peut provoquer ce qu'on appelle la célèbre « pourriture noble* », qui concentre les jus dans les grappes dans une forme particulière de surmaturation. Ces raisins botrytisés donnent des vins liquoreux fameux comme le Sauternes ou le Tokay de Hongrie.

Bouchonné Se dit d'un vin qui a une très forte odeur de bouchon. Le vin est généralement imbuvable. Ce phénomène, irréversible et assez rare, est dû à un développement de certaines moisissures spécifiques au liège.

Bouquet Ensemble d'arômes aussi complexe qu'agréable qui se dégage d'un vin et que l'on perçoit au nez. On distingue plusieurs bouquets : un bouquet primaire correspondant aux arômes du fruit, un bouquet secondaire né de la fermentation et un bouquet tertiaire dû aux oxydations, oxydoréductions et réductions qui adviennent au cours du vieillissement.

Branco (P) Blanc.

Brut Ce terme indique, pour les vins effervescents, la présence très réduite de sucre (de 0 à 15 g/l) ; le « brut zéro », le « brut intégral » ne sont pas du tout édulcorés.

Caudalies Unités de persistance temporelles équivalentes aux secondes mesurées de façon très subjective par certains dégustateurs. Le mot est joli. Il provient du latin *cauda* (queue), mais, s'il est facile de parler de « queue de paon » en finale gustative, il est bien plus difficile d'en mesurer la longueur, l'intensité et la complexité.

Cava (Esp.) Cave. Terme générique s'appliquant aux vins espagnols élaborés selon la méthode champenoise*.

Cépage Variété du genre *Vitis vinifera*. On dénombre plus de 3 000 cépages différents.

Chai Caves de vinification, d'élevage en barriques ou en cuves ou de stockage de bouteilles.

Chapeau Dans le cas d'une vinification en rouge, le chapeau est la partie flottante constituée par les éléments solides (pellicules, pépins, peau, rafles, pulpes) maintenus en surface du moût en fermentation grâce au dégagement de gaz carbonique. Pour obtenir une bonne extraction (de couleur et d'arômes), il est important de maîtriser la macération. C'est pourquoi de nombreux systèmes agitent, brassent, plongent, piègent ce fameux chapeau afin de privilégier les échanges entre les matières solides et le liquide, c'est-à-dire le vin.

Chaptalisation Promue par le chimiste français Chaptal (d'où son nom), la chaptalisation est une technique qui consiste à ajouter du sucre (de canne, de betterave, ou du moût concentré rectifié) aux moûts insuffisamment riches avant la fermentation afin d'obtenir un degré alcoolique plus élevé dans les vins. Cette technique, strictement interdite dans de nombreux pays, est généralement très réglementée dans les pays qui la tolèrent.

Charmat Méthode d'élaboration de vins effervescents en cuve par adjonction de sucre et de levures. La prise de mousse se fait en « cuve close ».

Château Désignation d'un vin provenant d'un domaine particulier. Il n'y a pas toujours un château-édifice correspondant à chaque domaine et on dénombre beaucoup plus de châteaux sur les étiquettes de vin que sur le cadastre des localités concernées.

Clairet Vin de Bordeaux rouge/rosé léger obtenu par saignée*.

Classico (It.) Vin considéré comme le meilleur, provenant du cœur du vignoble.

Climat Terme utilisé en Bourgogne pour désigner un lieu-dit cadastral.

Clone Plant obtenu à partir d'un seul pied par multiplication asexuée (bouturage ou greffage). Voir aussi sélection clonale*.

Clos Vignoble qui est (ou a été) entouré d'un mur. Cette désignation s'applique essentiellement aux Bourgognes.

Collage Procédé de clarification des vins avant la mise en bouteilles.

La méthode consiste à mélanger au vin un colloïde qui va s'accoler aux résidus en suspension et les faire tomber par gravité au fond du contenant. On a recours à des produits comme le blanc d'œuf battu, la colle de poisson, la caséine ou la bentonite (une argile). On soutire ensuite le vin, qui est le plus souvent filtré avant la mise en bouteilles.

Coulure Absence de fécondation de l'ovaire des fleurs par le pollen causée par des conditions climatiques défavorables comme le froid, la pluie ou un printemps trop précoce. La coulure engendre des troubles de redistribution des sucres au sein de la plante ; les fleurs ou les raisins flétrissent ou se développent de façon inégale, voire pas du tout.

Coupage Synonyme d'assemblage*.

Crémant Vin élaboré selon la méthode champenoise et qui n'a pas autant de pression que le Champagne (2,5 à 3 kg contre 5 kg).

Crianza (Esp.) Désignation des vins espagnols qui font l'objet d'un vieillissement en fût : « con crianza » signifie « vieilli », tandis que « sin crianza » signifie « non vieilli ».

Cru Le cru est défini par un terroir déterminé et un climat particulier.

Cultivar Synonyme de cépage en Afrique du Sud.

Cuvaison (ou cuvage) Phase essentielle de l'élaboration d'un vin, correspondant à la mise en cuve des moûts provenant de la vendange, à la fermentation, aux remontages (dans le cas d'une vinification en rouge) et enfin à l'écoulage. Voir décuvage*.

Cuve Contenant destiné à recueillir les moûts en fermentation à vinifier ou à conserver les vins.

Cuvée Sélection correspondant à un vin bien particulier qui peut avoir fait l'objet d'assemblages ou non. En Champagne, « la cuvée » correspond au vin élaboré avec les moûts de première presse.

Débourbage Opération qui consiste à séparer la bourbe (les matières en suspension) des jus avant la fermentation des moûts.

Débourrement Moment du cycle végétatif correspondant au gonflement et à l'ouverture des bourgeons.

Décantation Action de séparer un liquide clair de ses sédiments, de ses lies. On décante un grand vin ou un Porto millésimé en le laissant s'écouler lentement de sa bouteille d'origine dans une aiguière ou dans une carafe.

Décuvage (ou décuvaison) Opération qui suit la fin de la fermentation alcoolique. Les vins blancs sont simplement transvasés dans d'autres contenants. Pour les vins rouges, qui ont subi leur fermentation en présence des peaux de raisin, des pépins et quelquefois des rafles, l'opération de décuvage est plus complexe : on procède tout d'abord à un écoulage, c'est-à-dire que l'on soutire la partie la plus basse de la cuve, puis qu'on retire la partie supérieure moins liquide que l'on transporte jusqu'au pressoir afin d'obtenir un vin de presse. Les matières les plus solides résultant de cette presse s'appellent les marcs.

Dégorgement Phase importante et délicate de la méthode champenoise où on élimine les dépôts des levures accumulés lors de la seconde fermentation en bouteille.

Degré alcoolique En calculant le pourcentage de volume d'alcool éthylique contenu dans le vin, on obtient le degré alcoolique (exprimé en % vol).

Dépôt Particules solides que l'on rencontre dans le vin. Pour les vins blancs, il s'agit bien souvent de paillettes de cristaux d'acide tartrique incolore ; pour les vins rouges, ce sont surtout des tanins et le pigment.

DO (Esp.) La Denominación de Origen s'applique aux vins espagnols dont l'origine est certifiée.

DOC (Esp.) La Denominación de Origen Calificada représente la qualité supérieure des vins espagnols.

DOC (P) La Denominação de Origem Controlada est l'équivalent portugais de l'AOC* française.

DOC (It.) La Denominazione di Origine Controllata est l'équivalent italien de l'AOC* française.

Elle garantit l'origine, mais pas forcément la qualité.

DOCG (It.) La Denominazione di Origine Controllata e Garantita est une garantie qui s'ajoute à la DOC italienne et signifie que les vins ont été dégustés et ont reçu l'agrément.

Domaine Entité géographique et juridique correspondant à une exploitation viticole. Un domaine est donc composé de vignes, de bâtiments et de matériels pour la culture de la vigne et l'élaboration du vin.

Dosage Après le dégorgement* du Champagne, on ajoute à celui-ci une liqueur sucrée qu'on appelle « liqueur d'expédition », dont la teneur en sucre varie selon que le Champagne est dit « brut » (15 g/l au maximum), « extra dry » (de 12 à 20 g/l), « sec » (de 17 à 35 g/l), ou « demi-sec » (de 33 à 50 g/l).

Doux Désignation s'appliquant à des vins dont la teneur en sucre est supérieure à 45 g par litre.

Égrappage Opération qui consiste à séparer les raisins de la rafle. En effet, celle-ci contient dans ses pédoncules de l'huile et des tanins qui auraient tendance à rendre le vin amer et âpre.

Eiswein (Al.) Vin élaboré en Autriche ou en Allemagne avec des grappes de raisin récoltées en vendanges tardives.

Élevage Il s'agit de l'ensemble des opérations menées du décuvage* à la mise en bouteilles.

Fermentation alcoolique Étape décisive dans l'élaboration du vin : lorsque les sucres contenus dans le moût se transforment en alcool, en gaz carbonique et en chaleur sous l'influence des levures, le jus de raisin devient du vin.

Fermentation malolactique Fermentation qui suit la fermentation alcoolique. Sous l'action de certaines bactéries lactiques, l'acide malique (au goût de pomme verte) se transforme en acide lactique (au goût de yaourt) et en gaz carbonique. L'acide lactique ayant un goût moins âpre que l'acide malique, le vin devient plus souple.

Foudre Grand tonneau pouvant contenir de 200 à 300 hl.

Foulage Opération facultative qui consiste avant une fermentation à faire éclater les grains de raisins pour qu'ils libèrent leur jus.

Gelées Les gelées d'hiver affectent rarement la vigne, sauf exception (vignobles septentrionaux, hivers très rudes avec des températures inférieures à 15 °C). Par contre, les gelées de printemps sont meurtrières en dessous d'une température de 2,5 °C, car elles agissent sur les bourgeons en pleine croissance, gorgés d'eau, donc très sensibles au gel.

Goutte Le jus de goutte est obtenu dans tous les cas avant pressurage de la vendange. C'est la partie liquide de la vendange qui s'écoule naturellement. Il provient des raisins les plus mûrs.

Gran reserva (Esp.) Vins rouges espagnols des meilleurs millésimes ayant été élevés deux ans en barrique et trois ans en bouteille.

Grand vin Premier vin d'assemblage des meilleures cuves d'un grand cru de Bordeaux.

Grappe Fruit de la vigne qui se développe au printemps et qui résulte de la fécondation de l'inflorescence. La grappe porte ensuite des baies qui grossissent et arrivent à maturité à la fin de l'été. La grappe est composée de baies, ou grains de raisin, et de la rafle (partie ligneuse).

Greffage Après la terrible crise du phylloxéra*, l'Europe a dû utiliser des plants américains (*Vitis labrusca, Vitis riparia, Vitis rupestris*) comme porte-greffes, leurs racines résistant à l'insecte. La vigne européenne (*Vitis vinifera*) subsiste donc, mais comme greffon.

Grêle Ennemi de la vigne : la grêle endommage les grappes, dont les pédoncules peuvent casser, et les baies, qui, lorsqu'elles sont à maturation, éclatent et laissent échapper leur jus. Ces dégâts sont généralement suivis de pourritures et de moisissures.

Gris Vin obtenu lorsqu'on laisse peu de temps en contact pulpe et pellicule rouge du raisin. On récupère le jus de goutte légèrement rosé et on opère une fermentation en phase liquide.

Hybride Croisement de deux espèces de vigne. À la suite de la crise du phylloxéra*, des croisements entre des espèces américaines et des espèces européennes ont donné des hybrides qui résistent au phylloxéra, mais donnent des vins de médiocre qualité.

INAO L'Institut National des Appellations d'Origine est un organisme public qui a été créé en France, le 30 juillet 1935, afin de déterminer et contrôler les conditions de production des vins français d'appellation d'origine contrôlée.

IPR (P) Indicação de Proveniencia Regulamentada, seconde appellation d'origine au Portugal.

Joven (Esp.) Jeune.

Kabinett (Al.) Vins blancs secs allemands (Qmp*) qui ne sont jamais chaptalisés.

Levures Champignons microscopiques unicellulaires que l'on peut trouver naturellement sur la pellicule du raisin. Les levures se multiplient dans le jus de raisin, provoquant ainsi la fermentation alcoolique* : ces levures sont dites «indigènes». Les recherches ont permis de sélectionner des levures plus appropriées à certains types de fermentation, et on peut aujourd'hui utiliser des levures sèches pour faire son vin.

Lie Formée d'impuretés, de levures en état de vie latente, de tartres et de matières résiduelles de la vendange, la lie se dépose en un dépôt bourbeux au fond des fûts. On écarte la lie (ou les lies) au moment du soutirage.

Macération carbonique Mode de vinification au cours de laquelle les raisins à vin rouge sont mis en cuve sans être foulés. La cuve est ensuite fermée et saturée de gaz carbonique ; les baies, placées en anaérobiose, vont développer un métabolisme provoquant une dégradation de l'acide malique et une fermentation intracellulaire (transformant une partie du sucre en alcool). Cette première phase, qui peut durer de quelques heures à quelques jours, s'effectue à des températures assez élevées (30-32 °C). On procède ensuite à deux fermentations séparées du vin de presse et du vin de goutte à des températures basses (20 °C) pendant une durée relativement courte. Grâce à cette méthode, on obtient un vin de presse de qualité supérieure au vin de goutte. Ce procédé a fait ses preuves pour les vins de cépage Gamay commercialisés jeunes, comme les Beaujolais primeurs.

Macération pelliculaire (ou préfermentaire) Lorsqu'on opère une vinification en blanc, le pressurage a lieu avant toute fermentation. Or il existe un grand nombre de composants aromatiques (arômes variétaux et précurseurs) emprisonnés dans les pellicules des raisins qui ne jouent donc aucun rôle dans la vinification. La macération pelliculaire (préfermentaire) consiste à laisser les jus en présence des pellicules, en macération, pendant quelques heures, avant de presser.

Madérisé Se dit d'un vin dont le goût rappelle celui du Madère. Il s'agit le plus souvent d'un vieillissement par oxydation de vins blancs qui se reconnaissent par une couleur ambre foncé.

Marc Après le pressurage, on obtient un «gâteau» constitué des éléments solides du raisin : c'est le marc. On peut distiller ce marc à l'aide d'alambics afin d'obtenir l'eau-de-vie du même nom.

Méthode champenoise Ancien nom pour désigner le mode d'élaboration des vins effervescents en Champagne. L'utilisation de ce terme est désormais interdite (voir Méthode traditionnelle).

Méthode rurale Méthode d'élaboration de vins pétillants par une mise en bouteilles avant la fin de fermentation alcoolique.

Méthode traditionnelle Mode d'élaboration des vins effervescents dont l'originalité réside dans une prise de mousse réalisée en bouteille. Cette méthode, désignée autrefois par le terme «méthode champenoise», est notamment utilisée pour l'élaboration du Champagne. Voir la description p. 114 : Synonymes : Metodo Classico, Metodo tradizionale (It.).

Mildiou Champignon parasite d'origine américaine qui s'attaque aux organes verts de la vigne. On y remédiait autrefois par des sulfatages de sels de cuivre (bouillie bordelaise), mais aujourd'hui on effectue des traitements par des produits de synthèse.

Millerandage Coulure* partielle où les fleurs sont pollinisées, mais pas fécondées. Les grains sans pépin ne grossissent pas et restent verts.

Millésime Année de vendange dont provient un vin. La qualité d'un millésime correspond à tout un ensemble de facteurs climatiques qui détermineront la qualité de ce vin et son potentiel de vieillissement. Les différences entre millésimes sont telles que le négoce assemble souvent des vins de millésimes différents afin d'obtenir un vin plus équilibré.

Mistelle On appelle mistelle (Mistela, en Espagne) le mélange obtenu par l'adjonction d'alcool à un jus de raisin avant toute fermentation.

Moelleux Qualifie les vins blancs doux compris entre les secs et les liquoreux (entre 12 et 45 g/l de sucre).

Mousseux Il existe plusieurs méthodes pour obtenir un vin effervescent : la méthode traditionnelle, synonyme de la méthode champenoise*, la méthode dite « rurale*» (Gaillac, Die…), lorsque l'effervescence est due à une seconde fermentation, et la méthode Charmat* (cuve close) lorsque la prise de mousse est effectuée en cuve pour éviter le remuage et le dégorgement.

Moût Jus de raisin obtenu par foulage ou pressurage.

Mutage Opération qui consiste à « fixer » la fermentation alcoolique par un apport d'alcool neutre ; une étape essentielle dans l'élaboration des Portos et des Vins Doux Naturels.

Oïdium Maladie de la vigne d'origine américaine ayant pour cause un champignon microscopique qui s'attaque aux fleurs, aux feuilles et aux raisins : les raisins se dessèchent et une poussière blanchâtre couvre la vigne. On y remédie avec un traitement par le soufre.

Organoleptique L'odeur, la couleur et le goût du vin constituent l'ensemble des perceptions sensorielles dites « organoleptiques ».

Ouillage Opération de remplissage des fûts.

Oxydation Lorsque l'oxygène de l'air est en contact direct avec le vin, celui-ci peut s'altérer en couleur et en goût par oxydation.

Passerillage Surmaturation de la vendange provoquant un dessèchement du raisin qui détermine un enrichissement en sucre : c'est ainsi que sont élaborés les vins de paille, certains Muscats et le Jurançon moelleux, qu'il ne faut pas confondre avec les vins liquoreux obtenus grâce à la pourriture noble*.

Passito (It.) Vin italien issu de raisins passerillés.

Perlant Se dit de vins contenant une légère effervescence gazeuse, moins prononcée que pour les pétillants.

Persistance Caractéristique d'un grand vin qui se manifeste par la durée des sensations de ses qualités gustatives en bouche et par la rétro-olfaction. Certains dégustateurs mesurent cette persistance en utilisant leurs propres critères, en fonction d'unités qu'ils appellent caudalies*.

Phylloxéra En piquant la vigne à ses racines, un puceron nommé phylloxéra, importé par mégarde des États-Unis, fut à l'origine du ravage des vignobles de l'Europe entre 1860 et 1880. Voir greffage*.

Polyphénols Ensemble des composés qui ont plusieurs fonctions phénol comme les tanins, les anthocyanes et les acides phénols, dont la combinaison détermine l'arôme du vin, sa couleur et sa structure.

Pourriture grise Pourriture causée par le même champignon que la pourriture noble, le Botrytis cinerea* peut affecter les grains de raisins endommagés par la grêle ou par le ver de la grappe. Son développement est favorisé par une forte humidité. La pourriture grise affecte la quantité et altère la qualité de la vendange.

Pourriture noble Lorsque les conditions climatiques sont favorables, avec une combinaison d'alternance pluie/soleil et une belle arrière-saison, les raisins connaissent une dégradation exceptionnelle grâce au développement d'une moisissure qui porte le nom de Botrytis cinerea, ce fameux champignon qui « rôtit » les raisins du Sauternais en concentrant le jus et en le modifiant.

Primeur (Vente en) Mode de commercialisation des grands crus de Bordeaux cinq ou six mois après les vendanges. Les vins achetés sont gardés dans les châteaux jusqu'au moment de leur embouteillage, quelque deux ou trois ans plus tard.

Primeur (Vin de) Vins mis à la consommation aussitôt que possible après les vendanges. Le meilleur exemple est le Beaujolais primeur, commercialisé à la mi-novembre.

QbA Qualitätswein eines bestimmten Anbaugebietes, catégorie de vins allemands qui ont été chaptalisés.

QmP Qualitätswein mit Prädikat. Cette désignation est réservée aux vins allemands de qualité qui ne font pas l'objet de chaptalisation.

Quinta (P) Équivalent portugais de domaine. Les vins de *quinta* peuvent souvent provenir d'autres domaines que celui qui est désigné.

Rancio Goût particulier (de beurre rance) obtenu en laissant de l'air dans la cuve ou le fût d'un vin muté. Le rancio se développe par oxydation.

Recioto Catégorie de vin rouge élaboré en Italie avec des raisins laissés un certain temps sur claies (ou suspendus), qui sont donc très concentrés. Ces vins sucrés sont des vins de dessert.

Reserva (Esp.) Vins rouges qui sont gardés pendant une période de trois ans dans la bodega, dont au moins un an en fût. Cette période de garde est réduite à deux ans pour les vins blancs et les vins rosés, dont six mois en fût.

Réserve Les vins de réserve sont des vins gardés par des négociants pour être utilisés dans des assemblages ultérieurs.

Riserva (It.) Vins italiens de DOC ou DOCG vieillis plus longtemps en fût ou en bouteille.

Rosado (Esp.), **Rosato** (It.) Rosé.

Rôti Caractéristique des vins liquoreux qui présentent des arômes de raisins confits par la pourriture noble*.

Saignée Opération qui consiste à prélever, sur une cuve en cours de fermentation en rouge, une partie du jus. C'est ainsi que sont élaborés les Clairets* ainsi que certains rosés.

Sec Se dit généralement d'un vin sec, sauf en Champagne où le sec est sucré.

Seco (Esp. et P), **Secco** (It.) Veut dire, en principe, sec.

Second vin Assemblage des cuves qui n'ont pas été retenues dans le premier assemblage du grand vin d'un château bordelais.

Sélection clonale Choix de plants rigoureusement identiques sélectionnés pour leur résistance aux maladies de la vigne, pour leur précocité ou pour leur rendement.

Sélection massale Choix de clones différents les uns des autres afin d'assurer une diversité de qualités dans une même parcelle en plantation.

Sélection de Grains nobles Cette expression concerne les vins issus de raisins botrytisés* ou passerillés*.

Sin crianza (Esp.) Vins qui n'ont pas été logés en fûts ou qui l'ont été pendant une période inférieure au minimum imposé pour porter la désignation *crianza*.

Solar (P) Château ou maison de maître, au Portugal.

Solera (Esp.) Système, appliqué notamment au Xérès, de vieillissement de plusieurs récoltes dans une succession de fûts.

Soutirage Opération consistant à séparer le vin de sa lie par trans-vasement d'un récipient dans un autre.

Spätlese (Al.) Vin allemand de vendanges tardives.

Spumante (It.) Vins mousseux italiens.

Sucres résiduels Ensemble des sucres qui restent présents dans le vin après la fermentation alcoolique*.

Sulfatage Opération de traitement des vignes contre divers parasites par aspersion. En effet, on utilisait autrefois le sulfate de cuivre comme principal agent de traitement, mais aujourd'hui on emploie des produits de synthèse plus sélectifs.

Superiore (It.) Désigne un vin à taux d'alcool supérieur (ou un plus long vieillissement) à celui de la DOC.

Sur lies Se dit de vins qui sont théoriquement mis en bouteilles sans soutirage*.

Tafelwein (Al.) Vin de table allemand.

Taille La taille consiste à éliminer les bois de l'année tout en conservant une ou plusieurs belles branches bien situées afin de laisser bon nombre de bourgeons qui seront à l'origine de la pousse des fruits. Le raisin se forme sur « l'œil de l'année » qui pousse sur le bois de l'année précédente. La taille en gobelet (taille courte) rend la vigne moins vulnérable aux intempéries d'un pays chaud (vent, sécheresse). La taille en guyot (simple ou double) permet de ne conserver qu'une belle branche en hauteur (ou deux) en plus du tronc et convient mieux à un climat tempéré.

Tanin (ou tannin) Les rafles, les pellicules des raisins, les pépins contiennent en eux ces tanins que le pressurage et le cuvage expriment ; ces produits organiques apportent au vin des arômes et des goûts, ainsi qu'une capacité au vieillissement.

Tenuta (It.) Domaine italien.

Terroir Ensemble des sols, des sous-sols, de leur exposition et de leur environnement, qui détermine le caractère d'un vin.

Tinto (Esp. et P) Rouge.

Tries On parle aussi de tries pour les récoltes successives pratiquées pour les vendanges de raisins passerillés* ou atteints de pourriture noble*.

Trocken (Al.) Sec.

Trockenbeerenauslese (Al.) Vin allemand de type QmP très sucré : le haut de gamme dans sa catégorie.

VDQS Vin Délimité de Qualité Supérieure. Catégorie de vins situés entre les vins de table de consommation courante et les appellations d'origine contrôlée.

Vecchio (It.) Vin italien vieilli en fût ou en bouteille plus longtemps que la moyenne.

Vendanges vertes Opération qui consiste à couper quelques raisins encore verts au mois de juillet afin de réduire la quantité de la future récolte, pour en augmenter la qualité.

Vendanges tardives Récolte tardive de raisins en surmaturité, ayant pour objet d'obtenir une plus grande concentration en sucres et en arômes.

Véraison Étape de la maturité du raisin qui correspond au moment où les baies changent de couleur.

Vigna (It.) Vignoble.

Vigneto (It.) Vignoble.

Vin Ce terme désigne la boisson qui résulte exclusivement de la fermentation naturelle des raisins ou des jus de raisin par transformation des sucres en alcool éthylique (éthanol) et en autres alcools et composants aromatiques grâce à l'action de levures.

Vin de cépage Vin élaboré à partir d'une seule variété de raisin. En France, un vin de cépage doit provenir à 100 % de ce cépage, mais dans de nombreux autres pays il existe des tolérances réglementaires, ou aucun règlement.

Vin de paille (Vin passerillé) Vin naturellement doux provenant de raisins ayant subi une dessiccation sur un lit de paille, sur des claies ou en suspension sur des fils de fer. Cette méthode, pratiquée en Italie et dans le vignoble du Jura, permet une concentration des moûts à la suite du dessèchement partiel des raisins.

Vin de Pays Vin provenant d'une région particulière qui répond à certaines normes d'encépagement et de rendement.

Vin de presse Vin rouge obtenu par pressurage, après la fermentation, des éléments solides, après écoulage*. Voir aussi décuvage*.

Vin jaune Vin blanc du Jura affecté par la flor.

Vin santo (It.) Vin italien de passito*.

Vino de crianza (Esp.) Vin de qualité qui doit être laissé à vieillir deux années pour les rouges, un an pour les blancs et les rosés (dont six mois en fûts), avant d'être commercialisé.

Vitis labrusca Variété de plant de vigne américain.

Vitis vinifera Variété de plant de vigne européen.

INDEX

INDEX DES CÉPAGES

COLLABORATEURS DE LA PREMIÈRE ÉDITION

Coordinateur éditorial
Christopher Foulkes

Préface
Michel Rolland

Collaborateurs
La liste ci-dessous inclut le nom des personnes qui ont collaboré à l'écriture d'un ou de plusieurs chapitres,
ou qui ont contribué, par leur compétence, à certaines parties de l'ouvrage.

Jim Ainsworth
Maureen Ashley
Tony Aspler
Vicky Bishop
Eric Boschman
Stephen Brook
Kenneth Christie
Bertrand Denoune
Hildegard Elz
Magdaléna Fazekašová
Anne-Frizet-Manette
Catherine Frugère
Patricia Gastaud-Gallagher

Rosemary George
Philip Gregan
Patricia Guy
James Halliday
Helena Harwood
Cameron Hills
Richard Paul Hinkle
Dr Miloslav Hroboň
Ian Jamieson
Dave Johnson
Kate Kumarich
Maxwell Laurie
André Lurton

Giles MacDonogh
Maggie McNie
Catherine Manac'h
Richard Mayson
Andrew Montague
Françoise Peretti
John Radford
Maggie Ramsey
Margaret Rand
Norm Roby
Michel Rolland
Jacques Sallé
Pierre Salles

Michael Schuster
Alain Senderens
Gabrielle Shaw
Peter Schleimer
Tamara Thorgevsky
Roger Voss

En outre, les responsables
de la rédaction ainsi que les
éditeurs désirent remercier
tous ceux qui ont eu la
courtoisie de leur fournir
des renseignements.

REMERCIEMENTS

Les éditeurs tiennent à remercier :
Birchgrove Products
Caves Saint-Vincent
Champagne Veuve Clicquot
Christopher Sykes Antiques of Woburn
Dampoux
Dartington Crystal Ltd (décanteur)

L'Esprit & Le Vin
John Lewis
The Hugh Johnson Shop
Puiforcat
Riedel
Riedel Screwpull®

CRÉDITS PHOTOS

Ian Booth 28 ; 30 ; 32 ; 33 ; 53 ; 60 ; 61 ; 65 ; 70 ; 71 ; 72 ; 73.
The Bridgeman Art Library 81.
Cephas/Jerry Alexander 127 ; 484.
Cephas/R. A. Beatty 397 ; 446.
Cephas/ Nigel Blythe 169 ; 301 ; 320 ; 323 ; 332 ; 333 ; 335 ; 340 ; 573.
Cephas/Andy Christodolo 263 ; 279 ; 330 ; 349 ; 519 ; 524.
Cephas/Rick England 522 ; 559.
Cephas/M. J. Kielty 226.
Cephas/Lars Nilson 468.
Cephas/Alan Proust 563 ; 566.
Cephas/Mick Rock 2-3 ; 7 ; 19 ; 47 ; 54 ; 99 ; 100 ; 104 ; 108 ; 111 (sauf deuxième en bas à gauche); 113 (en haut à gauche, en haut à droite, au centre à gauche, au centre à droite); 115 ; 117 ; 118 ; 119 ; 121 ; 122 ; 123 ; 125 ; 131 ; 133 ; 137 ; 138 ; 139 ; 141 ; 145 ; 163 ; 173 ; 179 ; 186 ; 189 ; 198 ; 208 ; 209 ; 210 ; 213 ; 217 ; 223 ; 231 ; 232 ; 235 ; 236 ; 238 ; 243 ; 245 ; 247 ; 248 ; 251 ; 252 ; 255 ; 257 ; 258 ; 261 ; 264 ; 266 ; 267 ; 271 ; 277 ; 295 ; 297 ; 299 ; 306 ; 313 ; 336 ; 338 ; 343 ; 346 ; 348 ; 351 ; 359 ; 360 ; 365 ; 367 ; 371 ; 374 ; 376 ; 383 ; 386 ; 389 ; 391 ; 392 ; 415 ; 416 ; 424 ; 429 ; 432 ; 436 ; 438 ; 448 ; 449 ; 457 ; 459 ; 462 ; 465 ; 466 ; 473 ; 482 ; 486 ; 490 ; 494 ; 500 ; 502 ; 504 ; 506 ; 507 ; 508 ; 510 ; 512 ; 531 ; 532 ; 534 ; 537 ; 541 ; 542 ; 546 ; 552 ; 555 ; 572.
Cephas/Peter Stowell 355.
Cephas/Ted Stefan 479.
Cephas/Helen Stylianou 453.
Cephas/Mike Taylor 455.
Christie's 79.
Colorific/Alon Reininger 460.

Corbis-Sygma/Ric Ergenbright 571.
C. M. Dixon 22.
Patrick Eagar 171 ; 219 ; 310 ; 326 ; 381.
E. T. archive 21 ; 25.
Fall Creek Vineyards 515.
Robert Harding Picture Library 316.
Larousse/Diaf Studiaphot/Hervé Gyssels 27 ; 59 ; 62 ; 63 ; 64 ; 66 ; 67 ; 75 ; 77.
Network/Wolfgang Kunz 342.
Photothèque-TV-France/Desseigne 111 (deuxième en bas à gauche).
Russia & Republics Photo Library 470.
Scope/Charles Bauman 528.
Scope/J. Guillard 8, 107, 431.
Scope/Jean-Luc Barde 399.
Scope/Jean-Daniel Sudres 14 ; 456.
Scope-Kactus/Hugues 527.
Tony Stone Worldwide 516.
Trip Photographic Library/V. Kolpakov 472.
Alan Williams 50 ; 55 ; 113 (en bas à gauche, en bas à droite); 116 ; 148 ; 150 ; 158 ; 177 ; 180 ; 181 ; 184 ; 191 ; 192 ; 194 ; 205 ; 229 ; 268 ; 282 ; 285 ; 286 ; 287 ; 290 ; 292 ; 302 ; 304 ; 309 ; 325 ; 327 ; 339 ; 400 ; 405 ; 408 ; 409 ; 411 ; 413 ; 417 ; 421 ; 425 ; 434 ; 439 ; 440 ; 481 ; 489 ; 491 ; 499 ; 501.
Zefa 314 ; 363 ; 378 ; 461 ; 495.

Prises de vues à Paris : photographe Hervé Gyssels, DIAF Studiophot, styliste Isabelle Dreyfus, sommelier Jean-Christophe Renaut.
Prises de vues à Londres : photographe Ian Booth, styliste Diana Durant.

Photogravure : Imago-Singapore – Impression : Grafica Editoriale, Bologna
Dépôt légal : août 2004 - Imprimé en Italie (Printed in Italy).
560340/01 - 10110458(I) août 2004